세상이 변해도
배움의 즐거움은
변함없도록

시대는 빠르게 변해도
배움의 즐거움은
변함없어야 하기에

어제의 비상은
남다른 교재부터
결이 다른 콘텐츠
전에 없던 교육 플랫폼까지

변함없는 혁신으로
교육 문화 환경의 새로운 전형을
실현해왔습니다.

비상은 오늘, 다시 한번
새로운 교육 문화 환경을 실현하기 위한
또 하나의 혁신을 시작합니다.

오늘의 내가 어제의 나를 초월하고
오늘의 교육이 어제의 교육을 초월하여
배움의 즐거움을 지속하는 혁신,

바로, 메타인지학습을.

상상을 실현하는 교육 문화 기업 비상

메타인지학습
초월을 뜻하는 meta와 생각을 뜻하는 인지가 결합된 메타인지는
자신이 알고 모르는 것을 스스로 구분하고 학습계획을 세우도록 하는
궁극의 학습 능력입니다. 비상의 메타인지학습은 메타인지를 키워주어
공부를 100% 내 것으로 만들도록 합니다.

자율학습시
비상구
완자로 53

Structure

01 | 핵심 내용 파악하기

이 단원에서 꼭 알아야 하는 핵심 개념을 확인하고, 친절하게 설명된 내용 정리로 한국사 교과 내용을 이해할 수 있습니다.

이 단원에서 학습해야 할 핵심 개념을 한눈에 파악할 수 있습니다.

교과서에서 다루는 내용을 명확하게 정리하고, 어려운 개념이나 용어, 사례 등에는 친절한 설명을 덧붙였습니다.

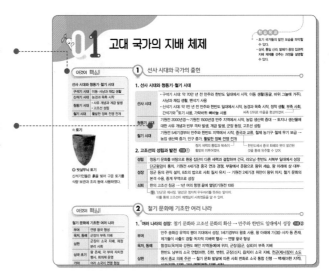

03 | 다양한 유형의 내신 문제 풀기

학교 시험에 자주 출제되는 유형의 문제들을 단계별로 풀어보면서 실력을 향상시킬 수 있습니다. 또한 시험에서 비중이 높아진 서술형 문제도 자신 있게 대비할 수 있습니다.

04 | 수능 문제로 1등급 정복하기

사고력과 변별력을 요구하는 수능 유형의 문제를 풀면서 실력을 향상시키고 난이도 있는 시험 문제에도 자신감을 얻을 수 있습니다.

교과서에서 강조하는 빈출·핵심 자료는 포인트를 확실하게
짚어 주는 자료 설명으로 구성하였습니다.

한눈에 보이는 정리 비법, 간단한 문제
로 확인하는 개념, 함께 알아 두어야 할
자료 등을 선생님이 강의하듯 꼼꼼하게
정리하였습니다.

학교 시험은 물론 수능에도 출제될 가
능성이 높은 중요 자료를 질문과 답변
형식으로 철저하게 분석하였습니다.

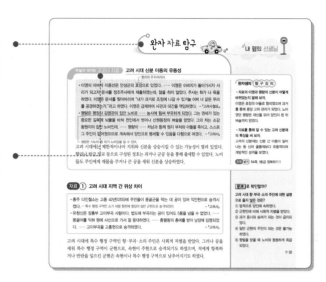

대단원의 핵심 내용을 한눈에 정리하고, 통합형 문제까지
풀어 보면서 대단원 학습을 최종 점검할 수 있습니다.

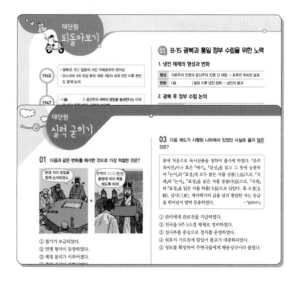

교과 내용에서 강조하는 논술 주제들을 별도 구성하고, 논
술 포인트, 자료 분석 등을 통해 입체적인 논술 답안을 제공
하였습니다.

Contents

I 전근대 한국사의 이해

01. 고대 국가의 지배 체제   010
02. 고대 사회의 종교와 사상   022
03. 고려의 통치 체제와 국제 질서의 변동(1)   032
04. 고려의 통치 체제와 국제 질서의 변동(2)   040
05. 고려의 사회와 사상   048
06. 조선 시대 세계관의 변화(1)   058
07. 조선 시대 세계관의 변화(2)   068
08. 양반 신분제 사회와 상품 화폐 경제   078

II 근대 국민 국가 수립 운동

01. 서구 열강의 접근과 조선의 대응   100
02. 동아시아의 변화와 근대적 개혁의 추진   114
03. 근대 국민 국가 수립을 위한 노력   128
04. 일본의 침략 확대와 국권 수호 운동   142
05. 개항 이후 경제적 변화~
개항 이후 사회·문화적 변화   156

Ⅲ 일제 식민지 지배와
민족 운동의 전개

01. 일제의 식민지 지배 정책   174
02. 3·1 운동과 대한민국 임시 정부   184
03. 다양한 민족 운동의 전개   194
04. 사회·문화의 변화와 사회 운동   208
05. 전시 동원 체제와 민중의 삶   218
06. 광복을 위한 노력   228

Ⅳ 대한민국의 발전

01. 8·15 광복과 통일 정부 수립을 위한 노력   246
02. 대한민국 정부 수립~
    6·25 전쟁과 남북 분단의 고착화   256
03. 4·19 혁명과 민주화를 위한 노력   266
04. 경제 성장과 사회·문화의 변화   276
05. 6월 민주 항쟁과 민주주의의 발전   286
06. 외환 위기와 사회·경제적 변화   292
07. 남북 화해와 동아시아 평화를 위한 노력   298

논술형 문제   316

완자와 내 교과서 비교하기

		완자	비상교육	금성	동아출판	미래엔	씨마스	지학사	천재교육	해냄
I 전근대 한국사의 이해	01 고대 국가의 지배 체제	10~21	10~21	10~25	10~20	11~26	10~25	12~25	10~26	14~26
	02 고대 사회의 종교와 사상	22~31	22~33	28~35	22~28	27~34	26~37	26~36	28~36	28~30
	03 고려의 통치 체제와 국제 질서의 변동(1)	32~39	34~39	36~41	30~33	35~40	38~43	38~42, 45~48	38~43	32~38
	04 고려의 통치 체제와 국제 질서의 변동(2)	40~47	40~45	42~49	34~38	41~46	44~49	43~44, 49~53	44~51	40~42, 52~56
	05 고려의 사회와 사상	48~57	46~55	50~57	40~48	47~54	50~61	54~61	52~60	44~51
	06 조선 시대 세계관의 변화(1)	58~67	56~63	60~66	50~54	55~58, 60~61, 64	62~66	62~64, 65~67	62~65, 69	58~60, 66
	07 조선 시대 세계관의 변화(2)	68~77	64~69	67~75	54~59	59, 62~63, 65~68	67~73	64, 68~73	66~68, 69~74	67~71
	08 양반 신분제 사회와 상품 화폐 경제	78~91	70~83	76~83	62~72	69~79	77~89	74~85	76~86	62~64, 72~80
II 근대 국민 국가 수립 운동	01 서구 열강의 접근과 조선의 대응	100~113	88~95	90~97	78~83	85~92	94~103	92~103	94~102	88~94
	02 동아시아의 변화와 근대적 개혁의 추진	114~127	96~107	98~109	86~95	93~106	104~115	104~113	104~114	96~110
	03 근대 국민 국가 수립을 위한 노력	128~141	108~121	112~127	98~108	107~122	116~129	114~125	116~128	112~124
	04 일본의 침략 확대와 국권 수호 운동	142~155	122~135	128~141	110~121	123~136	130~143	126~137	130~143	126~142
	05 개항 이후 경제적 변화~ 개항 이후 사회·문화적 변화	156~165	136~155	144~161	124~137	137~149	144~161	138~155	144~160	144~150

		완자	비상교육	금성	동아출판	미래엔	씨마스	지학사	천재교육	해냄
III **일제 식민지** **지배와 민족** **운동의 전개**	01 일제의 식민지 지배 정책	174~183	160~169	166~173	144~152	155~164	164~169, 175~176, 184~187	160~169	168~176	158~160, 166~167, 182~184
	02 3·1 운동과 대한민국 임시 정부	184~193	170~179	174~183	154~162	165~176	170~174, 177~183	170~179	178~186	162~164, 168~176
	03 다양한 민족 운동의 전개	194~207	180~191	184~189, 191~195, 197	164~171	177~180, 182~186, 192~194	188~189, 193, 195~199	180~187, 189~190	188~195, 198~200	178~180, 186~191
	04 사회·문화의 변화와 사회 운동	208~217	192~207	194, 196, 200~215	172~173, 176~185	187~191, 195~198, 200~206	190~192, 194, 200~209, 223~224	188, 191~201, 213	196~197, 202~212	192~194, 196~204, 214~216
	05 전시 동원 체제와 민중의 삶	218~227	208~215	216~221, 224~225	188~198	207~216	210~221	202~209, 212	214~223	206~212
	06 광복을 위한 노력	228~237	216~227	186, 189~190, 222~223, 228~235	166~167, 200~208	181, 199, 217~225	172~173, 222, 225~233	210~211, 214~223	191, 224~230	195, 218~224
IV **대한민국의** **발전**	01 8·15 광복과 통일 정부 수립을 위한 노력	246~255	232~241	240~247	214~223	231~239	238~249	230~237	238~244	232~240
	02 대한민국 정부 수립 ~ 6·25 전쟁과 남북 분단의 고착화	256~265	242~255	248~261	226~244	240~254	250~267	238~250	246~256	242~260
	03 4·19 혁명과 민주화를 위한 노력	266~275	256~267	262~273	246~253	255~268	268~281	252~263	258~268	262~267, 270~273, 278~279, 281~285
	04 경제 성장과 사회·문화의 변화	276~285	268~279	276~283	270~273, 276	269~276	282~293	264~273	270~278	268, 274, 276, 280
	05 6월 민주 항쟁과 민주주의 의 발전	286~291	280~287	284~291	256~268	277~288	294~305	274~283	280~290	286~287, 290~293
	06 외환 위기와 사회·경제적 변화	292~297	288~297	294~301	274~284	289~296	306~315	284~293	294~300	294~302
	07 남북 화해와 동아시아 평화를 위한 노력	298~307	298~309	302~311	286~303	297~307	316~323	294~303	302~312	304~312

전근대 한국사의 이해

1 고대 국가의 지배 체제 ·············· 010

2 고대 사회의 종교와 사상 ············ 022

3 고려의 통치 체제와

　　국제 질서의 변동⑴ ········ 032

4 고려의 통치 체제와

　　국제 질서의 변동⑵ ········ 040

5 고려의 사회와 사상 ··················· 048

6 조선 시대 세계관의 변화⑴ ·········· 058

7 조선 시대 세계관의 변화⑵ ·········· 068

8 양반 신분제 사회와 상품 화폐 경제 ·· 078

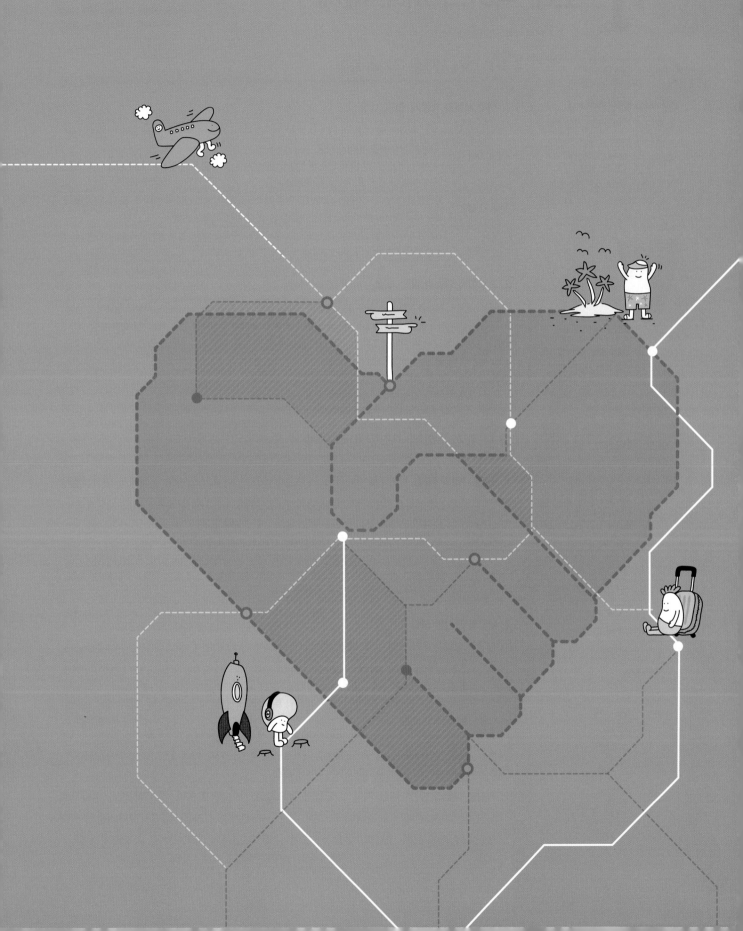

01 고대 국가의 지배 체제

학습 목표
- 초기 국가들의 발전 모습을 파악할 수 있다.
- 삼국, 통일 신라, 발해가 중앙 집권적 지배 체제를 갖추는 과정을 설명할 수 있다.

1 선사 시대와 국가의 출현

이것이 핵심!

선사 시대와 청동기·철기 시대

구석기 시대	이동·사냥과 채집 생활
신석기 시대	농경과 목축 시작
청동기 시대	• 사유 개념과 계급 발생 • 고조선 성립
철기 시대	활발한 정복 전쟁 전개

★토기

↑ 빗살무늬 토기

신석기인들은 흙을 빚어 구운 토기를 식량 보관과 조리 등에 사용하였다.

1. 선사 시대와 청동기·철기 시대

선사 시대	• 구석기 시대: 약 70만 년 전 만주와 한반도 일대에서 시작, 이동 생활(동굴, 바위 그늘에 거주), 사냥과 채집 생활, 뗀석기 사용 • 신석기 시대: 약 1만 년 전 만주와 한반도 일대에서 시작, 농경과 목축 시작, 정착 생활, 부족 사회, 간석기와 ★토기 사용, 가락바퀴·뼈바늘 사용　씨족 단위로 마을을 형성하였어.
청동기 시대	기원전 2000년경~기원전 1500년경 만주 지역에서 시작, 농업 생산력 증대 → 토지나 생산물에 대한 사유 개념과 빈부 격차 발생, 계급 발생, 군장 등장, 고조선 성립
철기 시대	기원전 5세기경부터 만주와 한반도 지역에서 시작, 중국과 교류, 철제 농기구·철제 무기 보급 → 농업 생산력 증가, 인구 증가, 활발한 정복 전쟁 전개

정치 세력의 통합과 복속이 활발히 이루어졌어.　　한반도에서 중국 화폐와 붓이 발견된 것을 통해 유추할 수 있어.

2. 고조선의 성립과 발전 （자료 ①）

성립	청동기 문화를 바탕으로 환웅 집단이 다른 세력과 결합하여 건국, 랴오닝·한반도 서북부 일대에서 성장
성장	단군왕검이 통치, 기원전 4세기경 중국 연과 경쟁, 부왕에서 준왕으로 왕위 세습, 왕 아래에 상·대부·장군 등의 관직 설치, 8조의 법으로 사회 질서 유지 → 기원전 2세기경 위만이 왕위 차지, 철기 문화의 본격 수용, 중계 무역으로 성장
쇠퇴	한의 고조선 침공 → 1년 여의 항쟁 끝에 멸망(기원전 108)

꿀! '단군'은 제사장, '왕검'은 정치적 우두머리를 뜻하는 말이야. 이를 통해 고조선이 제정일치 사회였음을 알 수 있어.

2 철기 문화에 기초한 여러 나라

이것이 핵심!

철기 문화에 기초한 여러 나라

부여	연맹 왕국 형성
옥저, 동예	군장이 부족 지배
삼한	군장이 소국 지배, 제정 분리 사회
삼국 초기	왕 존재, 각 부의 자치권 행사, 회의체 운영
가야	여러 소국이 연맹 형성

★여러 나라의 위치

1. ★여러 나라의 성장: 철기 문화와 고조선 문화의 확산 → 만주와 한반도 일대에서 성장 （자료 ②）

부여	만주 쑹화강 유역의 평야 지대에서 성장, 1세기경부터 왕호 사용, 왕 아래에 가(加)·사자 등 존재, 제가들이 사출도 관할·독자적 지배력 행사 → 연맹 왕국 형성
옥저, 동예	함경도(옥저)와 강원도 해안 지역(동예)에 위치, 군장(읍군, 삼로)이 부족 지배
삼한	한반도 남부의 소국 연합(마한, 진한, 변한), 군장(신지, 읍차)이 소국 지배, 천군(제사장)이 소도에서 종교 의례 주관 → 철기 문화 발달에 따른 사회 변화로 소국 통합 진행 → 백제(마한 지역), 신라(진한 지역), 가야 연맹(변한 지역) 성장

꿀! 삼한이 제정 분리 사회였음을 보여 줘. 소도에는 정치적 지배자의 세력이 미치지 못하여 죄인이 도망해 숨더라도 잡아갈 수 없었어.

2. 삼국과 가야의 성립

(1) 삼국의 성립과 초기 국정 운영 （교과서 자료）　삼국은 처음에 5부나 6부를 중심으로 한 연맹 왕국에서 출발하였어.

성립	• 고구려: 주몽이 졸본 지역에 건국(부여 이주민과 압록강 유역의 토착민 연합), 5개의 부(部)가 연맹체 형성(각 부는 독자적 통치), 왕과 여러 가(加)들이 각각 사자·조의·선인 등의 관리를 거느림 • 백제: 온조가 건국(고구려 이주민과 한강 유역 토착 세력의 결합), 하남 위례성에 도읍, 마한의 소국들을 제압하며 성장　백제는 한강 유역을 발판으로 성장하였어. • 신라: 진한의 사로국에서 출발, 4세기 전반까지 박·석·김씨가 왕위 배출
국정 운영	강력한 부의 대표가 왕이 되어 외교권과 군사권 행사, 각 부는 자치적으로 운영, 국가 중대사는 왕과 부의 대표들이 합의하여 결정(예 삼국의 회의체 운영)

(2) 가야의 성립과 발전: 변한 지역 소국들의 통합으로 가야 연맹 성립, 풍부한 철을 바탕으로 성장, 3세기경 김해의 금관가야가 연맹 주도 → 5세기경 신라를 지원한 고구려군의 공격으로 금관가야 쇠퇴, 고령의 대가야가 후기 연맹 주도, 중앙 집권 국가로 성장하지 못함

왜? 각 소국이 독자적인 권력을 유지하여 지배력을 한데 모으지 못하였고, 백제와 신라의 압력을 받았기 때문이야.

완자 자료 탐구

 자료 ① **고조선의 건국과 사회 모습**   고조선은 환웅으로 상징되는 청동기 문화 집단과 곰으로 상징되는 다른 집단의 결합으로 성립하였음을 확인할 수 있어.

- 환웅이 무리 3천을 이끌고 신단수 아래에 내려가 …… 사람들을 다스렸다. 그때 곰과 호랑이가 환웅에게 사람이 되기를 빌었다. …… 곰은 삼칠일 동안 금기를 지켜 여자의 몸을 얻었다. …… 환웅이 웅녀와 혼인하여 아이를 낳았으니 이름을 단군왕검이라고 하였다.   — 『삼국유사』
- 대개 사람을 죽인 자는 즉시 죽이고, 남에게 상처를 입힌 자는 곡식으로 갚는다. 도둑질을 한 자는 노비로 삼는다. 용서를 받고자 하는 자는 한 사람마다 50만 전을 내게 한다. —8조의 법   — 『한서』

고조선의 건국 이야기에서 고조선은 환웅 집단과 여러 세력이 결합하여 성립되었고, 제정 일치 국가였음을 알 수 있다. 한편, 고조선에는 사회 질서 유지를 위한 8조의 법이 있었는데, 이를 통해 노동력과 사유 재산을 중시하고 계급이 존재하였음을 유추할 수 있다.

자료 ② **여러 나라의 통치 체제**   왕은 중앙을 다스리고 마가, 우가, 저가, 구가 등의 제가들이 독자적으로 사출도를 관할하였어.

- 나라에는 왕이 있고, 가축의 이름으로 관명을 정하여 마가·우가·저가·구가, 대사·대사자·사자가 있다. …… 제가들은 별도로 사출도를 주관하였다.   — 『삼국지』, 「위서 동이전」
- (동예에는) 대군장이 없고 한(漢)대 이래로 후·읍군·삼로의 관직이 있어서 하호를 통치하였다.   — 『삼국지』, 「위서 동이전」
- (마한에는) 각각 우두머리가 있어서 세력이 강대한 사람은 스스로 신지라 하고, 그 다음은 읍차라 하였다. …… 국읍에 한 사람씩 세워 천신의 제사를 주관하는데, 이를 천군이라 부른다. 또한 여러 나라에는 각기 별읍이 있으니, 그것을 소도라고 한다.   — 『삼국지』, 「위서 동이전」

만주와 한반도 지역에서는 철기 문화를 바탕으로 부여, 고구려, 옥저, 동예, 삼한 등 여러 나라가 성장하였다. 부여는 왕과 제가들이 함께 국정을 운영하는 연맹 왕국을 형성하였으며, 동예와 옥저는 군장이 부족을 다스렸고 삼한은 군장이 소국을 통치하였다.

수능이 보이는 **교과서 자료**   **삼국 초기의 국정 운영 모습**

- 연노부·절노부·순노부·관노부·계루부의 다섯 집단이 있었다. …… 대가들도 사자·조의·선인을 두었는데 …… 범죄자가 있으면 제가들이 모여 회의하여 사형에 처하고 그 처자는 노비로 삼는다. —고구려, 제가 회의   — 『삼국지』, 「위서 동이전」
- 재상 자리를 논할 때에 뽑을 만한 사람 서너 명의 이름을 써서 상자에 넣고 봉하여 바위 위에 두었다. 얼마 후에 열어 이름 위에 도장 자국이 있는 사람을 재상으로 삼았기 때문에 (정사암이라) 이름을 붙였다. —백제, 정사암 회의   — 『삼국유사』
- 큰일이 있을 때에는 반드시 여러 사람이 모여 의논한 후에 결정하였다. 이를 화백이라고 하였다. 한 사람이라도 반대하는 의견을 내는 사람이 있으면 통과되지 못하였다. —신라, 화백 회의   — 『신당서』

삼국은 초기에 연맹체를 기반으로 성장하여 왕과 각 부의 대표들은 국가 중대사를 처리할 때 회의로 합의한 결과를 반영하였다. 이러한 초기 회의체는 왕권이 강화되면서 귀족 회의로 성격이 바뀌었고 논의 결과는 왕의 재가를 받은 후 결정되었다.

자료 하나 더 알고 가자!

고조선의 문화 범위

정리 비법을 알려줄게!

초기 국가의 통치 체제과 사회 모습

부여	연맹 왕국(왕이 중앙 지배, 제가들이 사출도 관할)
옥저, 동예	군장(읍군, 삼로)이 통치
삼한	• 군장(신지, 읍차)이 통치 • 제정 분리(천군이 소도에서 종교 의례 주관)

문제 로 확인할까?

왕은 중앙을 다스리고 제가들이 사출도라 불리는 지역을 관할하며 독자적인 지배력을 행사한 나라는?

여부 目

완자샘의 **탐구 강의**

• 자료의 회의들이 삼국의 국정 운영에서 어떤 역할을 하였는지 써 보자.
전쟁이나 중대한 범죄자의 처벌 등 국가의 중요한 일을 결정하는 역할을 하였다.

• 자료를 통해 알 수 있는 삼국 초기에 왕이 가진 위상을 서술해 보자.
왕과 부의 대표들이 국가의 중대사를 함께 논의하여 결정하는 것으로 보아 왕의 권한이 각 부를 아우를 만큼 강력하지 않았음을 유추할 수 있다.

함께 보기 20쪽, 1등급 정복하기 1

01 고대 국가의 지배 체제

이것이 핵심!

삼국의 발전

고구려	태조왕 때 옥저 정복 → 소수림왕 때 율령 반포 → 광개토 대왕 때 영토 확장 → 장수왕 때 평양 천도, 한강 유역 장악
백제	고이왕 때 관등제 정비·한강 유역 장악 → 근초고왕 때 왕위의 부자 상속 안정·영토 확장 → 무령왕과 성왕의 중흥 노력
신라	내물왕 때 김씨의 왕위 계승 확립 → 지증왕 때 '왕' 호칭 사용 → 법흥왕 때 율령 반포·관등제 정비 → 진흥왕 때 한강 유역 차지

★ **목지국**
마한의 소국 중 하나로 삼한을 대표하던 나라

★ **신라의 왕호 변천**

호칭	의미
거서간	귀인
차차웅	제사장
이사금	연장자, 계승자
마립간	대군장, 우두머리
왕	중국식 왕호

★ **율령**
율(律)은 법을 어겼을 때 처벌하는 법률이고, 영(令)은 국가와 사회를 운영하기 위한 제도와 규범을 정한 법령을 의미한다.

★ **단양 신라 적성비**

신라 진흥왕이 한강 중상류 지역에 위치한 적성을 차지한 후 세운 비석이다.

③ 중앙 집권적 고대 국가로 발전한 삼국

1. 삼국의 세력 확대와 왕권 안정 [자료 ③]

└ 꼭! 삼국은 중앙 집권화 과정에서 중앙 관제 마련, 관등제 정비, 율령 반포, 불교와 유학 수용, 지방 제도 정비 등의 노력을 하였어.

고구려	1세기 초 국내성으로 천도 → 1세기 후반 태조왕 때 옥저 정복·랴오둥 지역으로 진출 시도 → 2세기경 고국천왕 때 진대법 실시·부족적 전통의 5부를 행정적인 성격으로 개편 → 4세기경 미천왕 때 낙랑군 축출, 대동강 유역 확보
백제	• 고이왕(3세기경): 마한의 소국 공격(*목지국 병합), 한강 유역 장악, 한 군현과 항쟁 • 근초고왕(4세기 중엽): 왕위의 부자 상속 안정, 마한의 남은 세력 정복·고구려 평양성 공격(→ 중국-백제-가야-왜를 연결하는 해상 교역로의 주요 거점 확보), 중국의 동진 및 왜와 교류
신라	3~4세기경 진한의 소국들을 대부분 복속시킴 → 4세기 후반 내물왕 때 김씨의 왕위 계승 확립, *왕호로 '마립간' 사용

2. 삼국의 항쟁과 제도 정비: *율령을 기반으로 통치 제도 정비 [자료 ③] [자료 ④]

고구려	• 소수림왕(4세기 후반): 태학 설립(유학 교육을 통한 인재 양성), 율령 반포, 불교 수용, 전진과 수교 • 광개토 대왕(4세기 말~5세기 초): 백제 공격(한강 이북 차지), 신라에 침입한 왜 격퇴, 랴오둥반도를 비롯한 만주 일대 장악 • 장수왕(5세기): 중국의 남북조와 동시에 교류, 남진 정책 추진 → 평양 천도(427), 백제의 한성 함락(한강 유역 장악, 475)
백제	3세기 후반 관료 체제의 기틀 마련, 법령 정비 → 4세기경 최대 영토 확보 → 5세기 후반 고구려의 공격으로 수도 함락, 한강 유역 상실, 웅진(공주) 천도 → 6세기 무령왕 때 중국 남조와 교류·22담로에 왕족 파견, 성왕 때 사비(부여) 천도·22부의 중앙 관청 설치 └ 백제 중흥의 발판을 마련하였어.
신라	• 지증왕(6세기 초): 왕호 변경(마립간 → 왕), 국호 '신라' 확정, 우산국 정벌, 우경·수리 사업 장려 • 법흥왕(6세기): 병부 설치, 율령 반포, 불교 공인, 관리의 공복 제정, 상대등 설치(재상의 역할 부여), 금관가야 병합(낙동강 하류 유역 확보) └ 군사권을 왕에게 집중하였어. • 진흥왕(6세기 중반 이후): 화랑도를 국가적 조직으로 개편, 한강 유역 차지, 대가야 병합, 함흥평야까지 진출 → *단양 신라 적성비, 4개의 순수비 건립

3. 관등제 정비 [자료 ⑤]

(1) **배경**: 삼국이 중앙 집권적 고대 국가로 성장하면서 관등제를 통해 관료 체제 정비

(2) **삼국의 관등제** ┌ 각 부의 지배자를 중앙 귀족으로 편입하는 과정에서 각 부에 속한 관리도 왕을 정점으로 하는 관등제에 편입되었지.

고구려	5부 연맹이 해체되면서 지배 세력을 관등에 편입(대대로 이하 10여 관등으로 정비)
백제	고이왕 때 6좌평 중심의 관등(좌평 이하 16관등으로 정비)과 공복 마련
신라	법흥왕 때 17관등제 정비(이벌찬 이하 17관등으로 정비), 골품제와 관등제 결합(골품에 따라 관등 승진이 제한됨)

(3) **영향**: 국왕 중심의 위계질서 확립, 왕과 부 대표들의 회의는 귀족 회의로 변화

왕이 귀족 회의를 주재하는 관리를 임명하였고 ┘
귀족 회의의 결과는 왕의 재가 후에 발표되었어.

4. 지방 통치 체제 정비

(1) **배경**: 삼국이 중앙 집권적 고대 국가로 발전하면서 각 부들의 독자적 세력 유지 불가, 정복 전쟁으로 늘어난 영토에 대한 효율적 통치 필요

(2) **내용**: 전국을 행정 구역으로 편제, 주요 지역에 지방관 파견 등 → 지방에 대한 중앙 정부의 통제력 강화 └ 자치적 성격의 부를 행정 단위로 재편하였고, 각 부의 지배자는 중앙 귀족으로 편입시켰어.

고구려	성 중심의 행정 구역 편제
백제	무령왕 때 지방 22담로에 왕족 파견 → 성왕 때 전국을 5방으로 편제
신라	전국을 주·군으로 구분, 그 아래에 촌 설치

완자 자료 탐구

내 옆의 선생님

자료 ③ 삼국의 경쟁과 발전

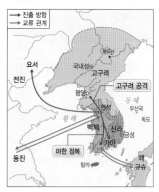

⬆ 4세기 백제의 발전

⬆ 5세기 고구려의 발전

⬆ 6세기 신라의 발전

삼국은 4~6세기에 본격적으로 경쟁하며 발전하였다. 백제는 4세기 근초고왕 때, 고구려는 5세기 광개토 대왕과 장수왕 때 최대 영토를 차지하고 전성기를 누렸다. 신라는 6세기 진흥왕 때 한강 유역을 차지하고 함경도 지방까지 진출하면서 최대 영토를 확보하였다.

자료 ④ 율령 반포

- (고구려) 형법은 모반한 사람과 반역자는 사형에 처하며, 가족은 노비로 삼고, 그 집안 재산을 몰수하였다. – 『주서』
- 거벌모라 남미지촌의 주민들을 처벌하고, 지방의 몇몇 지배자에게 장 60대, 100대씩 때린다. — 울진 봉평리 신라비
  └ 판결 내용으로, 신라에서 율령이 반포된 사실을 알 수 있어.
- 신해년 2월 26일에 남산 신성을 만들 때 법에 따라 만든 지 3년 이내에 무너져 파괴되면 죄로 다스릴 것이라는 사실을 널리 알려 서약하게 하였다. – 경주 남산 신성비
  └ 율령에 기반한 통치가 이루어졌음을 엿볼 수 있어.

삼국은 중앙 집권적 지배 체제로 나아가는 과정에서 국가 운영의 기틀이 되는 율령을 반포하였다. 이를 기반으로 통치 제도를 정비하고 사회 질서를 유지하였다.

자료 ⑤ 관등제 정비

└ 신라에서는 골품에 따라 정치 활동의 범위와 일상생활에 규제를 받았어. 골품제에서는 신분 상승이 불가능하였지.

등급	관등명	골품별 승진의 상한				복색
		진골	6두품	5두품	4두품	
1	이벌찬					자색
2	이 찬					
3	잡 찬					
4	파진찬					
5	대아찬					
6	아 찬					비색
7	일길찬					
8	사 찬					
9	급벌찬					
10	대나마					청색
11	나 마					
12	대 사					황색
13	사 지					
14	길 사					
15	대 오					
16	소 오					
17	조 위					

⬆ 신라의 골품제와 관등표

└ 법흥왕 때 금관가야를 병합한 사실을 보여 줘.

(법흥왕) 7년(520) …… 모든 관리의 공복을 만들어 붉은색과 자주색으로 위계를 정하였다. …… 19년(532) 금관국의 왕 김구해가 …… 나라의 재산과 보물을 가지고 와 항복하였다. 왕이 예로써 그들을 대우하고 높은 관등을 주었다. – 『삼국사기』

삼국이 중앙 집권적 고대 국가로 성장하면서 각 부의 지배 세력은 왕권에 복속하여 중앙 귀족으로 전환되었고, 세력 크기에 따라 서열화되었다. 이 과정에서 관등제가 마련되고 관리의 위계를 나타낸 공복도 제정되었다.

정리 비법을 알려줄게!

삼국의 최대 영토 확보(전성기)

나라	시기	왕
고구려	5세기경	광개토 대왕 ~ 장수왕
백제	4세기경	근초고왕
신라	6세기경	진흥왕

문제 로 확인할까?

5세기경 삼국의 상황으로 옳은 것은?
① 고구려 태조왕이 옥저를 정복하였다.
② 백제 고이왕이 목지국을 병합하였다.
③ 백제 근초고왕이 왕권을 안정시켰다.
④ 고구려 장수왕이 한강 유역을 장악하였다.
⑤ 신라 진흥왕이 함경도 지방까지 진출하였다.

자료 하나 더 알고 가자!

율령 반포 이전의 국정 처리

사훼부의 지도로갈문왕(지증왕)·사덕지 아간지·자숙지 거벌간지와 훼부의 이부지 일간지·지심지 거벌간지와 본피부의 두복지 간지와 사피부의 모사지 간지, 이 7왕들이 함께 의논하여 명을 내린 일 – 포항 냉수리 신라비

자료에서는 왕(지증왕)과 6명의 유력자가 국정을 논의하여 처리하고 있다. 그러나 왕권이 강화되면서 점차 국왕이 내린 율령에 따라 국정이 처리되었다.

자료 하나 더 알고 가자!

백제의 관등과 관복제

(백제 고이왕은) 정월에 내신좌평을 두어 왕명 출납을, 내두좌평은 물자와 창고를 …… 병관좌평은 지방의 군사에 관한 일을 각각 맡게 하였다. …… 6좌평은 모두 1품, 달솔은 2품, …… 왕이 영을 내려 6품 이상은 자줏빛 옷을 입고 …… 16품 이상은 푸른 옷을 입게 하였다. – 『삼국사기』

백제는 고이왕 때 6좌평의 관제와 관등제를 마련하고 관리의 복색을 제정하는 등 3세기경부터 관등제를 단계적으로 정비하였다.

01 고대 국가의 지배 체제

이것이 핵심!

통일 신라와 발해

통일 신라	• 통일 이후: 집사부 중심으로 중앙 통치 체제 정비, 9주 5소경 체제로 지방 정비 • 신라 말: 왕위 쟁탈전 전개, 농민 봉기 발생
발해	대조영이 건국, 고구려 계승 의식 표방, 선왕 때 전성기 이룩, 3성 6부제 운영

★ 나당 전쟁

신라가 한반도 전체를 지배하려는 당과 벌인 전쟁으로, 매소성·기벌포에서 승리하여 당군을 축출하였다.

★ 호족

지방에서 스스로 성주나 장군을 칭하며 그 지역의 행정과 군사에 대한 실질적인 통치력을 행사하였다. 이들은 신라 사회에 불만을 품은 6두품 지식인, 선종 승려와 함께 새로운 사회를 건설하고자 하였다.

★ 발해의 중앙 정치 기구

* [ ]: 당의 관제

④ 통일 신라와 발해의 발전

1. 고구려와 수·당의 전쟁: 수 양제의 고구려 침략 → 을지문덕이 살수에서 격퇴(살수 대첩, 612) → 당 태종의 고구려 침략 → 안시성에서 당군 격퇴(안시성 전투, 645)

2. 신라의 삼국 통일과 통일 신라의 발전

Q&? 백제의 공격으로 어려움에 처한 신라는 고구려에 도움을 요청하였으나 거절당하자 당과 동맹을 맺었어.

(1) 신라의 삼국 통일: 나당 동맹 성립, 나당 연합군의 사비성 함락(백제 멸망, 660), 평양성 함락(고구려 멸망, 668) → 고구려·백제 부흥 운동 진압 → ★나당 전쟁 발발 → 삼국 통일(676)

(2) 왕권 강화: 태종 무열왕(김춘추) 이후 그의 직계 자손들이 왕위 계승 → 문무왕의 삼국 통일 완수 → 신문왕의 김흠돌의 난 진압(강력한 왕권 확립)

(3) 통치 체제 정비: 영토와 인구 증가에 따라 효율적인 통치 체제 마련

└ 사정부가 있었어. 지방관은 외사정이 감찰하였지.

중앙	• 통치 체제: 집사부(왕의 직속 기구) 중심, 시중(중시)의 역할 강화, 감찰 기구로 관리의 부정과 비리 단속, 신문왕 때 국학 설립(유학 교육 실시 → 인재 양성) • 6두품: 왕에게 정치적 조언·중앙 행정 실무 담당
지방 자료 ⑥	• 조직: 전국을 9주 5소경 체제로 정비, 주 아래에 군현 설치, 향·부곡 등 특수 행정 구역 설치 • 운영: 군현에 지방관 파견, 촌주들이 행정 담당, 신라 촌락 문서 작성, 상수리 제도 실시 자료 ⑦
군사	9서당(중앙군) 10정(지방군)을 중심으로 정비
관료제	관료 조직의 규모 확대·관등제 적용 대상 증가, 신문왕 때 관료전 지급·녹읍 폐지

└ 지방 세력을 견제하기 위해 일정 기간 동안 수도에 올라와 있게 한 제도야.

└ 촌주들이 3년마다 작성하였어.

3. 신라 말 지배 체제의 동요 자료 ⑧

└ 유력 호족이 후고구려와 후백제를 세워 신라가 후삼국으로 분열하였어.

중앙	혜공왕 피살 후 중앙 진골 귀족 사이에 왕위 쟁탈전 전개
지방	김헌창 등의 반란(→ 중앙 정부의 지방 통제력 약화), 농민 봉기 발생, ★호족 성장(→ 후삼국 성립)

4. 발해의 성장과 멸망

꼭! 발해가 일본에 보낸 외교 문서에 발해 왕이 고려(고구려) 왕이라 쓰였고, 발해의 수막새 등이 고구려의 것과 유사한 것 등을 통해 짐작할 수 있어.

성립	대조영이 고구려 유민과 말갈인을 이끌고 만주 동모산에서 건국(698), 고구려 계승 의식 표방
발전	• 무왕: 영토 확장(당·신라 견제, 당의 산둥 지방 공격), '인안' 연호 사용 • 문왕: 당과 우호 관계 형성(당의 제도와 문물 수용), '대흥' 연호 사용, 상경성 건설 • 선왕: 9세기경 최대 영토 확보, 전성기 이룩 → 이후 '해동성국'으로 불림
멸망	10세기경 국력 쇠퇴 → 거란에 멸망(926)
통치 체제 정비	• ★중앙 정치: 3성 6부제 운영(당의 제도 모방, 명칭과 운영에서 독자성을 보임) • 지방 행정: 5경 15부 62주로 편제, 도독·자사 등 지방관 파견

└ 서쪽으로 랴오허강, 동북쪽으로 헤이룽장강까지 영역을 확대하였어.

└ 정당성 아래의 6부를 둘로 나누어 관할하게 하고 6부 명칭에 유교 이념을 반영하였어.

이것이 핵심!

고대 사회의 신분제와 경제 정책

신분제	귀족·평민·천민으로 구분, 능력보다 혈통 중시
경제 정책	농민 경제 안정책, 수취 제도 실시

⑤ 고대 사회의 신분제와 경제 정책

1. 고대 사회의 신분제

(1) 신분제 형성: 크게 귀족(지배층), 평민과 천민(피지배층)으로 구분

└ 골품제가 대표적이야.

(2) 특징: 신분은 세습됨, 사회적 지위는 능력보다 혈통에 따른 신분에 의해 결정, 지배층 사이에서도 차별 존재, 신분제 유지 및 통치 질서 확립을 위해 형벌 제도 시행

2. 고대 국가의 경제 정책

└ 고구려에서 가난한 백성을 구제하기 위해 흉년이나 춘궁기에 곡식을 빌려주었다가 수확 후에 갚게 한 법이야.

(1) 농민 경제 안정책: 철제 농기구 보급, 우경 장려, 황무지 개간, 저수지 축조, 진대법 시행

(2) 수취 제도: 조세(곡식과 포 등 수취), 공물(특산물 수취), 역(군대 복무나 공사에 동원)

자료 6 신라의 지방 행정 제도

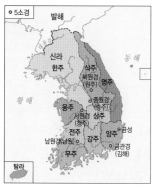

↑ 9주 5소경

삼국 통일을 이룬 후 신라는 넓어진 영토와 늘어난 인구를 효율적으로 통치하기 위해 지방 행정 구역을 재편하였다. 전국을 9개의 주로 나누었는데 옛 고구려와 백제 지역을 각각 3주로 편성하였다. 주 밑에 군과 현을 두어 지방관을 파견하고 외사정을 보내 지방관을 감찰하였다. 군현 아래의 촌은 토착 세력인 촌주가 다스리게 하였다. 그리고 수도인 금성(경주)이 동남쪽에 치우쳐 있는 점을 보완하기 위해 지방 행정의 요충지에 5소경을 두었다. 이러한 정비를 통해 지역의 고른 성장을 꾀하고 고구려와 백제의 유민들이 빠르게 정착할 수 있도록 하였다.

자료 7 신라 촌락 문서의 작성

— 남녀를 연령별로 6등급으로 구분하면서 기록하였어.

↑ 신라 촌락 문서(일본 도다이사 쇼소인)

호수는 모두 11호이다. …… 이 중 3년 전부터 살아온 사람과 지난 3년 사이에 태어난 사람을 합하면 145명이 된다. …… 말은 모두 25마리인데, 전부터 있었던 것이 22마리이고 지난 3년 사이에 늘어난 말이 3마리이다. …… 뽕나무는 모두 1,004그루인데, 지난 3년 사이에 심은 것이 90그루, 이전부터 있던 것이 914그루이다. – 신라 촌락 문서

통일 신라는 촌락의 경제 상황을 파악한 신라 촌락 문서를 작성하였다. 여기에는 마을의 인구와 가호 수, 토지의 종류와 면적, 가축 수, 뽕나무와 잣나무 등의 수가 기록되어 있어 신라 정부가 조세와 노동력을 거두는 데 이를 활용하였음을 알려 준다.

자료 8 신라 말의 사회 혼란

— 진골 출신 김헌창은 자신의 아버지가 왕이 되지 못한 것에 불만을 품고 난을 일으켰어.

• (헌덕왕 14년) 3월, 웅천주 도독 헌창이 아버지 주원이 왕위에 오르지 못한 것을 이유로 반란을 일으켜, 국호를 장안이라 하고 연호를 경운 원년이라 하였다. 무진주·완산주·청주·사벌주의 4개 주 도독과 국원경, 서원경, 금관경의 사신 및 여러 군현의 수령을 협박하여 자기 소속으로 삼았다. – 『삼국사기』

• 진성 여왕 3년(889) 나라 안의 여러 주·군에서 공부(貢賦: 공물과 세금)를 바치지 않으니 창고가 비어 버리고 나라의 쓰임이 궁핍해졌다. 왕이 사신을 보내어 독촉하자, 곳곳에서 도적이 벌 떼처럼 일어났다. – 왕실과 지배층의 사치로 재정이 악화되고 수탈이 심화되자 농민 봉기가 일어났지. – 『삼국사기』

신라 말에는 150여 년 동안 20명의 왕이 교체될 정도로 왕위 쟁탈전이 치열하게 전개되어 왕권이 약화되었다. 이러한 가운데 진골 귀족들은 농민을 수탈하였고, 정부의 무거운 조세 수취도 계속되었다. 결국 전국 곳곳에서 농민 봉기가 빈번하게 일어났고 호족이 성장하여 스스로 성주나 장군을 칭하며 각 지역에서 실질적인 통치력을 행사하였다.

자료 하나 더 알고 가자!

통일 신라의 민족 융합 노력

• 본국 경계 내에 3주를 두고, …… 백제국 경계 내에도 3주를 두고, …… 옛 고구려 남쪽 경계 내에도 3주를 두니 …….

• 고구려 백성으로 구성된 황금서당이고, …… 말갈 백성으로 구성된 흑금서당이고, …… 신문왕 7년에 백제 유민으로 구성된 청금서당이다. – 『삼국사기』

신라는 옛 고구려와 백제 지역을 9주에 포함하고 중앙군인 9서당에 고구려와 백제 유민, 말갈인까지 포함하여 민족 융합을 꾀하였다.

문제로 확인할까?

신라 촌락 문서에 대한 설명으로 옳은 것을 〈보기〉에서 고른 것은?

보기
ㄱ. 촌주들이 작성하였다.
ㄴ. 조사 대상에서 성인 여성은 제외되었다.
ㄷ. 신라 정부가 조세를 거두는 데 활용하였다.
ㄹ. 촌을 기준으로 5년에 한 번씩 조사하여 기록하였다.

① ㄱ, ㄴ ② ㄱ, ㄷ ③ ㄴ, ㄷ
④ ㄴ, ㄹ ⑤ ㄷ, ㄹ

정리 비법을 알려줄게!

신라 말의 사회

진골 귀족들의 왕위 쟁탈전 → 중앙 정부의 지방 통제력 약화

↓

| 귀족의 농민 수탈 심화, 정부의 무거운 조세 수취 | 호족 성장, 6두품·선종 승려와 결탁 |
| 농민 몰락 (노비, 초적화) | 새로운 사회 건설 추구 |

↓

전국 곳곳에서 농민 봉기 발생 → 후삼국 성립

정답친해 002쪽

STEP 1 핵심 개념 확인하기

1 다음 내용에 해당하는 시대를 쓰시오.

- 약 1만 년 전부터 만주와 한반도 일대에서 시작되었다.
- 간석기와 토기 제작이 이루어지기 시작하였다.
- 한곳에 정착하면서 농경과 목축 생활을 하였다.

2 다음 설명이 맞으면 ○표, 틀리면 ×표를 하시오.

(1) 고조선은 기원전 4세기경 중국의 연과 겨룰 정도로 성장하였다. ( )

(2) 부여의 마가, 우가, 구가, 저가 등 제가들은 소도에서 종교 의례를 주관하였다. ( )

(3) 청동기 시대에는 빈부 격차가 생기고 계급이 발생하였으며, 군장이 등장하였다. ( )

3 다음 업적을 가진 왕을 〈보기〉에서 골라 기호를 쓰시오.

> **보기**
> ㄱ. 고이왕   ㄴ. 지증왕
> ㄷ. 소수림왕   ㄹ. 광개토 대왕

(1) 태학을 설립하고 율령을 반포하였다. ( )

(2) 왕호를 마립간에서 왕으로 변경하였다. ( )

(3) 6좌평 중심의 관등과 공복을 마련하였다. ( )

(4) 신라에 침입한 왜를 격퇴하고 만주 일대를 장악하였다. ( )

4 통일 신라의 통치 체제 개편에 대한 설명으로 옳은 것만을 〈보기〉에서 골라 기호를 쓰시오.

> **보기**
> ㄱ. 사정부, 외사정 등 감찰 기구 운영
> ㄴ. 관료제 운영 과정에서 관료전 지급
> ㄷ. 정당성 아래의 6부를 둘로 나누어 관할
> ㄹ. 지방 행정 구역을 5경 15부 62주로 편성

5 발해는 ( )이 통치한 시기에 최대 영토를 확보하고 전성기를 이루었다.

STEP 2 내신 만점 공략하기

01 다음 토기를 처음 만든 시대에 대한 설명으로 옳은 것은?

① 계급의 분화가 일어났다.
② 철제 농기구가 보급되었다.
③ 뗀석기를 만들기 시작하였다.
④ 농경과 함께 정착 생활이 시작되었다.
⑤ 주로 동굴이나 바위 그늘에 거주하였다.

02 다음 법이 있었던 나라에 대한 설명으로 옳지 <u>않은</u> 것은?

> 대개 사람을 죽인 자는 즉시 죽이고, 남에게 상처를 입힌 자는 곡식으로 갚는다. 도둑질을 한 자는 노비로 삼는다. 용서를 받고자 하는 자는 한 사람마다 50만 전을 내게 한다.

① 제정일치 사회였다.
② 왕위의 세습이 이루어졌다.
③ 제가들이 사출도를 관할하였다.
④ 청동기 문화를 바탕으로 건국되었다.
⑤ 왕 아래 상, 대부, 장군 등의 관직을 두었다.

03 다음 나라에 대한 설명으로 옳은 것은?

> 각각 우두머리가 있어서 세력이 강대한 사람은 스스로 신지라 하고, 그 다음은 읍차라 하였다. …… 각기 별읍이 있으니, 그것을 소도라고 한다. – 「삼국지」, 「위서 동이전」

① 단군왕검이 건국하였다.
② 마한, 진한, 변한으로 이루어졌다.
③ 불교를 수용하여 왕권을 강화하였다.
④ 22담로를 설치하고 왕족을 파견하였다.
⑤ 왕 아래에 마가, 우가, 저가, 구가 등이 있었다.

04 지도는 철기 시대에 성립된 여러 나라를 나타낸 것이다. (가), (나) 나라에 대한 설명으로 옳은 것은?

① (가) – 백제에 통합되었다.
② (가) – 신지, 읍차 등이 존재하였다.
③ (나) – 한의 침공으로 멸망하였다.
④ (나) – 읍군, 삼로가 부족을 다스렸다.
⑤ (가), (나) – 율령을 반포하였다.

☆중요
05 다음 자료에 나타난 나라에 대한 설명으로 옳은 것은?

> 모든 대가(大加)도 사자(使者)·조의(皁衣)·선인(先人)을 두었는데, 그 명단은 모두 왕에게 보고해야 하였다. 대가의 사자·조의·선인은 마치 중국의 경이나 대부의 가신과 같은 것으로, 회합할 때 좌석의 차례에서는 왕가의 사자·조의·선인과 같은 자리에 앉지 못한다. …… 감옥이 없고 범죄자가 있으면 제가들이 모여 회의하여 사형에 처하고 처자는 몰수하여 노비로 삼는다. – 「삼국지」, 위서 동이전

① 3세기경 가야 연맹을 이끌었다.
② 제사장으로 천군이 존재하였다.
③ 졸본에서 국내성으로 도읍을 옮겼다.
④ 상대등에게 재상의 역할을 부여하였다.
⑤ 진한의 소국들을 복속시키며 성장하였다.

06 (가) 나라에 대한 설명으로 옳은 것은?

> (가) 은/는 변한 지역 소국들의 통합으로 성립하였다. 3세기경에는 김해의 소국이 연맹을 주도하였으나 고구려와 신라 연합군의 공격을 받아 쇠퇴하였고, 5세기경에는 고령의 소국이 연맹을 주도하였다.

① 골품제를 운영하였다.
② 정사암 회의를 개최하였다.
③ 16등급의 관등제를 실시하였다.
④ 풍부한 철을 바탕으로 성장하였다.
⑤ 목지국의 지배자가 전체를 주도하였다.

07 다음 정책을 추진한 왕의 업적으로 옳은 것은?

> 정월에 내신좌평을 두어 왕명 출납을, 내두좌평은 물자와 창고를 …… 병관좌평은 지방의 군사에 관한 일을 각각 맡게 하였다. …… 6좌평은 모두 1품, 달솔은 2품, …… 왕이 영을 내려 6품 이상은 자줏빛 옷을 입고 …… 16품 이상은 푸른 옷을 입게 하였다. – 「삼국사기」

① 옥저를 정복하였다.
② 낙랑군을 몰아내었다.
③ 중앙 관청을 22부로 정비하였다.
④ 왕호를 이사금에서 마립간으로 바꾸었다.
⑤ 마한의 소국들을 공격하여 한강 유역을 장악하였다.

08 밑줄 친 '이 나라'에 대한 탐구 활동으로 가장 적절한 것은?

> 이 나라는 진한의 한 소국인 사로국에서 출발하였으며 3~4세기에 진한의 소국들을 대부분 복속시켰다. '화백'이라 불린 회의체를 운영하였다.

① 태학의 설립 효과를 살펴본다.
② 진대법의 실시 목적을 검색한다.
③ 김씨의 왕위 계승 확립의 의미를 조사한다.
④ 하남 위례성을 수도로 삼은 배경을 파악한다.
⑤ 랴오둥반도로 진출할 수 있었던 원동력을 알아본다.

09 다음은 4세기경 정세를 나타낸 지도이다. (가) 국가의 대외 활동으로 옳은 것은?

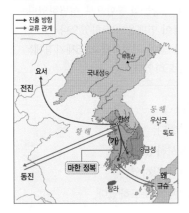

① 우산국을 정복하였다.
② 금관가야를 병합하였다.
③ 만주 일대를 장악하였다.
④ 고구려 평양성을 공격하였다.
⑤ 낙동강 동쪽 지역을 대부분 차지하였다.

10 (가) 국왕의 재위 시기에 있었던 일을 〈보기〉에서 고른 것은?

• [(가)] 7년 …… 봄 정월에 율령을 반포하고, 처음으로 모든 관리의 공복과 붉은색, 자주색으로 위계를 정하였다. — 「삼국사기」
• [(가)] 9년(522) 봄 3월, 가야국 왕이 사신을 보내 혼인을 청하였기에 임금이 아찬 비조부의 여동생을 보냈다. …… 18년(531) 여름 4월, 이찬 철부를 상대등으로 삼아 나라의 일을 총괄하게 하였다. 상대등이라는 관직은 이때 처음 생겼으니, 지금의 재상과 같다. — 「삼국사기」

보기
ㄱ. 병부를 설치하였다.
ㄴ. 불교를 공인하였다.
ㄷ. 대가야를 병합하였다.
ㄹ. 도읍을 웅진으로 옮겼다.

① ㄱ, ㄴ   ② ㄱ, ㄷ   ③ ㄴ, ㄷ
④ ㄴ, ㄹ   ⑤ ㄷ, ㄹ

11 다음 두 사건 사이에 있었던 사실로 옳은 것은?

• 고구려 장수왕의 공격을 받아 백제 한성이 함락되었다.
• 백제 성왕은 사비(부여)로 수도를 옮겼다.

① 발해가 건국되었다.
② 삼한이 형성되었다.
③ 22담로에 왕족이 파견되었다.
④ 신문왕이 김흠돌의 난을 진압하였다.
⑤ 위만이 준왕을 몰아내고 왕위를 차지하였다.

12 다음 내용을 활용한 발표 주제로 가장 적절한 것은?

• 고구려: 5부 연맹 해체 후 지배 세력 서열화
• 백제: 고이왕 때 좌평 중심의 위계질서 마련
• 신라: 골품에 따라 승진 등급 제한

① 삼국의 관등제 정비와 운영
② 삼국 귀족 회의의 성격 변화
③ 삼국 지방 통치 체제의 특징
④ 삼국 시대 왕위 계승 안정책
⑤ 삼국의 연맹 왕국 형성 과정

13 다음 비석을 세운 왕의 업적으로 옳은 것은?

① 백제를 멸망시켰다.
② 관리의 공복을 제정하였다.
③ 전국을 5개의 방으로 나누었다.
④ 문무 관리에게 관료전을 지급하였다.
⑤ 북한산, 황초령 등지에 순수비를 세웠다.

14 지도와 같이 행정 구역을 갖춘 나라에 대한 설명으로 옳지 않은 것은?

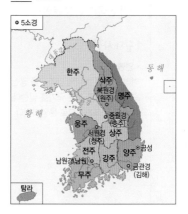

① 군현에 지방관을 파견하였다.
② 교육 기관으로 국학을 설립하였다.
③ 왕의 직속 기구로 집사부를 두었다.
④ 관제를 대대로 이하 10여 관등으로 정비하였다.
⑤ 중앙군인 9서당에 고구려와 백제 유민을 포함하였다.

15 다음 중앙 정치 기구를 운영한 국가에 대한 설명으로 옳은 것은?

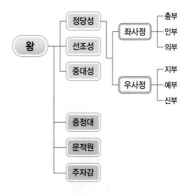

① 상수리 제도를 실시하였다.
② 전국을 9주 5소경으로 편성하였다.
③ 인안, 대흥 등의 연호를 사용하였다.
④ 혜공왕 피살 이후 왕위 쟁탈전이 일어났다.
⑤ 6두품 세력이 중앙 행정 실무를 담당하였다.

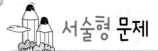
서술형 문제

● 정답친해 004쪽

01 (가), (나)를 토대로 신라 국정 운영 방식의 변화를 서술하시오.

> (가) 사훼부의 지도로갈문왕(지증왕)·사덕지 아간지·자숙지 거벌간지와 훼부의 이부지 일간지·지심지 거벌간지와 본피부의 두복지 간지와 사피부의 모사지 간지, 이 7왕들이 함께 의논하여 명을 내린 일
> – 포항 냉수리 신라비
>
> (나) 신해년 2월 26일에 남산 신성을 만들 때 법에 따라 만든 지 3년 이내에 무너져 파괴되면 죄로 다스릴 것이라는 사실을 널리 알려 서약하게 하였다.
> – 경주 남산 신성비

길잡이 왕권의 변화를 중심으로 서술한다.

02 다음 문서를 작성한 목적을 서술하시오.

> 호수는 모두 11호이다. …… 이 중 3년 전부터 살아온 사람과 지난 3년 사이에 태어난 사람을 합하면 145명이 된다. …… 말은 모두 25마리인데, 전부터 있었던 것이 22마리이고 지난 3년 사이에 늘어난 말이 3마리이다. …… 뽕나무는 모두 1,004그루인데, 지난 3년 사이에 심은 것이 90그루, 이전부터 있던 것이 914그루이다. – 신라 촌락 문서

길잡이 촌락의 경제적 상황을 자세하게 기록한 목적을 생각해 본다.

03 다음 자료들을 통해 알 수 있는 신라 말의 정치적 상황을 서술하시오.

> • (헌덕왕 14년) 3월, 웅천주 도독 헌창이 아버지 주원이 왕위에 오르지 못한 것을 이유로 반란을 일으켜, 국호를 장안이라 하고 연호를 경운 원년이라 하였다. – 「삼국사기」
> • 진성 여왕 3년(889) 나라 안의 여러 주·군에서 공부(공물과 세금)를 바치지 않으니 창고가 비어 버리고 나라의 쓰임이 궁핍해졌다. 왕이 사신을 보내어 독촉하자, 곳곳에서 도적이 벌 떼처럼 일어났다. – 「삼국사기」

길잡이 자료에 나타난 귀족과 농민의 상황을 중심으로 서술한다.

1 (가), (나) 나라에 대한 설명으로 옳은 것은?

> (가) 연노부·절노부·순노부·관노부·계루부의 다섯 집단이 있었다. …… 범죄자가 있으면 제가들이 모여 회의하여 사형에 처하고 그 처자는 노비로 삼는다.
>
> — 「삼국지」, 「위서 동이전」
>
> (나) 각 나라에 큰일이 있을 때에는 반드시 여러 사람이 모여 의논한 후에 결정하였다. 이를 화백이라고 하였다. 한 사람이라도 반대하는 의견을 내는 사람이 있으면 통과되지 못하였다.
>
> — 「신당서」

① (가) – 박·석·김씨가 왕위를 배출하였다.
② (가) – 가(加)들이 사자, 조의, 선인 등을 거느렸다.
③ (나) – 하남 위례성에 도읍을 정하였다.
④ (나) – 부왕에서 준왕으로 왕위가 세습되었다.
⑤ (가), (나) – 연맹 왕국 단계에서 멸망하였다.

> 초기 삼국의 국정 운영
>
> **|완자 사전|**
>
> • 연맹 왕국
> 여러 소국이 하나의 맹주국을 중심으로 연맹체를 이룬 국가를 말한다. 각 소국은 독자적으로 운영되었다.

2 (가) 국왕의 재위 시기에 신라에서 볼 수 있는 모습으로 가장 적절한 것은?

> (가) 19년에 금관국의 왕인 김구해가 왕비와 세 명의 아들 노종, 무덕, 무력을 데리고 나라의 창고에 있던 보물을 가지고 와서 항복하였다. 왕이 예로써 대접하고 상등의 벼슬을 주었으며, 본국을 식읍으로 삼게 하였다. 아들 무력은 벼슬이 각간에 이르렀다. …… 재위 23년에는 처음으로 연호를 칭하기를 '건원' 원년이라 하였다.
>
> — 「삼국사기」

① 왕을 마립간으로 부르는 관리
② 진대법으로 곡식을 빌리는 농민
③ 안시성에서 당군과 싸우는 군인
④ 병부와 상대등의 설치를 명하는 왕
⑤ 제가 회의에서 국정을 논의하는 관리

> 신라의 발전
>
> **완자쌤의 시험 꿀팁**
>
> 삼국과 관련된 사료에서 각 나라의 특징과 여러 왕의 정책을 찾을 수 있도록 학습해야 한다. 이와 함께 삼국을 다스린 주요 왕들의 업적을 정리해 두도록 한다.

3 다음 활동을 전개한 국왕에 대한 설명으로 옳은 것은?

> 사료로 보는 한국사 「삼국사기」 편
>
> 재위 1년 …… "병부령 이찬 군관은 …… 반역자 흠돌 등과 교섭하여 역모 사실을 미리 알고도 말하지 않았다. …… 군관과 맏아들은 스스로 목숨을 끊게 하고 ……."
>
> 재위 7년, 명을 내려 문무 관리들에게 토지를 주었는데 차등이 있었다. …… 재위 9년, 정월에 명을 내려 내외관의 녹읍을 없애고 해마다 조(租)를 차등 있게 주었다.

① 대가야를 복속시켰다.
② 수의 군대를 살수에서 물리쳤다.
③ 지방의 22담로에 왕족을 파견하였다.
④ 유학 교육 기관으로 국학을 설치하였다.
⑤ 백제를 공격하여 한강 유역을 차지하였다.

▶ 통일 신라의 발전

∥한자 사전∥

• **병부령**
신라 병부의 으뜸 벼슬로, 관등이 대아찬 이상인 사람을 임명하였다.

• **담로**
백제에서 왕자나 왕족을 파견하여 다스리던 지방 행정 구역

수능 응용

4 (가) 국가에 대한 설명으로 옳은 것은?

> **탐구 보고서**
>
> • 탐구 주제: [(가)]의 성장
> • 수집 사료
>
> > • [(가)]은/는 영주(營州)에서 동으로 2천 리 밖에 위치하며, 남쪽은 신라와 맞닿았다. 동쪽은 바다에 닿고 서쪽은 거란과 접하였다.
> > • [(가)]의 왕들이 학생들을 자주 파견하여 고금의 제도를 배우고 익히게 하더니, 드디어 해동성국이 되었다.

① 중앙군으로 9서당을 편성하였다.
② 고구려 유민이 건국에 참여하였다.
③ 한 무제의 침공을 받아 멸망하였다.
④ 군현, 향·부곡 등의 행정 구역을 두었다.
⑤ 혜공왕의 사망으로 무열왕계 왕실이 붕괴되었다.

▶ 남북국의 발전

완자샘의 시험 꿀팁

발해에 대한 문제는 건국 세력, 고구려 계승 의식 표방의 근거, 무왕, 문왕, 선왕의 업적, 중앙 정치 체제의 특징이 주로 출제된다. 문화유산을 제시하고 묻는 문제도 잘 나오므로 대표적인 문화유산을 파악해 두는 것이 좋다.

02 고대 사회의 종교와 사상

학습목표
- 고대 사회의 종교와 사상이 성립하고 발전하는 과정을 이해할 수 있다.
- 유학의 정치적·사회적 역할을 이해할 수 있다.

이것이 핵심!

천신 신앙

등장 배경	국가의 성장 → 지배층의 기원을 천신과 연결
내용	하늘 신격화, 하늘의 초인적인 신 신봉
발전	건국 이야기에 천신 신앙 반영, 제천 행사 개최, 천손 의식과 독자적 천하관 발달

★ 원시 신앙

모든 자연물과 자연 현상에 영혼이 깃들어 있다고 믿는 애니미즘, 특정 동·식물을 씨족이나 부족의 신으로 섬기는 토테미즘, 무당의 존재를 인정하는 샤머니즘 등이 있다.

---

1 국가의 성장과 천신 신앙

1. 선사 시대의 신앙

구석기 시대	사냥의 성공이나 다산 등을 기원하는 예술품 제작
신석기 시대	*원시 신앙 등장(자연 현상이나 특정 동물·영혼 등을 숭배)

┌ 특히, 농사에 큰 영향을 미치는 하늘과 태양, 땅과 물 등을 숭배하고 신성시하였어.

2. 천신 신앙: 하늘을 신격화하거나 하늘의 초인적인 신 신봉, 지배 권력 뒷받침 〈자료①〉

(1) **등장 배경**: 청동기 시대 국가가 성장하면서 천신 신앙, 선민사상 등장

(2) **발전**
Qa? 지배층이 자신의 기원을 초월적 존재인 천신과 연결하여 권력을 뒷받침하였기 때문이야.
└ 신이 특정한 민족이나 사람들을 선택하였다는 사상이야.

① **건국 이야기**: 고조선·부여·삼국의 건국 이야기에 천신 신앙 반영

② **제천 행사**: 부여의 영고, 고구려의 동맹, 동예의 무천, 삼한에서 5월과 10월에 제사 등
└ 지배층의 정통성을 뒷받침하고 권위를 높이고자 하였어.

3. 삼국의 천손 의식과 독자적 천하관 ─ 지배층이 하늘의 자손이라는 사상이야.

(1) **천손 의식**: 시조의 사당 건립, 천손 사상으로 왕실의 정통성 강조, 중국과 대등함 표방

(2) **독자적 천하관**: 고구려 광개토 대왕 시기 자국 중심의 국제 질서 형성 〈자료①〉
└ 삼국은 천손 사상 등을 활용하여 자국 중심의 독자적인 천하관을 확립하기도 하였지.

이것이 핵심!

고대 불교의 발전

삼국	왕권 강화 역할, 호국 불교 발달
통일 신라	• 교리에 대한 학문적·철학적 이해 심화 → 원효, 의상 등 활동 • 신라 말 선종 유행
발해	왕실과 귀족 중심으로 성행

★ 업설

전생에 지은 행위의 결과를 현세에서 받는다는 주장이다. 귀족은 전생에 공덕을 많이 쌓아 현세에 귀하게 태어났다고 주장하였다.

★ 승탑

⊙ 화순 쌍봉사 철감 선사 탑
승탑은 승려의 사리를 담은 탑이다. 신라 말에는 선종의 영향을 받아 승탑이 유행하였다.

---

2 불교와 도교, 풍수지리설의 수용

1. 불교 〈교과서 자료〉

(1) **삼국 시대**: 중앙 집권화 과정에서 수용(왕권을 중심으로 한 국가적 통합 목적)

① **수용과 공인**: 고구려는 소수림왕 때 중국 전진에서 불교 수용, 백제는 침류왕 때 중국 동진에서 불교 수용, 신라는 법흥왕 때 이차돈의 순교로 불교 공인
└ 불교의 이상적 통치자인 전륜성왕을 왕과 연결시키기도 하였어.

② **역할**: 왕권 강화(불교식 왕명 사용, 왕즉불 사상 강조), 신분 질서 정당화(*업설 강조)

③ **호국 불교 발달**: 호국적 성격의 대규모 사찰 건립, 불교 행사 개최

(2) **통일 신라** ─ 고구려는 평양에 9개 사찰을 건립하였고, 백제는 미륵사를, 신라는 황룡사와 분황사를 세웠어.
Qa 경주 석굴암, 경주 석굴암 본존상, 경주 불국사 등

① **삼국 통일 전후**: 교리에 대한 학문적·철학적 이해 심화, 교종 중심, 불교문화 융성 〈자료②〉

원효	• 『대승기신론소』, 『금강삼매경론』 등 저술 → 불교 이해의 수준 향상에 기여 • 일심 사상 제시(『십문화쟁론』 저술), 화쟁 사상 주장(여러 종파의 사상적 대립 해결 노력) • 아미타 신앙 전파 → 불교의 대중화에 기여 ─ 원효는 누구나 '나무아미타불'을 외우면 극락에 갈 수 있다고 가르쳤어.
의상	• 화엄 사상 주장 → 신라(해동) 화엄종 개창, 『화엄일승법계도』로 교리 체계화 • 부석사 등 여러 사찰 건립(제자 양성, 교단 형성) • 관음 신앙 전파(중생을 구제하는 관음보살 신봉, 현세에서 겪는 고난을 구제받고자 함)
혜초	중앙아시아와 인도 지역을 순례한 후 『왕오천축국전』 저술(여러 나라의 풍물 기록)
원측	당에 건너가 법상종의 발전에 기여

② **신라 말 선종의 유행**: 참선 수행을 통한 깨달음 추구, 지방 호족의 지원으로 성장(9산선문 설립, 선종 사찰이 지방 문화의 중심지로 성장, *승탑과 탑비 유행 → 6두품과 결탁

(3) **발해**: 고구려 불교 계승, 왕실과 귀족 중심으로 성행, 불교식 왕명 사용, 많은 사찰 건립, 9세기 이후 승려들이 일본과 당에서 활동, 불교문화 발달(석등, 이불 병좌상 등)
└ 문왕을 높여 부른 칭호에 '금륜', '성법' 등 불교의 전륜성왕 관념이 반영되었어.

완자 자료 탐구

자료 ① 천신 신앙과 독자적 천하관

┌─ 고구려 왕이 하늘의 자손임을 자처하였어.

- 시조 추모왕이 나라를 세웠다. 북부여에서 태어났으며, 천제의 아들이고 그 어머니는 하백(물의 신)의 딸이었다. …… 18세에 왕위에 올라 칭호를 영락 대왕이라 하였는데 그 은혜와 혜택이 하늘에 이르고 그 위엄과 무공은 온 세상을 가득 덮었다. …… 백잔(백제)과 신라는 예부터 속민으로 조공을 바쳐왔다. └─ 광개토 대왕이 온 세상에 권위를 떨쳤다고 기록되어 있어. ─ 「광개토 대왕릉비」
- 고구려는 귀신·사직·영성에게 제사 지내기를 좋아한다. 10월에 하늘에다 제사 드리면서 크게 모이는데 이름이 '동맹(東盟)'이라고 한다. ┌─ 고구려에서는 10월에 동맹이라는 ─ 「삼국사기」
  제천 행사를 열었어.

고조선과 부여, 삼국 등은 지배층이 천손임을 자처하고 국가 차원의 제천 행사를 열었다. 또한 삼국은 천신 신앙에 기초하여 자국 중심의 독자적 천하관을 확립하였는데, 광개토 대왕릉비에는 백제, 신라를 속국으로 인식하고 광개토 대왕을 '태왕', '영락 대왕'으로 높여 표현하고 있어 스스로를 천하의 중심으로 인식하였음을 짐작하게 한다.

수능이 보이는 교과서 자료 — 삼국 불교의 특징

┌─ 진평왕과 왕비의 이름은 석가모니의 부모 이름에서 따왔어.

- 576년, 진지왕이 왕위에 올랐다. 이름은 사륜(또는 금륜)이라 하였고 진흥왕의 둘째 아들이다. …… 진평왕이 왕위에 올랐다. 이름은 백정(석가모니의 아버지)이며 진흥왕의 태자 동륜의 아들이다. …… 왕비는 김씨 마야 부인(석가모니의 어머니)으로 갈문왕 복승의 딸이다.
  ┌─ 황룡사 9층 목탑은 주변국의 침입으로부터 신라를 지키려는 염원에 따라 세워졌어. ─ 「삼국사기」
- 신인이 자장에게 말하길 "황룡사의 호법룡은 나의 맏아들이오. 범왕의 명을 받고 그 절을 보호하고 있소이다. 고국에 돌아가 절 안에 9층탑을 세우시오. 그러면 이웃 나라들이 항복할 것이오." …… 자장이 탑을 세울 일을 왕에게 아뢰었다. ─ 「삼국유사」

삼국은 불교를 이용해 왕 중심의 위계질서를 합리화하였다. 신라 왕들은 불교식 왕명을 짓고 왕실을 석가모니 집안의 환생으로 내세웠다. 삼국은 사찰을 짓고 불교 행사를 열어 국가의 안녕과 발전을 빌었는데, 이는 호국 불교가 발달하였음을 보여 준다.

자료 ② 원효와 의상의 사상

┌─ 원효는 모든 것이 한마음에서 나온다는 일심 사상을 내세웠어.

- 모든 경계가 무한하지만, 다 일심 안에 들어가는 것이다. 부처의 지혜는 모양을 떠나 마음의 원천으로 돌아가고, 지혜와 일심은 완전히 같아서 둘이 아니다. ─ 원효, 「무량수경종요」
- (원효가) 수많은 촌락에서 노래하고 춤추며 교화하고 읊고 돌아오니 가난하고 무지몽매한 무리들도 모두 부처의 이름을 알게 되었고, 모두 '나무아미타불'을 칭하게 되었다. ─ 「삼국유사」
- 하나 안에 모두가 있고 모든 것 안에 하나가 있다. 하나가 곧 모두이며, 모두가 곧 하나이다. 한 작은 티끌 속에 우주 만물을 머금고 모든 티끌 속이 또한 이와 같다. ─ 의상, 「화엄일승법계도」

└─ 의상은 모든 우주 만물이 상호 의존적인 관계에 있다는 화엄 사상을 정립하였어.

원효는 일심 사상을 바탕으로 여러 종파의 대립을 없애고자 화쟁 사상을 주장하였다. 더불어 아미타 신앙을 전파하여 불교의 대중화에 기여하였다. 의상은 신라 화엄종을 열고 「화엄일승법계도」로 교리를 체계화하였다.

자료 하나 더 알고 가자!

부여의 건국 이야기에 나타난 천신 신앙

> 탁리국왕의 시녀가 임신을 하였다. …… 시녀가 말하기를 "크기가 달걀만 한 기운이 있었는데 하늘로부터 저에게 내려왔으므로 임신을 하였습니다."라고 하였다. 후에 아들을 낳으니, (왕은) 돼지우리에 버렸지만 돼지가 입김을 불어 넣어 죽지 않았다. …… 이름을 동명이라 하였다. …… 활을 잘 쏘아 왕은 두려워하여 그를 죽이고자 하였다. ─ 「후한서」

부여의 건국 이야기에는 시조인 동명을 하늘과 연결하여 시조가 신성한 존재임을 드러냈다.

완자샘의 탐구 강의

- 삼국에서 불교가 왕권에 끼친 영향을 써 보자.
삼국 시대 불교는 왕을 중심으로 한 위계 질서를 합리화하는 데 기여하여 왕권을 강화하였다.

- 삼국에서 대규모 사찰과 탑을 세운 내용을 통해 삼국 불교의 특징을 서술해 보자.
삼국 시대 불교는 국가의 안녕과 발전을 비는 호국 불교의 성격을 띠었다.

함께 보기 30쪽, 1등급 정복하기 1

정리 비법을 알려줄게!

원효와 의상의 불교 사상

구분	종파 통합		대중화 노력
원효	교종 중심	일심 사상, 화쟁 사상	아미타 신앙
의상		화엄 사상	관음 신앙

문제로 확인할까?

일심 사상을 바탕으로 여러 종파의 대립을 없애고자 화쟁 사상을 주장한 통일 신라의 승려는?

효원

02 고대 사회의 종교와 사상

★ 사신도
고구려 고분 벽화에 그려진 청룡, 백호, 주작, 현무 등 도교의 네 방위 신 그림으로, 죽은 사람의 사후 세계를 지켜준다고 여겨졌다.

2. 도교

(1) **수용과 발전**: 삼국 시대에 중국으로부터 전래, 귀족 사회를 중심으로 유행

(2) **사상**: 도가, 신선 사상을 바탕으로 산천 숭배, 민간 신앙 등이 결합하여 발전 → 불로장생과 현세 구복 추구

> 불로장생은 늙지 아니하고 오래 산다는 뜻이고, 현세 구복은 현세의 이익을 추구하는 것을 의미해.

(3) **문화유산**: 고구려 고분 벽화의 ★사신도, 백제의 산수무늬 벽돌, 백제 금동 대향로 등 〈자료❸〉

(4) **도교 장려 정책**: 고구려 연개소문이 귀족과 연계된 불교 세력을 억압하기 위해 도교 장려

> 불교 사찰을 빼앗아 도관(도교 사원)을 설치하고 도사들을 우대하였어.

3. 풍수지리설

수용	신라 말 도선 등 선종 승려가 체계적인 이론 수용
의미	도참사상과 결합 → 산세나 지형적 요인이 인간의 운명에 영향을 준다는 믿음으로 확대
영향	수도 금성(경주) 중심의 통치 질서와 지리 인식 탈피, 지방 호족의 세력 확대에 이용(송악 길지설 등)

> 지방 호족은 금성의 운수가 다하였다고 주장하면서 자신의 근거지에서 세력을 키워 나갔어.

이것이 핵심!

유학의 발달

삼국 시대	• 유학 교육 기관 설립 • 유학을 국가 통치에 활용 • 역사서 편찬
통일 신라	유교를 정치 이념으로 채택 → 국학 설립, 독서삼품과 실시
발해	유교 이념 중시 → 문적원 운영, 주자감 설립, 6부 명칭에 유교 덕목 반영

★ 오경박사
백제에서 오경에 능한 학자에게 주던 칭호이다. 오경은 유교의 다섯 가지 경전인 『시경』, 『서경』, 『주역』, 『예기』, 『춘추』를 말한다.

★ 독서삼품과
국학 학생들의 유교 경전 이해 수준을 상품, 중품, 하품으로 등급을 나누어 평가하여 관리를 선발하는 제도

★ 이두
한자의 음과 뜻을 빌려 우리말을 표기하던 방법 중 하나

★ 빈공과
당에서 외국인을 대상으로 실시한 과거 시험

❸ 유학의 수용과 발달

1. 삼국 시대: 중국에서 유학 수용

(1) **유학 교육**: 교육 기관을 설립하여 유학적 소양을 갖춘 인재 양성

고구려	• 수도: 소수림왕 때 태학 설립 → 귀족 자제에게 유교 경전과 역사서 교육 • 지방: 경당 설립 → 평민 자제에게 한학과 무술 교육
백제	★오경박사가 유학 교육 담당, 일본에 유학 전수 ┐
신라	임신서기석에 유학 공부 사실 기록, 황초령 순수비에 『논어』 인용, 세속 5계에서 유교 덕목 강조 〈자료❹〉

> 『논어』 등 유학 경전을 전해 주었어.

(2) **유학의 정치적 활용**: 유학을 토대로 국가 체제 정비 → 관료 육성과 충·효 등 도덕 규범 강조에 활용, 종묘 설치
> 국가 의례를 거행하던 곳이야.
> 세속 5계는 원광이 쓴 화랑도의 계율로 충, 효, 신 등의 유교 덕목이 강조되었어.

(3) **역사서의 편찬**: 국력 과시, 왕실의 권위 향상을 통한 백성의 충성심 고취 목적 〈자료❺〉

고구려	『유기』 100권 편찬, 이문진의 『신집』 5권 편찬(영양왕 시기)
백제	박사 고흥의 『서기』 저술(근초고왕 시기)
신라	이사부의 건의로 거칠부가 『국사』 편찬(진흥왕 시기)

> 현재 이들 역사서는 전하지 않지만 『삼국사기』에 당시 역사서를 편찬하였다는 기록이 남아 있어.

2. 통일 신라와 발해

(1) **통일 신라**: 유교를 정치 이념으로 채택, 유교 진흥 정책 추진

① 유학 교육: 신문왕 때 국학 설립

② 관리 선발: 원성왕 때 ★독서삼품과 실시
> 진골 귀족들의 반발로 제대로 시행되지 못하였지만 한문과 유학의 보급에 기여하였어.

③ 대표적 유학자

강수	6두품 출신, 외교 문서 작성에 능함
설총	6두품 출신, ★이두를 체계적으로 정리, 유교 경전 보급 노력
김대문	진골 출신, 『화랑세기』와 『고승전』 저술(→ 신라 문화의 주체적 이해)

(2) **발해**: 유교 이념 중시 → 문적원에서 유교 경전 및 서적 관리, 주자감에서 유학 교육, 중앙 6부 명칭에 유교 덕목 반영, 정혜 공주와 정효 공주의 묘지에 유교 경전 내용 인용

(3) **당 유학생의 활약**: 통일 신라와 발해의 학생들이 당에서 유학하며 ★빈공과에 응시, 최치원 등 신라의 6두품 출신 유학생들이 귀국 후 골품제 사회 비판 및 새로운 정치 이념 제시
> 이들은 자신들의 의견이 중앙 정부에 수용되지 않자 지방에 은둔하거나 호족들과 손을 잡고 새로운 사회를 만드는 데 참여하였어.

완자 자료 탐구 / 내 옆의 선생님

자료 ③ 도교 문화의 발달

> 불로장생의 신선들이 사는 산을 조각하고, 각종 동물, 악사, 신선을 새겨 도교의 이상향을 표현하였어.

↑ 강서대묘의 사신도 중 현무도(왼쪽)와 주작도(오른쪽)　↑ 백제의 산수무늬 벽돌　↑ 백제 금동 대향로

삼국 시대에 도교는 예술에도 영향을 주었다. 고구려 고분 벽화에는 도교의 상상 속 동물인 사신이 그려져 있었는데, 이들이 죽은 자의 사후 세계를 지켜 준다고 믿었다. 백제의 산수무늬 벽돌에는 자연과 더불어 살아가고자 하는 도교의 관념이 담겨 있고, 백제 금동 대향로에는 불교적 요소 외에 신선, 용, 봉황 등의 도교적 요소가 나타난다.

자료 ④ 신라의 유학 발달

> 두 청년이 국가에 대해 충성하고 유교 경전 공부에 힘쓸 것을 맹세한 내용이 새겨져 있어.

- 임신년 6월 16일에 두 사람이 함께 맹세하고 기록한다. 하늘 앞에 맹세하기를 지금부터 3년 이후까지 충성의 도리를 지켜 잘못을 저지르지 않기로 맹세한다. 만약에 이를 저버리면 하늘의 큰 벌을 받을 것을 맹세한다. …… 세상이 어지러워져도 충도를 행할 것을 맹세한다. …… 또 따로 신미년 7월 22일에 맹세하였다. 『시경』, 『상서』, 『예기』, 『춘추전』 등을 차례로 3년 안에 습득할 것을 맹세하였다.　— 임신서기석 기록
  - └ 유교 경전이야.
- 제왕이 연호를 세우는 것은 모두 자기 몸을 닦아 백성을 편안케 하고자 함이다.
  - └ 『논어』 구절을 인용한 거야.　— 황초령 순수비

↑ 임신서기석

신라의 임신서기석을 통해 당시 신라의 젊은이들이 유교 경전을 공부하고 충성과 같은 유교 덕목을 중시하였음을 알 수 있다. 황초령 순수비에도 『논어』의 내용을 인용하고 있어 당시 유학이 정치에 영향을 끼친 것을 유추할 수 있다.

자료 ⑤ 삼국의 역사서 편찬

> 이문진은 『유기』 100권을 바탕으로 『신집』 5권을 편찬하였어.

- 왕이 태학박사 이문진에게 명령하여 옛날 역사 기록을 요약하여 『신집』 다섯 권을 만들게 하였다. 나라의 초창기에 처음으로 문자를 사용할 때에 어떤 사람이 기사 1백 권을 쓰고 이것을 『유기』라 하였는데 이때 와서 요약 수정하였다.　— 『삼국사기』
- 이찬 이사부가 왕에게 아뢰되, "나라의 역사라는 것은 임금과 신하들의 선악을 기록하여 좋고 나쁜 것을 길이 후대에 보여 주는 것입니다. 역사를 편찬하지 않는다면 후대에서 볼 것이 무엇이겠습니까?" 하였다. 왕이 깊이 동감하고 …… 역사를 편찬하도록 하였다.　— 『삼국사기』

유학의 수준이 높아지고 중앙 집권 체제가 강화되면서 삼국의 왕실은 역사서를 편찬하여 국력을 널리 알리고 왕실의 권위를 높이고자 하였다. 이렇게 편찬된 역사서는 국가에 대한 자긍심과 충성심, 국왕에 대한 존경심을 높이는 데 도움이 되었다.

문제 로 확인알까?

자료를 통해 알 수 있는 삼국 시대 도교의 특징으로 옳은 것은?

① 대규모 사찰과 탑의 건립에 영향을 주었다.

② 신선 사상, 산천 숭배 등이 결합하여 발전하였다.

③ 사후 세계를 믿지 않고 현세에 충실할 것을 주장하였다.

④ 충, 효 등의 사상을 강조하여 왕권 강화에 도움이 되었다.

⑤ 귀족들의 박해에도 불구하고 하층민 사이에서 유행하였다.

② 📖

자료 하나 더 알고 가자!

통일 신라의 왕권을 뒷받침한 유교 이념

- 과인이 왜소한 몸, 부족한 덕(德)으로 숭고한 기틀을 받아 지키느라 먹는 것도 잊고 아침 일찍 일어나 밤늦게 잠들며 여러 중신과 함께 나라를 편안하게 하려 하였다.
- 임금을 섬기는 규범은 충성을 다하는 것을 근본으로 삼고, 벼슬살이하는 도리는 두 마음을 갖지 않는 것을 으뜸으로 한다.　— 『삼국사기』 신문왕 교서

통일 신라에서는 국왕이 유교 도덕을 몸소 실천하고 선정을 베푸는 존재임을 내세워 권위를 높였고, 국가적 통합을 강조하여 진골 귀족을 억압하였다.

정리 비법을 알려줄게!

삼국의 역사서 편찬

배경	• 유학의 수준 향상 • 중앙 집권 체제 강화
목적	국력을 드러내고 왕실의 권위를 높이고자 함
내용	• 고구려: 『유기』 100권 → 『신집』 5권 편찬 • 백제: 『서기』 편찬 • 신라: 『국사』 편찬
영향	• 국가에 대한 백성들의 자긍심과 충성심 고취 • 왕실의 존엄성 향상(왕권 강화)

STEP 1 핵심 개념 확인하기

1 다음 설명이 맞으면 ○표, 틀리면 ×표를 하시오.

(1) 삼국에서는 호국 불교가 발달하였다. ( )

(2) 청동기 시대 국가가 성장하는 과정에서 천신 신앙과 선민 사상이 등장하였다. ( )

(3) 구석기 시대에 모든 자연물과 자연 현상에 영혼이 깃들어 있다고 믿는 애니미즘이 등장하였다. ( )

2 다음에서 설명하는 인물을 〈보기〉에서 골라 기호를 쓰시오.

> **보기**
> ㄱ. 원측   ㄴ. 원효   ㄷ. 의상   ㄹ. 혜초

(1) 신라 화엄종을 개창하였다. ( )

(2) 당에 건너가 법상종의 발전에 영향을 주었다. ( )

(3) 아미타 신앙을 전파하여 불교의 대중화에 기여하였다. ( )

(4) 중앙아시아와 인도 지역을 순례한 후 왕오천축국전을 저술하였다. ( )

3 신라 말에는 참선 수행을 통한 개인의 깨달음을 중시하는 불교 종파인 ( )이 유행하였다.

4 다음 괄호 안의 내용 중 알맞은 말에 ○표를 하시오.

(1) 삼국에 수용된 (도교, 불교)는 불로장생과 현세 구복을 추구하였다.

(2) 신라는 법흥왕 때 (김대문, 이차돈)의 순교를 계기로 삼아 불교를 공인하였다.

(3) 고구려는 중앙에 (경당, 태학)을 설립하고 유교 경전과 역사서를 교육하였다.

(4) (강수, 설총)은/는 6두품 출신으로 유교 경전에 조예가 깊었으며 이두를 체계적으로 정리하였다.

5 다음에서 설명하는 제도를 쓰시오.

> 국학 학생들의 유교 경전 이해 수준을 상품, 중품, 하품으로 등급을 나누어 평가하여 관리를 선발하는 제도이다.

STEP 2 내신 만점 공략하기

01 (가)에 들어갈 내용으로 가장 적절한 것은?

> 신석기 시대에 농경이 중요해지자, 사람들은 태양, 바람, 비 등 날씨와 관계된 자연 현상을 중요하게 생각하였다. 그래서 이 시기에 | (가) |

① 불교가 대중화되었다.

② 애니미즘이 생겨났다.

③ 선민사상이 등장하였다.

④ 풍수지리설이 유행하였다.

⑤ 고분 벽화로 사신도를 그렸다.

02 다음 자료에 대한 대화 내용으로 가장 적절한 것은?

> 탁리국왕의 시녀가 임신을 하였다. …… 시녀가 말하기를 "크기가 달걀만 한 기운이 있었는데 하늘로부터 저에게 내려왔으므로 임신을 하였습니다."라고 하였다. 후에 아들을 낳으니, (왕은) 돼지우리에 버렸지만 돼지가 입김을 불어 넣어 죽지 않았다. …… 이름을 동명이라 하였다.

① 고조선의 건국 이야기를 담고 있어.

② 건국 시조를 천신의 후손으로 보고 있어.

③ 매년 제천 행사가 개최되고 있음을 알 수 있어.

④ 신석기 시대의 부족 형성 과정을 보여 주고 있어.

⑤ 무리 지어 이동 생활을 하였던 모습을 볼 수 있어.

03 밑줄 친 '이 나라'에 대한 설명으로 옳은 것은?

> 이 나라는 귀신·사직·영성에게 제사 지내기를 좋아한다. 10월에 하늘에다 제사 드리면서 크게 모이는데 이름이 '동맹(東盟)'이라고 한다. ─ 「삼국사기」

① 단군왕검이 통치자였다.

② 제가들이 사출도를 관장하였다.

③ 천군이 소도에서 제사를 지냈다.

④ 제가 회의에서 국정을 논의하였다.

⑤ 신지, 읍차 등이 소국을 통치하였다.

04 (가)에 들어갈 내용으로 가장 적절한 것은?

> **수행 평가 보고서**
> • 탐구 주제: 삼국의 천손 의식
> • 자료 분석
> – 삼국이 ⎣⎯⎯⎯⎯⎯⎯⎯⎯⎯ (가) ⎯⎯⎯⎯⎯⎯⎯⎯⎯⎦
> – 삼국의 왕이 제천 행사를 주관하였다.
> • 자료 분석 결과: 삼국은 시조가 하늘의 자손이라는 천손 의식을 바탕으로 건국의 정당성을 밝히고 왕실의 안정을 꾀하였다.

① 율령을 수용하였다.
② 승탑과 탑비를 세웠다.
③ 시조를 모시는 사당을 세웠다.
④ 유학 교육 기관을 설치하였다.
⑤ 관등제를 정비하고 관복을 정하였다.

06 다음 상황을 계기로 불교를 공인한 나라에 대한 설명으로 옳은 것은?

> 왕 또한 불교를 일으키려고 하였으나 여러 신하가 믿지 않고 이런저런 불평을 많이 하였으므로 근심하였다. (왕의) 가까운 신하인 이차돈이 아뢰기를 "바라건대 하찮은 신의 목을 베어 여러 사람들의 논의를 진정시키십시오." 라고 하였다. …… (이차돈의) 목을 베자 잘린 곳에서 피가 솟구쳤는데, 그 색이 우윳빛처럼 희었다. 여러 사람이 괴이하게 여겨 다시는 불교를 헐뜯지 않았다. – 「삼국사기」

① 역사서로 국사를 편찬하였다.
② 영고라는 제천 행사를 거행하였다.
③ 오경박사가 유학 교육을 담당하였다.
④ 왕을 태왕, 영락 대왕 등으로 높여 불렀다.
⑤ 지방의 경당에서 평민 자제가 교육을 받았다.

05 ☆중요 다음 비문들의 내용을 모두 활용한 탐구 활동 주제로 가장 적절한 것은?

> • 시조 추모왕이 나라를 세웠는데 …… 17세손에 이르러 국강상광개토경평안호태왕이 18세에 왕위에 올라 칭호를 영락 대왕이라 하였다. (대왕의) 은혜로운 혜택이 하늘까지 미쳤고 용맹함과 위엄이 사방의 바다에 떨쳤다.
> – 「광개토 대왕릉비」
> • 하백의 손자이며 일월의 아들인 추모성왕이 북부여에서 나셨으니, 이 나라 이 고을이 가장 성스러움을 천하 사방이 알지니 …… 국강상대개토지호태성왕에 이르러 (모두루의) 조부와의 인연으로 노객 모두루와 □□모에게 은혜를 베푸시어 영북부여수사로 파견하니, ……
> – 「모두루묘지문」

① 삼국의 통일 과정
② 고구려의 남진 정책 추진
③ 고구려와 수·당의 무력 충돌
④ 고구려의 독자적 천하관 형성
⑤ 한강 유역을 둘러싼 삼국의 경쟁

07 ☆중요 (가)에 들어갈 내용으로 가장 적절한 것은?

① 독자적인 연호를 사용하였어.
② 건국 시조를 천신과 연결하였어.
③ 국학, 태학 등의 교육 기관을 세웠어.
④ 이사금, 마립간 등의 왕호를 사용하였어.
⑤ 왕실을 석가모니 집안의 환생으로 내세웠어.

08 밑줄 친 '그'에 대한 설명으로 옳지 <u>않은</u> 것은?

> 그가 수많은 촌락에서 노래하고 춤추며 교화하고 읊고 돌아오니 가난하고 무지몽매한 무리들도 모두 부처의 이름을 알게 되었고, 모두 '나무아미타불'을 칭하게 되었다. 그의 법화가 컸던 것이다.
> — 『삼국유사』

① 일심 사상을 제시하였다.
② 화쟁 사상을 주장하였다.
③ 아미타 신앙을 전파하였다.
④ 화엄일승법계도로 교리를 체계화하였다.
⑤ 불교 여러 종파의 대립을 해결하려고 하였다.

09 (가) 인물에 대한 탐구 활동으로 가장 적절한 것은?

> ☐(가)☐ 이/가 열 곳의 절에 교리를 전하게 하였으니 태백산의 부석사, …… 남악의 화엄사 등이 그것이다. 「화엄일승법계도」를 저술하고 주석을 붙여 요긴한 알맹이를 포괄하였으니 …… 제자 오진, 지통 등은 우두머리가 되었는데, 모두 성인에 버금갔다.
> — 『삼국유사』

① 화쟁 사상의 핵심 주장을 알아본다.
② 왕오천축국전의 저술 배경을 조사한다.
③ 신라 화엄종의 교리적 특징을 살펴본다.
④ 법흥왕의 불교 공인에 끼친 영향을 검색한다.
⑤ 당에 건너가 법상종 발전에 기여한 활동을 찾아본다.

10 다음 문화유산의 제작에 영향을 끼친 불교 사상에 대한 설명으로 옳은 것은?

① 원효의 활약으로 대중화되었다.
② 금성 중심의 지리 관념을 깨뜨렸다.
③ 진골 귀족의 적극적인 후원을 받았다.
④ 참선 수행을 통한 깨달음을 중시하였다.
⑤ 민간 신앙과 신선 사상 등이 융합되어 발전하였다.

11 (가) 국가에 대한 설명으로 옳은 것은?

> **(가) 불교문화 전시회**
>
>
>
> ↑ **고구려 후기 불교 양식의 영향을 받은 이불 병좌상**
>
> 왕실과 귀족 중심으로 불교가 유행하면서 수도 상경성을 비롯한 주요 지역에 많은 사찰을 건립하고 불교문화를 발전시킨 ☐(가)☐ 의 유물을 전시합니다. 특별히 고구려 불교의 영향을 받은 이불 병좌상이 공개되오니 많이 참석해 주시기 바랍니다.

① 미륵사를 창건하였다.
② 9산선문을 건립하였다.
③ 문왕이 불교식 왕명을 사용하였다.
④ 원광의 세속 5계로 젊은이들을 가르쳤다.
⑤ 경주 불국사를 세워 불국토의 모습을 구현하였다.

12 다음 비석에 대한 설명으로 옳은 것은?

>
>
> 임신년 6월 16일에 두 사람이 …… 하늘 앞에 맹세하기를 지금부터 3년 이후까지 충성의 도리를 지켜 잘못을 저지르지 않기로 맹세한다. …… 또 따로 신미년 7월 22일에 맹세하였다. 『시경』, 『상서』, 『예기』, 『춘추전』 등을 차례로 3년 안에 습득할 것을 맹세하였다.

① 신라의 유학 교육 상황을 짐작하게 한다.
② 신라의 한강 유역 장악 과정을 보여 준다.
③ 고구려 태학과 경당의 운영 방식을 알려 준다.
④ 삼국 시대에 도교가 전래된 사실을 담고 있다.
⑤ 이문진이 신집 5권을 편찬하였음을 소개하고 있다.

13 밑줄 친 '이 이론'에 대한 설명으로 옳은 것은?

> 도선 등 선종 승려들이 소개한 이 이론은 산이나 물, 땅의 모양을 살펴 도읍, 주거지, 묘지 등을 정하는 이론이다. 이는 예언적인 도참사상과 결합하여 자연환경이 국가와 사람의 운명에 영향을 준다는 믿음으로 확대되었다.

① 영고의 개최에 영향을 주었다.
② 고구려의 태학에서 교육하였다.
③ 호족의 세력 확대에 이용되었다.
④ 귀족 중심의 신분 질서를 뒷받침하였다.
⑤ 신라 말 금성 중심의 통치 질서를 강화하였다.

14 (가) 국왕의 재위 시기에 있었던 사실로 옳은 것은?

> [(가)] 16년 겨울 10월, 임금이 북한산에 순행하여 영토의 국경을 정하였다. …… 23년 9월에 (대)가야가 반란을 일으켰다. 임금이 이사부에게 명하여 토벌케 하였는데, 사다함이 부장(副將)이 되었다. …… 이사부가 병사를 이끌고 다다르자 일시에 모두 항복하였다.

① 불교가 공인되었다.
② 거칠부가 국사를 편찬하였다.
③ 9주 5소경 체제가 갖추어졌다.
④ 김씨의 왕위 계승이 확립되었다.
⑤ 교육 기관으로 국학이 설립되었다.

15 다음 글에 해당하는 사례로 가장 적절한 것은?

> 통일 이후 신라는 유교를 정치 이념으로 삼고 유교 진흥 정책을 펼쳤다. 그 결과 뛰어난 학자들이 많이 나와 활약을 펼쳤는데, 6두품 출신이 많았다.

① 원측이 당에 유학하였다.
② 혜초가 인도를 순례하였다.
③ 오경박사가 유학을 교육하였다.
④ 김대문이 화랑세기를 저술하였다.
⑤ 강수가 외교 문서 작성에 능하였다.

01 다음을 토대로 신라에서 불교의 역할을 서술하시오.

> 576년, 진지왕이 왕위에 올랐다. 이름은 사륜(또는 금륜)이라 하였고 진흥왕의 둘째 아들이다. …… 진평왕이 왕위에 올랐다. 이름은 백정(석가모니의 아버지)이며 진흥왕의 태자 동륜의 아들이다. …… 왕비는 김씨 마야 부인(석가모니의 어머니)으로 갈문왕 복승의 딸이다.
> － 『삼국사기』

[길잡이] 왕실을 석가모니 집안과 연결 지었음을 생각해 본다.

02 밑줄 친 '이 제도'의 명칭을 쓰고, 제도를 마련한 목적을 서술하시오.

> (원성왕) 4년 봄, 처음으로 이 제도를 제정하여 관직을 주었다. 『춘추좌씨전』·『예기』·『문선』을 읽어서 그 뜻에 능통하고, 이와 동시에 『논어』와 『효경』에 밝은 자를 상품(上品)으로 하고, 『곡례』와 『논어』, 『효경』을 읽은 자를 중품(中品)으로 하고, 『곡례』와 『효경』을 읽은 자를 하품(下品)으로 하였다. 5경, 3사, 제자백가서에 모두 능통한 자는 절차를 뛰어넘어 발탁하였다. － 『삼국사기』

[길잡이] 유교 경전의 이해 수준을 세 개의 품으로 나누었음에 주목한다.

03 밑줄 친 부분에 해당하는 구체적인 내용을 두 가지 서술하시오.

> 발해는 중앙 정치 조직인 6부의 명칭에 유교 덕목인 충·인·의·지·예·신을 반영하고 여러 관청들을 통해 유학 수준을 높이는 등 유교 이념을 중시하였다.

[길잡이] 발해에서 유학 진흥을 위해 운영한 기구들을 중심으로 서술한다.

1 다음 자료를 읽고 나눈 학생들의 대화 내용으로 가장 적절한 것은?

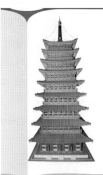

이 탑은 복원된 황룡사 9층 목탑이다. 『삼국유사』에는 이 탑의 건립에 대한 설화가 전해진다. 이에 따르면 승려 자장이 나라의 안위를 걱정하자, 신인(神人)이 자장에게 "황룡사의 호법룡은 나의 맏아들이오. 범왕의 명을 받고 그 절을 보호하고 있소이다. 고국에 돌아가 절 안에 9층탑을 세우시오. 그러면 이웃 나라들이 항복할 것이오."라고 말하였고, 자장이 이를 선덕 여왕에게 아뢰어 황룡사 9층 목탑이 세워졌다고 한다.

① 관음 신앙이 유행하였음을 알 수 있어.
② 불교가 대중화되었음을 짐작할 수 있어.
③ 호국 불교가 발전하였음을 유추할 수 있어.
④ 불교를 공인하는 데 귀족들의 반발이 있었음을 알 수 있어.
⑤ 6두품 출신 유학자들이 골품제 사회를 비판하였음을 보여 줘.

> **고대 불교의 발전**

완자쌤의 시험 꿀팁

삼국 시대 불교에 대하여 각 나라의 문화유산, 불교의 역할과 특징에 대한 문제가 주로 출제된다. 문화유산이나 사료를 보고 어느 나라인지 파악할 수 있게 정리하고, 삼국의 불교가 왕권 강화와 나라를 지키려는 경향이 강하였음을 파악해 둔다.

┃ 완자 사전 ┃

• **관음 신앙**
자비를 베풀어 중생을 구제하는 관음보살을 믿는 신앙

• **호국 불교**
나라가 외침을 당하였을 때에 나라를 구하고 지키는 지도 원리로서의 불교를 가리킨다.

수능 응용

2 (가)에 들어갈 내용으로 가장 적절한 것은?

한국사 다큐멘터리 기획안

• 제목: 불교의 학문적·철학적 이해를 심화한 승려 ○○
• 기획 의도: 통일 신라 불교 사상이 발달하는 데 큰 역할을 한 ○○의 활동을 알아본다.
• 주요 내용
 – 일심 사상을 내세우다.
 – ┃　　　　　(가)　　　　　┃
• 고증 자료: 『무량수경종요』 참고
 – 모든 경계가 무한하지만, 다 일심 안에 들어가는 것이다. 부처의 지혜는 모양을 떠나 마음의 원천으로 돌아가고, 지혜와 일심은 완전히 같아서 둘이 아니다.

① 화랑세기, 고승전을 저술하다.
② 당에 유학하여 빈공과에 합격하다.
③ 황룡사 9층 목탑의 건립을 건의하다.
④ 인도를 순례하고 왕오천축국전을 남기다.
⑤ 화쟁을 주장하고 아미타 신앙을 전파하다.

> **통일 신라의 불교 발달**

┃ 완자 사전 ┃

• **화랑세기**
신라 성덕왕 때 김대문이 쓴 화랑에 대한 전기

• **고승전**
신라 성덕왕 때 김대문이 쓴 고승들의 전기로, 현존하지 않지만 『삼국사기』에 사료로 이용되었다.

3 밑줄 친 '이 사상'에 대한 설명으로 옳은 것은?

이 문화유산은 백제에서 제작된 것으로, 맨 윗부분에는 불로장생을 상징하는 봉황을 조각하였고, 그 아래에는 악사, 신선 등을 새겨 <u>이 사상</u>의 이상향을 표현하였어요.

① 신라 말 송악 길지설을 뒷받침하였다.
② 화엄일승법계도에 핵심 논리가 담겼다.
③ 전륜성왕 관념으로 국왕의 권위를 높였다.
④ 승탑과 탑비가 유행하는 데 영향을 끼쳤다.
⑤ 도가, 신선 사상, 민간 신앙 등이 융합되었다.

▶ 고대 종교의 발달

완자샘의 시험 꿀팁

고대 종교는 문화유산과 연결하여 문제가 자주 출제된다. 도교, 불교, 유교의 발달에 따라 제작된 문화유산을 정리해 두고, 각 종교의 특징을 파악해 두는 것이 좋다.

┃완자 사전┃

• **전륜성왕**
부처의 가르침에 따라 세계를 통일하고 지배하는 이상적인 통치자이다. 금륜, 은륜, 동륜, 철륜의 네 성왕이 있다.

---

4 (가), (나)에 해당하는 국가에 대한 설명으로 옳은 것은?

> (가) 왕이 태학박사 이문진에게 명령하여 옛날 역사 기록을 요약하여 『신집』 다섯 권을 만들게 하였다. 나라의 초창기에 처음으로 문자를 사용할 때에 어떤 사람이 기사 1백 권을 쓰고 이것을 『유기』라 하였는데 이때 와서 요약 수정하였다. ─ 『삼국사기』
>
> (나) 이찬 이사부가 왕에게 아뢰되, "나라의 역사라는 것은 임금과 신하들의 선악을 기록하여 좋고 나쁜 것을 길이 후대에 보여 주는 것입니다. 역사를 편찬하지 않는다면 후대에서 볼 것이 무엇이겠습니까?" 하였다. 왕이 깊이 동감하고 …… 역사를 편찬하도록 하였다. ─ 『삼국사기』

① (가) ─ 국학을 설립하였다.
② (가) ─ 태학에서 유교 경전을 가르쳤다.
③ (나) ─ 연개소문의 정책으로 도교가 발전하였다.
④ (나) ─ 좌평 이하 16관등의 관등제가 운영되었다.
⑤ (가), (나) ─ 나당 연합군에 멸망하였다.

▶ 역사서의 편찬

┃완자 사전┃

• **태학박사**
고구려 태학에 속하여 학문을 가르치는 일을 맡아보던 벼슬

• **연개소문**
고구려에서 대대로가 된 후 보장왕을 추대하고 스스로 대막리지가 되어 정권을 장악한 인물

03 고려의 통치 체제와 국제 질서의 변동(1)

학습 목표
- 고려 통치 체제의 구조와 운영의 특징을 설명할 수 있다.
- 고려와 거란, 여진과의 관계를 파악하고 고려가 해동 천하 인식을 가졌음을 알 수 있다.

이것이 핵심!

고려의 국가 기틀 확립

왕권 강화	• 태조: 호족 통합 정책, 북진 정책, 민족 통합·민생 안정 정책 실시 • 광종: 노비안검법 실시, 과거제 도입 • 성종: 유교 이념을 바탕으로 한 정치 실시
통치 체제	• 중앙: 2성 6부 중심, 도병마사와 식목도감 운영, 대간 설치 • 지방: 5도 양계로 정비 • 관리 등용: 과거, 음서 실시

★ 노비안검법
후삼국 통일 과정에서 포로가 되거나 호족이 불법적으로 노비로 삼은 자를 조사하여 양인으로 풀어 주도록 한 법

★ 전시과
고려에서 관직 복무와 직역의 대가로 관리에게 수조지를 지급한 제도이다. 관리의 지위에 따라 총 18과로 등급을 나누어 국가에 납부할 세금을 대신 수취하는 전지와 땔감을 채취하는 시지를 주었다.

★ 고려의 지방 행정 제도

★ 2군 6위
고려의 중앙군으로, 2군은 국왕의 친위 부대 역할을 하였으며, 6위는 수도를 경비하고 국경을 방어하였다.

① 고려의 성립과 통치 체제의 정비

1. 후삼국의 통일

(1) **후삼국의 성립**: 신라 말 사회 혼란을 배경으로 성립 ┌ 지방 호족이 성장하고 농민들의 봉기가 끊이지 않는 가운데 견훤과 궁예가 독자적으로 정권을 수립하였어.

후백제	견훤이 옛 백제 지역 호족들의 지지를 받아 완산주(전주)에 도읍하여 건국(900)
후고구려	궁예가 북방 지역 호족들의 후원을 받아 송악(개성)에 도읍하여 건국(901) → 철원 천도, 국호를 '태봉'으로 개칭, 호족 탄압·미륵불 자처(→ 호족과 불교계의 반발 초래)

(2) **고려의 성립**: 후고구려 호족들이 왕건(태조)을 왕으로 추대·고려 건국(918), 송악 천도(919)

(3) **고려의 후삼국 통일**: 후백제의 왕위 다툼으로 견훤이 고려에 귀순(935) → 신라 경순왕의 요청으로 신라 통합(935) → 후백제군 격파, 후삼국 통일(936) **Qui?** 태조는 신라와 화친하여 신라의 지지를 얻어왔어.

2. 왕권 강화와 국가 기틀의 확립
┌ 호족을 통제하고 지방 통치를 보완하였어.

태조 자료①	• 호족 통합 정책: 유력한 호족 세력과 혼인, 성씨 하사, 사심관 제도와 기인 제도 실시 • 북진 정책: 고구려 계승 의식 표방, 서경(평양) 중시, 거란 배척, 청천강 유역까지 진출 • 민족 통합과 민생 안정 정책: 신라와 후백제 출신 인물을 지배층으로 수용, 발해 유민 포용, 세금 감면, 호족의 지나친 세금 징수 금지
광종	★노비안검법 실시(→ 호족과 공신의 경제력 약화), 과거제 도입, 황제 호칭 및 독자적 연호 사용
경종	★전시과 실시 → 호족과 공신의 경제 기반 안정
성종	최승로의 시무 28조 수용(→ 유교 이념을 바탕으로 한 정치 실시), 중앙 관제 및 지방 통치 제도 정비, 유학 교육 장려(국자감 정비, 지방에 경학박사 파견 등), 국가 행사에 유교 의례 도입 자료②

3. 통치 체제의 구조와 운영

(1) **중앙 정치 제도** 자료③ ┌ 고려는 당의 3성 6부제를 나라의 실정에 맞게 고쳐 2성 6부의 중앙 정치 제도를 갖추었어.

① **2성 6부 체제**: 중서문하성이 국정 총괄, 상서성이 6부 관리 및 정책 집행

② **재신과 추신(추밀)**: 도병마사와 식목도감에서 회의를 열어 정책 결정, 6부 등 관부의 장관을 겸함 ┌ 꽁! 고위 관료들이 정치의 중심을 이루었음을 보여 주는 고려만의 독자적인 기구였어.

③ **대간**: 중서문하성의 낭사와 어사대의 관리가 간쟁, 봉박, 서경 등의 권리 행사

(2) **지방 행정 제도** ┌ 간쟁은 왕의 잘못을 논하는 것, 봉박은 잘못된 왕명을 시행하지 않고 돌려보내는 것, 서경은 관리의 임명이나 법률을 개정, 폐지할 동의를 얻는 것을 말해.

① **정비 과정**: 성종 때 시작(12목 설치, 지방관 파견) → 전국을 경기, 5도, 양계로 나눔

5도	일반 행정 구역, 안찰사 파견, 도 아래에 주·군·현과 특수 행정 구역(향, 부곡, 소) 설치
양계	군사 요충지(북계와 동계), 병마사 파견, 국방상 요충지에 진 설치

② **특징**: 주현(지방관 주재)이 속현(지방관 부재)을 감독, 진에 파견된 수령은 행정과 군사 업무를 함께 처리, 지방 호족이 향리로 전환(지방 행정 담당)

(3) **군사 제도**: ★2군 6위(중앙군), 주현군·주진군(지방군) 운영

(4) **교육 기관**: 관리 양성과 유학 교육 목적 → 개경에 국자감(국학) 설립, 지방에 향교 설립

(5) **관리 등용 제도**

과거	시험을 통해 유교적 소양과 실무 능력을 갖춘 인재 선발, 제술과와 명경과·잡과·승과 실시, 중앙 관리와 일부 향리나 그 자제들이 응시 ┌ 무과는 거의 시행되지 않았어.
음서	공신이나 5품 이상 고위 관리의 자손 대상, 과거를 거치지 않고 관리에 등용

└ 고위 관리가 되려면 과거에 급제하는 것이 유리하였어.

완자 자료 탐구

내 옆의 선생님

자료 1 태조의 훈요 10조

1조 불교의 힘으로 나라를 세웠으므로, 사찰을 세우고 주지를 파견하여 불도를 닦도록 하라. ┐불교 숭상

2조 모든 절은 도선의 풍수 사상에 따라서 세우고, 함부로 짓지 말라. ─풍수지리설 중시

4조 우리나라는 예로부터 중국의 문물과 예·악을 따랐으나, 지역과 인성이 다르니 꼭 같게 할 필요는 없다. 거란은 짐승과 같은 나라이니 그들의 의관 제도를 본받지 말라. ─거란 배척

5조 서경은 우리나라 땅 형세의 근본이 되니, 백 일 이상 머물러 왕실의 안녕을 이루도록 하라. ┐서경 중시

6조 나의 지극한 소원은 연등회와 팔관회를 베푸는 데 있다. 후세에 간신들이 이 행사를 더하거나 줄이자고 하여도 결코 들어주지 말라. ─연등회·팔관회 중시

─「고려사절요」

훈요 10조는 태조 왕건이 자손들에게 남긴 가르침으로, 이를 통해 태조가 불교, 풍수지리 사상 등을 중요하게 여겼음을 알 수 있다. 또한 태조가 고구려 계승 의식을 바탕으로 북진 정책을 추진하여 고구려의 수도였던 평양을 서경으로 삼아 중시하고 거란을 적대하였음을 유추할 수 있다.

자료 2 최승로의 시무 28조

7조 국왕이 백성을 다스림은 집집마다 가서 돌보고 날마다 이를 살피는 것이 아닙니다. …… 청컨대 외관을 두소서.

11조 중국의 제도는 따르지 않을 수 없습니다. …… 예·악, 시·서의 가르침과 군신·부자의 도리는 중국을 모범으로 삼아서 비루한 습속을 개혁하되, 수레나 의복 제도는 토착 풍속을 따를 수 있게 하십시오.

20조 불교를 믿는 것은 자신을 다스리는 근본이며, 유교를 행하는 것은 나라를 다스리는 근본을 구하는 것입니다. 자신을 다스리는 것은 내세에 복을 구하는 일이며, 나라를 다스리는 것은 오늘의 급한 일입니다.

─「고려사」

성종 시기 최승로는 시무 28조를 올려 당대의 문제에 대한 자기 견해를 성종에게 밝혔다. 이 글에서 최승로는 정치사상으로서 유교의 중요성을 강조하였고 지방관의 파견 등 구체적인 개혁안을 제시하였다. 성종은 최승로의 개혁안을 수용하여 제도를 정비하였다.

자료 3 고려의 중앙 정치 기구

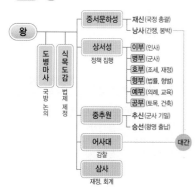

고려는 2성(중서문하성, 상서성) 6부를 중심으로 중앙 정치 체제를 운영하였다. 중추원은 군사 기밀과 왕명 출납을 담당하며 왕의 비서 기구 역할을 하였고, 어사대는 풍속 교정과 관리 감찰을 맡았다. 중서문하성의 재신과 중추원의 추신은 도병마사(국방 논의)와 식목도감(법제 제정)에서 회의를 열어 정책을 결정하였고, 중서문하성의 낭사와 어사대의 관리는 대간이라 불리며 왕권을 견제하고 관리를 감시하는 역할을 하였다.

자료 하나 더 알고 가자!

태조가 실시한 사심관 제도와 기인 제도

- 신라 왕 김부가 항복하였으므로 신라 국을 없애고 김부로 하여금 경주의 사심관으로 삼아 부호장 이하 관직자들의 일을 살피도록 하였다. ─「고려사」
- 국초에 향리의 자제를 뽑아 수도에서 인질로 잡고 또 그 고을 일의 자문에 대비하니, 이를 기인이라고 하였다. ─「고려사」

사심관 제도는 중앙의 관리를 출신 지역의 사심관으로 임명하여 호족을 통제하려한 제도이고, 기인 제도는 호족의 자제를 수도에 잡아 둠으로써 지방 세력을 견제·회유하는 제도였다.

정리 비법을 알려줄게!

시무 28조의 주요 내용

항목	내용	목적
7조	지방관 파견	중앙 집권 강화
11조	중국 문물의 자주적 수용	중국 제도에 기반한 관제 정비
20조	유교 정치 이념 제시	유교 중심의 통치 체제 확립

⬇ 수용

성종의 정책
• 12목 설치, 지방관 파견
• 2성 6부의 중앙 관제 정비
• 국가 행사에 유교 의례 도입
• 유학 교육 장려(국자감 정비)

문제 로 확인할까?

고려의 중앙 정치 제도에 대한 설명으로 옳은 것을 〈보기〉에서 고른 것은?

〈보기〉
ㄱ. 3성 6부로 운영되었다.
ㄴ. 중서문하성은 왕명 출납을 맡았다.
ㄷ. 도병마사에서 국방 문제를 논의하였다.
ㄹ. 대간은 왕권을 견제하고 관리를 감시하는 역할을 하였다.

① ㄱ, ㄴ ② ㄱ, ㄷ ③ ㄴ, ㄷ
④ ㄴ, ㄹ ⑤ ㄷ, ㄹ

⑨

이것이 핵심!

고려 전기의 대외 관계

송	친선 관계
거란	• 1차 침략: 서희의 외교 담판으로 강동 6주 획득 • 2차 침략: 개경 함락 → 고려의 끈질긴 저항 • 3차 침략: 귀주 대첩 승리
여진	여진족의 국경 침범 → 윤관이 별무반을 이끌고 여진 정벌 → 동북 지역에 9개의 성 축조

★ **광군**
고려 초기 거란의 침입에 대비하여 조직한 예비군의 성격을 띤 군대이다.

★ **강조의 정변(1009)**
강조가 목종을 쫓아내고 현종을 즉위시킨 사건이다. 거란은 강조를 문책한다는 명분을 내세워 고려를 침략하였다.

★ **별무반**
기병이 뛰어난 여진을 정벌하기 위해 조직된 군대로, 기병인 신기군, 보병인 신보군, 승병인 항마군으로 편성되었다.

② 고려 전기의 대외 관계

1. 송과의 관계: 친선 관계(활발한 교류 전개, 선진 문물 수용) ─ 고려는 송과 경제적·문화적 교류는 하였지만 거란을 공격하려는 송의 군사적 도움 요청은 거절하기도 하였어.

2. 거란과의 전쟁

(1) **10세기경 정세:** 거란의 요 건국(916), 고려의 거란 배격(정종의 *광군 편성)

(2) **거란의 침략과 극복** 자료 ④

구분	1차 침략(993)	2차 침략(1010~1011)	3차 침략(1018~1019)
배경	고려와 송의 친선 관계, 고려가 거란을 적대시함	고려와 송의 교류 지속	거란의 강동 6주 반환 요구
전개	거란의 침략 → 서희의 외교 담판(송과의 관계 단절, 거란과의 교류 약속) → 거란군 퇴각	*강조의 정변을 구실로 침략 → 개경 함락, 현종의 나주 피란	거란이 10만여 명의 대군을 이끌고 고려 침략 → 강감찬이 이끄는 고려군이 귀주에서 거란군 격파(귀주 대첩, 1019)
결과	압록강 일대의 강동 6주 획득	고려의 반격으로 거란군이 큰 소득 없이 물러남	• 고려, 거란, 송 사이의 세력 균형 형성 • 나성(개경), 천리장성 축조

고려는 북방 민족의 침략을 막기 위해 압록강 하구에서 동해의 도련포에 이르는 지역에 성을 쌓았어.

3. 여진과의 전쟁

(1) **여진과의 관계 변화:** 고려의 회유책 추진(여진을 경제적으로 지원, 관직 하사 등), 여진이 고려에 조공을 바침 → 12세기 초 강성해진 여진이 고려 국경 침범

(2) **고려의 여진 정벌** 자료 ⑤

① **준비:** 윤관의 건의 → 여진 정벌을 위한 *별무반 편성

② **추진:** 윤관이 별무반을 이끌고 여진 정벌 → 동북 지역에 9개의 성 축조 → 여진의 요구와 방어의 어려움으로 9성 반환 ─ 여진은 고려에 충성을 맹세하며 9성 지역을 돌려줄 것을 요청하였고, 고려 또한 해당 지역을 방어하는 것이 어려워 9성을 돌려주었어.

(3) **금과 사대 관계:** 여진의 금 건국, 고려에 형제 관계 요구 → 고려의 거부 → 여진의 강성(거란 정복, 송 축출), 고려에 군신 관계 요구 → 고려의 수용(사대 관계 체결) ─ 고려 내부에서는 금과의 군신 관계 체결에 반대의 목소리가 높았어. 그러나 당시 집권하고 있던 이자겸 세력이 금의 군신 관계 요구를 수용하였지.

이것이 핵심!

다원적 국제 질서와 황제국 체제

동아시아 정세
고려, 거란, 송 사이의 세력 균형 형성

• 다원적 국제 질서 성립
• 고려의 해동 천하 인식 형성

★ **다원적 국제 질서(10~12세기경)**

③ 다원적 국제 질서와 황제국 체제의 구축

1. *다원적 국제 질서의 성립

(1) **배경:** 고려가 거란의 침략 격퇴 → 고려, 거란, 송 사이의 세력 균형 형성 ─ 100여 년간 동아시아의 평화가 이어지는 가운데 경제적·문화적 교류가 활발하였어.

(2) **고려와 거란의 관계**

① **사대 관계 확립:** 고려가 거란에 조공을 바치고 거란의 연호를 사용함

② **거란의 고려 우대:** 고려 국왕의 생일에 축하 사절을 보내는 등 우대함

(3) **고려와 송의 관계:** 지속적인 사절단 교환, 송은 고려 사신을 대등한 국가 간의 사신인 국신사로 대우함

2. 독자적 천하관 형성: 해동 천하 관념 형성, 국왕이 '해동 천자' 자처 ─ 바다 동쪽의 천자라는 의미야. 교과서 자료 ─ 지배층에 관직을 주고 조공을 받았어.

(1) **자국 중심의 국제 관계 확립:** 탐라와 여진을 하위 세력으로 두고 지배층을 포섭함, 일부 여진 부족을 명목상 고려의 군현으로 편제 ─ 고려에 편입되기를 원하는 여진 부족을 대상으로 하였는데, 운영은 자치에 맡겼어.

(2) **황제국 체제 확립:** 국왕의 복식이나 용어, 의례 등을 중국의 황제와 동등하게 함(독자적 연호 사용, '황제'·'폐하'·'성상' 호칭 사용 등)

완자 자료 탐구

자료 ④ 고려와 거란의 외교 담판

• 소손녕: 그대 나라는 신라 땅에서 일어났고, 고구려 땅은 우리 땅인데 너희들이 쳐들어와 차지
하였다.
• 서희: 우리는 고구려를 계승하여 나라 이름을 고려라 하였다. 땅의 경계를 논한다면 그대 나라의
동경도 다 우리 땅이다.
– 「고려사」

거란은 고려가 차지하고 있는 옛 고구려 땅을 내놓고, 송과 외교 관계를 단절하라고 요구
하였다. 이때 고려의 서희는 거란의 장수 소손녕과 외교 담판을 벌여 송과 관계를 끊고
거란과 외교 관계를 맺을 것을 약속하고 그 대가로 강동 6주를 획득하였다.

자료 ⑤ 별무반 편성과 여진 격퇴

(윤관이) "제가 전날에 패한 원인은 적들이 모두 말을 탔고, 우
리는 보병으로 전투한 까닭에 대적할 수 없었기 때문입니다."
라고 하자, 이때 비로소 별무반을 만들기로 하여 문무의 산관,
서리부터 …… 말을 기르는 사람들은 모두 신기군에, 말이 없는
자는 신보군에 배속시켰다. …… 또 승려를 선발하여 항마군을
편성하였다.
– 「고려사」

윤관이 여진을 정벌하고 동북 9성을
쌓은 후 고려의 국경을 알리기 위해
비석을 세우는 장면을 그린 기록화야.

⬆ 척경입비도

12세기 초에 여진이 고려를 공격하자 고려는 윤관의 건의에 따라 기병이 포함된 별무반을
조직하고, 여진을 정벌하여 동북 9성을 설치하였다. 이후 여진의 침략이 계속되자 고려는
여진에게 조공을 받는 조건으로 동북 9성을 돌려주었다.

수능이 보이는 교과서 자료 고려의 해동 천하 관념

• 철리국에서 사신을 보내 예전처럼 복종할 것을 청하는 표문(황제에게 올리는 글)을 올렸다.
┌ 고려 국왕을 하늘의 아들로 여기며 부처와 같이 고귀한 존재로 칭송하고 있어. – 「고려사」
• 해동의 천자는 현세의 신령과 부처님이니, 하늘을 도와 교화를 펴려 오셨네.
세상을 다스리시는 은혜가 깊으니, 원근과 고금에 드문 일이네.
외국에서 친히 달려와서 모두 귀의하여 사방의 변경이 편안하고 깨끗해져서 창과 깃발을
내던지게 되니
성스러운 덕은 요나 탕 임금에게도 견주기 어려워라. ……
남쪽과 북쪽 오랑캐가 스스로 조정에 와서 온갖 보물을 우리 천자의 뜰에 바치는구나.
└ 여진, 탐라를 가리켜. – 「풍입송」, 「고려사」

고려는 대내적으로 독자적인 천하관을 형성하였다. 고려 국왕은 '해동 천자'를 자처하
였으며, 여진, 탐라 등을 제후국으로 삼아 '해동 천하'를 형성하였다. 또 광종은 연호
를 '광덕', '준풍'이라 하였고 수도 개경을 황제가 사는 황도라고 하였으며, 군주의 호
칭을 황제, 폐하, 성상 등으로 부르게 하였다.

자료 하나 더 알고 가자!

거란의 침략 격퇴

문제로 확인할까?

고려의 여진 격퇴에 대한 설명으로 옳은
것은?
① 귀주에서 대승을 거두었다.
② 서희의 외교 담판을 통해 침략을 물리
쳤다.
③ 나성과 천리장성을 축조하는 계기가
되었다.
④ 동북 지역에 9개의 성을 쌓는 데 영향
을 주었다.
⑤ 압록강 일대의 강동 6주를 획득하는
결과를 가져왔다.

④ 🔢

완자샘의 탐구 강의

• 고려인들이 고려와 주변국의 관계를
어떻게 인식하고 있는지 써 보자.
고려는 내부적으로 황제국 체제를 갖
추고 자국 중심으로 국제 관계를 확립
하여 탐라, 여진을 하위 세력으로 두고
조공을 받았다.

• 고려인들이 어떤 천하관을 가졌는지
서술해 보자.
고려인들은 왕이 하늘의 자손으로서
중국 중심의 세계와 구분되는 독자적
세계를 다스린다고 생각하였다. 그리
하여 고려는 바다 동쪽의 천자가 다스
리는 세계라는 '해동 천하' 관념을 가졌다.

함께 보기 39쪽, 1등급 정복하기 2

STEP 1 핵심 개념 확인하기

1 다음에서 설명하는 인물을 쓰시오.

> • 호족들이 왕으로 추대하였으며, 국호를 '고려'로 정하고 송악으로 도읍을 옮겼다.
> • 기인 제도와 사심관 제도를 실시하여 호족 세력을 통합하고자 하였다.

2 다음 설명이 맞으면 ○표, 틀리면 ×표를 하시오.

(1) 견훤은 옛 백제 지역 호족들의 지지를 얻어 철원에 도읍을 정하였다. ( )

(2) 광종은 독서삼품과를 실시하여 호족과 공신들의 세력을 약화하고자 하였다. ( )

(3) 성종은 최승로의 건의를 수용하여 유교 이념을 바탕으로 정치를 실시하였다. ( )

3 다음에서 설명하는 기구를 〈보기〉에서 골라 기호를 쓰시오.

> **보기**
> ㄱ. 중추원   ㄴ. 도병마사   ㄷ. 중서문하성

(1) 재신과 추신이 모여 국방 문제를 논의하였다. ( )

(2) 군사 기밀과 왕명 출납을 담당하며 왕의 비서 기구 역할을 하였다. ( )

(3) 국정을 총괄하였으며 이 기구의 낭사는 어사대의 관리와 함께 대간이라 불렸다. ( )

4 고려는 일반 행정 구역인 5도에 지방관으로 ( )를 파견하여 행정을 살폈고, 군사 중요 지역인 양계에는 병마사를 파견하였다.

5 다음 괄호 안의 내용 중 알맞은 말에 ○표를 하시오.

(1) 윤관은 (광군, 별무반)을 이끌고 여진을 정벌하였다.

(2) 고려는 거란이 침입하였을 때 (서희, 강감찬)의 외교 담판으로 강동 6주를 획득하였다.

(3) 거란은 (강조의 정변, 천리장성 축조)을/를 구실로 고려에 침략하여 개경을 함락하였다.

STEP 2 내신 만점 공략하기

01 다음 두 사건 사이에 있었던 사실로 옳은 것은?

> • 견훤이 옛 백제 지역 호족들의 지지를 받아 후백제를 건국하였다.
> • 신라의 경순왕이 더 이상 나라를 유지할 수 없다고 여겨 고려에 통합을 요청하였다.

① 김흠돌의 난이 진압되었다.
② 신문왕이 녹읍을 폐지하였다.
③ 궁예가 국호를 태봉으로 바꾸었다.
④ 나당 연합군이 평양성을 함락하였다.
⑤ 무령왕이 22담로에 왕족을 파견하였다.

⭐중요
02 다음 유훈을 남긴 왕에 대한 설명으로 옳지 <u>않은</u> 것은?

> 1조 불교의 힘으로 나라를 세웠으므로, 사찰을 세우고 주지를 파견하여 불도를 닦도록 하라.
> 5조 서경은 우리나라 땅 형세의 근본이 되니, 백 일 이상 머물러 왕실의 안녕을 이루도록 하라. – 「고려사절요」

① 기인 제도를 실시하였다.
② 발해 유민을 포용하였다.
③ 북진 정책을 추진하였다.
④ 인안이라는 연호를 사용하였다.
⑤ 민생 안정을 위해 세금을 감면하였다.

03 (가) 국왕의 업적으로 옳은 것은?

> 삼국 이전에는 과거의 법이 없었고, …… [(가)]이/가 쌍기의 의견을 수용하여 과거로 인재를 뽑게 하니, 이때로부터 학문을 중시하는 풍조가 일어나기 시작하였다.

① 국자감 정비   ② 전시과 실시
③ 후삼국 통일   ④ 영락 연호 사용
⑤ 노비안검법 실시

04 다음 건의안이 수용되면서 추진된 정책으로 옳은 것은?

> 7조 국왕이 백성을 다스림은 집집마다 가서 돌보고 날마다 이를 살피는 것이 아닙니다. …… 청컨대 외관을 두소서.

① 중국에서 불교를 수용하였다.
② 웅진에서 사비로 수도를 옮겼다.
③ 행정 요충지에 5소경을 설치하였다.
④ 12목을 설치하고 지방관을 파견하였다.
⑤ 화랑도를 국가적인 조직으로 개편하였다.

05 다음에서 설명하는 기구를 옳게 고른 것은?

> 국방 문제를 논의하는 회의 기구로, 고위 관료들이 정치의 중심을 이루었음을 보여 주는 고려만의 독자적인 정치 기구이다.

① (가)
② (나)
③ (다)
④ (라)
⑤ (마)

06 고려의 관리 등용 제도에 대한 탐구 활동으로 적절한 것을 〈보기〉에서 고른 것은?

> **보기**
> ㄱ. 독서삼품과의 시행 원칙을 정리한다.
> ㄴ. 음서의 혜택을 받은 계층을 알아본다.
> ㄷ. 무과가 활발하게 시행된 배경을 조사한다.
> ㄹ. 제술과와 명경과의 시험 과목을 찾아본다.

① ㄱ, ㄴ   ② ㄱ, ㄷ   ③ ㄴ, ㄷ
④ ㄴ, ㄹ   ⑤ ㄷ, ㄹ

07 지도의 행정 구역을 갖추었던 국가의 지방 통치에 대한 설명으로 옳지 <u>않은</u> 것은?

① 주현이 속현을 감독하였다.
② 5도에 안찰사가 파견되었다.
③ 주현보다 속현의 수가 많았다.
④ 북계와 동계에 병마사를 보냈다.
⑤ 특수 행정 구역으로 22담로가 있었다.

08 밑줄 친 부분이 공통으로 가리키는 국가와 고려 사이에 있었던 사실로 옳은 것을 〈보기〉에서 고른 것은?

> • 소손녕: 그대 나라는 신라 땅에서 일어났고, 고구려 땅은 <u>우리</u> 땅인데 너희들이 쳐들어와 차지하였다. 그리고 <u>우리</u>와 국경을 접하고 있는데도 바다를 넘어 송을 섬기기 때문에 오늘의 출병이 있게 된 것이다. 만약 땅을 분할해 바치고 조공에 힘쓴다면 무사할 수 있을 것이다.
> • 서희: 우리는 고구려를 계승하여 나라 이름을 고려라 하였다. 땅의 경계를 논한다면 그대 나라의 동경도 다 우리 땅이다.
> – 『고려사』

> **보기**
> ㄱ. 동북 9성 반환 문제로 대립하였다.
> ㄴ. 매소성 전투, 기벌포 전투를 치렀다.
> ㄷ. 강감찬이 귀주 대첩에서 활약하였다.
> ㄹ. 강조의 정변을 계기로 무력 충돌하였다.

① ㄱ, ㄴ   ② ㄱ, ㄷ   ③ ㄴ, ㄷ
④ ㄴ, ㄹ   ⑤ ㄷ, ㄹ

09 지도는 10~12세기경 동아시아 정세를 나타낸 것이다. (가) 국가에 대한 고려의 외교 정책으로 옳은 것은?

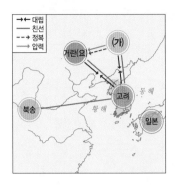

① 9서당을 전쟁에 투입하였다.
② 별무반을 편성하여 정벌에 나섰다.
③ 광군을 조직하여 침입에 대비하였다.
④ 이들의 사대 요구를 끝까지 거절하였다.
⑤ 무왕 때 산둥 지방을 공격하기도 하였다.

10 (가)에 들어갈 내용으로 가장 적절한 것은?

> **수행 평가 보고서**
> • 탐구 주제: 고려의 ○○○
> • 조사 내용
> – 고려의 왕은 '해동 천자'를 자처하였다.
> – 고려는 여진, 탐라 등을 제후국으로 삼았다.
> – 고려의 광종은 광덕, 준풍 등의 연호를 사용하였고, 수도 개경을 황도라고 지칭하였다.
> – 고려에서는 왕족이나 공로가 큰 신하에게 공, 후, 백 등의 작위를 주어 제후처럼 대우하였다.
> • 자료 분석 결과: 고려는 ___(가)___

① 내부적으로 황제국 체제를 확립하였다.
② 북진 정책을 추진하여 서경을 중시하였다.
③ 호족 세력을 포섭하기 위한 정책을 펼쳤다.
④ 유교 이념을 바탕으로 통치 체제를 정비하였다.
⑤ 향, 부곡, 소와 같은 특수 행정 구역을 운영하였다.

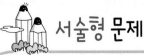

● 정답친해 009쪽

01 (가), (나)에 해당하는 제도를 쓰고, 그 시행 목적을 서술하시오.

> (가) 국초에 향리의 자제를 뽑아 수도에서 인질로 잡고 또 그 고을 일의 자문에 대비하니, 이를 기인이라고 하였다. ㅡ 「고려사」
> (나) 신라 왕 김부가 항복하였으므로 신라국을 없애고 김부로 하여금 경주의 사심관으로 삼아 부호장 이하 관직자들의 일을 살피도록 하였다. ㅡ 「고려사」

(길잡이) (가), (나)에 해당하는 제도가 호족을 대상으로 하였음에 주목한다.

02 다음 개혁안을 수용하여 성종이 실시한 정책을 두 가지 서술하시오.

> 11조 중국의 제도는 따르지 않을 수 없습니다. …… 예·악, 시·서의 가르침과 군신·부자의 도리는 중국을 모범으로 삼아서 비루한 습속을 개혁하되, …….
> 20조 불교를 믿는 것은 자신을 다스리는 근본이며, 유교를 행하는 것은 나라를 다스리는 근본을 구하는 것입니다. 자신을 다스리는 것은 내세에 복을 구하는 일이며, 나라를 다스리는 것은 오늘의 급한 일입니다.

(길잡이) 각 조항에서 건의한 내용을 중심으로 생각해 본다.

03 (가)에 들어갈 군대를 쓰고, 이 군대를 조직한 배경을 서술하시오.

> (윤관이) "제가 전날에 패한 원인은 적들이 모두 말을 탔고, 우리는 보병으로 전투한 까닭에 대적할 수 없었기 때문입니다."라고 하자, 이때 비로소 ___(가)___ 을/를 만들기로 하여 문무의 산관, 서리부터 …… 말을 기르는 사람들은 모두 신기군에, 말이 없는 자는 신보군에 배속시켰다. …… 또 승려를 선발하여 항마군을 편성하였다. ㅡ 「고려사」

(길잡이) 신기군, 신보군, 항마군을 편성하였음에 주목한다.

STEP 3 1등급 정복하기

1 밑줄 친 '왕'에 대한 설명으로 옳은 것은?

> • 발해국의 세자 대광현과 장군 신덕, …… 검교개국남 박어, 공부경 오흥 등이 나머지 무리들을 이끌고 오니, …… 왕은 이들을 매우 후하게 대접했는데, 대광현에게는 왕계라는 성명을 내려 주고 종실의 적(籍)에 붙여서 그 선대의 제사를 받들게 하였다.
> • 왕이 신하들에게 말하기를, "옛 도읍인 평양이 황폐해진 지 비록 오래되었으나 터는 아직도 남아 있다. …… 백성을 옮겨 이곳을 채우고 변방을 굳게 지켜 대대손손 이롭게 하라."고 하였다. 이에 평양을 대도호(서경)로 삼고 왕식렴과 열평을 보내 이곳을 지키게 하였다.

① 녹읍을 폐지하였다.
② 노비안검법을 실시하였다.
③ 사심관 제도를 마련하였다.
④ 최승로의 건의안을 수용하였다.
⑤ 9주 5소경의 지방 행정 구역을 완비하였다.

> 고려 왕의 업적
>
> **완자샘의 시험 꿀팁**
> 고려 초기의 통치 체제 정비에 노력한 여러 국왕들의 업적을 묻는 문제는 빈번하게 출제되므로 각 국왕의 활동 내용을 구분할 수 있어야 한다.

2 다음 자료를 활용한 탐구 주제로 가장 적절한 것은?

> 문학으로 보는 한국사
>
> **풍입송**
> 해동의 천자는 현세의 신령과 부처님이니, 하늘을 도와 교화를 펴러 오셨네.
> 세상을 다스리시는 은혜가 깊으시니, 원근과 고금에 드문 일이네.
> 외국에서 친히 달려와서 모두 귀의하여 사방의 변경이 편안하고 깨끗해져서 창과 깃발을 내던지게 되니
> 성스러운 덕은 요나 탕 임금에게도 견주기 어려워라. ……
> 남쪽과 북쪽 오랑캐가 스스로 조정에 와서 온갖 보물을 우리 천자의 뜰에 바치는구나.

① 후삼국의 성립 과정
② 고구려 천손 의식의 확립
③ 나당 연합의 결성 배경과 활동
④ 발해 대외 정책의 특징과 변화
⑤ 고려의 독자적 천하관과 황제국 체제 구축

> 고려의 대외 관계
>
> **완자 사전**
> • 풍입송(風入松)
> 태평성대를 기원하고 천자(왕)를 찬양하는 고려의 노래로, 궁궐 연회가 끝날 무렵 왕과 신하가 함께 불렀다.

04 고려의 통치 체제와 국제 질서의 변동(2)

학습목표
• 고려 정치 세력의 특징을 구분하여 파악할 수 있다.
• 몽골의 침략과 이후의 간섭으로 인한 고려 사회의 변화를 설명할 수 있다.

이것이 핵심!

문벌 사회의 형성과 동요

문벌 형성	여러 대에 걸쳐 고위 관리를 배출한 가문이 지배층 차지, 정치적·경제적 특권을 누림
동요	이자겸의 난, 묘청의 서경 천도 운동 발생

★ **이자겸 가문과 왕실의 혼인 관계**

★ **칭제건원(稱帝建元)**
황제를 칭하고 연호를 정하자는 주장

1 문벌 사회의 전개

1. 문벌

의미	호족 출신과 6두품 계열 유학자 중 여러 대에 걸쳐 고위 관리를 배출한 가문
형성	통치 체제가 안정되면서 상위 지배층을 형성
특징	• 기반: 과거와 음서로 관직에 진출하여 요직 독차지, 국가로부터 토지(과전, 공음전)와 녹봉을 지급받음, 권력을 이용하여 넓은 토지 차지 • 결속 강화: 왕실이나 다른 문벌과 중첩된 혼인 관계를 맺음

└ 고려 시대에 관직의 대가로 나누어 준 토지 이외에 5품 이상 고위 관료에게 지급한 토지로, 자손에게 세습이 가능하였어.

2. 문벌 사회의 동요

(1) **문벌 지배 체제의 동요**: 12세기 이후 금과 군신 관계 체결 문제로 갈등 발생, 일부 문벌의 권력 독점 및 막대한 토지 장악을 둘러싸고 지배층 내부의 분열

(2) **이자겸의 난**

└ 이자겸은 예종, 인종에게 연달아 딸들을 시집보내면서 임금의 장인이자 외할아버지로서 막강한 권력을 행사하였어.

배경	외척 *이자겸이 막강한 권력 행사 → 인종이 측근 세력을 동원하여 이자겸 공격
과정	이자겸, 척준경 등이 난을 일으켜 정권 장악(1126) → 인종에게 포섭된 척준경이 이자겸 제거, 척준경도 탄핵되면서 반란 종결

(3) **묘청의 서경 천도 운동**

└ 이자겸이 몰락한 후 금에 대한 사대를 반대한 인물들이 형성하였어.

배경	*칭제건원을 주장하는 자주적 세력 형성
과정	인종이 서경 세력(묘청, 정지상)을 이용해 개혁 정책 추진 → 묘청 등이 풍수지리설을 앞세워 서경 천도 추진, 칭제건원과 금국 정벌 주장 → 개경 보수 문벌의 반대로 좌절 → 묘청 등이 서경에서 반란(1135) → 김부식이 이끈 관군에게 진압됨 교과서 자료

이것이 핵심!

무신 정권의 성립과 전개

무신 정권의 성립
중앙 지배층의 보수화, 무신 차별 → 무신 정변으로 무신 집권

↓

무신 정권의 전개
• 초기: 중방 중심의 권력 행사, 잦은 집권자 교체 • 최씨 무신 정권: 교정도감 중심의 권력 행사, 60여 년간 정권 장악

★ **중방**
상장군과 대장군이 모여 군사를 논의하던 무신 회의 기구로, 무신 정변 이후에는 최고 권력 기구가 되었다.

★ **서방**
최우가 문신의 자문을 받기 위해 설치한 기관

2 무신 정권의 성립과 전개

1. 무신 정권의 성립

꿀! 정치는 일부 문벌과 문신을 중심으로 운영되었고, 무신은 문신에 비해 낮은 대우를 받았어.

배경	중앙 지배층의 보수화, 무신 차별에 대한 불만, 하급 군인은 토지를 제대로 지급받지 못함, 의종의 향락
과정	정중부, 이의방 등 무신이 정변을 일으켜 많은 문신을 제거하고 왕을 교체함(무신 정변, 1170)

2. 무신 정권의 통치 자료①

└ 무신과 문신의 관직을 동시에 가질 수 있도록 한 제도

(1) **초기 무신 정권**: *중방 중심으로 권력 행사, 문무 겸직제 시행, 무신들이 토지와 노비·사병을 늘려 세력 확대, 내부의 권력 다툼으로 잦은 집권자 교체, 무신의 백성 수탈 심화

(2) **최씨 무신 정권**: 최충헌 집권 후 무신 정권 안정화 → 60여 년간 최씨가 정권 장악

① 최충헌: 도방(사병 집단) 확대, 교정도감(최고 권력 기구) 설치

② 최우: 정방(인사권 장악), *서방, 야별초(사병 기관) 설치

└ 이후 야별초가 좌·우별초로 나뉘고 여기에 신의군이 합해져 삼별초가 되었어.

3. 농민과 천민의 봉기 자료②

(1) **배경**: 신분제 동요, 정부의 지방 통제력 약화, 무신들의 사회 개혁 소홀·농민과 천민에 대한 수탈 심화(토지 약탈, 과도한 세금 부과)

└ 사노비였던 만적이 개경에서 봉기를 계획하였으나 사전에 발각되어 실패하였어.

(2) **내용**: 망이·망소이(공주 명학소), 김사미(운문)와 효심(초전)의 봉기, 만적의 봉기 시도

└ 지배층의 토지 침탈과 가혹한 수탈을 바로잡을 것을 요구하였어.

완자 자료 탐구

 내 옆의 선생님

수능이 보이는 교과서 자료 **묘청의 서경 천도 운동**

┌─ 풍수지리 등을 연구해서 길흉화복을 예언하는 사람을 말해.

묘청 등이 왕에게 건의하기를, "저희가 보니 서경 임원역의 땅은 음양가들이 말하는 대화세(大華勢)입니다. 만약 이곳에 궁궐을 세우고 수도를 옮기면 …… 금이 공물을 바치고 스스로 항복할 것이며, 36개 나라가 모두 신하가 될 것입니다."라고 하였다. …… (묘청이 난을 일으키고) 국호를 대위(大爲), 연호를 천개(天開), 그 군대를 천견충의군(天遣忠義軍)이라고 불렀다. 관리들을 임명하였는데, 양부(兩府)로부터 주·군 수령에 이르기까지 모두 서경 사람으로 임명하였다.
└─ 중서문하성과 중추원을 가리켜.
– 『고려사』

서경 세력은 풍수지리 사상(풍수 도참사상)을 내세워 서경으로 천도하고 금을 정벌할 것을 주장하였다. 인종도 서경에 대화궁을 짓고 천도할 뜻을 보였으나 김부식을 비롯한 개경 세력은 서경 천도에 반대하였다. 결국 인종이 서경 천도를 포기하자 묘청이 서경에서 반란을 일으켰지만 김부식이 이끈 관군에게 진압당하였다.

완자샘의 탐구 강의

• 서경 세력이 천도를 주장하면서 기반으로 삼은 사상을 써 보자.
서경 세력은 풍수지리 사상(풍수 도참사상)을 기반으로 도읍을 옮기자고 주장하였다.

• 서경 세력이 지향한 대외 정책을 서술해 보자.
서경 세력은 금국을 정벌할 것과 황제를 칭하고 연호를 사용하자는 칭제건원을 주장하였다.

함께 보기 47쪽, 1등급 정복하기 1

자료 ① 무신 정권의 전개

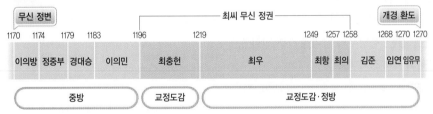

⬆ 무신 집권자와 지배 기구

무신 정권 초기에는 최고 권력자가 자주 바뀌어 혼란하였으나 최충헌이 권력을 잡으면서 정국이 안정되었다. 최충헌은 도방을 확대하여 호위를 강화하였고 교정도감을 설치하여 정책을 결정하였다. 그의 아들 최우는 정방을 설치하여 인사권을 장악하였다.

자료 ② 농민과 천민의 봉기

┌─ 무신 정변 이후 천인 출신 권력자가 등장하며 신분 질서가 흔들리자 노비들도 신분 해방을 꾀하였어.

• 이미 우리 고향을 현으로 승격하고 또 수령을 두어 어루만지고 위로하더니, 돌이켜 다시 군대를 일으켜 토벌하러 와서 우리 어머니와 아내를 옥에 가두었으니 그 뜻은 어디에 있는가? 차라리 칼날 아래에서 죽을지언정 끝내 항복하여 포로가 되지 않을 것이다. ─ 망이·망소이의 난 – 『고려사』
• 사노비 만적 등이 북산에 나무하러 갔다가 노비들을 모아 놓고 말하였다. "…… 장수와 재상이 될 수 있는 사람이 어찌 따로 있겠는가. 때가 오면 할 수 있는 것이다. 우리들만 어찌 채찍 아래에서 몸을 고생시킬 수 있겠는가." ─ 만적의 주장
– 『고려사절요』

무신 정권기에 중앙 정부의 지방 통제력이 약화되고 무신들의 약탈이 심화되면서 공주 명학소의 망이·망소이를 비롯한 농민과 하층민의 봉기가 잇따랐다. 또한 신분 차별에 저항하여 전주의 관노비가 봉기하였고, 사노비인 만적도 개경에서 봉기를 계획하였다.

자료 하나 더 알고 가자!

무신 정변의 배경

대장군 이소응은 무인이지만 얼굴이 수척하고 힘도 약하였는데, 다른 장수와 수박희를 하여 이기지 못하고 달아났다. 문신 한뢰가 갑자기 앞으로 나서며 이소응의 뺨을 후려갈기자 섬돌 아래로 떨어졌다. 이때 왕과 모든 신하가 손뼉을 치면서 크게 웃고 ……. – 『고려사』

젊은 문관이 늙은 대장군을 능멸하는 모습은 당시 무신에 대한 차별이 심하였음을 짐작하게 한다. 이러한 대우에 분노한 무신들은 정변을 일으켜 권력을 잡았다.

문제로 확인할까?

무신 집권기 사회 모습에 대한 설명으로 옳은 것을 〈보기〉에서 고른 것은?

〈보기〉
ㄱ. 망이·망소이가 봉기하였다.
ㄴ. 노비들이 신분 차별에 저항하였다.
ㄷ. 천인 출신은 권력을 장악하지 못하였다.
ㄹ. 이자겸과 척준경이 난을 일으켜 사회가 혼란하였다.

① ㄱ, ㄴ   ② ㄱ, ㄷ   ③ ㄴ, ㄷ
④ ㄴ, ㄹ   ⑤ ㄷ, ㄹ

① 답

04 고려의 통치 체제와 국제 질서의 변동(2)

3 몽골의 침략과 원의 내정 간섭

이것이 핵심!

원의 간섭과 공민왕의 개혁 정치

원 간섭기의 고려
• 왕실 용어와 관제 격하, 원의 내정 간섭을 받음, 영토가 강탈됨, 인적·물적 자원을 수탈당함 • 권문세족 성장(대농장 차지)

↓

공민왕의 개혁 정치
• 반원 자주 정책: 친원 세력 제거, 정동행성이문소 폐지, 쌍성총관부 공격 • 왕권 강화 정책: 정방 폐지, 전민변정도감 설치

★ 정동행성
충렬왕 때 원이 일본을 원정하기 위해 고려에 설치한 기구이다. 일본 원정이 실패로 끝난 뒤에도 고려의 정치를 간섭하는 기구로 남았다.

★ 권문세족
몽골어 통역관이나 환관 등 원과 관계를 맺은 세력이 문벌에서 이어져 온 가문, 무신 집권기 새롭게 등장한 가문과 함께 이룬 고려 말의 지배층이다.

★ 도평의사사
고려 후기의 최고 행정 기구이다. 군사 문제를 담당하던 도병마사가 확대되면서 충렬왕 때 도평의사사로 명칭이 바뀌었고, 일반 행정까지도 관장하게 되었다.

1. 몽골의 침략과 대몽 항전 ┌ 고려에 방문하였던 몽골 사신이 귀국길에 살해된 사건을 구실로 삼았어.

(1) **몽골의 침략:** 몽골이 자국 사신 피살을 빌미로 고려 침략(1231)

(2) **대몽 항전:** 최우 정권의 강화도 천도, 귀주성·처인성·충주성 전투 등 승리 **자료③**

(3) **몽골과 강화:** 최씨 정권 몰락 후 몽골과 강화(1259) → 개경 환도(1270) ┌ 몽골의 지원을 받은 원종이 개경으로 돌아왔어.

(4) **삼별초의 항쟁:** 개경 환도에 반대, 강화도에서 진도와 제주도로 근거지를 옮겨 가며 저항 → 고려와 몽골의 연합군에게 진압됨

2. 원의 간섭과 권문세족의 성장 ┌ **예** 폐하 → 전하, 태자 → 세자, 2성 6부 → 1부(첨의부) 4사

(1) **원 간섭기의 고려:** 독립국의 지위 유지, 원의 부마국으로 전락(왕실 용어와 관제 격하), 고려에서 몽골풍 유행, 몽골에 고려양 전파 ┌ 사위국이라는 의미로, 고려 국왕이 원의 공주와 결혼하여 원의 사위국이 되었고, 왕자는 원에서 성장하게 되었어.

내정 간섭	★정동행성 유지, 다루가치(감찰관) 파견
영토 강탈	쌍성총관부(화주), 동녕부(서경), 탐라총관부(제주)를 설치하고 원이 직접 지배
자원 수탈	많은 수의 공녀와 환관 요구, 금·은·인삼·매 등 특산물 수탈, 일본 원정에 고려인 동원

(2) **★권문세족의 성장:** 친원적 성향, 주로 음서를 통해 관직 진출, 높은 관직 독점, ★도평의사사 장악, 대농장 차지·농민 핍박·농민의 노비화 등으로 사회 모순 심화 **자료④**
┌ 일부 개혁 세력이 정치도감을 설치하여 권문세족의 불법 행위를 바로잡으려 하였지만 원의 간섭과 권문세족의 반발로 실패하였어.

3. 반원 자주 정책

(1) **충렬왕의 개혁 정치:** 부마의 지위를 이용해 원 관리의 횡포를 막음, 고려 국왕이 정동행성의 장관을 겸함, 동녕부와 탐라총관부 반환 등 ┌ 충렬왕 이후 자주적 외교가 약화되었고 원의 황제가 마음대로 고려 국왕을 임명하거나 교체하여 고려는 중국 중심의 국제 질서에 포함되었어.

(2) **공민왕의 개혁 정치 자료⑤**

배경	권문세족의 횡포, 원·명 교체의 국제 정세 변화
개혁 내용	• 반원 자주 정책: 기철 등 친원 세력 제거, 정동행성이문소 폐지, 쌍성총관부 공격(→ 철령 이북의 땅 회복), 왕실 용어와 관제를 고려 전기 체제로 회복, 몽골풍 금지 • 왕권 강화 정책: 정방 폐지, 교육과 과거 제도 정비(→ 신진 사대부 적극 등용), 신돈 등용·전민변정도감 설치(권문세족의 경제적 기반 약화와 국가 재정 확대 추진)
결과	홍건적과 왜구의 침입으로 혼란 지속, 권문세족의 반발로 신돈 제거, 공민왕 시해

4 새로운 정치 세력의 성장과 고려의 멸망

이것이 핵심!

새로운 정치 세력의 성장과 조선 건국

신진 사대부	신흥 무인 세력
과거로 정계 진출, 성리학을 근거로 권문세족 비판	홍건적과 왜구 토벌 과정에서 성장

↓

신진 사대부 분열 → 이성계와 급진파가 온건파 제거, 조선 건국

1. 새로운 정치 세력의 성장 ┌ 공민왕 때 성균관을 재정비하고 성리학을 본격적으로 교육하면서 신진 사대부가 성장할 수 있는 토대가 마련되었어.

신진 사대부	• 형성: 원에서 활동한 고려 학자들이 성리학을 수용하면서 새로운 정치 세력 형성 • 성장: 공민왕 때 과거를 통해 정계에 진출 → 우왕 때 독립적인 정치 세력 형성, 성리학을 이론적 근거로 권문세족 비판, 명과의 친선 주장
신흥 무인 세력	14세기 후반 홍건적과 왜구 토벌 과정에서 성장(이성계 등)
┌ 원에 저항한 한족의 농민 반란 세력으로, 원의 군대에 쫓긴 무리가 고려에 두 차례 침입하였어.

2. 신진 사대부의 분열과 고려의 멸망

(1) **신진 사대부의 분열:** 위화도 회군을 계기로 신흥 무인 세력과 신진 사대부가 권력 장악 → 신진 사대부가 온건파(고려 유지 주장)와 급진파(새 왕조 개창 주장)로 분열

(2) **고려의 멸망:** 이성계와 급진파가 온건파를 제거하고 조선 건국(1392)

자료 ③ 대몽 항전의 전개

충주 부사 우종주가 매번 문서를 처리하는 과정에서 판관 유홍익과 서로 생각이 달랐는데, 몽골병이 쳐들어온다는 말을 듣고, 성 지킬 일을 의논하였다. 그런데 의견 차이가 있어 우종주는 양반 별초를 거느리고, 유홍익은 노비군과 잡류 별초를 거느리며 서로 시기하였다. 몽골병이 오자, 우종주와 유홍익은 양반 별초 등과 함께 성을 버리고 다 도주하고, <u>오직 노비군과 잡류 별초만이 힘을 합하여 이를 격퇴하였다.</u> ┌ 충주성의 노비들과 하층민들은 힘을 합쳐 몽골군을 물리쳤어. ─ 『고려사』

몽골이 침입하자 고려 정부는 몽골과 강화를 맺고 수도를 강화도로 옮겨 장기 항전을 준비하였다. 다시 몽골이 쳐들어오자 일반 백성과 하층민까지 몽골군에 대항하였다. 귀주성에서는 관군과 백성들이 성을 지켰고, 처인성에서는 김윤후가 부곡민을 이끌고 몽골 장수 살리타를 사살하였으며, 충주성에서는 노비가 주축이 된 군대가 몽골군을 물리쳤다.

자료 ④ 권문세족의 등장

┌ 원의 내정 간섭기에 몽골어 통역관이나 환관 등 원과 관계를 맺은 세력이 성장하였어.

• 유청신은 장흥부 고이부곡 사람이다. …… <u>몽골어를 익혀 원에 사신으로 가서 잘 응대하였다.</u> …… 충렬왕의 총애를 받아 낭장에 임명되었다. ┌ 권문세족은 막대한 규모의 ─ 『고려사』
농장을 소유하였어.
• 요즘 들어 간악한 무리들이 남의 토지를 합쳐 갖는 것이 매우 심하다. 그 규모가 한 주보다 크기도 하고, 군 전체를 포함하여 산천으로 경계를 삼는다. 또 남의 땅을 조상에게 물려받은 땅이라 우기면서 그 주인을 내쫓고 땅을 빼앗아 같은 땅의 주인이 대여섯 명이 넘기도 하며, 소작하는 농가들은 수확량의 8할에서 9할을 세금으로 내야 한다. ─ 『고려사』

원의 내정 간섭이 계속되면서 여러 친원 세력이 성장하였는데, 이들 중 일부는 기존의 권력층과 더불어 권문세족이라 불렸다. 이들이 대토지를 차지하고 가난한 농민을 노비로 삼아 농장을 경영하여 국가 재정이 약화되고 농민 생활이 어려워졌다.

자료 ⑤ 공민왕의 개혁 정치

신돈이 전민변정도감을 설치할 것을 청하고 …… 전국에 방을 붙여 알렸다. "근래에 …… 사람들이 대대로 업으로 이어온 토지를 권세 있는 집에서 거의 다 빼앗아 차지하였다. 일부는 이미 판결이 났는데도 그대로 가지고 있고 일부는 백성을 노예로 만들기도 하였다. …… 이제 도감을 설치하여 바로잡고자 …… 스스로 잘못을 알고 고치는 자는 (죄를) 묻지 않을 것이나, …… 망령되게 소송하는 자는 도리어 처벌하겠다." 명령이 나가자 권세가 중에 토지와 백성을 빼앗은 자들이 그 주인에게 많이 돌려주었으며, 전국에서 기뻐하였다. ─ 『고려사』

공민왕은 원·명 교체기를 이용하여 기씨 일족 등 친원 세력을 제거하고, 반원 자주 정책을 펼쳤다. 그는 정동행성이문소를 폐지하고 쌍성총관부를 공격하여 영토를 회복하였다. 또 승려 신돈을 등용하고 전민변정도감을 설치하여 권문세족이 불법으로 빼앗은 토지를 본래의 주인에게 돌려주었고, 강제로 노비가 된 사람을 양민으로 해방하였다.

정리 비법을 알려줄게!

고려의 대몽 항쟁

일반 백성과 부곡민, 노비 등 하층민들이 적극 참여함

↓

귀주성 (1231)	관군과 백성들이 약 한 달 동안의 항전을 벌인 끝에 몽골군 격퇴
처인성 (1232)	김윤후가 부곡민을 이끌고 몽골 장수 살리타 사살
충주성 (1232, 1253)	노비가 주축이 된 군대가 몽골군 격퇴

문제로 확인할까?

권문세족에 대한 설명으로 옳은 것은?

① 의종 때 무신 정변을 통해 정권을 장악하였다.
② 중방과 교정도감을 중심으로 권력을 행사하였다.
③ 친원적 성향을 띠고 고려 말 지배층을 형성하였다.
④ 성리학을 이론적 근거로 삼아 다른 세력을 비판하였다.
⑤ 설총, 강수 등으로 대표되며 왕의 정치적 조언자 역할을 하였다.

ⓒ 📖

자료 하나 더 알고 가자!

고려가 원으로부터 수복한 지역

STEP 1 핵심 개념 확인하기

● 정답친해 010쪽 ●

1 다음 문벌에 대한 설명이 맞으면 ○표, 틀리면 ×표를 하시오.

(1) 음서와 공음전의 혜택을 누렸다. ( )

(2) 왕실과는 혼인 관계를 맺지 않았다. ( )

(3) 여러 대에 걸쳐 고위 관리를 배출한 가문을 가리킨다. ( )

2 다음 괄호 안의 내용 중 알맞은 말에 ○표를 하시오.

(1) 초기 무신 정권은 (중방, 도평의사사)을/를 중심으로 권력을 행사하였다.

(2) (묘청, 김부식)은 풍수지리 사상을 내세워 서경으로 천도하고 금을 정벌할 것을 주장하였다.

(3) (이자겸, 정지상)이 왕실의 외척으로 막강한 권력을 누리자 인종이 측근 세력을 동원하여 그를 공격하였다.

3 다음에서 설명하는 기구를 〈보기〉에서 골라 기호를 쓰시오.

보기
ㄱ. 교정도감   ㄴ. 정동행성   ㄷ. 전민변정도감

(1) 최충헌이 설치하여 최씨 무신 정권 시기에 최고 권력 기구 역할을 하였다. ( )

(2) 원이 일본 원정을 위해 고려에 설치하였던 기구로, 이후 고려의 내정에 간섭하였다. ( )

(3) 권문세족이 불법적으로 차지한 땅과 억울하게 노비가 된 사람들을 원래대로 되돌려 놓는 일을 하였다. ( )

4 다음 업적을 가진 왕을 쓰시오.

• 쌍성총관부를 공격하여 철령 이북의 땅을 회복하였다.
• 친원 세력을 제거하고 정동행성이문소를 폐지하였다.

5 고려의 멸망 과정을 일어난 순서대로 나열하시오.

(가) 공민왕이 시해되었다.
(나) 이성계가 위화도 회군을 단행하였다.
(다) 급진파 신진 사대부가 온건파 신진 사대부를 제거하였다.

STEP 2 내신 만점 공략하기

01 (가)에 해당하는 고려의 지배 세력에 대한 설명으로 옳은 것은?

> (가) 은/는 고려에서 여러 대에 걸쳐 고위 관리를 배출한 가문을 말한다. 이들은 과거와 음서를 통해 관직에 진출해 요직을 독차지하고 국가에서 토지와 녹봉을 받았을 뿐만 아니라, 권력을 이용해 넓은 토지를 차지함으로써 풍요로운 생활을 누렸다. (가) 중심의 사회는 성종 이후 본격적으로 형성되어 한동안 안정을 누렸다.

① 골품제의 제약을 받았다.
② 관직 복무 대가로 녹읍을 받았다.
③ 김흠돌의 난으로 크게 쇠퇴하였다.
④ 왕실과 중첩된 혼인 관계를 맺기도 하였다.
⑤ 성주, 장군 등을 자처하며 지방에서 성장하였다.

02 교사의 질문에 대한 학생의 답변으로 가장 적절한 것은?

① 칭제건원을 주장하였어요.
② 왕오천축국전을 저술하였어요.
③ 척준경과 함께 난을 일으켰어요.
④ 정방을 설치하여 인사권을 장악하였어요.
⑤ 시무 28조의 개혁안을 국왕에게 올렸어요.

03 다음 주장을 펼친 세력에 대한 설명으로 옳은 것은?

서경 지역을 보니 음양가가 말하는 대화세, 즉 명당이라서 궁궐을 세우고 여기로 옮겨 지내면 천하를 합병할 수 있을 것입니다.

① 사자, 조의, 선인을 거느렸다.
② 금을 정벌하자고 주장하였다.
③ 독서삼품과를 통해 성장하였다.
④ 교정도감을 중심으로 권력을 행사하였다.
⑤ 호족과 손잡고 새로운 사회를 만들고자 하였다.

04 다음은 고려 시대 집권자의 변천을 나타낸 것이다. (가) 시기에 있었던 사실로 옳은 것은?

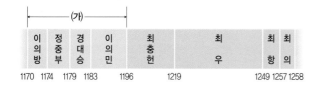

이의방	정중부	경대승	이의민	최충헌	최우	최항	최의
1170	1174	1179	1183	1196	1219	1249 1257	1258

① 윤관이 별무반을 편성하였다.
② 묘청 등이 서경에서 반란을 일으켰다.
③ 무신들이 중방에서 나랏일을 논의하였다.
④ 몽골군의 침입으로 처인성 전투가 벌어졌다.
⑤ 을지문덕이 살수에서 수의 군대를 물리쳤다.

05 밑줄 친 '그'에 대한 설명으로 옳은 것은?

백관이 그의 집에 가서 인사 관련 장부를 올리니, 마루에 앉아서 이를 받았다. 이때부터 그는 정방을 자기 집에 설치하고 정방에서 백관의 인사를 결정하였다.

① 야별초를 조직하였다.
② 교정도감을 설치하였다.
③ 귀주에서 거란군을 격퇴하였다.
④ 서경 세력의 반란을 진압하였다.
⑤ 외교 담판으로 강동 6주를 확보하였다.

06 다음 상황이 일어난 시기에 대한 설명으로 옳은 것은?

• 이미 우리 고향을 현으로 승격하고 또 수령을 두어 어루만지고 위로하더니, 돌이켜 다시 군대를 일으켜 토벌하러 와서 우리 어머니와 아내를 옥에 가두었으니 그 뜻은 어디에 있는가? 차라리 칼날 아래에서 죽을지언정 끝내 항복하여 포로가 되지 않을 것이다. - 「고려사」
• 사노비 만적 등이 북산에 나무하러 갔다가 노비들을 모아 놓고 말하였다. "…… 장수와 재상이 될 수 있는 사람이 어찌 따로 있겠는가. 때가 오면 할 수 있는 것이다. 우리들만 어찌 채찍 아래에서 몸을 고생시킬 수 있겠는가." - 「고려사절요」

① 무신들이 정국을 주도하였다.
② 제주에 탐라총관부가 설치되었다.
③ 6두품 지식인이 사회 개혁안을 제시하였다.
④ 귀족 자제들이 주자감에서 유학 공부를 하였다.
⑤ 홍건적을 토벌하면서 신흥 무인 세력이 성장하였다.

07 밑줄 친 '간악한 무리'가 가리키는 세력에 대한 설명으로 옳지 않은 것은?

요즘 들어 간악한 무리들이 남의 토지를 합쳐 갖는 것이 매우 심하다. 그 규모가 한 주보다 크기도 하고, 군 전체를 포함하여 산천으로 경계를 삼는다. 또 남의 땅을 조상에게 물려받은 땅이라 우기면서 그 주인을 내쫓고 땅을 빼앗아 같은 땅의 주인이 대여섯 명이 넘기도 하며, 소작하는 농가들은 수확량의 8할에서 9할을 세금으로 내야 한다. - 「고려사」

① 대농장을 차지하였다.
② 친원적 성향을 띠었다.
③ 도평의사사를 장악하였다.
④ 주로 음서로 관직에 진출하였다.
⑤ 성리학을 학문적 기반으로 삼았다.

08 다음 사건이 일어난 시기에 대한 탐구 활동으로 가장 적절한 것은?

> 충주 부사 우종주가 …… 몽골병이 쳐들어온다는 말을 듣고, 성 지킬 일을 의논하였다. …… 몽골병이 오자, 우종주와 유홍익은 양반 별초 등과 함께 성을 버리고 다 도주하고, 오직 노비군과 잡류 별초만이 힘을 합하여 이를 격퇴하였다.
> — 『고려사』

① 관료전 지급의 의미를 파악한다.
② 훈요 10조에 담긴 내용을 분석한다.
③ 강화도로 도읍을 옮긴 이유를 조사한다.
④ 3성 6부에 드러난 독자적 성격을 찾아본다.
⑤ 광개토 대왕릉비에 나타난 천하관을 알아본다.

09 밑줄 친 '이 시기'에 대한 설명으로 옳은 것은?

> 이 시기에 고려에서는 왕실의 용어와 관제가 격하되어 폐하는 전하, 태자는 세자로 불렸으며, 2성 6부는 첨의부와 4사로 재편되었다.

① 상대등이 설치되었다.
② 다루가치가 내정에 간섭하였다.
③ 소수림왕이 태학을 설립하였다.
④ 인안이라는 연호를 사용하였다.
⑤ 사정부에서 관리들을 감찰하였다.

10 (가) 왕에 대한 설명으로 옳은 것은?

① 국학을 설치하였다.
② 진대법을 실시하였다.
③ 과거제를 처음으로 시행하였다.
④ 수도를 웅진에서 사비로 옮겼다.
⑤ 정동행성이문소를 폐지하였다.

서술형 문제

● 정답친해 011쪽

01 다음을 통해 알 수 있는 무신 정변의 배경을 서술하시오.

> 왕(의종)이 화평재로 행차하여 또다시 가까이 모시는 문신들과 함께 술을 마시면서 시를 읊다가 돌아오는 것을 잊어버리니 …… 정중부에게 말하기를 "문신들은 의기양양하게 취하도록 퍼마시는데, 무신들은 모두 굶주려 피곤합니다." …… 왕(의종)이 보현원으로 가 술을 마시고 있다가 대장군 이소응으로 하여금 수박희를 시켰다. 대장군 이소응은 …… 다른 장수와 수박희를 하여 이기지 못하고 달아났다. 문신 한뢰가 갑자기 앞으로 나서며 이소응의 뺨을 후려갈기자 섬돌 아래로 떨어졌다. 이때 왕과 모든 신하가 손뼉을 치면서 크게 웃고 …….
> — 『고려사』

길잡이 의종의 상황, 문신과 무신의 처지에 주목한다.

02 다음을 읽고 물음에 답하시오.

> 신돈이 [(가)]을/를 설치할 것을 청하고 …… 전국에 방을 붙여 알렸다. "근래에 …… 사람들이 대대로 업으로 이어온 토지를 권세 있는 집에서 거의 다 빼앗아 차지하였다. 일부는 이미 판결이 났는데도 그대로 가지고 있고 일부는 백성을 노예로 만들기도 하였다. …… 이제 [(가)]을/를 설치하여 바로잡고자 …… 스스로 잘못을 알고 고치는 자는 (죄를) 묻지 않을 것이나, …… 망령되게 소송하는 자는 도리어 처벌하겠다." 명령이 나가자 권세가 중에 토지와 백성을 빼앗은 자들이 그 주인에게 많이 돌려주었으며, 전국에서 기뻐하였다.
> — 『고려사』

(1) (가)에 들어갈 기구를 쓰시오.

(2) 자료에 나타난 개혁의 주요 내용과 그 실시 목적을 서술하시오.

길잡이 신돈이 주도한 개혁임과 권세가가 가리키는 세력이 누구인지 유추하여 서술한다.

STEP 3 1등급 정복하기

1 밑줄 친 '저희'에 해당하는 세력이 주장한 내용으로 옳은 것을 〈보기〉에서 고른 것은?

> 묘청 등이 왕에게 건의하기를, "저희가 보니 서경 임원역의 땅은 음양가들이 말하는 대화세(大華勢)입니다. 만약 이곳에 궁궐을 세우고 수도를 옮기면 …… 금이 공물을 바치고 스스로 항복할 것이며, 36개 나라가 모두 신하가 될 것입니다."라고 하였다. …… (묘청이 난을 일으키고) 국호를 대위(大爲), 연호를 천개(天開), 그 군대를 천견충의군(天遣忠義軍)이라고 불렀다. 관리들을 임명하였는데, 양부(兩府)로부터 주·군 수령에 이르기까지 모두 서경 사람으로 임명하였다.
>
> – 「고려사」

보기

ㄱ. 원을 배척하고 명과 친선 관계를 맺자.
ㄴ. 고려를 무너뜨리고 새 왕조를 개창하자.
ㄷ. 금에 대한 사대를 청산하고 금을 정벌하자.
ㄹ. 황제의 칭호를 사용하고 독자적인 연호를 사용하자.

① ㄱ, ㄴ   ② ㄱ, ㄷ   ③ ㄴ, ㄷ
④ ㄴ, ㄹ   ⑤ ㄷ, ㄹ

> **서경 천도 운동**
>
> **│ 한자 사전 │**
>
> • 음양가(陰陽家)
> 풍수지리 따위를 연구하여 길흉화복을 예언하는 사람을 가리킨다.
>
> • 대화세(大華勢)
> 최고 명당 자리를 의미한다.

수능 응용

2 (가)에 들어갈 내용으로 가장 적절한 것은?

> **한국사 다큐멘터리 제작 기획서**
> • 제목: 고려의 개혁 군주, ○○왕
> • 기획 의도: 원이 쇠퇴하고 명이 등장하는 국제 정세의 변화 속에서 ○○왕이 반원 자주 정책을 추진하고 왕권을 강화해 간 과정을 입체적으로 조명한다.
> • 회차별 방송내용
>   – 제1회: 관제를 복구하고 몽골풍을 금지하다.
>   – 제2회: 쌍성총관부를 공격하여 영토를 수복하다.
>   – 제3회: (가)

① 관료전을 지급하고 녹읍을 폐지하다.
② 훈요 10조로 후대 왕에게 교훈을 남기다.
③ 신돈을 등용하여 전민변정도감을 설치하다.
④ 최승로의 건의를 받아들여 지방관을 파견하다.
⑤ 노비안검법을 실시하여 호족과 공신들의 경제력을 약화하다.

> **고려의 반원 자주 정책**
>
> **완자샘의 시험 꿀팁**
>
> 원 간섭기 고려 사회의 변화와 이를 극복하기 위한 공민왕의 정책은 자주 출제된다. 공민왕의 왕권 강화 정책과 반원 자주 정책의 주요 내용을 정리하고, 관련 자료를 파악해 두어야 한다.

05 고려의 사회와 사상

학습 목표
• 고려 사회의 특징을 이해하고, 신분의 유동성을 보여 주는 사례를 제시할 수 있다.
• 고려 시대 사상의 발전 모습을 설명할 수 있다.

이것이 핵심!

고려의 신분 구성과 신분의 유동성

신분 구성
양천제(양인, 천인으로 구분)

직업별 구분	지역별 구분
정호, 백정, 수공업자, 상인 등	군현민 향·부곡·소 주민 등

↓

지위와 신분 변동 가능

✱ 양천제
신분을 양인과 천인으로 구분한 제도이다. 양인은 자유민으로 납세와 군역의 의무를 졌으며, 관직에 진출할 수 있었다. 천인은 비자유민으로 대부분이 노비였다.

✱ 정호
관료, 군인, 향리 등 국가로부터 일정한 직역을 부여받은 지배 계층으로, 문무 양반과 중간 계층으로 구분되었다.

✱ 상급 향리
상급 향리는 호장, 부호장이 되어 지방 행정을 장악하고 지방군을 통솔하였으며, 과거를 통해 중앙 관리로 진출할 수 있었다. 향리의 우두머리인 호장은 해당 고을 향리들을 통솔하고 실무 행정을 총괄하였다.

✱ 외거 노비
관청이나 주인에게 직접 노동력을 제공하지 않고 매년 신공이라는 몸값을 바쳤다.

✱ 본관제
이름 앞에 출신지를 표기하게 한 제도이다. 고려에서는 출신지를 본관으로 하여 다른 지역으로 이주해도 호적에는 원래의 본관을 기재하였다.

✱ 상피제
일정한 범위 내의 친족이 동일한 관청에 함께 근무하지 못하게 한 제도

① 고려의 사회

1. 고려의 신분 구성

(1) **✱양천제(법제적):** 양인(✱정호, 백정 등), 천인으로 구분

양인	문무 양반	왕족, 문무 관료 등 → 고위 관직에 진출, 일부 가문은 문벌 형성
	중간 계층	• 구성: 서리, 남반, 하급 장교, 향리(✱상급 향리, 하급 향리) 등 • 특징: 중앙과 지방 통치 기구의 말단 행정 실무를 주로 담당, 직역에 대한 대가로 토지를 받음, 자손에게 신분 세습 ─ 고려 말 신진 사대부 중 향리 출신이 많았어.
	양민(평민)	• 군현민: 농민(백정, 조세·공납·역 부담, 과거 응시 가능), 상인, 수공업자 • 향·부곡·소민: 특수 행정 구역 거주, 백정보다 많은 조세와 역 부담, 향·부곡민은 주로 농업에 종사, 소민은 국가가 필요로 하는 수공업품과 광산물 등 생산
천인		• 구성: 대다수 노비 → 재산으로 간주(매매, 상속, 증여 가능), 일천즉천의 원칙 적용 • 구분: 사노비(솔거 노비, ✱외거 노비), 공노비(입역 노비, 외거 노비)

─ 부모 중 한 명이 노비이면 자녀도 노비가 되는 원칙이야.

(2) **신분의 유동성** 〔교과서 자료〕 ─ 고려는 신라 골품제 사회보다 개방적이었어.

정호	과거에 합격하여 고위 관리에 등용되거나 군공으로 무관에 등용 가능
백정	과거를 통해 하급 관리가 되거나 군공으로 정호가 되기도 함
노비	주인에게 재물을 주거나 큰 공을 세워 양인이 되기도 함

2. 고려의 지역 사회 운영

(1) **지역 자율성 인정:** 군현은 향리 집단이 운영 주도, 지방군 보유

(2) **지역 간 위상 차이:** 군현민과 향·부곡·소민 차별, 주현과 속현 차별(→ 승격이나 강등 가능), ✱본관제 시행 〔자료①〕

─ 거주지 이전이 제한되었고, 과거 응시, 군현 주민과의 결혼, 승려가 되는 것이 금지되었으며, 형벌을 받을 때 노비와 동등하게 취급되었어.

3. 고려의 사회 시책과 농민 공동체

(1) **사회 시책:** 농민의 생활 안정 목적

─ 개경, 서경, 12목에 설치하였어.

정책	조세 수취의 한도 제정, 농번기에 잡역 면제, 자연재해를 입은 농민에게 조세와 부역 감면
제도	의창(평상시 곡물을 비치하였다가 흉년에 빈민 구제), 상평창(물가의 안정 도모), 동·서 대비원(환자 진료 및 빈민 구휼), 제위보(기금의 이자로 빈민 구제) 설치

(2) **농민 공동체:** 향도의 운영(전기에 사원 조성, 매향 등 불교 신앙 활동 전개 → 후기에 규모 축소, 마을 제사와 상장례 등 공동체 생활 주도)

─ 국가와 백성의 안녕을 기원하며 향나무를 강이나 바닷가에 묻는 불교 신앙 활동이야.

4. 고려의 가족 관계와 가족 제도

(1) **가족 관계에서 여성의 지위** 〔자료②〕 ─ 꼭! 남성과 여성의 관계가 비교적 수평적이었어.

호적	여성이 호주 가능, 호적은 남녀 구분 없이 태어난 순서대로 기재
결혼	일부일처제가 일반적, 여성의 요구에 의한 이혼 가능, 재혼 가능, 사위가 처가에 장가들어 사는 일이 일반적, 재혼으로 태어난 자손도 별다른 차별을 받지 않음
상속	부부는 각자 재산 소유, 자녀 균분 상속, 자식이 없는 경우 각자의 혈연에게 상속

(2) **부계와 모계의 동등한 권리와 의무:** ✱상피제 적용 범위·음서의 혜택·정호의 직역 및 토지 세습 등에서 아버지와 어머니 쪽의 권리와 의무가 동등함, 친족 용어 동일, 친조부모와 외조부모의 상례 기간에 차이를 두지 않음

수능이 보이는 교과서 자료 · **고려 시대 신분 이동의 유동성**

┌─ 향리의 우두머리야.

- 이영의 아버지 이중선은 안성군의 호장으로 있었다. …… 이영은 아버지가 돌아가시자 서리가 되고자 문서를 정조주사에게 제출하였는데, 절을 하지 않았다. 주사는 화가 나 욕을 하였다. 이영은 문서를 찢어버리며 "내가 과거로 조정에 나갈 수 있거늘 어찌 너 같은 무리를 공경하겠는가."라고 하였다. 이영은 급제하여 사관과 대간을 역임하였다. ─『고려사절요』
- 평량은 평장사 김영관의 집안 노비로 …… 농사에 힘써 부유하게 되었다. 그는 권세가 있는 중요한 길목에 뇌물을 바쳐 천인에서 벗어나 산원동정의 벼슬을 얻었다. 그의 처는 소감 왕원지의 집안 노비인데, …… 평량이 …… 처남과 함께 원지 부처와 아들을 죽이고, 스스로 그 주인이 없어졌으므로 계속해서 양인으로 행세할 수 있음을 다행으로 여겼다. ─『고려사』

└─ 평량은 사노비 중 외거 노비임을 알 수 있어.

고려 시대에는 제한적이나마 지위와 신분을 상승시킬 수 있는 가능성이 열려 있었다. 향리나 하급 장교 등으로 구성된 정호는 과거나 군공 등을 통해 출세할 수 있었다. 노비들도 주인에게 재물을 주거나 큰 공을 세워 신분을 상승하였다.

완자쌤의 탐구 강의

· 자료의 이영과 평량의 신분이 어떻게 바뀌었는지 말해 보자.
이영은 호장의 아들로 향리였으며 과거를 통해 중앙 고위 관리가 되었다. 노비였던 평량은 재산을 모아 양인이 된 뒤 벼슬까지 얻었다.

· 자료를 통해 알 수 있는 고려 신분제의 특징을 써 보자.
고려의 신분제는 신분 간 이동이 일어나는 등 신라 골품제보다 유동적이며 개방적인 성격을 보였다.

(함께 보기) 56쪽, 1등급 정복하기 1

자료 ① 고려 시대 지역 간 위상 차이

- 충주 다인철소는 고종 42년(1255)에 주민들이 몽골군을 막는 데 공이 있어 익안현으로 승격시켰다. ─특수 행정 구역인 소가 대몽 항전에 힘입어 일반 군현으로 승격되었어. ─『고려사』
- 유청신은 장흥부 고이부곡 사람이다. 법도에 부곡리는 공이 있어도 5품을 넘을 수 없었다. …… 몽골어를 익혀 원에 사신으로 가서 잘 응대하였다. …… 충렬왕의 총애를 받아 낭장에 임명되었다. …… 고이부곡을 고흥현으로 승격하였다. ─『고려사』

고려 시대에 특수 행정 구역인 향·부곡·소의 주민은 사회적 차별을 받았다. 그러나 공을 세워 특수 행정 구역이 군현으로, 속현이 주현으로 승격되기도 하였으며, 적에게 항복하거나 반란을 일으킨 군현은 속현이나 특수 행정 구역으로 낮추어지기도 하였다.

자료 ② 고려 시대 여성의 지위

─재혼한 여성이 현 남편에게 전 남편과의 사이에서 태어난 자식을 친아버지가 다니던 사학에 입학시켜 줄 것을 요구한 내용이야.

- 의붓아버지가 가난을 이유로 공부시키지 않고 자기 친아들과 같은 일을 하게 하자, (이승장의) 어머니는 그럴 수 없다며 고집하기를, "…… 유복자(이승장)가 다행히 잘 자라 학문에 뜻을 둘 나이가 되었으니, 그 친아버지가 다니던 사립 학교에 입학시켜 뒤를 잇게 해야 합니다. 안 그러면 죽은 뒤에 내가 무슨 낯으로 전 남편을 보겠어요?"라 하였다. 마침내 결단하여 솔성재에서 공부하게 하니, 전 남편의 옛 학업을 뒤따르게 하였다. ─이승장 묘지명
- 지금은 장가갈 때 남자가 처가로 가게 되어 무릇 자기의 필요한 것을 다 처가의 힘을 빌려 의지하니, 장인·장모의 은혜가 부모와 같습니다. ─사위의 처가살이 모습을 보여 줘. ─『동국이상국집』

제시된 자료는 고려에서 혼인 후에는 일반적으로 처가에서 살았고, 여성의 이혼과 재혼이 비교적 자유로웠으며 재혼으로 태어난 자손도 별다른 차별을 받지 않았음을 보여 준다. 이를 통해 고려 여성의 지위가 다른 시대보다 높았음을 알 수 있다.

문제 로 확인할까?

고려 시대 향·부곡·소의 주민에 대한 설명으로 옳지 않은 것은?
① 법적으로 양인에 속하였다.
② 군현민에 비해 사회적 차별을 받았다.
③ 과거 응시와 승려가 되는 것이 금지되었다.
④ 일반 군현의 주민이 되는 것은 불가능하였다.
⑤ 형벌을 받을 때 노비와 동등하게 취급되었다.

④

자료 하나 더 알고 가자!

박유의 상소

(박유가) "청컨대, 여러 신하·관료들에게 여러 처를 두게 하되 ……." 연등회 날 저녁 박유가 왕의 행차를 호위하여 따라갔는데, 어떤 노파가 그를 손가락질하면서 "첩을 두고자 요청한 자가 저놈의 늙은이다."라고 하였다. …… 당시 재상 중에 부인을 무서워하는 자들이 있었기 때문에 그 건의를 정지하여, 결국 실행하지 못하였다. ─『고려사』

제시된 자료는 박유가 일부다처제를 제안하였으나 당시 사회 분위기와 여성의 반대로 시행되지 못하였음을 보여 준다.

05 고려의 사회와 사상

이것이 핵심!

고려 시대 유교와 불교의 발달

유교	• 변화: 전기에 정치 이념화 → 중기에 보수화 → 후기에 성리학 수용 • 역사서 편찬에 영향을 줌
불교	• 숭불 정책 추진 • 불교 통합 운동 전개(의천, 지눌, 요세 등) • 대장경 조판, 불교 예술 발달

★ **팔관회**
팔관회는 불교와 전통 신앙이 어우러진 행사이다. 불교에서 금하는 8가지 계율을 지키는 의식에 하늘의 신령과 산, 강, 용 등을 섬기는 행사 등이 결합되었다.

★ **기전체**
본기(제왕), 열전(인물), 표(연표), 지(주제) 등으로 구성하는 역사 서술 방법

★ **국사와 왕사 제도**
왕실이 명망 있는 승려를 국사와 왕사로 삼아 예우한 제도

★ **교관겸수**
불교의 이론적 교리 공부(교)와 실천적 수행(관)을 함께 닦아야 한다는 이론

★ **결사 운동**
무신 정권기에 선종 승려를 중심으로 불교계를 개혁하기 위해 불교 본연의 자세를 확립할 것을 주창한 운동이다.

★ **정혜쌍수**
선과 교학을 치우침 없이 고루 닦아야 한다는 이론

★ **돈오점수**
한순간에 깨달음을 얻고, 깨달은 이후에도 꾸준히 수행해야 한다는 사상

② 고려의 종교와 사상

1. 토착 신앙과 도교, 풍수지리설의 유행

(1) **토착 신앙**: 동명성왕 및 태조 왕건의 신격화, ★팔관회 개최

(2) **도교**: 귀족과 왕실을 중심으로 발달, 귀족 사이에서 신선술 유행, 국가적 차원의 도교 사원 건립·초제 거행 ─ 고려 시대에 도교는 독자적인 교리 체계와 교단을 갖추지 못하고 민간 신앙의 형태로 유지되었어.

(3) **풍수지리설**: 예언 사상(도참사상)과 결합하여 유행 → 송악 길지설, 북진 정책(서경 길지설), 묘청의 서경 천도 운동, 한양의 남경 승격 등에 영향을 줌 ─ 송악(개경)의 우수성을 부각하여 고려 건국에 정당성을 부여하였어.

2. 유교 사상의 발달

(1) **정치 이념화**: 태조의 유교 민본 사상 중시, 광종의 과거제 실시, 성종의 유교 정치사상 확립 (최승로의 건의 수용, 국자감과 향교 설립)

(2) **보수화**: 지배 체제의 안정 추구, 최충의 9재 학당 설립(→ 사학 12도 융성)

(3) **성리학의 수용**: 원 간섭기 안향이 수용, 이제현의 성리학 연구 심화, 이색·정몽주·정도전 등이 성리학 확산 → 신진 사대부가 개혁 사상으로 수용 (자료③) ─ 이제현은 원의 학자와 교류하면서 성리학에 대한 이해를 심화시켰어.

3. 역사서의 편찬 (자료④)

『삼국사기』는 초자연적이고 신비한 것은 서술하지 않고 합리적이고 객관적인 내용을 기록하고자 하였어.

전기	『왕조 실록』, 『7대 실록』 편찬 → 전하지 않음
중기	김부식의 『삼국사기』: 유교적 합리주의 사관에 입각, ★기전체 서술, 현존 가장 오래된 역사서
무신 정변 이후	• 특징: 자주 의식을 바탕으로 전통문화를 이해하려는 경향 대두 • 역사서: 이규보의 『동명왕편』(동명왕의 업적을 칭송하는 서사시, 고구려 계승 의식 강조), 일연의 『삼국유사』와 이승휴의 『제왕운기』(단군을 민족의 시조로 서술) 저술
후기	성리학적 유교 사관 대두(정통성과 대의명분 강조) → 이제현의 『사략』 저술

예? 무신 정변과 몽골의 침입을 겪으면서 자주 의식이 강조된 거야.

4. 불교와 불교 예술의 발달

(1) **불교의 발달**: 국가의 지원을 받음 ─ 불교는 모든 사회 계층이 믿는 국가 종교로 국가와 사회를 통합하고 외세가 침입하였을 때 국가를 지키는 정신적 지주 역할을 하였어.

① 숭불 정책: ★국사와 왕사 제도 마련, 승과 제도 실시(합격자에게 승계 부여), 승록사 설치, 불교 행사 개최(연등회, 팔관회 등) ─ 불교 행정을 담당한 관청 ─ 불교 행사를 열어 왕실의 위엄을 과시하고 민심을 규합하였어.

② 불교 통합 운동 (자료⑤)

의천		숙종 시기 화엄종 중심의 교종 통합, 해동 천태종 창시(교종 중심의 선종 통합 도모), ★교관겸수 주장 → 의천 사후 교단 분열
★결사 운동	지눌	수선사(송광사) 중심, 정혜결사 조직, 선·교 일치 주장(선종 중심의 교종 포용 추구), ★정혜쌍수와 ★돈오점수 주장
	요세	천태종 중심, 백련사 결사 결성, 극락왕생을 기원하는 참회와 염불 수행 강조
혜심		유불 일치설 주장(유학과 불교의 통합 시도) → 성리학 수용의 사상적 기반 마련

③ 원 간섭기 불교의 변화: 폐단 심화, 개혁적 성향 약화, 화려한 불화 제작 활발, 원에서 임제종 수용 (자료③) ─ 불교 사찰은 원과 고려 왕실의 후원을 얻어 막대한 토지와 노비를 소유하였고, 고려 말 사원들이 고리대를 일삼으며 농민의 토지를 빼앗고 농민을 노비로 만들었어.

(2) **대장경의 조판과 서적 편찬**: 대장경 조판(거란 침입 때 초조대장경, 몽골 침입 때 팔만대장경), 각훈의 『해동고승전』 편찬, 직지심체요절 간행(선종의 수행서)

(3) **불교 예술**: 불화와 불상(철불, 거대한 불상 등) 제작, 사원 건축(안동 봉정사 극락전, 영주 부석사 무량수전 등), 석탑 건축 ─ 부처의 힘으로 외적의 침입을 물리치고자 하는 염원이 담겨 있었어.

자료 ③ 원 간섭기의 유교와 불교

↑ 안향

↑ 수월관음도

원 간섭기에 유교에서는 안향이 성리학을 소개하였고, 이후 이제현이 원의 학자와 교류하며 성리학에 대한 이해를 심화시켰다. 성리학은 고려 말 신진 사대부가 불교의 폐단을 비판하고 개혁 정치를 추구하는 기반이 되었다. 한편, 불교는 원 간섭기에 원과 왕실의 후원을 받고 권문세족과 연결되어 막대한 토지와 노비를 소유하는 등 폐단이 심하였다. 당시 제작된 화려한 불화는 이러한 상황을 반영한다.

자료 ④ 역사서의 편찬

• "(인종께서는) 중국 역사서에 …… 삼국의 역사는 상세히 실리지 않았다. 또한, 삼국에 관한 옛 기록은 문체가 거칠고 졸렬하며 빠진 부분이 많으므로 …… 일관된 역사를 완성하고 만대에 물려주어 해와 별처럼 빛나도록 해야 하겠다."라고 하셨습니다. – 김부식, 「삼국사기를 올리는 글」

• 『위서』에 이르기를, "지금으로부터 2천여 년 전에 단군왕검이 있어 아사달에 도읍을 정하였다. …… 나라를 개창하여 조선이라 했으니 요임금과 같은 시대이다."라고 하였다. – 『삼국유사』

• 처음에 누가 나라를 세워 세상을 열었는가? 석제의 손자로 이름은 단군이라네. …… 요임금과 함께 무진년에 나라를 세워 순임금 때를 지나 하나라 때까지 왕위에 계셨도다. – 『제왕운기』

└ 단군을 시조로 기록하였어.

고려에서는 다양한 역사서가 편찬되었다. 인종 대에 김부식이 편찬한 『삼국사기』는 유교적 합리주의 사관에 입각하여 서술되었다. 무신 정변과 몽골의 침략을 겪으면서 자주 의식을 강조한 역사서가 편찬되었는데, 『삼국유사』와 『제왕운기』에서는 단군을 시조로 기록하고 우리의 전통문화를 자랑스럽게 서술하였다.

자료 ⑤ 의천과 지눌의 불교 통합 운동

• 교리(敎理)를 배우는 이는 내적인 것(마음)을 버리고 외적인 것을 구하는 일이 많고, 참선(參禪)하는 사람은 밖의 인연을 잊고 내적으로 밝히기를 좋아한다. 이는 다 편벽된 집착이고 양극단에 치우친 것이다. – 의천, 『대각국사 문집』

• 하루는 같이 공부하는 사람 10여 인과 더불어 약속하였다. 명예와 이익을 버리고 산림에 은둔하여 같은 모임을 맺자. 항상 선(禪)을 익혀 지혜를 고르는 데 힘쓰고, 예불하고 경전을 읽으며, 나아가서는 노동하기에 힘쓰자. 각자 맡은 바 임무에 따라 경영하고, 인연에 따라 심성을 수양하며 한평생을 자유롭고 호쾌하게 지내자. – 지눌, 『권수정혜결사문』

고려 불교계가 교종과 선종으로 나뉘어 대립하자 불교 통합 노력이 전개되었다. 의천은 해동 천태종을 창시하고 교관겸수를 주장하여 교종을 중심으로 선종을 통합하려고 하였다. 무신 정권기 지눌은 불교계의 개혁을 위한 결사 운동을 펼쳤고, 돈오점수와 정혜쌍수를 주장하며 선종을 중심으로 교종을 통합하고자 하였다.

문제 로 확인할까?

원 간섭기 불교계에 대한 설명으로 옳은 것은?
① 의천이 해동 천태종을 창시하였다.
② 신진 사대부의 개혁을 뒷받침하였다.
③ 초조대장경을 비롯한 대장경 조판이 활발하였다.
④ 왕실의 후원으로 막대한 토지와 노비를 소유하였다.
⑤ 불교 본연의 자세를 확립하자는 결사 운동이 전개되었다.

④ 답

자료 하나 더 알고 가자!

다양한 설화를 기록한 『삼국유사』

대체로 성인들은 …… 괴력난신(불가사의한 현상)을 말하지 않았다. 그러나 제왕이 장차 일어날 때는 부명을 받고 도록을 얻어 반드시 보통 사람과는 다른 점이 있으니 …… 삼국의 시조들이 모두 신기한 일로 탄생하였음이 어찌 괴이하겠는가. – 『삼국유사』

일연은 『삼국유사』에서 불교 신앙을 중심으로 야사, 신화적인 내용을 주로 다루었다. 『삼국유사』는 몽골의 침략을 겪은 뒤 편찬되어 단군을 비롯한 역대 왕조 시조들의 신비로운 탄생과 업적을 강조함으로써 고려의 독자적 정체성을 드러냈다.

정리 비법을 알려줄게!

의천과 지눌

구분	의천	지눌
시기	고려 전기	무신 정권기
불교 통합	교종 중심의 선종 통합	선종 중심의 교종 통합
활동	해동 천태종 창시	정혜결사 조직
사상	교관겸수 주장	돈오점수, 정혜쌍수 주장

문제 로 확인할까?

해동 천태종을 창시하고 교관겸수를 주장한 고려의 승려는?

천의 답

STEP 1 핵심 개념 확인하기

1 다음에서 설명하는 계층을 쓰시오.

> • 양인에 속하였으며 직역이 세습되었다.
> • 상급은 호장, 부호장이 되어 지방 행정을 장악하고 지방군을 통솔하였다.

2 다음 고려에 대한 설명이 맞으면 ○표, 틀리면 ×표를 하시오.

(1) 백정은 향·부곡·소 주민보다 많은 조세와 역을 부담하였다.　(　)

(2) 일부다처제가 일반적이었으며, 재혼으로 태어난 자손은 차별을 받았다.　(　)

(3) 노비의 신분은 대대로 세습되었으며, 일종의 재산처럼 취급되어 매매와 상속의 대상이 되었다.　(　)

3 고려 시대에는 (　　　　)이 예언 사상과 결합하여 유행하면서 서경 천도 운동, 한양의 남경 승격 등에 영향을 주었다.

4 다음 괄호 안의 내용 중 알맞은 말에 ○표를 하시오.

(1) 일연이 편찬한 (삼국사기, 삼국유사)에서는 단군을 민족의 시조로 서술하였다.

(2) 원 간섭기에는 (도교, 성리학)이/가 들어와 신진 사대부가 개혁 사상으로 수용하였다.

(3) 몽골이 침입하였을 때 (초조대장경, 팔만대장경)을 조판하여 부처의 힘으로 몽골을 물리치고자 하였다.

5 다음 ㉠, ㉡에 들어갈 인물을 각각 쓰시오.

> 고려 시대에 불교계가 교종과 선종으로 나뉘어 대립하였다. 그러자 (㉠　　　)은 해동 천태종을 창시하고 교종을 중심으로 선종을 통합하려고 하였으며, (㉡　　　)은 돈오점수와 정혜쌍수를 주장하면서 선종을 중심으로 교종을 통합하고자 하였다.

STEP 2 내신 만점 공략하기

01 다음은 고려의 신분 구성을 나타낸 도표이다. (가) 계층에 대한 설명으로 옳은 것은?

```
          왕족, 문무 관리         지배층
  양인        (가)
          농민(백정), 상민, 수공업자,
  천인      향·부곡·소민           피지배층

          공·사노비
```

① 조세, 공납, 역을 부담하였다.
② 일천즉천의 원칙이 적용되었다.
③ 직역에 대한 대가로 토지를 받았다.
④ 신공을 바쳐 신분을 상승하기도 하였다.
⑤ 고위 관직에 진출하여 문벌을 형성하였다.

02 밑줄 친 '사회적 차별'에 해당하는 내용으로 옳지 <u>않은</u> 것은?

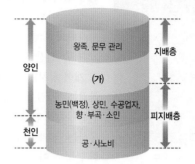

> 이 도자기는 고려 시대 해남 도자소에서 만들었어요. 고려에서는 이러한 도자기를 특수 행정 구역에서 만들어 국가에 바쳤는데요. 이곳 주민은 군현의 주민에 비해 <u>사회적 차별</u>을 받았어요.

① 과거에 응시할 수 없었다.
② 거주지 이전이 제한되었다.
③ 승려가 되는 것이 금지되었다.
④ 재산으로 취급되어 매매되었다.
⑤ 백정보다 많은 조세를 부담하였다.

03 밑줄 친 '평량'이 속한 신분에 대한 설명으로 옳은 것은?

평량은 평장사 김영관의 집안 종이었는데, …… 농사에 힘써 부유하게 되었다. 그는 …… 뇌물을 바쳐 천인에서 벗어나 산원동정의 벼슬을 얻었다. – 『고려사』

① 백정이라 불렸다.
② 문무 관료로 구성되었다.
③ 증여, 상속의 대상이 되었다.
④ 조세, 공납, 역의 의무가 있었다.
⑤ 고려 말 신진 사대부를 형성하였다.

04 (가) 계층에 대한 설명으로 옳은 것은?

고려 시대에는 양인 내부에서 　(가)　, 백정, 수공업자, 상인 등으로 나뉘었다. 이들 중 　(가)　 계층은 국가로부터 일정한 직역을 부여받은 지배 계층이었다.

① 백정은 될 수 없었다.
② 농업에 종사하면서 신공을 바쳤다.
③ 마가, 우가, 저가, 구가 등이 속하였다.
④ 일반 군현민에 비해 사회적 지위가 낮았다.
⑤ 과거에 합격하여 고위 관리가 되기도 하였다.

05 다음 자료를 통해 알 수 있는 고려 사회의 모습으로 옳은 것은?

• 충주 다인철소는 고종 42년에 주민들이 몽골군을 막는 데 공이 있어 익안현으로 승격시켰다. – 『고려사』
• 충혜왕 때는 환관 강금강이 원에 들어가 왕을 위해 궂은 일을 도맡아 했으므로 그 고향 퇴관부곡을 내성현으로 승격시켰다. – 『고려사』

① 골품제라는 엄격한 신분제가 운영되었다.
② 중간 계층의 신분은 자손에게 세습되었다.
③ 농민 생활의 안정을 위한 의창이 운영되었다.
④ 상수리 제도를 실시하여 지방 세력을 견제하였다.
⑤ 공을 세운 특수 행정 구역은 군현이 되기도 하였다.

06 밑줄 친 '이 공동체'에 대한 설명으로 옳은 것은?

△ 사천 흥사리 매향비

이 비석은 경산 사천시에 있는 것으로, 이 공동체가 매향을 한 후 이를 기록으로 남기기 위해 세운 것으로 여겨진다. 비문에는 내세의 행운과 국가의 발전, 백성의 안정을 기원하는 내용이 새겨져 있다.

① 화백이라고 불렸다.
② 불교 신앙 조직으로 시작하였다.
③ 진흥왕 때 국가적 조직으로 개편되었다.
④ 여진 정벌을 위한 특수 부대로 편성되었다.
⑤ 기금을 마련해 그 이자로 빈민을 구제하였다.

07 다음 자료들을 통해 알 수 있는 고려 시대 가족 제도의 특징으로 옳은 것은?

• 원통 원년 계유년(1333) 남부 덕산리 호주 낙랑군 부인 최씨는 나이 60세로 갑술년생이다. 본관은 경주이다. – 『여주 이씨 세보』
• 의붓아버지가 가난을 이유로 공부시키지 않고 자기 친아들과 같은 일을 하게 하자, (이승장의) 어머니는 그럴 수 없다며 고집하기를, "…… 유복자(이승장)가 다행히 잘 자라 학문에 뜻을 둘 나이가 되었으니, 그 친아버지가 다니던 사립 학교에 입학시켜 뒤를 잇게 해야 합니다. 안 그러면 죽은 뒤에 내가 무슨 낯으로 전 남편을 보겠어요?"라 하였다. 마침내 결단하여 솔성재에서 공부하게 하니, 전 남편의 옛 학업을 뒤따르게 하였다. – 이승장 묘지명

① 호주는 남성이 차지하였다.
② 재가한 여성의 자녀는 차별받았다.
③ 남성과 여성의 관계가 비교적 수평적이었다.
④ 여성의 재혼은 원칙적으로 허용되지 않았다.
⑤ 아버지 쪽과 어머니 쪽의 권리와 의무가 달랐다.

08 밑줄 친 부분에 대한 탐구 활동으로 가장 적절한 것은?

> 고려에서는 불교, 유교뿐만 아니라 토착 신앙, 도교, 풍수지리설 등도 유행하였다. 그에 따라 동명성왕과 태조 왕건을 신으로 섬겼고, 국왕과 왕실을 용의 후손으로 여겨 신성시하였다. 개경과 서경에서는 하늘의 신령과 산, 강, 용 등을 섬기는 행사를 개최하였다.

① 팔관회의 내용을 조사한다.
② 9산선문의 위치를 찾아본다.
③ 애니미즘의 의미를 알아본다.
④ 소도에서 천군의 역할을 검색한다.
⑤ 전륜성왕 관념이 왕권에 끼친 영향을 정리한다.

09 (가) 사상이 고려 시대에 발달한 모습에 대한 설명으로 옳은 것은?

> **수행 평가 보고서**
> • 주제: (가) 의 발달
> • 조사 내용: 고려의 귀족과 왕실에서 주로 믿었다. 귀족은 신선술에 관심을 가졌고 왕실에서는 사원을 세우고 초제를 열어 국왕의 장수를 빌었다.
> • 대표적인 유물
>  이 사진은 고려 시대에 제작된 은제 도금 타출 신선무늬 향합이다. 이 문화유산은 신선으로 보이는 노인과 동자 두 명의 모습을 부조하여 (가) 사상이 반영되었음을 짐작할 수 있다.

① 북진 정책을 뒷받침하였다.
② 독자적인 교단을 갖추지 못하였다.
③ 이차돈이 순교하는 데 영향을 주었다.
④ 승탑과 탑비가 유행하는 배경이 되었다.
⑤ 한양을 남경으로 승격하는 근거가 되었다.

10 밑줄 친 '이 시기'의 유교에 대한 설명으로 옳은 것은?

이 시기에 제작된 수월관음도야. 관음보살을 그린 그림이지.

이 시기 원과 고려 왕실의 후원을 받아서 수월관음도 같은 화려한 불화가 많이 제작되었다고 해. 이 시기에 원으로부터 임제종이 수용되기도 하였지.

① 성리학이 수용되었다.
② 도참사상과 결합하여 유행하였다.
③ 왕실에서 초제를 열어 장려하였다.
④ 삼국유사와 제왕운기에 반영되었다.
⑤ 최승로의 건의에 따라 정치사상으로 확립되었다.

11 다음 목적에 따라 편찬된 역사서에 대한 설명으로 옳은 것은?

> 신 부식은 아뢰옵니다. …… 생각건대 우리 삼국도 역사가 길고 오래되어 마땅히 그 사실이 책으로 기록되어야 하므로 폐하(인종)께서 이 늙은 신하에게 명하시어 편집하도록 하신 것인데, …… "(인종께서는) 중국 역사서에 …… 삼국의 역사는 상세히 실리지 않았다. 또한, 삼국에 관한 옛 기록은 문체가 거칠고 졸렬하며 빠진 부분이 많으므로 …… 일관된 역사를 완성하고 만대에 물려주어 해와 별처럼 빛나도록 해야 하겠다."라고 하셨습니다.

① 단군을 민족 시조로 내세웠다.
② 기전체의 방식으로 서술하였다.
③ 성리학적 역사 인식이 반영되었다.
④ 유기 100권을 5권으로 정리하였다.
⑤ 동명왕의 업적을 서사시로 칭송하였다.

12 다음과 같이 주장한 사람에 대한 설명으로 옳은 것은?

> 교리(教理)를 배우는 이는 내적인 것(마음)을 버리고 외적인 것을 구하는 일이 많고, 참선(參禪)하는 사람은 밖의 인연을 잊고 내적으로 밝히기를 좋아한다. 이는 다 편벽된 집착이고 양극단에 치우친 것이다. — 「대각국사 문집」

① 훈요 10조를 지었다.
② 부석사를 창건하였다.
③ 해동고승전을 저술하였다.
④ 해동 천태종을 창시하였다.
⑤ 당에서 법상종 발전에 기여하였다.

13 밑줄 친 '그'에 대한 설명으로 옳지 <u>않은</u> 것은?

> 그는 무신 집권기에 정혜쌍수를 주장하며 선종을 중심으로 교종을 통합하고자 하였다.

① 돈오점수를 주장하였다.
② 정혜결사를 조직하였다.
③ 수선사 중심의 결사 운동을 벌였다.
④ 화엄종을 중심으로 교종을 통합하였다.
⑤ 선과 교학을 고루 닦아야 한다고 주장하였다.

14 (가)에 들어갈 내용으로 가장 적절한 것은?

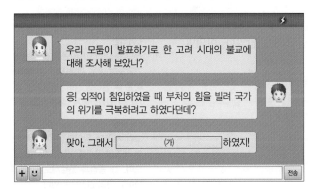

우리 모둠이 발표하기로 한 고려 시대의 불교에 대해 조사해 보았니?

응! 외적이 침입하였을 때 부처의 힘을 빌려 국가의 위기를 극복하려고 하였다던데?

맞아, 그래서 ___(가)___ 하였지!

① 대장경을 조판   ② 동북 9성을 축조
③ 노비안검법을 시행   ④ 지방에 향교를 건립
⑤ 황룡사 9층 목탑을 건축

01 다음을 통해 알 수 있는 고려 시대 가족의 모습과 여성의 지위를 각각 서술하시오.

> • 지금은 장가갈 때 남자가 처가로 가게 되어 무릇 자기의 필요한 것을 다 처가의 힘을 빌려 의지하니, 장인·장모의 은혜가 부모와 같습니다. — 「동국이상국집」
> • 순비 허씨는 공암현 사람으로 중찬 허공의 딸이다. 일찍이 평양공 왕현에게 시집가서 3남 4녀를 낳았으나, 그가 죽자 충선왕이 부인으로 맞이하였다. 허씨가 왕비로 즉위하자 순비로 책봉하였다. — 「고려사」

길잡이 고려 시대 가족 제도에서 여성의 지위가 상대적으로 높았음을 생각해 본다.

02 다음 자료에 반영된 사상이 고려의 정치와 사회에 끼친 영향을 <u>두 가지</u> 서술하시오.

> 「도선기」에는 '고려 땅에 세 곳의 수도가 있으니, 송악이 중경, 목멱양이 남경, 평양이 서경이다. 11~2월은 중경에서, 3~6월은 남경에서, 7~10월은 서경에서 지내면 36개국이 와서 조공할 것이다.'라고 하였습니다. — 「고려사」

길잡이 신라 말의 승려인 도선의 기록을 언급하고 있는 점에 주목한다.

03 다음과 같이 주장한 인물을 쓰고, 이 인물의 불교 통합 원칙을 서술하시오.

> 명예와 이익을 버리고 산림에 은둔하여 같은 모임을 맺자. 항상 선(禪)을 익혀 지혜를 고르는 데 힘쓰고, 예불하고 경전을 읽으며, 나아가서는 노동하기에 힘쓰자. 각자 맡은 바 임무에 따라 경영하고, 인연에 따라 심성을 수양하며 한평생을 자유롭고 호쾌하게 지내자. — 「권수정혜결사문」

길잡이 참선을 강조하고 정혜결사를 조직하였음에 주목한다.

1 다음 자료들을 활용한 고려 시대에 대한 탐구 활동 주제로 가장 적절한 것은?

> • 각 역의 정호를 나누어 6과(科)로 하였다. …… 1과는 정(丁) 75, 2과는 정 60, 3과는 정 45, 4과는 정 330, 5과는 정 12, 6과는 정 7이다. …… 토지가 있으나 정호의 수가 부족하면 그 역의 백정 자제 중 자원하는 자로 충당하여 세웠다. – 『고려사』
>
> • 이영의 아버지 이중선은 안성군의 호장으로 있었다. …… 이영은 아버지가 돌아가시자 서리가 되고자 문서를 정조주사에게 제출하였는데, 절을 하지 않았다. 주사는 화가 나 욕을 하였다. 이영은 문서를 찢어버리며 "내가 과거로 조정에 나갈 수 있거늘 어찌 너 같은 무리를 공경하겠는가."라고 하였다. 이영은 급제하여 사관과 대간을 역임하였다. – 『고려사절요』

① 상피제의 시행
② 신분제의 유동성
③ 골품제의 폐쇄적 성격
④ 신진 사대부의 정치적 성향
⑤ 특수 행정 구역 주민에 대한 사회적 차별

2 (가), (나)에 해당하는 시기의 사실로 옳은 것은?

> (가) 이의민은 경주 사람인데, 부친 이선은 소금과 체를 파는 사람이었고, 모친은 연일현 옥령사 노비였다. …… 정중부의 난 때 이의민이 살해한 사람이 제일 많았다. 이의민은 중랑장이 되었다가 즉시 장군으로 승진하였다.
>
> (나) 유청신은 장흥부 고이부곡 사람이다. …… 몽골어를 익혀 원에 사신으로 가서 잘 응대하였다. …… 충렬왕의 총애를 받아 낭장에 임명되었다. …… 고이부곡을 고흥현으로 승격하였다.

① (가) – 진대법이 실시되었다.
② (가) – 후삼국이 성립하였다.
③ (나) – 사심관 제도가 시작되었다.
④ (나) – 화려한 불화가 제작되었다.
⑤ (가), (나) – 사학 12도가 등장하였다.

▶ **고려 신분제의 운영**

완자쌤의 시험 꿀팁
고려는 신분별 이동이 가능하여 신라의 골품제 사회보다 개방적이었음을 사례와 함께 정리해 둔다.

완자 사전

• **대간**
중서문하성의 낭사와 어사대의 관원을 합쳐 부른 것으로, 왕의 잘못을 논하는 간쟁, 잘못된 왕명을 시행하지 않고 돌려보내는 봉박, 관리의 임명이나 법률을 개정 폐지할 때 동의하는 서경 등의 권리를 행사하여 막강한 권력을 지녔다.

▶ **고려 문화의 발달**

완자 사전

• **이의민**
천민 출신으로 1170년 무신 정변에 가담하여 공을 세웠으며, 경대승이 죽은 후 권력을 잡아 13년 동안 독재하다 최충헌에게 살해되었다.

• **충렬왕**
고려 제25대 왕이다. 원에 굴복하여 세조의 공주를 아내로 맞이하였으며, 그 풍습과 문물제도를 받아들이고 원의 간섭을 받았다.

• **낭장(郎將)**
고려 시대 정6품 무관의 벼슬

3 교사의 질문에 대한 학생의 답변으로 가장 적절한 것은?

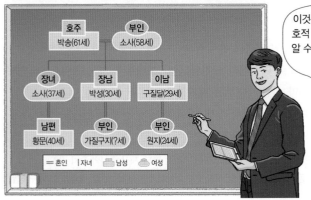

이것은 고려 시대 밀양 박씨의 호적 중 일부입니다. 이를 통해 알 수 있는 고려 사회의 특징을 이야기해 볼까요?

① 여성은 호주가 될 수 없었어요.
② 자식들이 성별 순으로 기록되었어요.
③ 사위가 처갓집 생활을 하기도 하였어요.
④ 배우자가 사망하면 재혼하는 것이 어려웠어요.
⑤ 부모의 재산은 첫째에게 가장 많이 상속되었어요.

> **고려의 가족 제도**
>
> **완자쌤의 시험 꿀팁**
>
> 고려의 가족 제도와 관련해서 여성의 지위가 다른 시대보다 높았음을 파악하고, 그 대표적인 사례를 정리해 둔다. 가정에서 여성의 지위가 높았던 것으로, 여성의 정치적 활동이 자유로웠던 것은 아님에 유의한다.

수능 응용

4 (가)에 들어갈 내용으로 가장 적절한 것은?

문화 특강	고려 후기의 역사서와 역사 인식

몽골의 침략을 겪으면서 고려에서는 민족적 자주 의식이 고양되었습니다. 정치적으로 원의 간섭을 받게 된 이후에는 우리 역사의 독자성과 유구함을 강조하는 새로운 역사 서술이 나타났습니다. 이에 우리 박물관에서는 고려 후기의 역사서와 역사 인식을 살펴보는 교양 강좌를 마련하였으니, 많은 참석 바랍니다.

• 일시: 200○○년 11월 ○○일 오후 2시
• 장소: ○○박물관 대강당
• 강의 주제
  – 주제1: _____(가)_____
  – 주제2: 유구한 역사를 서사시의 형식으로 노래한 제왕운기

① 이사부의 건의로 쓰인 국사
② 화랑의 전기를 모은 화랑세기
③ 명망 있는 승려들의 전기를 모은 고승전
④ 단군과 고조선 관련 기록을 담은 삼국유사
⑤ 유교적 합리주의 사관에 바탕을 둔 삼국사기

> **역사서의 편찬**
>
> **완자쌤의 시험 꿀팁**
>
> 고려의 불교, 유교, 역사서 등 문화 발달 모습을 시기별로 구분하여 알아두는 것이 좋다. 특히 무신 정변과 몽골의 침입을 겪으면서 나타난 변화를 파악해 두도록 한다.

06 조선 시대 세계관의 변화(1)

학습 목표
• 조선 통치 체제의 정비 과정과 조선 전기 대외 정책을 정리할 수 있다.
• 사림의 특징을 파악하고, 이들이 성장하면서 전개된 붕당 정치의 특징을 설명할 수 있다.

이것이 핵심!

조선의 통치 체제 정비

유교(성리학)적 통치 이념 바탕, 『경국대전』으로 성문화

중앙	의정부(국정 총괄), 6조(정책 집행), 3사(언론 기능) 중심
지방	8도에 관찰사 파견, 모든 군현에 수령 파견, 유향소 설치
관리 등용	과거제(문과, 무과, 잡과) 실시 → 유학 교육 강조

★ 경연
왕과 신하가 모여 유교 경전과 역사서를 공부하면서 학문과 정책을 토론하던 제도

★ 서연
세자가 장차 올바른 군주가 될 수 있도록 제왕학을 가르치는 것을 말한다.

★ 삼강행실도

조선 정부에서 백성에게 유교 윤리를 보급하기 위해 제작한 윤리서이다. 모범이 될 만한 충신, 효자, 열녀의 행적을 그림으로 그리고 설명을 덧붙였으며, 성종 때 한글로도 번역되었다.

★ 사족
전·현직 관료와 그 가문을 통칭하는 개념으로, 향촌 사회의 지배층이었다.

1 조선의 건국과 통치 체제의 정비

1. 조선의 건국과 문물제도의 정비

(1) **위화도 회군과 조선의 건국**: 명의 철령위 설치 통보 → 요동 정벌 추진 → 이성계의 요동 정벌 반대, 위화도 회군(1388)으로 이성계와 급진파 신진 사대부가 정권 장악 → 과전법 실시(1391) → 정몽주 등 온건파 신진 사대부를 제거하고 조선 건국(1392)
　└ 명이 철령 이북의 땅을 요구한 거야.

(2) **문물제도의 정비**: 통치 이념으로 성리학 채택, 유교적 민본 정치 표방(왕도 정치 추구, 유교 윤리 보급과 의례 정비 사업 전개) 자료① ┌ 유교적 통치 규범을 종합적으로 제시하였어.

태조	'조선'으로 국호 제정, 한양 천도, 정도전 중용(『조선경국전』 편찬, 재상 중심의 정치 강조)
태종	왕자의 난으로 즉위 → 공신과 왕족의 사병 혁파, 6조 직계제 실시, 양전 사업·호패법 실시 → 왕권 강화, 국가 재정 확충 └ 군사권을 왕에게 집중시켰다.
세종	이상적인 유교 정치 도모 → 의정부 서사제 실시, *경연과 *서연 활성화, 집현전 설치(관리들의 학문 연구 장려), 훈민정음 창제, 각종 편찬 사업 추진(『*삼강행실도』, 『농사직설』 등 편찬)
세조	언론 활동 제한(집현전, 경연 폐지), 6조 직계제 시행, 『경국대전』 편찬 시작
성종	홍문관 설치(집현전 계승, 경연 활성화), 『국조오례의』 간행, 『경국대전』 완성·반포(→ 유교적 법치 국가의 토대 마련) 자료② └ 국가적 행사를 유교적 예법에 맞게 정비한 의례서야.

2. 통치 체제의 정비: 성리학 이념을 바탕으로 정비, 『경국대전』으로 성문화

(1) **중앙 정치 조직**: 의정부와 6조 중심 자료③　3사의 언론 활동은 국왕도 함부로 막을 수 없었어.

의정부	국정 총괄(재상들의 합의로 정책 심의·결정)
6조	정책 집행, 고위 관리는 국가의 주요 정책과 경연에 참여 → 행정의 전문성과 효율성 증대
3사	사헌부·사간원·홍문관으로 구성, 왕과 대신들을 견제하는 언론 기능 담당(권력 독점과 부정 방지)
기타	승정원(국왕의 비서 기구), 의금부(국왕 직속 사법 기구), 한성부(수도의 행정·치안 담당), 춘추관(역사서 편찬), 성균관(최고 교육 기관) └ 국가의 중죄인을 다스렸어.

(2) **지방 행정 제도**: '8도 – 부·목·군·현'으로 조직, 향·부곡·소 폐지, 상피제 실시

관찰사	8도에 파견, 각 도의 행정을 총괄하며 관할 지역의 수령을 지휘·감독
수령(지방관)	모든 군현에 파견(행정권·사법권·군사권 행사) — 꼭! 속현이 소멸되었어.
향리	수령 보좌, 지방 행정 실무 담당 → 고려 시대에 비해 권한 약화
유향소	지방*사족이 조직한 향촌 자치 기구(수령 보좌·견제, 향리의 비리 감시, 풍속 교화 담당)

VS 고려와 달리 향·부곡·소가 폐지되고 속현이 소멸되었음을 비교해서 알아 둬.

(3) **군사 제도**

| 군역 | 정군(양인 남성으로 현역 군인), 보인(정군의 비용 부담)으로 편성 |
| 조직 | 중앙군(5위, 궁궐과 수도 방위), 지방군(국방상 주요 지역에 영과 진 설치, 병마절도사와 수군절도사 파견), 잡색군(평상시 생업에 종사, 유사시 군사로 동원) 조직 |

(4) **교통·통신 제도**: 봉수제 정비(국경의 상황 전달), 역참제 실시(공문 전달, 공물 수송), 조운제 운영(조세를 한성으로 운송)

(5) **관리 등용 제도**
　┌ 천거로도 관리를 임용하였어.
　고위직으로 올라가려면 문과에 합격해야 하였어.
　┌ 역과(외국어), 율과(법률), 의과(의술), 음양과(천문학)를 치렀어.

| 과거 | 문과(문관 선발)·무과(무관 선발)·잡과(기술관 선발) 실시, 문과 중시, 잡과는 해당 관청에서 실시 |
| 음서 | 고려에 비해 혜택의 대상 축소 |

(6) **교육 제도**: 유학 교육 강조, 성균관과 4부 학당(중앙)·향교(지방) 설치

완자 자료 탐구

자료 ① 6조 직계제와 의정부 서사제

- 의정부의 여러 일을 나누어 6조에 귀속하였다. 처음에 상(태종)은 의정부의 권한이 막중함을 염려하여 이를 없앨 생각이 있었지만, 신중히 여겨 서둘지 않았다가 이때에 이르러 행하였다. …… 의정부가 관장한 일은 사대문서와 중죄수의 재심에 관한 것뿐이었다. — 6조 직계제   — 『태종실록』
- 6조는 각기 모든 직무를 의정부에 품의하고, 의정부는 가부를 헤아린 뒤 왕에게 아뢰어 (왕의) 전지를 받아 6조에 내려 시행한다. 다만 이조·병조의 관직 제수, 병조의 군사 업무, 형조의 사형수를 제외한 판결 등은 종래와 같이 각 조에서 직접 아뢰어 시행하고 곧바로 의정부에 보고한다. — 의정부 서사제   — 『세종실록』

6조 직계제는 6조에서 의정부를 거치지 않고 국왕에게 직접 보고하게 한 제도로 왕권 강화에 기여하였다. 의정부 서사제는 6조에서 담당하는 일을 의정부에서 논의한 뒤 국왕에게 보고하도록 한 제도로 재상의 국정 주도권을 강화하였다.

자료 ② 『경국대전』의 편찬
중앙 정치 조직인 6조 체제에 맞추어 이전, 호전, 예전, 병전, 형전, 공전의 6전으로 구성되었어.

책이 완성되어 여섯 권으로 만들어 바치니, 『경국대전(經國大典)』이라는 이름을 내리셨다. '형전(刑典)'과 '호전(戶典)'은 이미 반포되어 시행하고 있으나 나머지 네 법전은 미처 교정을 마치지 못했는데, 세조께서 갑자기 승하하시니 지금 임금(성종)께서 선대 왕의 뜻을 받들어 마침내 하던 일을 끝마치고 나라 안에 반포하셨다. — 『경국대전』
└ 법전 편찬을 시작한 세조를 가리켜.

조선은 초기부터 『조선경국전』, 『경제육전』 등을 편찬하여 유교적 통치 규범을 성문화하였다. 하지만 그 내용이 미비하거나 현실과 모순되는 등의 문제가 있었다. 이에 세조 때 역대의 법률과 왕의 명령을 집대성한 『경국대전』을 편찬하기 시작하여 성종 때 완성·반포하였다. 『경국대전』은 정치·경제·사회를 망라한 법전으로 조선의 법률 체계와 통치 체제의 골격이 되었다.

자료 ③ 조선의 중앙 정치 조직

↑ 조선의 중앙 정치 기구

조선은 중앙 집권 체제를 지향하면서도 권력의 독점을 막는 통치 체제를 마련하였다. 중앙 정치 체제는 의정부와 6조를 중심으로 운영되었다. 의정부는 영의정, 좌의정, 우의정의 재상이 국정을 협의하여 정사를 총괄하는 최고 기구였고, 6조는 기능에 따라 정책과 행정을 나누어 맡아 행정의 전문성과 효율성을 높였다. 사헌부, 사간원, 홍문관의 3사는 정사를 비판하고 관리의 비리를 감찰하여 권력의 독점과 부정을 방지하였다.

6조 직계제와 의정부 서사제

↑ 6조 직계제   ↑ 의정부 서사제

경국대전에 대한 설명으로 옳은 것을 〈보기〉에서 고른 것은?

〈보기〉
ㄱ. 성종 때 완성·반포되었다.
ㄴ. 태조 때 편찬을 시작하였다.
ㄷ. 유교적 법치 국가의 토대를 마련하였다.
ㄹ. 조선에서 최초로 편찬된 성문 법전이다.

① ㄱ, ㄴ   ② ㄱ, ㄷ   ③ ㄴ, ㄷ
④ ㄴ, ㄹ   ⑤ ㄷ, ㄹ

② 🈺

조선의 지방 행정 조직

06 조선 시대 세계관의 변화(1)

조선 전기의 대외 관계

사대	명	조공·책봉 체제
교린	여진	4군 6진 개척, 무역소 설치, 귀순 장려
	일본	쓰시마섬 토벌, 3포 개방

★ 조공과 책봉
조공은 중국 주변국들이 중국에 사신을 파견하여 예물을 바치는 것으로, 일종의 공무역이다. 책봉은 국제적으로 국왕의 지위를 인정받는 형식적 절차이다.

2 사대교린 정책

1. 명과의 사대 외교 교과서 자료

(1) **건국 초**: 태조와 정도전의 요동 정벌 추진 → 명과 긴장 관계 형성

(2) **태종 이후**: *조공과 책봉 체제를 바탕으로 사대 외교 → 명과 친선 관계 유지

조공	조선이 명에 사신 파견·조공품 전달, 명은 답례품 하사 → 경제적·문화적 교류
책봉	명이 그 지역의 통치자를 국왕으로 책봉(→ 왕권의 안정과 국제적 지위 확보), 명의 연호 사용

2. 주변국과의 관계 교과서 자료

(1) **여진과 일본**: 교린 정책(강경책, 회유책 병행)

사민 정책으로 남쪽 지역의 주민을 개척한 지역으로 이주시키고, 그 지역의 토착민을 토관으로 임명하는 토관 제도를 실시하였어.

여진	• 강경책: 국경 침범 시 군대를 동원하여 토벌, 세종 때 4군 6진 개척(사민 정책, 토관 제도 실시) • 회유책: 국경 지역에 무역소 설치(제한적 교류 허용), 귀순 장려
일본	• 강경책: 세종 때 이종무가 왜구의 근거지인 쓰시마섬(대마도) 토벌 • 회유책: 3포(부산포, 염포, 제포) 개방 → 왜관 중심의 제한적 교역 허용

(2) **동남아시아 및 류큐**: 시암, 자와, 류큐와 교류 → 사신을 통해 토산물을 가져와 조선의 옷감·문방구 등과 교환

부산, 울산, 진해에 왜관을 설치하여 제한된 무역을 허락하고, 주로 부산에 있는 동래 왜관에서 일본 사신을 맞았어.

사림의 성장과 붕당 정치의 전개

사림의 성장
사림이 성종 때 언관직 진출 → 사화로 피해를 입음 → 서원·향약을 기반으로 세력 확대 → 붕당 형성

↓

붕당 정치의 전개
각 붕당이 공론을 내세워 정국 주도

★ 조의제문
항우가 폐위시킨 중국 초의 황제 의제를 애도하는 글이다. 훈구는 김종직이 세조를 항우에 빗대어 세조의 왕위 찬탈을 비판하였다고 주장하였다.

★ 현량과
학문과 덕행이 뛰어난 인재를 추천받아 간단한 시험을 보고 관리로 등용하는 제도이다. 사림의 관직 진출에 도움이 되었다.

★ 척신 정치
어린 명종을 대신해 어머니인 문정 왕후가 수렴청정을 하면서 외척 출신 관료들이 정치적 영향력을 행사한 것을 뜻한다.

3 사림의 성장과 붕당 정치의 전개

1. 사림의 성장과 사화의 발생

(1) **훈구와 사림** 자료④

통치자의 인격과 덕으로 백성을 교화하는 것을 중시한 정치 형태야.

훈구	세조의 즉위를 주도한 공신 세력을 중심으로 형성, 조선 전기의 국정 주도
사림	• 15세기 이후 지방에서 성장, 정몽주·길재 등의 학통 계승, 향촌 자치와 왕도 정치 추구 • 정계 진출: 성종 때 3사 언관직에 진출하여 공론 주도, 훈구 비판

훈구가 권력을 남용하고 막대한 재산을 축적해 백성의 지탄을 받자 성종이 이들을 견제하기 위해 사림을 적극 등용하였다.

(2) **사화의 발생**

연산군 시기	• 무오사화: 연산군의 사림 탄압, 김종직이 쓴 「*조의제문」을 문제 삼아 사림 축출 • 갑자사화: 연산군이 생모의 폐위와 관련된 훈구와 사림 세력 제거
중종 시기	조광조의 개혁 추진(*현량과 실시, 향약 보급, 일부 훈구의 공훈 삭제 시도) → 기묘사화(국왕과 훈구의 반발로 조광조 등 많은 사림 제거)
명종 시기	을사사화: 외척 간 권력 갈등이 일어나 사림이 피해를 입음

중종반정의 공신을 조사하여 자격이 없는 훈구의 공훈을 삭제하려 하였다.

2. 붕당 정치의 전개 자료⑤

(1) **사림의 세력 확대**: 서원과 향약을 기반으로 향촌 사회에서 세력 확대, 16세기 중반 정치의 주도권 장악

3사의 관리와 하급 관리를 심사하고 자신의 후임자를 천거하는 권한이 있었어.

(2) **붕당의 형성**: 정치적 입장, 학문적 의견, 출신 지역의 차이 등을 배경으로 형성

배경	*척신 정치의 잔재 청산을 두고 대립 → 이조 전랑 임명 문제로 갈등 심화
형성	• 동인(신진 사림 중심): 척신 정치의 청산과 정치의 도덕성 강조, 서경덕·이황·조식의 학문 계승 • 서인(기성 사림 중심): 믿을 만한 척신은 등용하자고 주장, 이이·성혼의 문인 중심

(3) **붕당 정치**: 각 붕당이 공론을 형성하고 이를 바탕으로 정국을 주도함(광해군 때 북인이 정국 운영 → 인조반정으로 서인 집권)

남인 일부와 연합하여 정국을 주도하였어.

완자 자료 탐구

내 옆의 선생님

수능이 보이는 교과서 자료 **조선 전기의 대외 관계**

↑ 조선 전기 대외 관계와 영토 확장

조선은 명과 사대 외교를 전개하여 왕권을 안정시키고 경제적·문화적 실리를 취하였다. 여진, 일본 등과는 교린 관계를 맺어 회유책과 강경책을 함께 펼쳤다. 여진에는 무역소를 설치하여 교역을 허용하였으며, 세종 때 4군 6진을 개척하여 압록강과 두만강 지역까지 영토를 넓혔다. 한편, 왜구의 침략이 심해지자 세종 때 이종무를 보내 왜구의 근거지인 쓰시마섬을 토벌하였다. 이후 일본이 교역을 요청하자 3포를 열어 제한적으로 교역을 허용하였다.

완자쌤의 탐구 강의

• 조선이 명과 사대 외교를 하면서 얻은 이점을 써 보자.
중국의 문물을 수용하고 책봉으로 왕권의 안정과 국제적 지위를 확보하였다.

• 조선이 여진과 일본에 취한 교린 정책의 내용을 정리해 보자.
여진에 무역소 설치의 회유책과 4군 6진 개척의 강경책을 펼쳤고, 일본에 쓰시마섬 토벌의 강경책과 3포 개방의 회유책을 펼쳤다.

함께 보기 67쪽, 1등급 정복하기 3

자료 4 사림의 대두

• (지금보다) 더욱 공경하는 마음을 가지고 백성을 대수롭게 여기지 말아야 하며, 민첩하고 용맹하고 과단하게 해서 세상 물정에 힘써 따르소서. — 「중종실록」
• 아랫사람들을 일으켜 세우는 것은 윗사람에게 달린 것입니다. 성상께서 먼저 덕을 닦아 감동을 준다면 아랫사람들도 감동하여 정치가 지극히 바르게 될 것입니다. — 「중종실록」

사림은 고려 말 조선 건국에 반대한 길재의 학문 전통을 이어받은 지방 사족이었다. 이들은 도덕과 의리에 바탕을 둔 왕도 정치를 추구하였고, 사족이 유교 윤리를 바탕으로 농민을 이끌어 가는 향촌 자치를 주장하면서 훈구의 부정과 비리를 비판하였다.

자료 5 붕당 정치의 전개

• 김효원이 과거에 장원으로 합격하여 (이조) 전랑의 물망에 올랐으나, 그가 윤원형의 문객이었다 하여 심의겸이 반대하였다. 그 후에 (심의겸의 동생) 심충겸이 장원 급제를 하여 이조 전랑으로 천거되었으나, 외척이라 하여 김효원이 반대하였다. …… 동인, 서인이라는 말이 여기에서 비롯하였다. 효원의 집은 동쪽 건천동에 있고, 의겸의 집은 서쪽 정릉동에 있었기 때문이다.
└ 이조 전랑의 임명 문제를 둘러싸고 사림은 동인과 서인으로 분열하여 붕당을 형성하였어. — 이긍익, 「연려실기술」
• 홍문관 부제학 정광적 등이 …… 공론은 국가의 움직이는 힘입니다. 공론이 행해지지 않으면 시비가 밝지 않아 망하는 것이 따르니, 어찌 크게 두려워할 일이 아니겠습니까. — 「광해군일기」

선조 때 동인과 서인으로 분열한 사림은 이후 여러 붕당을 형성하였고, 각 붕당은 공론을 내세워 서로 경쟁하는 붕당 정치를 전개하였다. 붕당 정치는 상호 비판과 견제가 가능하고 공론의 형성 과정에서 관직에 나가지 않은 재야 사족의 의견까지 수렴할 수 있는 장점이 있었다. 그러나 권력 다툼의 성격을 띠기도 하였다.

문제로 확인할까?

사림 세력에 대한 설명으로 옳지 않은 것은?
① 사화로 피해를 입었다.
② 왕도 정치를 추구하였다.
③ 향촌 자치를 주장하였다.
④ 성종 때 언관직에 등용되었다.
⑤ 조선 전기의 국정을 주도하였다.

⑤ 冒

자료 하나 더 알고 가자!

공론의 형성

인심이 함께 옳다 하는 것을 공론이라 하며, 공론의 소재를 국시라고 합니다. 국시란 한 나라의 사람이 의논하지 않고도 똑같이 옳다 하는 것이니, 이익으로 유혹하는 것도 아니고 위세로 무섭게 하지 않아도 삼척동자도 그 옳은 것을 아는 것이 국시입니다. — 이이, 「율곡전서」

공론은 성리학에 부합하는 공정하고 바른 의견을 의미하는 것으로, 붕당 내부의 토론을 통해 형성된 여론을 뜻한다. 조선에서는 3사의 관원, 지방 사족, 학생까지 공론의 형성에 참여하여 유교적 정치 이념을 정착시켜 갔다.

정답친해 015쪽

STEP 1 핵심 개념 확인하기

STEP 2 내신 만점 공략하기

1 다음에서 설명하는 왕을 〈보기〉에서 골라 기호를 쓰시오.

> **보기**
> ㄱ. 성종　　ㄴ. 세조　　ㄷ. 세종　　ㄹ. 태종

(1) 홍문관을 설치하였다. (　　)

(2) 의정부 서사제를 실시하였다. (　　)

(3) 경국대전의 편찬을 시작하였다. (　　)

(4) 호패법과 6조 직계제를 실시하였다. (　　)

2 다음 괄호 안의 내용 중 알맞은 말에 ○표를 하시오.

(1) (6조, 의정부)는 국정을 총괄하였다.

(2) 조선은 각 도에 (관찰사, 안찰사)를 파견하였다.

(3) (3사, 승정원)은/는 왕과 대신들을 견제하는 언론 기능을 담당하였다.

(4) 국왕의 직속 사법 기구인 (의금부, 한성부)는 국가의 중죄인을 다스렸다.

3 다음 설명이 맞으면 ○표, 틀리면 ✕표를 하시오.

(1) 조선은 명과 건국 직후부터 친선 관계를 유지하였다. (　　)

(2) 조선은 일본에 왜관 중심의 제한적 교역을 허용하였다. (　　)

(3) 세종은 4군 6진을 개척하고 이 지역에 남쪽 지역의 주민들을 이주시켰다. (　　)

4 길재의 학문 전통을 이어받은 지방 사족인 (　　　　　)은 향촌 자치와 왕도 정치를 추구하였으며, 훈구를 견제하였다.

5 다음 빈칸에 공통으로 들어갈 말을 쓰시오.

> • (　　　　　)이란 성리학에 부합하는 공정하고 바른 의견을 의미한다.
> • (　　　　　)은 붕당 내부의 토론을 통해 형성된 여론을 뜻하며, 각 붕당은 (　　　　　)을 내세워 정국을 주도하였다.

01 다음 사건이 있었던 시기를 연표에서 옳게 고른 것은?

> 고려의 요동 정벌을 반대하던 이성계는 압록강 하류의 위화도에서 군대를 돌려 개경으로 돌아와 권력을 장악하였다.

1368	1387	1391	1392	1394	1400
(가)	(나)	(다)	(라)	(마)	
▲ 명 건국	▲ 명 철령위 설치 통보	▲ 과전법 실시	▲ 조선 건국	▲ 한양 천도	▲ 태종 즉위

① (가)　② (나)　③ (다)　④ (라)　⑤ (마)

02 다음 주장을 펼친 인물에 대한 설명으로 옳은 것은?

> 임금의 직책은 한 사람의 재상을 정하는 데 있다. …… 재상은 임금의 아름다운 점은 순종하고 나쁜 점은 바로잡으며 …… 임금으로 하여금 가장 올바른 경지에 들게 해야 한다.
> – 『조선경국전』

① 경국대전을 편찬하였다.
② 제왕운기를 저술하였다.
③ 훈요 10조를 작성하였다.
④ 현량과 실시를 건의하였다.
⑤ 재상 중심의 정치를 강조하였다.

03 (가) 왕의 재위 시기에 있었던 사실로 옳은 것은?

> 　(가)　은/는 개국 공신이나 왕족이 거느린 사병을 혁파하여 군사권을 국왕에게 집중시키고, 6조 직계제를 채택하여 왕권을 강화하였다. 또한 호패법을 시행하여 호적을 작성하였다.

① 한양 천도
② 홍문관 설치
③ 경국대전 반포
④ 양전 사업 실시
⑤ 삼강행실도 간행

[04~05] 다음은 조선의 정치 제도를 나타낸 것이다. 이를 보고 물음에 답하시오.

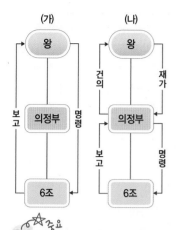

04 (가) 제도에 대한 설명으로 옳은 것은?

① 왕권 강화에 기여하였다.
② 세종 때 처음 실시되었다.
③ 재상의 국정 주도권을 강화하였다.
④ 신진 사대부가 등장하는 계기가 되었다.
⑤ 의정부의 기능이 강화되는 결과를 가져왔다.

05 (나) 제도를 처음 실시한 왕의 활동으로 옳은 것은?

① 정도전 중용   ② 집현전 폐지
③ 훈민정음 창제   ④ 국조오례의 간행
⑤ 경국대전 편찬 시작

06 다음은 조선의 중앙 정치 기구를 나타낸 것이다. (가)에 대한 설명으로 옳은 것은?

① 국왕의 비서 기구였다.
② 역사 편찬을 담당하였다.
③ 수도의 행정과 치안을 담당하였다.
④ 재상들의 합의로 정책을 심의·결정하였다.
⑤ 국왕의 직속 사법 기구로 중죄인을 다스렸다.

07 다음 기구들에 대한 설명으로 옳은 것은?

• (사헌부는) 시정을 논하여 바르게 이끌고, 모든 관원을 살피며, 풍속을 바로잡고, 원통하고 억울한 일을 풀어 주고, 거짓된 행위를 금하는 등의 일을 맡는다.
• (사간원은) 간쟁하고 정사의 잘못을 논박하는 직무를 관장한다.
• (홍문관은) 궁궐 안에 있는 경적을 관리하고, 문한을 관리하며, 왕이 물을 일에 대비한다. 제학 이상은 다른 관부 관원이 겸한다. 모두 경연을 겸대한다.

　　　　　　　　　　　　　　－ 『경국대전』 이전

① 6조를 관리하였다.
② 당의 제도를 본떠 조직되었다.
③ 재신과 추신이 회의를 열었다.
④ 왕의 비서 기구 역할을 하였다.
⑤ 권력의 독점과 부정을 방지하였다.

08 지도의 지방 행정 조직을 갖춘 나라에 대한 설명으로 옳지 않은 것은?

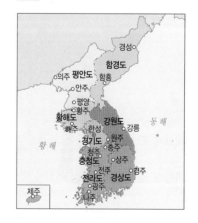

① 향·부곡·소가 폐지되었다.
② 향리의 지위가 고려 시대보다 낮았다.
③ 국방상 주요 지역에 영과 진을 설치하였다.
④ 각 도에 관찰사를 보내 행정을 총괄하게 하였다.
⑤ 지방관이 파견된 주현보다 파견되지 않은 속현이 더 많았다.

09 (가)에 들어갈 대화 내용으로 가장 적절한 것은?

조선도 고려와 마찬가지로 과거와 음서를 통해 관리를 선발하였지?

응. 하지만 운영 과정에서 고려와 다른 점이 있었지. 예를 들면 조선은 (가)

① 문과를 실시하였어.
② 무과를 제도화하였어.
③ 음서의 대상이 확대되었어.
④ 기술관을 과거로 선발하였어.
⑤ 유교적 교양을 갖춘 인재를 뽑았어.

10 다음 자료에 해당하는 왕의 재위 시기에 있었던 사실로 옳은 것은?

인물 카드   **조선의 제3대 왕 ○○**

• 이름: 이방원
• 재위 기간: 1400 ~ 1418년
• 주요 활동
 – 왕자의 난으로 즉위
 – 개국 공신과 왕족들이 소유한 사병을 없애고 재상의 권한을 약화하여 왕권 강화
 – 양전 사업과 호패법을 실시하여 국가 재정 확충

↑ 호패

① 쓰시마섬을 토벌하였다.
② 명에 사대 외교를 펼쳤다.
③ 쌍성총관부를 수복하였다.
④ 사민 정책과 토관 제도를 실시하였다.
⑤ 4군 6진을 개척하여 국경선을 확정하였다.

11 다음 자료를 통해 알 수 있는 조선의 대외 정책으로 옳은 것은?

> 경원·경성 지방에 야인의 출입을 금하지 아니하면 혹은 떼 지어 몰려들 우려가 있고, 일절 끊고 금하면 야인이 소금과 쇠를 얻지 못하여서 혹은 변경에 불상사가 생길까 합니다. 원하건대, 두 고을에 무역소를 설치하여 저들로 하여금 와서 물물 교역을 하게 하소서. – 『연려실기술』

① 여진에 회유책을 펼쳤다.
② 원과 군신 관계를 맺었다.
③ 왜구의 근거지를 토벌하였다.
④ 일본에 제한적인 교역을 허용하였다.
⑤ 사대 외교를 전개하면서 문화적·경제적인 실리를 취하였다.

12 다음과 같은 계보를 가진 세력에 대한 설명으로 옳지 않은 것은?

정몽주
길재
김숙자
김종직
정여창 · 김굉필 · 김일손
이언적 · 서경덕 · 조광조 · 김안국
조식 · 이황 / 이이 · 성혼
동인 / 서인

① 왕도 정치를 추구하였다.
② 향촌 자치를 강조하였다.
③ 성종 때 언관직에 진출하였다.
④ 세조의 즉위 과정에서 공을 세웠다.
⑤ 서원과 향약을 토대로 세력을 확대하였다.

13 다음 수행 평가 과제의 제목으로 가장 적절한 것은?

> **한국사 수행 평가 안내**
> • 주제: 역사 인물 만화 만들기
> • 활동 내용: ○○○의 활동 내용과 그 영향 등을 알 수 있는 짧은 만화를 제작한다.
> • 유의 사항: 다음 내용 중에서 두 가지 이상을 만화에 포함한다.
>   – 중종 때 개혁 정치 실시
>   – 경연과 언론 활동 활성화
>   – 일부 훈구의 공훈 삭제 주장
>   – 기묘사화로 제거됨

① 강감찬, 거란군을 물리치다.
② 조광조, 현량과를 추진하다.
③ 서희, 소손녕과 담판을 짓다.
④ 정도전, 요동 정벌을 추진하다.
⑤ 김종직, 세조의 왕위 찬탈을 비판하다.

☆중요
14 다음과 같이 붕당이 형성되면서 전개된 정치에 대한 설명으로 옳은 것은?

> 김효원이 과거에 장원으로 합격하여 (이조) 전랑의 물망에 올랐으나, 그가 윤원형의 문객이었다 하여 심의겸이 반대하였다. 그 후에 (심의겸의 동생) 심충겸이 장원 급제를 하여 이조 전랑으로 천거되었으나, 외척이라 하여 김효원이 반대하였다. 이에 양편 친지들이 각기 다른 주장을 내세우며 서로 배척하여 동인, 서인이라는 말이 여기에서 비롯하였다. 효원의 집은 동쪽 건천동에 있고, 의겸의 집은 서쪽 정릉동에 있었기 때문이다.
> — 이긍익, 「연려실기술」

① 공론을 중시하였다.
② 훈구가 주도하였다.
③ 친원 세력을 숙청하였다.
④ 교정도감에서 주요 정책이 결정되었다.
⑤ 묘청의 서경 천도 운동으로 모순이 드러났다.

서술형 문제

● 정답친해 016쪽

01 다음을 읽고 물음에 답하시오.

> (가) 의정부의 여러 일을 나누어 6조에 귀속하였다. 처음에 상(태종)은 의정부의 권한이 막중함을 염려하여 이를 없앨 생각이 있었지만, 신중히 여겨 서둘지 않았다가 이때에 이르러 행하였다. …… 의정부가 관장한 일은 사대문서와 중죄수의 재심에 관한 것뿐이었다.
> — 「태종실록」
> (나) 6조는 각기 모든 직무를 의정부에 품의하고, 의정부는 가부를 헤아린 뒤 왕에게 아뢰어 (왕의) 전지를 받아 6조에 내려 시행한다. 다만 이조·병조의 관직 제수, 병조의 군사 업무, 형조의 사형수를 제외한 판결 등은 종래와 같이 각 조에서 직접 아뢰어 시행하고 곧바로 의정부에 보고한다.
> — 「세종실록」

(1) (가), (나) 제도의 명칭을 각각 쓰시오.

(2) (가), (나) 제도가 왕권과 신권에 끼친 영향을 서술하시오.

(길잡이) 의정부의 기능 강화가 왕권에 어떤 영향을 끼쳤을지 생각해 본다.

02 다음을 읽고 물음에 답하시오.

> • 아랫사람들을 일으켜 세우는 것은 윗사람에게 달린 것입니다. 성상께서 먼저 덕을 닦아 감동을 준다면 아랫사람들도 감동하여 정치가 지극히 바르게 될 것입니다.
> — 「중종실록」
> • 제왕이 교화를 독실하게 하고 풍속을 아름답게 하여 민중을 거느리고 선을 행하는 것은 공론을 따르고 아랫사람들의 사정을 빼앗지 않는 데에 불과합니다. (지금보다) 더욱 공경하는 마음을 가지고 백성을 대수롭게 여기지 말아야 하며, 민첩하고 용맹하고 과단하게 해서 세상 물정에 힘써 따르소서.
> — 「중종실록」

(1) 자료와 같이 주장한 정치 세력을 쓰시오.

(2) (1) 세력이 추구한 정치를 **두 가지** 서술하시오.

(길잡이) 덕으로 정치할 것을 주장하고 있음에 주목한다.

1 (가) 서적에 대한 설명으로 옳은 것을 〈보기〉에서 고른 것은?

> 책이 완성되어 여섯 권으로 만들어 바치니 ┌─(가)─┐ (이)라는 이름을 내리셨다. '형전(刑典)'과 '호전(戶典)'은 이미 반포되어 시행하고 있으나 나머지 네 법전은 미처 교정을 마치지 못했는데, 세조께서 갑자기 승하하시니 지금 임금(성종)께서 선대 왕의 뜻을 받들어 마침내 하던 일을 끝마치고 나라 안에 반포하셨다.

┌─ **보기** ─┐
ㄱ. 정치 분야에 국한된 한계가 있다.
ㄴ. 유교적 법치 국가의 토대가 되었다.
ㄷ. 6조 체제에 맞추어 6전으로 구성되었다.
ㄹ. 정도전이 편찬하여 유교적 통치 규범을 제시하였다.

① ㄱ, ㄴ   ② ㄱ, ㄷ   ③ ㄴ, ㄷ
④ ㄴ, ㄹ   ⑤ ㄷ, ㄹ

> ▶ **법전의 편찬**
>
> ▌**완자 사전** ▐
>
> • **형전과 호전**
> 형전은 형조에서 소관하는 사항을 규정한 법전이고, 호전은 호조의 소관 사항을 규정한 법전이다.
>
> • **승하**
> 임금이나 존귀한 사람이 세상을 떠남을 높여 이르던 말

2 (가)에 들어갈 내용으로 가장 적절한 것은?

> **탐구 활동 보고서**
> • 탐구 주제: ┌──(가)──┐
> • 탐구 방법: 문헌 조사, 인터넷 조사
> • 조사 내용
>   – 지배층은 덕으로 백성을 다스리는 왕도 정치를 추구하였다.
>   – 성리학 이념을 바탕으로 통치 제도를 정비하고 이를 『경국대전』으로 성문화하였다.
>   – 세종 때 『삼강행실도』, 성종 때 『국조오례의』를 간행하였다.
>   – 명에 사대 외교를 행하였다.

① 황제국 체제의 구축
② 유교 통치 이념의 확립
③ 자주성 회복과 내정 개혁
④ 사림의 성장과 붕당 정치의 전개
⑤ 천손 의식과 독자적 천하관의 형성

> ▶ **조선의 통치 질서**
>
> ▌**완자 사전** ▐
>
> • **국조오례의**
> 국가의 기본 예식인 길례, 가례, 빈례, 군례, 흉례의 오례에 대해 규정한 예전이다. 오례 가운데 실행하여야 할 것을 뽑아 도식으로 엮었다.

3 (가) 왕의 재위 기간에 볼 수 있는 모습으로 가장 적절한 것은?

> 지도에 표시된 4군 6진은 [(가)] 때 최윤덕, 김종서 등이 개척한 지역입니다. [(가)]은/는 이 지역에 남쪽 지방의 주민을 이주시키는 사민 정책을 추진하였습니다.

① 중방에서 회의하는 무신들
② 집현전에서 연구하는 학자들
③ 소도에서 제사를 지내는 제사장
④ 최승로가 올린 시무 28조를 읽는 왕
⑤ 살수에서 수의 군대를 물리치는 군인들

> **조선 전기 제도 정비와 대외 관계**
>
> **완쟈쌤의 시험 꿀팁**
>
> 조선 전기 문물제도를 정비한 왕의 업적을 묻는 문제는 자주 출제된다. 각 왕의 체제 정비와 그 목적, 대외 정책 등을 정리해 두도록 한다.

---

4 다음 글에서 추구하는 정치에 대한 설명으로 옳은 것은?

> • 인심이 함께 옳다 하는 것을 공론이라 하며, 공론의 소재를 국시라고 합니다. 국시란 한 나라의 사람이 의논하지 않고도 똑같이 옳다 하는 것이니, 이익으로 유혹하는 것도 아니고 위세로 무섭게 하지 않아도 삼척동자도 그 옳은 것을 아는 것이 국시입니다.
> — 이이, 『율곡전서』
>
> • 홍문관 부제학 정광적 등이 …… 공론은 국가의 움직이는 힘입니다. 공론이 행해지지 않으면 시비가 밝지 않아 망하는 것이 따르니, 어찌 크게 두려워할 일이 아니겠습니까. …… 지금 남은 당인(黨人)에게 죄를 더하는 일로 여러 날 논의하고 있는데 성상의 들으심은 더욱 멀어져 한 번도 윤허를 받지 못하였습니다. …… 죄를 더하지 않는다면 신들이 그렇지 않다는 점을 밝히겠습니다.
> — 『광해군일기』

① 불교 사상에 부합하였다.
② 천신 신앙을 기반으로 삼았다.
③ 고구려 계승 의식이 담겨 있다.
④ 지방 사족의 의견이 반영되었다.
⑤ 훈구 세력이 이상적인 정치로 추구하였다.

> **공론 정치의 실시**
>
> **완쟈 사전**
>
> • **국시(國是)**
> 국민의 지지도가 높은 국가 이념이나 국가 정책의 기본 방침
>
> • **성상(聖上)**
> 살아 있는 자기 나라의 임금을 높여 이르던 말
>
> • **윤허(允許)**
> 임금이 신하의 청을 허락하는 것

07 조선 시대 세계관의 변화(2)

학습목표
• 왜란과 호란의 발생 배경과 전개 과정을 파악할 수 있다.
• 양난 이후 정치 운영의 변화 모습을 사례를 들어 설명할 수 있다.

이것이 핵심!

왜란과 호란

왜란의 전개
임진왜란 발발 → 수군, 의병, 조명 연합군의 활약 → 휴전 협상 결렬 → 정유재란 발발 → 일본군 철수

↓

전후 정세
광해군의 전후 복구 및 중립 외교 정책 → 서인 집권(친명배금 정책 추진)

↓

호란의 전개
정묘호란 발발 → 후금과 조선 정부의 화의 → 청의 군신 관계 요구 거절 → 병자호란 발발 → 청과 강화

★ 호란의 전개

→ 정묘호란(1627)
→ 병자호란(1636)
▨ 조선군의 주요 인물(정묘호란)
▨ 조선군의 주요 인물(병자호란)

★ 소중화주의
중국의 주변국이 스스로를 중국 다음 가는 문명국가라고 여겼던 자부심이다. 조선의 지배층은 자신들이 중화 문명을 가장 훌륭하게 전수받은 소중화라고 자부하였다.

★ 조선 중화주의
조선만이 중화 문명의 정수를 간직하고 있으므로 조선이 명을 대신하고 계승해야 한다는 관념

★ 백두산정계비
조선과 청 사이의 국경을 정하기 위해 세운 비석이다. 서쪽은 압록강, 동쪽은 토문강을 경계로 한다는 내용을 돌에 새겼다.

1 왜란과 호란

1. 왜란의 전개와 극복

(1) 왜란의 전개 〔자료①〕

선조는 광해군을 세자로 책봉하여 별도의 조정을 이끌게 하였어.

배경	도요토미 히데요시의 전국 시대 통일 → 지방 영주의 불만 무마를 위해 조선 침략 도모
전개	• 임진왜란: 일본의 조선 침략(1592) → 전쟁 초기 한성과 평양 함락, 광해군 중심의 조정 별도 구성, 선조의 의주 피난 → 명에 지원군 요청, 이순신의 수군이 남해에서 활약(해상권 장악), 전국 각지의 의병 활약 → 조명 연합군의 평양 탈환 → 명과 일본 사이의 휴전 협상 전개 • 정유재란: 휴전 협상 결렬 후 일본의 재침입(1597) → 조명 연합군이 일본군의 북진 방어, 이순신의 명량 대첩 승리 노량 해전에서 전사하였어.
종결	일본에 전세 불리, 도요토미 히데요시의 사망 → 일본군 철수

(2) 왜란 이후 동아시아 정세의 변화

지원군을 보내 준 명에 대해 '망해 가던 나라를 다시 세워 준 은혜'를 입었다며 숭상하였어.

조선	국토 황폐화, 인구 감소, 국가 재정 악화, 문화재 소실 및 약탈 → 일본에 대한 적개심 고취, 명에 대한 숭상 의식 확대
중국	명의 국력 약화 → 여진이 급속히 성장하여 후금 건국(1616)
일본	도쿠가와 이에야스의 에도 막부 수립, 조선의 기술자와 학자로부터 인쇄술·도자기 제조법·성리학 수용

(3) 일본과의 국교 재개: 에도 막부가 조선에 국교 재개 및 사절 파견 요청 → 회답 겸 쇄환사 파견 → 조선 정부의 통신사 파견

막부의 실권자인 쇼군은 자신의 권위를 높이기 위해 사절 파견을 요청하였어.

일본에 잡혀간 조선인들을 송환하기 위해 3차례 파견하였어.

2. 외교 정책의 변화

(1) 광해군의 정책

꼭! 광해군은 명이 쇠약해지고 후금이 강성해지는 국제 정세 속에서 후금과의 충돌을 피하기 위해 중립 외교를 펼쳤다.

전후 복구 정책	토지 대장·호적 정비, 성곽·무기 수리, 대동법 실시 → 농민 생활 안정, 국가 재정 확충 도모
중립 외교 정책	후금의 명 공격, 명이 조선에 지원군 요청 → 강홍립 파견(상황에 따른 대처 지시) → 강홍립이 후금에 항복 → 명과 관계를 유지하면서 후금과 친선 유지

(2) 인조반정(1623): 서인이 중립 외교를 비판하며 광해군 축출 → 인조 옹립

3. *호란의 전개

후금은 평안도 가도에 주둔 중인 명군을 제거하고 조선으로부터 경제적 이득을 얻기 위해 조선을 침략하였어.

정묘호란	서인의 친명배금 정책 추진, 명군의 가도 주둔 → 후금의 침략(정묘호란, 1627) → 인조의 강화도 피신, 관군과 의병 정봉수 등의 항전 → 후금과 조선 정부의 화의
병자호란	• 배경: 후금의 청 건국, 조선에 군신 관계 요구 → 조선에서 주전론(척화론)과 주화론의 대립 → 주전론의 우세로 청의 군신 관계 요구 거절 〔교과서 자료〕 • 전개: 청 태종의 침략(병자호란, 1636) → 인조가 남한산성에서 항전 → 청에 항복(청과 강화, 군신 관계 체결)

4. 세계관의 변화 〔자료②〕

조선에서 중시한 성리학적 명분론은 명을 중심으로 중화와 오랑캐를 구분하는 화이론으로 자리 잡았어.

(1) **화이론적 세계관의 동요:** *소중화주의 형성 → 호란 이후 *조선 중화주의 대두

(2) **북벌론 제기(북벌 운동 전개):** 효종이 송시열·이완과 함께 북벌 준비 → 실행에 옮기지 못함

(3) **북학론 제기:** 18세기 일부 실학자 중심, 연행사로부터 청의 문물을 조선에 소개 → 청의 선진적 문물을 수용하자고 주장

Q&? 청이 강성하였고 효종이 죽은 후 북벌론이 점차 쇠퇴하였기 때문이야.

(4) **국경 분쟁:** 만주 일대에서 생활하는 조선인 증가 → 청과 조선 사이에 국경 분쟁 발생 → *백두산정계비 건립(국경 확정, 1712)

완자 자료 탐구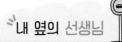

내 옆의 선생님

자료 ① 왜란의 전개

⬆ **왜란의 전개와 극복**

1592년 일본의 도요토미 히데요시가 조선을 침략하였다(임진왜란). 조선은 전쟁 초기에 왜군을 막아 내지 못하고 20일 만에 수도인 한성을 빼앗겼다. 그러나 이순신이 이끄는 수군과 각지에서 일어난 의병의 활약으로 전세가 역전되었으며, 전열을 정비한 관군과 명군의 연합군이 평양성을 탈환하였다. 이후 명과 일본이 휴전 회담을 열었으나 결렬되자 일본이 다시 조선을 침략하였다(정유재란). 이에 맞서 조명 연합군과 이순신 등이 활약하였다. 결국 전세가 불리해지고 도요토미 히데요시가 죽자 왜군은 일본으로 철수하였다.

자료 하나 더 알고 가자!

통신사의 파견

⬆ **통신사 행렬도**

조선은 에도 막부의 요청을 받아들여 19세기 초까지 여러 차례 통신사를 파견하였다. 통신사는 외교 사절의 역할과 함께 조선의 문물을 전파해 일본 문화 발전에도 기여하였다.

수능이 보이는 교과서 자료 주전론(척화론)과 주화론

> 임진왜란 때 명이 지원군을 보내 준 일을 가리켜.

- 명은 우리나라에 있어서 부모의 나라이고, 노적(청)은 부모의 원수입니다. 부모의 원수와 형제의 의를 맺어 부모의 은혜를 저버려서야 되겠습니까. 더구나 임진년의 일은 조그만 것까지도 모두 황제의 힘입니다. …… 어찌 화의를 제창할 수 있겠습니까. - 주전론 - 『인조실록』
- 자기의 힘을 헤아리지 아니하고 경망하게 큰소리를 쳐서 오랑캐들의 노여움을 도발, 마침내는 백성이 도탄에 빠지고 종묘와 사직에 제사 지내지 못하게 된다면 그 허물이 이보다 클 수 있겠습니까. - 주화론

— 최명길, 『지천집』

후금이 청을 세우고 조선에 군신 관계를 요구하자 조선에서는 주전론과 주화론이 대립하였다. 그중 주전론이 힘을 얻어 조선은 청의 군신 관계 요구를 거절하였다.

완자쌤의 탐구 강의

- 청의 군신 관계 요구에 대한 주전론과 주화론의 입장을 정리해 보자.

주전론	오랑캐인 청에 굴복할 수 없으니 청에 무력으로 대응하자는 주장이다.
주화론	청의 세력이 강성하니 청과 화의를 맺자는 주장이다.

함께 보기 76쪽, 1등급 정복하기 2

자료 ② 북벌론과 북학론의 대두

- 우리나라는 실로 명 신종 황제의 은혜를 입어 …… 중원을 쓸어 말끔히 우리 신종 황제의 망극한 은혜는 갚지 못하더라도, 혹 국경의 문을 닫고 약속을 끊으며 이름을 바르게 하고 이치를 밝혀 우리 의리의 원만함은 지킬 수 있을 것입니다. - 북벌론   - 송시열, 『송자대전』
- 청이 천하를 차지한 지 1백 년이 지났다. 여기에 사는 사람들을 모조리 오랑캐라 하고 중국의 법마저 폐기해 버린다면 크게 옳지 않다. 진실로 백성에게 이롭기만 한다면, 그 법이 비록 오랑캐에게서 나왔다 하더라도 성인은 취할 것이다. - 북학론   - 박제가, 『북학의』

조선은 병자호란 이후 청과 사대 관계를 맺었다. 하지만 내부적으로 오랑캐에게 당한 치욕을 씻고 명에 대한 의리를 지키자는 북벌 운동이 일어났는데, 당시 정권을 잡고 있던 서인도 이를 적극 지지하였다. 한편, 청의 국력이 신장되고 문화도 융성하자 일부 실학자는 청의 앞선 문물을 수용해 국가 발전을 이루어야 한다는 북학론을 제기하였다.

정리 비법을 알려줄게!

북벌론과 북학론

구분	북벌론	북학론
배경	소중화주의, 조선 중화주의 대두	청의 문물 발달, 조선의 연행사 파견(→ 청의 선진 문물 전래)
주장	오랑캐에게 당한 치욕을 씻고 명에 대한 의리를 지켜야 한다.	청의 발달된 문물을 수용하여 국가의 발전을 이루어야 한다.

⬇

청의 국력 강화, 효종의 죽음, 북학론 제기 등의 상황에서 북벌론은 점차 사라짐

07 조선 시대 세계관의 변화(2)

이것이 핵심!

조선 후기 정치 형태의 변화

선조~숙종	붕당 정치 전개, 숙종 시기 일당 전제화 대두	
영조~정조	탕평 정치 실시, 왕권 강화를 위한 개혁 정책 추진	비변사의 국정 총괄
순조~철종	세도 정치 전개 (소수 외척 가문이 정권 장악)	

★ 공인
대동법이 실시되면서 시장에서 물품을 대량으로 구매하여 정부에 관수품을 조달한 특허 상인

★ 대립과 방군 수포
대립은 다른 사람을 사서 군역을 대신하게 한 것이고, 방군 수포는 포를 받고 군역을 면제해 주는 것이었다.

★ 결작
지주에게 군포 대신 토지 1결당 쌀 2두 (화폐도 가능)씩 거둔 세금

★ 선무군관포
일부 상류층에게 선무군관이라는 칭호를 주고 매년 군포 1필을 거둔 것이다.

★ 예송 논쟁
효종과 효종비가 죽었을 때 효종의 계모인 자의 대비가 상복을 몇 년 입어야 하는지에 대한 예법 논쟁이었다. 서인은 왕실도 사대부와 같은 예를 적용해야 한다고 주장하였고, 남인은 왕실과 사대부의 예는 다르다고 주장하였다. 1차 예송에서는 서인의 주장이 받아들여졌지만, 2차 예송에서는 남인의 주장이 받아들여졌다.

★ 규장각
일종의 왕실 도서관 기능을 담당하였으나, 정조는 이를 강력한 정치 기구로 육성하고자 비서실 기능을 부여하였다. 또 과거 시험과 관리 교육까지 담당하게 하였다.

② 양난 이후 정치 운영의 변화

1. 통치 체제의 개편

(1) 비변사의 기능 강화: 16세기 초 왜구와 여진의 침입에 대비하기 위한 임시 기구로 설치 → 양난 이후 국정 총괄(군사, 외교, 재정, 인사 등) → 의정부와 6조 중심의 행정 체계 유명무실화, 왕권 약화 **자료③** ─ 임진왜란 때 전쟁을 효율적으로 수행하기 위해 역할이 강화되어 3정승을 비롯한 고위 관리로 구성원이 확대되고 국가 정책 전반을 논의하는 최고 기구가 되었어.

(2) 군사 제도의 변화

중앙군	임진왜란 때 훈련도감 설치 → 5군영 체제로 개편(훈련도감, 어영청, 총융청, 수어청, 금위영)
지방군	속오군 편성(양반에서 노비까지 포함)

(3) 수취 체제의 개편

서리와 상인 등이 결탁하여 공납을 대신 내고 농민에게 비싼 대가를 받아 냈어.

구분	조선 전기	폐단	양난 이후
전세	토지 소유자에게 풍년과 흉년에 따라 차등적으로 부과	소작인에게 지주의 조세를 전가	영정법: 풍흉에 관계없이 토지 1결당 쌀 4~6두 수취
공납	호 기준, 왕실과 관청에 필요한 지방의 토산물 수취	방납 만연	대동법: 토지 1결당 쌀·무명·베·동전 등으로 수취 (지주의 반대로 전국적 확대 시행에 100여 년 소요) → ★공인 등장, 농민 부담 감소, 재정 호전
역	16세 이상 60세 미만 양인 남성의 노동력 수취	★대립과 방군 수포 성행	균역법: 군포 2필에서 1필로 경감, ★결작과 ★선무군관포로 보충

Q/? 수취 기준이 호에서 토지로 바뀌면서 토지를 가진 사람의 부담이 늘어났기 때문이야.

2. 붕당 정치의 전개와 변질 **자료④**

선조 시기	동인과 서인 형성 → 붕당 상호 간 비판과 견제	
광해군 시기	북인 집권, 전후 복구 사업과 제도 개편 추진	붕당 간 공존 관계 유지
인조 시기	서인의 주도하에 남인 참여	
현종 시기	서인과 남인 간의 두 차례 ★예송 논쟁 발생 → 붕당 간 대립 심화	
숙종 시기	환국 전개(서인과 남인이 번갈아 집권, 상대 붕당 탄압) → 남인 몰락, 서인이 노론과 소론으로 분열, 특정 붕당의 일당 전제화 경향 대두 → 탕평책 제기(실효를 거두지 못함)	

3. 영조와 정조의 탕평 정치(탕평책)와 개혁 정치 **자료⑤**

(1) 영조의 정치

붕당을 없애자는 영조의 주장에 동의하였어.

탕평 정치	탕평비 건립, 탕평파 중심의 정국 운영, 재야 사림의 존재 부정, 붕당의 근원인 서원 대폭 정리, 이조 전랑의 권한 약화 ─ 이조 전랑이 3사의 관리를 추천하는 관행을 없앴어.
개혁 정치	균역법 실시, 가혹한 형벌 금지, 문물제도 정비(『속대전』, 『동국문헌비고』 편찬)

(2) 정조의 정치

젊고 재능 있는 관료들을 선발하여 규장각에서 학문을 연구하게 한 제도야. 정조는 이를 통해 자신의 세력 기반을 강화하였어.

탕평 정치	외척 세력 제거, 붕당에 관계없이 능력에 따라 노론·소론·남인 고루 등용
개혁 정치	★규장각 설치, 초계문신제 시행(젊은 관리 재교육), 친위 부대인 장용영 설치, 수원 화성 건립, 서얼 출신 학자를 규장각 검서관으로 등용, 법령 정비(『대전통편』 편찬)

4. 세도 정치의 전개

세도 가문은 다른 정치 세력이나 지방 사족을 권력에서 철저히 배제하였어.

배경	정조 사후 세력 균형 붕괴, 어린 순조의 즉위 → 소수 외척 가문이 정권 장악
전개	순조·헌종·철종의 3대 60여 년간 안동 김씨, 풍양 조씨 등이 권력 행사
특징	세도 가문이 비변사 등 주요 관직 독점, 군영의 지휘권 장악 → 왕권 약화, 언론 기관의 비판과 견제 기능 약화, 정치적 균형 붕괴
폐단	정치 기강의 문란(과거제 운영 해이, 관직 매매 성행), 관리들의 백성 수탈 심화

자료 ③ 비변사의 기능 강화

┌ 비변사는 16세기 초 여진과 왜구의 침입에 대비하여
국방 문제를 논의하는 임시 기구로 설치되었어.

임시로 비변사를 설치하였는데, …… 이것은 일시적인 전쟁 때문에 설치한 것으로서, 국가의 중요한 모든 일을 다 맡긴 것은 아니었습니다. 그런데 오늘에 와서는 큰일이건 작은 일이건 중요한 것으로 취급되지 않는 것이 없는데, 의정부는 한갓 헛이름만 지니고 6조는 모두 그 직임을 상실하였습니다.
                              └ 의정부와 6조는 유명무실화되었어.   – 「효종실록」

비변사는 16세기 초 임시 기구로 설치되었으나 임진왜란이 일어나자 전쟁을 효율적으로 수행하기 위해 그 역할이 강화되었다. 왜란이 끝난 후에도 전후 복구 사업과 후금(청)의 침략, 사회적·경제적 변화에 대응하기 위해 비변사의 위상은 그대로 유지되었다. 그 결과 의정부와 6조 중심의 행정 체계는 제구실을 하지 못하였다.

자료 ④ 붕당 정치의 전개와 변질

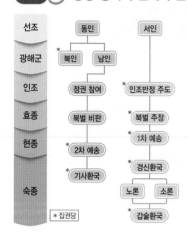

선조		
광해군		
인조		
효종		
현종		
숙종		

동인 — 북인, 남인
서인 — 인조반정 주도
*북인, 남인 — 정권 참여
북벌 비판
*2차 예송
*기사환국

서인 — 인조반정 주도 — 북벌 주장 — 1차 예송 — 경신환국 — 노론, 소론 — 갑술환국

*집권당

임진왜란 이후 북인은 광해군과 함께 제도 개편을 추진하였다. 인조반정으로 북인이 몰락한 이후에는 서인이 주도하는 가운데 일부 남인이 참여하는 형태로 붕당 정치가 전개되었다. 현종 때에는 두 차례 예송이 일어나면서 붕당 간 대립이 치열해졌다. 이어 숙종 때에는 잦은 환국이 일어나 서인과 남인이 번갈아 권력을 장악하였다. 그 과정에서 상대 붕당에 대한 탄압과 보복이 이어져 남인이 몰락하였고, 서인은 노론과 소론으로 갈라졌다. 이렇게 붕당 정치가 변질되면서 특정 붕당이 정권을 독점하는 일당 전제화 경향이 나타났다.

자료 ⑤ 영조와 정조의 탕평 정치

• 두루 사랑하고 편당하지 않는 것은 군자의 공정한 마음이요, 편당하고 두루 사랑하지 않는 것은 곧 소인의 마음이다.   └ 노론, 소론, 남인이 모두 의정부에 참여한 것을 가리켜.   – 탕평비
• 붕당의 이름이 생긴 이래로 삼상(三相)이 오늘과 같은 적은 아마도 처음 있는 일일 듯하다. 그러므로 이번 일로 나는 자부하는 마음이 든다. 경들 세 사람은 모름지기 각자 마음을 다해 나로 하여금 좋은 결과를 볼 수 있게 하라. 오늘의 급한 일은 조정에서 의심하여 멀리하는 것을 없애는 데 있을 뿐이다.   – 「정조실록」

붕당 간의 세력 균형이 무너져 정치가 불안해지자 영조는 국왕이 중심에 서서 정치 세력 간의 균형을 유지하는 탕평 정치를 실시하였다. 영조 통치 후반에 외척의 힘이 강해지자 정조는 외척 세력을 억누르고 붕당에 관계없이 능력 있는 사람을 고루 등용하였다. 영조와 정조의 탕평 정치로 국왕이 국정을 주도하면서 붕당 간의 대립은 완화되었다.

정리 | 비법을 알려줄게!

비변사의 기능 강화

비변사의 기능 변화
• 16세기 초: 임시 회의 기구로 군사와 국방 문제 담당
• 왜란과 호란 이후: 고위 관리로 구성원 확대, 국정 총괄

↓

영향
의정부와 6조 중심의 행정 체계 유명무실화, 왕권 약화

문제 로 확인할까?

서인에 대한 설명으로 옳은 것을 〈보기〉에서 고른 것은?

┌─ 보기 ─┐
ㄱ. 숙종 시기에 노론과 소론으로 갈라졌다.
ㄴ. 광해군 집권기에 제도 개편을 추진하였다.
ㄷ. 현종 시기에 남인과 두 차례 예송 논쟁을 벌였다.
ㄹ. 인조반정 이후 몰락하여 정계에서 배제되었다.

① ㄱ, ㄴ   ② ㄱ, ㄷ   ③ ㄴ, ㄷ
④ ㄴ, ㄹ   ⑤ ㄷ, ㄹ

ⓐ 🔒

자료 하나 더 알고 가자!

탕평비

영조가 탕평 정치의 의지를 알리기 위해 성균관 앞에 세운 비이다.

STEP 1 핵심 개념 확인하기

1 다음에서 설명하는 기구를 쓰시오.

> 조선 정부가 여진과 왜구의 침입에 대비하기 위해 설치한 임시 기구였다. 그러나 왜란과 호란을 겪은 이후 최고 정치 기구가 되었다.

2 다음 조선에 대한 설명이 맞으면 ○표, 틀리면 ×표를 하시오.

(1) 임진왜란 이후 일본에 파견된 통신사는 일본 문화 발전에 기여하였다. ( )

(2) 광해군의 중립 외교 정책에 반발하여 남인들은 인조반정을 일으켰다. ( )

(3) 병자호란 이후 청을 정벌하여 치욕을 씻고 명에 대한 의리를 지키자는 북학론이 제기되었다. ( )

3 다음에서 설명하는 제도를 〈보기〉에서 골라 기호를 쓰시오.

> **보기**
> ㄱ. 균역법　　　ㄴ. 대동법　　　ㄷ. 영정법

(1) 선무군관포, 결작 등으로 부족분을 보충하였다. ( )

(2) 풍흉에 관계없이 토지 1결당 쌀 4~6두를 수취하였다. ( )

(3) 전국으로 확대되는 데 100여 년이 걸렸으며, 공인이 등장하는 배경이 되었다. ( )

4 다음 괄호 안의 내용 중 알맞은 말에 ○표를 하시오.

(1) 효종은 (북벌 운동, 북학 운동)을 주도하였다.

(2) (영조, 정조)는 탕평비를 세우고 탕평파를 중심으로 정국을 운영하였다.

(3) 숙종 시기 잦은 환국으로 (남인, 북인)이 몰락하고 서인이 노론과 소론으로 갈라졌다.

5 정조 사후 나이 어린 순조가 즉위하자 외척 등 특정한 소수 가문이 권력을 장악하여 이후 3대 60여 년간 권력을 독점하는 ( )가 나타났다.

STEP 2 내신 만점 공략하기

01 (가) 전쟁 중에 있었던 사실로 옳지 <u>않은</u> 것은?

> **한국사 인물 카드**
> • 이름: 이순신
> • 생몰 연대: 1545~1598년
> • 주요 행적
> － 전라좌도 수군절도사가 되어 거북선 제작
> － (가) 당시 명량 대첩, 한산도 대첩을 승리로 이끎
> － 노량 해전에서 전사

① 인조가 남한산성에서 항전하였다.
② 전국 각지에서 의병이 활약하였다.
③ 조선은 명에 지원군을 요청하였다.
④ 조명 연합군이 평양성을 탈환하였다.
⑤ 휴전 협상의 결렬로 정유재란이 일어났다.

02 ☆중요 지도와 같이 전개된 전쟁이 국내외에 끼친 영향으로 옳은 것은?

① 에도 막부가 멸망하였다.
② 여진이 쇠퇴하고 명이 강성해졌다.
③ 일본에서 인쇄술, 도자기 문화가 발전하였다.
④ 조선에서 일본에 대한 숭상 의식이 확대되었다.
⑤ 조선의 인구가 증가하고 국가 재정이 강화되었다.

03 다음은 한국사 퀴즈 대회의 대본이다. 밑줄 친 '사절단'의 활동에 대한 설명으로 옳은 것은?

(다음 사진이 화면에 나온 후 질문을 읽는다.)

사회자: 이 그림은 조선 정부가 일본의 에도 막부에 파견한 사절단의 행렬을 그린 것입니다. 에도 막부의 요청에 따라 조선에서 파견된 이 사절단은 여러 차례 일본을 방문하였는데요. 이 사절단의 이름은 무엇일까요?

① 조공 무역의 한 형태였다.
② 임진왜란을 계기로 중단되었다.
③ 북학론이 대두되는 계기가 되었다.
④ 4군 6진을 개척하는 데 영향을 주었다.
⑤ 조선의 선진 문물을 일본에 전하는 역할을 하였다.

05 조선에서 다음 주장이 우세해지면서 일어난 사건으로 옳은 것은?

화의가 나라를 망친 것은 …… 오늘날처럼 심한 적은 없었습니다. 명은 우리나라에 있어서 부모의 나라이고, 노적(청)은 부모의 원수입니다. 부모의 원수와 형제의 의를 맺어 부모의 은혜를 저버려서야 되겠습니까. 더구나 임진년의 일은 조그만 것까지도 모두 황제의 힘입니다. 그러므로 우리나라가 살아서 숨 쉬는 한 은혜를 잊기 어렵습니다. …… 차마 이런 시기에 어찌 다시 화의를 제창할 수 있겠습니까.
－『인조실록』

① 기묘사화가 일어났다.
② 북학론이 대두되었다.
③ 병자호란이 발발하였다.
④ 6조 직계제가 실시되었다.
⑤ 권문세족이 정권을 장악하였다.

☆중요
04 다음 자료에 나타난 광해군의 외교 정책에 대한 설명으로 옳은 것을 〈보기〉에서 고른 것은?

(광해군이) 도원수 강홍립에게 지시하였다. "원정군 가운데 1만은 조선의 정예병만을 선발하여 훈련하였다. 이제 장수와 병사들이 서로 숙달하게 되었노라. …… 그대는 명군 장수들의 명령을 그대로 따르지 말고 신중하게 처신하여 오직 패하지 않는 전투가 되도록 최선을 다하라."
－『광해군일기』

|보기|
ㄱ. 인조반정의 배경이 되었다.
ㄴ. 서인의 지지를 받아 추진되었다.
ㄷ. 명과 후금 사이에서 중립을 취하였다.
ㄹ. 정묘호란과 병자호란의 배경이 되었다.

① ㄱ, ㄴ ② ㄱ, ㄷ ③ ㄴ, ㄷ
④ ㄴ, ㄹ ⑤ ㄷ, ㄹ

06 지도와 같이 전개된 전쟁의 결과로 옳은 것은?

① 성리학이 수용되었다.
② 훈련도감이 설치되었다.
③ 조명 연합군이 결성되었다.
④ 청과 군신 관계가 맺어졌다.
⑤ 황룡사 9층 목탑이 소실되었다.

07 다음 자료를 활용한 탐구 활동으로 가장 적절한 것은?

> 오라총관 목극등이 황제의 뜻을 받들어 국경을 답사하면서 여기에 와서 살펴보니, 서쪽은 압록이 되고, 동쪽은 토문이 되므로 분수령 위 돌에 새겨 기록한다.

① 4군 6진의 개척 내용을 알아본다.
② 동북 9성의 축조 과정을 조사한다.
③ 북벌 운동의 전개 과정을 탐구한다.
④ 요동 정벌의 추진 배경을 찾아본다.
⑤ 청과 조선 사이의 국경 분쟁을 살펴본다.

08 조선 후기 통치 체제 변화를 주제로 한국사 신문을 만들 때 그 제목으로 적절하지 <u>않은</u> 것은?

① 5군영 체제, 어떻게 운영되나?
② 속오군에 편성된 노비와의 인터뷰
③ 영정법 실시에 대한 지주들의 반응은?
④ 전격 분석, 비변사의 기능이 쇠퇴한 이유
⑤ 의정부와 6조의 행정 체계는 왜 약화되었나?

09 밑줄 친 부분과 같은 반응이 나타난 이유로 가장 적절한 것은?

> 강원도에는 대동법을 싫어하는 자가 없는데, 충청도와 전라도에는 좋아하는 자와 싫어하는 자가 있습니다. …… 특히 전라도에는 싫어하는 자가 많은데, 이는 토호가 많은 까닭입니다. 이렇게 볼 때 단지 토호들만 싫어할 뿐 백성들은 모두 대동법을 보고 기뻐합니다. — 조익, 「포저집」

① 공납 부과 기준이 호에서 토지로 바뀌었다.
② 일부 상류층에게 선무군관포를 징수하였다.
③ 풍흉에 상관없이 토지 결수에 따라 조세를 거두었다.
④ 농민들의 군포 부담을 연 2필에서 1필로 줄여 주었다.
⑤ 16세 이상 60세 미만 양인 남성은 노동력을 제공해야 하였다.

10 밑줄 친 '보완책'에 해당하는 내용으로 적절한 것은?

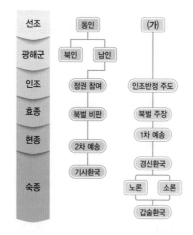

> 군포 부담을 2필에서 1필로 줄여 주니 우리 백성들에게 도움이 되겠네그려.

> 하지만 국가 재정이 부족하게 되어 줄어든 군포 수입에 대한 <u>보완책</u>을 마련한다고 하더군.

① 대동법을 실시하였다.
② 속오군을 편성하였다.
③ 상평통보를 보급하였다.
④ 지주에게 결작을 부과하였다.
⑤ 공인에게 관수품을 조달하게 하였다.

11 다음은 붕당 정치의 전개 과정을 나타낸 것이다. (가) 붕당에 대한 설명으로 옳은 것은?

선조	동인	(가)
광해군	북인　남인	
인조	정권 참여	인조반정 주도
효종	북벌 비판	북벌 주장
현종	2차 예송	1차 예송
숙종	기사환국	경신환국
		노론　소론
		갑술환국

① 친명배금 정책을 비판하였다.
② 효종의 북벌 운동을 지지하였다.
③ 정조의 탕평책으로 정계에서 제외되었다.
④ 후금과 명 사이에서 중립 외교를 주장하였다.
⑤ 예송 논쟁에서 왕실과 사대부의 예는 다르다고 주장하였다.

12 다음 비석을 세운 왕의 업적으로 옳지 <u>않은</u> 것은?

> 두루 사랑하고 편당하지 않는 것은 군자의 공정한 마음이요, 편당하고 두루 사랑하지 않는 것은 곧 소인의 마음이다.

① 서원을 대폭 정리하였다.
② 재야 사림의 존재를 부정하였다.
③ 친위 부대인 장용영을 설치하였다.
④ 속대전, 동국문헌비고를 편찬하였다.
⑤ 탕평파를 중심으로 정국을 운영하였다.

13 밑줄 친 '그'에 대한 설명으로 옳은 것은?

> 그는 규장각을 강력한 정치 기구로 육성하고자 비서실 기능을 부여하였고, 과거 시험과 관리 교육까지 규장각에서 담당하게 하였다.

① 홍문관을 설치하였다.
② 초계문신제를 실시하였다.
③ 주로 노론을 관직에 기용하였다.
④ 청과 삼전도에서 강화를 맺었다.
⑤ 조광조를 등용하여 현량과를 실시하였다.

14 (가) 시기의 사회 모습으로 적절한 것은?

```
   1800                    1863
     ▲        (가)          ▲
  순조 즉위              철종 사망
```

① 관직 매매가 성행하였다.
② 동인과 서인이 형성되었다.
③ 임진왜란과 정유재란이 일어났다.
④ 무오사화가 일어나 사림이 피해를 입었다.
⑤ 남인과 서인 사이에 예송 논쟁이 벌어졌다.

● 정답친해 019쪽

01 다음 주장이 제기된 배경과 이 주장의 핵심 내용을 서술하시오.

> 우리나라는 실로 명 신종 황제의 은혜를 입어 임진왜란 때 나라가 이미 폐허가 되었다가 다시 보존되고 백성이 거의 죽었다가 다시 소생하였으니, …… 비록 창을 들고 죄를 문책하며 중원을 쓸어 말끔히 우리 신종 황제의 망극한 은혜는 갚지 못하더라도, 혹 국경의 문을 닫고 약속을 끊으며 이름을 바르게 하고 이치를 밝혀 우리 의리의 원만함은 지킬 수 있을 것입니다.
> — 송시열, 「송자대전」

(길잡이) 제시된 주장이 명에 대한 의리를 지키자는 것임을 참고한다.

02 다음과 같은 상황이 중앙 행정과 왕권에 끼친 영향을 서술하시오.

> 임시로 비변사를 설치하였는데, …… 이것은 일시적인 전쟁 때문에 설치한 것으로서, 국가의 중요한 모든 일을 다 맡긴 것은 아니었습니다. 그런데 오늘에 와서는 큰일이건 작은 일이건 중요한 것으로 취급되지 않는 것이 없는데, …….
> — 「효종실록」

(길잡이) 비변사의 기능이 강화되었음에 주목한다.

03 다음 자료에 나타난 문제점을 해결하기 위해 실시한 개혁 정책을 쓰고, 그 영향을 <u>한 가지</u> 서술하시오.

> 각 고을에서 공물을 상납하려 할 때 각 관청의 사주인(방납인)들이 여러 가지로 농간을 부려 …… 방납인들은 자기가 갖고 있는 물품으로 관청에 대신 내고 그 고을 농민들에게는 자기가 낸 물건 값을 턱없이 높게 쳐서 열 배의 이득을 취하니 이것은 백성의 피땀을 짜내는 것입니다.

(길잡이) 방납의 폐단을 개선하기 위한 정책을 중심으로 서술한다.

1 밑줄 친 '이 왕'에 대한 설명으로 옳은 것을 〈보기〉에서 고른 것은?

이 그림은 후금의 누르하치에게 강홍립이 항복하는 모습을 그린 그림이에요. **이 왕**의 중립 외교 정책이 반영된 것이지요.

ㄱ. 대동법을 실시하였다.

ㄴ. 북인과 함께 제도 개편을 추진하였다.

ㄷ. 이완, 송시열과 함께 북벌을 준비하였다.

ㄹ. 이조 전랑이 3사를 추천하는 관행을 없앴다.

① ㄱ, ㄴ   ② ㄱ, ㄷ   ③ ㄴ, ㄷ

④ ㄴ, ㄹ   ⑤ ㄷ, ㄹ

> **중립 외교의 추진**
>
> **완자쌤의 시험 꿀팁**
> 임진왜란 이후 중국 대륙에서 명과 후금 사이의 세력 변화를 파악하고, 그 과정에서 광해군이 추진한 중립 외교의 성격을 분석할 수 있어야 한다.
>
> **| 완자 사전 |**
> • 후금
> 1616년 여진족의 누르하치가 주변의 부족을 통일하여 세운 국가이다. 점차 세력을 확장하여 요서 지방과 내몽골을 장악하고 국호를 청으로 고쳤다.

2 (가), (나) 주장에 대한 설명으로 옳지 **않은** 것은?

(가) 화의로 백성과 나라를 망치기가 …… 오늘날과 같이 심한 적이 없습니다. 명은 우리나라에 있어서 부모의 나라이고, 노적(청)은 부모의 원수입니다. 부모의 원수와 형제의 의를 맺어 부모의 은혜를 저버려서야 되겠습니까. …… 어찌 화의를 제창할 수 있겠습니까.

　　　　　　　　　　　　　　　　　　　　　　　　　　　　　　　　　　　　 – 「인조실록」

(나) 화친을 맺어 국가를 보존하는 것보다 차라리 의를 지켜 망하는 것이 옳다고 하였으나, 이것은 신하가 절개를 지키는 데 쓰는 말입니다. …… 자기의 힘을 헤아리지 아니하고 경망하게 큰소리를 쳐서 오랑캐들의 노여움을 도발, 마침내는 백성이 도탄에 빠지고 종묘와 사직에 제사 지내지 못하게 된다면 그 허물이 이보다 클 수 있겠습니까.

　　　　　　　　　　　　　　　　　　　　　　　　　　　　　　　　　　　 – 최명길, 「지천집」

① (가) – 병자호란이 일어나는 배경이 되었다.

② (가) – 명에 대한 의리를 지켜야 한다는 주장이다.

③ (나) – 청과 화의를 맺자는 주장이다.

④ (나) – 서인의 친명배금 정책을 뒷받침하였다.

⑤ (가), (나) – 청의 군신 관계 요구에 대한 입장이다.

> **주전론과 주화론**
>
> **| 완자 사전 |**
> • 종묘와 사직
> 종묘는 조선의 역대 왕과 왕비의 신주를 모신 사당이고, 사직은 토지신인 사(社)와 곡식 신인 직(稷)을 아울러 이르는 말이다.

3 다음과 같이 운영된 제도에 대한 학생들의 대화 내용으로 적절한 것은?

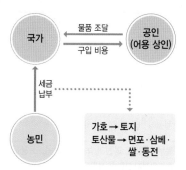

① 지주들의 환영을 받았어.
② 임진왜란으로 중단되었어.
③ 농민의 부담을 감소시켜 주었어.
④ 탕평비에 실시 목적이 드러나 있어.
⑤ 대립과 방군 수포의 폐단을 시정하기 위해 실시하였어.

평가원 응용

4 (가) 국왕에 대한 설명으로 옳은 것은?

> **수업 활동지**
>
> • 내용: 탕평책 추진, 장용영 설치, 초계문신제 시행 등의 정책을 펼친 [(가)] 을/를 주제로 우표 도안 만들기
> • 방법: [(가)] 의 재위 기간에 만들어진 문화유산을 우표 도안에 넣고 선생님의 평가를 받도록 한다.
>
> | 역사 인물 우표 | 평가 |
> | --- | --- |
> | 500 | 적합 |

① 균역법을 실시하였다.
② 인조반정으로 왕위에 올랐다.
③ 임진왜란 당시 의주로 피난하였다.
④ 이종무를 보내 쓰시마섬을 토벌하였다.
⑤ 서얼 출신 학자를 규장각 검서관으로 등용하였다.

▶ 수취 체제의 개편

│ 완자 사전 │

• 탕평비
조선 영조 때 탕평책을 널리 알리기 위하여 만든 비이다. 영조가 직접 쓴 글을 새겨서 성균관에 세웠다.

▶ 탕평책의 실시

완자샘의 시험 꿀팁

영조와 정조의 정책은 시험에 자주 출제되는 주제이다. 두 왕이 실시한 탕평책과 개혁 정책의 구체적인 내용을 구분하여 알아 두도록 한다.

08 양반 신분제 사회와 상품 화폐 경제

이것이 핵심!

양반 신분제 사회

양천제	양인, 천인으로 구분
4신분제	· 양반: 주요 관직 차지, 사족의 향촌 사회 지배(유향소 운영, 서원과 향약 기반) · 중인: 하급 관리, 서얼 등 · 상민: 대부분 농민(조세·공납·역 부담) · 천민: 대부분 노비

★ 반상제
양인을 지배층인 양반과 피지배층인 상민으로 구분한 제도

★ 향안
유향소를 운영하는 향촌 사족의 명부

★ 향회
향안에 이름이 올라 있는 지방 양반들의 총회이다. 이를 통해 사족 간 결속력을 강화하고 향촌에서 영향력을 행사하였다.

① 양반 신분제 사회

1. 조선 전기 신분 질서 [자료 ①]

(1) **양천제**: 법제상 신분제

① 양인: 자유민, 과거 응시와 관직 진출 가능, 조세·공납·역 부담

② 천인: 부자유민, 천역 담당, 관직 진출 불가능

(2) **4신분제**: 양반, 중인, 상민, 천민의 네 신분층으로 정착 → *반상제 일반화

양반	주요 관직 차지, 군역 면제, 많은 토지와 노비 소유, 관직 복무 대가로 과전과 녹봉을 받음 → 풍요로운 생활 ┐ 문반과 무반을 아울러 부른 명칭이었으나, 점차 그 가족이나 가문까지 포함한 사족을 일컫는 말로 바뀌었어.
중인	· 구성: 관청의 하급 관리(서리, 향리 등), 역관, 의원 등 · 특징: 직역 세습, 전문 기술·행정 실무 담당, 같은 신분끼리 혼인, 서얼은 문과 응시 불가
상민	· 농민: 상민의 대부분 차지, 조세·공납·역 부담, 법제상 과거 응시 가능 · 상공업자: 국가의 통제하에 활동, 수공업자는 대부분 관청에 소속되어 필요한 물품 생산 · 신량역천: 수군, 역졸 등 천한 일을 담당 ┌ 생업에 종사하면서 과거를 보는 것은 쉽지 않았어.
천민	대부분 노비(재산으로 취급되어 매매·상속·증여 가능, 일천즉천의 원칙 적용, 공노비·사노비로 구분), 백정, 광대, 무당 등

└ 공노비는 관청에 소속되어 주로 소속 관청의 일에 동원되었고,

2. 사족 중심의 향촌 지배 체제 └ 사노비는 주인의 집안일을 도맡아 하였어.

(1) **사족의 향촌 사회 지배**

유향소	향촌 자치 기구 → 수령 보좌, 향리의 부정과 비리 감찰, 백성 교화, *향안 제작, *향회 개최
경재소	정부가 지방 통제 강화를 위해 한성에 설치 → 유향소 통제

└ 현직 중앙 관료에게 연고지의 유향소를 통제하게 하였어.

(2) **서원의 설립과 향약의 보급**

서원	사족들의 여론 수렴, 학문적 기반 마련 → 사족들의 권위 강화	→ 재야 사림 형성, 사족에 의한
향약	향촌 주민의 자치 규약, 향촌 질서 유지, 풍속 교화	향촌 지배 체제 강화

(3) **성리학적 윤리 확산**: 사족들의 가묘 설립, 족보 편찬, 『주자가례』 보급

이것이 핵심!

상품 화폐 경제의 발달

농업	모내기법 확산, 상품 작물 재배
수공업	민영 수공업 발달
광업	민간 광산 채굴, 덕대 등장
상업과 무역	공인과 사상의 성장, 개시와 후시 무역 발달, 장시와 포구 상업 발달, 화폐 유통

★ 타조법과 도조법
타조법은 수확의 일정 비율을 소작료로 내는 것이고, 도조법은 수확의 일정액을 소작료로 내는 것이다.

② 상품 화폐 경제의 발달

1. 농업의 변화 [자료 ②]

┌ 농민의 실제 경험과 우리나라의 풍토에 맞는 농사법을 정리한 책이야.

조선 전기	건국 초부터 농업 장려, 경작지 확대 노력, 세종 때 『농사직설』 간행
조선 후기	· 논농사에서 모내기법(이앙법)의 전국적 확산 → 수리 시설 확대, 두레에 의한 공동 노동 방식 보편화, 단위 면적당 생산량 증가, 이모작 가능, 광작 가능(농민층 분화) · 지대 납부가 *타조법에서 도조법으로 변화 → 소작농의 부담 감소 · 농민 중 일부는 인삼, 담배, 채소 등 상품 작물 재배

└ 지주와 소작농이 신분적 종속 관계에서

2. 수공업과 광업의 발달 경제적 계약 관계로 변화해 갔다.

┌ 상인이 농민이나 수공업자에게 생산에 필요한 원료나 자금을 빌려주고 물품을 생산하게 한 방식

수공업	관영 수공업 쇠퇴, 민영 수공업 발달, 공장제 수공업 확산, 선대제 활발
광업	17세기경부터 민간 광산의 채굴 시작, 은광 개발 활발, 덕대 등장(전문 경영인, 상인 물주의 자금으로 채굴업자·채굴 노동자 등을 고용하여 광산 운영), 잠채 성행 [자료 ③]

└ 몰래 광산을 개발하는 것

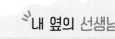

완자 자료 탐구

내 옆의 선생님

자료 1 조선의 신분제

> 양반은 군역을 면제받고 주요 관직을 차지하였어.

- 하늘이 백성을 낳았는데 …… 그중 가장 귀한 것이 선비이다. 양반이라고 하며 그 이익도 막대하다. 농사짓지 않고 장사도 하지 않으며, 문사를 대강 섭렵하면 크게는 문과에 급제하고 작게는 진사가 된다. ─ 박지원, 『양반전』
- 중인, 서얼의 벼슬길이 막힌 일은 우리나라의 편벽된 일로 원통하고 답답함을 품은 지 이에 몇백 년이 되었다. ─ 양반 중심 신분제가 굳어지면서 중인은 고위 관직으로의 진출이 어려워졌다. ─ 『규사』
- 농(農)·공(工)·상고(商賈)도 모두 국민이지만 농가의 괴로움은 더욱 심한데도 오히려 10분에 1로 세(稅)를 내는데, 공인과 상인은 일찍이 세가 없었다. ─ 농민은 조세·공납·역을 부담하였어. ─ 『태종실록』
- 노비의 매매는 관청에 신고하여야 한다. 사사로이 몰래 매매하였을 경우에는 관청에서 그 노비 및 대가로 받은 물건을 모두 몰수한다. ─ 노비는 재산으로 취급되었어. ─ 『경국대전』

조선의 신분 제도는 법제상 양천제로 정비되었으나, 양인층 안에서 지배층과 피지배층을 구분하면서 신분 구조는 양반, 중인, 상민, 천민으로 나누어 정착되었다. 여기에 성리학적 명분론이 강조되어 양반 중심의 신분 질서가 자리를 잡았다.

자료 2 농업 생산력의 증대

> 모내기법은 잡초 제거에 드는 노동력을 절약해 주었어.

- 일반적으로 모내기법을 귀중하게 여기는 이유는 세 가지가 있다. 김매기의 수고를 줄이는 것이 첫째이다. 두 땅의 힘으로 하나의 모를 서로 기르는 것이 둘째이다. 옛 흙을 떠나 새 흙으로 가서 고갱이를 씻어 내어 더러운 것을 제거하는 것이 셋째이다. ─ 서유구, 『임원경제지』
- 서도 지방 담배밭, 북도 지방의 삼밭, 한산 모시밭, 전주 생강밭, 강진 고구마밭, 황주 지황밭에서의 수확은 모두 상상등의 논에서 나는 수확보다 그 이익이 10배에 이른다. ─ 정약용, 『경세유표』

조선 후기 모내기법이 확산되면서 김매기를 하는 노동력이 줄었고 수확량은 크게 늘었으며 벼와 보리의 이모작도 가능해졌다. 노동력을 덜게 된 농민은 경작지 규모를 늘려 광작에 나섰다. 또한 도시 인구가 증가하고 상품 유통이 활발해지면서 인삼, 면화, 담배, 채소 등 상품 작물의 재배가 확산되었다.

자료 3 민영 광산의 번성

> 올여름에 새로 판 금광이 39곳이고, 비가 와서 채굴을 중지한 금광이 99곳입니다. …… 현재 연군(광부)이 550여 명인데 도내의 무뢰배들이 농사를 그만두고 들어왔을 뿐만 아니라, 사방에서 이익을 탐하는 무리들이 소문을 듣고 와서 이번 여름 장마로 대부분이 흩어졌는데도 현재 남아 있는 막이 아직도 700여 곳이 되고, 그 인구 또한 1,500명 남짓입니다. ─ 『비변사등록』

민영 수공업이 발달하면서 주요 원료인 광물의 수요도 커졌다. 광물은 본래 정부가 백성을 동원해 채굴하였으나, 점차 백성을 동원하기 어려워지자 17세기경부터 세금을 받고 민간 업자에게 채굴을 허용하였다. 특히, 청과의 무역이 성행하여 결제 수단인 은의 수요가 늘어나면서 은광 개발이 활기를 띠었다.

자료 하나 더 알고 가자!

중인의 위치

> 중인 신분이야.

> 지금 전하께서 의원과 역관을 권장하고자 하시어 그 재주에 정통한 자를 특별히 동반과 서반에 뽑도록 하셨으니 …… 군자를 욕되게 하시고, 선왕의 제도를 버리시어 미천한 사람을 높이려고 하시니, 신 등은 그것이 옳은지를 알지 못하겠습니다. 엎드려 바라건대, 속히 명을 거두시어 신민의 소망에 부응케 하소서. ─ 『성종실록』

제시된 자료는 중인인 기술관이 양반(동반과 서반)에 진출하는 것을 반대하는 글이다. 반상제가 정착되면서 중인은 고위 관직으로의 진출이 어려워져 하급 지배층에 머물렀다.

자료 하나 더 알고 가자!

농민층의 분화

> 부농층은 …… 직접 농사를 짓지 않고서도 향락을 누릴 수 있으며, 빈농층 중 어떤 농민은 지주의 농지를 빌려 경작함으로써 살아갈 수 있으며, 그들 가운데 어떤 자는 농지를 얻을 수 없으므로 임노동자가 되어 타인에게 고용됨으로써 생계를 유지한다. ─ 『농포문답』

논농사에서 모내기법(이앙법)이 확산되면서 일부 농민은 광작을 통해 부농층으로 성장하였다. 하지만 경작지를 얻지 못해 도시로 나가 영세 상인이 되거나 임노동자로 전락하는 농민도 많았다.

문제 로 확인할까?

조선 후기 광업에 대한 설명으로 옳은 것을 〈보기〉에서 고른 것은?

┌ 보기 ┐
ㄱ. 선대제가 성행하였다.
ㄴ. 은광 개발이 활발하였다.
ㄷ. 민간의 광산 개발을 금지하였다.
ㄹ. 덕대라는 전문 경영인이 광산을 운영하였다.

① ㄱ, ㄴ ② ㄱ, ㄷ ③ ㄴ, ㄷ
④ ㄴ, ㄹ ⑤ ㄷ, ㄹ

④ 目

★ 금난전권
난전(허락받지 않은 상점)을 금지할 수 있도록 나라로부터 부여받은 시전의 특권

★ 통공 정책
정조가 육의전을 제외한 시전 상인의 금난전권을 폐지한 정책

★ 보부상
봇짐장수와 등짐장수를 일컫는 말로 전국의 장시를 돌아다니면서 넓은 지역을 하나의 유통망으로 연결하는 역할을 하였다.

★ 전황
지주나 대상인들이 화폐를 고리대나 재산 축적에 이용하여 유통 화폐가 부족해진 현상

3. 상업과 무역의 발달: 농업 생산력 향상, 수공업 생산 활발 → 상업 발달 (자료 ④)

(1) 공인과 사상의 성장

> 꼭! 공인이 관수품 조달을 위해 시장에서 물품을 대량으로 구매하면서 상품 수요가 크게 늘어났어.

공인	대동법 실시에 따라 자본 축적, 수공업 생산 촉진과 장시 활성화에 기여
사상	정부의 허가 없이 도성 안까지 진출하여 상업 활동 전개 → 시전 상인이 ★금난전권으로 사상의 활동 억압 → ★통공 정책 실시 이후 활발한 활동 전개(경강상인, 송상, 유상, 만상, 내상 등), 독점적 도매상인인 도고로 성장 ─ 도고의 성장을 통해 당시 상업 자본이 성장하였음을 알 수 있어.

(2) 대외 무역의 발달: 17세기 이후 국경 지역에서 개시(공무역)와 후시(사무역) 전개

① 청과의 무역: 의주·책문 등에서 성행, 금·은·인삼 수출, 비단·약재·문방구 수입

② 일본과의 무역: 동래의 왜관에서 성행, 인삼·쌀·무명 수출, 은·구리·후추 수입

4. 유통 경제의 활성화

> 장시는 15세기 말에 등장하여 16세기경 전국적으로 확대되었고, 18세기 중엽에는 1,000여 개소 이상이 열렸어.

(1) 장시의 발달: 전국에 장시 활성화, ★보부상이 장시를 유통망으로 통합, 일부 장시는 상설 시장으로 발전

> 조세와 상품을 운반하는 주요 통로로, 상업 중심지로 크게 발전하였어.

(2) 포구 상업의 발달: 포구에서 객주와 여각이 상품 매매 중개·운송업·숙박업·금융업에 종사

(3) 화폐의 유통: 활발한 상품 유통으로 화폐 사용 확대, 동전으로 세금과 지대 납부 가능 → 상평통보의 전국적 유통, ★전황 발생, 신용 화폐 사용

> 대규모 상거래에서 환, 어음 등이 사용되기도 하였어.

이것이 핵심!

조선 후기 신분 질서의 변화

양반	몰락 양반 증가
중인	신분 상승 노력 → 큰 성과를 거두지 못함
농민	농민층 분화(부농층, 소작농·임노동자 등) → 납속책·공명첩 등으로 신분 상승, 부농층의 신향 형성
노비	납속책, 군공 등으로 신분 상승

★ 납속책
나라에 곡물을 바치게 하고 그 대가로 상이나 벼슬을 주던 정책

★ 공명첩
이름을 적는 곳이 비어 있는 관직 임명장으로, 실제 관직을 준 것은 아니고 명목상의 관직을 준 것이었다.

★ 향전
조선 후기 향촌 사회의 권력을 장악하기 위해 전통 사족인 구향과 신향이 대립한 것을 말한다.

③ 신분 질서와 향촌 지배 체제의 변화

1. 신분 질서의 동요 (자료 ⑤)

(1) 배경: 양난 이후 노비 문서 소실, 전공을 세워 신분 상승, 상품 화폐 경제 발달 등 → 양반 중심의 신분 질서 동요

(2) 신분 질서의 변화

> 향반은 향촌에서 겨우 위세를 유지하는 양반, 잔반은 농민과 경제적 처지가 다를 바 없는 양반을 가리켜.

① 양반: 양반층 분화 → 일부 양반은 향반, 잔반으로 몰락

② 중인: 신분 상승 노력(서얼의 집단 상소 운동, 대규모 소청 운동 등) → 큰 성과를 거두지 못함

> 정조는 유득공, 박제가 등을 규장각 검서관으로 임명하기도 하였어.

③ 농민: 농민층 분화(일부는 광작과 상품 작물 재배 등으로 부농층 형성, 다수는 소작농·임노동자·영세 상인으로 몰락), ★납속책과 ★공명첩 등을 통해 신분 상승, 양반의 족보를 위조하여 양반 행세

④ 노비: 도망·납속책·군공 등을 통해 신분 상승, 노비종모법 시행, 순조 때 공노비 해방

(3) 결과: 18~19세기 양반 인구 급증, 상민과 노비 인구 감소 → 양반 중심의 신분 질서 붕괴

> 아버지가 노비라도 어머니가 양인이면 그 자녀는 양인이 되는 법으로, 영조 때 실시되어 노비의 신분 상승 기회를 넓혀 주었어.

2. 향촌 지배 체제의 변화

(1) ★향전의 전개 (자료 ⑥)

배경	양난 이후 사족 중심의 향촌 질서 약화, 양반으로 신분 상승한 일부 부농층이 신향(新鄕) 형성
전개	신향이 향촌 사회의 지배권에 도전 → 구향과 신향 사이에 향전 발발 → 수령의 신향 지원
영향	구향의 세력 약화, 향회의 역할 변화(세금 부과 자문 기구로 역할 축소, 지방관 견제 기능 약화), 수령의 권한 강화

(2) 양반의 지위 유지 노력: 양반들의 동족 마을 형성, 동약 시행

자료 ④ 조선 후기 상업과 무역 활동

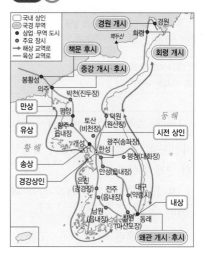

조선 후기에는 상업이 크게 발달하면서 사상이 성장하였다. 사상은 시전 상인과 보부상, 공인 등과 경쟁을 벌이며 상권을 점차 확대하였다. 18세기 말 정부가 통공 정책을 시행하면서 사상의 상업 활동은 더욱 활발해져 한성의 경강상인, 개성의 송상, 평양의 유상, 의주의 만상, 동래의 내상 등이 성장하였다. 국내 상업이 발달하면서 중국, 일본과의 무역도 활기를 띠어 개시와 후시가 이루어졌다. 특히, 후시 무역이 확대되면서 청과의 무역에 관여한 만상, 일본과의 무역에 종사한 내상, 이들을 연결한 송상 등이 큰 부를 축적하였다.

자료 ⑤ 조선 후기 신분 질서의 동요

- 정선 고을에 한 양반이 살고 있었다. 그는 …… 몹시 가난하여 해마다 환곡을 타 먹은 것이 쌓여서 천 섬의 빚을 지게 되어 옥에 갇혔다. …… 때마침 그 동네에 부자가 이 소문을 듣고 …… 말하였다. "이제 저 양반이 환곡을 갚을 길이 없어서 곤란한 모양이니 …… 이 기회에 내가 양반 신분을 사서 가지는 것이 어떨까?" ㅡ 박지원, 「양반전」
- 근래 세상의 도리가 점점 썩어 가서 돈 있고 힘 있는 백성이 군역을 피하고자 간사한 아전, 임장(任掌: 호적을 담당하는 하급 임시직)과 한통속이 되어 뇌물을 쓰고 호적을 위조하여 유학이라고 거짓으로 올리고 역을 면하거나, 다른 고을로 옮겨 가서 스스로 양반 행세를 한다. ㅡ 『일성록』

양난 이후 양반 중심의 신분 질서가 동요하였다. 많은 양반이 권력에서 밀려나 향반이나 잔반으로 몰락한 한편, 재산을 모은 상민층은 공명첩을 사서 양반이 되거나 몰락한 양반의 족보를 매입·위조하여 양반으로 행세하기도 하였다.

자료 ⑥ 향전의 전개

┌ 재산을 모아 신분이 상승된 신향은 수령과 결탁해 사족 모임인 향회에 적극 참여하면서 향촌 사회에서 영향력을 확대하였어.

영덕의 오래된 가문은 모두 남인이며, 이른바 신향(新鄕)은 모두 서리와 품관의 자손으로 자칭 서인이라고 하는 자들이다. 근래 신향이 향교를 주관하면서 구향(舊鄕)과 마찰을 빚었다. 주자의 영정이 비에 손상되자 신향배들은 구향이 ┌ 죄를 물을까 걱정하여, 남인에게 죄를 전가할 계획을 세우고는 주자와 송시열의 초상을 숨기고, "남인이 송시열의 영정을 봉안하는 것을 꺼려 야음을 틈타 영정을 훔쳐 갔다."라고 하였다. ㅡ 『승정원일기』
└ 구향과 신향의 마찰을 향전이라고 해.

조선 후기 재산을 모아 신분이 상승된 신향은 구향과 향전을 벌였다. 수령은 재정 위기를 해결하기 위해 신향을 지원하였다. 이 과정에서 구향의 세력이 약화되었으나 신향이 향촌 사회를 완전히 장악하지 못하면서 수령의 권한이 강해졌다.

자료 | 하나 더 알고 가자!

도고의 성장

(허생은) 대추, 밤, 감, 배, 석류, 귤, 유자 등의 과실을 모두 두 배 값으로 사서 저장하였다. 허생이 과실을 몽땅 사들이자 온 나라가 잔치나 제사를 치르지 못하게 되었다. 그런지 얼마 아니되어서 두 배 값을 받은 장사꾼들이 도리어 10배의 값을 치렀다. ㅡ 박지원, 「허생전」

박지원의 소설 『허생전』의 허생은 조선 후기 매점매석으로 큰돈을 번 도고의 모습을 보여 준다. 당시 일부 사상은 공인과 함께 주요 도시를 거점으로 특정 물품을 독점적으로 도매하는 도고로 성장하여 큰 이윤을 취하였다.

자료 | 하나 더 알고 가자!

직역별 호구 구성비(울산 호적)

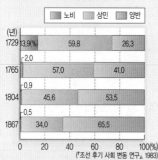

	노비	상민	양반

(년)
1729 13.9(%) 59.8 26.3
2.0
1765 57.0 41.0
0.9
1804 45.6 53.5
0.5
1867 34.0 65.5

0 20 40 60 80 100(%)
(『조선 후기 사회 변동 연구』, 1983)

조선 후기 신분 질서가 동요하면서 양반 인구가 급증하고 상민과 노비 인구는 감소하였다.

정리 | 비법을 알려줄게!

향촌 지배 체제의 변화

조선 전기
지방 사족이 유향소를 기반으로 향촌 사회 지배(향회 개최), 서원과 향약을 통해 세력 확대

↓

조선 후기
신향 등장 → 향전 전개 → 지방 사족(구향)의 향촌에 대한 영향력 감소, 수령권 강화, 향회의 역할 축소

08 양반 신분제 사회와 상품 화폐 경제

이것이 핵심!

조선 후기 농민 봉기의 발생

배경
새로운 사상의 유행, 삼정의 문란, 농민 의식 성장

↓

농민 봉기
• 홍경래의 난: 평안도민 차별에 반발 → 청천강 이북 지역 장악 → 관군이 진압 • 임술 농민 봉기: 관리들의 부정과 수탈 → 진주를 시작으로 전국적 농민 봉기로 확산

★ **삼정**
전정(토지세), 군정(군포), 그리고 춘궁기에 곡식을 농민에게 빌려주고 그 이자 수입으로 재정을 충당하던 환정(환곡)을 말한다.

★ **19세기 농민 봉기**

● 홍경래군의 점령 도시
● 임술 농민 봉기 발생지

★ **안핵사**
조선 후기 지방에서 일어난 농민 봉기를 수습하기 위해 중앙에서 파견하던 임시 벼슬

★ **삼정이정청**
1862년 5월 박규수가 진주 농민 봉기를 조사하고 농민들을 달래기 위해 삼정의 개선을 건의하자 정부가 설치한 임시 기구이다.

4 새로운 사상의 유행과 농민 봉기

1. 새로운 사상의 유행

(1) **실학의 발달**: 현실 비판적·개혁적 경향, 부국안민 추구 〔교과서 자료〕

① **농업 중심 개혁론자**: 농민 생활 안정을 위한 토지 제도 개혁 추구

> 토지 소유의 불균등을 해결하여 농민의 삶을 안정시킨 후 이를 바탕으로 국방, 재정 문제도 해결할 수 있다고 보았어.

유형원	균전론: 신분에 따라 차등을 두어 일정한 면적의 토지를 분배하자는 주장
이익	한전론: 생활에 필요한 최소한의 토지는 매매하지 못하도록 하자는 주장
정약용	여전론: 토지의 공동 경작과 공동 분배 주장

② **상공업 중심 개혁론자(북학파)**: 청의 문물 수용, 상공업 진흥 주장 → 유수원(직업의 평등 강조), 홍대용(기술 혁신과 문벌제도 폐지 주장), 박지원(수레·선박·화폐 유통의 필요성 강조), 박제가(수레·배 이용 주장, 소비의 촉진을 통한 경제 활성화 강조)

③ **국학의 발달**: 우리의 역사(안정복의 『동사강목』 저술), 지리(『동국지리지』·『택리지』 등 역사 인문 지리서 편찬, 「대동여지도」 제작), 언어 연구 활발

> 중국 중심의 역사 인식에서 벗어나 우리 역사를 체계화하였다.

(2) **비기·예언 사상의 유행**: 지배층의 수탈과 재난·질병 등으로 사회 혼란 → 『정감록』·도참설·미륵 신앙 등 유행 → 19세기 사회 변혁 움직임에 영향을 줌

> Q배? 말세나 왕조 교체를 예언하는 예언 사상과 구세주를 기다리는 미륵 신앙이 유행한 것은 민중들이 새로운 세상을 바랐기 때문이야.

(3) **천주교의 확산과 동학의 창시**

천주교	• 수용: 17세기경 학문(서학)으로 소개 → 18세기 후반 남인 계열 실학자들이 신앙으로 수용 • 특징: 인간 평등·사랑·박애 강조 → 하층민·중인·상민·부녀자 사이에서 빠르게 확산 • 정부의 탄압: 천주교 신자의 유교적 제사 의식 거부 → 정부가 천주교를 사교로 규정·탄압
동학 〔자료 ⑦〕	• 창시: 경주의 몰락 양반 최제우가 유·불·선의 교리와 민간 신앙을 통합하여 창시(1860) • 특징: 인내천·시천주 사상(인간 평등 강조), 후천개벽 주장 → 하층민과 농민 사이에 빠르게 전파 • 탄압: 동학의 교세 확산 → 정부가 동학을 사교로 규정, 교조 최제우 처형 • 확산: 2대 교주 최시형의 교단과 교리 정리(『동경대전』, 『용담유사』 편찬) → 농촌 사회에 확산

2. 농민 봉기의 발생

> • 인내천(人乃天): '사람이 곧 하늘이다.'라는 사상
> • 시천주(侍天主): 사람의 마음속에 하느님을 모시고 있다는 사상
> • 후천개벽(後天開闢): 낡은 세계가 끝나고 곧 새로운 세상이 열린다는 주장

(1) **배경**

① **사회 불안의 심화**: 세도 정치 시기 *삼정의 문란*, 자연재해와 전염병 발생 → 일부 농민이 화전민이 되거나 도적의 무리에 가담

> Q배 경작되지 않는 땅에 세금이 부과되고, 어린아이와 죽은 사람에게도 군포를 거두었으며, 환곡은 고리대 형식으로 운영되었어.

② **농민 의식의 성장**: 농민들의 사회의식 향상 → 지배층에 저항(소청·벽서·투서 등 소극적 형태 → 항조·거세·집단 항의 시위 등 적극적 형태) → 농민 봉기로 발전

(2) ***19세기 농민 봉기*** 〔자료 ⑧〕

① **홍경래의 난**

> 홍경래는 서얼 출신 우군칙 등과 함께 신흥 상공업자, 영세 농민, 광산 노동자, 품팔이꾼, 노비 등 다양한 계층을 모아 봉기하였어.

배경	정부의 평안도민 차별, 상공업 활동 통제, 과도한 세금 부과
전개	홍경래가 다양한 계층을 모아 평안도 가산에서 봉기(1811) → 탐관오리의 수탈과 평안도민 차별 금지를 주장, 청천강 이북 지역 점령 → 관군에게 5개월 만에 진압됨
영향	세도 정권과 지방 수령의 경각심 고취, 이후 농민 봉기의 활성화에 영향을 줌

② **임술 농민 봉기**

배경	관리의 부정과 수탈 지속 → 곳곳에서 봉기 발생
전개	진주에서 몰락 양반 유계춘을 중심으로 경상 우병사 백낙신의 부정부패에 항의하는 농민 봉기 발생(진주 농민 봉기, 1862) → 봉기의 전국적 확산(임술 농민 봉기, 1862)
결과	정부의 암행어사·*안핵사 파견, *삼정이정청 설치 → 근본적인 원인을 해결하지 못함

완자 자료 탐구

내 옆의 선생님

수능이 보이는 교과서 자료 **실학의 발달**

┌ 생활에 필요한 최소한의 토지를 영업전으로 하여
이는 매매하지 못하게 하자고 주장하였어.

- 토지 몇 부(負)를 1호의 영업전(永業田)으로 하여, …… 땅이 많은 자는 줄이지 못하지 못하는 자도 더 주지 않으며, 돈이 있어 사고자 하는 자는 비록 천백 결이라도 허락하여 주고, 땅이 많아 팔고자 하는 자는 영업전 몇 부 이외에는 허락하여 준다. ─ 이익, 『곽우록』

- 대체로 재물은 샘과 같은 것이다. 퍼내면 차고, 버려두면 말라 버린다. …… 기교를 숭상하지 않아서 나라에 공장의 도야(기술을 익힘)하는 일이 없게 되면 기예가 망하게 되며 농사가 황폐해져서 그 법을 잃게 되므로 …… 서로 구제할 수 없게 된다. ─ 박제가, 『북학의』

└ 소비를 통해 생산을 자극해야 한다고 주장하였어.

성리학이 현실의 모순을 해결할 수 있는 역할을 더는 하지 못하게 되자, 실학자들은 실증적인 연구 방법으로 사회 모순을 해결하고자 하였다. 실학은 크게 토지 제도 개혁을 중시하는 방향과 상공업 진흥을 적극 주장하는 방향에서 전개되었다. 농업 중심 개혁론자들은 토지 제도의 개혁을 우선 과제로 내세웠고, 상공업 중심 개혁론자들은 상공업 발전과 청 문물 수용을 주장하였다.

완자쌤의 탐구 강의

- 농업 중심 개혁론자와 상공업 중심 개혁론자들의 사회 모순 해결을 위한 방안을 비교하여 서술해 보자.
  - 농업 중심 개혁론자: 토지 제도를 개혁하여 농민 생활을 안정시킨 후 국방, 재정 문제를 해결할 수 있다고 보았다.
  - 상공업 중심 개혁론자: 상공업 발전을 통해 부국강병을 이루어야 하며, 청의 발달된 문물을 받아들여야 한다고 주장하였다.

함께 보기 91쪽, 1등급 정복하기 5

자료 ⑦ 동학의 확산

조령에서 경주까지는 400여 리가 되고 주군이 모두 10여 개나 되는데 거의 어느 하루도 동학에 대한 이야기가 귀에 들어오지 않는 날이 없었으며 …… 또 '시천주(侍天主)'라고 명명하면서 조금도 부끄러워하지 않고 또한 숨기려고도 하지 않았습니다. …… 그것을 전파시킨 자를 염탐해 보니, 모두 말하기를 '최 선생이 혼자서 깨달은 것이며 그의 집은 경주에 있다.'고 하였는데 …….

└ 경주의 몰락 양반 최제우가 동학을 창시하였어.

─ 『고종실록』

19세기 지배 체제의 모순이 심화되고 서학이 확산되는 가운데 최제우가 동학을 창시하였다. 동학은 인간 평등을 강조하여 하층민의 호응을 얻었고 후천개벽을 주장하여 사회 변혁을 바라는 농민들 사이에 급속히 전파되었다.

문제로 확인할까?

동학에 대한 설명으로 옳은 것은?
① 최시형이 창시하였다.
② 왕실의 적극적인 후원을 받아 발전하였다.
③ 업설을 통해 지배층의 권력을 정당화하였다.
④ 후천개벽을 주장하여 농민들의 환영을 받았다.
⑤ 남인 계열의 실학자들이 서양의 학문으로 수용하였다.

⑦

자료 ⑧ 조선 후기의 농민 봉기

┌ 홍경래의 난은 평안도 지역에 대한 차별이 배경이 되었어.

- 평서 대원수는 급히 격문을 띄우노니 …… 조정에서는 관서 지역을 썩은 흙과 같이 버렸다. 심지어 권세 있는 집의 노비들도 서토(평안도) 사람을 보면 반드시 '평안도 놈'이라고 말한다. 어찌 억울하고 원통하지 않은 자 있겠는가. …… 이제 격문을 띄워 먼저 여러 고을의 군후(君侯)에게 알리노니, 절대로 동요하지 말고 성문을 활짝 열어 우리 군대를 맞으라. ─ 『패림』

- 1. 세미(稅米)는 항상 7량 5전으로 정하여 거둘 것 / 2. 각종 군포를 농민에게만 편중되게 부담시키지 말고, 각 호마다 균등하게 부담시킬 것 / 3. 환곡의 폐단을 없앨 것

─ 임술 농민 봉기 당시 공주부 농민의 요구 사항

19세기 농민들은 대규모 봉기를 일으켰다. 1811년 홍경래는 평안도민에 대한 차별 정책과 지배층의 수탈에 항거하여 반란을 주도하였다. 1862년에는 진주의 농민 봉기를 시작으로 전국에서 농민 봉기가 일어났는데, 이들은 주로 삼정의 문란을 바로잡기를 요구하였다.

자료 하나 더 알고 가자!

삼정의 문란

시아버지 죽어 이미 상복 입었고, / 갓난 아이 배냇물도 안 말랐는데 / 삼대(三代)의 이름이 군적에 모두 다 실렸으니 / 가서 억울함 호소해도 문지기는 호랑이요 / 이정(里正)은 호통하며 마구간 소 끌고 갔네. ─ 『여유당전서』

제시된 자료에는 어린아이와 죽은 사람에게도 군포를 거두었음이 드러나 있다. 이러한 군정을 비롯한 삼정의 문란으로 고통받던 농민들은 조선 후기에 대규모 봉기를 일으켰다.

1 조선의 신분제는 법제적으로 (㉠   )였으나, 양인을 지배층인 양반과 피지배층인 상민으로 구분한 (㉡   )가 일반화되었다.

2 다음 괄호 안의 내용 중 알맞은 말에 ○표를 하시오.

(1) (농민, 중인)은 조세, 공납, 역을 부담하였다.

(2) 조선 후기 (덕대, 도고)라는 전문 경영인이 등장하여 광산을 운영하였다.

(3) (직파법, 모내기법)이 확산되면서 일부 농민들은 광작으로 부농이 되었다.

(4) 양반은 향촌 자치 기구인 (경재소, 유향소)를 만들어 수령을 보좌하고 백성을 교화하였다.

3 다음 설명이 맞으면 ○표, 틀리면 ×표를 하시오.

(1) 통공 정책 실시 이후 사상의 활동이 축소되었다. (   )

(2) 공인이 활동하면서 수공업 생산이 촉진되고 장시가 활성화되었다. (   )

(3) 조선 후기에는 지대 납부 방식이 도조법에서 타조법으로 변화하였다. (   )

(4) 조선 후기 농민들은 납속책과 공명첩 등을 통해 신분을 상승시키기도 하였다. (   )

4 다음에서 설명하는 인물을 〈보기〉에서 골라 기호를 쓰시오.

┌─ 보기 ─────────────────────┐
ㄱ. 이익   ㄴ. 박제가   ㄷ. 홍경래
└────────────────────────┘

(1) 한전론을 주장하였다. (   )

(2) 평안도민에 대한 차별 정책에 반발하여 봉기를 주도하였다. (   )

(3) 수레, 배의 이용과 소비의 촉진을 통한 경제 활성화를 강조하였다. (   )

5 세도 정치 시기 삼정이 문란하고 관리의 부정과 수탈이 지속되자 1862년 진주를 시작으로 전국 각지에서 (   )가 일어났다.

01 (가) 계층에 대한 설명으로 옳은 것은?

> 이 그림에서 말을 탄 인물은 (가) 의 모습을 보여 줘요. (가) 은/는 문·무반을 아울러 부르던 명칭이 점차 하나의 신분으로 굳어진 것이지요.

① 군역을 면제받았다.

② 재산으로 취급되었다.

③ 수공업자들이 속하였다.

④ 과거에 응시할 수 없었다.

⑤ 신량역천 계층이 속해 있었다.

02 밑줄 친 '의원과 역관'이 속한 신분에 대한 설명으로 옳은 것은?

> 지금 전하께서 의원과 역관을 권장하고자 하시어 그 재주에 정통한 자를 특별히 동반과 서반에 뽑도록 하셨으니 신 등은 그 까닭을 알지 못하겠습니다. …… 군자를 욕되게 하시고, 선왕의 제도를 버리시어 미천한 사람을 높이려고 하시니, 신 등은 그것이 옳은지를 알지 못하겠습니다. 엎드려 바라건대, 속히 명을 거두시어 신민의 소망에 부응케 하소서.
> – 「성종실록」

① 농민이 대부분을 차지하였다.

② 조세, 공납, 역을 부담하였다.

③ 매매와 상속의 대상이 되었다.

④ 서얼과 같은 신분에 속하였다.

⑤ 수군, 역졸과 같은 천한 일을 담당하였다.

03 밑줄 친 '이들'에 대한 설명으로 옳은 것은?

> **수행 평가 보고서**
> • 주제: 조선 전기 향촌 지배 체제의 특징
> • 조사 내용
> – <u>이들</u>은 향촌 자치 기구인 유향소를 만들어 수령을 보좌하고 향리의 부정을 감찰하였다.
> – <u>이들</u>은 향회를 조직하여 결속을 다졌다.
> – <u>이들</u>은 서원을 통해 여론을 모으고 학문을 닦으면서 향촌 사회에서의 권위를 강화하였다.

① 향약을 운영하였다.
② 경재소를 설치하였다.
③ 광산을 전문적으로 경영하였다.
④ 이자겸이 대표적인 인물이었다.
⑤ 전민변정도감의 견제를 받았다.

05 밑줄 친 '이 농법'이 확산된 결과로 적절한 것은?

> • 이 농법은 노동력이 직접 논에 벼를 심는 직파법보다 5분의 4나 절약이 된다.　　　　 – 이익, 『성호사설』
> • 일반적으로 이 농법을 귀중하게 여기는 이유는 세 가지가 있다. 김매기의 수고를 줄이는 것이 첫째이다. 두 땅의 힘으로 하나의 모를 서로 기르는 것이 둘째이다. 옛 흙을 떠나 새 흙으로 가서 고갱이를 씻어 내어 더러운 것을 제거하는 것이 셋째이다.　　 – 서유구, 『임원경제지』

① 광작이 나타났다.
② 제위보가 설치되었다.
③ 진대법이 시행되었다.
④ 수리 시설이 축소되었다.
⑤ 대다수의 농민이 부농이 되었다.

★중요
04 다음과 같은 경제 상황이 나타난 시기에 있었던 사실로 옳지 <u>않은</u> 것은?

> • 서도 지방 담배밭, 북도 지방의 삼밭, 한산 모시밭, 전주 생강밭, 강진 고구마밭, 황주 지황밭에서의 수확은 모두 상상등의 논에서 나는 수확보다 그 이익이 10배에 이른다.　　　　 – 정약용, 『경세유표』
> • 올여름에 새로 판 금광이 39곳이고, 비가 와서 채굴을 중지한 금광이 99곳입니다. …… 현재 연군(광부)이 550여 명인데 도내의 무뢰배들이 농사를 그만두고 들어왔을 뿐만 아니라, 사방에서 이익을 탐하는 무리들이 소문을 듣고 와서 이번 여름 장마로 대부분이 흩어졌는데도 현재 남아 있는 막이 아직도 700여 곳이 되고, 그 인구 또한 1,500명 남짓입니다.　　　 – 『비변사등록』

① 선대제가 활발하였다.
② 농사직설이 간행되었다.
③ 공장제 수공업이 확산되었다.
④ 도조법으로 지대를 납부하였다.
⑤ 모내기법이 전국으로 확산되었다.

06 지도의 (가)에 대한 설명으로 옳은 것은?

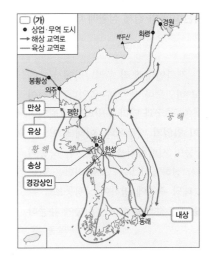

① 금난전권의 혜택을 누렸다.
② 국가의 허가를 받아 활동하였다.
③ 통공 정책에 힘입어 성장하였다.
④ 광산에서 전문 경영인의 역할을 맡았다.
⑤ 장시를 하나의 유통망으로 연결해 주었다.

07 다음 자료에 나타난 상업 활동에 대한 탐구 활동으로 가장 적절한 것은?

> 우리나라는 동, 서, 남의 3면이 바다이므로, 배가 통하지 않는 곳이 없다. 배에 물건을 싣고 오가면서 장사하는 상인은 반드시 강과 바다가 이어지는 곳에서 이득을 얻는다. …… 충청도 은진의 강경포는 육지와 바다 사이에 위치하여 바닷가 사람과 내륙 사람이 모두 여기에서 서로 물건을 교역한다.
>
> — 이중환, 「택리지」

① 보부상의 역할을 알아본다.
② 의창의 설립 목적을 조사한다.
③ 정방의 설치 배경을 살펴본다.
④ 객주와 여각의 활동을 찾아본다.
⑤ 잠채가 성행한 배경을 검색한다.

08 다음 정책이 실시된 이후의 경제 상황에 대한 설명으로 옳지 않은 것은?

> 돈은 천하에 통행하는 재화인데 오직 우리나라에서는 예부터 누차 시행하려고 하였으나 행할 수 없었다. 동전이 토산이 아닌 데다 풍속이 중국과 달라서 막히고 방해되어 행하기 어려운 폐단이 있었기 때문이다. 이때에 이르러 대신 허적과 권대운 등이 시행하기를 청하였다. 숙종이 여러 신하에게 물으니, 신하들이 모두 그 편리함을 말하였다. 숙종이 그대로 해당 관청에 명하여 상평통보를 주조하여 돈 4백 문을 은 1냥 값으로 정하여 시중에 유통하게 하였다.
>
> — 「숙종실록」

① 신용 화폐가 사용되었다.
② 장시의 운영이 위축되었다.
③ 전황이 일어나기도 하였다.
④ 세금을 화폐로 납부하는 방식이 확대되었다.
⑤ 상품 유통이 활발해져 화폐 사용이 늘어났다.

09 다음 상황이 전개된 시기의 사실로 옳은 것은? 중요

> • 정선 고을에 한 양반이 살고 있었다. 그는 …… 몹시 가난하여 …… 그 동네에 부자가 이 소문을 듣고 …… 말하였다. "이제 저 양반이 환곡을 갚을 길이 없어서 곤란한 모양이니 …… 이 기회에 내가 양반 신분을 사서 가지는 것이 어떨까?"
> • 근래 세상의 도리가 점점 썩어 가서 돈 있고 힘 있는 백성이 군역을 피하고자 간사한 아전, 임장(任掌: 호적을 담당하는 하급 임시직)과 한통속이 되어 뇌물을 쓰고 호적을 위조하여 유학이라고 거짓으로 올리고 역을 면하거나, 다른 고을로 옮겨 가서 스스로 양반 행세를 한다.

① 동북 9성을 설치하였다.
② 경국대전이 완성되었다.
③ 공인이 관수품을 조달하였다.
④ 교정도감에서 정책을 결정하였다.
⑤ 오경박사가 유학 교육을 담당하였다.

10 (가)에 들어갈 내용으로 적절하지 않은 것은?

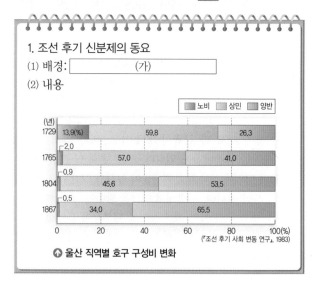

1. 조선 후기 신분제의 동요
(1) 배경: (가)
(2) 내용

(년)	노비	상민	양반
1729	13.9(%)	59.8	26.3
1765	2.0	57.0	41.0
1804	0.9	45.6	53.5
1867	0.5	34.0	65.5

(「조선 후기 사회 변동 연구」, 1983)

↑ 울산 직역별 호구 구성비 변화

① 상피제의 실시
② 노비종모법의 시행
③ 상품 화폐 경제의 발달
④ 양난 이후 노비 문서의 소실
⑤ 공명첩의 발급과 납속책의 시행

11 다음 자료와 같은 상황이 나타난 배경으로 가장 적절한 것은?

> 영덕의 오래된 가문은 모두 남인이며, 이른바 신향(新鄕)은 모두 서리와 품관의 자손으로 자칭 서인이라고 하는 자들이다. 근래 신향이 향교를 주관하면서 구향(舊鄕)과 마찰을 빚었다. 주자의 영정이 비에 손상되자 신향배들은 구향이 죄를 물을까 걱정하여, 남인에게 죄를 전가할 계획을 세우고는 주자와 송시열의 초상을 숨기고, "남인이 송시열의 영정을 봉안하는 것을 꺼려 야음을 틈타 영정을 훔쳐 갔다."라고 하였다.
> ― 『승정원일기』

① 붕당 정치가 변질되었다.
② 부농층이 양반으로 신분을 상승시켰다.
③ 세도 정치 시기 삼정의 문란이 심하였다.
④ 신진 사대부가 새로운 지배층을 형성하였다.
⑤ 원의 세력을 등에 업고 권문세족이 성장하였다.

12 다음 제도를 제안한 인물의 주장으로 옳은 것은?

> 여(閭: 마을)에는 여장을 두고 1여의 농토를 여에 사는 사람들이 함께 다스리고 같이 농사짓게 하되, 내 땅 네 땅의 구별이 없고, 오직 여장의 명령에 따르게 하는 것이다. 그들이 매양 하루 일을 하면 여장은 그들의 노력을 장부에 매일 기록하여 두었다가, 추수할 때에 곡식의 수확을 전부 여장의 집으로 운반해 놓고, 그 곡물을 나누되 먼저 나라에 바치는 세금을 떼어 놓고, 그 다음은 여장의 녹(봉급)을 주고, 그 나머지를 가지고 장부에 기준하여 분배한다.
> ― 『여유당전서』

① 토지 제도를 개혁해야 한다.
② 성리학적 사회 질서를 강화해야 한다.
③ 수레와 선박의 이용을 확대해야 한다.
④ 생산을 증대하기 위해 소비를 촉진시켜야 한다.
⑤ 영업전을 정하고 이 토지의 매매를 금지해야 한다.

13 (가)에 들어갈 내용으로 가장 적절한 것은?

① 최제우가 창시한 종교는?
② 17세기경 서학으로 들어온 종교는?
③ 동경대전으로 교리가 정리된 종교는?
④ 실증적인 연구 방법을 중시한 사상은?
⑤ 망이·망소이의 난에 영향을 준 사상은?

14 (가) 종교에 대한 설명으로 옳은 것은?

> 경상도 경주 등지에서 (가) 의 괴수를 자세히 탐문하여 잡아 올릴 목적으로 바삐 성 밖으로 나가 신분을 감추고서 밤낮을 가리지 않고 달려갔습니다. 조령에서 경주까지는 400여 리가 되고 주군이 모두 10여 개나 되는데 거의 어느 하루도 (가) 에 대한 이야기가 귀에 들어오지 않는 날이 없었으며 …… 또 '시천주(侍天主)'라고 명명하면서 조금도 부끄러워하지 않고 또한 숨기려고도 하지 않았습니다. …… 그것을 전파시킨 자를 염탐해 보니, 모두 말하기를 '최 선생이 혼자서 깨달은 것이며 그의 집은 경주에 있다.'고 하였는데 …….
> ― 『고종실록』

① 승탑의 건립에 영향을 주었다.
② 임신서기석에 교리가 쓰여 있다.
③ 조선의 통치 이념으로 채택되었다.
④ 독서삼품과의 실시로 교세가 확장되었다.
⑤ 인내천 사상으로 인간 평등을 강조하였다.

15 다음 격문을 발표한 농민 봉기에 대한 설명으로 옳은 것은?

> 평서 대원수는 급히 격문을 띄우노니 관서 지역의 부로자제(父老子弟)와 공사천민(公私賤民)은 모두 이 격문을 들으라. …… 조정에서는 관서 지역을 썩은 흙과 같이 버렸다. 심지어 권세 있는 집의 노비들도 서토(평안도) 사람을 보면 반드시 '평안도 놈'이라고 말한다. 어찌 억울하고 원통하지 않은 자 있겠는가. …… 이제 격문을 띄워 먼저 여러 고을의 군후(君侯)에게 알리노니, 절대로 동요하지 말고 성문을 활짝 열어 우리 군대를 맞으라.
> – 『패림』

① 사노비였던 만적이 계획하였다.
② 전국적 농민 봉기로 확산되었다.
③ 교주 최제우의 처형에 반발하였다.
④ 평안도민에 대한 차별 정책이 배경이 되었다.
⑤ 특수 행정 구역 주민들이 차별 대우에 항거하였다.

16 ☆중요 (가) 농민 봉기의 영향으로 옳은 것은?

① 공명첩이 발급되었다.
② 대동법이 시작되었다.
③ 안핵사가 파견되었다.
④ 제위보가 설치되었다.
⑤ 세도 정치가 시작되었다.

✏️ 서술형 문제
● 정답친해 022쪽

01 다음 정책이 상인들에게 끼친 영향을 서술하시오.

> 조선 정조는 1791년 체제공의 주장을 받아들여 육의전 이외 모든 시전의 금난전권을 폐지하였다.

길잡이 상업 활동이 자유로워졌음에 주목한다.

02 다음 주장을 한 인물을 쓰고, 그 핵심 내용을 서술하시오.

> 토지 몇 부(負)를 1호의 영업전(永業田)으로 하여, …… 땅이 많은 자는 줄이지 않고 미치지 못하는 자도 더 주지 않으며, 돈이 있어 사고자 하는 자는 비록 천백 결이라도 허락하여 주고, 땅이 많아 팔고자 하는 자는 영업전 몇 부 이외에는 허락하여 준다.

길잡이 영업전을 정하자고 주장한 인물을 생각해 본다.

03 다음을 통해 알 수 있는 임술 농민 봉기의 배경을 서술하시오.

> 1. 세미(稅米)는 항상 7량 5전으로 정하여 거둘 것
> 2. 각종 군포를 농민에게만 편중되게 부담시키지 말고, 각 호마다 균등하게 부담시킬 것
> 3. 환곡의 폐단을 없앨 것
> 5. 아전과 장교의 침탈을 금지할 것
> – 임술 농민 봉기 당시 공주부 농민의 요구 사항

길잡이 자료에서 시정을 요구한 내용을 중심으로 서술한다.

STEP 3 1등급 정복하기

1 (가), (나) 계층에 대한 설명으로 옳은 것은?

> • 하늘이 백성을 낳았는데 그 백성이 넷이다. 그중 가장 귀한 것이 선비이다. (가) (이)라고 하며 그 이익도 막대하다. 농사짓지 않고 장사도 하지 않으며, 문사(文史)를 대강 섭렵하면 크게는 문과에 급제하고 작게는 진사가 된다.
>
> • (나) 의 매매는 관청에 신고하여야 한다. 사사로이 몰래 매매하였을 경우에는 관청에서 그 (나) 및 대가로 받은 물건을 모두 몰수한다. 나이 16세 이상 50세 이하는 가격이 저화 4천 장이고, 15세 이하 51세 이상은 3천 장 이상이다.

① (가) – 문과 응시가 금지되었다.
② (가) – 관청의 하급 관리로 직역이 세습되었다.
③ (나) – 일천즉천의 원칙을 적용받았다.
④ (나) – 법적으로 과거 응시가 가능하였다.
⑤ (가), (나) – 양인에 속하였다.

> **조선 전기 신분 질서**
>
> **완자샘의 시험 꿀팁**
>
> 조선의 신분제는 법제적으로 양천제, 실제적으로는 엄격한 4신분제가 운영되었음을 이해하고, 양천제에 따른 양인과 천인의 특징, 4신분제에 따른 각 신분의 특징을 정리해 두어야 한다.

2 (가) 시기에 볼 수 있는 모습으로 가장 적절한 것은?

> 그림으로 보는 한국사   (가) 편
>
> 이 그림은 모를 논에 옮겨 심는 장면을 그린 것이다. 이러한 농법은 잡초를 제거하는 데 드는 노동력을 절약해 주고 단위 면적당 생산량을 늘려 주었다. (가) 에 이르러 이 농법이 전국으로 확산되면서 광작이 가능해져 일부 농민은 부농이 된 반면, 많은 농민은 토지를 잃고 빈농이 되었다.

① 광산을 경영하는 덕대
② 중방에서 회의하는 무신
③ 조의제문을 문제 삼는 훈구
④ 삼별초에서 훈련을 받는 군사
⑤ 스스로를 장군이라 부르는 호족

> **상품 화폐 경제의 발달**
>
> **완자 사전**
>
> • 광작
> 조선 후기 벼농사에서 모내기법이 보급되어 노동력이 절약됨에 따라 일어난 농지 확대 현상

3 다음 자료를 통해 알 수 있는 당시의 경제 상황으로 옳은 것을 〈보기〉에서 고른 것은?

> 허생은 안성의 한 주막에 자리 잡고서 밤, 대추, 감, 배, 귤 등의 과일을 모두 사들였다. 허생이 과일을 도거리로 사 두자, 온 나라가 잔치나 제사를 치르지 못할 지경에 이르렀다. 따라서 과일 값은 크게 폭등하였다. 허생은 이에 10배의 값으로 과일을 되팔았다. 이어서 허생은 그 돈으로 곧 칼, 호미, 삼베, 명주 등을 사 가지고 제주도로 들어가서 말총을 모두 사들였다. 말총은 망건의 재료였다. 얼마 되지 않아 망건 값이 10배나 올랐다. 이렇게 하여 허생은 50만 냥에 이르는 큰돈을 벌었다.
>
> – 박지원, 「연암집」

┌ 보기 ┐
ㄱ. 상업 자본이 성장하였다.
ㄴ. 상품 화폐 경제가 발달하였다.
ㄷ. 시전들이 금난전권을 강화하였다.
ㄹ. 지대 납부 방식이 타조법으로 바뀌었다.

① ㄱ, ㄴ   ② ㄱ, ㄷ   ③ ㄴ, ㄷ
④ ㄴ, ㄹ   ⑤ ㄷ, ㄹ

▶ 도고의 성장

| 완자 사전 |

• 상업 자본
상업 활동으로 이윤을 얻기 위하여 투자하는 자본

---

4 다음 손수 제작물(UCC)의 주제로 가장 적절한 것은?

손수 제작물(UCC) 제작 계획서

장면 번호	시각 자료	시각 자료 설명과 자막
1		이름을 적는 곳이 비어 있는 관직 임명장이다.
2		돈을 받고 노비를 양인으로 풀어 준 문서이다.

① 예언 사상의 유행
② 유통 경제의 활성화
③ 향전의 발생과 영향
④ 조선 후기 신분 질서의 변화
⑤ 사족 중심의 향촌 지배 체제 확립

▶ 조선의 신분 질서 변화

완자쌤의 시험 꿀팁

조선의 사회는 전기와 후기를 비교해서 정리해 두어야 한다. 조선 전기에는 반상제가 정착되면서 양반 중심의 신분 질서가 확립되었으나, 양난 이후 신분제가 동요하였음을 사례를 통해 정리한다.

5 다음 의견을 제시한 인물에 대한 설명으로 옳은 것은?

> • 중국의 배만 통상하고, 해외의 모든 나라와 통상하지 않는 것은 역시 일시적인 술책이고, 정론은 아니다. 국가의 힘이 조금 강해지고 백성의 생업이 안정되면 차례로 이를 통하는 것이 마땅하다. — 『북학의』
>
> • 대체로 재물은 샘과 같은 것이다. 퍼내면 차고, 버려두면 말라 버린다. …… 기교를 숭상하지 않아서 나라에 공장의 도야하는 일이 없게 되면 기예가 망하게 되며 농사가 황폐해져서 그 법을 잃게 되므로 …… 서로 구제할 수 없게 된다. — 『북학의』

① 동학을 창시하였다.
② 삼국유사를 저술하였다.
③ 일본군의 침입에 맞서 의병을 일으켰다.
④ 수선사를 중심으로 결사 운동을 주도하였다.
⑤ 청의 발달된 기술을 수용하자고 주장하였다.

▶ 실학의 발달

환자샘의 시험 꿀팁

농업 중심 개혁론자와 상공업 중심 개혁론자의 주장을 비교해서 알아 두고, 각 학파에서 대표적인 학자들이 주장한 내용을 사료와 함께 정리해 두도록 한다.

‖ 환자 사전 ‖

• 결사 운동
고려 후기 불교계가 타락하자, 불교 본연의 자세로 돌아가자고 주창한 운동이다. 수선사 결사, 백련사 결사 등이 대표적이다.

---

6 다음과 같은 상황이 끼친 영향으로 옳은 것은?

> • 시아버지 죽어 이미 상복 입었고, / 갓난아인 배냇물도 안 말랐는데
>   삼대의 이름이 군적에 모두 다 실렸으니 / 가서 억울함 호소해도 문지기는 호랑이요
>   이정(里正)은 호통하며 마구간 소 끌고 갔네. — 『여유당전서』
>
> • 봄철에 좀먹은 것 한 말 받고 / 가을에 정미 두 말을 갚는데
>   더구나 좀먹은 쌀값 돈으로 내라니 / 정미 팔아 돈으로 낼 수밖에
>   남는 이윤은 교활한 관리 살찌워 / 환관 하나가 밭이 1,000두락이고
>   백성들 차지는 고생뿐이어서 / 긁어 가고 벗겨 가고 걸핏하면 매질이라. — 『여유당전서』

① 남인이 몰락하였다.
② 조광조가 현량과를 실시하였다.
③ 전국적인 농민 봉기가 일어났다.
④ 신돈이 전민변정도감을 설치하였다.
⑤ 서얼들의 집단 상소 운동이 전개되었다.

▶ 삼정의 문란

‖ 환자 사전 ‖

• 이정(里正)
조선 시대 지방 행정 조직의 최말단인 이(里)의 책임자

기원전 2333	• 고조선 건국: 단군왕검이 청동기 문화를 기반으로 건국, 제정일치 사회
373	• 고구려 **❶** : 율령 반포
427	• 고구려 장수왕: 남진 정책 추진 → 평양 천도
676	• 삼국 통일: 신라의 당군 격파 → 삼국 통일 완성
698	• 발해 건국: 대조영이 고구려 유민과 말갈인을 이끌고 만주 동모산 부근에서 건국
1019	• **❷** : 거란의 3차 침입 때 강감찬이 이끈 군대가 거란 격파
1135	• 묘청의 서경 천도 운동: 칭제건원과 금국 정벌을 주장하며 서경에서 반란 → 관군에게 진압됨
1170	• **❸** : 정중부, 이의방 등 무신이 문신을 제거하고 왕을 교체함
1392	• 조선 건국: 이성계와 급진파 신진 사대부가 건국
1592	• 임진왜란 발발: 도요토미 히데요시가 조선 침략 → 이순신의 수군과 의병의 활약
1636	• **❹** 발발: 청 태종의 침략 → 청에 항복(청과 군신 관계 체결)
1862	• **❺** : 삼정의 문란, 관리의 부정과 수탈 → 진주 농민 봉기를 시작으로 전국적 농민 봉기 확산

01 고대 국가의 지배 체제

1. 선사 시대의 전개와 국가의 성립

선사 시대	구석기 시대 → 신석기 시대(농경과 목축 시작)
청동기 시대	사유 개념·빈부 격차·계급 발생, (**❻**) 성립(단군왕검이 통치, 왕위 세습, 8조의 법 존재)
철기 시대	생산력 향상, 전쟁 증가 → 부여, 옥저, 동예, 삼한 성장

2. 고대 국가의 발전

(1) **삼국의 성립과 발전**: 초기에는 각 부가 자치적으로 운영

고구려	태조왕 때 옥저 정복 → 소수림왕 때 율령 반포·태학 설립 → 광개토 대왕 때 영토 확장(한강 이북 차지, 만주 일대 장악) → (**❼**) 때 평양 천도·한강 유역 차지
백제	고이왕 때 관등제 정비와 공복 마련·한강 유역 장악 → 근초고왕 때 왕위의 부자 상속 안정·영토 확장 → 무령왕 때 22담로 설치 → 성왕 때 사비 천도·22부 중앙 관청 설치
신라	내물왕 때 김씨의 왕위 계승 확립 → 지증왕 때 '왕' 호칭 사용 → (**❽**) 때 병부 설치·율령 반포·공복 제정·금관가야 병합 → 진흥왕 때 한강 유역 차지·대가야 병합

(2) **통일 신라와 발해**

통일 신라	통일 이후 왕권의 전제화(집사부 중심의 중앙 통치 체제 정비, 9주 5소경 체제 정비) → 신라 말 왕위 쟁탈전 전개
발해	무왕·문왕 때 발전 → 선왕 때 최대 영토 확보·전성기 이룩

02 고대 사회의 종교와 사상

천신 신앙	하늘 신격화, 하늘의 초인적 신 신봉 → 건국 이야기에 반영(독자적 천하관 발달), 제천 행사 개최
불교	• 삼국 시대: 왕권 강화에 영향(불교식 왕명 사용, 왕즉불 사상), 신분 질서 정당화, 호국 불교 발달 • 통일 신라: (**❾**)(일심 사상, 아미타 신앙 전파), 의상(신라 화엄종 개창, 부석사 건립) → 신라 말 선종 유행 • 발해: 고구려 불교 계승, 왕실과 귀족을 중심으로 성행
유학	• 삼국 시대: 교육 기관 설립, 관료 육성에 활용, 역사서 편찬 • 통일 신라: 정치 이념으로 채택 → 신문왕 때 국학 설립, 원성왕 때 독서삼품과 실시, 유학자 활약 • 발해: 문적원·주자감 설립, 6부 명칭에 유교 덕목 반영
기타	• 도교: 귀족 사회를 중심으로 유행, 불로장생·현세구복 추구 • 풍수지리설: 수도 중심의 지리 인식 탈피에 영향을 줌

03 ~ 04 고려의 통치 체제와 국제 질서의 변동

1. 고려의 건국과 발전

왕권 강화	태조의 고려 건국·호족 포섭·북진 정책 추진 → 광종 때 노비안검법·과거제 시행 → 성종 때 12목 설치·지방관 파견·국자감 정비
통치 체제	중앙은 2성 6부 체제로 정비, 지방은 5도 양계로 편제, 과거와 음서로 관리 등용
대외 관계	10~11세기 거란의 침입 격퇴(강동 6주 획득, 귀주 대첩 승리) → 다원적 국제 질서 성립·해동 천하 인식 → 12세기경 별무반 편성·여진 정벌(동북 9성 축조) → 금과 사대 관계 체결

2. 무신 정권 이후 고려 사회

무신 정권기	문벌 사회의 동요, 무신 차별 → 무신 정변으로 무신 정권 성립(초기에 중방 중심·농민 봉기 발발 → 최씨 무신 정권 성립)
원 간섭기	원과 강화 이후 원의 부마국이 됨, 내정 간섭, 권문세족이 새로운 지배층으로 성장(도평의사사 장악, 대농장 차지)
후기	공민왕의 개혁: 친원 세력 제거, 쌍성총관부 공격, 관제 회복, (⑩) 설치(신돈 등용), 신진 사대부 적극 등용

05 고려의 사회와 사상

1. 고려의 사회

신분 제도	양인	문무 양반(고위 관직 진출, 문벌 형성), 중간 계층(직역 세습, 직역의 대가로 토지를 받음), 군현민(농민은 조세·공납·역 부담, 과거 응시 가능), 향·부곡·소민(과거 응시 등 제한)	신분 이동 가능
	천인	대부분 노비(재산으로 취급)	
사회 모습		• 사회 제도: 본관제 시행, 사회 시책 마련(의창, 상평창 등) • 가족 제도: 일부일처제가 일반적, 여성의 지위가 비교적 높음, 친가와 외가의 권리와 의무 동등	

2. 고려의 종교와 사상

유교	전기에 정치 이념화(과거제 실시, 국자감 정비 등) → 중기에 보수화 → 후기에 성리학 도입(신진 사대부의 사상적 기반)
역사서	유교적 합리주의 반영(김부식의 『삼국사기』 편찬) → 자주 의식 강조(일연의 『삼국유사』, 이승휴의 『제왕운기』 등 편찬)
불교	불교 통합 운동: 의천의 해동 천태종 창시·교관겸수 주장, (⑪)의 정혜결사 조직, 요세의 백련사 결사 조직
기타	토착 신앙, 도교(초제 거행), 풍수지리설 발달

06 ~ 07 조선 시대 세계관의 변화

1. 조선의 건국과 발전

문물 제도	태조 때 조선 건국 → 태종 때 공신과 왕족의 사병 혁파·6조 직계제 실시 → 세종 때 의정부 서사제 실시·집현전 설치 → 세조 때 언론 활동 제한 → (⑫) 때 『경국대전』 완성
통치 체제	중앙은 의정부와 6조 중심, 3사가 언론 활동, 지방은 8도로 편제(모든 군현에 수령 파견), 과거와 음서로 관리 등용
대외 관계	사대(명과 조공·책봉 체제로 친선 유지), 교린(여진에 4군 6진 개척·무역소 설치, 일본에 3포 개방·쓰시마섬 토벌) 관계
붕당 정치	(⑬)의 성장(향촌 자치·왕도 정치 추구, 성종 때 3사에 진출) → 붕당 형성 → 붕당이 공론을 내세워 정국 주도

2. 양난 이후 세계관의 변화

양난	• 왜란: 임진왜란 → 수군과 의병의 활약, 명의 지원 → 휴전 협상 결렬 → 정유재란 → 조명 연합군과 이순신 활약 → 일본군 철수 • 호란: 광해군의 중립 외교 → 인조반정 → 정묘호란 → 청의 군신 관계 요구 거절 → 병자호란 → 청과 강화
양난 이후 변화	• 세계관: 화이론적 세계관 동요, 북벌 추진, 북학론 제기 • 통치 체제: 비변사의 기능 강화, 영정법·대동법·균역법 실시 • 정치 운영: 일당 전제화 → (⑭) 실시(영조의 탕평파 육성, 정조의 고른 인재 등용) → 세도 정치 전개(소수 외척 가문이 정권 장악, 정치 기강 문란)

08 양반 신분제 사회와 상품 화폐 경제

사회 변화	• 신분제: 전기에 법제상 양천제·4신분제 정착(양반, 중인, 상민, 천민) → 후기에 몰락 양반 등장·상민과 노비의 신분 상승 • 향촌: 전기에 양반의 향촌 사회 지배(유향소 설치, 향약 보급) → 후기에 신향 등장, 향전의 전개 → 수령의 권한 강화
경제 변화	• 농업: 모내기법 확산, 광작 유행, 상품 작물 재배 • 수공업·광업: 민영 수공업 발달, 선대제 확산, 덕대 등장 • 상업: 장시 발달, 사상 성장, 개시와 후시 활성화
문화 변화	• (⑮): 농업 중심 개혁론(이익, 정약용 등), 상공업 중심 개혁론(홍대용, 박지원, 박제가 등) 등장 • 천주교: 인간 평등 강조, 하층민과 부녀자의 환영을 받음 • 동학: 최제우가 창시, 인내천 사상 주장(→ 하층민과 농민 사이에 빠르게 전파), 최시형의 교단과 교리 정리
농민 봉기	• 배경: 농민의 사회의식 향상, 삼정의 문란, 자연재해 발생 • 봉기: 홍경래의 난 → 임술 농민 봉기(전국적 농민 봉기) → 정부의 암행어사와 안핵사 파견, 삼정이정청 설치

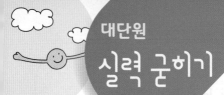
01 다음과 같은 변화를 해석한 것으로 가장 적절한 것은?

분쟁 처리 방법을 함께 논의하겠소.

반역자 ○○○은/는 율령에 따라 목을 베도록 하라!

① 철기가 보급되었다.
② 연맹 왕국이 등장하였다.
③ 제정 분리가 이루어졌다.
④ 중앙 집권이 강화되었다.
⑤ 군장이 부족을 지배하게 되었다.

02 교사의 질문에 대한 학생의 답변으로 가장 적절한 것은?

'왕'이라는 호칭을 처음 사용한 왕에 대해 이야기해 볼까요?

신라의 왕호 변천

거서간 → 차차웅 → 이사금
→ 마립간 → 왕

① 우산국을 정벌하였어요.
② 한강 유역을 장악하였어요.
③ 김씨의 왕위 계승을 확립하였어요.
④ 병부를 설치하고 율령을 반포하였어요.
⑤ 화랑도를 국가적 조직으로 개편하였어요.

03 다음 제도가 시행된 나라에서 있었던 사실로 옳지 <u>않은</u> 것은?

봄에 처음으로 독서삼품을 정하여 출사케 하였다. 『춘추좌씨전』이나 혹은 『예기』, 『문선』을 읽고 그 뜻에 능통하며 『논어』와 『효경』에 모두 밝은 자를 상품(上品)으로, 『곡례』와 『논어』, 『효경』을 읽은 자를 중품(中品)으로, 『곡례』와 『효경』을 읽은 자를 하품(下品)으로 삼았다. 혹 오경(五經), 삼사(三史), 제자백가의 글을 널리 통달한 자는 등급을 뛰어넘어 발탁 등용하였다. – 『삼국사기』

① 관리에게 관료전을 지급하였다.
② 전국을 9주 5소경 체제로 정비하였다.
③ 집사부를 중심으로 정치를 운영하였다.
④ 원효의 가르침에 힘입어 불교가 대중화되었다.
⑤ 영토를 확장하여 주변국들에게 해동성국이라 불렸다.

04 (가) 종교에 대한 설명으로 옳은 것은?

수행 평가 보고서

• 탐구 주제: [(가)]의 발달
• 자료 수집

⬆ 강서대묘의 사신도 중 현무도

⬆ 백제의 산수무늬 벽돌

• 자료 분석: 죽은 자의 사후 세계를 믿었으며 신선 사상을 바탕으로 산천 숭배 등이 결합하여 발전하였다.

① 국학, 주자감 등에서 교육하였다.
② 승탑이 건축되는 데 영향을 주었다.
③ 불로장생과 현세구복을 추구하였다.
④ 의상과 지눌의 활동으로 여러 종파가 통합되었다.
⑤ 최승로의 건의에 따라 고려의 통치 이념이 되었다.

05 다음 건의를 수용한 왕의 정책으로 옳은 것은?

> 7조   국왕이 백성을 다스림은 집집마다 가서 돌보고 날마다 이를 살피는 것이 아닙니다. …… 청컨대 외관을 두소서.
>
> 11조   예·악, 시·서의 가르침과 군신·부자의 도리는 중국을 모범으로 삼아서 비루한 습속을 개혁하되, 수레나 의복 제도는 토착 풍속을 따를 수 있게 하십시오.
>
> 20조   불교를 믿는 것은 자신을 다스리는 근본이며, 유교를 행하는 것은 나라를 다스리는 근본을 구하는 것입니다. 자신을 다스리는 것은 내세에 복을 구하는 일이며, 나라를 다스리는 것은 오늘의 급한 일입니다.

① 노비안검법을 실시하였다.
② 전민변정도감을 설치하였다.
③ 지방 22담로에 왕족을 파견하였다.
④ 국가 행사에 유교 의례를 도입하였다.
⑤ 의정부 중심의 중앙 관제를 정비하였다.

06 밑줄 친 '이 나라'에 대한 설명으로 옳은 것은?

> 이자겸과 척준경이 말하기를, "이 나라가 과거 소국일 때는 요(거란)와 우리나라를 섬겼습니다. 그러나 지금 이 나라가 급격하게 세력을 일으켜 요와 송을 멸망시켰으며, 정치를 잘 다스리고 병력도 강성하여 나날이 강대해지고 있습니다. 또 우리와는 서로 국경이 맞닿아 있어서 섬기지 않을 수 없는 상황입니다. 게다가 작은 나라가 큰 나라를 섬기는 것은 선왕의 도리이니, 사신을 보내어 먼저 예를 갖추고 문안하는 것이 옳습니다."라고 하니, 왕이 그 말을 따랐다.   - 『고려사』

① 서경 세력이 정벌을 주장하였다.
② 고려에 쌍성총관부를 설치하였다.
③ 임진왜란과 정유재란을 일으켰다.
④ 고려군이 귀주 대첩에서 물리쳤다.
⑤ 고려를 부마국으로 삼고 내정에 간섭하였다.

07 다음과 같은 상황에서 일어난 사건으로 옳은 것은?

> 대장군 이소응은 무인이지만 얼굴이 수척하고 힘도 약하였는데, 다른 장수와 수박희를 하여 이기지 못하고 달아났다. 문신 한뢰가 갑자기 앞으로 나서며 이소응의 뺨을 후려갈기자 섬돌 아래로 떨어졌다. 이때 왕과 모든 신하가 손뼉을 치면서 크게 웃고 …….   - 『고려사』

① 최승로가 시무 28조를 올렸다.
② 이자겸과 척준경이 반란을 일으켰다.
③ 정중부, 이의방 등이 정변을 일으켰다.
④ 묘청 등이 서경 천도 운동을 전개하였다.
⑤ 서희의 외교 담판으로 강동 6주를 얻었다.

08 다음 자료에 나타난 정책을 실시한 왕의 업적으로 옳은 것은?

> 신돈이 전민변정도감을 둘 것을 청원하고, …… 방을 붙여 각처에 알리기를 "…… 이제 도감을 두어 이를 바로잡으려 하니 ……." 이 명령이 나오자 권세가와 힘 있는 자들이 빼앗은 땅을 그 주인에게 돌려주므로 모든 사람이 기뻐하였다.   - 『고려사』

① 12목 설치   ② 과거제 도입
③ 관료전 지급   ④ 호패법 실시
⑤ 정동행성이문소 폐지

09 밑줄 친 '다인철소' 주민들에 대한 설명으로 옳은 것은?

> 충주 다인철소는 고종 42년에 주민들이 몽골군을 막는 데 공이 있어 익안현으로 승격시켰다.   - 『고려사』

① 과거 응시가 가능하였다.
② 조세와 역이 면제되었다.
③ 거주 이전에 제한이 있었다.
④ 일천즉천의 원칙이 적용되었다.
⑤ 직역에 대한 대가로 토지를 받았다.

10 다음 역사서들에 대한 설명으로 옳은 것은?

> • 『위서』에 이르기를, "지금으로부터 2천여 년 전에 단군 왕검이 있어 아사달에 도읍을 정하였다. …… 나라를 개 창하여 조선이라 했으니 고(요임금)와 같은 시대이다." 라고 하였다.
> – 『삼국유사』
> • 처음에 누가 나라를 세워 세상을 열었는가? 석제의 손 자로 이름은 단군이라네. …… 요임금과 함께 무진년에 나라를 세워 순임금 때를 지나 하나라 때까지 왕위에 계 셨도다.
> – 『제왕운기』

① 현재 전하지 않는다.
② 자주 의식이 강조되었다.
③ 고구려 계승 의식을 표방하였다.
④ 정통성과 대의명분을 강조하였다.
⑤ 유교적 합리주의 사관에 따라 쓰였다.

11 밑줄 친 '그'에 대한 설명으로 옳은 것은?

그는 화엄종을 중심으로 교종을 통합하고자 하였어.

그리고 해동 천태종을 창시하여 교종을 중심으로 선종까지 포섭하려 하였지.

① 교관겸수를 주장하였다.
② 백련사 결사를 조직하였다.
③ 아미타 신앙을 전파하였다.
④ 유불 일치설을 주장하였다.
⑤ 정혜쌍수와 돈오점수를 주장하였다.

12 다음과 같은 중앙 정치 조직을 갖춘 나라의 통치 체제에 대한 설명으로 옳지 않은 것은?

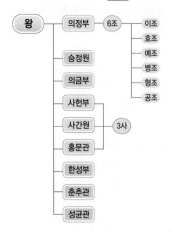

① 중앙군으로 5위를 설치하였다.
② 모든 군현에 수령을 파견하였다.
③ 과거를 실시하여 관리를 등용하였다.
④ 전국을 5도와 양계, 경기로 나누었다.
⑤ 경재소를 설치하여 유향소를 통제하였다.

13 다음과 같이 주장한 세력에 대한 설명으로 옳은 것은?

> 제왕이 교화를 독실하게 하고 풍속을 아름답게 하여 민중 을 거느리고 선을 행하는 것은 공론을 따르고 아랫사람들 의 사정을 빼앗지 않는 데에 불과합니다. (지금보다) 더욱 공경하는 마음을 가지고 백성을 대수롭게 여기지 말아야 하며, 민첩하고 용맹하고 과단하게 해서 세상 물정에 힘 써 따르소서.
> – 『중종실록』

① 도병마사에서 회의를 열어 정책을 정하였다.
② 서원과 향약을 기반으로 세력을 확대하였다.
③ 세조 즉위 시에 공을 세워 정권을 장악하였다.
④ 원 간섭기에 친원적 성향을 보이며 성장하였다.
⑤ 고려 말 급진파 신진 사대부의 학통을 계승하였다.

14 (가), (나) 주장에 대한 설명으로 옳은 것은?

> (가) 우리나라는 실로 명 신종 황제의 은혜를 입어 ……
> 중원을 쓸어 말끔히 우리 신종 황제의 망극한 은혜는
> 갚지 못하더라도, 혹 국경의 문을 닫고 약속을 끊으며
> 이름을 바르게 하고 이치를 밝혀 우리 의리의 원만함
> 은 지킬 수 있을 것입니다. 　－「송자대전」
>
> (나) 청의 천하를 차지한 지 1백 년이 지났다. 여기에 사는
> 사람들을 모조리 오랑캐라 하고 중국의 법마저 폐기
> 해 버린다면 크게 옳지 않다. 진실로 백성에게 이롭
> 기만 하다면, 그 법이 비록 오랑캐에게서 나왔다 하더
> 라도 성인은 취할 것이다. 　－「북학의」

① (가) – 실학자들을 중심으로 제기되었다.
② (가) – 청에 대한 의리를 지키고자 하였다.
③ (나) – 청의 문물을 수용하자고 주장하였다.
④ (나) – 통신사로 왕래한 사람들이 주장하였다.
⑤ (가), (나) – 병자호란 이전에 대립하였다.

15 밑줄 친 부분과 같은 상황을 개선하기 위해 추진된 정책
으로 옳은 것은?

> 나라를 위해 몸과 마음을 다 바칠 의리와 서로 화목하게
> 지낼 도리를 생각하지 않고 오직 자기 당파의 주장과 어
> 긋나지 않을지만 염려를 하니, …… 탕평하는 것은 공이
> 요, 당에 물드는 것은 사인데, 여러 신하는 공을 하고자
> 하는가, 사를 하고자 하는가? 　－「영조실록」

① 서원을 정리하였다.
② 과거제를 시행하였다.
③ 영정법을 실시하였다.
④ 중립 외교 정책을 펼쳤다.
⑤ 6조 직계제를 실시하였다.

16 (가) 농법이 확산된 시기의 사회 모습으로 옳은 것은?

> ☐(가)☐ 은/는 노동력이 직접 논에 벼를 심는 직파법보다
> 5분의 4나 절약이 된다. 따라서 집안에 아이들을 비롯하
> 여 부릴 수 있는 노동력이 조금이라도 있는 사람들은 경작
> 을 거의 무한으로 할 수 있다. 　－「성호사설」

① 대부분의 농민이 부농이 되었다.
② 개시와 후시가 활발하게 일어났다.
③ 향·부곡·소 주민들이 차별을 받았다.
④ 진대법 등 빈민 구휼 제도가 시행되었다.
⑤ 양반의 수가 감소하고 노비의 수가 늘어났다.

17 다음 사건의 영향으로 가장 적절한 것은?

> 조선 후기 향촌 사회에서 신향이 등장하면서 전통 사족인
> 구향과 신향 사이에 향전이 일어났다.

① 향약이 보급되었다.
② 수령의 권한이 약화되었다.
③ 12목에 지방관이 파견되었다.
④ 사림이 분열하여 붕당이 형성되었다.
⑤ 향회의 역할이 세금 부과 자문 기구로 축소되었다.

18 다음 사건의 배경으로 적절한 것은?

> 임술년(1862) 2월 19일 진주민 수만 명이 …… 진주 읍내
> 에 모여 이서와 하급 관리들의 집 수십 호를 태우니, ……
> 백성들이 길 위에 빙 둘러 백성들의 재산을 함부로 거둔
> 명목과 아전이 억지로 세금을 포탈하고 강제로 징수한 일
> 들을 면전에서 여러 번 질책하는데 능멸함과 위협함이 조
> 금도 거리낌이 없었다.

① 삼정의 문란　　　　② 선무군관포 수취
③ 이자겸의 난 발발　　④ 평안도민에 대한 차별
⑤ 문신 우대와 무신 차별

근대 국민 국가
수립 운동

❶ 서구 열강의 접근과 조선의 대응 ····· 100

❷ 동아시아의 변화와 근대적 개혁의 추진 ·· 114

❸ 근대 국민 국가 수립을 위한 노력 ···· 128

❹ 일본의 침략 확대와 국권 수호 운동 ·· 142

❺ 개항 이후 경제적 변화 ~

　　개항 이후 사회·문화적 변화 ·· 156

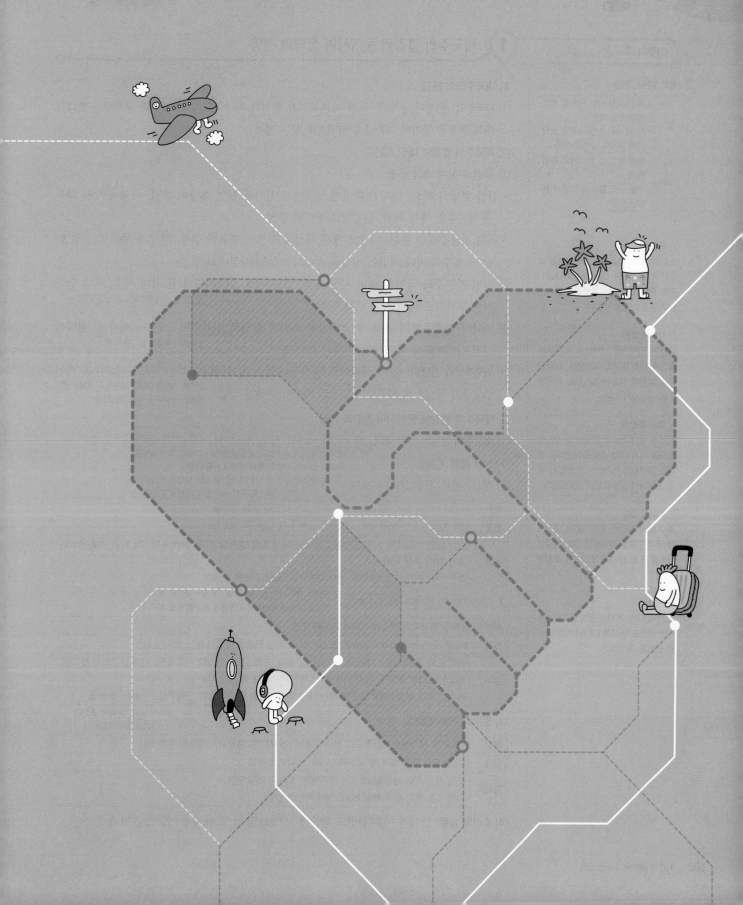

01 서구 열강의 접근과 조선의 대응

학습목표
• 흥선 대원군의 개혁 내용과 그 성격을 파악할 수 있다.
• 프랑스와 미국의 침략에 대한 조선의 대응을 설명할 수 있다.

① 제국주의 열강의 동아시아 침략과 개항

이것이 핵심!

청과 일본의 개항

청	• 제1차 아편 전쟁 → 난징 조약 (광저우 등 개항) • 제2차 아편 전쟁 → 톈진 조약 (외국 공사의 베이징 주재)
일본	• 미일 화친 조약(최혜국 대우 인정) • 미일 수호 통상 조약(영사 재판권 인정)

★ 독점 자본주의
소수의 거대 기업이 시장과 자본을 비롯하여 경제뿐만 아니라 정치·사회·문화 분야에도 강한 영향력을 행사하는 자본주의의 발전 단계

★ 사회 진화론
다윈의 진화론을 바탕으로 사회에도 자연과 마찬가지로 적자생존, 약육강식의 법칙이 적용된다고 보는 허버트 스펜서의 사회 이론

★ 영사 재판권
영사가 주재국에서 자국민이 저지른 범죄를 자기 나라 법률로 재판하는 권리로 동아시아 국가들이 개항할 때 맺은 조약에서 일반적으로 허용되었다.

★ 최혜국 대우
조약 당사국의 한 쪽이 제3국 국민에게 무역 기회를 부여하면 그와 똑같은 기회를 조약 당사국 국민에게 보장하는 것

★ 이양선
'모양이 다른 배'라는 뜻으로, 조선 후기에 한반도 연해에 나타난 서양 열강의 선박을 가리킨다.

1. 제국주의의 등장

(1) **제국주의**: 19세기 중후반 *독점 자본주의가 발전한 서구 열강이 경제력과 군사력을 토대로 대외 팽창을 펼치며 약소국을 식민지로 삼는 정책

(2) **제국주의 열강의 대두** 자료 ①

① 독점 자본주의의 등장
• 산업 혁명의 확산: 18세기 후반에 영국에서 시작된 산업 혁명이 유럽, 미국 등으로 확산 → 자본주의 체제 확립, 산업화로 생산력 향상
• 독점 자본주의의 출현: 대규모 생산 시설과 자본이 필요한 철강, 전기 등 중화학 공업 발달 → 소수의 거대 기업이 시장을 지배하는 독점 자본주의 형성

② 선진 자본주의 국가의 해외 시장 개척: 값싼 원료 공급지와 상품 판매 시장, 국내 잉여 자본 투자지로 해외 시장 개척 시작 └ 기업 등에 투자하고도 남은 자본┘

③ 배타적 민족주의의 등장: 이탈리아와 독일의 통일로 민족주의 고조 → 배타적, 침략적 성격으로 변화해 서구 열강의 대외 침략 촉진 └ 민족의 독립과 통일을 가장 중시하는 사상이야.

(3) **제국주의의 정당화**: 인간 사회에도 적자생존의 법칙이 적용된다는 *사회 진화론과 백인 우월주의 사상으로 제국주의 열강의 약소국 지배를 정당화 └ 환경에 적응한 생물만 살아남고, 그렇지 못한 생물은 도태되어 사라지는 현상

2. 제국주의 열강의 동아시아 침략과 개항

(1) **제국주의 열강의 침략 확대**: 제국주의 국가가 인도, 동남아시아를 거쳐 동아시아로 접근 └ 영국, 프랑스가 선두였고, 독일·이탈리아·미국이 그 뒤를 잇고, 러시아, 일본도 식민지 확보 경쟁에 가담하였어.

(2) **청의 개항** 자료 ②

① 제1차 아편 전쟁(1840~1842) ─ Q&? 영국은 청에서 차, 비단을 많이 수입해 무역 적자를 보자 이를 만회하기 위해 청에 아편을 밀수출하였어.

배경	영국이 청과의 무역 적자 해소를 위해 인도산 아편을 청에 밀수출
전개	청의 아편 단속 → 영국의 청 공격으로 아편 전쟁 발발 → 청의 패배
결과	• 난징 조약 체결(청이 서양과 맺은 최초의 근대적 조약, 불평등 조약): 상하이 등 5개 항구 개항, 영국에 홍콩 할양, 공행 폐지 • 후먼 추가 조약 체결: 영국에 *영사 재판권과 *최혜국 대우 등 허용

② 제2차 아편 전쟁(1856~1860) └ 공행은 청이 유럽 상인과의 교역을 공식적으로 허가한 상인이야. 영국은 공행을 폐지하고 자유롭게 통상할 것을 요구하였어.

배경	청의 무역 개방이 영국의 기대에 미치지 못함
전개	애로호 사건 → 영국과 프랑스 연합군이 제2차 아편 전쟁을 일으켜 톈진·베이징 점령
결과	• 톈진 조약 체결(1858): 외국 공사의 베이징 주재, 크리스트교 포교의 자유 허용, 10개 항구의 추가 개항, 외국인의 내지 여행 및 통상 허용, 영사 재판권의 확대, 배상금 지불 등 • 베이징 조약 체결(1860): 톈진의 추가 개항, 주룽반도를 영국에 할양, 연해주를 러시아에 할양 등

└ 이 결과 러시아가 조선과 국경을 맞대게 되었지.

(3) **일본의 개항** 자료 ③

배경	에도 막부 시기에는 네덜란드와 청 상인에게 나가사키를 통해서만 제한적 무역 허용
전개	미국의 포함 외교(페리 제독의 무력시위) → 미국에 굴복
결과	• 미일 화친 조약 체결(1854): 2개 항구 개항, 최혜국 대우 인정 • 미일 수호 통상 조약 체결(1858): 영사 재판권 인정

(4) **조선의 상황**: 18세기 이후 한반도 해안에 *이양선 출몰, 19세기에 서양 열강이 통상 요구

완자 자료 탐구

자료 1 풍자화로 보는 제국주의

영국 자본가, 군인이 아프리카를 수탈하는 것을 보여 줘.

⬆ 영국의 아프리카 식민지 수탈

⬆ 서구 열강 사이에 낀 청

자료는 19세기 후반에 등장한 제국주의를 풍자하는 그림들이다. 제국주의 열강은 더 많은 식민지를 차지하기 위해 치열하게 경쟁하였다. 그 선두에 있던 영국과 프랑스는 아프리카뿐만 아니라 인도를 거쳐 점차 동아시아 지역으로 진출하였다.

독수리로 표현된 독일과 곰으로 표현된 러시아가 청을 괴롭히고 있고, 닭으로 표현된 프랑스, 사자로 표현된 영국, 엉클 샘으로 표현된 미국이 이를 지켜보고 있어.

자료 2 청의 개항과 난징 조약

제2조	영국 국민이 가족이나 하인을 데리고 광저우, 아모이, 푸저우, 닝보, 상하이에서 박해나 구속을 받지 않고 상업에 종사하기 위해 자유롭게 거주하는 것을 보장한다.
제3조	청은 영국에 홍콩을 양도하고, 영국은 적당하다고 인정하는 법률로써 통치한다.
제10조	제2조에 따라 영국 상인에게 개방한 항구에서 양국 협의하에 공평하게 정해진 출입 관세를 설정한다.

이후 영국은 홍콩을 150년간 식민 지배하고 1997년 7월 1일에 중국에 반환하였어.

아편 전쟁에서 패한 청은 영국과 난징 조약을 맺어 상하이를 비롯한 5개 항구를 개방하고 홍콩을 영국에 넘겨주었다. 이후 후먼 추가 조약을 맺어 영국에 영사 재판권, 최혜국 대우까지 많은 특권을 인정하였다.

자료 3 일본의 개항 조약들

[미일 화친 조약(1854)]
· 미국 선박에 연료 및 식량을 공급한다.
· 2개 항구의 개항과 영사의 주재를 인정한다.
· 미국에 최혜국 대우를 인정한다.
시모다, 하코다테 항구야.

[미일 수호 통상 조약(1858)]
· 5개 항구를 개항하고 오사카의 시장을 개방한다.
· 일본의 관세를 상호 협의하여 결정한다.
· 미국의 영사 재판권을 인정한다.

⬅ 요코하마에 상륙하는 미군 페리 제독 부대(1854)

⬅ 일본인이 그린 페리 제독

일본은 미국 페리 제독의 무력시위를 계기로 개항하였다. 이 당시에는 2개 항구를 개항하고 미국 영사의 주재를 인정하였다. 4년 뒤에 5개 항구를 개항하고 오사카 시장을 개방하면서 미국에 영사 재판권을 인정하였다.

자료 하나 더 알고 가자!

백인의 집

우월한 인종인 백인이 유색 인종을 문명화해야 할 의무를 지니고 있음을 상징적으로 보여 주는 그림이다. 이처럼 제국주의 열강은 백인 우월주의를 내세워 백인 제국주의 국가의 약소국 지배를 정당화하였다.

문제로 확인할까?

제1차 아편 전쟁 후 체결된 조약의 내용을 〈보기〉에서 고른 것은?

┌─ 보기 ─────────────────┐
ㄱ. 홍콩을 영국에 양도한다.
ㄴ. 미국 선박에 연료 및 식량을 공급한다.
ㄷ. 영국인이 상하이에서 자유롭게 거주하게 한다.
ㄹ. 5개 항구를 개항하고 오사카의 시장을 개방한다.
└──────────────────────┘

① ㄱ, ㄴ ② ㄱ, ㄷ ③ ㄴ, ㄷ
④ ㄴ, ㄹ ⑤ ㄷ, ㄹ

② 🔒

정리 비법을 알려줄게!

청과 일본의 개항

| 청 | ·난징 조약: 홍콩 양도, 상하이 등 5개 항구 개항
·후먼 추가 조약: 영사 재판권 인정, 최혜국 대우 인정 |
| 일본 | ·미일 화친 조약: 2개 항구 개항, 최혜국 대우 인정
·미일 수호 통상 조약: 5개 항구 개항, 영사 재판권 인정 |

불평등 조항을 포함한 조약

| 영사 재판권 인정 | ·청: 후먼 추가 조약
·일본: 미일 수호 통상 조약 |
| 최혜국 대우 인정 | ·청: 후먼 추가 조약
·일본: 미일 화친 조약 |

01. 서구 열강의 접근과 조선의 대응 **101**

이것이 핵심!

흥선 대원군의 개혁 정치

개혁 방향	• 통치 체제 재정비를 통한 국가 기강 확립 • 전제 왕권의 강화를 목표로 추진
개혁 내용	• 통치 체제 재정비: 세도 정치 타파, 비변사 기능 축소·폐지, 법전 편찬 • 왕실 권위 회복: 경복궁 중건 • 민생 안정: 서원 철폐, 수취 체제 개편(양전 사업·호포제·사창제 실시)

★ 대전회통
흥선 대원군이 통치 규범을 마련하고자 편찬한 법전이다. 기존 법전(『대전통편』 등)을 기본으로 하여 법규를 보완하는 방식으로 정비하였다.

★ 육전조례
6조 각 관아의 사무 처리에 필요한 법규와 사례를 편집한 책

★ 양전 사업
우리나라에서 전통적으로 농지를 조사·측량하고 토지 소유자 및 조세 부담자를 파악하던 제도

★ 은결
토지 대장에 오르지 않은 숨겨진 토지. 양전 사업을 통해 은결을 찾아내면 세수를 확보할 수 있었다.

★ 사창제
민간에서 곡식을 저장해 두었다가 대여해 주도록 한 구휼 제도이다. 각 면(面)에서 인구가 많은 리(里)에 지역민 스스로 사창을 설치하고 덕망과 경제적 여유를 갖춘 사람에게 운영을 맡겼다.

② 흥선 대원군의 개혁 정치

1. 흥선 대원군의 집권과 국내외 정세

(1) 흥선 대원군의 집권: 철종의 뒤를 이어 고종이 어린 나이에 즉위(1863) → 고종의 아버지인 흥선 대원군이 정치적 영향력을 행사

(2) 흥선 대원군 집권 무렵의 국내외 정세

① 국내: 세도 정치로 인한 정치 기강의 해이, 부정부패의 심화, 삼정의 문란 → 전국적인 농민 봉기 발생, 동학·천주교의 확산 ┌ 예 1862년 임술 농민 봉기

② 국외: 이양선의 출몰과 서양 열강의 통상 요구 → 위기의식 고조

2. 통치 체제의 재정비

(1) 세도 정치 타파: 안동 김씨 등 세도 가문의 중심인물을 축출 → 당파를 초월해 인재 등용

(2) 권력 기구 정비: 비변사의 기능 축소·폐지 → 의정부의 기능과 삼군부를 부활시켜 행정권과 군사권을 분리함으로써 권력 독점을 견제

┌ Q₩? 비변사는 당시 세도 가문의 세력 기반이자 왕권을 제약하던 기구였어.

(3) 법전 정비: 『ˣ대전회통』, 『ˣ육전조례』 편찬 → 국가의 통치 제도 재정비

3. 경복궁 중건과 서원 철폐

(1) 경복궁 중건 〈교과서 자료〉

목적	경복궁이 임진왜란 때 소실 → 실추된 왕실의 권위 회복을 위해 중건 결정
전개	• 재정 마련: 원납전(기부금) 강제 징수, 당백전 발행, 도성문 통과에 대해 통행세 징수 • 목재 충당: 양반의 묘지림 강제 벌목 • 노역 징발: 백성의 노동력 강제 동원
결과	• 8년 만에 완공(1872) • 무리한 중건으로 양반과 백성의 불만 고조 • 당백전 남발로 유통 경제 혼란, 물가 폭등

┌ Q₩? 당백전은 상평통보 1문전의 100배에 해당하는 화폐로 발행되었지만 실제 가치는 5~6배에 불과했어. 따라서 물가만 올리고 경제 혼란을 가져왔지.

(2) 서원 철폐 〈자료 ④〉

배경	서원이 지방 양반의 세력 기반, 면세와 면역의 특권을 누림, 제사를 핑계로 지역 농민 수탈
과정	전국 600여 개 서원 중 47개만 남기고 철폐
결과	• 서원의 토지와 노비를 도로 거두어들임 → 국가 재정 확충, 농민 수탈 기구 감소 → 민생 안정 • 지방 유생과 양반의 반발 초래 → 훗날 흥선 대원군이 물러나는 배경이 됨

4. 수취 체제의 개편

(1) 목적: 삼정의 문란을 바로잡아 민생 안정, 국가 재정 증대

(2) 전정의 문란 개선: ˣ양전 사업 실시 → ˣ은결을 찾아내 세금 징수

(3) 군정의 폐단 제거: 호포제 실시 → 상민에게만 거두던 군포를 양반에게도 징수 〈자료 ⑤〉

(4) 환곡 개혁: ˣ사창제 실시 → 사창 설치, 주민이 자치적으로 운영 → 관리의 부정 감소

┌ Q₩? 기존 환곡이 세금 제도로 변질되었던 것을 고쳤어.

5. 흥선 대원군의 개혁 정치에 대한 평가

의의	통치 체제 재정비 → 국가 기강 확립, 민생 안정에 기여
한계	조선 왕조의 전통적인 질서 안에서 전제 왕권의 강화를 목표로 추진됨

완자 자료 탐구

내 옆의 선생님

경복궁 중건의 결과

- (경복궁을 짓는 일의) 재정이 메말라 일을 할 수 없게 되자 8도의 부자 명단을 뽑아서 돈을 거두어들였다. 그리하여 파산자가 잇달았다. 이때 거두어들인 돈을 원납전이라 했는데, 백성들은 입을 비쭉거리면서 "원납전(願納錢)이 아니라 원납전(怨納錢)이다."라고 말하였다.
  └─ 원하다   └─ 원망하다   – 황현, 『매천야록』

- 당백전을 혁파해야 합니다. 전하께서 (경복궁을 짓는) 경비가 부족한 것을 근심하시어 이렇게 의로운 뜻을 펼친 것은 훌륭한 조치입니다. 그러나 시행한 지 2년 동안에 사·농·공·상이 모두 그 해를 입었는데, 그 피해가 되풀이되어 온갖 물건이 축나고 손상을 입었습니다.
  └─ 당백전의 실질 가치가 5~6배에   – 최익현의 상소, 『고종실록』
     불과해 물가만 올랐어.

경복궁 중건에 대한 당시 백성들의 불만 정도를 원납전에 대한 반감을 통해 짐작할 수 있다. 최익현은 당백전의 폐해를 비판하면서 경복궁 공사의 중단을 요구하였다.

완자샘의 탐구 강의

- 경복궁 중건을 위해 정부가 자금 및 재료, 노동력을 마련한 방법을 써 보자.
백성들에게 원납전이라는 기부금을 거뒀고, 상평통보 1문전의 100배 가치를 지닌 당백전을 발행하였으며, 도성문을 통과할 때 통행세를 받았다. 그리고 목재는 양반 묘지림에서 강제로 벌목하여 썼고, 노동력은 백성의 부역 노동을 징발하여 충당하였다.

함께 보기) 111쪽, 1등급 정복하기 2

자료 ④ 서원 철폐의 효과

┌─ 서원의 주된 기능 중 하나야.

대원군이 영을 내려 나라 안의 서원을 죄다 허물고 서원 유생들을 쫓아내도록 하였다. …… 조정에서는 어떤 변이라도 있을까 하여 대원군에게 "선현의 제사를 받드는 것은 선비의 기풍을 기르는 것이므로 이 명령만은 거두기를 청합니다."라고 간언하였다. 대원군이 크게 노하여 "진실로 백성에게 해되는 것이 있으면 비록 공자가 다시 살아난다 하더라도 나는 용서치 않겠다. 하물며 서원은 우리나라 선현께 제사하는 곳인데 지금은 도둑의 소굴이 되지 않았더냐."라고 말하였다.
  └─ 제사를 핑계로 지역 농민을 수탈하는 상황을 빗대어 말한 거야.
        – 박제형, 『근세조선정감』

흥선 대원군은 전국 600여 개 서원 중 47개만을 남기고 서원을 모두 철폐하였다. 지방 사족의 세력 기반이었던 서원은 면세의 특권을 누렸고, 선현에 대한 제사를 핑계로 농민을 수탈하여 원성을 샀다. 따라서 서원 철폐는 국가 재정 확충과 민생 안정의 효과를 거둘 수 있는 개혁이었다. 하지만 당시 양반 유생들은 이에 크게 반발하였다.

자료 하나 더 알고 가자!

서원의 폐단   ┌─ 서원에서 제사용품을
                     구입할 돈이란 뜻이야.

사족이 있는 곳마다 평민을 못살게 굴지만 가장 심한 곳이 서원이었다. 먹도장을 찍은 다음 편지 한 통을 고을에 보내서 서원 제수전을 바치도록 명령하였다. 사족이나 평민을 막론하고 그 편지를 받으면 반드시 주머니를 쏟아야 했다. …… 화양동 서원(송시열 추모 서원) 같은 곳은 그 권위가 더욱 강대하였다.
      – 박제형, 『근세조선정감』

서원은 선현에 대한 제사를 이유로 주변 고을 주민들을 수탈하였다.

자료 ⑤ 호포제의 효과

실시 전(1792)
- 면제층 노비 36
- 납부층 양인 15
- 면제층 양반 49(%)
- 총 3,100호

실시 후(1872)
- 면제층 노비 7
- 면제층 관리 19
- 납부층 양반·양인 74(%)
- 총 3,137호

납부층이 양인(상민)에서 양반·양인으로 바뀌었어.

↑ 호포제 실시로 인한 군포 부담층의 변화(경상도 영천 지방)

흥선 대원군 집권 이후에도 군정의 문란은 여전히 문제가 되었다. 이에 흥선 대원군은 1871년에 호포제를 시행하여 양반도 군포를 부담하게 하였다. 이 결과 상민의 부담이 줄어들어 일반 백성들은 호포제를 환영하였다.

문제로 확인할까?

1. 호포제 실시에 따라 나타난 결과로 옳은 것은?
① 백성의 반발
② 재정의 확보
③ 구휼 제도의 복원
④ 양반 유생의 지지
⑤ 왕실의 권위 약화
                        ② 답

2. 흥선 대원군이 양반 유생에게도 군포를 거두게 한 제도는?
                        호포제 답

01 서구 열강의 접근과 조선의 대응

3 통상 수교 거부 정책과 양요

통상 수교 거부 정책과 양요

정책 방향	서양에 대한 경계심 고조, 국내의 여론(천주교·통상 금지) → 통상 수교 거부 정책
양요 발생	• 병인양요: 병인박해를 구실로 프랑스군이 침입 • 신미양요: 제너럴셔먼호 사건을 구실로 미군이 침입

★ 양요(洋擾)
서양 세력이 일으킨 난리라는 뜻으로 나라 전체가 아니라 일부 지역에서 일어난 시끄러운 사태이기 때문에 양요라고 한다.

★ 외규장각 도서
외규장각은 규장각의 부속 도서관으로 왕실 의궤 등 귀중한 도서를 보관하고 있었다. 프랑스군이 가져간 외규장각 도서들은 프랑스 국립 도서관에 일부 보관되어 있다가 2011년에 임대(5년마다 갱신) 형식으로 우리나라로 돌아왔다.

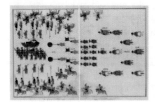
↑ 외규장각 의궤

1. 병인박해와 병인*양요

(1) 병인박해(1866. 1.) 자료 ⑥

① 배경: 제2차 아편 전쟁 이후 서양 세력에 대한 경계심 고조 → 천주교 금지 및 서양과의 통상 수교 거부 주장 확산 ┌ Q♔? 제2차 아편 전쟁 후 체결된 베이징 조약으로 러시아가 연해주를 얻어 조선과 국경을 접하게 되었기 때문이야.

② 계기: 흥선 대원군이 프랑스 선교사를 통해 프랑스 세력을 끌어들여 러시아를 견제하려한 계획 실패 → 천주교 탄압 여론 고조

③ 내용: 프랑스 신부 9명과 조선인 천주교도 8,000여 명 처형

(2) 병인양요(1866. 9.) 자료 ⑦

발생	병인박해 때 프랑스 신부가 처형당한 것을 구실로 로즈 제독이 이끄는 프랑스 함대가 강화도 침입 → 강화부 점령, 재물 약탈, 조선인 살해
전개	한성근 부대가 문수산성에서 패배 → 양헌수 부대가 삼랑성(정족산성)에서 항전 → 프랑스군이 퇴각하면서 *외규장각 도서 약탈
결과	흥선 대원군은 통상 수교 거부 정책과 천주교도 박해 강화

└ 예 병인양요가 일어나자 프랑스군의 침략 책임을 천주교 신자에게 물어 서울 절두산(당시 이름은 잠두봉)에서 많은 천주교 신자를 처형하였어.

2. 오페르트 남연군 묘 도굴 미수 사건(1868)

(1) 배경: 독일 상인 오페르트가 조선에 수차례 통상을 요구했다가 거절당함

(2) 내용: 오페르트가 흥선 대원군의 아버지인 남연군의 묘를 도굴하려다 실패

(3) 영향: 서양 세력에 대한 거부감과 경계심 확산 └ 특히 흥선 대원군은 서양 세력에 대해 강경한 태도를 갖게 되었어.

3. 제너럴셔먼호 사건과 신미양요

(1) 제너럴셔먼호 사건(1866. 7.)

① 발생: 미국 상선 제너럴셔먼호가 대동강을 거슬러 평양까지 들어와 통상을 요구하며 난동을 부림

② 결과: 평안도 관찰사 박규수를 중심으로 평양 관민이 제너럴셔먼호를 불태워 버림

(2) 신미양요(1871) 자료 ⑦

발생	로저스 제독의 미국 함대가 제너럴셔먼호 사건을 구실로 군함과 병력을 동원하여 강화도 침략 → 초지진 점령, 광성보 침략
전개	어재연을 중심으로 한 조선 수비대가 광성보에서 항전 → 미군이 광성보 함락 → 흥선 대원군이 통상 수교 협상에 응하지 않자 미군 퇴각('수' 자 기를 전리품으로 약탈)
결과	전국에 척화비 건립

(3) 척화비 건립(1871) 자료 ⑧ ┌ 예 종로 네거리를 대표로 하여 전국 교통 요충지 200여 개소에 세웠어.

① 건립: 흥선 대원군이 서양과의 통상 수교 거부 의지를 널리 알리기 위해 전국에 건립

② 내용: "서양 오랑캐가 침범하는 데 싸우지 않는 것은 화친하는 것이요, 화친을 주장하는 것은 나라를 파는 일이다."

4. 통상 수교 거부 정책의 의의와 한계

(1) 의의: 조선의 자주권 수호, 외세의 침략을 일시적으로 저지

(2) 한계: 조선의 근대화 지연

자료 6 병인박해와 병인양요

┌ 남종삼은 천주교인들과 상의하여, 국내에서 활동 중인 프랑스 선교사의 힘을 빌려 영국·프랑스와 동맹을 맺고, 러시아의 남침을 저지해야 한다고 흥선 대원군에게 건의하였어.

• (남종삼은) 러시아에 변란이 있을 것이며 프랑스와 조약을 맺을 계책이 있다고 하였습니다. 그러나 명백하게 근거할 만한 단서도 없는데 요망한 말을 만들어 여러 사람을 현혹하였습니다. 감히 나라를 팔아먹을 계책을 품고 몰래 외적을 끌어들일 음모를 하였으니 그가 지은 죄를 따져보면 만 번을 죽여도 오히려 가볍습니다. ─ 이후 병인박해가 일어났어. ─ 『고종실록』

• 조선 국왕이 프랑스 신부를 잔인하게 살해한 날이 곧 조선국 최후 멸망의 날이 될 것이다. 수일 내로 조선 정복을 위해 출정할 것이다. …… 이에 본관(베이징 주재 프랑스 공사 벨로네)은 중국이 조선 문제에 간섭하지 않는다고 믿으며, 이후부터 본국과 조선 간에 전쟁이 있더라도 간섭하지 않기를 바란다. ─ 병인박해를 빌미로 병인양요가 일어났어. ─ 『청계 중일한 관계 사료』

└ 병인박해를 가리켜.

첫 번째 자료는 천주교 신자 남종삼에 대한 판결문으로 병인박해의 계기를 보여 준다. 두 번째 자료는 주중 프랑스 공사의 경고 편지로 병인양요가 일어난 이유가 나타나 있다.

자료 7 병인양요와 신미양요의 발생지

프랑스군이 침입한 병인양요와 미군이 침입한 신미양요는 모두 강화도에서 일어났다. 강화도가 위치한 한강 하구는 배를 통해 한양 도성에 곧바로 갈 수 있어 강화도는 수도 외곽 방어에 있어 요충지였다. 또한 강화도는 한반도 서해안과 남해안 지역에서 한양으로 조세를 운반하는 길목이어서 경제적으로도 중요하였다.

자료 8 흥선 대원군의 대외 정책과 척화비 건립

┌ 오랑캐를 물리치고 나라를 지키는 정책을 타일러 가르친다는 뜻이야.

• 흥선 대원군이 관료에게 보낸 문서 ─ 양이보국책 유시(攘夷保國策諭示, 1866)
1. 괴로움을 참지 못하고 화친을 허락한다면 이는 나라를 파는 것이다. ┐
2. 교역을 허락한다면 이는 나라를 망하게 하는 것이다. ─── └ 흥선 대원군의 통상 수교 거부 의지를 알 수 있어.
3. 적이 경성(한양)에 다다를 때 도성을 버리고 간다면 이는 나라를 위태롭게 하는 것이다. ─ 『용호한록』

┌ 병인양요 이후 통상 수교 거부 정책을 가리켜.

• 홍순목이 아뢰기를, "병인년 이후 서양인을 배척한 것은 온 세상에 자랑할 만한 일입니다. 오랑캐들이 침범하고 있지만 화친에 대해서는 절대로 논의할 수 없습니다. 먼저 정벌하는 위엄을 보이면 …… 누군들 우러러 받지 않겠습니까?" …… 이때 종로 거리와 각 도회지에 척화비를 세웠다. ─ 『고종실록』

첫 번째 자료는 1866년에 병인양요로 도성 안이 혼란할 때 흥선 대원군이 외침에 대한 철저한 항전의 뜻을 정부 관료에게 전한 문서이다. 두 번째 자료는 1871년에 조선 정부가 병인양요 이래 추진해 오던 척화비 건립에 본격적으로 나선 모습을 보여 준다.

자료 하나 더 알고 가자!

프랑스 로즈 제독이 해군성 장관에게 보낸 보고서

강화읍에는 각하에게 보내 드릴 만한 것이 별로 없습니다. 그러나 조선 국왕이 간혹 거처하는 저택에는 아주 중요한 것들로 여겨지는 수많은 서적으로 가득 찬 도서실이 있습니다. 위원회는 공들여 포장한 340권을 수집하였는데, 기회가 닿는 대로 프랑스로 발송하겠습니다. ─ 『한불 관계 자료』

병인양요 때 외규장각에 있던 왕실 의궤가 프랑스로 유출된 것을 알 수 있다.

자료 하나 더 알고 가자!

'수' 자 기를 군함에 걸어 놓은 미군들

대장이 있는 곳을 표시하는 깃발로 신미양요 때 미군이 빼앗아 간 어재연 장군의 '수' 자 기는 2007년에 장기 대여 방식으로 한국에 돌아왔다.

문제로 확인할까?

1. 흥선 대원군 집권기에 일어난 사건으로 옳지 않은 것은?

① 병인양요 ② 신미양요
③ 임술 농민 봉기 ④ 제너럴셔먼호 사건
⑤ 오페르트의 남연군 묘 도굴 미수 사건

③ 🔒

2. 흥선 대원군의 통상 수교 거부 정책을 계기로 일어난 사건을 〈보기〉에서 고른 것은?

보기
ㄱ. 병인양요 ㄴ. 병자호란
ㄷ. 신미양요 ㄹ. 임진왜란

① ㄱ, ㄴ ② ㄱ, ㄷ ③ ㄴ, ㄷ
④ ㄴ, ㄹ ⑤ ㄷ, ㄹ

② 🔒

STEP 1 핵심 개념 확인하기

1 다음에서 설명하는 개념을 쓰시오.

> • 서구 열강들이 경제력과 군사력을 토대로 대외 팽창을 펼치며 약소국을 식민지로 점령하는 정책이다.
> • 독점 자본주의가 발전한 서구 열강들이 해외 시장을 찾아 나서면서 등장하였다.
> • 배타적이고 침략적인 성격을 띤 민족주의의 영향을 받았다.

2 ( )은 다윈의 진화론 중 적자생존과 약육강식의 논리를 인간 사회와 국제 관계에 적용하여 제국주의 국가의 침략을 합리화하였다.

3 다음 설명이 맞으면 ○표, 틀리면 ×표를 하시오.

(1) 청은 난징 조약을 맺어 홍콩을 영국에 넘겨주었다. ( )

(2) 일본은 미일 화친 조약을 맺어 개항하고 영사 재판권을 인정하였다. ( )

(3) 흥선 대원군은 비변사를 확대 강화하는 방향으로 정치 개혁을 추진하였다. ( )

4 다음 설명에 해당하는 흥선 대원군의 개혁 정책을 〈보기〉에서 골라 기호를 쓰시오.

> **보기**
> ㄱ. 사창제 ㄴ. 호포제 ㄷ. 양전 사업

(1) 상민뿐 아니라 양반에게도 군포를 징수하는 제도 ( )

(2) 민간이 곡식을 백성에게 대여하여 구휼하는 제도 ( )

(3) 세금을 거두기 위해 토지와 소유자를 조사하는 것 ( )

5 흥선 대원군 때 외세의 침략에 대한 대응과 그 사건의 명칭을 옳게 연결하시오.

(1) 광성보에서 어재연이 이끄는 • • ㉠ 병인양요
수비대의 항전

(2) 문수산성의 한성근 부대, 삼랑 • • ㉡ 신미양요
성의 양헌수 부대의 활약

STEP 2 내신 만점 공략하기

01 밑줄 친 '이들 국가'들이 취한 정책에 대한 설명으로 옳지 않은 것은?

풍자화로 본 세계정세

이 풍자화에서 변발한 중국인은 우리에 갇혀 있는 모습이고, 닭, 독수리, 곰 등 우리 안의 동물은 각각 프랑스, 독일, 러시아를 상징하고 있다. 우리 바깥의 사자와 엉클 샘, 즉 영국과 미국도 청을 주시하고 있다. 이 풍자화는 당시 동아시아로 접근해 오는 이들 국가와 청의 관계를 잘 보여 주고 있다.

① 사회 진화론을 내세웠다.
② 식민지 확보 경쟁으로 이어졌다.
③ 백인 우월주의를 바탕으로 하였다.
④ 산업 혁명을 추진하는 배경이 되었다.
⑤ 배타적이고 침략적인 민족주의와 결합하였다.

02 다음 조약이 체결된 배경으로 옳은 것은?

> 제2조 영국 국민이 가족이나 하인을 데리고 광저우, 아모이, 푸저우, 닝보, 상하이에서 박해나 구속을 받지 않고 상업에 종사하기 위해 자유롭게 거주하는 것을 보장한다.
> 제3조 청은 영국에 홍콩을 양도하고, 영국은 적당하다고 인정하는 법률로써 통치한다.
> 제10조 제2조에 따라 영국 상인에게 개방한 항구에서 양국 협의하에 공평하게 정해진 출입 관세를 설정한다.

① 전국에 척화비가 건립되었다.
② 제너럴셔먼호 사건이 일어났다.
③ 아편 문제로 전쟁이 발발하였다.
④ 페리 제독이 무력시위를 벌였다.
⑤ 영국과 프랑스 연합군이 청을 공격하였다.

03 (가) 기구에 대한 설명으로 옳은 것은?

검색 □□□□□ (가)

조선 초에 한때 설치되었다가 흥선 대원군 집권기에 다시 설치되어 군사 업무와 이에 필요한 재원을 총괄한 기구이다. 병인양요 이후 본격화한 군비 강화를 주도하고, 그에 소요되는 재원을 장악하기 위해 다시 설치되었다.

① 균역법 실시를 주관하였다.
② 세도 가문의 권력 기구였다.
③ 정조가 친위 부대로 설치하였다.
④ 비변사가 폐지되면서 부활하였다.
⑤ 홍경래의 난을 진압하는 역할을 맡았다.

04 교사의 질문에 대한 학생의 답변으로 가장 적절한 것은?

에-에헤이야 얼널널 거리고
방에 흥애로다.
조선 팔도 좋다는 나무는
경복궁 짓노라 다 들어간다.
도편수란 놈의 거동 보소.
먹통 메고 갈팡질팡 한다.
⋯⋯
남문 열고 바라 둥당 치니
계명산천에 달이 살짝 밝았네.
경복궁 역사가 언제나 끝나
그리던 가족을 만나 볼까.

이것은 경기 민요 중 하나예요. 이 민요의 소재가 된 당시의 정책을 설명해 보세요.

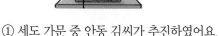

① 세도 가문 중 안동 김씨가 추진하였어요.
② 왕실의 권위를 세우기 위해 신행하였어요.
③ 임술 농민 봉기의 대책으로 마련되었어요.
④ 장용영을 배치하고 군사 기능을 높였어요.
⑤ 통상 수교 거부 의지를 널리 알릴 수 있었어요.

05 조선 정부가 (가)를 거두게 한 정책으로 옳은 것은?

재정이 메말라 일을 할 수 없게 되자 8도의 부자 명단을 뽑아서 돈을 거두어들였다. 그리하여 파산자가 잇달았다. 이때 거두어들인 돈을 (가) (이)라고 했는데, 백성들은 입을 비쭉거리면서 이렇게 말했다. "이는 스스로 원해서 내는 돈이 아니라 원망하며 바친 돈이다."   – 『매천야록』

① 서원을 철폐하였다.
② 경복궁을 중건하였다.
③ 규장각을 설치하였다.
④ 대동법을 실시하였다.
⑤ 상평통보를 발행하였다.

[06~07] 다음 자료를 보고 물음에 답하시오.

진실로 백성에게 해되는 것이 있으면 비록 공자가 다시 살아난다 하더라도 나는 용서치 않겠다. 하물며 (가) 은/는 우리나라 선현께 제사하는 곳인데 지금은 도둑의 소굴이 되지 않았더냐?

06 (가)에 대한 설명으로 옳지 않은 것은?

① 면역의 특권을 누렸다.
② 붕당의 세력 기반이었다.
③ 영조 때에 정리되기도 하였다.
④ 유학을 교육하는 국립 교육 기관이다.
⑤ 국왕이 현판과 면세전을 내리기도 하였다.

07 흥선 대원군이 (가)에 취한 조치에 대한 설명으로 옳은 것은?

① 환국으로 이어졌다.
② 양반의 지지를 확보하였다.
③ 국가 재정을 확충하고자 하였다.
④ 삼정이정청 설치의 계기가 되었다.
⑤ 당백전 발행을 통해 재원을 마련하였다.

☆중요
08 다음 제도에 대한 탐구 활동으로 가장 적절한 것은?

> 근래에 각 고을 군정의 폐단이 매우 심하다고 한다. 작년부터 흥선 대원군의 분부가 있었기 때문에 양반호는 노비의 이름으로 포(布)를 내게 하였고 소민(小民)은 신포(身布)로 내게 하였다. 각 도에 알려 길고 오랜 법식으로 삼는 것이 좋겠노라. — 「고종실록」

① 결작을 부과한 이유를 파악한다.
② 군포 납부층의 범위를 알아본다.
③ 방납의 폐단과 그 대책을 살펴본다.
④ 토지 대장에서 누락된 땅의 규모를 찾아본다.
⑤ 곡물 대여를 민간이 주관하는 것의 효과를 분석한다.

09 다음 제도를 실시한 결과로 옳은 것은?

> 이곳에는 관장할 사람이 없어서는 안 되니 반드시 면에서 근면 성실하고 넉넉한 자를 택하여 관에 보고한 뒤 뽑는다. 또한 관에서 강제로 정하지 말고 그를 '사수'라고 하여 환곡을 나누어 주고 수납하는 때를 맡아서 검사한다. …… 창고지기 1명도 사수가 지역민 중에 잘 선택하여, 지키고 출납하고 용량을 재게 하는 등 모든 것을 해당 지역의 백성에게 맡긴다. — 「일성록」

① 세금 납부층이 늘어났다.
② 군포 부담이 절반으로 줄었다.
③ 민간에서 곡물 대여를 주도하였다.
④ 백성을 수탈하던 서원이 철폐되었다.
⑤ 지방에서 양반 유생의 세력이 커졌다.

10 (가)에 들어갈 사건으로 옳은 것은?

① 병인박해
② 병인양요
③ 신미양요
④ 제너럴셔먼호 사건
⑤ 오페르트의 남연군 묘 도굴 미수 사건

11 다음 사건들을 일어난 순서대로 나열한 것은?

> (가) 병인박해 발발   (나) 병인양요 발발
> (다) 신미양요 발발   (라) 제너럴셔먼호 사건 발발

① (가) – (나) – (다) – (라)   ② (가) – (라) – (나) – (다)
③ (나) – (다) – (가) – (라)   ④ (다) – (가) – (라) – (나)
⑤ (다) – (나) – (라) – (가)

12 (가) 때 있었던 사실로 옳은 것은?

> 원래 이 장소는 잠두봉으로 불리다가 병인박해를 구실로 [(가)]이/가 일어나자 조선 정부가 그 책임을 천주교 신자에게 물어 많은 천주교 신자들을 여기에서 처형하면서 절두산으로 불리게 되었습니다.

① 오페르트가 남연군 묘를 도굴하였다.
② 미국 페리의 함대가 개항을 요구하였다.
③ 프랑스 로즈 제독이 강화도를 공격하였다.
④ 미군이 광성보 전투에서 장군기를 가져갔다.
⑤ 박규수가 미국 상인의 통상 요구를 거절하였다.

13 다음 상황이 나타난 사건에 대한 설명으로 옳은 것은?

> 양헌수가 순무중군으로 있었다. …… 광성보에서 몰래 전등사로 가서 주둔하였다. …… 전등사는 높은 산 위라 매복하고 있다가 한꺼번에 북과 나발을 불며 좌우에서 총을 쏘았다. 장수가 총에 맞아 말에서 떨어지고 서양인 십여 명이 죽었다. 혼쭐이 난 서양인들을 쫓아가니 제 동료의 시체를 옆에 끼고 급히 본진으로 도망갔다. — 「병인양난록」

① 북벌 운동의 배경이 되었다.
② 국왕이 도성을 떠나 피신하였다.
③ 어재연이 패배하여 장군기를 빼앗겼다.
④ 제너럴셔먼호 사건을 계기로 발생하였다.
⑤ 외규장각 도서가 약탈되는 결과를 가져왔다.

14 밑줄 친 부분이 가리키는 사건 중에 일어난 사실로 옳은 것은?

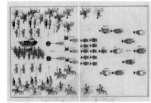

↩ 영조 정순 왕후 가례도감 의궤 의 반차도 중 왕의 행차 부분

의궤는 조선 시대 왕실과 국가의 주요 행사 내용을 글과 그림으로 생생하게 기록한 책을 말한다. 영조 정순 왕후 가례도감 의궤는 외국의 군대가 침략 후 물러가면서 약탈해 갔다가 2011년에 우리나라로 반환되었다.

① 어재연의 수비대가 저항하였다.
② 강화부가 외국군에게 점령당하였다.
③ 제너럴셔먼호가 와서 통상을 요구하였다.
④ 러시아가 연해주를 차지하면서 조선과 국경을 마주하였다.
⑤ 오페르트가 남연군 묘를 도굴하려다 주민에게 발각되었다.

15 밑줄 친 '변고'가 조선 정부에 끼친 영향으로 옳은 것을 〈보기〉에서 고른 것은?

너희 나라와 우리나라의 사이에는 애당초 소통이 없었고, 또 서로 은혜를 입거나 원수진 일도 없었다. 그런데 이번 덕산 묘소에서 저지른 변고야말로 어찌 인간의 도리상 차마 할 수 있는 일이겠는가. …… 이런 지경에 이르렀기 때문에 우리나라 신하와 백성들은 단지 힘을 다하여 한마음으로 너희 나라와는 한 하늘을 이고 살 수 없다는 것을 다짐할 따름이다.
– 「고종실록」

┌ 보기 ┐
ㄱ. 천주교 포교를 허용하였다.
ㄴ. 제너럴셔먼호를 불태워 침몰시켰다.
ㄷ. 통상 거부의 뜻을 담아 척화비를 세웠다.
ㄹ. 미국의 양요에도 개항 요구를 거부하였다.

① ㄱ, ㄴ   ② ㄱ, ㄷ   ③ ㄴ, ㄷ
④ ㄴ, ㄹ   ⑤ ㄷ, ㄹ

16 다음은 시간의 흐름대로 만든 역사 다큐멘터리이다. (가)에 들어갈 사실로 가장 적절한 것은?

1866년 프랑스군이 자국의 선교사 살해를 구실로 강화부를 점령하다

(가)

1871년 미군이 어재연 장군의 '수' 자 기를 전리품으로 가져가다

① 척화비가 건립되다
② 병인박해가 발생하다
③ 제너럴셔먼호 사건이 일어나다
④ 고종이 어린 나이로 왕위에 오르다
⑤ 오페르트가 남연군 묘의 도굴을 시도하다

17 (가)에 들어갈 내용으로 가장 적절한 것은?

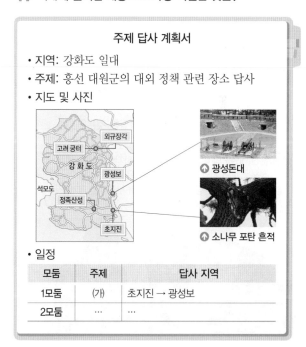

주제 답사 계획서
• 지역: 강화도 일대
• 주제: 흥선 대원군의 대외 정책 관련 장소 답사
• 지도 및 사진

↑ 광성돈대
↑ 소나무 포탄 흔적

• 일정

모둠	주제	답사 지역
1모둠	(가)	초지진 → 광성보
2모둠	…	…

① 양헌수 부대의 승전
② 외국 상선의 통상 요구
③ 임시 수도의 역할과 의미
④ 미군의 침입과 어재연의 대응
⑤ 우리 문화재의 프랑스 유출과 귀환

18 (가)에 들어갈 내용으로 가장 적절한 것은?

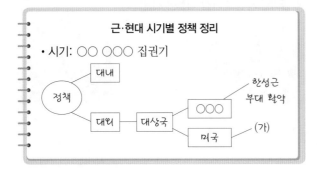

근·현대 시기별 정책 정리

• 시기: ○○ ○○○ 집권기

정책 ─ 대내

대외 ─ 대상국 ─ 한성근 부대 활약 ─ ○○○
        └ 미국 ─ (가)

① 난징 조약의 체결
② 외규장각 도서 약탈
③ 오페르트의 통상 요구
④ 어재연 수비대의 항전
⑤ 페리 제독의 무력시위

19 (가)에 들어갈 내용으로 가장 적절한 것은?

흥선 대원군의 대외 정책을 보면 서양의 침략을 막아 냈다는 점에서 긍정적인 측면이 있어.

하지만 그의 대외 정책은 (가) 며 부정적인 평가를 받기도 해.

① 근대화를 지연시켰다
② 명과의 의리를 중시하였다
③ 양반과 유생이 반발하였다
④ 비변사의 권한을 축소시켰다
⑤ 전국적인 농민 봉기를 야기하였다

서술형 문제

● 정답친해 029쪽

01 그래프는 군포 납부층의 변화를 나타낸 것이다. 이를 보고 물음에 답하시오.

실시 전(1792)
면제층 노비 36
납부층 양인 15
총 3,100호
면제층 양반 49(%)

실시 후(1872)
면제층 노비 7
면제층 관리 19
총 3,137호
납부층 양반· 양인 74(%)

(1) 위 변화를 낳은 제도를 쓰시오.

(2) (1)의 실시로 나타난 효과를 국가 재정과 제도 개선의 측면에서 서술하시오.

길잡이 군정의 폐단과 군포 납부층의 변화로 인한 재정의 변화를 추론한다.

02 다음 상황으로 인해 조선에서 발생한 사건의 명칭을 쓰고, 사건 중에 일어난 전투 두 가지를 서술하시오.

조선 국왕이 프랑스 신부를 잔인하게 살해한 날이 곧 조선국 최후 멸망의 날이 될 것이다. 수일 내로 조선 정복을 위해 출정할 것이다. …… 이에 본관은 중국이 조선 문제에 간섭하지 않는다고 믿으며, 이후부터 본국과 조선 간에 전쟁이 있더라도 간섭하지 않기를 바란다.
－「청계 중일한 관계 사료」

길잡이 프랑스군의 침입에 맞서 싸운 장군들과 그 장소를 떠올려 본다.

03 (가)가 무엇인지 쓰고, (가)를 세운 목적을 바탕으로 당시 대외 정책의 방향을 서술하시오.

홍순목이 아뢰기를, "병인년 이후 서양인을 배척한 것은 온 세상에 자랑할 만한 일입니다. 오랑캐들이 침범하고 있지만 화친에 대해서는 절대로 논의할 수 없습니다. 먼저 정벌하는 위엄을 보이면 …… 누군들 우러러 받들지 않겠습니까?" …… 이때에 종로 거리와 각 도회지에 (가) 을/를 세웠다.

길잡이 흥선 대원군이 서양의 통상 수교 요구에 대해 보인 반응을 생각한다.

STEP 3 1등급 정복하기

1 다음 상황에서 체결된 조약에 대한 탐구 주제로 가장 적절한 것은?

> 사진으로 보는 동아시아의 개항
>
> * 개항국: ○○
>
>
>
> | | |
> |---|---|
> | 페리 제독이 부하를 이끌고 요코하마에 상륙하는 모습 | 개항국 국민이 상상한 페리 제독의 모습 |

① 병인양요의 영향
② 최혜국 대우 조항의 의미
③ 남하하는 러시아에 대한 방어 전략
④ 전쟁의 결과로 체결된 조약의 성격
⑤ 오페르트의 남연군 묘 도굴 미수 사건의 영향

동아시아의 개항

┃ 완자 사전 ┃

• 요코하마
일본의 수도인 도쿄(옛날 이름은 에도)에서 가까운 항구 도시

2 (가)에 들어갈 주장으로 가장 적절한 것은?

> 신 최익현 아뢰옵니다.
> 전하께서 경비가 부족한 것을 근심하시어 이렇게 의로운 뜻을 펼친 것은 훌륭한 조치입니다. 그러나 시행한 지 2년 동안에 사·농·공·상이 모두 금전적으로 그 해를 입었는데, 그 피해가 되풀이되어 온갖 물건이 축나고 손상을 입었습니다. 그러니 [(가)]
>
> – 「고종실록」

① 당백전을 없애야 합니다.
② 이양선을 멀리해야 합니다.
③ 서학의 유포를 금지해야 합니다.
④ 서원의 백성 수탈을 막아야 합니다.
⑤ 양반 가문의 묘지림을 보존해야 합니다.

경복궁 중건의 폐해

┃ 완자 사전 ┃

• 묘지림
무덤 주변의 나무가 많아져 숲을 이루었을 때의 모양을 일컫는 말

3 (가)에 들어갈 내용으로 가장 적절한 것은?

> **흥선 대원군의 정책 평가**

완자샘의 시험 꿀팁

흥선 대원군의 대내 정책에서 지지층이 누구인지 비교하여 파악하는 문제는 수능에서 자주 출제되는 유형이다. 정책별로 양반과 상민의 지지 여부를 구분해 둔다.

한국사 신문   187△. ○○. ○○.

흥선 대원군의 정책을 평가한다!

[편집자주]
흥선 대원군의 정책을 두고 사람들은 어떻게 바라볼까? 현재 양반 유생과 백성들의 반응이 엇갈리고 있는 상황에서 그동안의 정책을 돌아보고 사람들의 평가를 전달하고자 한다. 이달 매주 월요일에는 백성들이 지지하는 정책을 연재한다.

[기사 연재 순서]
1. 서원 철폐, 유생의 횡포를 막아 내다
2. 　　　　　　　　(가)

---

① 당백전 발행, 재원을 마련하다
② 군포 납부층, 양반까지 확대하다
③ 대동법 제정, 방납의 폐단을 제거하다
④ 경복궁 중건, 왕실의 권위를 다시 세우다
⑤ 삼정이정청 설치, 문제 해결의 첫 단추를 채우다

수능 응용

4 (가)에 들어갈 장면의 사건에 대한 탐구 활동으로 가장 적절한 것은?

> **서구 열강의 침략과 조선의 대응**

완자샘의 시험 꿀팁

흥선 대원군의 통상 수교 거부 정책 추진과 관련된 사건들이 일어난 순서를 묻는 문제는 자주 출제된다. 따라서 각 사건의 순서와 내용을 정리해 두어야 한다. 외규장각 의궤. 어재연 '수' 자 기 등 문화재 귀환과 관련된 사실도 알아 두도록 한다.

시간순으로 본
서구 열강의 침략과 조선의 대응

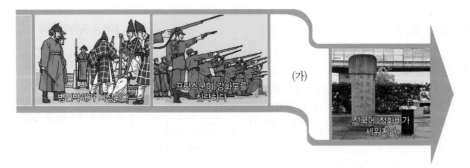

① 천주교를 박해하게 된 계기를 파악한다.
② 러시아가 연해주를 차지한 시기를 찾아본다.
③ 어재연 장군기가 미국에 있었던 이유를 알아본다.
④ 영국이 애로호 사건을 구실로 전쟁을 일으킨 이유를 탐색한다.
⑤ 제너럴셔먼호가 대동강변에서 불에 타 침몰한 경위를 조사한다.

5 (가), (나)에 대한 설명으로 옳은 것은?

① (가) – 양헌수의 부대가 외국군을 물리쳤다.

② (가) – 러시아를 견제할 목적으로 발생하였다.

③ (나) – 제너럴셔먼호 사건을 구실로 일어났다.

④ (나) – 천주교 탄압이 심해지는 결과를 가져왔다.

⑤ (가), (나) – 오페르트의 남연군 묘 도굴 시도가 영향을 끼쳤다.

---

6 다음 비석에 나타난 대외 정책을 실천한 사례로 옳은 것을 〈보기〉에서 고른 것은?

> 서양 오랑캐가 쳐들어오는데 싸우지
> 않으면 화친하는 것이고 화친을 주장
> 하는 것은 나라를 파는 것이다.

┌─ **보기** ─
ㄱ. 평양 관민이 외국 상선을 침몰시켰다.

ㄴ. 어재연이 수비대를 이끌고 저항하였다.

ㄷ. 홍경래의 군대가 여러 고을을 장악하였다.

ㄹ. 의병장 정봉수가 적의 보급로를 차단하였다.
└───────

① ㄱ, ㄴ　　　　　② ㄱ, ㄷ　　　　　③ ㄴ, ㄷ

④ ㄴ, ㄹ　　　　　⑤ ㄷ, ㄹ

서구 열강의 침입

❚ 한자 사전 ❚

• **임대**
일정한 계약에 따라 자기 물건을
다른 사람에게 빌려주는 것

• **어재연**
신미양요 때 광성보에서 미군과 맞
서 싸웠으나 패배하고 전사하였다.

척화비의 건립

❚ 한자 사전 ❚

• **관민**
관리와 백성

• **수비대**
특정 지역을 지키고 막기 위하여
배치한 부대

02 동아시아의 변화와 근대적 개혁의 추진

학습목표
• 강화도 조약 등 조선이 외국과 맺은 조약의 특징을 설명할 수 있다.
• 개화 정책과 이를 둘러싼 개화파, 위정척사파 등의 대응을 파악할 수 있다.

이것이 핵심!

청과 일본의 근대화 운동

청의 양무운동	• 한인 관료 중심 • 중체서용의 원칙
일본의 메이지 유신	• 경과: 막부 타도, 국왕 중심의 새 정부 수립 • 개혁: 중앙 집권적 입헌 군주제 수립, 신분제 폐지

★ **태평천국 운동**
청 말인 1851년에서 1864년에 홍수전이 크리스트교 비밀 결사 조직인 배상제회를 토대로 청조 타도를 위해 일으킨 농민 운동

★ **존왕양이 운동**
왕을 내세우고 외세를 배격하는 운동이다. 존왕양이 운동을 주도한 세력은 서양 무기의 우수성을 확인한 후 개항과 서양 문물의 도입을 추구하는 입장으로 돌아섰다.

① 청과 일본의 근대화 운동

1. 청의 양무운동(1861)

(1) **배경**: ★태평천국 운동의 진압 과정에서 이홍장 등 한인 관료들이 서양 무기의 우수성 인식

(2) **전개**   중(中, 중국)+체(體, 본체)+   Qui? 서구 열강이 이권을 획득하기 위해 태평천국
    서(西, 서양)+용(用, 사용하다)   운동을 진압하는 청을 지원하였어.

주도자	이홍장 등 한인 관료 중심
원칙	중체서용: 유교적 질서를 바탕으로 하면서 서양의 발전된 과학과 기술을 수용하자는 사상
내용	군수 산업을 중심으로 각종 공장과 산업 시설 설립, 유학생 파견 등

(3) **결과**: 실패(← 청일 전쟁에서 청이 일본에 패배)

(4) **한계**: 근본적인 제도 개혁 없이 서양 기술만 수용, 지방 관리의 지역별 추진으로 통일성 결여

2. 일본의 메이지 유신(1868)

(1) **메이지 유신**

① 배경: 막부의 개항 → 외국 상품의 수입과 물가 폭등으로 경제 상황이 악화

② 전개: 개항 반대 세력이 막부 타도 운동, ★존왕양이 운동 전개 → 국왕 중심의 새 정부 수립

③ 근대 개혁 추진   불평등 조약을 개정하고 근대 문물을 도입하려 하였어.

원칙	부국강병과 문명개화
내용	중앙 집권적 입헌 군주제 수립, 봉건제와 신분제 폐지, 징병제 시행, 국민 의무 교육 실시, 조세제 개혁, 근대 시설 도입, 상공업 육성, 미국과 유럽에 이와쿠라 사절단 파견

(2) **정한론 대두**: 메이지 유신 이후 조선에 새로운 대외 관계 요구 → 흥선 대원군의 거부 → 조선을 침공하자는 '정한론' 제기

이것이 핵심!

조선이 외국과 맺은 불평등 조약

강화도 조약	• 부산 개항 • 영사 재판권 인정
강화도 조약 부속 조약	• 조일 수호 조규 부록: 일본 화폐 유통 허용 • 조일 무역 규칙: 일본인의 양곡 수출입 허용
그 외 조약	• 조미 수호 통상 조약: 관세 부과, 최혜국 대우 규정 포함 • 조청 상민 수륙 무역 장정: 청의 내지 통상권 허용

★ **운요호 사건**
미국 페리의 무력시위로 개항하게 된 일본은 미국의 방식을 본떠 조선을 개항하려 하였다. 일본은 빌미를 마련하기 위해 운요호를 강화도에 보냈고, 운요호는 영종도에 상륙해 살상을 저질렀다.

② 개항과 불평등 조약 체제

1. 강화도 조약의 체결

(1) **체결 배경** 자료①   Qui? 제너럴셔먼호를 불태웠던 박규수는 청에 왕래하며 서양 기술의 우수성을 경험한 후 서양과 통상해야 한다고 주장하였다.

① 국내: 개국 통상론(통상 개화론) 출현, 고종이 직접 통치 → 통상 수교 거부 정책 완화

② 국외: ★운요호 사건(1875) 후 일본의 무력시위, 조선에 개항 요구   흥선 대원군이 물러났어.

(2) **강화도 조약(조일 수호 조규, 1876)** 교과서 자료

내용	• 조선을 자주국으로 명시: 조선과 청의 전통적 관계 부인, 청의 간섭 배제 • 부산 등 3개 항구 개항: 일본의 정치적·경제적·군사적 침략 거점 확보 • 해안 측량권 허용: 조선 해안을 일본이 측량 → 조선의 영토 주권 침해, 일본의 군사적 침략 의도 • 영사 재판권(치외 법권) 인정: 영사가 자국 국민이 관련된 사건의 재판을 할 수 있는 권리 인정 → 조선의 사법 주권 침해, 일본인의 자유로운 활동 보장
성격	조선이 외국과 체결한 최초의 근대적 조약, 불평등 조약

(3) **부속 조약(1876)** 자료②

① 조일 수호 조규 부록: 개항장 내 일본인 거류지 설정, 일본 화폐 유통 허용

② 조일 무역 규칙: 일본인의 양곡 수출입 허용, 일본 정부 소속 선박의 항세 면제

완자 자료 탐구

 내 옆의 선생님

자료 ① 강화도 조약에 대한 조선의 체결 태도

— 일본의 요청에 의해 조선 통신사를 일본에 보냈어.

"우리나라는 일본과 300년 동안 사신을 보내어 친목을 닦고 왜관을 설치하여 교역하였습니다. 그러다가 몇 해 전부터 외교 문서 문제로 서로 대립했으나, 지금은 계속 좋게 지내자는 처지에서 반드시 통상을 거절할 필요는 없습니다. 수호 조약 등의 문제는 충분히 상의하여 양측에서 서로 편리하게 하지 않을 수 없습니다. ……" 하니, 이를 허락하였다. — 「고종실록」

— 일본이 보낸 외교 문서에 일본 국왕을 황상으로 표현해 조선이 문서 수령을 거부한 적이 있어.

↑ 강화도 조약 체결 모습

자료는 운요호 사건 이후 1876년 1월에 군함을 앞세운 일본의 개항 요구에 협상하러 나선 조선의 태도를 보여 준다. 조선 정부는 강화도 조약 체결을 위한 협상을 전통적으로 맺어 왔던 교린 관계의 연장선으로 여겼다.

수능이 보이는 교과서 자료 **강화도 조약(조일 수호 조규, 1876)의 성격**

— 이 결과 부산이 1876년, 원산이 1880년, 인천이 1882년에 개항되었어.

제1조	조선은 자주국이며 일본과 평등한 권리를 보유한다.
제4조	부산 이외에 제5조에 기재하는 2개 항구를 개항하고 일본인이 왕래 통상함을 허가한다.
제7조	조선의 연해 도서는 위험하므로 일본의 항해자가 자유로이 해안을 측량함을 허가한다.
제10조	일본 인민이 조선이 지정한 각 항구에서 죄를 범한 것이 조선 인민과 관계되는 사건일 때는 모두 일본 관원이 재판할 것이다.

일본은 조선에 대한 청의 간섭을 피하기 위해 조선을 자주국이라 규정하면서 조선의 주권을 침해하는 불평등 조약을 체결하였다. 조선은 부산 등 3개 항구를 개항하고 일본에게 조선의 연안에 대한 측량권과 영사 재판권(치외 법권)을 인정하였다.

자료 ② 강화도 조약의 부속 조약의 내용

[조일 수호 조규 부록(1876. 6.)]
제4관 부산항에서 일본인이 통행할 수 있는 도로의 거리는 부두에서 동서남북 각 직경 10리(조선의 이법)로 정한다.

— 10리는 4km 정도야. 이후 조약을 개정하면서 점차 50리, 100리로 확대되었어.

제7관 일본인은 본국에서 사용하는 여러 화폐로 조선인이 보유하고 있는 물자와 교환할 수 있다.

[조일 무역 규칙(1876. 6.)]
제6칙 조선국 항구에 거주하는 일본인은 쌀과 잡곡을 수출, 수입할 수 있다.
제7칙 (상선을 제외한) 일본국 정부에 속한 모든 선박은 항세를 납부하지 않는다.

조선과 일본은 강화도 조약 체결에 이어 부속 조약을 체결하게 되었다. 조일 수호 조규 부록에서는 일본인의 거류지 설정과 개항장에서 일본 화폐의 유통을 허용하였다. 조일 무역 규칙에서는 일본인의 양곡의 수출입을 허용하였고, 사실상 무관세 교역을 규정하였다.

자료 하나 더 알고 가자!

박규수의 개국 통상론

청 상인이 화륜선을 빌려 썼기 때문에 서양인들이 이득을 얻었으나, 오늘날에는 청 역시 화륜선을 모방해서 만들어 다시는 빌려 쓰지 않음으로써 서양인들이 이 또한 이득을 잃게 되었습니다. — 「승정원일기」, 박규수의 보고서

박규수가 1872년 청에 다녀온 뒤 고종에게 보고한 내용이다. 그는 청처럼 조선이 서양 대포와 증기선 등의 제조법을 익혀 부국강병의 길을 모색할 필요가 있다고 주장하였다.

완자샘의 탐구 강의

• 강화도 조약이 불평등 조약인 이유를 써 보자.

일본이 조선의 주권을 일방적으로 침해하는 내용이 있기 때문이다. 조선의 연해를 일본이 자의적으로 측량하는 것은 조선의 영토 주권을 침해한 것이고, 일본 영사에게 재판권을 허용한 것도 조선의 사법 주권을 침해한 것이다.

함께 보기 125쪽. 1등급 정복하기 1

문제로 확인할까?

1. 강화도 조약의 부속 조약으로 일본에 허용된 것이 아닌 것은?
① 일본 화폐 유통
② 양곡 수출입 허용
③ 영사 재판권 인정
④ 일본 정부 선박의 항세 면제
⑤ 일본인의 부산항 부두에서 10리 내 통행 허용

ⓒ 정답

2. 일본 상인이 조선 양곡을 수출입 할 수 있는 근거가 된 조약은?

정답 조일 무역 규칙

02 동아시아의 변화와 근대적 개혁의 추진

★ **조선책략**
저자인 황준헌은 러시아를 막으려면 청과 친하고, 일본과 관계를 맺고, 미국과 연합해야 한다고 제안하였다.

★ **거중 조정**
조약을 맺은 두 국가 중 한 국가가 제3국과 분쟁이 있을 때 조약을 맺은 상대국이 중간에서 해결을 돕는 것

2. 외국과의 불평등 조약 체결

(1) **조미 수호 통상 조약(1882)**: 조선이 서양과 맺은 최초의 조약 자료3

배경	『*조선책략』의 유포, 청의 수교 알선
내용	• *거중 조정, 관세 부과 조항 포함 • 미국에 영사 재판권, 최혜국 대우 부여 규정

└ 최혜국 대우 조항은 불평등 조약의 대표 조항으로, 조미 수호 통상 조약에서 처음 포함되었어.

(2) **조청 상민 수륙 무역 장정(1882)**: 임오군란을 계기로 청의 정치적·군사적 영향력 확대 → 조선에 대한 청의 종주권 명시, 청 상인의 내지 통상권과 청에 영사 재판권 허용

(3) **서양 각국과 조약 체결**: 영국(1883), 독일(1883), 러시아(1884), 프랑스(1886)와 조약 체결

이것이 **핵심!**

개화 정책의 추진과 반발

개화 정책	• 통리기무아문: 개화 정책 총괄 • 사절단 파견: 수신사와 조사 시찰단(일본), 영선사(청), 보빙사(미국) • 별기군 창설, 기기창 설치
반발	• 위정척사 운동 전개(영남 만인소 등 개화 반대 운동) • 임오군란 발발

★ **기기창**
한성에 세워진 우리나라 최초의 근대식 무기 제조 공장으로 청의 기술자와 함께 무기를 제조하였다.

★ **보빙사**
1883년에 민영익을 단장으로 하여 11명으로 구성된 미국 사절단이다. 미국 대통령을 만나고 박람회, 병원, 신문사, 육군 사관학교 등 각종 근대 시설을 시찰하였다.

★ **왜양일체론**
최익현 등 양반 유생들의 주장으로, 서구 문물을 받아들여 근대화한 일본을 서양과 같은 오랑캐로 보는 것이다.

③ 개화 정책의 추진과 반발

1. 개화 정책의 추진

(1) **통리기무아문 설치(1880)**: 의정부와 별도로 설치, 외교·무역·군사 등 개화 정책 총괄

(2) **군제 개편**: 중앙군 5군영을 2영(무위영·장어영)으로 개편, 별기군 창설

(3) **사절단 파견**

└ 강화도 조약을 개정하러 갔는데 실패하였어.

└ 정식 이름은 교련병대야. 일본인 교관의 훈련을 받는 신식 군대였어.

수신사	• 제1차 수신사 김기수 일행(1876): 일본 근대 시설 시찰 • 제2차 수신사 김홍집 일행(1880): 일본의 발전상 시찰, 『조선책략』을 들여옴
조사 시찰단 (1881)	박정양·어윤중·홍영식 등을 비밀리에 일본에 파견 → 일본의 근대 시설·법률·조세 제도 시찰 → 보고서 제출 자료4
영선사(1881)	김윤식이 이끄는 유학생 및 기술자들을 청에 파견 → 무기 제조법과 근대식 군사 훈련법 학습 → 귀국 후 *기기창 설립
*보빙사(1883)	미국의 주한 공사 파견에 대한 답례로 민영익 등을 파견 → 각종 근대 시설 시찰

└ Why? 당시 『조선책략』 유포로 개화를 반대하는 위정척사 운동이 일어났어.

2. 위정척사 운동

(1) **의미**: 성리학적 사회 질서를 수호하고, 성리학 이외의 종교와 사상을 배격해야 한다는 운동

(2) **전개**: 보수적인 양반 유생 중심 자료5

1860년대	서양의 통상 수교 요구 → 통상 반대(이항로, 기정진 등의 척화 주전론)
1870년대	강화도 조약 체결 추진 → 개항 반대(최익현의 *왜양일체론)
1880년대	개화 정책 추진, 『조선책략』 유포 → 개화 및 미국과의 수교 반대(이만손 중심의 영남 만인소)

(3) **의의**: 반외세·반침략 민족 운동 → 1890년대에는 항일 의병 운동으로 계승

(4) **한계**: 양반 중심의 성리학적 질서 고수

3. 임오군란(1882)

└ 별기군에 비해 낮은 대우를 받았고 마침내 13개월 만에 밀린 급료로 지급된 쌀에 겨와 모래가 섞여 있는 데 분노해 난을 일으켰지.

└ 일본으로 곡물이 수출되면서 쌀값이 크게 올랐어.

(1) **원인**: 구식 군대의 군인에 대한 차별 대우, 정부의 개화 정책과 일본의 경제 침탈에 불만

(2) **전개**: 구식 군대 군인이 정부 고관, 일본 공사관 습격 → 도시 하층민이 가담 → 흥선 대원군이 재집권 → 민씨 세력의 요청으로 청군 개입 → 청으로 흥선 대원군 압송, 민씨 정권의 재집권

(3) **영향**

└ 고종이 친정한 후 왕비의 친족이 정부의 주요 관직을 차지하며 권력을 가졌어.

└ 꽭! 흥선 대원군은 개화 정책을 중단시키고, 통리기무아문과 별기군을 폐지시켰지.

① **일본과 제물포 조약 체결**: 일본에 배상금 지불, 일본 공사관의 경비병 주둔 허용

② **청의 내정 간섭 심화**: 조선에 군대 주둔, 고문 파견(마건상, 묄렌도르프), 조청 상민 수륙 무역 장정 체결

└ 조청 상민 수륙 무역 장정에는 조선을 속국으로 대우한다는 내용이 포함되어 있어.

완자 자료 탐구

내 옆의 선생님

자료 ③ 조미 수호 통상 조약의 체결

┌ 거중 조정을 뜻해.

제1관	만약 상대방 국가가 어떤 불공평하고 경시당하는 일이 있으면 한 번 통지를 거쳐 반드시 서로 도와주며 중간에서 잘 조정해 두터운 우의와 관심을 보여 준다. ┌ 관세 자주권을 뜻함.
제5관	미국 상인과 상선이 조선에서 무역할 때 입출항하는 화물은 모두 세금을 바쳐야 하며, 세금을 거두는 권한은 조선이 자주적으로 한다. 일용품의 관세율은 10%를 초과하지 않는다.
제14관	이후 조선이 이 조약에 없는 어떠한 이익을 다른 나라 혹은 그 상인에게 베풀 경우, 어떤 경우를 막론하고 미국 관민이 동일한 혜택을 받도록 한다. ─ 최혜국 대우를 인정한 거야.

1881년에 미국은 청에 조선과의 조약 체결 의사를 조선에 전해 줄 것을 요청하였다. 청은 미국을 끌어들여 러시아와 일본을 견제하기 위해 조선과 미국의 조약 체결을 알선하였다. 고종이 청의 알선을 수용한 결과 조미 수호 통상 조약이 체결되었다.

자료 ④ 조사 시찰단의 활동

↑ 조사 시찰단의 행로

┌ 태양력을 가리켜.

일본은 서양의 달력을 채용한 이후로 일, 월, 화, 수, 목, 금, 토의 7일로 구분해 위로는 태정관에서부터 아래로는 말단 벼슬아치에 이르기까지 매일 진시(辰時)에 출근하여 신시(申時)에 퇴근하며 일요일에는 쉽니다.
└ 진시는 오전 7~9시, 신시는 오후 3시~5시야.
─ 박정양, 『일본국문견조건』

조선 정부는 메이지 유신 이후 일본이 추진한 근대화 정책을 조사하기 위해 비밀리에 조사 시찰단을 파견하였다. 조사 시찰단은 약 4개월 동안 두루 살펴보고 일본의 근대화 노력과 관제, 군제, 우편, 경축일, 도량형, 조폐 등 각종 제도 등을 담은 보고서를 제출하였다.

자료 ⑤ 위정척사 운동의 전개

┌ 왜양일체론임을 알 수 있어.

• 일단 강화를 맺고 나면 저들의 욕심은 물화를 교역하는 데 있습니다. …… 저들이 비록 왜인이라고 하나 실은 서양의 적이옵니다. 강화가 한번 이루어지면 사학의 서적과 천주의 초상화가 교역하는 속에서 들어올 것입니다. 그렇게 되면 얼마 안 가서 선교사와 신자 간의 전수를 거쳐 사학이 온 나라 안에 퍼질 것입니다. ─ 최익현, 『면암집』

• 미국을 끌어들일 경우 그들이 재물을 요구하고 우리의 약점을 알아차려 어려운 청을 하거나 과도한 경우를 떠맡긴다면 응하지 않을 도리가 없습니다. 러시아는 우리와 혐의가 없는 바, 공연히 남의 말만 들어 틈이 생기게 된다면 우리의 위신이 손상될 뿐만 아니라 만약 이를 구실로 침략해 온다면 구제할 길이 없습니다.
└ 황준헌이 『조선책략』을 통해 조선이 미국과 수교해야 한다고 말했어.
─ 『일성록』, 영남 만인소

첫 번째 자료는 강화도 조약 체결 무렵 왜양일체론을 바탕으로 제기된 개항 반대 주장이고, 두 번째 자료는 『조선책략』 유포에 반발하여 이만손을 중심으로 영남 유생이 올린 만인소이다. 위정척사 운동은 1860년대에는 외국과의 통상 반대 운동, 1870년대에는 개항 반대 운동, 1880년대에는 개화 반대 운동으로 전개되었다.

자료 하나 더 알고 가자!

황준헌의 『조선책략』

러시아가 강토를 공략하려 한다면 조선이 첫 번째 대상이 될 것이다. …… 러시아를 막을 수 있는 조선의 책략은 무엇인가? 오직 중국과 친하고 일본과 맺고 미국과 연합함으로써 자강을 도모하는 길뿐이다.

김홍집이 일본에 제2차 수신사로 다녀오면서 가져온 『조선책략』에 미국과 연합하라는 내용이 실려 있어 미국과의 수교 주장을 뒷받침하였다.

자료 하나 더 알고 가자!

사절단의 모습들

↑ 제1차 수신사 행렬

↑ 미국에 파견된 보빙사

문제로 확인할까?

1. 1870년대에 등장한 위정척사 운동의 주장으로 옳은 것은?
① 왜양일체
② 개화 정책 반대
③ 통리기무아문 폐지
④ 흥선 대원군의 복귀
⑤ 미국과의 조약 체결 반대

② 답

2. 1880년대에 영남 유생들이 미국과의 수교를 반대하는 만인소를 올렸는데 이 만인소를 이끈 인물은?

이만손 답

4 갑신정변과 국내외 정세의 변화

1. 개화파의 형성과 분화 자료 ⑥ — 청에서 『해국도지』, 『영환지략』 등을 국내로 들여왔어.

(1) **개화파의 형성 배경**: 개국 통상론자 박규수·오경석·유홍기 등은 문호 개방 필요성 인식 → (— 오경석과 교류하며 문호 개방을 주장하였어.) 김옥균, 박영효, 김윤식 등에게 세계정세와 서구 문물 소개, 개화 필요성 역설

(2) **개화파의 형성**: 김옥균, 박영효, 김윤식 등이 정부의 개화 정책 추진 과정에서 실무 관료로 활동하면서 개화파 형성 └ 예 김윤식은 영선사로 청에 파견

(3) **개화파의 분화**: 임오군란 이후 개화 추진 방식과 외교 정책을 둘러싼 갈등으로 분화

구분	온건 개화파	급진 개화파
인물	김윤식, 김홍집, 어윤중 등	김옥균, 박영효, 홍영식 등
모델	청의 양무운동 → 청과 우호 관계 유지 추구	일본의 메이지 유신 → 청의 내정 간섭 탈피 추구
사상 기반	★동도서기론	★문명개화론

2. 갑신정변(1884)

(1) **배경**

① 개화 정책 지연: 급진 개화파가 박문국 설치, 한성순보 창간 주도 → 청의 내정 간섭과 민씨 정권의 친청 정책으로 개화 정책 지연 └ 박영효의 건의로 1883년에 인쇄·출판 사무를 관장하는 박문국이 설치되었고, 최초의 근대 신문인 한성순보를 발간하였어.

② 급진 개화파의 정치적 입지 축소: 재정난 해결을 위한 정부의 ★당오전 발행에 반대 → 급진 개화파가 일본에서 ★차관 도입을 시도했으나 실패

③ 청과 일본의 정세: 서울 주둔 청군의 절반 철수, 일본 공사의 군사적 지원 약속 └ 베트남을 둘러싸고 청과 프랑스 사이에 전쟁이 일어날 조짐이 있었기 때문이야.

(2) **전개 및 결과** └ 당시 급진 개화파였던 홍영식이 우정국총판이었어.

전개	급진 개화파가 ★우정총국 개국 축하연을 이용하여 민씨 정권 핵심 인물 살해, 개화당 정부 수립 → 개혁 정강 발표 → 청군의 개입 → 3일 만에 실패 급진 개화파를 개화당이라고도 해.
개혁 정강	청과의 사대 관계 청산, 내각 제도 수립, 문벌을 폐지해 인민 평등권 보장 등 자료 ⑦
결과	• 청의 내정 간섭 심화, 개화 운동의 위축 • 한성 조약 체결(조선과 일본, 1884): 일본은 조선으로부터 배상금과 공사관 신축비를 받아 냄 • 톈진 조약 체결(청과 일본, 1885): 양국 군대 철수, 조선에 파병 시 상대국에 미리 통고하기로 함

(3) **의의**: 근대 국가 건설을 위한 최초의 정치 개혁 운동

(4) **한계**: 일본의 군사 지원에 의존, 민중의 지지 부족(위로부터의 근대화 운동)

3. 열강의 대립 격화 자료 ⑧

(1) **거문도 사건(1885~1887)** └ 고종은 청을 견제하기 위해 러시아와 긴밀한 관계를 맺으려 하였어.

① 배경: 갑신정변 이후 청의 내정 간섭 심화 → 고종의 조러 비밀 협약 추진

② 전개: 영국이 거문도를 불법으로 점령 → 조선의 항의와 청의 중재로 영국군 철수

(2) **조선 중립국화 제기**: 독일 부영사 부들러의 조선 중립화안 제기, 유길준이 「중립론」 집필 └ Q예? 세계 곳곳에서 러시아와 대립해 오던 영국은 러시아의 남하 견제를 명목으로 거문도를 점령하였어.

4. 고종의 자주독립 정책

(1) **개화 정책 재개**: 내무부 설치(군사·재정·외교 담당), 박문국 재설치, 한성주보 발간, 육영 공원과 연무 공원 등 설치(→ 외국인 교사와 군사 교관 초빙) └ 박문국에서 발행된 한성순보는 갑신정변으로 폐간되고, 이후 한성주보가 발간되었어.

(2) **미국에 공사관 개설**: 조선이 자주국임을 홍보, 미국 문물 수용

(3) **한계**: 막대한 비용으로 농민의 조세 부담 증가, 친청파 관료의 비판과 청의 간섭으로 정책 성과는 높지 못했음

완자 자료 탐구

내 옆의 선생님

자료 6 개화파의 형성과 분화

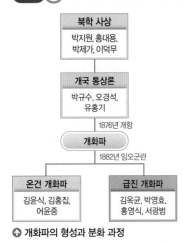

북학 사상
박지원, 홍대용,
박제가, 이덕무

↓

개국 통상론
박규수, 오경석,
유홍기

↓ 1876년 개항

개화파

↓ 1882년 임오군란

온건 개화파
김윤식, 김홍집,
어윤중

급진 개화파
김옥균, 박영효,
홍영식, 서광범

↑ 개화파의 형성과 분화 과정

> 『해국도지』, 『영환지략』이야.

중국에 머물면서 세계 각국이 겨루는 상황을 견문하고 크게 느낀 바가 있었다. …… 오경석은 중국에서 가져온 근대 서적을 친구 유홍기에게 주어 연구를 권하였다. …… 유홍기가 오경석에게 개혁의 방법을 묻자 오경석은 "먼저 북촌의 양반 자제 중에서 동지를 구해 혁신의 기운을 일으켜야 한다."라고 하였다. – 『김옥균전』

> 김옥균, 박영효, 김윤식 등을 가리켜.

북학파 실학자 박지원의 손자인 박규수는 역관인 오경석과 함께 청의 양무운동을 목격하고 돌아와 개국 통상을 주장하였다. 오경석은 의원인 유홍기에게 중국에서 가져온 근대 서적을 권하였다. 이후 오경석, 유홍기 등이 김옥균 등과 적극 접촉하였다.

> 갑신정변의 개혁 정강은 김옥균이 일본으로 망명하였을 때 저술한 『갑신일록』에 실려 있어. 원래 80여 개 조항이었는데, 현재 14개조만 전해.

자료 7 개화당 정부의 개혁 정강

> 임오군란 때 청이 군란의 주범으로
> 흥선 대원군을 청으로 잡아갔었어.

1. 잡혀간 흥선 대원군을 곧 돌아오게 하고 청에 조공하는 허례를 폐지한다.
2. 문벌을 폐지하여 인민 평등권을 제정하고 능력에 따라 관리를 임명한다.
3. 지조법을 개혁하여 부정을 막고 백성을 보호하며 재정을 넉넉하게 한다.
13. 대신과 참찬은 궁궐 내의 의정소에서 회의하고 국왕에게 아뢰어 정령을 집행한다.
14. 의정부와 6조 외의 불필요한 기관을 없애고, 대신과 참찬이 논의하여 보고한다. – 『갑신일록』

개화당 정부는 청과의 사대 관계를 청산하려고 하였으며, 경복궁 안에 세운 의정소에서 법령을 제정하고 국왕의 재가를 받아 집행하는 일종의 내각 정치를 구상하였다.

> 유길준은 벨기에는 유럽 여러 나라가 자국을 보전하기 위해서, 불가리아는 러시아를 막기 위해 유럽 여러 나라가 중립국으로 만들었다고 보았어.

자료 8 조선을 둘러싼 열강의 각축과 조선의 중립국화 제기

↑ 조선을 둘러싼 열강의 각축

우리나라의 형세는 벨기에와 불가리아 양국의 사례와 견줄 만하다.…… 우리나라가 아시아의 중립국이 되는 것은 러시아를 막는 중요한 계기가 될 것이며, 또 아시아의 여러 대국이 서로 균형을 이루는 정략도 될 것이다. …… 오직 중립 한 가지만이 진실로 우리나라를 지키는 방책이지만, 이를 우리가 먼저 제창할 수 없으니 중국이 이를 맡아서 처리해 주도록 청하는 것이 좋을 것이다.

– 유길준, 「중립론」

1880년대 후반에는 조선을 둘러싸고 청과 일본, 영국과 러시아가 경쟁하였다. 이에 조선 주재 독일 부영사 부들러는 스위스와 같은 중립국화 방안을 조선 정부에 건의하였다. 그 무렵에 귀국한 유길준도 조선의 중립국화를 주장하였으나 정책에 반영되지는 못하였다.

> 유길준은 강대국에 의존하지 않는 가운데 중립화를 추구하면서도 청이 조선을 지배하고 있는 현실적인 입장에서 청이 조선의 중립국화에 적극 나서야 한다고 주장하였어.

자료 하나 더 알고 가자!

온건 개화파와 급진 개화파

온건 개화파
서양의 종교는 사교이므로 마땅히 음탕한 음악이나 미색(美色)처럼 멀리해야겠지만, 서양의 기계는 이로워 이용후생할 수 있으니 …….— 동도서기론의 입장을 엿볼 수 있어. – 김윤식이 기초한 고종의 교서, 「고종실록」

vs

급진 개화파
오늘날의 급선무는 반드시 인재를 등용하며 국가 재정을 절약하고 사치를 억제하며, 문호를 개방하고 …… 일본은 법을 변경한 이후로 모든 것을 경장했다고 들었다. – 김옥균, 「치도약론」

> 법, 제도의 개편까지 모색한 급진 개화파의 입장을 엿볼 수 있어.

자료 하나 더 알고 가자!

갑신정변의 전개

문제로 확인할까?

1. 조선의 중립국화가 제기될 시기에 일어난 사실로 옳은 것은?
① 임오군란
② 거문도 사건
③ 운요호 사건
④ 강화도 조약의 체결
⑤ 조청 상민 수륙 무역 장정의 체결

② 답

2. 중립론을 집필하여 조선의 중립국화를 주장한 인물은?

유길준 답

02. 동아시아의 변화와 근대적 개혁의 추진 **119**

STEP 1 핵심 개념 확인하기

1 다음 설명이 맞으면 ○표, 틀리면 ×표를 하시오.

(1) 조선은 강화도 조약을 체결하여 일본에 최혜국 대우를 인정하였다. ( )

(2) 제2차 수신사로 파견된 김홍집이 귀국하면서 조선책략을 들여왔다. ( )

(3) 조선 정부는 개항 후 개화 정책을 총괄하는 기구로 의정부를 새로 설치하였다. ( )

2 조미 수호 통상 조약에 포함된 것만을 〈보기〉에서 골라 기호를 쓰시오.

┌─ 보기 ┐
ㄱ. 무관세   ㄴ. 거중 조정
ㄷ. 영사 재판권   ㄹ. 최혜국 대우
└──────────────────┘

3 통리기무아문은 군사 제도를 개편하였으며, 신식 군대로 (   )을 창설하고 일본인 교관을 초빙하였다.

4 다음에서 설명하는 사절단을 〈보기〉에서 골라 기호를 쓰시오.

┌─ 보기 ┐
ㄱ. 보빙사   ㄴ. 영선사   ㄷ. 조사 시찰단
└──────────────────┘

(1) 미국이 주한 공사를 파견한 것에 대한 답례로 미국에 파견하였다 ( )

(2) 김윤식을 대표로 하여 무기 제조법 등을 배워 오도록 중인 자제를 청에 파견하였다. ( )

(3) 1881년에 일본의 정세를 파악하고 개화 정책에 대한 정보를 얻기 위해 비밀리에 파견하였다. ( )

5 다음 사건에서 제기된 제도 변화 내용을 옳게 연결하시오.

(1) 갑신정변 •
(2) 임오군란 •

• ㉠ 통리기무아문과 별기군 폐지
• ㉡ 인민 평등권 확립, 지조법 개혁

STEP 2 내신 만점 공략하기

01 밑줄 친 부분의 근대화 운동에 대한 설명으로 옳은 것은?

> 전날 강남에서 군대를 움직일 때에는 청이 서양에서 대포를 사들였으므로 대포를 만들 줄 아는 서양인들이 더 유리하였으나, 요즈음에는 청이 서양 대포를 모방하여 만들어 쓰기 때문에 서양인들의 유리한 점이 사라지게 되었습니다. 전날에는 청 상인이 화륜선을 빌려 썼기 때문에 서양인들이 이득을 얻었으나, 오늘날에는 청 역시 화륜선을 모방해서 만들어 다시는 빌려 쓰지 않음으로써 서양인들이 또한 이득을 잃게 되었습니다.
> – 「승정원 일기」, 박규수의 보고서

① 존왕양이 운동의 영향으로 추진되었다.
② 중체서용의 원칙을 내세워 실시되었다.
③ 미국과 유럽에 사절단을 파견한 결과였다.
④ 조선에 무력시위를 하는 것으로 이어졌다.
⑤ 추진 과정에서 정한론이 제기되기도 하였다.

02 다음 상황이 나타나게 된 배경으로 옳은 것은?

우리 운요호가 강화도로 접근하니 조선 수비대가 경고 포격을 하였다. 이때다. 빨리 이곳에 상륙하여 점령하자.

① 삼군부가 부활하였다.
② 병인양요가 발생하였다.
③ 흥선 대원군이 물러났다.
④ 통리기무아문이 설치되었다.
⑤ 조미 수호 통상 조약이 체결되었다.

03 다음 자료의 상황에서 체결된 조약에 대한 설명으로 옳은 것은?

"우리나라는 일본과 300년 동안 사신을 보내어 친목을 닦고 왜관을 설치하여 교역하였습니다. 그러다가 몇 해 전부터 외교 문서 문제로 서로 대립했으나, 지금은 계속 좋게 지내자는 처지에서 반드시 통상을 거절할 필요는 없습니다. 수호 조약 등의 문제는 충분히 상의하여 양측에서 서로 편리하게 하지 않을 수 없습니다. 먼저 이런 내용으로 접견 대관(接見大官)에게 알리는 것이 어떻겠습니까?" 하니, 이를 허락하였다.
- 「고종실록」

① 청의 알선으로 체결하였다.
② 임오군란을 계기로 맺어졌다.
③ 조선책략의 영향으로 성사되었다.
④ 관세 부과에 대한 조항을 포함하였다.
⑤ 외국과 맺은 최초의 근대 조약이었다.

04 (가), (나) 조약에 대한 설명으로 옳은 것은?

(가)	제1조	조선은 자주국이며 일본과 평등한 권리를 보유한다.
	제4조	부산 이외에 제5조에 기재하는 2개 항구를 개항하고 일본인이 왕래 통상함을 허가한다.
	제10조	일본 인민이 조선이 지정한 각 항구에서 죄를 범한 것이 조선 인민과 관계되는 사건일 때는 모두 일본 관원이 재판할 것이다.
(나)	제6칙	조선국 항구에 거주하는 일본인은 쌀과 잡곡을 수출, 수입할 수 있다.
	제7칙	(상선을 제외한) 일본국 정부에 속한 모든 선박은 항세를 납부하지 않는다.

① (가) – 별기군 설치를 포함하였다.
② (가) – 지조법 개혁을 제시하였다.
③ (가) – 일본에 영사 재판권을 허용하였다.
④ (나) – 일본 화폐 사용을 허가하였다.
⑤ (나) – 개항장 내 일본인 거류지를 설정하였다.

05 (가)에 해당하는 조약에 대한 설명으로 옳은 것은?

수행 평가 보고서

• 탐구 주제: 조선의 외교 관계 조사
• 대상 국가: ○○
• 조사 내용

모둠	외교 정책	해당 사건
1, 2모둠	통상 거부	제너럴셔먼호 사건
3, 4모둠	통상 수교	(가)

① 최혜국 대우를 약속하였다.
② 해안 측량권을 허용하였다.
③ 부산을 개항하는 계기가 되었다.
④ 답례로 수신사를 파견하게 되었다.
⑤ 영국이 거문도를 점령하는 계기가 되었다.

06 다음 주장에 대한 설명으로 옳은 것은?

조선이라는 땅덩어리는 실로 아시아의 요충을 차지하고 있어 그 형세가 반드시 다툼을 불러올 것이다. 조선이 위태로우면 중동(中東)의 형세도 위급해진다. 따라서 러시아가 강토를 공략하려 한다면 조선이 첫 번째 대상이 될 것이다. …… 오직 중국과 친하고 일본과 맺고 미국과 연합함으로써 자강을 도모하는 길뿐이다.
- 김홍집, 「수신사일기」

① 조사 시찰단이 작성한 보고서에 담겼다.
② 이만손 등 영남 양반 유생들이 주장하였다.
③ 러시아를 방어하기 위한 전략으로 제기되었다.
④ 조선이 강화도 조약을 체결하는 데 영향을 주었다.
⑤ 서양 문물을 수용한 왜는 서양과 한 가지라고 하였다.

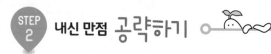

07 (가)에 해당하는 인물들의 주장으로 가장 적절한 것은?

① 개국 통상을 추진하자!
② 북벌 운동을 전개하자!
③ 일본의 개혁을 모델로 삼자!
④ 성리학적 사회 질서를 수호하자!
⑤ 통신사를 청하여 관계를 회복하자!

08 다음 지도의 행로로 이동한 후 그 아래의 보고서를 작성해 올린 사절단에 대한 설명으로 옳은 것은?

- 시찰단의 행로

- 일본은 서양의 달력을 채용한 이후로 일, 월, 화, 수, 목, 금, 토의 7일로 구분해 위로는 태정관에서부터 아래로는 말단 벼슬아치에 이르기까지 매일 진시(辰時)에 출근하여 신시(申時)에 퇴근하며 일요일에는 쉽니다.
– 박정양, 「일본국문견조건」

① 조선책략을 국내로 들여왔다.
② 막부의 요청을 받아들여 구성되었다.
③ 북학론이 제기되는 데 영향을 주었다.
④ 공사의 부임에 대한 답례로 파견되었다.
⑤ 비밀리에 파견된 후 제도와 근대 시설을 조사하였다.

09 (가)에 들어갈 내용으로 적절한 것은?

```
                                     근대사 주제별 정리
                  사절단의 파견
1. 파견국: 청
2. 파견 시기: 1881년
3. 구성: 김윤식 등 관료, 유학생과 기술자
4. 활동: 파견국에서 학교 입학 및 수학
5. 영향
┌─────────────────────────────────┐
│              (가)                  │
└─────────────────────────────────┘
```

① 규장각 마련   ② 기기창 설립
③ 삼군부 부활   ④ 대전회통 편찬
⑤ 조선책략 유포

10 중요 (가), (나) 주장에 대한 설명으로 옳은 것은?

(가) 미국을 끌어들일 경우 그들이 재물을 요구하고 우리의 약점을 알아차려 어려운 청을 하거나 과도한 경우를 떠맡긴다면 응하지 않을 도리가 없습니다. 러시아는 우리와 혐의가 없는 바, 공연히 남의 말만 들어 틈이 생기게 된다면 우리의 위신이 손상될 뿐만 아니라 만약 이를 구실로 침략해 온다면 구제할 길이 없습니다.
– 『일성록』

(나) 오늘날 서양 오랑캐의 침입을 당하여 국론이 화친과 전쟁으로 나뉘어 있다. 그런데 서양인을 공격해야 한다는 주장은 내 나라 쪽 사람의 주장이고, 서양인과 화친해야 한다는 주장은 적국 쪽 사람의 주장이다. 전자를 따르면 나라와 문화의 전통을 보전할 수 있지만 후자를 따른다면 인류(조선인)가 금수의 지경으로 빠지고 말 것이다.
– 이항로, 『화서집』

① (가) – 항일 의병 운동을 촉구하였다.
② (가) – 북벌 운동의 일환으로 주장되었다.
③ (나) – 정부의 개화 정책에 반발하였다.
④ (나) – 병인양요 전후의 정부 정책을 지지하였다.
⑤ (나) – 운요호 사건에 대한 거부감을 표현하였다.

11 지도에 나타난 사건에 대한 학생들의 발표로 가장 적절한 것은?

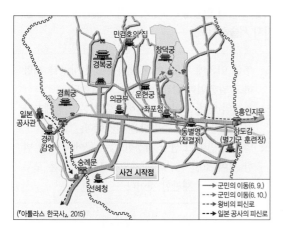

① 삼정의 문란 때문에 일어났어요.
② 양반 유생이 봉기에 가담하였어요.
③ 개화당이 개혁 정강을 발표하였어요.
④ 청의 군대가 사건을 진압하기 위해 파견되었어요.
⑤ 조미 수호 통상 조약을 체결하는 결과를 가져왔어요.

12 다음 상황에서 일어난 사건에 대한 설명으로 옳은 것은?

[조선에서]
국고가 부족하여 …… 우리나라에서 은화와 아울러 상평통보 1개가 5문(文)에 해당하는 것을 주조하고 있지만 그 정도로는 감당할 수 없다. 이에 외채를 들여와야 한다.

[일본에서]
나는 지금이 없이는 아무것도 할 수 없고 지금 빈손으로 일본에서 귀국하면 집권 사대당은 나를 비판하며 궁지에 몰아넣을 것임을 알고 있다.

① 우정총국에서 발생하였다.
② 도시 하층민이 가담하였다.
③ 제물포 조약의 체결로 이어졌다.
④ 주동자들은 청의 군사적 지원을 받았다.
⑤ 동도서기론을 따르는 세력이 주도하였다.

13 (가)에 들어갈 내용으로 가장 적절한 것은?

여기는 우정총국입니다. 이 사건이 시작된 장소지요. 이 사건으로 ⎡ (가) ⎤ 이제 이 사건의 주도 세력인 개화당이 며칠간 머물렀던 창덕궁으로 이동하여 설명을 이어 가겠습니다.

① 영선사가 귀국하였어요.
② 청의 내정 간섭이 심해졌어요.
③ 운요호가 영종도에 상륙하였어요.
④ 조선책략이 국내로 유입되었어요.
⑤ 조청 상민 수륙 무역 장정이 체결되었어요.

14 지도의 사건이 전개되는 과정에서 주도자들이 추진한 개혁으로 옳은 것은?

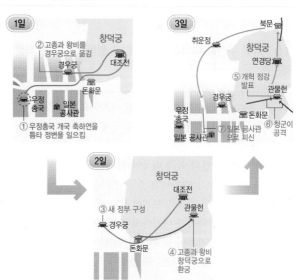

① 규장각을 설치하였다.
② 삼군부를 부활시켰다.
③ 내각제 수립을 발표하였다.
④ 호포제 실시를 공포하였다.
⑤ 통리기무아문을 폐지하였다.

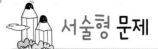
15 (가) 사건이 일어난 이유로 옳은 것은?

→ 일본의 세력 진출
→ 청의 세력 진출
→ 러시아의 세력 진출
→ 영국의 세력 진출

베이징, 톈진, 청, 다롄, 용암포, 조선, 진남포, 원산, 한성, 인천, 부산, 거문도, 황해, 동해, 러시아, 블라디보스토크, 시모노세키, 일본

영국 (가)

(가) 은/는 영국이 1885년에 조선의 영토 일부를 불법 점령한 사건이다.

① 톈진 조약이 체결되었다.
② 일본에서 정한론이 일어났다.
③ 조러 비밀 협약이 추진되었다.
④ 러시아가 연해주를 확보하였다.
⑤ 청이 흥선 대원군을 자국에 강제로 데려갔다.

16 다음 주장을 파악하기 위한 탐구 활동으로 가장 적절한 것은?

이제 우리나라는 지역으로 말하면 아시아의 목에 처해 있는 것이 유럽의 벨기에와 같고, 중국에 조공하던 것은 터키에 조공하던 불가리아와 같다. 불가리아가 중립 조약을 체결한 것은 유럽의 여러 대국이 러시아를 막으려는 계책에서 나온 것이고, 벨기에가 중립 조약을 체결한 것은 유럽의 여러 대국이 자국을 보전하려는 계책에서 나온 것이었다. 대저 우리나라가 아시아의 중립국이 된다면 러시아를 방어하는 큰 기틀이 될 것이고, 또한 아시아의 여러 대국이 서로 보전하는 전략도 될 것이다. ─ 『유길준 전서』

① 황준헌의 저서 내용을 파악한다.
② 온건 개화파의 개혁 방향을 분석한다.
③ 병인양요와 신미양요의 배경을 알아본다.
④ 부들러가 조선에 제안한 의견을 찾아본다.
⑤ 왜양일체론이 나오게 된 사상적 기반을 검토한다.

서술형 문제

01 다음 조약의 명칭을 쓰고, 이 조약이 불평등 조약인 근거를 두 가지 서술하시오.

제4조 부산 이외에 제5조에 기재하는 2개 항구를 개항하고 일본인이 왕래 통상함을 허가한다.
제7조 조선의 연해 도서는 위험하므로 일본의 항해자가 자유로이 해안을 측량함을 허가한다.
제10조 일본 인민이 조선이 지정한 각 항구에서 죄를 범한 것이 조선 인민과 관계되는 사건일 때는 모두 일본 관원이 재판할 것이다.

(길잡이) 일본이 조선의 주권을 침해한 조항을 살펴본다.

02 다음을 읽고 물음에 답하시오.

2. 문벌을 폐지하여 인민 평등권을 제정하고 능력에 따라 관리를 임명한다.
3. 지조법을 개혁하여 부정을 막고 백성을 보호하며 재정을 넉넉하게 한다.
13. 대신과 참찬은 궁궐 내의 의정소에서 회의하고 국왕에게 아뢰어 정령을 집행한다.

(1) 위 개혁안이 제시된 사건을 쓰시오.

(2) 위 개혁안의 조항을 바탕으로 이 사건을 일으킨 세력이 지향한 정치 체제와 사회 체제를 서술하시오.

(길잡이) 정치 체제는 의정소, 사회 체제는 인민 평등에서 실마리를 찾아본다.

03 다음 주장이 나오게 된 1880년대 후반의 조선을 둘러싼 열강의 대립 구도를 두 가지 서술하시오.

우리나라가 아시아의 중립국이 되는 것은 러시아를 막는 중요한 계기가 될 것이며, 또 아시아의 여러 대국이 서로 균형을 이루는 정략도 될 것이다. …… 중국이 이를 맡아서 처리해 주도록 청하는 것이 좋을 것이다.

(길잡이) 유길준이 조선 중립국화를 주장할 무렵의 정세를 생각해 본다.

STEP 3 1등급 정복하기

1 다음 조약에 공통적으로 포함된 내용으로 옳은 것은?

> • 제1조 조선은 자주국이며 일본과 평등한 권리를 갖는다.
>   제4조 조선국 정부는 부산 이외에 제5관에 제시한 두 곳의 항구를 별도로 개항하여 일본국 인민이 왕래하면서 통상하도록 허가한다.
> • 제1관 만약 상대방 국가가 어떤 불공평하고 경시당하는 일이 있으면 한 번 통지를 거쳐 반드시 서로 도와주며 중간에서 잘 조정해 두터운 우의와 관심을 보여 준다.
>   제5관 미국 상인과 상선이 조선에서 무역할 때 입출항하는 화물은 모두 세금을 바쳐야 하며, 세금을 거두는 권한은 조선이 자주적으로 한다. 일용품의 관세율은 10%를 초과하지 않는다.

① 별기군 설치를 제안하였다.
② 영사 재판권을 인정하였다.
③ 공사관에 군대 주둔을 허용하였다.
④ 상대국에 최혜국 대우를 약속하였다.
⑤ 상대국 상인의 내지 통상권을 인정하였다.

> **두 조약의 공통점**
>
> **┃완자 사전┃**
>
> **• 관세율**
> 관세를 부과할 때 적용하는 세율이다. 상품이 국경을 넘어 들어올 때 부과되는 세금이 관세이고, 그 상품에 정해 놓은 관세 부과 비율이 관세율이다.

2 교사의 질문에 대한 학생의 답변으로 가장 적절한 것은?

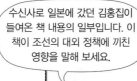
수신사로 일본에 갔던 김홍집이 들여온 책 내용의 일부입니다. 이 책이 조선의 대외 정책에 끼친 영향을 말해 보세요.

러시아가 강토를 공략하려 한다면 조선이 첫 번째 대상이 될 것이다. …… 러시아를 막을 수 있는 조선의 책략은 무엇인가? 오직 중국과 친하고 일본과 맺고 미국과 연합함으로써 자강을 도모하는 길뿐이다.

① 척화비가 건립되었습니다.
② 일본에 부산을 개항하였습니다.
③ 청에 연행사가 파견되었습니다.
④ 미국과 통상 조약이 체결되었습니다.
⑤ 제너럴셔먼호 사건이 발생하였습니다.

> **『조선책략』의 영향**
>
> **┃완자 사전┃**
>
> **• 강토**
> 국경 안에 있는 한 나라의 땅
>
> **• 자강**
> 스스로 힘써 몸과 마음을 가다듬는 것

3 (가) 기구가 설치된 시기에 정부에서 추진한 군사 개혁 정책으로 옳은 것은?

검색　　(가)

외교와 개화 정책을 담당하던 정1품의 관청이었다. 개항 이후 조선 정부가 서양 국가들의 조약 체결 요구에 대응하고, 개화 정책을 주체적으로 시행해야 하는 상황을 맞이하여 이를 담당할 기구로 설립되었다. 그 아래에는 사대사(事大司)·교린사(交隣司)·군무사(軍務司) 등 12사를 두었다.

① 5군영을 완성하였다.
② 별기군을 창설하였다.
③ 삼군부를 부활시켰다.
④ 장용영을 설치하였다.
⑤ 훈련도감을 마련하였다.

4 (가)에 들어갈 내용으로 가장 적절한 것은?

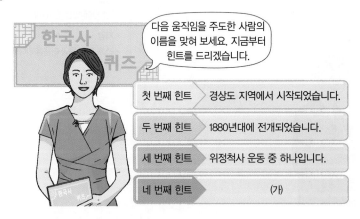

다음 움직임을 주도한 사람의 이름을 맞혀 보세요. 지금부터 힌트를 드리겠습니다.

첫 번째 힌트 ▷ 경상도 지역에서 시작되었습니다.
두 번째 힌트 ▷ 1880년대에 전개되었습니다.
세 번째 힌트 ▷ 위정척사 운동 중 하나입니다.
네 번째 힌트 ▷ (가)

① 별기군을 폐지하였습니다.
② 왜양일체론을 내세웠습니다.
③ 척화비 건립을 주도하였습니다.
④ 미국과의 수교에 반대하였습니다.
⑤ 서학에 반대하여 종교를 창시하였습니다.

▶ 개화 정책의 추진

┃완자 사전┃
• 정1품
조선의 가장 높은 품계로 오늘날 총리급에 해당한다.

▶ 위정척사 운동의 전개

완자쌤의 시험 꿀팁
위정척사 운동의 시기별 활동을 묻는 문제는 자주 출제된다. 위정척사 운동의 의미와 함께 1860년대, 1870년대, 1880년대 시기별 위정척사 운동의 모습을 정리해 둘 필요가 있다.

평가원 응용

5 (가)가 일어나게 된 배경으로 옳은 것은?

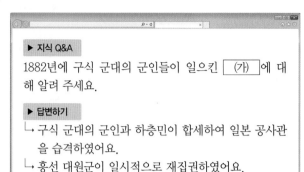

▶ 지식 Q&A

1882년에 구식 군대의 군인들이 일으킨 ☐(가)☐ 에 대해 알려 주세요.

▶ 답변하기

└ 구식 군대의 군인과 하층민이 합세하여 일본 공사관을 습격하였어요.

└ 흥선 대원군이 일시적으로 재집권하였어요.

① 별기군이 우대를 받았다.
② 삼정이정청이 마련되었다.
③ 항일 의병 운동이 발생하였다.
④ 청의 군대가 조선에 주둔하였다.
⑤ 조청 상민 수륙 무역 장정이 체결되었다.

6 (가)에 들어갈 내용으로 가장 적절한 것은?

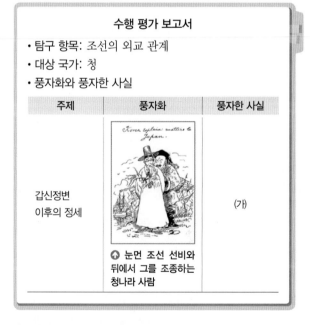

수행 평가 보고서

• 탐구 항목: 조선의 외교 관계
• 대상 국가: 청
• 풍자화와 풍자한 사실

주제	풍자화	풍자한 사실
갑신정변 이후의 정세	Korea explain matters to Japan. ↑ 눈먼 조선 선비와 뒤에서 그를 조종하는 청나라 사람	(가)

① 영선사가 청에 파견되었다.
② 청이 조선의 내정을 간섭하였다.
③ 강화도 조약은 불평등 조약이었다.
④ 청과 일본이 톈진 조약 합의에 이르렀다.
⑤ 흥선 대원군은 서양과의 통상 수교를 거부하였다.

▶ 개화 정책에 대한 반발

완자샘의 시험 꿀팁

개항 후 조선 정부가 추진한 개화 정책과 다양한 계층이 전개한 개화 정책의 반발을 구분해 정리해 두어야 한다.

▶ 갑신정변 이후의 정세

┃ 완자 사전 ┃

• 풍자화
인물이나 사회의 부정적인 측면을 웃음을 자아내는 형태로 신랄하게 폭로하고 비판하는 그림

03 근대 국민 국가 수립을 위한 노력

이것이 핵심!

고부 농민 봉기와 동학 농민 운동

고부 농민 봉기	• 계기: 고부 군수의 비리·수탈 • 전개: 전봉준 주도, 고부 관아 점령 → 자진 해산
제1차 봉기	• 계기: 안핵사가 고부 농민 봉기 참여자를 탄압 • 전개: 백산 봉기(격문과 4대 강령 발표) → 황토현 전투 승리 → 전주 화약 체결
제2차 봉기	• 계기: 일본군의 경복궁 기습 점령 • 전개: 남접과 북접의 연합 → 우금치 전투 패배

★ 포접제
동학의 포교 기초 조직이다. 마을이나 군 단위로 접을 조직하고 수십 개의 접을 묶어 포라고 하였다. 접의 책임자는 접주, 포의 책임자는 대접주라고 불렀다.

★ 신원(伸: 펼 신, 冤: 원통할 원)
억울하게 뒤집어 쓴 죄를 벗어 버리는 것을 말한다. 동학을 만든 최제우는 '사악한 가르침으로 세상을 어지럽힌다.'는 죄로 처형당해서 동학교도들은 그가 억울하게 죽었다고 믿고 교조 신원 운동을 전개하였다.

★ 제폭구민, 보국안민
제폭구민은 폭정(暴)을 제거(除)하고 백성(民)을 구한다(救)는 뜻이고 보국안민은 나라(國)를 돕고(輔) 백성(民)을 편안하게 한다(安)는 뜻이다.

★ 집강소
동학 농민군이 전라도 각지에 설치한 농민 자치적 개혁 기구로 농민의 의사를 모으고, 치안도 담당하였다.

★ 교정청
1894년 5월에 동학 농민군이 철수한 뒤 6월 11일에 조선 정부가 내정 개혁을 위해 임시로 설치한 개혁 기구이다. 일본의 내정 개혁 강요를 배제하면서 개혁 내용을 발표하기도 하였는데 군국기무처가 설치되면서 폐지되었다.

1 동학 농민 운동

1. 농촌 사회의 동요와 동학의 교조 신원 운동

농촌 사회의 동요	• 외세의 경제 침탈: 일본 상인의 곡물 유출, 청·일 상인의 영국산 면직물 싼값 판매 → 농민의 경제적 타격 심화 → 일본에 대한 반감 확산 • 정부의 무능과 수탈: 외국에 대한 배상금 지불, 개화 정책을 위한 재정 지출 증가 등으로 농민의 세금 부담 증가, 수령과 아전의 수탈 → 농민 봉기 자주 발발
동학의 교조 신원 운동	동학의 교세 확장(★포접제 정비) → 교조 최제우의 ★신원과 동학 포교의 자유 요구(공주·삼례·서울 집회) → 종교 운동에서 정치·사회 운동으로 발전(보은·금구(김제) 집회)

ᐧᕀ❓ 농촌 사회가 동요하면서 동학에 가담하는 농민이 많아졌어.

2. 고부 농민 봉기

(1) **배경**: 고부 군수 조병갑이 만석보를 쌓고 물세를 강제로 징수하는 등 비리와 수탈 자행

(2) **전개**: 전봉준 등이 사발통문을 돌려 봉기를 호소 → 농민들의 고부 관아 점령, 만석보 파괴 → 후임 군수의 회유로 농민들은 자진 해산
└─ 호소문이나 격문을 쓰고 나서, 주모자가 드러나지 않게 이름을 사발 모양으로 둥글게 돌려가며 적은 글

3. 동학 농민군의 제1차 봉기 [자료 ①]

(1) **배경**: 안핵사 이용태가 고부 농민 봉기 참여자를 동학교도로 몰아서 체포 → 농민의 분노 고조

(2) **전개**: 동학 농민군이 무장에서 봉기, 고부 점령 → 백산에서 격문과 4대 강령 발표(★제폭구민, 보국안민 등) → 황토현 전투 승리 → 황룡촌 전투 승리 → 전주성 점령

(3) **전주 화약 체결**: 전주성이 점령된 후 정부가 청에 지원병 요청 → 청군과 일본군의 조선 출병 → 정부와 동학 농민군이 전주 화약 체결(동학 농민군의 폐정 개혁안 제시, 정부의 폐정 개혁 약속) → 동학 농민군의 자진 해산
└─ 청군이 아산만에 상륙하자 청군 파병을 통보받은 일본도 조선 내 일본인 보호를 구실로 인천에 병력을 상륙시켰어.

(4) **집강소 설치**: 동학 농민군이 전라도 각지에 ★집강소를 설치한 후 탐관오리 처벌, 조세 개혁, 신분 차별 폐지 등 폐정 개혁안 실천

4. 청일 전쟁과 삼국 간섭

꼭! 청이 조선을 속방이라고 여기다 일본에 의해 조선이 자주독립 국가임을 인정했어. 청이 조선에 대한 영향력을 상실한 거야.

일본의 경복궁 점령	전주 화약 체결 후 조선 정부가 ★교정청 설치, 청·일 양국에 군대 철수 요구 → 일본군이 경복궁을 기습 점령한 후 내정 개혁 강요
청일 전쟁	일본의 청군 공격(청일 전쟁 도발) → 평양 전투, 황해 해전에서 일본군 승리 → 청의 패배, 시모노세키 조약 체결(랴오둥반도, 타이완 등 할양)
삼국 간섭	러시아, 프랑스, 독일이 일본의 랴오둥반도 점유 반대 → 일본의 랴오둥반도 반환(1895)

└─ 삼국 간섭이 러시아 주도로 전개되면서 이후 조선에서 친러 성격의 내각이 구성되기도 하였어.

5. 동학 농민군의 제2차 봉기 [자료 ②]

(1) **배경**: 일본군의 경복궁 기습 점령, 청일 전쟁

(2) **전개**: 일본군 타도를 기치로 동학 농민군 재봉기 → 북접군과 남접군의 논산 집결 뒤 북상 → 동학 농민군이 공주 우금치에서 일본군과 관군을 상대로 전투, 패배 → 일본군과 관군, 민보군도 동학 농민군 공격 → 전봉준 등 동학 농민군 지도자 대부분 체포
└─ 양반과 향리들이 조직한 군대
└─ 전라도의 동학 조직을 남접, 충청도의 동학 조직을 북접이라고 해.

6. 동학 농민 운동의 성격과 영향 [자료 ③]

성격	양반 중심 신분 질서 등 개혁 요구(반봉건적), 일본의 침략과 내정 간섭에 저항(반침략적)
영향	갑오개혁에 동학 농민군의 폐정 개혁안 일부 반영, 동학 농민군의 잔존 세력이 항일 의병 운동에 가담

완자 자료 탐구 · 내 옆의 선생님

자료 ① 동학 농민군의 4대 강령

┌ 동학 농민군의 행동 지침이었어.

1. 사람을 죽이거나 가축을 잡아먹지 말라.
2. 충효를 다하여 세상을 구하고, 백성을 편안하게 하라.
3. 일본 오랑캐를 몰아내고 나라의 정치를 깨끗하게 하라.
4. 군대를 몰고 서울로 쳐들어가 권세가와 귀족을 모두 없애라.

– 정교, 『대한계년사』

고부 농민 봉기 이후 사태를 수습하기 위해 파견된 안핵사 이용태가 오히려 봉기 농민들을 동학교도로 몰아 처벌하자, 전봉준을 비롯한 지도부는 무장에서 대규모로 봉기하였다(제1차 봉기). 고부를 점령하고 백산에 이른 농민군은 격문과 4대 강령을 발표하고 농민군 지휘부를 구성하였다.

자료 ② 동학 농민군의 제2차 봉기

┌ 일본군의 경복궁 침략(범궐)을 말해.

• 일본 오랑캐가 구실을 만들어 군대를 동원하여 우리 임금을 핍박하고 우리 백성을 근심케 하니 어찌 그대로 참을 수 있겠습니까. …… 지금 조정의 대신들을 보건대 망령되이 자기의 안전만을 생각하여 위로는 임금을 위협하고 아래로는 백성을 속여서 일본 오랑캐와 손을 잡아 남쪽의 백성에게 원한을 펴서 망령되이 임금의 군사를 동원하여 선왕의 백성을 해치려 하니 참으로 무슨 뜻이며 끝내 무엇을 하려는 것입니까. └ 동학 농민군을 가리켜. – 「선유방문병도상서소지등서」
• 재판관: 전주 화약 이후 다시 군사를 일으킨 이유는 무엇인가?
  전봉준: 일본이 도성에 군대를 파견해 임금을 놀라게 하니, 나라를 사랑하는 마음으로 의병을 일으켜 일본군과 전투를 벌이고자 하였다. – 법무아문 재판관의 전봉준 심문 기록

청일 전쟁에서 전세가 유리해진 일본은 조선에 대한 내정 간섭을 강화하면서 관군과 함께 동학 농민군을 토벌하려 하였다. 이에 동학 농민군은 일본의 침략을 물리치기 위해 제2차 봉기를 일으켰다.

자료 ③ 폐정 개혁안의 주요 내용과 동학 농민 운동의 성격

• 전운소를 혁파할 것 ┐ ┌ 전운소는 세곡 운송 담당 기관인데, 선박 구입 등 운영
                        비용을 백성에게 떠넘기는 등 폐단이 많았어.
• 세금을 징수할 토지를 확대하지 않을 것
• 전 감사가 이미 거둔 환곡을 다시 내라고 하지 말 것
• 탐관오리는 파면하여 쫓아낼 것
• 임금을 둘러싸고 매관매직하며 국권을 농간하는 자를 축출할 것
• 전세는 전례에 따를 것   └ 쫓아낼 것
              └ 이전 사례
• 집집마다 부과하는 노역을 줄여 줄 것
• 포구 어염세를 폐지할 것   – 전봉준의 사형 판결문, 1895. 3.

자료는 동학 농민군이 제1차 봉기 때 요구한 폐정 개혁안이다. 동학 농민 운동은 무능하고 부패한 양반 지배 체제 타도를 주장한 운동으로, 반봉건 성격을 띤 우리 역사상 최대 규모의 농민 운동이었다. 동학 농민군의 개혁 요구는 갑오개혁에 일정 부분 반영되었다.

자료 하나 더 알고 가자!

제1차 봉기의 배경
고부 농민 봉기 후 새로 부임한 고부 군수야. ┐

안핵사 이용태가 부임해서는 박원명이 한 일을 모두 뒤집고 백성들에게 반역죄를 적용하여 죽이려고 하였다. 또한 부자들을 얽어매어 난을 일으켰다는 혐의로 협박하며 많은 뇌물을 요구하였다. 감사 김문현과도 흉계를 꾸며 감영 감옥으로 이송되는 죄수들이 줄을 이었다.
– 황현, 『매천야록』

제1차 봉기가 일어나게 된 데에는 안핵사 이용태의 탄압이 큰 계기가 되었다.

문제 로 확인할까?
동학 농민군의 제2차 봉기의 목적으로 옳은 것은?
① 개국 통상
② 왕권 강화
③ 교조의 신원
④ 일본군 타도
⑤ 동학 포교의 자유 요구

④ 답

자료 하나 더 알고 가자!

고부 농민 봉기와 제1차 동학 농민 운동의 전개 과정

→ 동학 농민군의 1차 봉기 진로
⊛ 격전지

⑤ 전주성 점령 1894. 4.
⑥ 전주 화약 체결 1894. 5.
① 고부 농민 봉기 1894. 1.
③ 황토현 전투 1894. 4.
② 1차 봉기 1894. 3.
④ 황룡촌 전투 1894. 4.

갑오·을미개혁의 주요 내용

제1차 갑오개혁	개국 기년 사용, 80문 설치, 과거제·연좌제·노비제 폐지
제2차 갑오개혁	내각 7부로 개편(중앙), 23부 행정 구역 개편(지방), 재판소 설치
을미개혁	태양력 사용, '건양' 연호 채택, 단발령 시행

★ 군국기무처
국정에 관한 일체의 개혁 안건을 의결하기 위한 임시 회의 기구이다. 총재는 김홍집이었고, 어윤중, 김윤식, 유길준 등이 회의원으로 참여하였다.

★ 개국 기년
조선이 건국된 1392년을 원년으로 하여 연도를 표기하는 방식

★ 상리국
보부상을 통합하여 관할하던 기관으로 1883년에 설치된 혜상공국이 1885년에 상리국으로 명칭이 바뀌었다. 독점 상업권을 지니고 있었다.

★ 태양력 사용
을미개혁으로 태양력이 사용되면서 1895년 음력 11월 17일이 1896년 양력 1월 1일이 되었다.

★ 종두법
천연두를 예방하기 위해 정기적으로 백신을 접종하는 방법

★ 아관 파천
을미의병이 일어나자 이를 빌미로 1896년 2월 11일에 친러 세력이 러시아 공사와 공모하여 비밀리에 고종을 러시아 공사관으로 옮긴 사건이다. 이 결과 친일 정권이 무너지고, 친러파가 정권을 장악하였다.

② 갑오·을미개혁

1. 제1차 갑오개혁

Qw? 민씨 일파를 견제하기 위해서야. 실권은 없었어.

(1) **전개:** 일본군이 흥선 대원군을 내세워 김홍집을 수반으로 하는 정권 수립, *군국기무처를 설치해 개혁 법안 마련, 공포(갑신정변의 개혁안과 동학 농민군의 요구 일부 반영)

(2) **주요 개혁 내용** 자료④ └ 이때에는 일본이 청과 전쟁 중이어서 조선의 내정 개혁에 적극적이지 않아 군국기무처가 비교적 자율적으로 개혁을 실행하였어.

정치	• *개국 기년 사용: 자주성을 대외적으로 나타내기 위해 중국 연호 대신 사용 • 궁내부 설치: 왕실 사무 담당 기관을 설치해 왕실 사무를 정부 사무와 분리 → 국왕의 전제권 제한 • 6조를 80문으로 개편: 내무·외무·탁지·군무·법무·학무·공무·농상아문 설치 → 의정부의 권한 강화 • 경무청 신설: 경찰 제도 실시 • 과거제 폐지: 여러 시험을 거쳐 인재를 폭넓게 등용
경제	• 탁지아문으로 재정 일원화: 왕실이나 각 관청이 자의로 징세하는 폐단을 고침 • 조세 금납제 시행, 은 본위 화폐 제도 채택, 도량형 통일 등
사회	• 차별적 신분 제도 폐지, 공사 노비제 폐지 → 봉건적 신분제의 철폐 • 조혼 금지, 과부 재가 허용, 고문과 연좌제 폐지 → 사회적 악습 개혁 • 공문서에 국문·국한문 사용 → 의사소통의 편의성 제고

2. 제2차 갑오개혁 자료④

(1) **배경:** 청일 전쟁에서 승기를 잡은 일본이 조선 내정에 적극 개입 ┌ 일본의 영향력이 컸을 때 설립된 친일 정권이야.

(2) **전개:** 일본이 흥선 대원군을 축출, 박영효를 귀국시킴 → 김홍집·박영효 연립 내각 수립 → 군국기무처를 폐지하고 내각이 개혁 추진 → 고종이 독립 서고문과 홍범 14조 반포 교과서 자료

청과의 관계를 끊겠다는 자주독립의 맹세를 한 거야. └ 국정 개혁의 기본 강령이었어.

(3) **주요 개혁 내용**

정치	• 의정부 80문을 내각 7부로 개편: 국왕 중심에서 내각 중심으로 통치 제도 개편 • 8도-부·목·군·현을 23부-군으로 개편 ─ 지방관의 사법권과 군사권을 배제하여 권한을 축소시켰어. • 재판소 설치: 지방 재판소, 한성 재판소, 고등 재판소, 특별 법원 등을 설치해 사법권을 독립시킴 • 중앙에 훈련대 설치, 궁궐 호위 전담 부대로 시위대 창설
경제	• 근대적 예산 제도 도입, 조세 징수 업무를 담당하는 관세사와 징세사 설치 • 육의전 폐지, *상리국 폐지 ─ Qw? 독점 상업권을 가지고 있던 단체를 없앤 거야.
사회	교육입국 조서 반포, 한성 사범 학교 관제·외국어 학교 관제· 소학교 관제 등 근대적 교육 제도 마련

3. 을미개혁 자료⑤

미우라 공사는 일본군 수비대, 일본인 낭인 등을 경복궁에 침입시켜 친러 정책을 주도하던 명성 황후를 살해하였어.

(1) **배경:** 러시아가 삼국 간섭 주도 → 고종과 명성 황후가 일본을 견제하기 위해 러시아 세력을 끌어들이려 함 → 고종이 박정양·이완용 내각 구성 → 일본이 명성 황후를 시해(을미사변, 1895)
└ 친러, 친미적 인물로 구성했어.

(2) **전개:** 친일적인 김홍집 내각 구성

(3) **주요 개혁 내용**

정치	• '건양' 연호 사용 • 훈련대 해산, 중앙에 친위대·지방에 진위대 신설
사회	*태양력 사용, 소학교 설립, *종두법 시행, 단발령 시행 등

(4) **개혁의 중단:** 을미의병 발발, *아관 파천(1896) 단행 → 김홍집 내각 붕괴

Qw? 양반 유생이 을미사변과 단발령 시행에 반발했기 때문이야.

4. 갑오·을미개혁의 의의와 한계

의의	갑신정변의 개혁안과 동학 농민 운동의 개혁 요구를 일부 반영, 봉건적 통치 체제를 개혁한 근대적 개혁
한계	일본의 간섭 속에서 추진, 국방력 강화와 상공업 진흥에 소홀

자료 ④ 갑오개혁과 중앙 정치 기구의 변화

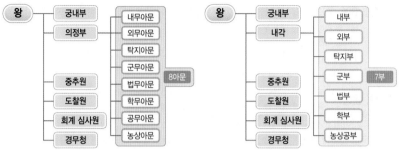

↑ 제1차 갑오개혁에 따른 중앙 정치 기구   ↑ 제2차 갑오개혁에 따른 중앙 정치 기구

제1차 갑오개혁 때에는 6조가 8아문으로 바뀌었다. 제2차 갑오개혁에서는 8아문을 7부로 바꾸었고, 의정부 대신에 내각을 편성하여 총리대신이 내각을 통할하게 하였다. 이로 인해 통치 구조가 국왕 중심에서 내각 중심으로 바뀌었다.

자료 하나 더 알고 가자!

내각제 개혁의 영향

> 내각제 개혁 이후에는 국왕권이 극도로 제한되었다. 이로 인해 고종은 격분하여 "대신들이 원하는 대로 국체를 바꾸어 새로 공화 정치를 만들든지, 또는 대통령을 선출하든지 너희들 마음 내키는 대로 하는 것이 좋을 것이다."라고 토로하였다.   – 주한 일본 공사관 기록

자료는 내각제에 대한 고종의 반응이다. 이를 통해 내각제 개혁으로 국왕권이 제한되었음을 알 수 있다.

수능이 보이는 교과서 자료   홍범 14조의 내용

> 1. 청에 의존하려는 마음을 버리고 자주독립하는 기초를 확고히 할 것
> 3. 대군주가 정사를 각 대신에게 물어 재결하며 왕비와 후궁, 종친이 간여하지 못하게 할 것
> 4. 왕실 사무와 국정 사무를 나누어 서로 혼합하지 아니할 것
> 9. 왕실 비용 및 각 관부 비용은 1년 예산을 세워 재정의 기초를 세울 것
> 12. 장교를 교육하고 징병제를 실행하여 군제의 기초를 확정할 것
> 13. 민법과 형법을 명확하게 제정하고, 인민의 생명과 재산을 보전할 것

9조, 12조, 13조는 근대적인 예산 제도, 군사 제도, 사법 제도를 지향하고 있어.   – 『고종실록』

홍범 14조는 국정 개혁의 기본 강령으로 청의 종주권 부인, 흥선 대원군과 명성 황후의 정치 개입 배제, 내각 제도 확립 등의 내용을 담고 있다.

완자쌤의 탐구 강의

• 홍범 14조 중 3조와 4조에서 알 수 있는 정치 분야의 변화를 써 보자.
3조에서 국왕이 대신에게 물어 재결한다거나, 4조에서 왕실 사무와 국정 사무를 구분한다는 것을 통해 국왕권을 제한하고, 내각 중심 통치 체제를 지향하고 있음을 알 수 있다.

함께 보기) 140쪽 1등급 도전하기 4

자료 ⑤ 을미사변과 을미개혁

┌ 을미사변을 가리켜.

> • 나는 결코 민비(명성 황후)의 집권을 지지하는 사람이 아니다. 오히려 민비의 음모와 사악한 간신배들을 응징하기 위해 폐위도 주장하였을 것이다. 그러나 일본인 암살자가 우리의 황후를 잔혹하게 살해한 행위는 결코 용납할 수 없다.   – 윤치호, 『윤치호 일기』, 1895. 8. 20.
> • 경무사 허진은 순검들을 지휘하여 가위를 들고 길을 막고 있다가 사람만 만나면 갑자기 머리를 깎아 버렸다. 그리고 그들은 인가에 들어가 모두 단속해 찾아내므로 깊이 숨어 있는 사람이 아니면 머리를 깎지 않는 사람이 없었다. 그중 서울에 온 시골 사람들은 문밖을 나섰다가 상투가 잘리면 대개 그 상투를 주워 주머니에 넣고 통곡하며 도성을 빠져 나왔다.   – 황현, 『매천야록』

└ 단발령이 공포되어 시행하고 있는 거야.

첫 번째 자료는 을미사변의 만행을 비판하는 시각을, 두 번째 자료는 을미개혁의 단발령에 대한 당시 사람들의 반응을 보여 준다. 을미사변과 을미개혁에 대한 반발로 전국 각지에서 의병이 일어났으며 을미사변으로 왕권의 위축을 느낀 고종이 아관 파천을 단행하여 을미개혁은 중단되었다.

문제로 확인할까?

1. 을미개혁의 내용으로 옳지 않은 것은?
① 단발령 시행
② 태양력 사용
③ 종두법 실시
④ 건양 연호 사용
⑤ 청에 대한 조공 폐지

⑤ 답

2. 삼국 간섭 이후 조선 정부가 친러를 추진하자 일본이 이를 견제하기 위해 명성 황후를 시해하였는데 이 사건을 (   )이라고 한다.

을미사변 답

독립 협회와 대한 제국의 활동

독립 협회	• 러시아의 이권 침탈 저지 • 법률에 의한 신체의 자유와 재산권 보호, 언론·출판·집회·결사의 자유 주장 • 의회 설립 운동 전개(헌의 6조 결의) → 입헌 군주정 추구
대한 제국	• 황제권 강화(대한국 국제 공포) • 양전 사업 후 지계 발급 • 식산흥업 추진, 실업 학교 설립

★ 절영도 조차
러시아는 얼지 않는 항구를 확보하고, 숯과 석탄의 저장 창고를 설치하기 위해 절영도(현재의 부산 영도)를 빌려 쓰려고 하였다.

★ 만민 공동회
1898년 3월부터 종로에서 개최한 민중 대회로 이때 상인, 학생 등 1만여 명이 참여하였다.

★ 중추원
1894년에 설치되어 전직 정2품 이상의 관료를 고문으로 임명하였다. 1895년부터 내각의 자문 기구로 개편되고 50명 이하의 전직 고위 관료를 의관으로 임명하였다.

★ 구본신참
옛것(舊)을 근본(本)으로 하고 새로운 것(新)을 참작 또는 참조(參)한다는 뜻으로 동도서기론에 기반을 두고 있다.

★ 식산흥업
생산(産)을 늘리고(殖) 산업(業)을 일으킨다(興)는 뜻

---

③ 독립 협회와 대한 제국

1. 독립 협회

(1) 독립 협회의 설립(1896. 7.): 독립신문을 창간한 서재필이 독립문 건립을 위해 개화파 관료들과 함께 설립 ┌ 독립문 건립 모금만 내면 누구나 독립 협회 회원이 될 수 있었어. 이때는 이완용 등 정부 관료가 독립 협회를 주도하였다.

(2) 민중 계몽 활동: 기관지로 『대조선 독립 협회 회보』 발간, 독립관에서 교육과 산업 진흥·자주 독립을 주제로 강연회·토론회 개최 (자료 ⑥)

(3) 국권 수호와 개혁 운동 ┌ 독립 협회가 정부의 외세 의존 정책을 비판하자 관리들은 빠져 나가고, 윤치호, 이상재 등 개화 지식인이 주도하는 단체가 되었다.

자주 국권 운동	• 배경: 러시아의 군사 교관과 재정 고문 파견, ★절영도 조차, 한러 은행 설립 등 이권 요구 • 전개: 독립 협회의 구국 운동 상소문 제기, ★만민 공동회 개최, 러시아의 이권 요구 규탄 • 결과: 러시아 재정 고문 철수, 한러 은행 폐쇄, 러시아의 절영도 조차 요구 철회
내정 개혁 운동	• 자유 민권 운동 전개(법률에 따른 신체의 자유와 재산권 보호, 언론·출판·집회·결사의 자유 요구) • 국민의 뜻을 국정에 반영하려는 국민 참정권 운동 전개 • 정부 대신의 부정부패 비판, 연좌제 부활 시도에 반대 운동 전개

(4) 의회 설립 운동과 중추원 개편 ┌ Qu? 개혁적 성향의 박정양 내각이 들어섰기 때문에 정부 대신이 참여하는 관민 공동회가 열릴 수 있었어.

의회 설립 운동	서유럽 상원 의회처럼 ★중추원 개편 요구 → 입헌 군주정 수립 추구
중추원 관제 개편	• 과정: 독립 협회가 관민 공동회 개최(정부 대신, 시민, 학생 참여) → 헌의 6조 결의 → 고종의 수용, 중추원 관제 개편 (자료 ⑦) • 내용: 중추원이 입법권·정부 안건 심사권·정부 정책 자문권 행사, 중추원 의관 절반은 독립 협회에서 선출

(5) 독립 협회의 해산: 보수 세력이 독립 협회가 공화정을 추진한다고 모함 → 고종이 독립 협회 해산 명령 → 만민 공동회의 저항 → 고종이 황국 협회와 군대를 동원해 독립 협회 강제 해산

(6) 독립 협회 활동의 한계와 의의

① 한계: 러시아에 국한된 외세 배척 운동 전개(미국, 영국 일본 등에 우호적)

② 의의: 자주권 수호와 민권 의식 신장에 기여, 근대 국민 국가를 지향한 국정 개혁 추진

2. 대한 제국과 광무개혁 (자료 ⑧)

(1) 대한 제국의 수립: 고종의 경운궁 환궁, '광무' 연호 제정, 환구단에서 황제 즉위식 거행, 국호 '대한 제국' 선포(1897)
┌ 고종의 환궁을 요구하는 상소가 빗발쳤어.
┌ 조선도 황제국이 되어 위상을 높여야 한다는 여론이 일어났어.

(2) 황제권 강화

정치	• 「대한국 국제」 반포(1899): 황제가 군 통수권, 입법권, 사법권, 행정권 등 모든 권한 행사 • 원수부 설치: 황제가 대원수로서 국방, 군사에 대한 명령을 직접 장악
경제	• 목적: 황실 중심의 재정 확보 • 내용: 궁내부 산하에 통신·철도·광산·세관·도량형 등의 담당 기구 설치, 궁내부의 재정 기관인 내장원은 홍삼 전매권·상업세 등 흡수, 전환국을 황제 직속 기구로 전환 ┌ 백동화를 대량 발행해 근대화 정책의 재원으로 삼았어.

(3) 광무개혁 추진

원칙	★구본신참의 원칙에 따른 점진적 개혁 추진
내용	• 양전 사업과 지계 발급: 토지 측량 후 지계 발급 → 근대적 토지 소유권 확인, 지세 수입 증대 추구 • 근대 시설 설치: 전화 가설, 우편 제도 정비, 전차와 철도 부설 • ★식산흥업 정책 추진: 섬유·운수·광업·금융 분야 회사 설립 • 실업 교육 실시: 외국에 유학생 파견, 실업 학교와 각종 기술 교육 기관 설립
한계	황제권 강화에 치중함, 열강의 간섭으로 개혁을 제대로 이루지 못함
┌ 민권 보장에는 소홀하였어.

자료 ⑥ 독립 협회의 토론회 주제

1897. 8.	조선의 급선무는 인민의 교육에 있다.
1897. 12.	인민의 견문을 넓히려면 신문을 발간하는 일이 제일로 중요하다.
1898. 1.	나라를 부강하게 하려면 광산을 더욱 확대해야 한다.
1898. 3.	우리 국토를 남에게 빌려주는 것은 온당치 못하다.— 이권 수호의 중요성을 계몽하고 있어.
1898. 4.	중추원을 개편하는 것이 정치상 제일 긴요하다.
1898. 5.	백성의 권리가 높아질수록 임금의 지위가 높아지고, 나라의 힘을 떨칠 수 있다.

독립 협회는 독립관에서 교육과 산업 진흥, 자주독립 등을 주제로 토론회를 열어 민중을 계몽하였다. 이러한 노력으로 민중의 정치의식이 높아졌다.

자료 ⑦ 헌의 6조

1. 외국인에게 의지하지 말고 관민이 협력하여 전제 황권을 공고히 할 것
2. 정부가 외국인과 체결하는 모든 조약은 정부 대신과 중추원 의장이 합동 날인하여 시행할 것 ┐ 황제권을 제약할 거야.
3. 국가 재정은 탁지부에서 관장하고 예산과 결산을 인민에게 공포할 것 — 황실의 재정권을 제한하려 한 거야.
4. 중대 범죄는 공개 재판을 시행하되, 피고의 인권을 존중할 것
5. 칙임관을 임명할 때에는 정부에 자문을 구하여 그 과반수가 동의하면 임명할 것 ┘ 황제의 임명권(인사권)에 직접 제한을 가한 거야.
6. 정해진 규정을 실천할 것

– 「고종실록」

관민 공동회에서 결의된 헌의 6조에는 국권 수호, 황제권 제약, 민권 보장 등의 내용이 담겨 있으며, 이를 통해 독립 협회가 입헌 군주정 체제를 지향하였음을 알 수 있다.

자료 ⑧ 대한국 국제와 지계 발급

[대한국 국제]
제1조 대한국은 세계 만국이 공인한 자주독립 제국이다.
제2조 대한국의 정치는 만세불변의 전제 정치이다.
제3조 대한국 대황제는 무한한 군주권을 누린다.
제5조 대한국 대황제는 육·해군을 통솔한다.
제6조 대한국 대황제는 법률을 제정하여 그 반포와 집행을 명하고, 대사, 특사, 감형, 복권 등을 명한다.

– 「고종실록」

[지계 발급]
제1조 지계아문은 한성부와 13도 각 부와 군의 산림, 토지, 전답, 가옥의 지계를 정리하기 위하여 임시로 설치한다.
제10조 대한 제국 인민이 아닌 사람은 산림, 토지, 전답, 가옥의 소유주가 될 수 없다. 단 개항장은 이 규정의 제한을 받지 않는다.— 개항장 외 외국인의 토지 소유를 금지하였어.

– 「지계아문 규정」

대한국 국제에서는 대한 제국이 자주독립국임을 천명하면서 전제 군주제를 지향하여 황제에게 절대권을 부여하였다. 한편 대한 제국은 전국적으로 양전 사업을 시행하였고, 토지 소유권을 증명하는 문서인 지계를 발급하는 근대적 개혁을 추진하였다.

자료 하나 더 알고 가자!

독립문 건립

독립 협회는 청의 사신을 맞이하던 영은문 터 근처에 독립문을 세웠다. 또한 그 옆의 청 사신을 맞이하던 모화관을 수리하여 독립관이라 이름 붙였다.

자료 하나 더 알고 가자!

관민 공동회의 개최

1898년 10월 29일 오후 2시, 많은 정부 관리와 대중이 참여한 가운데 종로에서 관민 공동회가 열렸다. …… 백정 박성춘이 "이 사람은 바로 대한에서 가장 천한 사람이고 무식합니다. 그러나 임금께 충성하고 나라를 사랑하는 뜻은 대강 알고 있습니다. …… 회원들이 각자 의견을 말하였다.   – 정교, 「대한계년사」

관민 공동회는 관료와 백성이 모여 국정을 논의한 집회였다.

자료 하나 더 알고 가자!

대한 제국이 발행한 지계

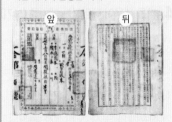
앞   뒤

강원도를 비롯한 여러 지역에서 지계를 발급하였다.

문제로 확인할까?

대한 제국이 주도한 개혁 내용으로 옳지 않은 것은?
① 원수부 설치   ② 궁내부 마련
③ 지계아문 설립   ④ 광무 연호 사용
⑤ 중추원 관제 개편

② 답

STEP 1 핵심 개념 확인하기

1 다음에서 설명하는 운동을 쓰시오.

- 동학교도들이 주도하였다.
- 정부의 탄압으로 처형당한 교조 최제우의 누명을 벗겨 주고, 포교의 자유를 얻고자 한 운동이었다.

2 다음 설명이 맞으면 ○표, 틀리면 ×표를 하시오.

(1) 동학 농민군은 황토현에서 관군에게 패배하고 지도부는 체포되었다. ( )

(2) 김홍집을 수반으로 한 정권은 군국기무처를 설치하여 제1차 갑오개혁을 추진하였다. ( )

(3) 독립신문을 발간한 서재필이 주도하여 독립문 건립을 위해 독립 협회를 창립하였다. ( )

3 다음은 동학 농민 운동 중에 있었던 사실들이다. 이들을 일어난 순서대로 나열하시오.

(가) 전주 화약 체결   (나) 우금치 전투 전개
(다) 교조 신원 운동 전개   (라) 농민군 4대 강령과 격문 발표

4 다음 내용이 해당하는 개혁을 〈보기〉에서 골라 기호를 쓰시오.

보기
ㄱ. 을미개혁   ㄴ. 제1차 갑오개혁   ㄷ. 제2차 갑오개혁

(1) 태양력이 사용되었으며 단발령이 내려졌다. ( )

(2) 신분제와 공사 노비제가 폐지되고 과부의 재가가 허용되었다. ( )

(3) 의정부를 내각으로 개편하고 지방 행정 구역을 8도에서 23부로 바꾸었다. ( )

5 다음 활동을 전개한 주체를 옳게 연결하시오.

(1) 만민 공동회 개최   •   • ㉠ 대한 제국
(2) 원수부 설치, 지계 발급 •   • ㉡ 독립 협회

STEP 2 내신 만점 공략하기

01 다음 주장이 제기된 운동에 대한 설명으로 옳은 것은?

- 동학은 사학(邪學)이 아니라 유·불·선을 합일한 것으로 유교와는 대동소이하고 이단이 아니다.
- 가혹한 탄압으로 교도들이 극심한 고통을 당하고 있다. 체포된 교도들을 석방해 달라.
- 최제우의 신원(伸寃)을 조정에 아뢰어 달라.
  – 「각도동학유생의송단자」

① 병인박해를 계기로 일어났다.
② 청군의 개입으로 진압되었다.
③ 삼정이정청의 설치로 이어졌다.
④ 도시 하층민이 운동에 가담하였다.
⑤ 동학의 교세가 확장되면서 전개되었다.

02 밑줄 친 '이 사건'의 결과로 옳은 것은?

전봉준 등은 사발통문을 돌려 동지를 모은 후 <u>이 사건</u>을 일으켰다. 이들은 관아를 점령하고 곡식을 나눠주었으며 옥살이하던 사람을 풀어주었다. 또한 조병갑의 횡포를 상징하는 만석보를 허물었다.

⬆ 이 사건으로 허물어진 만석보가 있던 자리에 세워진 비석

① 개혁 기구인 교정청이 폐지되었다.
② 개화당이 개혁 정강을 발표하였다.
③ 전라도 지역에 집강소가 마련되었다.
④ 사태 수습을 위한 안핵사가 파견되었다.
⑤ 정부의 요청으로 청군이 국내로 들어왔다.

03 (가) 기구에 대한 탐구 활동으로 가장 적절한 것은?

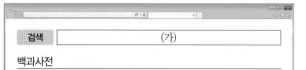

검색 [(가)]

백과사전

(가)는 전라도 대부분의 고을에 설치되었다. 동학교도가 각 고을 (가)의 집강이 되어 지방의 치안과 행정을 담당하였다. (가)는 집행 기관으로 서기·성찰·집사 등의 직책이 있었는데, 이들은 집강의 지휘를 받으면서 조세 징수 등 행정 관련 사무를 처리하였다. 의결 기관으로 읍마다 의사원(議事員) 약간을 두어 정책과 의사 결정을 하였다.

① 청일 전쟁의 영향을 알아본다.
② 호포제를 실시한 계기를 검토한다.
③ 전주 화약 체결의 효과를 분석한다.
④ 공주 우금치 전투의 결과를 찾아본다.
⑤ 흥선 대원군이 재집권한 배경을 파악한다.

04 ★중요 교사의 질문에 대한 학생의 답변으로 가장 적절한 것은?

사진은 전북 정읍의 황토현 전투 유적지에 세워진 어느 운동의 기념비입니다. 이 운동에 대해 설명해 보세요.

① 반봉건과 반침략의 성격을 지녔어요.
② 정부 고관과 일본 공사관을 공격하였어요.
③ 전제 왕권 강화를 목표로 한 한계가 있었어요.
④ 일본의 군사 지원 약속에 지나치게 의존하였어요.
⑤ 근대 국가 건설을 위한 최초의 정치 개혁 운동이었어요.

05 ★중요 다음 개혁이 추진된 계기로 옳은 것은?

• 전운소를 혁파할 것
• 세금을 징수할 토지를 확대하지 않을 것
• 전 감사가 이미 거둔 환곡을 다시 내라고 하지 말 것
• 탐관오리는 파면하여 쫓아낼 것
• 임금을 둘러싸고 매관매직하며 국권을 농간하는 자를 축출할 것
• 전세는 전례에 따를 것
• 집집마다 부과하는 노역을 줄여 줄 것
• 포구 어염세를 폐지할 것 — 전봉준의 사형 판결문, 1895. 3.

① 고종이 경우궁으로 돌아와 황제로 즉위하였다.
② 고종이 독립 서고문과 홍범 14조를 반포하였다.
③ 동학 농민군과 정부군이 전주 화약을 체결하였다.
④ 일본 공사 등이 명성 황후를 살해한 사건이 일어났다.
⑤ 아들이 고종으로 즉위하여 흥선 대원군이 집권하였다.

06 (가) 기구에 대한 설명으로 옳은 것은?

우리 정부는 왕명을 받들어 [(가)]을/를 설치하고 당상관 15명을 두어 먼저 폐정 몇 가지를 개혁하였는데, 모두 동학당이 사정을 하소연한 일이었다. 개혁을 추진함으로써 일본인들의 요구와 끼어듦을 막고자 하였다. ……
1. 조세를 많이 떼어먹은 향리는 일체 너그러이 용서하지 말고 하나의 법률로 다룰 것
2. 지방관이 부임지에서 토지를 사거나 묘를 쓰는 것을 금지할 것
— 김윤식, 「속음청사」

① 대한 제국에서 설치하였다.
② 공사 노비 제도를 폐지하였다.
③ 전주 화약 체결 이후에 세워졌다.
④ 중추원 관제 개편안을 마련하였다.
⑤ 임술 농민 봉기의 대책으로 설립되었다.

07 밑줄 친 '개혁'에 따라 나타난 사실로 옳은 것은?

> • 나(무쓰 무네미쓰, 일본 외무대신)는 처음부터 조선 내정의 개혁을 정치적 필요 이상의 의미가 있는 것으로 보지 않았으며, …… 이 때문에 군이 일본의 이익을 희생시킬 필요가 있는 것으로 보지 않았다. …… 이는 원래 청일 양국의 전쟁 등 얽혀 있는 난국을 조정하기 위한 하나의 정책이었던 것인데 …… . – 무쓰 무네미쓰, 「건건록」
>
> • 지금 조선의 개혁은 행하지 않을 수가 없지만 조선인 된 자에게는 세 가지 부끄러움이 있습니다. 스스로 개혁을 행하지 못해 귀국(일본)의 권유와 강박을 받았으므로 우리나라 인민에게 부끄럽고, 세계 만국에게 부끄럽고, 천하 후세에게 부끄럽습니다. …… 개혁을 잘 이룸으로써 …… 보국안민하게 되면 오히려 허물을 벗어날 수 있을 겁니다. – 유길준, 「세 가지 부끄러움」

① 궁내부가 설치되었다.
② 삼군부가 부활하였다.
③ 원수부가 마련되었다.
④ 통리기무아문이 설립되었다.
⑤ 집강소가 폐정 개혁을 추진하였다.

08 다음과 같이 중앙 정치 조직이 개편된 개혁에 대한 설명으로 옳은 것은?

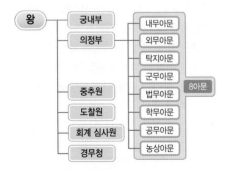

① 봉건적 신분제가 철폐되었다.
② 지방관의 사법권이 박탈되었다.
③ 근대적 교육 제도가 마련되었다.
④ 단발령을 공포하여 상투를 잘랐다.
⑤ 을미사변이 발생하는 계기가 되었다.

09 다음 상황이 나타나게 된 계기로 옳은 것은?

> 상투는 몇 세기의 역사를 가지고 있으며 그 역사는 국가의 발생 시기까지 거슬러 올라간다. …… 상투가 없으면 성인으로 간주하지 않고 존칭도 붙이지 않으며, 정중한 대우도 받지 못한다. …… 그들의 자존심과 위엄은 모두 비난받고 발아래서 짓밟혔다. …… 성문에는 파수꾼들이 지키고 서서 지나가는 사람들의 상투를 잘랐으며, 모든 공직자와 군인은 일시에 삭발을 당하였다. 통곡과 비탄과 울부짖음 소리가 들려왔다. – 언더우드(Underwood, L. H.), 「상투의 나라」

① 아관 파천이 발생하였다.
② 황국 협회가 결성되었다.
③ 개국 기년이 쓰이기 시작하였다.
④ 군국기무처가 개혁을 추진하였다.
⑤ 을미사변으로 내각이 새로 구성되었다.

10 (가)의 활동으로 옳은 것은?

> **수행 평가 보고서**
>
> • 탐구 주제: 근대 국민 국가 수립을 위한 노력
> • 조사 내용
> 1. 사회 정치 단체 [(가)]의 성과
>
> | 사진 | 설명 |
> |---|---|
> | | 청의 사신을 맞이하던 영은문이 헐린 자리 부근에 독립문을 세웠다. 영은문의 돌기둥 앞에 서 있는 독립문은 조선의 자주와 독립을 상징한다. |

① 궁내부를 신설하였다.
② 만석보를 파괴하였다.
③ 조선책략을 들여왔다.
④ 만민 공동회를 개최하였다.
⑤ 조선의 중립국화를 제기하였다.

11 밑줄 친 '이 모임'에서 전개된 사실로 옳은 것은?

| 한국사 신문 | 1898. 10. ○○. |

이 모임이 열리다

1898년 10월 29일 오후 2시 종로에서 이 모임이 열려 정부 대신들과 많은 대중이 열띤 토론을 전개하였다. 이 모임은 독립 협회 회장 윤치호의 취지 설명과 정부 대신인 박정양의 인사말로 시작되었다. 백정 출신 박성춘이 개막 연설을 하였고, 이후 회원들이 각자 자신의 의견을 말하였는데 ……

백정 박성춘, "관리와 백성이 힘을 합쳐야지요."

이 사람은 바로 대한에서 가장 천한 사람이고 무식합니다. 그러나 임금께 충성하고 나라를 사랑하는 뜻은 대강 알고 있습니다. …… 관리와 백성이 힘을 합하여 우리 대황제의 훌륭한 덕에 보답하고 ……

① 원수부를 설치하였다.
② 헌의 6조가 결의되었다.
③ 교육입국 조서를 반포하였다.
④ 개국 기년 사용이 선포되었다.
⑤ 개화당이 개혁 정강을 발표하였다.

12 다음 논설에 나타난 운동을 전개한 단체에 대한 설명으로 옳지 <u>않은</u> 것은?

> • 의회가 따로 설립되면 나라 안에 현명한 이들이 의원으로 선출되어 좋은 의논이 날마다 공평하게 토론되어 법률과 제도가 만들어지므로 폐정이 교정되고 나라가 융성하게 된다.
> • 의회가 설립되면 …… 모든 사람이 각기 자기 의견에 따라 발언하여 참정을 하게 되며, 나라 일을 내 일과 같이 생각하여 정부와 국민 사이에 종래 없던 소통이 생겨나서 나라 사랑하는 마음이 전보다 배가 된다. — 독립신문

① 관리들이 보부상을 내세워 조직하였다.
② 러시아의 절영도 조차 요구를 철회시켰다.
③ 독립문 건립 모금에 참여하면 회원이 되었다.
④ 신체의 자유와 재산권을 보호하라고 요구하였다.
⑤ 황제를 폐위하고 공화정을 세우려 한다는 모함을 받았다.

13 다음 상황이 나타나게 된 배경으로 옳은 것은?

> 심순택이 아뢰기를, "조선은 기자가 봉해졌을 때의 이름이니 당당한 제국의 이름으로는 합당하지 않습니다. …… 한(韓)이란 이름은 우리의 고유한 나라 이름이며, 우리나라는 마한·진한·변한 등 원래의 삼한을 아우른 것이니 대한(大韓)이라는 이름이 적합합니다." — 『고종실록』

① 대한국 국제가 발표되었다.
② 김홍집 내각이 붕괴되었다.
③ 흥선 대원군이 재집권하였다.
④ 명성 황후가 시해를 당하였다.
⑤ 고종이 경운궁으로 환궁하였다.

14 다음 법이 반포된 시기에 대한 탐구 활동으로 가장 적절한 것은?

> 제1조 대한국은 세계 만국이 공인한 자주독립 제국이다.
> 제2조 대한국의 정치는 만세불변의 전제 정치이다.
> 제3조 대한국 대황제는 무한한 군주권을 누린다.
> 제5조 대한국 대황제는 육·해군을 통솔한다.
> 제6조 대한국 대황제는 법률을 제정하여 그 반포와 집행을 명하고, 대사, 특사, 감형, 복권 등을 명한다.
> 제9조 대한국 대황제는 각 조약 체결국에 사신을 파견하고, 선전·강화 및 제반 조약을 체결한다.
> — 『고종실록』

① 장용영의 역할을 파악한다.
② 조선책략의 영향을 검토한다.
③ 삼군부가 부활한 이유를 분석한다.
④ 원수부의 권한과 기능을 알아본다.
⑤ 김홍집 내각의 정책 방향을 찾아본다.

15 (가)에 들어갈 내용으로 가장 적절한 것은?

○○개혁

1. 황실 중심 재정 확보
   • 궁내부: 산하에 통신, 철도, 광산 등을 담당하는 기구 설치 → 근대화 정책
   • 내장원: 정부가 관할하던 홍삼 전매권, 상업세 등을 황실 재원으로 흡수
   • 전환국: 황제 직속으로 이전, 백동화의 대량 발행
2. 개혁 정책 추진: ＿＿＿＿(가)＿＿＿＿

① 재판권 분리
② 건양 연호 사용
③ 실업 학교 설립
④ 교육입국 조서 반포
⑤ 재정을 탁지아문으로 일원화

16 (가)에 들어갈 내용으로 가장 적절한 것은?

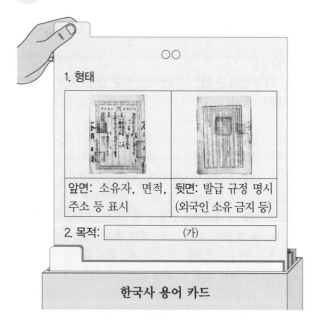

○○

1. 형태

| 앞면: 소유자, 면적, 주소 등 표시 | 뒷면: 발급 규정 명시 (외국인 소유 금지 등) |

2. 목적: ＿＿＿＿(가)＿＿＿＿

한국사 용어 카드

① 삼정의 문란 시정
② 갑오개혁의 재정 마련
③ 근대적 예산 제도 도입
④ 은 본위 화폐 제도 채택
⑤ 근대적 토지 소유권의 확립

서술형 문제

● 정답친해 038쪽

01 다음 자료에 나타난 동학 농민 운동의 성격을 대내·대외적 차원에서 각각 서술하시오.

• 심문자: 흩어져 돌아간 후 무슨 일로 다시 봉기하였느냐?
• 전봉준: 장흥부사 이용태가 조사 책임자로 우리 읍에 와서 백성을 동학도라 칭하여 체포하고 그 처자식을 잡아 살육을 행하였기 때문이다.
• 심문자: 전주 화약 이후 왜 다시 군사를 일으켰는가?
• 전봉준: 일본이 도성에 군대를 파견해 임금을 놀라게 하니, 나라를 사랑하는 마음으로 의병을 일으켜 일본군과 전투를 벌이고자 하였다.

길잡이 동학 농민 운동을 일으킨 이유에서 성격을 추론한다.

02 다음 상황이 나타나게 된 계기를 정부의 정책과 그 정책이 포함된 개혁의 명칭을 포함하여 서술하시오.

경무사 허진은 순검들을 지휘하여 가위를 들고 길을 막고 있다가 사람만 만나면 갑자기 머리를 깎아 버렸다. 그리고 그들은 인가에 들어가 모두 단속해 찾아내므로 …… 머리를 깎이지 않는 사람이 없었다. – 황현, 「매천야록」

길잡이 순검들이 머리를 깎는 상황이 무엇인지 파악한다.

03 다음을 읽고 물음에 답하시오.

1. 외국인에 의존하지 않고 관민이 합심하여 전제 황권을 견고하게 할 것
2. 외국과 조약 맺는 일은 각부 대신 및 중추원 의장이 합동 날인하여 시행할 것
5. 칙임관은 황제가 정부에 자문하여 그 과반수의 의견에 따라 임명할 것

(1) 위 개혁안의 명칭을 쓰시오.

(2) (1)의 결의를 주도한 단체를 쓰고, 그 단체가 지향한 정치 체제를 (1)의 근거 조항과 함께 서술하시오.

길잡이 2번, 5번 조항을 토대로 서술한다.

STEP 3 1등급 정복하기

1 밑줄 친 부분에 대한 학생의 발표 내용으로 가장 적절한 것은?

> ### 한국사 신문
> 1894. ○○. ○○.
>
> #### 농민군 4대 강령이 발표되다
>
> 어제 농민들이 대거 백산으로 집결하여 전봉준을 대장으로 선출하였다. 또한 그 자리에서 농민군이 지켜야 할 4대 강령이 발표되었다. 제폭구민, 보국안민이라는 구호로 주변에 함성이 가득하였는데, 이번에 시작된 봉기가 어떤 흐름을 만들지 그들의 행보가 주목된다.
> 4대 강령은 다음과 같다.
> 1. 사람을 죽이거나 가축을 잡아먹지 말라.
> 2. 충효를 다하여 세상을 구하고, 백성을 편안하게 하라.
> 3. 일본 오랑캐를 몰아내고 나라의 정치를 깨끗하게 하라.
> 4. 군대를 몰고 서울로 쳐들어가 권세가와 귀족을 모두 없애라.

① 단발령 공포에 반발하였어요.
② 주도자들이 일본으로 망명하였어요.
③ 황토현 전투에서 승리를 거두었어요.
④ 청일 전쟁이 일어난 후에 발생하였어요.
⑤ 유생들이 척화 주전론을 내세워 지지하였어요.

> **동학 농민군의 제1차 봉기**
>
> **┃완자 사전┃**
>
> • 강령
> 어떤 단체의 기본 입장, 방침, 규범 등을 밝히거나, 어떤 운동의 순서나 전략 따위를 요약하여 열거한 것
>
> • 권세가
> 정치상의 권력과 세도가 있는 사람

2 다음 상황에서 일어난 사건으로 옳은 것은?

> 일본 오랑캐가 구실을 만들어 군대를 동원하여 우리 임금을 핍박하고 우리 백성을 근심케 하니 어찌 그대로 참을 수 있겠습니까. …… 지금 조정의 대신들을 보건대 망령되이 자기의 안전만을 생각하여 위로는 임금을 위협하고 아래로는 백성을 속여서 일본 오랑캐와 손을 잡아 남쪽의 백성에게 원한을 펴서 망령되이 임금의 군사를 동원하여 선왕의 백성을 해치려 하니 참으로 무슨 뜻이며 끝내 무엇을 하려는 것입니까.
> — 「선유방문병도상서소지등서」

① 영선사가 귀국하였다.
② 중립국론이 제기되었다.
③ 전주 화약이 체결되었다.
④ 남접군과 북접군이 연합하였다.
⑤ 중추원 관제가 의회식으로 개편되었다.

> **동학 농민군의 제2차 봉기**
>
> **┃완자 사전┃**
>
> • 망령
> 늙거나 정신이 흐려서 말이나 행동이 정상을 벗어난 상태를 말한다.

1등급 정복하기

3 (가)에 들어갈 내용으로 가장 적절한 것은?

이들 개혁은 갑신정변 당시 제기된 개혁안과 동학 농민군의 요구 사항이 일부 반영된 근대적인 개혁이었어.

하지만 (가) 는 한계도 있어.

① 일본의 간섭을 받았다
② 정변을 통해 정권을 잡았다
③ 동도서기론의 입장을 취하였다
④ 전제 왕권의 강화를 목표로 하였다
⑤ 외국인 고문이 내정과 외교를 간섭하였다

4 다음 선포문에 따라 추진된 개혁의 내용으로 옳은 것은?

> 개국 503년 12월 12일, 감히 선조의 신령 앞에 고합니다. …… 오직 자주독립만이 우리나라를 튼튼하게 할 수 있습니다. 저 소자가 어찌 감히 천시(天時)를 받들어 우리 조종이 남기신 업적을 보전하지 않을 수 있겠습니까. …… 이에 14개 조목의 홍범을 하늘에 계신 우리 조종의 신령 앞에 맹세하여 고하노니, 우러러 조종이 남긴 업적을 잘 이어서 감히 어기지 않을 것입니다. 밝은 신령께서는 굽어 살피소서.
> 1. 청에 의존하려는 마음을 버리고 자주독립하는 기초를 확고히 할 것
> 3. 대군주가 정사를 각 대신에게 물어 재결하며 왕비와 후궁, 종친이 간여하지 못하게 할 것
> 4. 왕실 사무와 국정 사무를 나누어 서로 혼합하지 아니할 것
> 9. 왕실 비용 및 각 관부 비용은 1년 예산을 세워 재정의 기초를 세울 것
> 12. 장교를 교육하고 징병제를 실행하여 군제의 기초를 확정할 것
> 13. 민법과 형법을 명확하게 제정하고, 인민의 생명과 재산을 보전할 것
> ─「고종실록」

① 태양력이 사용되었다.
② 군국기무처가 설치되었다.
③ 지조법 개혁이 제시되었다.
④ 탐관오리의 처단이 제기되었다.
⑤ 근대적 예산 제도를 도입하였다.

5 (가) 단체에 대한 탐구 주제로 적절한 것은?

> 주제로 배우는 한국사
>
> ### 토론의 장이 열린 독립관
>
> 독립문 건설을 주도한 [(가)]은/는 독립관 등에서 1년여에 걸쳐 일요일 오후에 토론회를 개최하였다.
> 주요 토론 주제는 다음과 같다.
>
> | 회차 | 날짜 | 토론 주제 |
> |---|---|---|
> | 제22회 | 1898. 3. 6. | 절영도를 러시아에 빌려주는 자는 일천이백만 동포 형제의 원수이다. |
> | 제25회 | 1898. 4. 3. | 의회를 설립하는 것이 정치상 제일 긴요하다. |

① 자유 민권 운동의 전개
② 대한국 국제의 의미 분석
③ 봉건적 신분제 폐지의 과정
④ 우정총국 개국 축하연과 정변
⑤ 조사 시찰단과 영선사 파견의 의미

> **독립 협회의 활동**
>
> **완자쌤의 시험 꿀팁**
>
> 독립 협회가 전개한 활동들, 토론회 주제들을 독립 협회가 추구하는 정치 체제와 관련 지어 정리해 두도록 한다. 독립 협회의 활동을 정리할 때에는 대한 제국의 정치 체제와 비교해 볼 필요가 있다.

6 다음 과정을 거쳐 등장한 정부가 주도한 사실로 옳은 것은?

환구단에서 처음으로 제사를 지내는 지금부터 국호를 새로 정하여 써야 한다. 대신들의 의견은 어떠한가?

천명이 새로워지고 온갖 제도도 모두 새로워졌으니, 국호도 새로 정해야 마땅합니다.

① 연좌제와 고문을 폐지하였다.
② 조러 비밀 협약을 추진하였다.
③ 집강소를 설치해 폐정을 개혁하였다.
④ 양전 사업을 한 후 지계를 발급하였다.
⑤ 재정 보충을 위해 당오전을 발행하였다.

> **대한 제국 정부의 정책**
>
> **완자 사전**
>
> • **천명**
> 하늘의 명령
>
> • **당오전**
> 1883년 2월에 주조되어 1894년 7월까지 유통되었던 화폐이다. 명목 가치는 상평통보 1문전의 5배였으나, 실질 가치는 약 2배에 지나지 않았다.

04 일본의 침략 확대와 국권 수호 운동

학습 목표
• 일본의 대한 제국 국권 침탈 과정을 설명할 수 있다.
• 우리 민족이 전개한 국권 수호 운동의 내용을 파악할 수 있다.

1 일본의 국권 침탈

이것이 핵심!

일본의 국권 침탈 과정

한일 의정서 (1904. 2.)	전쟁 시 한국 영토를 임의로 사용하는 권리 획득
제1차 한일 협약 (1904. 8.)	외교, 재정 분야에 외국인 고문 파견
을사늑약 (1905. 11.)	외교권 박탈, 통감부 설치
정미7조약 (1907. 7)	통감이 내정권 장악, 일본인 차관 임명·군대 해산(부속 각서)
한국 병합 조약 (1910. 8. 22.)	국권 강탈, 총독부 설치

★ 보호국
보호 조약에 의해 정치·외교·안보 문제 등에 대해 다른 나라를 보호하는 국가이다. 보호를 받는 나라는 피보호국이라 한다.

★ 헤이그 특사 파견
1905년에 일본이 강제로 을사늑약을 체결하자 이의 부당성을 알리고자 고종이 1907년에 네덜란드 헤이그에서 열리는 만국 평화 회의에 이상설, 이준, 이위종을 특사로 파견하여 국제 사회의 도움을 얻으려 하였다. 하지만 이들은 일본의 방해로 회의에 참석하지 못하였다.

★ 일진회
1904년에 송병준 등이 근대적 개혁을 지향하며 조직한 단체이다. 러일 전쟁을 기점으로 그 성격이 변질되면서 일본이 한반도를 침략하는 정책에 적극적으로 협력하는 친일 단체가 되었다.

1. 러일 전쟁의 발발

(1) 한국을 둘러싼 러시아와 일본의 갈등 ┌ 삼국 간섭 후 고종과 명성 황후가 러시아에 관심을 두다 을미사변이 일어났고, 아관 파천 후 천러·친미 정권이 들어섰어.

① 러시아: 삼국 간섭과 아관 파천으로 한국에서의 발언권 확대, 압록강 일대 삼림 채벌권을 보호한다는 구실로 한국의 용암포 점령(1903)

② 일본: 아관 파천 후 한국에서 영향력 위축, 러시아를 견제하기 위해 영국과 제1차 영일 동맹 체결(1902) ┌ 0H? 러시아는 청의 의화단 운동을 진압한 후에도 만주에 군대를 주둔시켰어.

(2) 러일 전쟁: 만주와 한국 문제에 대한 러시아와 일본의 교섭 결렬 → 일본이 뤼순항에 정박한 러시아 군함 기습 공격(1904) → 일본이 뤼순항 함락, 독도를 자국 영토로 불법 편입, 발트 함대 격파 → 일본이 승기를 잡음 → 포츠머스 조약 체결(1905) └ 미국이 러시아와 일본을 중재하여 강화 조약이 체결되었어.

2. 일본의 국권 침탈

(1) 한일 의정서(1904. 2.)

① 배경: 대한 제국이 국외 중립 선언 → 러일 전쟁을 빌미로 일본이 한성에 군대 주둔

② 내용: 전쟁 수행에 필요한 경우 한국의 영토를 군사 기지로 사용할 수 있는 권리 획득, 한국 내정 간섭, 러시아를 비롯한 열강의 접근 제한

(2) 제1차 한일 협약(1904. 8.)

① 배경: 러일 전쟁에서 전세가 유리해지자 일본이 한국 ★보호국화 계획 마련

② 내용: 일본이 한국에 재정 고문 일본인 메가타, 외교 고문 미국인 스티븐스 파견 → 한국 내정에 본격적으로 간섭 ┌ 메가타는 1905년에 실시된 화폐 정리 사업을 주도하였어. └ 스티븐스는 1908년에 전명운, 장인환에 의해 제거되었어.

(3) 을사늑약(1905. 11.) ─ 강제로 체결된 조약

배경 [자료①]	• 가쓰라·태프트 밀약(1905. 7.): 일본은 미국의 필리핀 지배 인정, 미국은 일본의 한국 지배 인정 • 제2차 영일 동맹(1905. 8.): 영국은 일본의 한국 지배 인정, 일본은 영국의 인도 지배 인정 • 포츠머스 조약(1905. 9.): 러일 전쟁에서 일본이 승리 → 일본의 한국 지도·보호·감리 권리를 보장
내용	• 체결: 이토 히로부미가 일본군을 동원해 위협하며 강제로 체결 • 내용: 외교권 박탈, 통감 파견·통감부 설치(초대 통감으로 이토 히로부미 임명) [자료②] [자료③] • 결과: 일본이 한국의 국권을 본격적으로 침탈(일본의 한국 보호국화)

(4) 고종의 강제 퇴위와 정미7조약

고종의 강제 퇴위	고종이 을사늑약 무효 선언, 미국에 특사 파견, 네덜란드에 ★헤이그 특사(이준, 이상설, 이위종) 파견 → 일본은 헤이그 특사 파견 사건을 빌미로 고종을 강제 퇴위시킴
정미7조약 (한일 신협약, 1907. 7.)	• 정미7조약: 통감이 한국의 내정권 장악(법률 제정, 고등 관리 임명 등) • 정미7조약 부속 각서: 일본인을 각부 차관에 임명, 대한 제국의 군대 해산

(5) 일본의 한국 강제 병합 ┌ 조미 수호 통상 조약의 거중 조정 조항에 기대어 특사를 파견하였지만 가쓰라·태프트 밀약으로 이미 일본의 한국 지배를 승인한 미국은 지원을 거절하였어.

일본의 한국 병합 준비	• 일본이 한국의 사법권·감옥 관리권 박탈, 법부와 군부 폐지 • 일본의 한국 병합 여론 유도: 친일 단체인 ★일진회가 합방 청원서 제출
한국 병합 조약 (1910. 8. 22.)	국권 강탈, 총독부 설치(총독이 최고 통치자로 군림) → 대한 제국은 '조선'으로 불리고, 고종은 '이태왕'으로 지위가 격하됨

└ 당시 통감이었던 데라우치 마사다케와 이완용이 체결하였어.

자료 ① 일본의 한국 지배에 대한 열강의 승인

> [가쓰라·태프트 밀약(1905. 7.)]
> 필리핀은 미국에 의해 통치되어야 하며, 일본은 필리핀을 침공할 의사가 없다. 러일 전쟁 후 한국을 그대로 두면 국제 분쟁이 우려되므로 일본은 한국에 확고한 입장을 취해야 한다.
>
> [제2차 영일 동맹(1905. 8.)]
> 제3조 일본은 한국에서 정치, 군사 및 경제적으로 우월한 이익을 가지므로, 일본이 이를 보호, 증진하기 위해 지도·감리 및 보호 조치를 한국에 취할 권리를 인정한다.
>
> [포츠머스 조약(1905. 9.)]
> 제2조 러시아 제국 정부는 일본이 한국에서 우월한 이익을 갖는다는 것을 인정하고, 일본 정부가 한국에서 지도·보호·감리의 조치를 하는 것을 방해하거나 간섭하지 않는다.

일본은 러일 전쟁에서 승기를 잡은 이후 서구 열강과 잇달아 조약을 체결하여 한국 지배를 국제적으로 인정받고 한국의 보호국화 작업을 추진하였다.

자료 ② 을사늑약(제2차 한일 협약, 1905)

> 제2조 …… 한국 정부는 지금부터 일본국 정부의 중개를 거치지 않고서는 국제적 성질을 가진 어떠한 조약이나 약속도 맺지 않을 것을 서로 약속한다. ─ 일본이 한국의 외교권을 박탈하였어.
> 제3조 일본국 정부는 그 대표자로 한국 황제 폐하 밑에 1명의 통감을 두되 통감은 오로지 외교에 관한 사항을 관리하기 위해 경성에 주재하고 직접 한국 황제 폐하를 만날 수 있는 권리를 가진다.
> 　　　└ 경성에 통감부가 설치되었어.　　　　─「고종실록」

일본은 을사늑약에 따라 대한 제국의 외교권을 빼앗고 통감부를 설치하였다. 초대 통감인 이토 히로부미는 대한 제국의 외교뿐만 아니라 내정에도 간섭하기 시작하였다.

자료 ③ 을사늑약의 부당성

─ 고종의 서명과 도장이 없는 맨 뒷장
─ 고종의 위임을 받지 않은 박제순의 날인　─ 조약의 명칭이 없는 맨 앞장

↑ 을사늑약 원본　　　　↑ 을사늑약 풍자 만평

이 만평의 제목인 「한일협약도」에서 '협'자를 위협한다는 의미인 '협(脅)'으로 썼어.

을사늑약의 맨 앞장에는 조약의 명칭을 쓰는 칸이 비어 있고, 맨 뒷장에는 박제순의 도장이 있지만 박제순은 고종의 위임을 받지 않았다. 고종은 이 조약을 끝까지 거부하였기 때문이다. 만평에서 을사늑약이 강제로 이루어졌음을 제목으로 풍자하고 있다.

자료 하나 더 알고 가자!

열강의 아시아 인식

> 일본은 가까운 이웃 나라에 합법적 이해관계를 갖고 있었기 때문에 오래된 이 왕국(한국)을 개혁하고 활기차게 만들어 왔습니다. …… 우리는 현재 법치를 해나가기 어려운 인민들의 상황에, 강한 나라가 개입하여 그 국민을 도와 더 나은 통치를 받도록 해 주는 것이 국가적 의무이며 세계의 진보에도 도움되는 세상에 살고 있습니다. ─ 윌리엄 태프트

제국주의 열강은 아시아를 식민지로 지배하는 것을 바람직하게 생각하였다. 태프트 역시 일본의 한국 지배를 정당하다 여기고, 일본이 한국 문명을 높일 것이라고 보았다.

가쓰라·태프트 밀약을 맺은 장본인이야.

문제로 확인할까?

을사늑약의 내용으로 옳은 것은?
① 고종의 강제 퇴위
② 재정·외교 고문 임명
③ 대한 제국 군대의 해산
④ 외교권 강탈과 통감부 설치
⑤ 일본에 한국 영토를 군사 기지로 사용할 수 있는 권리 부여

④ 답

자료 하나 더 알고 가자!

을사늑약의 불법성

> 당시 파리 대학의 국제법 학자 프랑시스 레이는 「대한 제국의 국제법적 지위」(1906)라는 논문에서 을사늑약이 무효라고 주장하였다. 그는 체결 과정에서 군사적 위협이 있었고, 조약의 이름뿐 아니라 양국 통치권자의 위임 절차와 승인이 없었고, 고종이 을사늑약의 무효를 선언한 국서를 해외 언론에 보냈다는 점 등이 근거라고 하였다.

보통 조약이 국제법상으로 효력을 지니려면 위임, 조인, 비준의 과정을 다 거쳐야 한다. 을사늑약은 이 조건들을 다 갖추지 못하였다.

이것이 핵심!

항일 의병 운동과 의열 투쟁

항일 의병	• 을미사변, 단발령 → 을미의병 (1895) • 을사늑약 → 을사의병(1905) • 고종 강제 퇴위, 군대 해산 → 정미의병(1907)
의열 투쟁	• 나철 등이 을사5적 암살단으 로 자신회 조직(1907) • 장인환, 전명운의 스티븐스 처 단(1908) • 안중근의 이토 히로부미 처단 (1909)

★ 항일 의병 운동의 전개

★ 의열 투쟁

목숨을 걸고 항일을 위해 적에 대한 거사를 결행하는 투쟁

★ 을사5적

을사늑약이 체결될 당시 한국 측에서 찬성한 다섯 명의 대신인 박제순(외부대신), 이지용(내부대신), 이근택(군부대신), 이완용(학부대신), 권중현(농상부대신)을 일컫는다.

② 항일 의병 운동과 의열 투쟁의 전개

1. *항일 의병 운동

(1) 을미의병(1895) 자료 ④

┌─ 위정척사 사상을 지닌 양반들이 봉기하였어.

배경	을미사변(명성 황후 시해)에 대한 반발과 단발령(을미개혁)에 대한 불만
전개	• 참여 세력: 유인석, 이소응, 김도화 등 양반 유생이 봉기, 동학 농민군의 잔여 세력 등 참여 • 활동: 지방 관청 공격, 개화파 관리 처단, 일본군 공격 등 • 해산: 아관 파천 이후 고종의 단발령 취소, 의병 해산 권유 → 의병 활동 중단

└─ 고종의 해산 권유에 따른 것에서 양반 유생 의병장의 한계를 엿볼 수 있어.

(2) 을사의병(1905) 자료 ④

배경	러일 전쟁 후 일본의 침략 본격화, 을사늑약 체결에 대한 반발 → 국가 존폐의 위기의식을 느낌
전개	• 주도 세력: 민종식·최익현 등 전직 관료, 양반 유생, 신돌석 등 평민 의병장 활약 • 활동: 항일 구국 투쟁 전개, 각 지역 장악 → 일본군과 정부군의 공격을 받음

(3) 정미의병(1907) 자료 ⑤

┌─ 시위대 박승환이 울분을 토하며 '대한 제국 만세'를 외치고 자결한 것을 계기로
해산 군인들이 무장봉기를 했어. 이게 정미의병의 기초가 되었어.

배경	고종의 강제 퇴위에 대한 불만, 대한 제국 군대 해산에 대한 반발
특징	• 해산 군인의 합류로 의병의 전투력 강화 • 양반 유생, 전직 관료 외 농민, 상인, 포수 등 다양한 계층이 참여 • 의병 투쟁이 전국적으로 확산
활동	• 13도 창의군 편성(총대장 이인영)해 서울 진공 작전 전개(각국 영사관에 격문을 보내 의병을 국제법상의 교전 단체로 인정할 것을 요구, 선발대가 동대문 밖 진격 → 일본군의 공격으로 실패) • 우편 취급소·금융 조합·철도·전선 등을 파괴, 일본에 협조하는 일진회원·헌병 보조원 등 공격

(특징 옆) ┌─ 서울 진공 작전 중에 아버지가 돌아가시자, 3년상을 치르기 위해 집에 갔어. 이때 서울 진공 작전은 중단되었어.

Q짱? 국제법상의 교전 단체로 인정되면 외국은 중립의 의무를 지게 되고, 교전 단체의 전투 행위는 국제적 책임을 지게 되기 때문이야.

(4) 일본의 의병 운동 진압

① '남한 대토벌' 작전: 호남 지역의 의병 운동이 지속되자 일본군이 '남한 대토벌' 작전 전개 → 촌락과 가옥 초토화, 양민 학살(1909)

② 의병의 국외 이동: 일본의 대공세로 국내 활동이 어려워진 의병은 만주, 연해주 등으로 이동하여 무장 독립 전쟁 전개

(5) 항일 의병 운동의 의의: 강한 독립 정신과 자주 의식 표출, 일제의 한국 강점 지연에 영향, 이후 무장 독립 전쟁으로 계승

2. *의열 투쟁의 전개

(1) 을사늑약 반대 투쟁

① 상소 운동: 고위 관료와 유생은 조약 폐기와 *을사5적 처단을 요구하는 상소를 올림

② 기타: 전·현직 관료인 민영환, 조병세·홍만식·송병선 등이 자결로 저항, 장지연이 황성신문에 「시일야방성대곡」 게재

(2) 항일 의열 투쟁

① 국내 의열 투쟁

• 을사5적 처단 시도: 기산도 등이 을사5적 처단을 위한 결사대 조직(1906), 나철·오기호 등이 을사5적 암살단 '자신회' 조직(1907)

• 이재명 의거(1909): 명동 성당 앞에서 매국노 이완용 습격

② 국외 의열 투쟁

┌─ **Q짱?** 일제가 파견한 외교 고문이었던 스티븐스는 일본의 한국 침략이 정당하다고 선전하였어.

• 장인환·전명운 의거(1908): 샌프란시스코에서 미국인 스티븐스 처단

• 안중근 의거(1909): 하얼빈에서 초대 통감 이토 히로부미 처단 교과서 자료

자료 ④ 을미의병(1895)과 을사의병(1905)

└ 일본이 명성 황후를 시해한 을미사변을 가리켜.   단발령을 가리켜.┐

• 국모의 원수를 생각하며 이미 이를 갈았는데 참혹한 일이 더하여 부모에게서 받은 머리털을 풀 베듯이 베어 버리니 이 무슨 변고란 말인가.   – 유인석의 격문

• 작년 10월에 저들이 한 행위는 만고에 없던 일이다. 억압으로 한 조각의 종이에 조인하여 5백 년 전해 오던 종묘사직이 망하였으니 …….   – 최익현의 격문
└ 을사늑약 강요를 의미해.

유인석은 을미사변과 단발령(을미개혁)에 반발하여 을미의병을 일으켰고, 최익현은 을사 늑약에 반발하여 을사의병을 일으켰다. 두 인물은 모두 위정척사 운동을 이끈 보수적 양반 유생층을 대표한다.

자료 ⑤ 정미의병(1907)의 특징

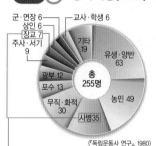

군·면장 6 ── ┌교사·학생 6
상인 6 ─┐
장교 7 ─┤   기타 19
주사·서기 9 ─┘
유생·양반 63
총 255명
광부 12
포수 13
무직·화적 30
사병 35
농민 49

「독립운동사 연구」, 1980)

⬆ 의병 지도자의 신분·직업 구성
└ 의병 지도자의 직업 중 장교, 사병이 있는 것으로 보아 해산된 군인이 합류했다는 사실을 알 수 있어.

"이기기 힘들다는 것은 알고 있습니다. 우리는 어차피 싸우다 죽게 되겠지요. 일본의 노예가 되어 사느니 자유민으로 싸우다 죽는 것이 훨씬 낫습니다." – 매켄지, 「자유를 위한 한국의 투쟁」

정미의병은 해산된 대한 제국의 군인들이 의병에 합류하면서 전투력이 강화되었으며, 노동자, 상인, 학생 등 다양한 계층이 참여하는 형태로 발전하면서 전국적인 항일 구국 전쟁으로 발전하였다.

수능이 보이는 교과서 자료   안중근의 『동양 평화론』

└ 을사늑약을 가리켜.┐

슬프다! 일본은 가장 가깝고 가장 친하며 어질고 약한 한국을 억압하여 조약을 맺고 강점하였다. …… 서양 세력이 동양으로 침략의 손길을 뻗어 오고 있는 지금의 환란은 동양 사람이 일치단결해서 막아 내는 것이 최선책임은 어린아이도 다 아는 일이다. 그런데도 무슨 이유로 일본은 이러한 당연한 형세를 무시하고 같은 동양의 이웃 나라를 약탈하고 친구의 정을 끊어, 서양 세력이 애쓰지 않고 이득을 얻게 하려 한단 말인가.   – 안중근, 「동양 평화론」

└ 안중근은 「동양 평화론」을 완성하지 못하고 처형당하였어.┘

안중근은 『동양 평화론』에서 이토 히로부미를 죽인 이유로 명성 황후 시해, 을사늑약 강요, 한국 황제 폐위, 군대 해산, 동양 평화 교란 등을 제시하였다. 또한 그는 한·중·일이 서로 존중하고 협력해야만 진정한 동양의 평화를 지킬 수 있으나 일본이 한국을 침략하였기 때문에 동양의 평화를 해치는 적이 되었다고 주장하였다.

자료 하나 더 알고 가자!

평민 의병장, 신돌석

을사의병 중에는 평민 출신의 의병장도 있었다. 신돌석은 경상북도 내륙과 동해안 일대에서 활발하게 활동하였다.

문제로 확인할까?

1. 정미의병이 전개된 배경으로 옳은 것은?
① 단발령
② 을미사변
③ 아관 파천
④ 을사늑약 체결
⑤ 대한 제국 군대 해산
⑨ 🔒

2. 정미의병의 활동으로 옳은 것은?
① 일진회 조직
② 스티븐스 암살
③ 13도 창의군 편성
④ 시일야방성대곡 게재
⑤ 남한 대토벌 작전 전개
ⓒ 🔒

완자샘의 탐구 강의

• 안중근이 의열 투쟁을 전개한 이유를 써 보자.
안중근은 일본이 대한 제국의 외교권을 빼앗아 동양의 평화를 해쳤다고 평가하고, 그것을 앞장서서 수행한 이토 히로부미를 암살하였다.

함께 보기 154쪽 1등급 도전하기 4

이것이 **핵심!**

주요 애국 계몽 운동 단체

헌정 연구회	입헌 군주제 도입 추구
대한 자강회	교육과 산업 발달 목표, 『대한 자강회 월보』 발행, 고종 강제 퇴위 반대 운동 전개
신민회	공화정 추구, 교육과 산업 진흥 활동, 국외 독립운동 기지 건설

★ 신흥 강습소

서간도 삼원보에 정착한 신민회원들이 1911년에 설립한 무관 학교로, 항일 정신을 고취해 조국 광복의 중견 간부를 양성하는 것을 목적으로 하였다.

★ 105인 사건

일제가 안악 사건(무관 학교 설립을 위한 군자금 모금 사건을 일제가 데라우치 총독 암살 미수 사건으로 날조)이 신민회와 관련되었다고 조작하여 신민회원을 대거 체포하였는데, 그중 105인이 유죄 판결을 받은 사건이다. 이 사건으로 신민회가 와해되었다.

③ 애국 계몽 운동의 전개

1. 애국 계몽 운동: 을사늑약 전후에 사회 진화론과 신문화를 수용한 관료 지식인, 자본가들이 근대 교육, 산업 진흥, 언론 활동을 통해 민족의 실력을 길러 국권을 수호하려는 운동

└ 무력 투쟁보다는 실력 양성이 더 중요하다고 생각하였어.

2. 애국 계몽 운동 단체
└ 호남 학회, 기호흥 학회 등 각종 학회가 신교육을 보급하기 위해 학교를 세웠어.

보안회 (1904)	• 계기: 러일 전쟁 중 일본이 한국 정부에 황무지 개간권을 요구 • 활동: 관료와 유생이 보안회를 조직해 대중 집회를 개최 → 일본의 요구를 철회시킴
헌정 연구회 (1905)	• 결성: 일진회의 친일적 성향을 비판하는 사람들이 조직 • 활동: 입헌 군주제 도입을 목표로 활동(입헌 군주제 연구 등) • 해산: 을사늑약을 반대하던 지도부가 체포되면서 활동 중단
대한 자강회 (1906) 자료 ⑥	• 결성: 헌정 연구회 회원을 중심으로 조직 • 목표: 교육·산업의 발달과 입헌 군주제 도입 • 활동: 전국에 지회 설치, 『대한 자강회 월보』 발행 • 해산: 고종 강제 퇴위 반대 운동을 전개하다가 강제 해산됨
대한 협회 (1907)	• 결성: 대한 자강회 주요 인사가 천도교 간부와 함께 조직 • 활동: 실력을 길러 점진적으로 국권을 회복해야 한다고 주장(입헌 군주정 지향) • 해체: 일제의 탄압으로 활동이 약화됨, 국권 피탈 후 사실상 해체
신민회 (1907~1911) 자료 ⑦	• 결성: 안창호, 양기탁, 이회영, 신채호 등이 비밀 결사의 형태로 조직 • 목표: 공화정에 바탕을 둔 근대 국민 국가 건설 • 실력 양성 운동: 교육과 산업의 진흥을 통한 민족 실력 양성 추구 → 대성 학교(평양)·오산 학교(정주) 설립, 태극 서관(평양)·자기 회사(평양) 운영 • 무장 투쟁 준비: 국외 독립운동 기지 건설 추구 → 서간도 삼원보에 ★신흥 강습소 설립 • 해산: 일제가 조작한 ★105인 사건(1911)으로 조직이 와해됨

국토는 국가가 독점할 권리를 가진다는 만국 공법 조항을 근거로 들며 일본의 요구를 비판하였어.

일제 통감부의 감시와 탄압이 심해져 공개적으로 활동하기 어려웠어.

이것이 **핵심!**

독도와 간도

독도	• 한국 고유의 영토, 대한 제국이 관할 • 일본이 러일 전쟁 중 불법 편입
간도	• 조선과 청의 영유권 분쟁 발생(백두산정계비 해석 논쟁) • 간도 협약으로 일본이 청에게 간도를 넘김

★ 안용복

조선 후기 어민으로 울릉도와 독도에서 불법 조업을 일삼던 일본 어선에 대해 항의하고 일본으로 건너가 독도에 대한 조선의 영유권을 확인하고 돌아왔다.

④ 독도와 간도

1. 독도

이외에도 『고려사』의 우산(독도) 언급, 『세종실록지리지』의 우산(독도)과 무릉(울릉도) "두 섬은 거리가 멀지 않아 날씨가 맑으면 서로 바라보인다."라는 기록이 있어.

역사적 연원 자료 ⑧	• 『삼국사기』: "신라 지증왕 때 이사부가 우산국(울릉도)을 복속하였다." • 조선 후기: ★안용복의 활약 → 일본 막부가 울릉도와 독도가 일본령이 아님을 확인, 도해 금지령 공포 • 대한 제국: 『대한 제국 칙령 제41호』(1900)에서 울릉도를 울도군으로 승격, 독도를 관할하게 함 • 태정관 지령문(1877): 일본 최고 행정 기구인 태정관이 울릉도와 독도는 조선의 영토라고 인정
일본의 불법 편입	• 러일 전쟁 중(1905) 독도를 '무주지'로 규정하고 시마네현에 편입(「시마네현 고시 제40호」) • 1906년에 울도군수가 일본의 독도 불법 편입 사실 인지 → 외교권 상실로 대응하지 못함

└ 일본은 러일 전쟁 중에 한일 의정서에 따라 군사적 요충지였던 독도에 망루를 설치하였어.

└ 을사늑약 때문이야.

2. 간도

(1) 간도를 둘러싼 조선과 청의 분쟁

① 백두산정계비(1712): 간도를 출입하는 청과 조선 백성 간 충돌을 막고자 양국 경계 확정

② 간도 분쟁 발생(19세기 후반): 청이 중국인의 간도 이주와 개간을 위해 조선인의 간도 철수 요구 → 백두산정계비의 토문강의 위치 해석을 둘러싸고 분쟁 발생

③ 간도 관리사 이범윤 임명(1903): 간도를 함경도의 행정 구역에 편입하여 영유권 행사

(2) 일본과 청의 간도 협약 체결(1909): 일본이 남만주 철도 부설권과 푸순 탄광 채굴권을 얻는 대가로 간도를 청의 영토로 인정함

꼭! 을사늑약으로 대한 제국의 외교권을 일본이 박탈했기 때문에 일본이 청과 간도 협약을 체결하였어. 을사늑약이 국제법상 부당한 것이었고, 우리 민족의 의사와 무관한 것이었기 때문에 간도 협약도 역시 정당한 것이라 볼 수 없어.

완자 자료 탐구 내 옆의 선생님

자료 6 대한 자강회의 취지

┌ 애국 계몽 운동의 목표를 알 수 있어.   을사늑약의 결과야. ┐

무릇 나라의 독립은 오직 자강의 여하에 달려 있는지라. 우리 대한이 자강을 배우지 못하여 인민이 스스로 우매해지고 국력이 쇠퇴하여 마침내 금일의 어려움에 이르러 필경 <u>다른 나라의 보호를 받으니</u> 이는 모두 자강의 도에 뜻을 두지 않은 이유라. …… <u>자강의 방도를 강구하려 할 것 같으면 다른 곳에 있지 않고 교육을 진작하고 산업을 일으키는 데 있다.</u> 교육이 일어나지 않으면 민지(民智)가 열리지 않고, 산업이 일어나지 않으면 국부가 증가하지 못한다.

└ 애국 계몽 운동의 내용이야.   ㅡ 『대한 자강회 월보』 제1호, 1906. 7.

애국 계몽 운동은 사회 진화론을 받아들여 독립을 위한 방법으로 자강을 주장하였다. 자강을 위한 방법으로는 교육을 진작하여 인재를 기르고 산업을 일으켜 민족의 실력을 양성하는 것을 제시하였다.

자료 7 신민회의 국외 독립운동 기지 건설

ㅡ 서간도 삼원보야.

남만주로 집단 이주하려고 기도하고, 조선 본토에서 재력이 상당한 사람들을 그곳에 이주시켜 토지를 사들이고 촌락을 세워 새 영토로 삼고, 다수의 청년 동지를 모집·파견하여 한인 단체를 일으키며, 학교를 세워 민족 교육을 실시하고, 나아가 <u>무관 학교를 설립하여</u> 문무를 겸하는 교육을 실시하면서, 기회를 엿보아 독립 전쟁을 일으켜 구한국의 국권을 회복하려고 하였다.

신흥 강습소가 세워졌지.   ㅡ 「105인 사건 판결문」, 1911

신민회는 교육과 산업의 진흥, 국민 계몽 등을 통해서 민족의 실력을 양성하고, 이를 통해 국권을 수호하여 공화정에 바탕을 둔 근대 국민 국가를 건설하고자 하였다. 그러나 일제의 탄압이 심해지고 한국을 강제로 병합하려는 움직임이 나타나자, 민족의 실력 양성만으로는 국권을 회복하기 어렵다고 판단하고 만주에 독립운동을 위한 기지를 건설하여 독립군을 기르는 데 노력을 기울였다.

자료 8 한국의 고유 영토, 독도

• 지증왕 13년(512) 6월에 우산국이 항복하여 해마다 토산물을 공물로 바치기로 하였다. 우산국은 명주(溟州)의 정동쪽 바다에 있는 섬으로 울릉도라고 부르기도 한다. ㅡ 『삼국사기』

• 제1조 울릉도를 울도로 개칭하여 강원도에 부속하고, 도감을 군수로 개정하여 관제 중에 편입하고 군등은 5등으로 할 것

제2조 군청 위치는 태하동으로 정하고 구역은 울릉 전도(全島)와 죽도, 석도를 관할할 것

죽도는 울릉도 부근에 있는 댓섬을, ㅡ 「대한 제국 칙령 제41호」, 1900
석도는 독도를 말해.

독도는 삼국 시대부터 우리의 고유 영토로 인식되어 왔다. 대한 제국 정부는 「칙령 제41호」를 통해 독도가 대한 제국의 영토임을 대내외에 분명히 밝혔다. 그러나 일본은 러일 전쟁 중 독도를 자국의 영토로 불법 편입하였다.

자료 하나 더 알고 가자!

애국 계몽 운동 VS 항일 의병 운동

눈앞의 치욕을 참고 국가의 원대한 계획을 도모하여 일체 병기를 버리고 각자 고향으로 돌아가 각기 산업과 교육에 종사하라

ㅡ 황성신문

↕

어찌 편안히 앉아 이 나라를 좀먹는 간사한 도적과 강토를 잠식해 들어오는 외적을 그대로 두고 볼 것인가?

ㅡ 채응언, 「보국 창의문」

국권 수호를 위한 방법으로 애국 계몽 운동가들은 민족의 실력 양성을 강조하였고, 의병 세력은 무력 투쟁을 강조하였다.

자료 하나 더 알고 가자!

신민회의 해외 독립군 기지 창건 운동

1. 독립군 기지는 일제의 통치력이 미치지 않는 청국령 만주 일대를 자유 지대로 보고 이곳에 설치하되, 후일 독립군의 국내 진입에 가장 편리한 지대를 최적지로 한다.
3. 토지가 매입되면 국내 애국적 인사와 청년들을 계획적으로 단체 이주를 시켜 신한민촌을 건설하고, 농업 경영으로 경제적 자립을 실현한다.
4. 새로 건설된 신한민촌에서는 강력한 민간 단체를 조직하고, 교회와 무관 학교를 설립하여 문무 겸비의 교육을 실시하고 무관을 양성하도록 한다.

ㅡ 주요한, 「안도산전서」

문제로 확인할까?

1. 독도가 한국의 고유 영토임을 보여 주는 자료로 옳지 않은 것은?

① 삼국사기
② 안용복의 활약 사료
③ 태정관 지령문(1877)
④ 시마네현 고시 제40호(1905)
⑤ 대한 제국 칙령 제41호(1900)

④ 답

2. 일본은 (   ) 중 시마네현 고시 제40호를 통해 독도를 자국 영토로 불법 편입하였다.

러일 전쟁 답

1 다음 설명이 맞으면 ○표, 틀리면 ×표를 하시오.

(1) 일본은 을사늑약으로 한국의 외교권을 빼앗았다. (　　)

(2) 고종의 강제 퇴위와 대한 제국 군대 해산에 반발하여 을미의병이 일어났다. (　　)

(3) 일본은 독도를 '무주지'로 규정하고 청일 전쟁 중에 자국 영토로 불법 편입하였다. (　　)

2 다음은 일본의 국권 침탈 과정에서 체결된 조약들을 순서대로 나열한 것이다. (가)에 들어갈 조약을 쓰시오.

| 한일 의정서
체결 | → | 제1차 한일
협약 체결 | → | (가)
체결 | → | 정미7조약
체결 |

3 다음 항일 의병을 등장한 순서대로 나열하시오.

| (가) 을미의병　　　(나) 을사의병　　　(다) 정미의병 |

4 다음 항일 의열 투쟁을 전개한 인물을 옳게 연결하시오.

(1) 1909년 명동 성당 앞에서　　　　• 　　• ㉠ 안중근
이완용을 습격하였다.

(2) 1908년 샌프란시스코에서　　　　• 　　• ㉡ 이재명
스티븐스를 처단하였다.

(3) 1909년 이토 히로부미를　　　　• 　　• ㉢ 장인환
하얼빈에서 처단하였다.

5 다음에서 설명하는 애국 계몽 운동 단체를 〈보기〉에서 골라 기호를 쓰시오.

┌─ 보기 ─────────────────────
│ ㄱ. 보안회　　　ㄴ. 신민회　　　ㄷ. 대한 자강회
└──────────────────────────

(1) 안창호, 양기탁 등이 비밀 결사로 조직하였다. (　　)

(2) 일본이 한국 정부에 황무지 개간권을 요구하자 이를 저지하였다. (　　)

(3) 전국에 지회를 설치하고 월보를 발행하였으며, 고종 강제 퇴위 반대 운동을 전개하여 강제로 해산되었다. (　　)

01 다음 조약들의 공통점에 대한 설명으로 옳은 것은?

• 필리핀은 미국에 의해 통치되어야 하며, 일본은 필리핀을 침공할 의사가 없다. 러일 전쟁 후 한국을 그대로 두면 국제 분쟁이 우려되므로 일본은 한국에 확고한 입장을 취해야 한다.

• 일본은 한국에서 정치, 군사 및 경제적으로 우월한 이익을 가지므로, 일본이 이를 보호, 증진하기 위해 지도·감리 및 보호 조치를 한국에 취할 권리를 인정한다.

• 러시아 제국 정부는 일본국이 한국에서 우월한 이익을 갖는다는 것을 인정하고, 일본국 정부가 한국에서 지도·보호·감리의 조치를 하는 것을 방해하거나 간섭하지 않는다.

① 을미의병이 발생하는 계기가 되었다.
② 열강이 일본의 한국 지배를 승인하였다.
③ 애국 계몽 운동이 쇠퇴하는 결과를 가져왔다.
④ 일본이 러일 전쟁에서 승리한 결과 체결되었다.
⑤ 간도의 영유권을 일본이 청에 넘겨주게 된 근거이다.

02 ☆중요 다음 만평이 풍자하는 조약에 대한 설명으로 옳은 것은?

이 만평은 제목인 「한일 협약도」에서 '협'자를 위협한다는 의미의 '으를 협(脅)'으로 썼다. 당시 고종은 자리에 없었지만 일본이 황제를 위협하고, 을사5적은 이를 무서워하면서 지켜만 보는 모습을 그려 조약이 일본에 강요된 것임을 풍자하고 있다.

① 러일 전쟁 중에 체결되었다.
② 일본인이 각부 차관에 임명되었다.
③ 총독이 조선의 최고 통치자로 파견되었다.
④ 외국인 재정 고문과 외교 고문이 임명되었다.
⑤ 일본이 한국의 외교권을 박탈하고 통감부를 설치하였다.

☆중요
03 다음 두 사건 사이에 있었던 사실로 옳은 것은?

> - 일본이 대한 제국의 외교권을 강제로 빼앗고 한성에 통감부를 설치하였다. 초대 통감으로 이토 히로부미가 부임하였다.
> - 고종이 일본에 의해 강제로 퇴위되었으며, 순종이 새 황제로 즉위하였다. 이후 일본은 순종에게 정미7조약의 체결을 강요하였다.

① 가쓰라·태프트 밀약이 체결되었다.
② 고종이 헤이그에 특사를 파견하였다.
③ 해산 군인이 합류한 정미의병이 일어났다.
④ 재정 고문으로 일본인 메가타가 임명되었다.
⑤ 안중근이 하얼빈에서 이토 히로부미를 처단하였다.

04 (가), (나)에 대한 설명으로 옳은 것은?

> **조약에 따른 일본의 관리 임명**
> (1) 제1차 한일 협약 → (가)
> (2) 을사늑약 → (나)
> (3) 정미7조약 → 차관
> (4) 한국 병합 조약 → 총독

① (가) – 당오전 발행을 주도하였다.
② (가) – 조선 최고 통치자로 군 통수권을 장악하였다.
③ (나) – 대한 제국의 외교권을 장악하였다.
④ (나) – 헤이그 만국 평화 회의에 특사를 파견하였다.
⑤ (가), (나) – 모두 일본인만 임명되었다.

☆중요
05 (가)에 들어갈 내용으로 가장 적절한 것은?

> **2학기 한국사 수행 평가 보고서 목록**
> - 주제: 항일 의병 운동의 배경
>
> | 모둠명 | 의병 | 배경 |
> |---|---|---|
> | 모둠 1 | 을미의병 | (가) |
> | 모둠 2 | 을사의병 | 을사늑약 체결 |
> | 모둠 3 | 정미의병 | 고종 강제 퇴위, 군대 해산 |

① 아관 파천
② 서울 진공 작전
③ 제너럴셔먼호 사건
④ 을미사변과 단발령
⑤ 한국 병합 조약 체결

06 다음 격문이 발표된 당시에 볼 수 있는 사람으로 가장 적절한 것은?

> 작년 10월에 저들이 한 행위는 만고에 없던 일이다. 억압으로 한 조각의 종이에 조인하여 5백 년 전해 오던 종묘 사직이 망하였으니 ……. – 최익현

① 보빙사로 파견되는 통역관
② 강화도 조약에 서명하는 관리
③ 집강소를 설치하는 동학 농민군
④ 단발령에 반발하여 상소문을 쓰는 유생
⑤ 대한 제국의 외교권을 담당하는 일본인 통감

07 다음 대화의 소재가 된 민족 운동으로 옳은 것은?

> 고종의 강제 퇴위에 반발하는 많은 사람들이 봉기하였어.
>
> 해산 군인이 합류하면서 전투력이 강화되었지.

① 임오군란
② 정미의병
③ 동학 농민 운동
④ 애국 계몽 운동
⑤ 임술 농민 봉기

08 (가)에 들어갈 단체로 옳은 것은?

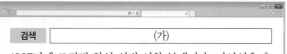

검색 [(가)]

1907년에 조직된 항일 의병 연합 부대이다. 이인영을 총대장으로 추대하였으며, 각 도의 의병을 모집하여 한양으로 진격하고자 하였다.

① 신민회　　② 일진회　　③ 을미의병
④ 독립 협회　　⑤ 13도 창의군

09 다음 인물의 활동으로 옳은 것은?

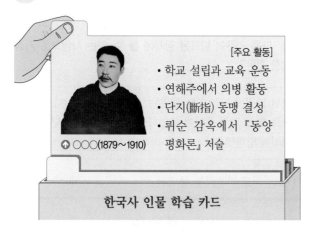

[주요 활동]
• 학교 설립과 교육 운동
• 연해주에서 의병 활동
• 단지(斷指) 동맹 결성
• 뤼순 감옥에서 『동양 평화론』 저술

↑ ○○○(1879~1910)

한국사 인물 학습 카드

① 평양에 대성 학교를 설립하였다.
② 명동 성당 앞에서 이완용을 습격하였다.
③ 하얼빈에서 이토 히로부미를 처단하였다.
④ 자신회를 조직해 을사5적을 처단하려 하였다.
⑤ 13도 창의군을 이끌며 서울 진공 작전을 전개하였다.

10 밑줄 친 '이 조약'으로 옳은 것은?

이 조약이 체결되자 고위 관료와 유생들의 조약 반대 상소가 잇따랐으며, 외교권을 넘겨주는 데 협조한 을사5적과 일본 침략자를 직접 응징하려는 의열 활동이 일어났다.

① 을사늑약　　② 정미7조약
③ 한일 의정서　　④ 한국 병합 조약
⑤ 제1차 한일 협약

11 (가) 인물에 대한 설명으로 옳은 것은?

일본은 러일 전쟁에서 전세가 유리해지자 한국의 보호국화 계획을 마련하고 한국에 제1차 한일 협약의 체결을 강요하였다. 이 조약의 규정에 따라 재정 고문으로 일본인 메가타를, 외교 고문으로 미국인 [(가)]을/를 임명하여 한국에 파견하였다. 이로써 일본은 한국의 재정과 외교에 본격적으로 간섭하였다.

① 대한 제국의 외교권을 전담하였다.
② 조선을 중립국으로 만들자고 주장하였다.
③ 황성신문에 시일야방성대곡을 게재하였다.
④ 샌프란시스코에서 장인환과 전명운에 의해 처단되었다.
⑤ 을사늑약의 무효를 선언하고 헤이그에 특사를 파견하였다.

12 다음과 같은 주장에 따라 전개된 활동으로 옳은 것을 〈보기〉에서 고른 것은?

지금 훈련받지 못한 병졸과 오합지중으로 혈기만을 믿고 전략·무예가 모두 갖추어진 군대와 교전하고자 함은 부녀자와 아이들이라도 그 불가능한 것을 분명히 알 것이다. 눈앞의 치욕을 참고 국가의 원대한 계획을 도모하여 일체 병기를 버리고 각자 고향으로 돌아가 각기 산업과 교육에 종사하라.

－ 황성신문

보기
ㄱ. 친일 매국노와 침략 원흉을 처단하였다.
ㄴ. 학교를 설립하여 민족 교육을 실시하였다.
ㄷ. 산업을 진흥시키고 언론 활동을 전개하였다.
ㄹ. 전국 연합 의병을 편성하여 서울로 진격하였다.

① ㄱ, ㄴ　　② ㄱ, ㄷ　　③ ㄴ, ㄷ
④ ㄴ, ㄹ　　⑤ ㄷ, ㄹ

13 교사의 질문에 대한 학생의 답변으로 적절하지 <u>않은</u> 것은?

무릇 나라의 독립은 오직 자강의 여하에 달려 있는지라. …… 자강의 방도를 강구하려 할 것 같으면 다른 곳에 있지 않고 교육을 진작하고 산업을 일으키는 데 있다.
– 『월보』 제1호, 1906

이 자료와 관련된 단체의 특징에 대해 말해 볼까요?

① 잡지를 간행하였어요.
② 전국에 지회를 설치하였어요.
③ 교육과 산업의 발달을 주장하였어요.
④ 고종의 강제 퇴위 반대 운동을 전개하였어요.
⑤ 공화 정체의 근대 국가를 수립하고자 하였어요.

14 다음 문서가 설명하는 단체의 활동으로 옳은 것은?

남만주로 집단 이주하려고 기도하고, 조선 본토에서 재력이 상당한 사람들을 그곳에 이주시켜 …… 나아가 무관 학교를 설립하여 문무를 겸하는 교육을 실시하면서, 기회를 엿보아 독립 전쟁을 일으켜 구한국의 국권을 회복하려고 하였다.
– 「105인 사건 판결문」, 1911

① 서울 진공 작전을 전개하였다.
② 태극 서관과 자기 회사를 운영하였다.
③ 대한 제국의 군대를 강제로 해산시켰다.
④ 명동 성당 앞에서 이완용을 습격하였다.
⑤ 대중 집회를 열어 일본의 황무지 개간권 요구를 철회시켰다.

15 다음 주장을 한 단체로 옳은 것은?

만국 공법 제2장에 따르면 "한 나라는 반드시 국토를 독점적으로 관할하여 통제하고 운영할 수 있는 권리를 가진다. 따라서 국가는 토지, 물산, 민간 재산 등을 관리할 권한을 가지며 다른 나라는 이 권리를 함께 가질 수 없다. …… 이는 한 나라가 공유하는 권리이지 한 사람이 사유하는 권리가 아니므로 국가가 함부로 그 권리를 포기할 수 없다."라고 하였습니다.
– 황성신문

① 보안회　　② 신민회　　③ 독립 협회
④ 대한 자강회　　⑤ 헌정 연구회

16 다음 교육 기관을 세운 단체의 활동으로 옳은 것은?

① 입헌 군주제 수립을 추구하였다.
② 을사늑약에 반발하여 의병을 일으켰다.
③ 황성신문에 시일야방성대곡을 게재하였다.
④ 전국에 지회를 설치하고 월보를 간행하였다.
⑤ 대성 학교와 오산 학교를 세워 민족 교육을 실시하였다.

17 밑줄 친 부분이 발생한 시기를 연표에서 옳게 고른 것은?

대한 제국 정부는 칙령을 통해 울릉도를 울도군으로 승격하여 독도를 관할하게 하였다. 그러나 일본은 독도가 주인이 없는 섬이라는 논리를 내세우면서 자국의 영토로 <u>불법 편입</u>하였다.

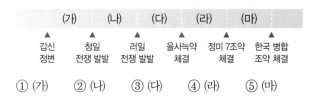

① (가)　② (나)　③ (다)　④ (라)　⑤ (마)

18 다음 책의 뒷페이지에 들어갈 글의 제목으로 적절한 것을 〈보기〉에서 고른 것은?

> 우리 땅, 독도의 역사
>
> 〈신라가 복속시키다〉
> 지증왕 13년(512) 6월에 우산국이 항복하여 해마다 토산물을 공물로 바치기로 하였다. 우산국은 명주(溟州)의 정동쪽 바다에 있는 섬으로 울릉도라고 부르기도 한다. — 「삼국사기」

보기
ㄱ. 조선 후기 안용복의 활약
ㄴ. 이범윤의 간도 관리사 임명
ㄷ. 대한 제국 칙령 제41호(1900)
ㄹ. 백두산정계비의 토문강 해석 논쟁

① ㄱ, ㄴ ② ㄱ, ㄷ ③ ㄴ, ㄷ
④ ㄴ, ㄹ ⑤ ㄷ, ㄹ

19 밑줄 친 '이 지역'에 대한 탐구 활동으로 가장 적절한 것은?

이 비석은 백두산정계비입니다. 이 지역을 둘러싼 조선과 청의 분쟁을 막고자 세워졌습니다. '서쪽의 압록, 동쪽의 토문을 분수령으로 삼는다.'라고 기록되어 있습니다.

① 대성 학교가 설립된 지역을 검색한다.
② 대한 제국이 이범윤을 파견한 지역을 조사한다.
③ 아관 파천 때 고종이 머물렀던 장소를 알아본다.
④ 병인양요 때 프랑스군과 전투가 벌어진 곳을 찾아본다.
⑤ 갑신정변이 실패로 끝난 후 개화당이 망명한 나라를 살펴본다.

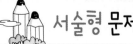 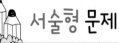

서술형 문제

● 정답친해 043쪽

01 다음을 읽고 물음에 답하시오.

> 제2조 …… 한국 정부는 지금부터 일본국 정부의 중개를 거치지 않고서는 국제적 성질을 가진 어떠한 조약이나 약속도 맺지 않을 것을 서로 약속한다.
> 제3조 일본국 정부는 그 대표자로 한국 황제 폐하 밑에 1명의 통감을 두되 통감은 오로지 외교에 관한 사항을 관리하기 위해 경성에 주재하고, …….

(1) 위 조약의 명칭을 쓰시오.

(2) 위 조약에 대한 민족의 저항을 세 가지 서술하시오.

길잡이 조약의 내용이나 조약 체결에 관여한 사람들에 대한 민족의 저항을 떠올려 본다.

02 다음 격문을 바탕으로 을미의병이 일어난 원인을 두 가지 서술하시오.

> 국모의 원수를 생각하며 이미 이를 갈았는데 참혹한 일이 더하여 부모에게서 받은 머리털을 풀 베듯이 베어 버리니 이 무슨 변고란 말인가. …… 이에 감히 의병을 일으켜 마침내 이 뜻을 세상에 포고한다.

길잡이 격문에서 국모의 원수, 머리털에 주목한다.

03 다음 주장을 펼친 국권 수호 운동의 명칭을 쓰고, 이 운동을 전개한 사람들이 항일 의병 운동을 비판한 이유를 서술하시오.

> 무릇 나라의 독립은 오직 자강의 여하에 달려 있는지라. …… 자강의 방도를 강구하려 할 것 같으면 다른 곳에 있지 않고 교육을 진작하고 산업을 일으키는 데 있다.

길잡이 을사늑약 체결 전후에 전개된 국권 수호 운동들을 생각해 본다.

STEP 3 1등급 정복하기

1 밑줄 친 '이 조약'이 발단이 되어 일어난 사실로 옳은 것을 〈보기〉에서 고른 것은?

> 1905년 11월 일본의 특사로 온 이토 히로부미는 일본군을 동원한 상태에서 고종과 대신들을 위협하고 이 조약을 강요하였다. 일부 대신은 강력히 반대하였지만, 일본은 박제순, 이완용 등 을사5적을 앞세워 조약 성립을 일방적으로 공포하였다.

> **보기**
> ㄱ. 유인석이 을미의병을 일으켰다.
> ㄴ. 일본이 간도를 청의 영토로 인정하였다.
> ㄷ. 보안회가 일본의 황무지 개간권 요구를 철회시켰다.
> ㄹ. 고종이 이상설, 이준, 이위종을 만국 평화 회의에 파견하였다.

① ㄱ, ㄴ   ② ㄱ, ㄷ   ③ ㄴ, ㄷ
④ ㄴ, ㄹ   ⑤ ㄷ, ㄹ

> **일본의 국권 침탈**
>
> **┃한자 사전┃**
> • **만국 평화 회의**
> 러시아 황제 니콜라이 2세가 제창한 국제회의로, 군비 축소와 평화 유지 문제를 협의하였다. 헤이그에서 열린 제2차 회의 때 고종이 특사를 파견하였다.

2 (가)에 대한 설명으로 옳은 것은?

> 여기는 일본이 파견한 통감이 거주하던 관저가 있던 자리입니다. 이 관저는 경술국치의 현장인데요, 1910년 8월 22일 당시 통감이었던 데라우치 마사다케가 총리대신 이완용을 불러들여 여기서 　(가)　을/를 체결하였습니다. 이 조약을 체결한 후 일본은 대한 제국을 조선이라고 불렀습니다.

① 일본 공사관에 경비병이 주둔하는 것을 인정하였다.
② 대한 제국의 외교권을 박탈하고 통감부를 설치하였다.
③ 일본이 대한 제국에 재정 고문과 외교 고문을 파견하였다.
④ 청과 일본이 향후 조선에 파병할 때 상호 통보할 것을 규정하였다.
⑤ 일본이 대한 제국의 국권을 박탈하여 일본이 파견한 총독이 최고 통치자가 되었다.

> **한국의 국권 피탈**
>
> **┃한자 사전┃**
> • **경술국치**
> 1910년 경술년에 국권을 빼앗겨 국가적 치욕을 입었다는 것을 표현한 말이다.

3 다음 자료를 활용한 탐구 활동으로 가장 적절한 것은?

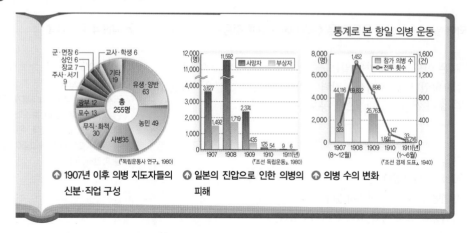

통계로 본 항일 의병 운동

↑ 1907년 이후 의병 지도자들의 신분·직업 구성

↑ 일본의 진압으로 인한 의병의 피해

↑ 의병 수의 변화

① 집강소에서 실시한 개혁안을 조사한다.
② 을사늑약에 대한 민족의 저항을 수집한다.
③ 강제 해산된 대한 제국 군대의 활동을 찾아본다.
④ 신민회가 전개한 국권 수호 운동의 변화 과정을 파악한다.
⑤ 사회 진화론에 영향을 받은 애국 계몽 운동의 사례를 정리한다.

> 항일 의병 운동

▎한자 사전▎

• 화적
떼를 지어 돌아다니며 행패를 부리고 강도짓을 하는 무리

• 주사·서기
관공서의 실무 관리들

4 다음 자료에 대한 설명으로 옳은 것은?

> 슬프다! 일본은 가장 가깝고 가장 친하며 어질고 약한 한국을 억압하여 조약을 맺고 강점하였다. …… 서양 세력이 동양으로 침략의 손길을 뻗어 오고 있는 지금의 환란은 동양 사람이 일치단결해서 막아 내는 것이 최선임은 어린아이도 다 아는 일이다. 그런데도 무슨 이유로 일본은 이러한 당연한 형세를 무시하고 같은 동양의 이웃 나라를 약탈하고 친구의 정을 끊어, 서양 세력이 애쓰지 않고 이득을 얻게 하려 한단 말인가. ㅡ 「동양 평화론」

① 개국 통상론자의 주장이 담겨 있다.
② 을미사변과 단발령의 강제 시행을 비판하고 있다.
③ 동학 농민 운동 세력의 폐정 개혁 요구를 반영하였다.
④ 이토 히로부미의 죄악을 밝히고 일본의 침략을 규탄하였다.
⑤ 제국주의 열강이 사회 진화론을 바탕으로 팽창하는 것을 옹호하고 있다.

> 「동양 평화론」의 배경

▎한자 사전▎

• 환란
근심과 재앙

• 일치단결
여럿이 한 덩어리로 굳게 뭉침

5 밑줄 친 '이 단체'에 대한 설명으로 옳은 것은?

> 을사늑약 체결 이후 안창호, 양기탁 등이 중심이 되어 만든 이 단체는 교육과 산업의 진흥을 통해 실력을 양성하려고 노력하였어.

> 또한 남만주 삼원보에 신한민촌을 건설하고, 신흥 강습소를 설립하여 무장 독립 전쟁도 준비하였지.

① 공화제 국가를 지향하였다.
② 한국과 일본의 합방 청원서를 발표하였다.
③ 관민 공동회를 개최하여 헌의 6조를 채택하였다.
④ 일본이 정미7조약과 부속 조약에 따라 해산하였다.
⑤ 성리학적 사회 질서를 수호하고 성리학 이외의 사상을 배격하였다.

> **애국 계몽 운동의 전개**
>
> **완자쌤의 시험 꿀팁**
>
> 신민회의 조직 형태, 추구하는 정치 형태, 실력 양성 활동과 무장 독립 투쟁을 모두 파악해야 한다. 특히 여러 애국 계몽 운동 단체와 다른 특징에 주목해야 한다.

6 (가)에 들어갈 답변으로 적절한 것을 〈보기〉에서 고른 것은?

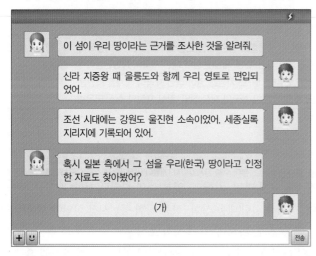

> 이 섬이 우리 땅이라는 근거를 조사한 것을 알려줘.

> 신라 지증왕 때 울릉도와 함께 우리 영토로 편입되었어.

> 조선 시대에는 강원도 울진현 소속이었어. 세종실록 지리지에 기록되어 있어.

> 혹시 일본 측에서 그 섬을 우리(한국) 땅이라고 인정한 자료도 찾아봤어?

> (가)

> **한국의 고유 영토, 독도**
>
> **완자쌤의 시험 꿀팁**
>
> 독도가 한국의 고유 영토로 인식되어 온 역사적 근거와 일본이 러일 전쟁 중 자국의 영토로 불법 편입한 내용을 정리한다.

보기

ㄱ. 1905년에 발표된 시마네현 고시에 그 근거가 있을 거야.
ㄴ. 간도 협약을 보면 남만주 철도 부설권을 얻는 대신에 간도를 청에 넘겼어.
ㄷ. 안용복이 일본에 항의한 후 일본 막부가 일본인에게 도해 금지령을 내렸대.
ㄹ. 1877년에 태정관에서 내린 지령을 보면 울릉도와 독도가 조선 땅이라고 하였어.

① ㄱ, ㄴ   ② ㄱ, ㄷ   ③ ㄴ, ㄷ
④ ㄴ, ㄹ   ⑤ ㄷ, ㄹ

05 개항 이후 경제적 변화 ~ 개항 이후 사회·문화적 변화

학습 목표
• 개항 이후 열강의 경제 침탈과 이에 대응한 경제적 구국 운동을 설명할 수 있다.
• 개항 이후 사회·문화적 변화를 이해할 수 있다.

이것이 핵심!

열강의 경제 침탈과 대응

경제 침탈	• 강화도 조약 → 거류지 무역 • 조청 상민 수륙 무역 장정 → 내지 무역 • 아관 파천 → 이권 침탈 • 일본의 토지 약탈 • 일본의 재정과 금융 장악
경제적 구국 운동	• 방곡령 선포, 상권 수호 운동 • 이권 수호 운동 • 보안회의 활동 • 국채 보상 운동

★ 거류지
개항장에서 외국인의 거주와 무역을 인정한 지역

★ 조선 중개 상인
개항 초기에 일본 상인들은 거류지를 중심으로만 활동할 수 있었기 때문에 조선의 소비자, 생산자와 연결하기 위해 조선 중개 상인을 통하였는데 개항장의 객주가 대표적이다.

★ 열강의 이권 침탈
열강은 철도 부설권, 광산 채굴권, 삼림 채벌권, 해운, 어업, 전기 등의 이익이 되는 권리, 즉 이권을 조선에서 서로 가져가려 하였다.

★ 동양 척식 주식회사
1908년에 일본이 한국의 토지와 자원을 약탈하고 관리하기 위한 목적으로 서울에 설립한 독점적 국책 회사로, 관리한 토지를 일본인에게 헐값으로 넘겼다.

★ 상회사
동업자들의 합자 회사이다. 객주들이 상권을 지키기 위해 조직한 동업 조합의 성격을 지닌다.

① 열강의 경제 침탈과 경제적 구국 운동

1. 열강의 경제 침탈

(1) 개항과 일본 상인의 무역

① 강화도 조약·부속 조약: 일본 상인의 특권 보장(영사 재판권, 일본 화폐 사용, 무관세 등)

② *거류지(조계) 무역(개항장 중심 무역): 일본 상인이 개항장 주변 10리 이내에서만 무역 활동 가능 → 일본 상인의 경제적 침투 본격화, *조선 중개 상인의 성장

(2) 임오군란 이후 청·일 상인의 상권 경쟁 심화 자료① ┌ 일본 상인이 영국산 면직물을 사서 조선에 팔고, 조선의 쌀, 콩, 금, 소가죽 등을 사들여 일본에 팔았어.

① 조청 상민 수륙 무역 장정(1882): 청 상인의 내륙 활동 허용 → 조선 상권 잠식

② 조일 통상 장정(1883): 조선의 관세 자주권 인정, 방곡령 규정, 일본에 최혜국 대우 인정

③ 청·일 상인의 내륙 진출과 경쟁: 조선 중개 상인과 시전 상인 몰락 → 청일 전쟁에서 청이 패배하면서 청 상인의 세력 약화 ┐ 최혜국 대우로 일본 상인들도 └ 내륙으로 진출할 수 있게 되었어.

(3) 아관 파천 이후 열강의 이권 침탈 심화 ── 러시아에 이권 제공

① 아관 파천 이후: 최혜국 대우 규정에 따라 *열강의 이권 침탈 경쟁 심화

② 러시아와 일본의 경쟁: 러시아는 광산 채굴권과 삼림 채벌권 등 장악, 일본은 철도 부설권(경인선, 경의선, 경부선) 장악 → 러일 전쟁 후 러시아의 세력 약화 ┌ 러시아가 독점하고 있었던 삼림 채벌권을 └ 러일 전쟁 후 일본이 차지하였어.

(4) 일본의 토지 약탈과 금융 장악

토지 약탈	• 일본인들이 고리대금 등의 방법으로 한국의 토지 매입 → 곡창 지대의 토지를 구입해 농장 경영 • 러일 전쟁 중 군용지(한일 의정서), 철도 용지 명목으로 토지 약탈 • 일본은 일본인의 이주를 돕기 위해 이민법 개정, *동양 척식 주식회사(1908) 설립
금융 장악	화폐 정리 사업(1905): 상평통보, 백동화를 일본 제일 은행권으로 교환 → 백동화의 가치 평가 절하 또는 교환 거부로 한국 상인과 은행의 파산, 일본 제일 은행이 대한 제국의 중앙은행이 됨 자료②
재정 예속	• 화폐 정리 과정에서 일본으로부터 대규모 차관을 얻어 대한 제국이 국채를 떠안음 • 일본이 전국에 징세 업무를 맡아 대한 제국의 재정 장악, 황실 재정의 축소·국유화

2. 경제적 구국 운동 ── 곡물 수출 금지 명령

예 함경도 관찰사 조병식이 조일 통상 장정에 따라 1개월 전에 외교 담당 관청에 알리고 방곡령을 시행하였으나 일본은 통고받은 날부터 수출 금지일까지 1개월이 안된다며 취소를 요구하였다.

(1) 방곡령 시행: 조일 통상 장정에 규정 마련, 시행 → 일본 측의 항의로 철회, 배상금 지불

(2) 상권 수호 운동: 객주 등이 *상회사 설립(대동 상회, 장통 상회 등), 시전 상인이 외국인 점포의 철수를 요구하며 철시 운동 전개, 황국 중앙 총상회 조직

(3) 이권 수호 운동: 독립 협회의 러시아 이권 요구 저지, 보안회의 일본 황무지 개간권 요구 저지

(4) 근대적 기업 육성: 상인층과 전·현직 관료 출신 자본가들이 은행(조선은행, 한성은행, 대한 천일 은행 등)·해운·철도 분야에서 회사 설립을 주도, 제조업은 민간인 자본가들이 주도

(5) 국채 보상 운동(1907) 자료③ ── 1907년에 1,300만 원 정도의 국채가 발생하였어.

배경	일본이 한국 식민 지배의 기반 마련 과정에서 막대한 차관 강요 → 일본에 대한 경제적 예속 심화
전개	대구에서 김광제·서상돈 등이 시작, 서울에서 국채 보상 기성회 조직 → 대한매일신보, 황성신문 등 언론의 지원을 받아 전국으로 확산
결과	일제 통감부의 방해와 탄압으로 중단됨

└ 대한매일신보의 양기탁이 성금 횡령이라는 누명을 쓰고 구속되었어.

완자 자료 탐구

 내 옆의 선생님

자료 ① 조청 상민 수륙 무역 장정과 조일 통상 장정

[조청 상민 수륙 무역 장정(1882)]

선양·즈리(허베이)·산둥의 3성의 외교 통상 사무를 통괄하던 대신이야.

제1관 청의 상무위원을 서울에 파견하고 조선 대관을 톈진에 파견한다. 청의 북양 대신과 조선 국왕은 대등한 지위를 가진다.

청에 영사 재판권을 허용한 거야.

제2관 조선의 개항장에서 청의 상무위원이 청 상인에 대한 재판권을 행사한다.

제4관 조선 상인은 베이징에서, 청 상인은 조선의 양화진, 한성에 영업소를 개설한 경우를 제외하고, 각종 화물을 내지로 운반하여 상점을 차리고 파는 것을 허가하지 않는다. 단, 내지에서 토산물을 구입하려고 할 때에는 상무위원 및 지방관이 함께 허가증을 발급하되 ……

청 상인은 한성에서 상점을 열 수 있게 되었고 허가를 받으면 개항장 밖에서도 활동할 수 있었어.

[조일 통상 장정(1883)]

관세 부과 조항

제9관 화물이 해관을 통과할 때에는 본 조약에 첨부된 세칙에 따라 관세를 납부해야 한다.

제37관 조선에서 …… 일시 곡물 수출을 금지하려고 할 때는 1개월 전에 지방관이 일본 영사관에게 통지하여야 한다. ─ 방곡령 관련 규정

제42관 조선 정부에서 어떠한 권리와 특전 및 혜택과 우대를 다른 나라 관리와 백성에게 베풀 때는 일본국 관리와 백성도 마찬가지로 일체 그 혜택을 받는다. ─ 최혜국 대우 규정

임오군란 이후 청의 정치적 영향력이 커지면서 체결된 조청 상민 수륙 무역 장정은 청 상인이 조선 내륙에서 상업 행위를 하는 것을 사실상 인정하였다. 일본은 조일 통상 장정을 통해 최혜국 대우를 인정받아 장차 일본 상인이 조선 내륙에서 상업 활동을 할 수 있게 되었다.

자료 ② 화폐 정리 사업(1905)의 전개

표시된 가치와 그 자체의 가치가 일치하는 화폐야.

백동화의 품질, 무게, 인상, 모양이 정화(正貨)로 인정받을 만한 것(갑종)을 1개당 2전 5리의 가격으로 새 화폐로 교환해 준다. 이 기준에 합당하지 않은 백동화(을종)는 1개당 1전의 가격으로 정부에서 매수한다. …… 단, 형태나 품질이 조악한 백동화(병종)는 매수하지 않는다. ─ 「관보」, 1905

화폐 정리 사업은 제1차 한일 협약에 따라 재정 고문으로 파견된 메가타가 주도하였다. 백동화 교환 과정에서 백동화의 가치를 깎거나 교환을 거부하여 한국의 민간 은행과 상인, 농민들이 큰 타격을 입게 되었다. 그 결과 일본 제일 은행이 대한 제국의 중앙은행이 되어 대한제국은 재정 자주권을 침해당하게 되었다.

자료 ③ 국채 보상 운동의 전개

일본에 경제적으로 예속되었기 때문이야.

국채 1,300만 원은 바로 우리 대한의 존망에 직결된 것이라. 갚으면 나라가 존재하고 …… 만일 나라에서 갚지 못한다면 그때는 이미 삼천리 강토는 내 나라 내 민족의 소유가 못 될 것이다. …… 2천만 인민들이 3개월 동안 흡연을 금지하고 그 대금으로 한 사람에게서 매달 20전씩 거둔다면 1,300만 원을 모을 수 있다. ─ 대한매일신보

자료는 1907년에 대구에서 김광제, 서상돈이 국채 보상 운동을 일으키며 그 취지를 밝힌 글이다. 국채 보상 운동이 대한매일신보 등 언론에 보도되면서 각계각층에서 호응하였고, 이 운동은 전국적으로 확산되어 서울에서도 국채 보상 기성회가 조직되었다.

자료 하나 더 알고 가자!

청 상인의 내륙 상권 진출

어떠한 벽촌이든지 장날에 청 상인이 오지 않는 곳이 없다고 한다. …… 요즘 들어 안성 시장에 청 상인이 늘어나 점차 상권을 빼앗겨 폐업하는 자가 많아졌다. …… 전라도 전주에는 청 상인이 30명 정도 들어왔다. ─ 일본의 무역 상황 보고서, 「통상휘찬」, 1893

일본 상인의 횡포

심지어 일본 상인이 각 항구에 들어와 무역의 이익을 독차지하고, 곡식을 모조리 가져가 버리고 있으니 백성은 생활을 지탱하기 어렵습니다. ─ 동학교도들이 공주 집회에서 충청 감사에게 보낸 글, 1892

1890년대에는 청 상인과 일본 상인이 조선에 들어와 활발하게 활동하면서 피해를 입는 조선 상인과 조선 사람이 많아졌다.

정리 비법을 알려줄게!

시기별 열강의 경제 침탈

1870년대	일본 상인의 거류지 무역이 시작됨
1880년대	청 상인의 내지 무역이 사실상 허용됨
1890년대	열강의 이권 침탈이 경쟁적으로 전개됨
1900년대	일본의 토지 약탈과 금융·재정 장악

문제 로 확인할까?

일본에 진 빚을 갚아 국권을 회복하자는 운동으로 옳은 것은?

① 국채 보상 운동
② 동학 농민 운동
③ 애국 계몽 운동
④ 상권 수호 운동
⑤ 항일 의병 운동

① 🔒

근대 문물의 유입과 생활의 변화

근대 문물 유입	• 통신: 전신 개통(1885), 전화 설치 • 교통: 전차 부설(1899), 경인선 철도 개통(1899) • 서양식 의료: 광혜원 설립(1885)
생활 변화	• 의식주 변화 • 국외로의 이주 증가

★ 경인선

1899년에 우리나라에서 개통된 최초의 철도로, 인천의 제물포와 서울의 노량진을 연결하였다. 본래 미국이 부설권을 가지고 있었으나 일본이 이를 인수하여 완공하였다.

② 근대 문물의 유입과 생활양식의 변화

1. 근대 문물의 유입

> 우정총국을 설치하고 근대적 우편 제도를 실시하려 하였으나 갑신정변 이후 중단되었고, 우체사를 설립해 우편 사무가 다시 시작되었어.

통신	우정총국과 우체사 설치, 전신 개통(서울·인천 연결, 1885)과 전보사 설치, 전화 가설(경운궁)
교통	전차 부설(서대문~청량리, 1899), *경인선(1899)·경부선(1905)·경의선(1906) 철도 개통
의료	광혜원(최초의 서양식 병원, 1885), 관립 의학교와 광제원(훗날 대한 의원으로 합쳐짐) 설립

└ 이후 제중원으로 개칭

> 일본의 이권 침탈 과정에서 부설되었어. 많은 토지가 철도 부지로 편입되고, 농민이 공사에 동원되면서 민중의 저항이 컸어.

2. 생활양식의 변화

의복	서양식 의복 착용, 단발령 실시로 단발이 일반화, 여성의 복식 중 장옷과 쓰개치마 소멸, 개량 한복 등장
음식	서양(커피 등)·일본(어묵, 초밥, 우동 등)·중국(호떡, 찐빵 등) 음식 소개, 서양식 연회 등장
주거	서울과 개항장에 서양식(덕수궁 석조전, 배재 학당, 명동 성당 등)·일본식 건축 양식 유입

3. 국외로의 이주 증가

(1) **만주**: 19세기 후반부터 한인 사회 형성, 이범윤을 간도 관리사로 임명해 이주 동포 보호(1903)

(2) **연해주**: 19세기 후반부터 이주, 1910년 전후에 만주와 함께 독립운동 기지가 건설됨

(3) **일본**: 유학생 중심, 1910년 이후 노동 이민이 증가

(4) **미주**: 1903년 하와이 노동 이민 시작, 멕시코로도 이주

└ 대개 독신 남성이었던 노동자들이 결혼을 위해 사진만 보내 신부를 구하는 '사진 신부' 현상이 나타나 여성들이 사진만 보고 하와이로 이주하였어.

문화의 새 경향과 근대 의식 확산

문화의 새 경향	• 신소설, 신체시 등장 • 서양식 음악·미술·연극 유행(창가, 서양화, 신극) • 천도교와 대종교의 창시, 천주교와 개신교 포교
근대 의식 확산	• 근대 학교 설립 • 근대 신문 발간 • 국어와 국사 등 국학 발달 • 민권 의식·여권 의식 신장

★ 교육입국 조서

제2차 갑오개혁 때 고종이 교육을 통한 입국(立國)의 의지를 천명한 교육에 관한 특별 조서로, 이후 근대적인 학제가 마련되었다.

★ 한성순보

최초의 신문으로 박문국에서 발행했는데 정부의 개화 정책을 보호하고 국제 정세를 소개하는 관보 역할을 하였다.

③ 문예·종교의 새 경향과 국민·민권 의식의 확산

1. 문학과 예술의 변화

문학	신소설(이인직의 『혈의 누』, 안국선의 『금수회의록』), 신체시(최남선, 「해에게서 소년에게」) 등장
예술	창가(서양식 곡에 우리말 가사를 붙임)·창극 유행, 서양 화풍 도입, 신극 공연, 원각사 설립(1908)

└ 판소리를 여러 사람이 나누어 부르는 거야. └ 최초의 서양식 극장이야.

2. 종교의 새 경향

유교·불교	박은식의 유교구신론(실천적 유교 정신 강조), 한용운의 『조선 불교 유신론』(조선 불교의 자주성 수호) 저술
천도교	손병희가 동학을 천도교로 개칭, 애국 계몽 운동 전개, 기관지 『만세보』 발행
대종교	나철·오기호가 단군 신앙을 기반으로 창시, 국권 강탈 이후 만주에 포교
천주교	조프 수호 통상 조약 이후 선교, 고아원 등 사회 복지 시설 및 학교 설립, 경향신문 발행
개신교	조미 수호 통상 조약 이후 선교, 이화 학당·숭실 학교 등 설립, 세브란스 병원 등 설립

3. 국민 의식과 민권 의식의 확산

> 근대 교육과 언론의 도입은 근대적 민권 의식, 여권 의식 확산에도 기여하였어.

근대 교육 보급	• 원산 학사(최초의 근대식 사립 학교, 1883), 동문학(1883), 육영 공원(최초의 근대식 관립 학교, 1886) • *교육입국 조서 반포(1895) → 관립 소학교, 한성 중학교, 한성 사범 학교, 외국어 학교 등 설립 • 애국 계몽 운동: 사립 학교 설립(민족 교육) → 통감부는 사립 학교령(1908)으로 탄압
근대 언론	• 근대 언론의 발달: *한성순보(순한문체, 박문국에서 발행, 1883), 독립신문(순한글과 영문, 서재필이 발행, 1896), 제국신문(순한글, 서민과 여성 대상, 1898), 황성신문(국한문 혼용체, 양반 유생 대상, 1898), 대한매일신보(영국인 베델과 양기탁이 발행, 항일 의병 운동을 호의적으로 보도함, 1904) **자료 ④** • 일제의 탄압: 통감부는 신문지법(1907)으로 언론 탄압, 통제
국학	• 국어: 정부의 국문 연구소 설립(1907), 유길준의 『대한문전』, 주시경의 『국어문법』 간행 • 국사: 민족주의 역사학, 박은식의 『동명왕실기』, 『천개소문전』, 신채호의 『독사신론』 저술 **교과서 자료**
근대 의식	• 민권 의식 제고: 법제상 신분제 철폐, 독립 협회의 민권 운동 전개 • 여권 의식 신장: 「여권통문」 발표(1898), 여자 교육회 등이 여학교 설립 후원 **자료 ⑤**

└ 을사늑약 때 장지연이 「시일야방성대곡」을 게재하였어.

└ 국민 의식 고취를 위해 국학이 발달하였어.

자료 ④ 대한매일신보와 베델

순한글과 국한문 혼용, 영문으로 신문을 발행하여
발행 부수가 가장 많은 신문이었어.

↑ 대한매일신보

↑ 베델

대한매일신보는 일본의 동맹국이면서 영사 재판권의 특권을 누리던 영국인 베델이 발행인으로 참여하였기 때문에 일제의 검열을 받지 않고 신문을 발행할 수 있었다. 그리하여 일제의 국권 침탈과 친일 정권의 부패, 무능을 비판하고 항일 의병 투쟁을 호의적으로 보도하였으며 국채 보상 운동을 지원하였다. 또한 박은식, 신채호 등이 논설 위원으로 참여하여 한국인의 친일 행위를 신랄하게 비판하였다.

문제로 확인할까?

영국인이 발행인으로 참여하여 항일 의병 운동을 호의적으로 보도하였던 근대 신문으로 옳은 것은?

① 한성순보
② 독립신문
③ 제국신문
④ 황성신문
⑤ 대한매일신보

⑤ 답

수능이 보이는 교과서 자료 **신채호의 「독사신론」**

잘되어 번성하고 쇠퇴하여 망한다는 뜻이야.

↑ 단재 신채호

국가의 역사는 민족의 소장성쇠를 서술해야 한다. 민족을 버리면 역사가 없을 것이며, 역사를 버리면 그 민족의 국가 관념이 크지 않을 것이니, 역사가의 책임이 얼마나 큰가. …… 역사를 집필하는 자는 반드시 그 국가의 주인 종족을 골라 이를 주제로 삼은 후 그 정치·실업·무공·습속·외교 등을 서술해야 역사라 말할 수 있을 것이다. 그렇지 않으면 정신 빠진 역사라. 정신 빠진 역사는 …… 정신 빠진 국가를 만들 것이니. – 신채호, 「독사신론」, 1908

민족주의 역사학의 기틀이 되었어.

신채호는 1908년에 총 50회에 걸쳐 대한매일신보에 「독사신론」을 연재하였다. 이 논설은 근대 민족주의 역사학의 시작으로 한국 민족의 역사적 정통성을 일깨울 목적으로 집필되었다. 그는 민족을 역사 전개의 주체로 강조하였고, 식민 사관의 영향을 받아 편찬된 일부 국사 교과서를 비판하였다.

완자샘의 탐구강의

• 신채호가 전개한 역사 연구 활동의 내용을 써 보자.
신채호는 역사가 애국심의 원천이라 하면서 위인의 전기를 쓰기도 하였고, 「독사신론」을 대한매일신보에 게재하여 민족주의 역사 서술의 기본 틀을 제시하였다.

함께 보기 165쪽, 1등급 도전하기 4

자료 ⑤ 「여권통문」의 의미

우리보다 먼저 문명개화한 나라들을 보면 남녀평등권이 있는지라. 어려서부터 각각 학교에 다니며, 각종 학문을 다 배워 이목을 넓히고, 장성한 후에 사나이와 부부의 의를 맺어 평생을 살더라도 그 사나이에게 조금도 압제를 받지 아니한다. 이처럼 대접을 받는 것은 다름 아니라 그 학문과 지식이 사나이 못지않은 까닭에 그 권리도 일반과 같으니 어찌 아름답지 않으리오.

여성도 남성과 같이 교육을 받으면 남녀가 평등할 것이라 여기고 있어. – 황성신문, 1898. 9. 8.

자료는 한성의 부인들이 모여 발표한 「여권통문」으로, 여성도 남성과 평등하게 교육을 받기 위해 여학교 설립을 주장하는 내용이 담겨 있다. 이처럼 근대적 민권 의식이 독립 협회의 활동 등으로 확산되면서 양성평등이나 여성의 권리에 대한 의식도 높아졌다.

정리 비법을 알려줄게!

근대 의식의 성장

민권 의식 성장	• 제도 개혁: 갑오개혁으로 신분제 폐지, 재판소 설치 • 민권 운동: 독립 협회가 법률에 따른 신체의 자유, 재산권 보호, 언론·출판·집회·결사의 자유 요구
여권 의식 제고	• 1898년 한성 부인들의 「여권통문」 발표: 남녀평등과 여학교 설립 주장 • 1905년 이후 여자 교육회, 진명 부인회 등 단체 및 양규 의숙, 진명 여학교 등 설립 후원

1 다음 설명에 해당하는 조약을 쓰시오.

> • 임오군란의 결과 체결된 조약이다.
> • 사실상 청 상인들이 조선의 내륙 지역에서 활동하는 것을 허용하였다.

2 다음에서 설명하는 경제적 구국 운동을 〈보기〉에서 골라 기호를 쓰시오.

> 보기
> ㄱ. 국채 보상 운동　　　　　ㄴ. 상권 수호 운동
> ㄷ. 이권 수호 운동

(1) 시전 상인이 황국 중앙 총상회를 조직하였다. 　（　　）

(2) 일본에 진 빚을 갚아 일본의 경제적 예속에서 벗어나자는 모금 운동을 전개하였다. 　（　　）

(3) 독립 협회가 만민 공동회를 개최하여 러시아의 절영도 조차 요구를 저지하고 한러 은행을 폐쇄하였다. 　（　　）

3 다음 설명이 맞으면 ○표, 틀리면 ×표를 하시오.

(1) 손병희는 동학을 창시하였다. 　（　　）

(2) 전차와 경인선은 1899년에 개통되었다. 　（　　）

(3) 광혜원은 우리 역사상 최초의 서양식 병원이다. 　（　　）

4 순한글과 영문으로 발간되었으며 서재필이 정부의 지원을 받아 발행한 신문의 이름을 쓰시오.

5 다음 인물의 저술 활동을 옳게 연결하시오.

(1) 주시경 •　　　• ㉠ 국어문법을 간행하였다.

(2) 안국선 •　　　• ㉡ 독사신론을 연재하였다.

(3) 신채호 •　　　• ㉢ 신소설 금수회의록을 썼다.

01 다음 상황이 끼친 영향으로 옳은 것은?

> 강화도 조약의 체결로 일본인의 무역을 허용한 개항장이 형성되었다. 당시 일본 상인들은 항구 부두로부터 동서남북 각 직경 10리(4km) 이내에서만 활동할 수 있었다.

① 서양 열강의 이권 침탈이 가속화되었다.
② 객주와 같은 조선 중개 상인들이 성장하였다.
③ 시전 상인들이 황국 중앙 총상회를 조직하였다.
④ 방곡령이 실시되었으나 일본의 항의로 철회되었다.
⑤ 보안회가 일본의 황무지 개간권 요구를 철회시켰다.

02 ☆중요 다음 조약의 체결이 가져온 변화로 옳은 것은?

> 청 상인은 조선의 양화진, 한성에 영업소를 개설한 경우를 제외하고, 각종 화물을 내지로 운반하여 상점을 차리고 파는 것을 허가하지 않는다. 단, 내지에서 토산물을 구입하려고 할 때에는 상무위원 및 지방관이 함께 허가증을 발급하되 …….

① 러일 전쟁이 발발하였다.
② 국채 보상 기성회가 조직되었다.
③ 청 상인이 조선의 내륙으로 진출하였다.
④ 일본이 대한 제국의 외교권을 박탈하였다.
⑤ 러시아가 광산 채굴권과 삼림 채벌권을 장악하였다.

03 다음과 같은 상황이 나타나게 된 배경으로 옳은 것은?

① 갑신정변의 발발
② 을사늑약의 체결
③ 임오군란의 진압
④ 아관 파천의 추진
⑤ 동학 농민 운동의 전개

04 (가)에 들어갈 내용으로 가장 적절한 것은?

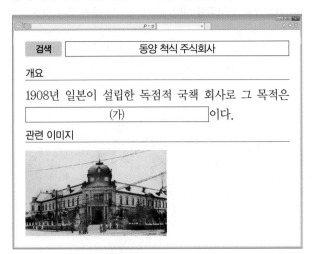

검색 | 동양 척식 주식회사

개요

1908년 일본이 설립한 독점적 국책 회사로 그 목적은 (가) 이다.

관련 이미지

① 대한 제국 군대의 해산
② 화폐 정리 사업의 실시
③ 한국의 근대적 기업 육성
④ 한국의 토지와 자원의 약탈
⑤ 국채 보상 운동의 방해와 탄압

05 다음 규정에 따라 진행된 사업의 영향으로 옳은 것은?

제1조 구 백동화 교환에 관한 사무를 금고로 처리하도록 하며 탁지부 대신이 이를 감독한다.

제2조 교환을 위하여 제공한 구 백동화를 모두 화폐 감정인이 감정하도록 한다. 화폐 감정인은 탁지부 대신이 임명한다.

제3조 백동화의 품질, 무게, 인상, 모양이 정화(正貨)로 인정받을 만한 것(갑종)을 1개당 2전 5리의 가격으로 새 화폐로 교환해 준다. 이 기준에 합당하지 않은 백동화(을종)는 1개당 1전의 가격으로 정부에서 매수한다.

① 조선의 중개 상인이 성장하였다.
② 열강의 이권 침탈 경쟁이 가속화되었다.
③ 대한 제국의 재정 자주권을 침해당하였다.
④ 일본 상인이 내륙으로 진출할 수 있게 되었다.
⑤ 대한 제국 군대 해산에 반발하여 의병이 봉기하였다.

06 (가)에 들어갈 내용으로 옳은 것은?

개항 이후 일본 상인들이 곡물을 사들이면서 조선의 곡물 가격이 크게 올랐고, 흉년이 들면서 조선 내 곡물이 부족해졌다. 이에 지방관들은 1883년에 체결된 조일 통상 장정의 규정에 근거하여 (가) 을/를 시행하였다. 그러나 일본 측의 항의로 철회되고 배상금을 물기도 하였다.

① 단발령   ② 방곡령   ③ 금난전권
④ 관세 자주권   ⑤ 화폐 정리 사업

07 밑줄 친 '이 운동'으로 옳은 것은?

이 운동의 사례를 들어 봐.

보안회가 일본의 황무지 개간권 요구 저지 운동을 벌였어.

독립 협회가 러시아의 절영도 조차 요구를 물리쳤지.

① 국채 보상 운동   ② 상권 수호 운동
③ 애국 계몽 운동   ④ 이권 수호 운동
⑤ 자유 민권 운동

08 (가)에 들어갈 내용으로 가장 적절한 것은?

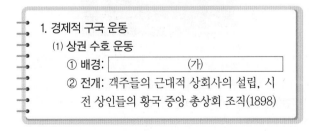

1. 경제적 구국 운동
   (1) 상권 수호 운동
       ① 배경: (가)
       ② 전개: 객주들의 근대적 상회사의 설립, 시전 상인들의 황국 중앙 총상회 조직(1898)

① 화폐 정리 사업의 전개
② 동양 척식 주식회사의 설립
③ 일본의 황무지 개간권 요구
④ 청과 일본 상인의 내륙 진출
⑤ 강화도 조약의 체결과 거류지 무역

09 다음 자료에 나타난 운동에 대한 설명으로 옳은 것은?

> 국채 1,300만 원은 바로 우리 대한의 존망에 직결된 것이라. 갚으면 나라가 존재하고 …… 만일 나라에서 갚지 못한다면 그때는 이미 삼천리 강토는 내 나라 내 민족의 소유가 못될 것이다. …… 2천만 인민들이 3개월 동안 흡연을 금지하고 그 대금으로 한 사람에게서 매달 20전씩 거둔다면 1,300만 원을 모을 수 있다.
> — 대한매일신보

① 대구에서 시작되었다.
② 강화도 조약의 체결을 반대하였다.
③ 근대적인 상회사를 설립하고자 하였다.
④ 고종에게 경운궁으로 환궁하라고 요구하였다.
⑤ 국외 독립운동 기지를 건설하고 무관 학교를 세웠다.

10 밑줄 친 '올해'에 볼 수 있는 모습으로 가장 적절한 것은?

한국사 신문   1800. ○○. ○○.

전차가 개통되다!

작년에 고종이 미국인 콜브란, 보스트윅과 계약을 맺어 한미 전기 회사를 설립하였고, 올해 서대문에서 청량리에 이르는 전차 노선을 개통하였다. 앞으로 선로를 더 연장할 계획이라고 한다.

① 경인선 개통식을 구경하는 관리
② 동학 농민 운동에 참가하는 농민
③ 대한매일신보를 읽고 있는 지식인
④ 하와이로 노동 이민을 떠나는 노동자
⑤ 원각사로 신극 공연을 보러 가는 학생

11 지도는 우리 민족의 해외 이주를 나타내고 있다. 밑줄 친 '이 지역'으로의 이주를 나타내는 화살표를 옳게 고른 것은?

> 이 지역의 노동자들은 신부를 구하고자 사진을 한국으로 보냈고, 천여 명의 한국 여성이 사진만 보고 결혼하러 왔다.

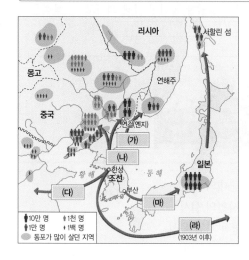

① (가)
② (나)
③ (다)
④ (라)
⑤ (마)

12 (가)에 들어갈 종교로 옳은 것은?

> 손병희는 이용구 등이 일진회를 조직하여 동학을 흡수하려고 하자 친일 세력을 배제하고 동학을 [(가)]로 개칭하였다. [(가)]는 민족 교육의 실시와 산업의 진흥을 위해 노력하였으며, 기관지 『만세보』를 발행하였다.

① 유교   ② 불교   ③ 개신교
④ 천도교   ⑤ 천주교

13 다음 조서가 발표된 이후 세워진 학교로 옳은 것은?

> 세상 형편을 돌아보건대 부유하고 강하여 우뚝 독립한 나라들은 모두 그 나라 백성의 지식이 개명한데 지식이 개명함은 교육이 잘 되었기 때문인즉 교육이 국가를 보존하는 근본이다. …… 짐이 정부에 지시하여 학교를 널리 세우고 인재를 양성하는 것은 너희 신하와 백성이 학식으로 나라를 일어나게 하는 큰 공로를 이룩하기 위함이라.

① 동문학   ② 육영 공원   ③ 원산 학사
④ 이화 학당   ⑤ 한성 사범 학교

★중요
14 사진은 어느 신문과 그 발행인이다. 이 신문에 대한 설명으로 옳은 것은?

① 박문국에서 발행하였다.
② 갑신정변으로 발행이 중단되었다.
③ 하층민과 부녀자를 독자층으로 삼았다.
④ 순한글로 발행된 최초의 근대 신문이었다.
⑤ 항일 의병 운동을 호의적으로 보도하였다.

15 다음 자료에 대한 설명으로 옳은 것은?

> 우리보다 먼저 문명개화한 나라들을 보면 남녀평등권이 있는지라. 어려서부터 각각 학교에 다니며, 각종 학문을 다 배워 이목을 넓히고, 장성한 후에 사나이와 부부의 의를 맺어 평생을 살더라도 그 사나이에게 조금도 압제를 받지 아니한다. 이처럼 대접을 받는 것은 다름 아니라 그 학문과 지식이 사나이 못지않은 까닭에 그 권리도 일반과 같으니 어찌 아름답지 않으리오.　　　　　　　　　– 황성신문

① 여성들이 여학교 설립을 요구하는 내용이다.
② 당시 여성들이 참정권을 가졌음을 보여 준다.
③ 을사늑약 체결에 대한 분노를 표현한 논설이다.
④ 한성 중학교, 한성 사범 학교의 설립에 영향을 주었다.
⑤ 남자와 같이 항일 의병 운동에 참여하자고 주장하였다.

 서술형 문제

● 정답친해 048쪽

01 (가), (나) 무역의 차이점을 조선 상인의 입장에서 서술하시오.

> (가) 강화도 조약의 체결로 개항장이 형성되었고, 외국 상인들은 항구 부두로부터 동서남북 각 직경 10리(4km) 이내에서만 활동할 수 있었다.
> (나) 임오군란 이후 조청 상민 수륙 무역 장정이 체결되면서 청 상인은 허가를 받으면 개항장 밖에서도 활동할 수 있었다. 최혜국 대우 규정에 따라 다른 나라 상인들도 동일한 권리를 보장받았다.

길잡이 외국 상인의 활동 범위에 대한 조선 상인의 입장을 고려해 본다.

02 (가), (나)를 활용하여 철도 개통이 가져온 긍정적, 부정적 영향을 한 가지씩 서술하시오.

> (가) 인천에서 화륜거가 떠나 삼개 건너 영등포로 와서 …… 산천초목이 모두 활동하여 닿는 것 같고 나는 새도 미처 따르지 못하더라.
> (나) 인부를 혹사하여 한시도 쉬는 일이 없고, …… 일본인들이 산을 억지로 팔게 하고, …… 한국인은 강제 노역을 감당해야 하는가.

길잡이 자료에 제시된 내용을 기준으로 긍정적, 부정적 영향을 서술한다.

03 다음 글에서 국가 발전을 위해 해야 할 일로 강조한 것을 서술하시오.

> 전국 인민의 사상을 돌리며 지식을 넓혀 주려면 국문으로 학문을 저술·번역하여 남녀를 물론하고 다 쉽게 알도록 가르쳐 주어야 될지라. 영국, 미국, 프랑스, 독일 같은 나라들은 한문을 구경도 못하였지만 저렇듯 부강함을 보라. …… 더 좋고 더 편리한 말과 글이 되게 할 뿐 아니라, 온 나라 사람이 다 국어와 국문을 우리나라 근본의 주장 글로 숭상하고 사랑하여 쓰기를 바라노라.　　　　– 주시경, 「서우」

길잡이 글쓴이가 든 사례에 주목한다.

수능 응용

1 다음 가상 대화가 이루어진 배경으로 옳은 것은?

여보게. 청나라 상인이 한성과 양화진에 영업소를 개설할 수 있게 되었다네.

정부의 허가를 받으면 청나라 상인이 내륙에서도 활동할 수 있게 되었으니 우리 조선 상인들에게 피해가 있을까 봐 걱정이야.

① 임오군란이 발생하여 청의 군대가 이를 진압하였다.
② 청과 일본의 상인이 조선의 상권을 경쟁적으로 침탈하였다.
③ 톈진 조약에 근거하여 청과 일본이 조선에 군대를 파병하였다.
④ 아관 파천으로 러시아를 비롯한 열강의 이권 침탈이 가속화되었다.
⑤ 독립 협회가 만민 공동회를 개최하여 열강의 이권 침탈을 저지하였다.

> **조청 상민 수륙 무역 장정의 영향**
>
> 완자쌤의 시험 꿀팁
>
> 조선이 외국과 체결한 통상 조약을 확인하고 각 조약의 내용이 조선 상인이나 조선 사람의 삶에 끼친 영향에 주목해야 한다. 특히 경제 침탈과 주권을 침해하는 불평등 조약의 경우 어떤 영향을 끼쳤는지 정리해 두도록 한다.

2 밑줄 친 '이 사업'의 영향으로 옳은 것은?

> 1905년, 탁지부령에 따라 <u>이 사업</u>이 시작되었다. 이는 대한 제국에서 유통되던 상평통보, 백동화 등을 일본 제일 은행권으로 교환해 주는 사업이었다. 상태가 매우 양호한 갑종 백동화는 개당 2전 5리의 가격으로 새 돈과 교환하여 주고, 상태가 좋지 않은 을종 백동화는 개당 1전의 가격으로 정부에서 매수하였으나 화폐로 인정하기 어려운 병종 백동화는 매수하지 않았다.

① 조세 금납제를 시행하였다.
② 일본 상인들의 영향력이 축소되었다.
③ 대한 제국의 은행 및 민간 상인이 몰락하였다.
④ 대한 제국이 토지를 측량하고 지계를 발급하였다.
⑤ 홍삼 전매권, 상업세 등을 흡수하여 황실의 재정 수입이 증가하였다.

> **화폐 정리 사업의 영향**
>
> | 완자 사전 |
>
> • **백동화**
> 1892년부터 1904년까지 전환국에서 주조하여 유통한 화폐
>
> • **전매권**
> 특정한 목적을 위하여 특정한 물품의 생산 또는 판매를 독점하는 권리

3 (가) 신문에 대한 설명으로 옳은 것은?

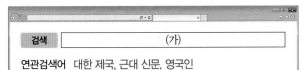

검색	(가)

연관검색어 대한 제국, 근대 신문, 영국인

백과사전

1904년에 영국인 베델과 양기탁이 중심이 되어 발행된 신문으로 항일 의병 운동을 호의적으로 보도하는 등 강한 항일 논조의 신문 기사를 게재하였다. 이에 일본은 영국인 베델을 영국에 제소하였으며, 신문지법을 개정하여 탄압하였다.

① 국채 보상 운동을 지원하였다.

② 독립문 건립 운동을 홍보하였다.

③ 박문국에서 순한문체로 발간하였다.

④ 정부 정책을 소개하여 관보 역할을 하였다.

⑤ 서민과 부녀자 계몽에 주력하여 순한글로 발간하였다.

> **근대 언론의 활동**

❙ 한자 사전 ❙

• **신문지법**

일본이 대한 제국의 신문을 탄압·통제하기 위하여 제정한 법이다. 1907년 7월 이완용 내각이 법률 제1호로 공포, 실시한 것으로 대한매일신보를 탄압하기 위해 1908년 4월 29일에 일부 개정되었다.

4 다음 글을 쓴 인물에 대한 설명으로 옳은 것은?

> 국가의 역사는 민족의 소장성쇠를 서술해야 한다. 민족을 버리면 역사가 없을 것이며, 역사를 버리면 그 민족의 국가 관념이 크지 않을 것이니, 역사가의 책임이 얼마나 큰가. …… 역사를 집필하는 자는 반드시 그 국가의 주인 종족을 골라 이를 주제로 삼은 후 그 정치·실업·무공·습속·외교 등을 서술해야 역사라 말할 수 있을 것이다. 그렇지 않으면 정신 빠진 역사라. 정신 빠진 역사는 …… 정신 빠진 국가를 만들 것이니.
>
> – 「독사신론」, 1908

① 독립 협회를 조직하였다.

② 민족주의 역사학을 연구하였다.

③ 단군 신앙을 기반으로 대종교를 창시하였다.

④ 동양 평화를 위한 한국, 중국, 일본의 협력을 주장하였다.

⑤ 미국 샌프란시스코에서 외교 고문이었던 스티븐스를 처단하였다.

> **국사 연구**

❙ 한자 사전 ❙

• **대종교**

1909년 나철이 조직한 종교로 나철은 단군대황조 신위를 모시고 제천 의식을 거행한 뒤 단군교를 선포하였다가 곧 이름을 대종교로 바꾸었다. 일제에게 국권을 빼앗긴 후에는 만주로 이동해 교세를 확장하였다.

1863
• 고종 즉위, 흥선 대원군 집권 → 이듬해 의정부 기능 부활, 비변사 기능 축소

1865
• (❶) 중건 시작: 공사비 마련을 위해 원납전 징수 → 이듬해 고액 화폐인 당백전 발행

1866
• 병인양요: 병인박해를 구실로 프랑스 함대의 강화도 침략

1871
• 신미양요: 제너럴셔먼호 사건을 계기로 미국이 침입

1876
• 강화도 조약 체결: 운요호 사건을 계기로 부산 외 2개 항구 개항, (❷)(치외 법권), 해안 측량권 인정

1882
• 조미 수호 통상 조약 체결, 임오군란 발발, 제물포 조약 체결, 조청 상민 수륙 무역 장정 체결

1884
• 갑신정변: 개혁 정강 발표(인민 평등권 확립 등)

1894
• 동학 농민 운동 전개, (❸) 추진(과거제 폐지, 신분제 철폐 등)

1895
• 을미사변 → 을미개혁 추진(태양력 사용, '건양' 연호 사용, 단발령 실시 등) → 을미의병 봉기

1897
• 대한 제국 수립: '광무' 연호 제정, 황제 즉위

1898
• (❹) 개최: 독립 협회가 주최, 정부 관리와 민중이 모여 헌의 6조 결의

1905
• 을사늑약 체결: 일본이 대한 제국의 외교권 박탈 → 을사의병 봉기

1907
• 고종의 헤이그 특사 파견 → 고종의 강제 퇴위와 군대 해산 → (❺) 봉기

01 서구 열강의 접근과 조선의 대응

1. 제국주의 열강의 동아시아 침략과 개항

(❻) 대두	독점 자본주의와 배타적 민족주의의 결합
동아시아의 개항	• 청: 영국과 아편 전쟁 → 난징 조약 체결 • 일본: 미국의 포함 외교 → 미일 화친 조약 체결

2. 흥선 대원군의 개혁 정치

정치	세도 정치 타파, 비변사 축소 및 폐지, 의정부와 삼군부의 기능 부활, 경복궁 중건, 서원 철폐
경제	양전 사업, 호포제, 사창제 실시

3. 통상 수교 거부 정책과 양요

병인 양요	(❼)를 구실로 프랑스군의 강화도 침입 → 문수산성에서 한성근, 삼랑성(정족산성)에서 양헌수가 항전
신미 양요	제너럴셔먼호 사건을 구실로 미군의 강화도 침입 → 어재연 부대의 광성보 항전

02 동아시아의 변화와 근대적 개혁의 추진

1. 청과 일본의 근대화 운동

청	양무운동: 중체서용 주장, 근대 산업 시설 도입
일본	메이지 유신: 문명개화, 중앙 집권적 입헌 군주제 수립

2. 개항과 불평등 조약 체제

강화도 조약 (조일 수호 조규)	최초의 근대 조약, 불평등 조약(일본에 해안 측량권, 영사 재판권 허용)
조미 수호 통상 조약	• 청의 알선, 『조선책략』 유포의 영향 • 거중 조정, 관세 자주권, 미국에 최혜국 대우 포함
조청 상민 수륙 무역 장정	청의 영사 재판권 허용, 청 상인의 내지 통상권 확보

3. 개화 정책의 추진과 반발

개화 정책 추진	통리기무아문 설치, 별기군 창설, 사절단 파견
위정척사 운동	양반 유생의 통상·개항·개화 반대 운동
임오군란	개화 정책에 발발하여 구식 군대의 군인이 봉기
(❽)	급진 개화파가 정변을 일으킴, 개혁 정강 발표

03 근대 국민 국가 수립을 위한 노력

1. 동학 농민 운동

(❾)	조병갑의 비리와 수탈 → 전봉준 등이 봉기
제1차 봉기	전봉준, 손화중 등 무장 봉기 → 백산 봉기(제폭구민, 보국안민 구호), 황토현 전투 승리 → 전주 화약 체결 → 집강소 설치, 폐정 개혁 추진
제2차 봉기	일본군의 경복궁 점령 → 일본군 타도를 내세우며 재봉기 → 우금치 전투에서 패배

2. 갑오·을미개혁

제1차 갑오개혁	개혁 추진 기구로 (❿) 설치 → 개국 기년 사용, 80아문 설치, 과거제·노비제·연좌제 폐지
제2차 갑오개혁	홍범 14조 반포 → 7부(중앙) 23부제(지방), 재판소 설치
을미개혁	을미사변 → 태양력, '건양' 연호 사용, 단발령 공포 등

3. 독립 협회와 대한 제국

독립 협회	• 자주 국권·자유 민권 운동 전개, 만민 공동회 개최 • 관민 공동회에서 헌의 6조 결의
대한 제국	• '광무' 연호 제정, 황제 즉위, 대한국 국제 발표 • 광무개혁: 양전 사업과 지계 발급, 식산흥업 추진

04 일본의 침략 확대와 국권 수호 운동

1. 일본의 국권 침탈

한일 의정서	한국 영토의 군사 기지로의 사용권 확보
제1차 한일 협약	외교 고문 스티븐스, 재정 고문 메가타 파견
(⓫)	한국의 외교권 박탈, 통감부 설치
정미7조약	부속 각서에 따라 일본인 차관 임명, 군대 해산
한국 병합 조약	한국의 국권 박탈, 총독부 설치

2. 항일 의병 운동과 의열 투쟁

을미의병	을미사변, 단발령 실시 → 유인석 등 양반 유생층 봉기
을사의병	을사늑약 체결 → 민종식, 최익현, 신돌석(평민 의병장)의 봉기
정미의병	고종의 강제 퇴위, 대한 제국 군대 해산 → 해산 군인 가담, (⓬)의 서울 진공 작전 전개
의열 투쟁	이재명, 장인환·전명운, 안중근의 침략 원흉 처단

3. 애국 계몽 운동

보안회	일본의 황무지 개간권 요구 저지
대한 자강회	교육과 산업 발달 주장, 입헌 군주제 지향, 월보 발간
(⓭)	공화정 지향, 국외 독립운동 기지 건설(삼원보)

4. 독도와 간도

독도	• 「대한 제국 칙령 제41호」(1900) → 울릉도가 독도 관할 • 「시마네현 고시 제40호」(1905) → 일본이 독도 불법 편입
간도	• 대한 제국이 간도 관리사 이범윤 임명(1903) • 일본이 간도 협약 체결 → 간도를 청에게 넘김(1909)

05 개항 이후 경제적 변화 ~ 개항 이후 사회·문화적 변화

1. 일본과 열강의 경제 침탈과 경제적 구국 운동

일본과 열강의 경제 침탈	• 열강의 이권 침탈: 일본 상인의 거류지 무역(개항장 중심 무역) → 청·일 상인의 상권 경쟁 심화 → 열강의 이권 침탈 심화 • 일본의 경제 침탈: 동양 척식 주식회사 설립, 메가타가 (⓮) 주도 → 대한 제국의 금융·재정 장악
경제적 구국 운동	• 상권 수호 운동: 상회사 설립, 황국 중앙 총상회 조직 • 방곡령: 조일 통상 장정에 규정되어 반포 • (⓯): 대구에서 서상돈 등이 발기

2. 근대 문물의 유입과 생활양식의 변화

근대 시설	전차 개통, 경인선·경부선·경의선 철도 개통
생활양식	서양식 의복과 단발, 외국 음식 소개, 서양식 건축물 등장
국외 이주	만주와 연해주, 일본(유학), 미주(하와이 노동 이민)로 이주

3. 문예·종교의 새 경향과 국민·민권 의식의 확산

문예	• 문학: 신소설, 신체시 등장 • 예술: 창가·창극 유행, 서양화풍·신극 등장
종교	• 천도교(손병희, 동학)·대종교(나철, 오기호, 단군 신앙) 등장 • 천주교와 개신교의 포교 허용 → 학교 설립
교육	• 근대 학교 설립: 원산 학사, 육영 공원, 선교사의 사립 학교 등 • 고종의 (⓰) 반포 → 관립 학교 설립
언론	한성순보, 독립신문, 황성신문, 제국신문, 대한매일신보 등 발행
국학	• 국어: 유길준의 『대한문전』, 주시경의 『국어문법』 저술 • 국사: 신채호의 『독사신론』 저술

● 정답 | ① 고부민란 ② 군국기무처 ③ 을사늑약 ④ 13도 창의군 ⑤ 대한 자강회 ⑥ 화폐 정리 사업 ⑦ 국채 보상 운동 ⑧ 교육입국 조서 ⑨ 고부 민란 ⑩ 군국기무처 ⑪ 을사늑약 ⑫ 13도 창의군 ⑬ 신민회 ⑭ 화폐 정리 사업 ⑮ 국채 보상 운동 ⑯ 교육입국 조서

II. 근대 국민 국가 수립 운동 167

01 (가) 화폐에 대한 학생들의 발표 내용으로 가장 적절한 것은?

검색 (가)

관련 이미지

내용
…… 명목 가치는 상평통보 1문전의 100배이다.

① 전환국에서 주조하였습니다.
② 일종의 기부금 중 하나입니다.
③ 서원 철폐를 위해 발행하였습니다.
④ 유통되면서 물가가 크게 올랐습니다.
⑤ 개화 정책 자금을 충당하기 위해 유통되었습니다.

02 다음 두 정책의 공통점에 대한 설명으로 옳은 것은?

• "진실로 백성에게 해되는 것이 있으면 비록 공자가 다시 살아난다 하더라도 나는 용서하지 않겠다. 하물며 서원은 우리나라 선현께 제사하는 곳인데 지금은 도둑의 소굴이 되지 않았더냐."라고 말하였다. ─「근세조선정감」
• "근래에 각 고을 군정의 폐단이 매우 심하다고 한다. 작년부터 흥선 대원군의 분부가 있었기 때문에 양반호는 노비의 이름으로 포(布)를 내게 하였고 소민은 신포로 내게 하였다. …… 각 도에 알려 길고 오랜 법식으로 삼는 것이 좋겠다."라고 하였다. ─「고종실록」

① 양반 유생들이 지지하였다.
② 척화비 건립에 영향을 주었다.
③ 삼정의 문란을 해결하고자 하였다.
④ 민생을 안정시키기 위한 정책이었다.
⑤ 의정부의 기능과 삼군부 부활의 결과이다.

03 다음 상황을 알아보기 위한 탐구 활동으로 가장 적절한 것은?

홍순목이 아뢰기를, "병인년 이후 서양인을 배척한 것은 온 세상에 자랑할 만한 일입니다. 오랑캐들이 침범하고 있지만 화친에 대해서는 절대로 논의할 수 없습니다. 먼저 정벌하는 위엄을 보이면 …… 누군들 우러러 받들지 않겠습니까?" …… 이때에 종로 거리와 각 도회지에 비석을 세웠다. ─「고종실록」

① 임오군란의 결과를 분석한다.
② 신미양요가 끼친 영향을 파악한다.
③ 운요호 사건이 일어난 원인을 검토한다.
④ 동학교도들의 교조 신원 운동의 계기를 찾아본다.
⑤ 이만손 등이 만인소를 고종에게 올린 이유를 살펴본다.

04 (가) 사절단에 대한 설명으로 옳은 것은?

수행 평가 보고서

• 탐구 주제: (가) 의 파견
• 수집 자료
[파견 경로]

[관련 사료]
동래부 암행어사 이헌영은 들어보라. 일본 사람의 조정 논의와 시세 형편, 풍속, 인물과 다른 나라들과의 수교, 통상 등의 대략을 한번 염탐하는 것이 아주 좋겠다. 이밖에 뒷일은 별도 문서로 조용히 보고하라.

① 귀국 후 기기창을 세웠다.
② 조선책략을 가지고 귀국하였다.
③ 강화도 조약의 체결을 지지하였다.
④ 보고서를 올려 개화 정책 추진에 기여하였다.
⑤ 주한 미국 공사의 부임에 대한 답례로 파견되었다.

05 다음 조약에서 조선이 처음으로 허용한 것은?

> 대조선국 군주와 대미국 대통령 및 그 인민들은 각각 모두 영원히 화평하고 우애 있게 지낸다. 만약 타국이 어떤 불공평하고 경멸하는 일을 일으켰을 때는 일단 확인하고 서로 도와주며, 중간에서 잘 조정하여 두터운 우의를 보여 준다.

① 거류지 설정
② 부산항 개항
③ 영사 재판권
④ 최혜국 대우
⑤ 해안 측량권

06 (가), (나)에 대한 설명으로 옳은 것은?

> (가) 오늘날 서양 오랑캐의 화가 홍수나 맹수의 해로움보다 더 심합니다. …… 안으로 관리들로 하여금 사학(邪學)의 무리를 잡아 베게 하시고, 밖으로 장병들로 하여금 바다를 건너오는 적을 정벌하게 하소서. ─「화서집」
>
> (나) 강화가 …… 서두른다면 주도권이 저들에게 있으므로 저들이 오히려 우리를 제어할 것이니 그런 강화를 믿을 수 없습니다. …… 저들이 비록 왜인이라고 하나 실은 양적(서양 오랑캐)입니다. ─「면암집」

① (가) ─ 통리기무아문의 폐지로 이어졌다.
② (가) ─ 흥선 대원군의 대외 정책을 지지하였다.
③ (나) ─ 제물포 조약을 체결하는 원인이 되었다.
④ (나) ─ 미국과의 통상 조약 체결에 반발한 것이다.
⑤ (가), (나) ─ 청의 내정 간섭이 강화되는 계기가 되었다.

07 다음 주장이 제기된 시기를 연표에서 옳게 고른 것은?

> 우리나라가 아시아의 중립국이 되는 것은 러시아를 막는 중요한 계기가 될 것이며, 또 아시아의 여러 대국이 서로 균형을 이루는 정략도 될 것이다. …… 중국이 이를 맡아서 처리해 주도록 청하는 것이 좋을 것이다.

1863	1866	1871	1876	1884	1894
(가)	(나)	(다)	(라)	(마)	
▲	▲	▲	▲	▲	▲
고종 즉위	병인 양요	척화비 건립	강화도 조약	갑신 정변	갑오 개혁

① (가)
② (나)
③ (다)
④ (라)
⑤ (마)

08 다음 자료의 상황이 나타나게 된 계기로 옳은 것은?

> • 그가 각 읍의 포(包)에 명령하여 읍마다 도소(都所)를 설치하고 자기 사람으로 집강을 세워 수령의 일을 수행하게 하였다. 이렇게 되자 호남 지방의 군마(軍馬)와 돈, 곡식은 모두 적이 장악하게 되었다. ─ 황현, 「오하기문」
>
> • 그들은 주인을 협박하여 노비 문서를 불태우고 천민에서 면해 줄 것을 강요하였다. 이들 중 몇몇은 주인을 결박하여 주리를 틀고 곤장을 때리기도 하였다. 이 무렵 노비가 있는 집안에서는 이런 소문을 듣고 노비 문서를 불태워 화를 피하기도 하였다. ─ 황현, 「오하기문」

① 김홍집 내각이 을미개혁을 추진하였다.
② 평양 관민이 제너럴셔먼호를 침몰시켰다.
③ 일본군을 상대로 우금치에서 전투가 벌어졌다.
④ 구식 군대 군인의 반란에 도시 하층민이 가담하였다.
⑤ 동학 농민군과 정부 사이에 전주 화약이 체결되었다.

09 밑줄 친 '개혁'의 내용으로 옳은 것은?

> 을미사변 후 유길준 등이 내각에 적극 참여하면서 개혁이 추진되었고, 개화파들이 기대를 걸기도 하였어.
>
> 하지만 이 개혁은 최초의 의병 운동을 불러오는 등 반발이 일어나기도 했어.

① 과거제를 폐지하였다.
② 태양력을 도입하였다.
③ 군국기무처를 설치하였다.
④ 연호로 광무를 사용하였다.
⑤ 탁지부에서 재정을 전담하게 하였다.

10 교사가 설명하는 집회에서 제기된 주장으로 옳은 것은?

1898년에 서울 종로에서 전개된 민중 집회의 모습을 보세요. 연단에는 신분과 나이의 구별 없이 어린이도 올라가 연설할 수 있었지요.

① 지조법 개혁을 내세웠다.
② 공화정 수립을 제시하였다.
③ 고종의 강제 퇴위에 반대하였다.
④ 향후 개국 기년의 사용을 강조하였다.
⑤ 러시아의 절영도 조차 요구를 비판하였다.

11 다음 상황이 전개된 정부 시기의 사실로 옳은 것은?

하늘에 고하는 제사를 지냈으니 황제의 자리에 오르소서.

① 삼군부가 부활하였다.
② 우정총국이 설치되었다.
③ 실업 학교가 설립되었다.
④ 삼정이정청이 마련되었다.
⑤ 통리기무아문이 폐지되었다.

12 다음 사건들을 일어난 순서대로 나열한 것은?

(가) 일본이 러·일 전쟁에서 승리하였다.
(나) 고종이 헤이그에 특사를 파견하였다.
(다) 안중근이 이토 히로부미를 처단하였다.
(라) 대한 제국이 외교권을 일본에 박탈당하였다.

① (가) – (나) – (다) – (라)　② (가) – (라) – (나) – (다)
③ (나) – (가) – (다) – (라)　④ (나) – (라) – (가) – (다)
⑤ (라) – (가) – (나) – (다)

13 다음 두 조약이 체결된 사이 시기에 있었던 사실로 옳은 것은?

• 제1조 한국 정부는 시정 개선에 관하여 통감의 지도를 받을 것
　제2조 한국 정부의 법령 제정 및 중요한 행정상의 처분은 미리 통감의 승인을 거칠 것
• 제1조 한국 황제 폐하는 한국 전부에 관한 일체 통치권을 완전히 또 영구히 일본 황제 폐하에게 양여한다.
　제2조 일본국 황제 폐하는 제1조에 게재한 양여를 수락하고, 또 완전한 한국을 일본 제국에 병합하는 것을 승낙한다.

① 거문도 사건이 발생하였다.
② 고종이 강제 퇴위당하였다.
③ 시모노세키 조약이 체결되었다.
④ 13도 창의군이 서울 진공 작전을 전개하였다.
⑤ 한국이 일본에 한국 영토의 군사 기지 사용을 허용하였다.

14 다음 요구들이 제기된 의병 운동에 대한 설명으로 옳은 것은?

의병장 ○○은/는 통감부에 다음의 사항을 요구한다.
• 태황제(고종)를 복위시켜라.
• 외교권을 되돌려 주고, 통감부를 철거하라.
• 일본인을 관리로 임명하지 마라.
• 을미·을사·정미의 국적(國賊)을 자유로이 처단케 하라.
• 내지의 산림과 금광 등을 침해하지 마라.
• 군용지와 철도를 되돌려 달라.

① 서울 진공 작전을 전개하였다.
② 포접제를 기반으로 확산되었다.
③ 고종의 권고에 따라 해산하였다.
④ 의병장이 대부분 양반 유생이었다.
⑤ 최익현 부대도 참여하여 활약하였다.

15 (가)에 대한 설명으로 옳은 것은?

사진으로 보는 근대사

(가) 의 활동과 와해

↑ 대성 학교 설립

↑ 와해 계기가 된 105인 사건

① 한성순보를 발행하였다.
② 고종의 환궁을 요청하였다.
③ 비밀 결사의 형태로 활동하였다.
④ 월보를 간행하고 연설회를 열었다.
⑤ 일제의 황무지 개간권 요구를 저지하였다.

16 다음 사업이 추진된 계기로 옳은 것은?

제1조 구 백동화 교환에 관한 사무를 금고로 처리하도록 하며 탁지부 대신이 이를 감독한다.
제2조 교환을 위하여 제공한 구 백동화를 모두 화폐 감정인이 감정하도록 한다. 화폐 감정인은 탁지부 대신이 임명한다.
제3조 백동화의 품질, 무게, 인상(印象), 모양이 정화(正貨)로 인정받을 만한 것(갑종)을 1개당 2전 5리의 가격으로 새 화폐로 교환해 준다. 이 기준에 합당하지 않은 백동화(을종)는 1개당 1전의 가격으로 정부에서 매수한다. …… 단, 형태나 품질이 조악한 백동화(병종)는 매수하지 않는다.

– 「탁지부령 제1호」, 1905. 6.

① 고액 화폐인 당백전이 발행되었다.
② 화폐 업무를 담당하는 전환국이 설립되었다.
③ 제1차 한일 협약으로 재정 고문이 파견되었다.
④ 조일 통상 장정으로 일본은 최혜국 대우를 받게 되었다.
⑤ 조일 수호 조규 부록에 의해 일본 화폐가 조선에 유통되었다.

17 (가)에 대한 설명으로 옳은 것은?

● (가) 선포 도시
▨ (가) 선포 지역

(가) 은/는 개항 이후 1904년까지 100여 차례 선포되었다. (가) 이/가 선포되면 곡물 수출이 금지되어 곡물을 사가던 외국 상인은 곤란해졌다.

① 을미의병의 배경이 되었다.
② 모금 운동의 방식으로 전개되었다.
③ 제물포 조약 체결의 계기가 되었다.
④ 황국 중앙 총상회의 조직으로 이어졌다.
⑤ 일본이 조일 통상 장정의 규정을 근거로 항의하였다.

18 다음 조치에 따라 전개된 사실로 옳은 것은?

짐이 정부(政府)에 명하여 학교를 널리 세우고 인재를 양성하는 것은 너희들 신하와 백성의 학식으로 나라를 중흥(中興)시키는 큰 공로를 이룩하기 위해서이다. 너희들 신하와 백성은 임금에게 충성하고 나라를 사랑하는 심정으로 너의 덕성, 너의 체력, 너의 지혜를 기르라. 왕실의 안전도 너희들 신하와 백성의 교육에 달려 있고 나라의 부강도 너희들 신하와 백성의 교육에 달려 있다.

– 「고종실록」

① 과거제가 폐지되었다.
② 사립 학교령이 공포되었다.
③ 동문학과 육영 공원이 설립되었다.
④ 학부 관제, 소학교 관제 등이 마련되었다.
⑤ 개신교 선교사가 세운 근대 학교가 등장하였다.

일제 식민지 지배와
민족 운동의 전개

1 일제의 식민지 지배 정책 ⋯⋯⋯⋯⋯ 174

2 3·1 운동과 대한민국 임시 정부 ⋯⋯ 184

3 다양한 민족 운동의 전개 ⋯⋯⋯⋯⋯ 194

4 사회·문화의 변화와 사회 운동 ⋯⋯ 208

5 전시 동원 체제와 민중의 삶 ⋯⋯⋯ 218

6 광복을 위한 노력 ⋯⋯⋯⋯⋯⋯⋯⋯ 228

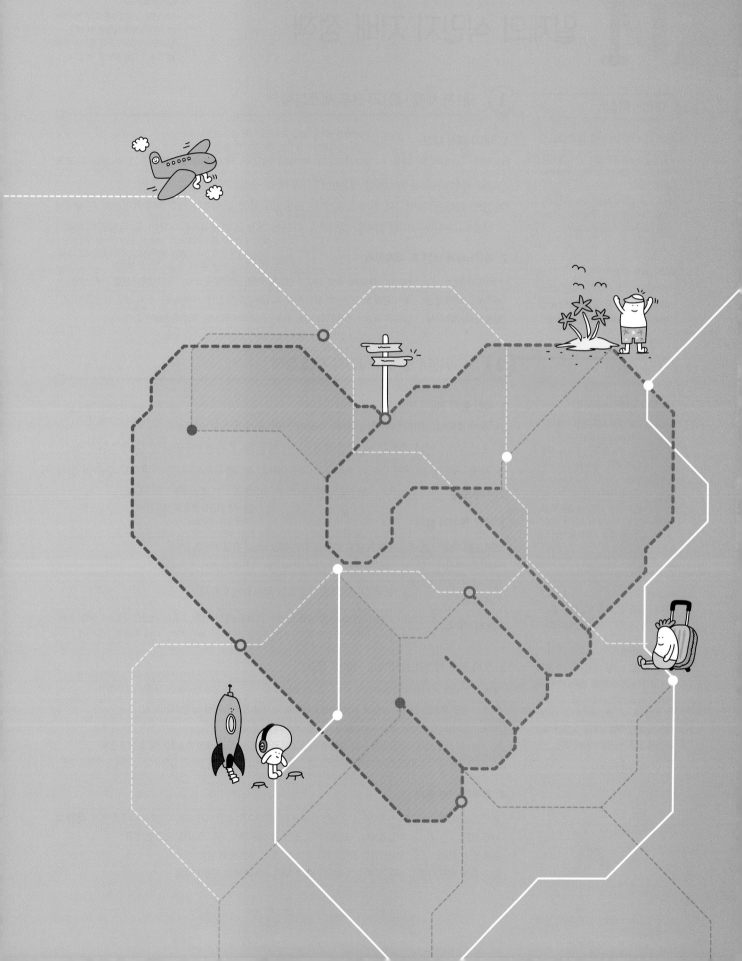

01 일제의 식민지 지배 정책

학습 목표
- 1910년대 일제의 식민지 지배 정책과 경제 수탈을 설명할 수 있다.
- 1920년대 일제의 문화 통치의 본질과 경제 수탈을 파악할 수 있다.

이것이 핵심!

제1차 세계 대전과 전후 세계정세

제1차 세계 대전	사라예보 사건 → 3국 동맹과 3국 협상 측이 가담 → 동맹국 패배
전후 세계 정세	사회주의 확산, 베르사유 체제 형성(독일의 세력 약화), 일본과 미국의 영향력 확대

★ **사라예보 사건**
세르비아 청년이 사라예보에 온 오스트리아·헝가리 제국의 황태자 부부를 슬라브족 해방을 내세우며 암살한 사건

① 제1차 세계 대전과 전후 세계정세

1. 제1차 세계 대전

발칸반도에서는 독일, 오스트리아의 범게르만주의와, 러시아, 세르비아 등 범슬라브주의가 대립하였어.

(1) **시작**: *사라예보 사건 → 오스트리아·헝가리 제국이 세르비아에 선전 포고 → 3국 동맹과 3국 협상 측이 전쟁에 가담(일본이 영일 동맹을 구실로 협상국 측에 참전)

(2) **전개**: 독일 등 동맹국의 전세가 유리 → 프랑스가 저항, 러시아가 사회주의 혁명으로 전쟁에서 이탈 → 독일의 무제한 잠수함 작전으로 미국이 협상국 측에 참전 → 독일 등 동맹국이 항복

독일이 프랑스를 고립시키기 위해 오스트리아·헝가리 제국, 이탈리아와 함께 3국 동맹을 형성하였고, 이에 맞서 프랑스와 영국이 러시아를 끌어들여 3국 협상을 맺었어.

2. 제1차 세계 대전 후 세계정세

사회주의 확산	레닌이 러시아에 혁명 정부 수립(11월 혁명), 코민테른 조직, 식민지 해방 운동 지원 선언
베르사유 체제 형성	파리 강화 회의(윌슨의 평화 원칙 14개조에 따라 진행) → 독일은 식민지 상실, 배상금 부담
일본과 미국의 성장	일본이 독일의 산둥반도 이권 계승 → 미국이 워싱턴 회의에서 일본 견제

Qn? 일본은 승전국이었으므로 패전국인 독일의 이권을 계승하였어. 이 결과 동아시아에서 세력을 확장하게 되었어.

이것이 핵심!

1910년대 일제의 식민지 통치

무단 통치	• 헌병 경찰 제도(즉결 처분권) • 조선 태형령 제정 • 관리와 교원의 제복과 칼 착용 • 언론·출판·집회·결사의 자유 박탈 • 식민지 교육 실시
경제 약탈	• 토지 조사 사업 → 총독부 재정 확보, 지주의 소유권 인정 • 회사령 공포 → 한국 기업 설립 억제

★ **조선**
일제는 국권 침탈 후 한반도를 '조선', 한국인을 '조선인'이라고 지칭하였다.

★ **즉결 처분권**
구류, 태형, 3개월 이하의 징역 등에 처하는 범죄에 대해 법 절차나 재판을 거치지 않고 헌병 경찰 재량으로 곧바로 벌을 줄 수 있는 권한이다. 1912년에는 경찰범 처벌 규칙을 마련해 이에 따라 즉결 처분권을 행사하였다.

② 1910년대 일제의 식민지 지배 정책

1. 식민 통치 기구

(1) *조선 총독부: 1910년에 설치, 일제 강점기 식민 통치의 최고 기관

Qn? 친일파를 우대하고 한국인의 정치 참여를 선전하려는 목적이었어.

① 조선 총독: 일본 육해군 대장 중에서 임명, 입법권·사법권·행정권 및 군 통수권 장악

② 관제: 정무총감(행정 담당)·경무총감(치안 담당) 등, 총독부의 자문 기관으로 중추원 설치

(2) **지방 행정**: 전국을 13도 12부 220군으로 개편, 면과 동·리 통폐합

일제는 면장을 선출해 식민 통치의 일원으로 끌어들였어.

2. 무단 통치의 실시

헌병 경찰 제도	헌병이 경찰 업무 및 일반 행정 담당, *즉결 처분권 행사
위압적인 분위기 조성	조선 태형령 제정, 관리와 교원이 제복과 칼 착용 (교과서 자료)
언론·출판·집회·결사의 자유 박탈	한국인이 발행하는 신문 폐간, 정치 단체·학회 해산
식민지 교육 실시	제1차 조선 교육령 공포(일본어 교육을 위한 보통 교육과 저급한 기술의 실업 교육 실시, 한국인의 보통학교 수업 연한을 4년으로 제한, 1911), 사립 학교와 서당 탄압

3. 토지 조사 사업의 실시(1910~1918) 자료①

토지 소유자가 필요한 서류를 구비해 기일 안에 신고해야 소유권이 인정되었어.

명분	지세의 공정한 부과와 근대적 토지 소유권 확립
목적	식민 통치에 필요한 재정을 확보하고, 일본인의 토지 소유와 투자를 쉽게 하고자 함
과정	임시 토지 조사국 설치(1910), 토지 조사령 공포(1912), 신고주의 원칙
결과	• 미신고 토지, 국·공유지 등을 조선 총독부 소유로 편입 → 동양 척식 주식회사에 헐값에 판매 • 지주의 소유권 인정, 소작농의 경작권 부정 → 살기 어려워진 농민은 화전민이 되거나 만주, 연해주 등지로 이주

4. 일제의 산업 통제

회사령 공포(1910)	조선 총독이 회사 설립 허가 → 한국인의 기업 설립 억제, 일본 자본의 한국 진출 통제 자료②
자원 침탈	어업령(1911), 삼림령(1911), 조선 광업령(1915), 임야 조사령(1918) 등 발표
금융·산업 침탈	한국은행을 조선은행으로 고침, 조선 식산 은행 설립
철도·도로·항만 건설	식량 및 자원의 일본 이출과 일본 상품의 수입 판매에 이용

수능이 보이는 교과서 자료
조선 태형령 시행 ┌ 징역은 죄수를 교도소에 가두고 일정한 강제 노동
을 시키는 것을, 구류는 죄수를 일정 기간 동안 교도
소에 가둬 자유를 제한하는 형벌을 말해.

제1조　3개월 이하의 징역 또는 구류에 처해야 할 자는 그 정상에 따라 태형에 처할 수 있다.
제11조　태형은 감옥 또는 즉결 관서에서 비밀리에 행한다. ┌ 작은 곤장으로 볼기
를 치는 형벌
제13조　본령은 조선인에 한하여 적용한다.
시행 규칙 1조　태형자는 수형자를 형판에 엎드리게 하고 그자의 양팔을 좌우로 벌리게 하여
형판에 묶고 양다리도 같이 묶은 후 볼기 부분을 노출해 태로 친다.
- 『조선 총독부 관보』, 1912

일제는 무단 통치 시기인 1912년에 조선 태형령을 제정하였다. 이는 이미 일본에서
폐지된 태형을 한국인에게만 차별적으로 적용한 것으로, 일제는 한국인을 위협하고
탄압하는 수단으로 태형을 이용하였다.

완자샘의 탐구 강의

• 일제가 1912년에 조선 태형령을 공
포하고 시행한 이유를 써 보자.
일제는 한국인에게만 신체에 직접 고
통을 가하는 태형을 실시하였다. 이것
은 위압적인 분위기를 고조시켜 일제
식민 통치에 대한 한국인의 반발을 막
으려는 것이었다.

함께 보기 182쪽, 1등급 정복하기 2

자료 ① 토지 조사령의 공포

제1조　토지의 조사 및 측량은 본령에 의한다.
제4조　토지 소유자는 조선 총독이 정하는 기간 내에 주소, 성명 또는 명칭 및 소유지의 소재,
지목, 자번호(字番號), 사표(四標), 등급, 지적, 결수(結數)를 임시 토지 조사 국장에게 신고
해야 한다. 단, 국유지는 보관 관청이 임시 토지 조사 국장에게 통지해야 한다.
└ 토지의 사용 목적에 따라 토지의 - 『조선 총독부 관보』, 1912
　종류를 표시하는 것이야.

일제는 1912년에 토지 조사령을 발표하여 토지 조사 사업을 실시하였다. 이 사업은 토지
소유자가 기한 내에 신고해야 소유권을 인정받는 신고주의 원칙에 따라 진행되었다. 토지
조사 사업을 실시한 결과 지주의 소유권이 인정되었고 이에 따라 조선 총독부의 지세 수
입이 늘어났다. 한편 한국의 소작농들은 관습적으로 인정받고 있던 경작권이 부정되었고,
그 결과 처지가 악화된 농민은 화전민이 되거나 만주, 연해주 등지로 이주하였다.

정리 비법을 알려줄게!

토지 조사 사업

명분	지세의 공정한 부과와 근대적 토지 소유권 확립
실제 목적	식민 지배에 필요한 재정 확보, 일본인의 토지 소유 및 투자 용이
↓	
방법	임시 토지 조사국 설치, 토지 조사령 공포(1912), 신고주의 원칙에 따라 소유권 인정
↓	
결과	• 조선 총독부의 소유지 증가 • 지주의 소유권 인정, 소작농의 경작권 부정

자료 ② 회사령의 목적

제1조　회사의 설립은 조선 총독의 허가를 받아야 한다.
제5조　회사가 본령이나 혹 본령에 의거하여 발하는 명령과 허가 조건에 위반하거나 또는 공공질
서와 선량한 풍속에 반하는 행위를 할 때 조선 총독은 사업의 정지, 지점의 폐쇄 또는 회
사의 해산을 명할 수 있다. - 『조선 법령집람』
└ 총독이 회사의 설립과 해산에 절대적인 권한을 가졌어.

일제는 1910년에 회사령을 공포하였다. 조선 총독이 허가해야 회사를 설립할 수 있게 함
으로써 한국인의 기업 설립을 억제하고 일본 자본의 한국 진출을 통제하려 한 것이었다.
조선 총독은 일본인이 허가를 신청한 것은 거의 다 수용하고, 한국인의 기업 설립은 엄격
히 규제를 가하였다. 그 결과 한국의 전기·철도·금융 등은 일본 기업이 장악하였고 한국
인 기업은 작은 규모의 제조업이나 매매업 등에 한정되었다.

자료 하나 더 알고 가자!

1910년대 민족별 회사 불입 자본액

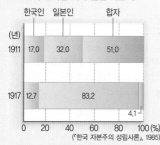

(『한국 자본주의 성립사론』, 1985)

1910년에 회사령이 실시되자, 한국인의
산업 활동은 위축되었다.

01 일제의 식민지 지배 정책

③ 1920년대 일제의 식민지 지배 정책

1920년대 일제의 식민지 통치

문화 통치	보통 경찰제 실시, 한글 신문 발행 허용, 지방 자치제 실시, 교육 기회 확대 표방 → 실상은 친일파 육성, 민족 분열
경제 약탈	• 산미 증식 계획 → 증산량보다 많은 쌀이 일본으로 이출, 국내 식량 사정 악화, 농민 부담 증가 • 회사령 철폐(1920) → 일본 대기업이 본격적으로 한국에 침투

★ 고등 경찰
일제 강점기에 비밀 결사, 사회 단체, 정치 집회, 사상 활동 등을 감시하고 단속한 정치 경찰로, 잔인한 고문으로 악명이 높았다.

★ 치안 유지법(1925)
일제가 천황제나 사유 재산제를 부정하는 자를 단속하기 위해 제정한 법률이다. 일제는 이를 통해 사회주의 운동뿐만 아니라 독립운동을 탄압하였다.

★ 민족 개조론
1922년 5월에 이광수가 『개벽』에 발표한 논설이다. 이광수는 우리 민족이 쇠퇴하게 된 근본 원인이 타락한 민족성에 있다고 보고, 우리 민족이 살아남을 수 있는 유일한 길은 민족성을 개조하는 것이라고 주장하였다.

★ 수리 조합
수리 시설의 신설, 보수, 관리 등을 위해 만든 조직으로 지주가 부담하던 수리 시설 건설비와 조합비를 소작농에게 전가하는 일이 많았다. 이에 농민들은 전국적인 수리 조합 반대 운동을 벌였다.

★ 신은행령
1928년 당시 금융 공황을 겪자, 은행의 자본금 최저 한도를 높여서 한국인의 은행 설립을 제한하고, 은행 간 합병을 강제하였다.

1. 민족 분열 통치(이른바 '문화 통치')의 실시
"조선의 문화와 관습을 존중한다."라며 마련한 통치 방식이라서 '문화 통치'라고 하였어.

(1) **배경**: 3·1 운동(1919) 이후 일제가 무단 통치의 한계 인식, 국제 여론의 악화

(2) **목적**: 식민 지배에 대한 한국인의 반발 무마, 친일파를 양성하여 민족 분열 도모

(3) **내용과 실상** 자료③ 자료④

1군 1경찰서와 1면 1주재소를 확립하고, 경찰 인원과 비용도 크게 늘렸어.

구분	표면적 내용	실제 내용
조선 총독	문관도 임명 가능	문관 총독이 임명된 적 없음
경찰 제도	• 헌병 경찰제를 보통 경찰제로 전환 • 태형 제도 폐지 • 관리와 교원의 제복과 칼 착용 폐지	• 경찰 제도 확대 • 고등 경찰제 실시 • 치안 유지법 제정(독립운동 탄압에 활용)
언론 정책	언론·출판·집회·결사의 자유 부분 허용 → 한글 신문의 발행 허가(조선일보, 동아일보 등)	신문 검열 강화 → 기사 삭제, 신문 압수·정간·폐간 조치
지방 제도	지방 자치제의 실시 → 도 평의회 설치, 민선 부·면 협의회 구성	평의회와 협의회는 의결권이 없는 자문 기구에 불과, 일본인이나 친일 인사로 구성
교육 정책	교육 기회의 확대 표방 → 보통학교의 교육 연한 연장(6년), 학교 수 일부 증설	학교 수가 부족, 학비가 비쌈 → 한국인의 취학률 저조

(4) **영향**: 일부 지식인들이 문화 통치에 동조해 *민족 개조론(이광수), 자치론, 참정론 등 주장 → 민족 운동 분열

자치론은 일제의 식민 통치를 인정하면서 한국인의 자치 의회나 자치 정부를 조직하자는 주장이고, 참정론은 일본 의회에 한국인 대표를 보내자는 주장

2. 산미 증식 계획의 실시(1920~1934) 자료⑤

(1) **배경**: 제1차 세계 대전 중 일본의 급속한 공업화·도시화 → 쌀의 수요 급증 → 농업 생산력이 수요에 미치지 못함 → 쌀 부족 현상 발생 → 부족한 쌀을 한국에서 확보하고자 함

(2) **내용**: 농토 개간, 밭을 논으로 변경, 수리 시설 확충, 종자 개량(다수확 품종), 비료 사용 확대

일본에서는 쌀 폭동이 일어나기도 하였어.

(3) **결과**

국내의 식량 사정 악화	증산량보다 많은 양의 쌀이 일본으로 이출 → 한국인의 1인당 쌀 소비량 감소 → 만주에서 잡곡 수입
지주의 경제력 강화	지주는 일본으로 쌀을 판매해 부 축적
농민의 처지 악화	고율의 소작료, 지세, 공과금, 쌀 증산 비용(비료 대금, *수리 조합비, 토지 개량비 등) 부담 → 화전민·도시 빈민 등으로 전락, 만주·연해주·일본 등으로 이주

3. 일본의 산업 정책 변화

(1) **회사령 폐지**

① **배경**: 제1차 세계 대전 이후 일본 기업의 자본 축적 → 한국에 진출하여 한국의 값싼 자원, 노동력을 활용하고자 함

② **내용**: 회사 설립을 허가제에서 신고제로 전환 — 일본 자본의 자유로운 한국 진출이 가능해졌어.

③ **결과**: 한국인 기업의 설립 증가, 1920년대 후반 일본 대기업의 한국 본격 진출

대부분 유통이나 제조업 분야의 소규모 기업이었어. 미쓰이, 미쓰비시 같은 대기업이 본격적으로 진출하였어.

(2) **한국과 일본 사이의 관세 폐지(1923)**

① **내용**: 일본 상품에 관세 폐지 — 직물, 의류, 기계 등 일본 상품이 더 값싸게 한국에 들어오게 되었어.

② **결과**: 한국이 일본 상품의 소비 시장으로 전락, 한국인 기업에 타격

(3) **금융 장악**: *신은행령을 발표(1928)하여 한국인 소유의 은행 합병 → 금융 분야에서 일본 자본의 지배 강화

자료 ③ '문화 통치'의 방침

> 멀고 가까운 사람을 친함에 관계없이 똑같이 대하여 준다는 뜻으로 일본인, 한국인 모두 똑같이 대하겠다는 말이야.

> 조선 통치의 방침인 일시동인(一視同仁)의 대의를 존중하고 동양 평화를 확보하여 민중의 복리를 증진하는 것은 대원칙으로 일찍이 정한 바이다. …… 정부는 관제를 개혁하여 총독 임용의 범위를 확장하고 경찰 제도를 개정하며, 또한 일반 관리나 교원 등의 복제를 폐지함으로써 시대의 흐름에 순응하고 …… 장래 기회를 보아 지방 자치 제도를 실시하여 국민 생활을 안정시키고 일반 복리를 증진할 것이다.
> – 사이토 총독의 시정 방침 훈시, 1919. 9.

일제는 3·1 운동 이후 '문화 통치'를 내세웠다. 이에 따라 문관 출신 총독을 허용하고, 헌병 경찰 제도를 개정하겠다고 하였다. 관리나 교원의 제복과 칼 착용, 언론·집회·출판·결사의 자유 제한 등을 폐지하고, 지방 자치제를 실시하겠다고 발표하였다.

자료 ④ '문화 통치'의 실상

↟ 경찰 제도 강화

각각 1918년은 헌병 경찰 제도, 1920년은 보통 경찰 때야.

『고쳐 쓴 한국 현대사』, 2006

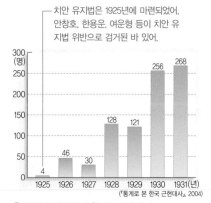

> 치안 유지법은 1925년에 마련되었어. 안창호, 한용운, 여운형 등이 치안 유지법 위반으로 검거된 바 있어.

↟ 치안 유지법 관련 한국인 구속자 수

『통계로 본 한국 근현대사』, 2004

일제는 '문화 통치'를 내세우며 헌병 경찰제를 폐지하고 보통 경찰제를 실시하였지만, 실제 경찰 관서와 경찰 인원, 경찰 비용은 더 증가하였다. 또한 일제는 1925년에 제정된 치안 유지법을 항일 민족 운동을 탄압하는 데 이용하여 많은 한국인을 구속하였다.

자료 ⑤ 산미 증식 계획의 실시

> 일본은 제1차 세계 대전 중 급속하게 공업화, 도시화하면서 농촌 인구는 줄어들고, 쌀 수요는 늘어나 쌀이 부족하였어.

> 일본에서 쌀 소비는 연간 6,500만 석인데 생산고는 5,800만 석을 넘지 못해 그 부족분을 제국 반도 및 외국의 공급에 의지하는 형편이다. …… 따라서 지금 미곡 증식 계획을 수립하여 일본 제국의 식량 문제를 해결하는 데 도움을 주는 것이 이 나라의 정책상 시급한 일이라고 믿는다.
> – 조선 산미 증식 계획 요강, 1926

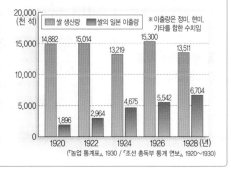

『농업 통계표』, 1930 / 『조선 총독부 통계 연보』, 1920~1930

일제는 한국에서 쌀을 증산한 후 일본으로 이출하여 자국의 쌀 부족 문제를 해결하고자 산미 증식 계획을 추진하였다. 그 결과 쌀 생산량은 늘어났지만, 일제가 증산된 양보다 훨씬 더 많은 쌀을 일본으로 가져가 한국인의 1인당 쌀 소비량은 감소하게 되었다.

문제로 확인할까?

1920년대 일제의 식민지 지배 모습으로 옳은 것을 〈보기〉에서 고른 것은?

┌ 보기 ─────────────────
ㄱ. 회사령을 제정하였다.
ㄴ. 치안 유지법을 적용하였다.
ㄷ. 한국인의 신문 발행을 금지하였다.
ㄹ. 문관 출신의 조선 총독을 임명하였다.
ㅁ. 헌병 경찰제를 보통 경찰제로 바꾸었다.
└──────────────────────

① ㄱ, ㄷ   ② ㄴ, ㄹ   ③ ㄴ, ㅁ
④ ㄷ, ㄹ   ⑤ ㄹ, ㅁ

자료 하나 더 알고 가자!

일제의 검열로 기사가 삭제된 신문

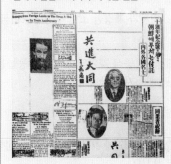

'문화 통치'의 일환으로 조선일보, 동아일보가 간행되었으나 기사 검열로 기사 삭제, 신문 정간이 빈번하였다.

정리 비법을 알려줄게!

산미 증식 계획

목적	일본이 자국의 부족한 식량을 한국에서 보충하고자 함
실행	농지 개간, 수리 시설 개선, 종자 개량 등으로 쌀 생산량 증대
결과	쌀 증산 목표는 이루지 못했으나 계획대로 수탈은 강행 → 한국인의 식량 부족, 한국 농민의 처지 악화

문제로 확인할까?

일제가 일본의 쌀 부족 문제를 해결하기 위해 한국에서 실시한 경제 정책은?

정답 산미 증식 계획

STEP 1 핵심 개념 확인하기

1 ( )은 제1차 세계 대전이 일어나자 영국과의 동맹을 구실로 독일에 선전 포고하고 협상국 측에 참전하였다.

2 다음에서 설명하는 일제의 식민지 통치 기구를 쓰시오.

> 조선 총독부의 자문 기구이다. 일제가 한국인의 정치 참여를 선전하기 위해 설치하여 이완용, 송병준 등 친일파가 임용되었다.

3 다음 설명이 맞으면 ○표, 틀리면 ×표를 하시오.

(1) 일제는 헌병이 경찰 업무를 담당하게 하였다. ( )

(2) 일제가 제정한 조선 태형령은 한국인에게만 적용되었다. ( )

(3) 산미 증식 계획의 결과 소작농들은 경작권을 인정받지 못해 처지가 악화되었다. ( )

4 다음 시기에 추진된 일제의 통치 정책을 〈보기〉에서 골라 기호를 쓰시오.

> **보기**
> ㄱ. 회사령 제정　　　　ㄴ. 치안 유지법 제정
> ㄷ. 산미 증식 계획 실시　ㄹ. 토지 조사 사업 실시

(1) 1910년대 무단 통치 시기의 정책 ( )

(2) 1920년대 민족 분열 통치 시기의 정책 ( )

5 일제는 1925년에 천황제와 사유 재산제 등을 부정하는 자를 단속하는 ( )을 제정하여 독립운동을 탄압하였다.

6 다음 목적에 따라 실시한 정책을 옳게 연결하시오.

(1) 일본 기업의 한국 진출을 · 　　· ㉠ 회사령 제정
자유롭게 하기 위한 목적

(2) 한국인의 기업 설립과 일본 · 　　· ㉡ 회사령 철폐
자본의 한국 진출 통제 목적

STEP 2 내신 만점 공략하기

01 밑줄 친 '전쟁'의 영향으로 옳은 것은?

> 1914년에 일어난 사라예보 사건을 계기로 오스트리아·헝가리 제국이 세르비아에 선전 포고를 하여 전쟁이 일어났다.

① 프랑스를 고립시켰다.
② 일본의 국력이 성장하였다.
③ 러시아에서 사회주의 혁명이 일어났다.
④ 청의 산둥반도를 독일이 차지하게 되었다.
⑤ 발칸반도에서 범게르만주의와 범슬라브주의가 맞섰다.

02 (가) 기구에 대한 설명으로 옳은 것을 〈보기〉에서 고른 것은?

> (가) 은/는 일제 강점기 식민 통치의 최고 기관으로, 그 수장은 일본 육해군 대장 중에서 임명하였다.

> **보기**
> ㄱ. 대한 제국의 내정을 간섭하였다.
> ㄴ. 자문 기관으로 중추원을 두었다.
> ㄷ. 을사늑약에 따라 일제의 강요로 설치되었다.
> ㄹ. 수장이 입법권·사법권·행정권·군 통수권을 가졌다.

① ㄱ, ㄴ　　② ㄱ, ㄷ　　③ ㄴ, ㄷ
④ ㄴ, ㄹ　　⑤ ㄷ, ㄹ

03 (가)에 들어갈 내용으로 가장 적절한 것은?

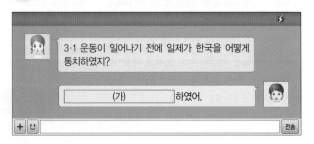

① 정미7조약을 강요　　② 홍범 14조를 반포
③ 군국기무처를 설치　　④ 고등 경찰제를 시행
⑤ 조선 태형령을 공포

04 다음 상황이 나타난 시기에 볼 수 있는 모습으로 가장 적절한 것은?

↑ 제복과 칼을 착용한 교사들

↑ 토지 조사 사업 중의 토지 측량

① 정미의병에 가담하는 농민
② 즉결 처분을 내리는 헌병 경찰
③ 단발령에 반발하여 봉기하는 의병
④ 기사가 삭제된 조선일보를 보는 기자
⑤ 개화 정책을 논의하는 통리기무아문의 관리

05 밑줄 친 '이 시기'에 있었던 사실로 옳은 것은?

> 이 시기에 일제 식민 통치의 핵심 조직이 된 헌병 경찰은 치안 유지 경찰 및 군사 경찰을 담당하였으며, 그 직무에 관해서는 조선 총독의 지휘·감독을 받도록 하였다.

① 치안 유지법이 제정되었다.
② 한일 의정서가 체결되었다.
③ 교육입국 조서가 반포되었다.
④ 토지 조사 사업이 추진되었다.
⑤ 동양 척식 주식회사가 설립되었다.

06 ☆중요 다음 법령이 시행되었던 시기를 연표에서 옳게 고른 것은?

> 제1조 토지의 조사 및 측량은 본령에 의한다.
> 제4조 토지 소유자는 조선 총독이 정하는 기간 내에 주소, 성명 또는 명칭 및 소유지의 소재, 지목, 자번호(字番號), 사표(四標), 등급, 지적, 결수(結數)를 임시 토지 조사 국장에게 신고해야 한다.

1876	1884	1897	1910	1919	1931
(가)	(나)	(다)	(라)	(마)	
▲ 강화도 조약	▲ 갑신 정변	▲ 대한 제국 수립	▲ 국권 피탈	▲ 3·1 운동	▲ 만주 사변

① (가)   ② (나)   ③ (다)   ④ (라)   ⑤ (마)

07 다음 가상 대화의 소재가 된 일제의 식민지 지배 정책으로 옳은 것은?

지주의 소유권만 인정하고 우리 농민의 경작권은 인정받지 못한다면서?

그뿐인가? 마을이나 문중의 공동 소유지도 조선 총독부의 땅으로 만들어버렸다고 하더군.

① 양전 사업   ② 헌병 경찰제
③ 회사령 공포   ④ 산미 증식 계획
⑤ 토지 조사 사업

08 ☆중요 다음 법령이 적용된 시기에 있었던 사실로 옳은 것은?

> **조선 총독부 관보 제○○호**   19△△. △△. △△.
>
> □□□
>
> 제1조 회사의 설립은 조선 총독의 허가를 받아야 한다.
> 제2조 조선 외에서 설립한 회사가 조선에 본점이나 지점을 설립하고자 할 때에는 조선 총독의 허가를 받아야 한다.
>
> ……
>
> 제5조 회사가 본령이나 본령에 의거하여 발하는 명령과 허가 조건에 위반하거나 공공질서와 선량한 풍속에 반하는 행위를 할 때 조선 총독은 사업의 정지, 지점의 폐쇄 또는 회사의 해산을 명할 수 있다.

① 집강소에서 노비 문서를 태웠다.
② 한성 사범 학교의 설립 명령이 내려졌다.
③ 헌병 경찰이 한국인에게 태형을 집행하였다.
④ 상인이 국채 보상 운동에 참여하며 성금을 냈다.
⑤ 병사가 강화도에 침입한 프랑스군에 맞서 싸웠다.

09 (가)에서 (나)로 변화하게 된 계기로 옳은 것은?

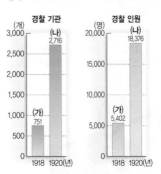

① 기유각서가 체결되었다.
② 3·1 운동이 전개되었다.
③ 러일 전쟁이 발발하였다.
④ 치안 유지법이 제정되었다.
⑤ 대한 제국이 국권을 강탈당하였다.

10 (가)에 들어갈 사례로 가장 적절한 것은?

· 학습 주제: 일제가 실시한 '문화 통치'의 기만성
· 사례
　－ ＿＿＿＿＿＿ (가) ＿＿＿＿＿＿

① 통감부를 설치하였다.
② 화폐 정리 사업을 실시하였다.
③ 조선일보와 동아일보를 폐간하였다.
④ 이른바 서울 진공 작전을 추진하였다.
⑤ 조선 총독에 문관 출신을 임명하지 않았다.

11 다음 퀴즈의 정답으로 옳은 것은?

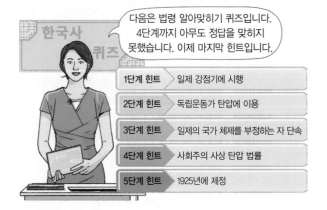

다음은 법령 알아맞히기 퀴즈입니다. 4단계까지 아무도 정답을 맞히지 못했습니다. 이제 마지막 힌트입니다.

1단계 힌트	일제 강점기에 시행
2단계 힌트	독립운동가 탄압에 이용
3단계 힌트	일제의 국가 체제를 부정하는 자 단속
4단계 힌트	사회주의 사상 탄압 법률
5단계 힌트	1925년에 제정

① 신문지법　　　　② 사립 학교령
③ 조선 태형령　　　④ 치안 유지법
⑤ 경찰범 처벌 규칙

12 다음 시정 방침에 따라 통치가 이루어진 시기에 일어난 사실로 옳은 것은? ☆중요

> 정부는 관제를 개혁하여 총독 임용의 범위를 확장하고 경찰 제도를 개정하며, 또한 일반 관리나 교원 등의 복제를 폐지함으로써 시대의 흐름에 순응하고 …… 조선인의 임용과 대우 등에 관해서 더욱 고려하여 각각 그 할 바를 얻게 하고, …… 장래 기회를 보아 지방 자치 제도를 실시하여 국민 생활을 안정시키고 일반 복리를 증진시킬 것이다.
> － 사이토 마코토

① 교원이 제복을 입고 칼을 찼다.
② 관군이 홍경래의 난을 진압하였다.
③ 촌주가 3년마다 촌락 문서를 작성하였다.
④ 쌀의 증산량보다 일본으로의 이출량이 많았다.
⑤ 신진 사대부가 사전을 혁파하고 과전법을 마련하였다.

13 다음 자료에 해당하는 일제의 식민지 정책으로 옳은 것은?

> 1. 토지 개량 시행 면적: 427,500정보
> 　① 논의 관개 개선: 225,000정보
> 　② 지목 변경(밭을 논으로 변경): 112,500정보
> 　③ 개간, 간척: 90,000정보
> 　　　……
> 2. 증산 목표: 쌀 8,995,000석
> 3. 일본 수출 목표: 쌀 8,000,000석

① 지계의 발급　　　② 산미 증식 계획
③ 토지 조사 사업　　④ 화폐 정리 사업
⑤ 경복궁 중건 사업

14 다음 그래프를 이용한 탐구 활동으로 가장 적절한 것은?

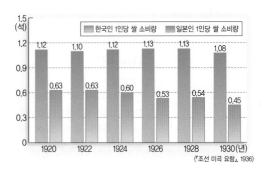
(『조선 미곡 요람』, 1936)

① 방곡령의 주요 내용을 분석한다.
② 회사령 공포의 영향을 알아본다.
③ 산미 증식 계획의 결과를 조사한다.
④ 삼정이정청이 설치된 목적을 파악한다.
⑤ 당백전 발행이 가져온 폐단을 살펴본다.

15 그래프는 한국 내 민족별 공장 수와 생산액을 나타낸 것이다. 이와 같은 상황이 나타난 배경으로 옳은 것은?

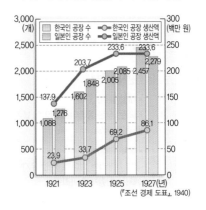
(『조선 경제 도표』, 1940)

① 회사령이 제정되었다.
② 청일 전쟁이 발발하였다.
③ 토지 조사령이 발표되었다.
④ 산미 증식 계획이 추진되었다.
⑤ 회사 설립이 신고제로 바뀌었다.

서술형 문제

● 정답친해 055쪽

01 일제가 다음 법령에 근거한 사업을 실시한 목적을 <u>두 가지</u> 서술하시오.

> 제1조 토지의 조사 및 측량은 본령에 의한다.
> 제4조 토지 소유자는 조선 총독이 정하는 기간 내에 주소, 성명 또는 명칭 및 소유지의 소재, 지목, 자번호(字番號), 사표(四標), 등급, 지적, 결수(結數)를 임시 토지 조사 국장에게 신고해야 한다.

(길잡이) 이 사업에서 일제가 얻으려는 이익을 생각하여 목적을 추론한다.

02 일제의 식민 통치 시기에 ㉠, ㉡에 해당하는 내용이 실제로 어떻게 실행되었는지 각각 서술하시오.

> 조선 통치의 방침인 일시동인(一視同仁)의 대의를 존중하고 동양 평화를 확보하여 민중의 복리를 증진하는 것은 대원칙으로 일찍이 정한 바이다. …… 정부는 관제를 개혁하여 ㉠ <u>총독 임용의 범위를 확장</u>하고 ㉡ <u>경찰 제도를 개정</u>하며 …… 장래 기회를 보아 지방 자치 제도를 실시하여 국민 생활을 안정시키고 일반 복리를 증진할 것이다.

(길잡이) 기존 조선 총독 임용 범위와 기존 경찰 제도에 주목한다.

03 그래프의 상황을 초래한 일제의 경제 수탈 정책을 쓰고, 이 정책이 지주와 농민에게 끼친 영향을 서술하시오.

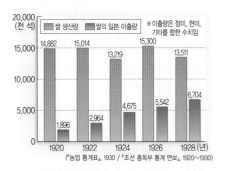
(『농업 통계표』, 1930 / 『조선 총독부 통계 연보』, 1920~1930)

(길잡이) 그래프의 상황에서 지주가 얻는 이득과 농민이 지게 될 부담을 생각해 본다.

1 (가)에 들어갈 내용으로 가장 적절한 것은?

[질문 있는 수업]

학습 주제: 19△△년대 일제의 식민지 정책

1, 2, 3모둠은 토의 질문이 적절하네요. 4모둠도 학습 주제에 알맞은 토의 질문을 정해 왔군요.

모둠별 토의 질문

1모둠: 헌병 경찰의 역할을 무엇인가?

2모둠: 회사 설립의 허가제가 시행된 목적은 무엇인가?

3모둠: 토지 조사 사업의 실시가 끼친 영향은 무엇인가?

4모둠: (가)

① 조선 태형령이 제정된 배경은 무엇인가?

② 회사령이 폐지된 결과 나타난 사실은 무엇인가?

③ 산미 증식 계획이 농민들에게 준 부담은 무엇인가?

④ 일제가 실시한 문화 통치의 사례에는 어떤 것들이 있는가?

⑤ 치안 유지법이 우리 민족의 독립운동에 끼친 영향은 무엇인가?

> **일제의 식민 통치 정책**
>
> | 완자 사전 |
>
> • 허가제
> 법령으로 제한하거나 금지하는 행위에 대해서 특정한 경우에 법에 따라 그 행위를 할 수 있도록 행정상으로 허락해 주는 제도

2 (가), (나)에 대한 설명으로 옳은 것은?

(가) 제1조 3개월 이하의 징역 또는 구류에 처해야 할 자는 그 정상에 따라 태형에 처할 수 있다.

제11조 태형은 감옥 또는 즉결 관서에서 비밀리에 행한다.

(나) 제1조 국체(國體)를 변혁하거나 사유 재산 제도를 부인할 목적으로 결사를 조직하거나 그 사정을 알고 가입한 자는 10년 이하의 징역 또는 금고에 처한다.

제7조 누구를 막론하고 본 법의 시행 구역 밖에서 범한 자에게도 역시 이를 적용한다.

① (가) – 통감부에 의해 시행되었다.

② (가) – 이른바 문화 통치기에 제정되었다.

③ (나) – 러일 전쟁 중에 제정되었다.

④ (나) – 사회주의자를 탄압하기 위해 제정되었다.

⑤ (가), (나) – 한국인에 한해 적용되었다.

> **일제 식민 통치 법령**
>
> | 완자 사전 |
>
> • 태형(笞刑)
> 태라는 작은 몽둥이로 죄인의 볼기를 치는 형벌
>
> • 국체(國體)
> 국가 체제라는 의미로, 치안 유지법에서는 천황제를 가리킨다.

평가원 응용

3 다음 학생의 발표 중 (가)의 방식으로 통치하던 시기에 있었던 사실로 옳은 것은?

조선 통치의 방침인 일시동인(一視同仁)의 대의를 존중하고 동양 평화를 확보하여 민중의 복리를 증진하는 것은 대원칙으로 일찍이 정하는 바이다.

이 사람은 사이토 마코토로 3·1 운동 후 새로 부임한 조선 총독입니다. 일제는 무단 통치의 한계를 인식하고, 통치 방식을 이른바 ____(가)____ (으)로 전환하였습니다. 하지만 경찰의 수를 대폭 증가시키고 치안 유지법을 적용하는 등 독립운동에 대한 탄압을 더욱 강화하였습니다.

① 토지 조사 사업이 실시되었다.
② 화폐 정리 사업이 시작되었다.
③ 헌병이 경찰 업무를 담당하였다.
④ 한국과 일본 사이의 관세가 폐지되었다.
⑤ 동양 척식 주식회사가 경성에 설립되었다.

> **일제의 통치 방식 변화**
>
> **완자샘의 시험 꿀팁**
>
> 일제는 3·1 운동을 계기로 식민지 통치 방식을 무단 통치에서 이른바 '문화 통치'로 바꾸었는데, 문화 통치의 내용과 실상을 정리해 두도록 한다.

4 밑줄 친 '이 계획'에 대한 학생들의 발표 내용으로 가장 적절한 것은?

조선 총독부에서 추진 중인 이 계획에 대한 경상북도의 방침은 다음과 같다.
1. 방침
   14년 동안 매년 증산을 꾀해 현재 2백만 석인 쌀 생산량을 3백만 석 이상으로 늘린다.
2. 구체적 목표
   (1) 매년 토지 개량 면적을 늘려 14년 후에는 1만 2천 정보의 토지를 완전 수리답으로 개선한다.
   (2) 논이 아닌 토지를 2천 정보 이상 논으로 변환하여 확보하고, 그 나머지는 기존 농지의 수리 시설을 개선한다.
   (3) 이에 필요한 자금은 수리 조합을 만들어 확보한다.

① 토지 조사령에 따라 실시되었어요.
② 보안회의 반대 운동으로 철회되었어요.
③ 재정 고문 메가타의 주도로 추진되었어요.
④ 동양 척식 주식회사가 설립되는 배경이 되었어요.
⑤ 국내에 만주산 잡곡의 수입이 증가하는 결과를 낳았어요.

> **일제의 경제 침탈 정책**
>
> **완자 사전**
>
> • 수리답
> 흙이 수분을 포함할 수 있는 힘이 좋고 수리 시설이 잘되어 가뭄에도 안전하게 농사를 지을 수 있는 논

3·1 운동과 대한민국 임시 정부

이것이 핵심!

1910년대 독립운동

국내	독립 의군부, 대한 광복회 등 비밀 결사 활동
국외	• 만주·연해주에 독립운동 기지 건설 • 미주 지역에 독립운동 단체 결성

★ 복벽주의
복벽은 임금이 다시 왕위에 오르거나 무너진 왕조가 다시 일어난다는 의미로, 복벽주의는 일제로부터 국권을 되찾은 후 대한 제국을 회복하겠다는 독립운동 이념이었다.

★ 공화정
국가의 주권이 국민에게 있는 정치 형태로 국민에 의해 선출된 대표가 국가를 통치한다.

① 1910년대 국내외 독립운동

1. 국내 항일 비밀 결사의 활동
(1) **배경**: '남한 대토벌' 작전으로 국내 의병 활동 위축, 105인 사건으로 신민회 해체(→ 국내의 민족 운동 약화) → 애국지사와 의병 부대가 만주·연해주로 이동, 국내에서 비밀 결사 조직

예 함경도에서 의병 활동을 벌이던 홍범도도 1910년에 간도로 이동하였어.

(2) **국내 비밀 결사**

독립 의군부	고종의 밀지를 받은 임병찬이 각지의 유생들을 모아 조직(1912), *복벽주의 이념 추구, 전국적 의병 봉기 준비, 조선 총독부와 일본에 국권 반환 요구서 제출 계획 중 조직이 발각되어 해체
대한 광복회	박상진 등이 대구에서 조직(1915), *공화정 수립 추구, 군대식 조직 구축, 무관 학교 설립을 위한 군자금 모금·친일파 처단 활동 전개, 조직이 드러나 해체 후 김좌진 등이 만주로 이동하여 항일 투쟁 지속
기타	기성볼단·자립단(교사·학생들이 조직), 송죽회(여성 주축), 조선 국민회(대한인 국민회 국내 지부 격) 등

2. 국외 독립운동 기지 건설 [자료①]

Q예? 서전서숙은 이상설이 독립의식을 고취하기 위해 용정촌에 세운 학교이고, 명동 학교는 이상설의 뜻을 계승해 김약연 등이 명동촌에 세운 학교야.

만주 지역	• 북간도: 한인 집단촌(용정촌·명동촌) 형성, 자치 단체인 간민회 조직, 민족 교육 기관인 서전서숙·명동 학교 설립, 무장 독립 단체인 중광단 조직(→ 북로 군정서로 개편) • 서간도: 신민회가 삼원보에 신한민촌 건설, 경학사 조직, 신흥 강습소 설립(→ 신흥 무관 학교로 발전)
연해주 지역	블라디보스토크에 신한촌 형성, 권업회 조직(권업신문 발행), 대한 광복군 정부 조직(이상설과 이동휘를 정부통령으로 선출, 1914), 전로 한족회 중앙 총회와 한인 사회당 결성
미주 지역	• 대한인 국민회: 장인환·전명운의 의거를 계기로 결성(1910), 독립운동 자금을 모아 만주·연해주의 독립운동 지원, 신한민보 발행(항일 의식 고취) • 대조선 국민군단(박용만이 하와이에서 조직), 숭무 학교(멕시코 이주민이 설립하여 무장 투쟁 준비)

Q예? 장인환과 전명운의 의거 이후 미국 여러 한인 단체의 통합 운동이 활발하게 일어나 대한인 국민회가 설립되었어.

이것이 핵심!

3·1 운동

배경	레닌의 식민지 민족 해방 운동 지원 선언, 윌슨의 민족 자결주의 제창, 2·8 독립 선언 등
전개	민족 대표의 독립 선언서 낭독, 학생과 시민의 만세 시위 전개 → 전국 및 해외로 확산
의의	대한민국 임시 정부 수립, 문화 통치의 계기

★ 민족 자결주의
각 민족은 정치적 운명을 스스로 결정할 권리가 있다는 주장으로 3·1 운동 등 약소민족의 독립운동에 영향을 주었다.

★ 제암리 학살 사건
일제가 3·1 운동의 확산을 막고자 제암리의 주민들을 교회 안에 가둔 후, 총을 쏘고 불을 질러 학살한 사건

② 3·1 운동

1. 3·1 운동의 배경
(1) **세계정세**: 레닌이 식민지 민족 해방 운동 지원 선언, 미국 대통령 윌슨이 *민족 자결주의 제창
(2) **신한청년당의 외교 활동**: 독립 청원서 작성, 파리 강화 회의에 김규식 파견
(3) **독립 선언서 발표**: 대한 독립 선언서 발표(만주 지린성에서 민족 지도자 39명이 육탄 혈전 결의), 2·8 독립 선언(일본 도쿄의 한국 유학생들이 독립 선언) [자료②]

2. 3·1 운동의 전개
(1) **만세 시위 계획**: 일제의 무단 통치와 수탈에 대한 반발, 고종의 죽음으로 반일 감정 고조 → 천도교·기독교·불교계 지도자들과 학생 대표들이 만세 시위 계획

Q예? 고종의 독살설이 나돌았어.

(2) **독립 선언**: 민족 대표의 독립 선언서 낭독, 학생과 시민의 만세 시위 전개(원산 등 여러 도시에서 독립선언과 만세시위 전개) [자료③]

경성 탑골 공원, 평양, 의주, 원산 등 여러 도시에서 독립 선언과 만세 시위가 전개되었어.

(3) **시위의 확산**: 전국적·거족적 시위로 확대

대도시 시위 시작		중소 도시로 전파		농촌 지역으로 확산		국외로 확산
종교계, 학생 중심의 독립 선언, 만세 시위	→	학생(동맹 휴학), 상인(철시), 노동자(파업)	→	농민의 적극 참여, 무력 투쟁 전개	→	만주, 연해주, 미주, 일본 등에서 만세 시위

(4) **일제의 탄압**: 군대와 경찰을 동원해 무력으로 진압 → *제암리 학살 사건, 유관순의 순국 등

일제의 무자비한 탄압이 계속되자 분노한 민중이 경찰서, 헌병 주재소 등을 습격하였어.

완자 자료 탐구 · 내 옆의 선생님

자료 ① 1910년대 국외 독립운동 기지 건설

┌ 연해주는 동해와 만주 사이에 있는 곳을 가리키는 말이야.

국권 피탈을 전후로 민족 운동가들은 만주와 연해주 등으로 이동하여 독립운동 기지 건설에 나섰다. 만주에서는 신민회 회원들의 주도로 삼원보에 경학사, 신흥 강습소 등이 세워졌으며, 연해주에서는 블라디보스토크의 신한촌에 권업회, 대한 광복군 정부 등이 결성되었다. 한편, 미주에서도 이주 한인들이 대한인 국민회, 대조선 국민군단 등을 결성하여 독립운동에 힘을 보태고자 하였다.

└ 만주는 요즘 동북 3성(랴오닝성, 지린성, 헤이룽장성)을 가리키는 말로, 서간도, 북간도 등 간도를 포함하고 있어.

문제로 확인할까?

다음 민족 운동 단체들이 활동한 지역으로 옳은 것은?

- 중광단
- 대한 국민회
- 북로 군정서

① 만주
② 일본
③ 멕시코
④ 연해주
⑤ 하와이

① 답

자료 ② 2·8 독립 선언서

1. 우리는 한일 합병이 우리 민족의 자유의사에서 나온 것이 아니며 우리 민족의 생존 발전을 위협하고 동양의 평화를 어지럽히는 원인이 된다는 이유로서 독립을 주장한다.
2. 우리는 일본 의회와 정부에 조선 민족 대회를 소집하여 대회의 결의에 따라 우리 민족의 운명을 결정할 기회를 주기를 요구한다. ┌ 민족 자결주의의 영향을 받았음을 알 수 있어.
3. 우리는 만국 평화 회의에 대해 민족 자결주의를 우리 민족에게 적용하기를 요구한다.
4. 위의 세 가지 요구가 실현되지 않을 경우, 우리 민족은 일본에 대하여 영원히 혈전을 벌일 것을 선언한다. └ 평화 시위가 아닌 무력 투쟁을 경고하고 있어.

일본 유학생들은 조선 청년 독립단을 조직하고 1919년 2월 8일 도쿄에서 2·8 독립 선언서를 발표하였다. 이 선언서는 3·1 운동이 일어나는 데 영향을 주었다.

문제로 확인할까?

2·8 독립 선언서에 대한 설명으로 옳은 것을 〈보기〉에서 고른 것은?

┌─ 보기 ─────────
ㄱ. 국내에서 발표되었다.
ㄴ. 우리 민족의 독립을 주장하였다.
ㄷ. 복벽주의 이념을 바탕으로 하였다.
ㄹ. 민족 자결주의를 우리 민족에게 적용할 것을 요구하였다.
└──────────────

① ㄱ, ㄴ　　　② ㄱ, ㄷ
③ ㄴ, ㄷ　　　④ ㄴ, ㄹ
⑤ ㄷ, ㄹ

④ 답

자료 ③ 기미 독립 선언서의 공약 3장

┌ 3·1 운동을 가리켜.

1. 오늘 우리의 이 거사는 정의·인도·생존·존영을 위하는 민족적 요구이니, 오직 자유적 정신을 발휘할 것이요, 결코 배타적 감정으로 일주(逸走)하지 말라. └ 도망쳐 달아남
1. 최후의 한 사람까지, 최후의 순간까지 민족의 정당한 의사를 쾌히 발표하라.
1. 일체의 행동은 가장 질서를 존중하고, 우리의 주장과 태도로 하여금 어디까지든지 광명정대하게 하라.

기미 독립 선언서의 마지막에 추가된 공약 3장은 한용운이 작성한 것으로 알려져 있는데 3·1 운동 당시의 행동 지침으로, 폭력과 증오를 배제하고 비폭력 평화 시위를 지향하였다. 그러나 일제가 평화롭게 시위하는 사람들을 총칼로 진압하고 체포하자, 평화적 만세 시위는 점차 적극적인 무력 투쟁으로 변하였다.

자료 하나 더 알고 가자!

3·1 운동으로 검거된 사람의 직업별 구성

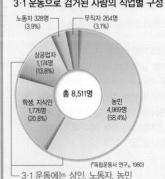

노동자 328명 (3.9%)
무직자 264명 (3.1%)
상공업자 1,174명 (13.8%)
학생, 지식인 1,776명 (20.8%)
농민 4,969명 (58.4%)
총 8,511명

(『독립운동사 연구』, 1980)

└ 3·1 운동에는 상인, 노동자, 농민 등 모든 계층이 참여하였어.

★ 5·4 운동
파리 강화 회의에서 '열강이 가져간 특권의 취소', '일본의 21개조 요구 폐기' 등 중국의 요구가 무시되자, 1919년 5월 4일 톈안먼 광장에서 수천 명의 학생들이 모여 시위를 벌였다.

3. 3·1 운동의 의의 및 영향

(1) **일제 강점기 최대 규모의 항일 운동**: 한국인의 독립 의지와 열망을 세계에 알림

(2) **대한민국 임시 정부 수립의 계기**: 독립운동을 조직적으로 이끌 통일된 지도부의 필요성 인식

(3) **항일 운동의 활성화**: 무장 투쟁, 노동·농민 운동 등 다양한 민족 운동 전개

(4) **일제 통치 방식의 변화**: 무단 통치에서 이른바 '문화 통치'로 바꿈

(5) **아시아 각국의 민족 운동에 영향**: 중국의 [★]5·4 운동 등에 영향

┗ Q해 중국에서는 "이번 한국의 독립운동은 …… 무력이 아니라 민의를 바탕으로 운동을 끌어가는 세계 혁명사의 신기원을 개척하였다."라고 평가하였어.

이것이 **핵심!**

대한민국 임시 정부

수립	상하이에서 통합 임시 정부 출범(1919. 9.)
활동	연통제·교통국 조직, 독립 공채 발행, 외교 활동 전개 등
변화	국민대표 회의(1923) 결렬 → 이승만 탄핵 → 국무령제로 헌법 개정

★ **독립 공채**

대한민국 임시 정부가 독립운동 자금을 마련하기 위해 발행한 공채

★ **독립신문**
대한민국 임시 정부의 기관지로, 국내외 소식과 독립운동을 보도하였다. 극심한 재정난으로 1925년에 폐간되었다.

★ **국제 연맹 위임 통치 청원**
1919년에 이승만 등이 한국을 일본의 지배에서 해방시키고 당분간 국제 연맹의 위임 통치 아래 둘 것을 미국 대통령에게 청원한 일을 말한다.

★ **창조파와 개조파**
신채호 등의 창조파는 새로운 임시 정부를 만주나 연해주에 설립하자고 주장하였다. 반면 안창호 등의 개조파는 상하이의 대한민국 임시 정부의 체제나 조직을 개편하여 계속 유지하자고 주장하였다.

---

③ 대한민국 임시 정부

1. 임시 정부의 수립과 통합

┌ 모두 평등한 국민에게 주권이 있는
└ 민주주의 공화정을 지향하였어.

수립	각지에서 임시 정부 수립: 연해주에 대한 국민 의회(1919. 3.), 상하이에 대한민국 임시 정부(1919. 4.), 국내에 한성 정부(1919. 4.) 등
통합	• 대한민국 임시 정부로의 통합: 한성 정부의 정통성을 계승하고, 상하이에 대한민국 임시 정부 수립(1919. 9.), 민족주의계·사회주의계 참여, 실력 양성론·외교 독립론 등 여러 독립운동 세력 참여 자료④ • 대한민국 임시 정부 체제: 삼권 분립에 입각한 민주 공화정 형태 → 대통령제(대통령 이승만, 국무총리 이동휘), 국무원(행정)·임시 의정원(입법)·법원(사법) 구성 교과서 자료

2. 대한민국 임시 정부의 활동
┗ Q해 국무총리가 된 이동휘가 한인 사회당을 조직한 사회주의계 사람이야.

(1) **국내 연락망 구축**

① **연통제**: 국내 도·군·면에 설치된 비밀 행정 조직, 정부 문서와 명령 전달·군자금 조달·정보 보고 업무 수행

② **교통국**: 통신 기관, 정보 수집과 분석·연락 업무 담당

(2) **독립운동 자금 모금**: [★]독립 공채 발행, 국민 의연금 모금
┗ 독립 공채의 원금은 우리나라가 독립한 뒤 5개년부터 30년 이내에 수시로 상환하기로 하였다는데 최근에도 지급한 사례가 있어.

(3) **군사 활동**

① **군무부 설치**: 만주 지역의 독립군 단체(서로 군정서·북로 군정서)를 군무부 산하로 편제

② **직할 부대 편성**: 서간도에 광복군 사령부·광복군 총영 설치, 육군 주만 참의부 편성

(4) **외교 활동**: 김규식을 전권 대사로 임명하여 파리 강화 회의에 독립 청원서 제출, 워싱턴 회의에 대표 파견, 미국에 구미 위원부 설치
┗ Q해? 중국 상하이에서 활동하던 신한청년당이 1919년 1월에 이미 김규식을 파리 강화 회의에 파견하였어.

(5) **기타**: [★]독립신문 발행, 한일 관계 사료집 간행
┗ 워싱턴 회의에 대한민국 임시 정부는 독립 요구서를 제출했지만 받아들여지지 않았어.

3. 국민대표 회의와 대한민국 임시 정부의 변화

(1) **국민대표 회의의 개최(1923)** 자료⑤

배경	• 일제의 탄압으로 연통제와 교통국 조직 붕괴, 독립운동 자금 모금 곤란, 외교 활동의 성과 미흡 • 외교 독립론(이승만), 무장 투쟁론(이동휘), 실력 양성론(안창호) 등 독립운동 노선 갈등, 민족주의 계열과 사회주의 계열의 갈등 발생 • 이승만의 [★]국제 연맹 위임 통치 청원(1919)을 신채호, 박용만 등 무장 투쟁론자들이 강하게 비판
경과	독립운동의 새로운 방향 모색을 위해 회의 시작 → [★]창조파와 개조파의 대립
결과	회의 결렬, 독립운동가 다수가 대한민국 임시 정부에서 이탈 → 임시 정부의 활동 침체

(2) **대한민국 임시 정부의 변화**: 임시 의정원에서 대통령 이승만 탄핵, 박은식을 대통령으로 추대 → 국무령 중심의 내각 책임제로 헌법 개정(1925)
┗ Q해? 이승만이 외교를 빙자하여 직무지를 떠나는 등 대통령의 직무를 다하지 않았다는 이유로 탄핵되었어.

완자 자료 탐구

자료 ④ 임시 정부의 통합

| 상하이 임시 정부 (1919. 4.) |
| 중국 관내와 만주, 미주, 국내에서 활동하는 독립운동 세력이 결성 |
| • 국무총리: 이승만 |
| • 내무총장: 안창호 |
| • 군무총장: 이동휘 |

| 대한 국민 의회 (1919. 3.) |
| 전로 한족회 중앙 총회를 정부 형태로 개편하여 출범 |
| • 대통령: 손병희 |
| • 부통령: 박영효 |
| • 국무총리: 이승만 |

| 대한민국 임시 정부(1919. 9.) |
| 3개 임시 정부를 통합하여 수립 |
| • 대통령: 이승만 |
| • 국무총리: 이동휘 |

| 한성 정부 (1919. 4.) |
| 국내 13도 대표가 모여 수립 |
| • 집정관 총재: 이승만 |
| • 국무총리 총재: 이동휘 |

1919년 3·1 운동을 계기로 여러 지역에 임시 정부가 수립되었다. 이들 임시 정부는 독립 국가 건설이라는 공통된 목표를 바탕으로 통합을 추진하였다. 그 결과 통합 정부는 한성 정부의 정통성을 계승하고, 위치를 상하이에 두는 데 합의하였다. 국내는 일제의 감시와 탄압으로 거점을 마련할 수 없었고, 만주와 연해주는 일본군의 공격으로부터 안전하지 않았기 때문이다. 상하이는 여러 나라의 거류지가 있어 외교 활동에도 유리하였다.

자료 하나 더 알고 가자!

대동단결의 선언

> 융희 황제가 삼보(영토·인민·주권)를 포기한 경술년(1910) 8월 29일은 즉 우리 동지가 이를 계승한 8월 29일이니, …… 우리 동지는 완전한 상속자니 저 황제권 소멸 때가 즉 민권 발생의 때요, 구한국의 마지막 날은 즉 신한국 최초의 날이니, …… 고로 경술년 융희 황제의 주권 포기는 즉 우리 국민 동지에 대한 묵시적 선위니, …… . – 「대동단결선언문서」

1917년 중국 상하이에서 신채호, 조소앙, 신규식, 박은식 등 14인 명의로 발표된 선언이다. 이 선언은 임시 정부 수립의 당위성을 밝히고, 임시 정부들이 민주주의 국가를 추구하는 데 영향을 주었다.

수능이 보이는 교과서 자료   대한민국 임시 정부의 수립

- 제1조 대한민국은 민주 공화제로 한다.   – 대한민국 임시 헌장, 1919. 4.
- 제2조 대한민국의 주권은 대한 인민 전체에 있다.
  제4조 대한민국의 인민은 일체 평등하다.
  제5조 대한민국의 입법권은 의정원이, 행정권은 국무원이, 사법권은 법원이 행사한다.
  └ 삼권 분립의 원칙을 따랐음을 알 수 있어.   – 대한민국 임시 헌법, 1919. 9.

1919년 4월 중국 상하이에서 각 지역의 대표자 29명이 모여 임시 의정원을 구성하고 대한민국 임시 헌장을 발표하였다. 이 헌장은 9월에 공포된 대한민국 임시 헌법의 기초가 되었다. 대한민국 임시 정부는 우리 역사상 최초로 민주 공화제를 채택하였다.

완자쌤의 탐구 강의

• 대한민국 임시 정부의 수립 의의를 써 보자.
대한민국 임시 정부의 수립은 황제의 나라에서 국민의 나라로 나아간 데 의미가 있다. 대한 제국은 황제가 주권을 가진 전제 군주정이었는데, 이것을 국민이 이어받아 민주 공화정으로 대한민국 임시 정부가 수립된 것이다.

함께 보기 193쪽, 1등급 정복하기 3

자료 ⑤ 국민대표 회의의 개최

국민대표 회의의 목적이 독립운동 노선을 정하고, 대한민국 임시 정부를 비롯한 통일적 기관에 대해 논의하는 것임을 알 수 있어.

- 본 국민대표 회의는 2천만 민중의 공정한 뜻에 바탕을 둔 국민적 대회합으로 최고의 권위를 가지고 국민의 완전한 통일을 공고하게 하며 광복 대업의 근본 방침을 수립하여 우리 민족의 자유를 만회하며 독립을 완성하기를 기도하고 이에 선언하노라. …… 독립운동이 나아갈 방향을 확립하여 통일적 기관 아래서 대업을 완성하고자 하노라. – 국민대표 회의 선언서
- 우리는 적극적인 투쟁을 준비해야 하는 시기에 처해 있다. 신뢰를 잃은 기관을 개조하는 방식으로는 투쟁할 수 없다. …… 임시 정부는 독립운동 세력 전반과 연계가 부족하다. …… 해방 운동은 더 직접적으로 추진되어야 한다. – 「대한민국 임시 정부 자료집 별책」
  └ 창조파의 주장임을 알 수 있어.

대한민국 임시 정부가 교통국과 연통제 조직이 일제에 의해 와해되었고, 외교 활동이 성과를 거두지 못하자, 신채호, 박용만 등 무장 투쟁론자들이 임시 정부의 개편을 요구하였다. 이에 1923년에 국민대표 회의가 개최되었으나 개조파와 창조파로 대립하여 결렬되었다.

자료 하나 더 알고 가자!

국민대표 회의에서 주장된 독립운동 방안

신채호 (창조파)	임시 정부는 상하이의 일개 독립운동 단체에 지나지 않는다. 임시 정부를 대체할 새로운 조직을 만들어야 한다.
안창호 (개조파)	임시 정부를 개선하여 독립운동 단체의 중심 역할을 하도록 만들어야 하며, 먼저 교육과 산업 등 민족의 실력을 양성해야 한다.
이동휘 (개조파)	임시 정부를 개조하고, 많은 한국인이 살고 있는 연해주 지방을 중심으로 항일 무장 투쟁을 적극적으로 수행해야 한다.

1 밑줄 친 '이 단체'의 명칭을 쓰시오.

> 이 단체는 1910년대에 활동한 국내 비밀 결사로, 의병장 출신인 임병찬이 고종의 밀지를 받아 전국 유생들을 모아 조직하였다.

2 다음 괄호 안의 내용 중 알맞은 말에 ○표를 하시오.

(1) 독립 의군부는 (공화주의, 복벽주의) 이념에 따라 고종의 복위를 목표로 하였다.

(2) 박상진 등이 결성한 대한 광복회는 국권 회복 후 (공화정, 군주정) 수립을 지향하였다.

3 다음 단체가 세워진 지역을 옳게 연결하시오.

(1) 신흥 강습소 • • ㉠ 미주
(2) 대한인 국민회 • • ㉡ 서간도
(3) 대한 광복군 정부 • • ㉢ 연해주

4 다음 설명이 맞으면 ○표, 틀리면 ✕표를 하시오.

(1) 3·1 운동은 마지막까지 비폭력 시위로 전개되었다. (   )

(2) 1919년 일본 도쿄에서는 유학생들이 2·8 독립 선언을 발표하였다. (   )

(3) 일제는 3·1 운동을 계기로 무단 통치에서 이른바 문화 통치로 통치 방식을 바꾸었다. (   )

5 다음 설명에 해당하는 것을 〈보기〉에서 골라 기호를 쓰시오.

> **보기**
> ㄱ. 한성 정부 ㄴ. 대한 국민 의회 ㄷ. 상하이 임시 정부

(1) 국내 13도 대표가 모여 수립하였다. (   )

(2) 전로 한족회 중앙 총회를 정부 형태로 개편하였다. (   )

(3) 중국 관내와 만주, 미주, 국내에서 활동하는 독립운동 세력이 결성하였다. (   )

6 (   )는 창조파와 개조파의 대립으로 인해 결렬되었다.

---

01 (가) 단체의 활동에 대한 설명으로 옳은 것은?

> 9월, 고종이 (임병찬에게) 종2품 가선대부를 제수하고 ┌ (가) ┐ 전라남도 순무대장(군무를 맡아보던 임시 관직)에 명하며, "장수와 인재를 뽑아 쓰는 일 등은 편의에 따르도록 하라."라는 뜻을 유생 이칙을 통해 전하였다. 이 칙이 와서 말하길, "임금의 뜻이 이와 같이 정성스러우니, 전라도 일대 유림의 영수는 그대(임병찬)이시오. 그대만이 일을 도모할 수 있습니다."라고 하였다. ─「기려수필」

① 관민 공동회를 개최하였다.
② 복벽주의 이념을 실현하고자 하였다.
③ 을미사변과 단발령에 불만을 품고 봉기하였다.
④ 조선책략의 내용을 비판하는 상소문을 올렸다.
⑤ 군자금을 모아 만주에 무관 학교를 설립하려 하였다.

02 다음 자료에 해당하는 단체에 대한 설명으로 옳은 것은?

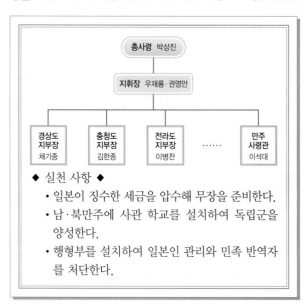

① 공화정 수립을 목표로 활동하였다.
② 삼원보에 신흥 강습소를 설립하였다.
③ 자기 회사와 태극 서관을 운영하였다.
④ 고종 강제 퇴위 반대 운동을 전개하였다.
⑤ 고종의 밀지를 받고 유생들이 조직하였다.

★중요
03 (가) 지역에 대한 탐구 활동으로 가장 적절한 것은?

① 명동 학교의 교육 내용을 알아본다.
② 강화도 조약으로 개항된 항구를 파악한다.
③ 안중근이 의거를 일으킨 장소를 찾아본다.
④ 2·8 독립 선언이 발표된 지역을 조사한다.
⑤ 대한 제국 칙령 제41호의 내용을 살펴본다.

04 밑줄 친 '이 기관'에 대한 설명으로 옳은 것을 〈보기〉에서 고른 것은?

이 기관은 신흥 강습소로 출발하여 폐교될 때까지 3,000명 이상의 졸업생을 배출하였다. 이들 졸업생들은 일제 강점기 항일 무장 투쟁에 중추적인 역할을 하였다.

〈보기〉
ㄱ. 권업신문을 발간하였다.
ㄴ. 신민회의 주도로 건립되었다.
ㄷ. 서간도의 삼원보 지역에 설립되었다.
ㄹ. 3·1 운동 이후 북로 군정서로 개편되었다.

① ㄱ, ㄴ 　② ㄱ, ㄷ 　③ ㄴ, ㄷ
④ ㄴ, ㄹ 　⑤ ㄷ, ㄹ

05 밑줄 친 '이 단체'로 옳은 것은?

장인환·전명운의 의거를 계기로 결성된 이 단체는 자금을 모아 만주나 연해주 등지의 독립운동을 지원하였다. 또한 신한민보를 발간하여 항일 의식을 고취하였다.

① 경학사 　② 중광단
③ 대한인 국민회 　④ 대한 국민 의회
⑤ 대조선 국민군단

06 다음 단체들이 있었던 지역을 지도에서 옳게 고른 것은?

- 성명회 ・ 권업회
- 대한 광복군 정부 ・ 대한 국민 의회

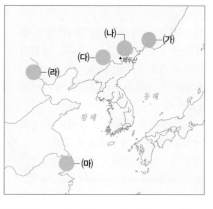

① (가) 　② (나) 　③ (다) 　④ (라) 　⑤ (마)

07 다음 민족 운동이 일어난 배경으로 옳지 않은 것은?

터졌구나, 터졌구나! 조선 독립의 소리!
십 년을 참고 참아 이제야 터졌네.
삼천리 금수강산, 이천만 민족
살았구나, 살았구나! 이 한 소리에!
만만세! 조선 독립 만만세! 대한 만만세!
대한 만만세!

① 고종이 갑자기 서거하였다.
② 미국 대통령이 민족 자결주의를 제창하였다.
③ 일제가 한국인을 무단 통치하고 수탈하였다.
④ 통합된 대한민국 임시 정부가 상하이에 수립되었다.
⑤ 도쿄의 한국 유학생들이 2·8 독립 선언을 발표하였다.

08 다음 선언서가 발표된 민족 운동에 대한 설명으로 옳은 것은?

> **선언서**
>
> 우리는 이제 우리 조선이 독립국임과 조선인이 자주민임을 선언하노라. ……
> 1. 오늘 우리의 이 거사는 정의·인도·생존·존영을 위하는 민족적 요구이니, 오직 자유적 정신을 발휘할 것이요, 결코 배타적 감정으로 일주(逸走)하지 말라.
> 1. 최후의 한 사람까지, 최후의 순간까지 민족의 정당한 의사를 쾌히 발표하라.
> 1. 일체의 행동은 가장 질서를 존중하고 우리의 주장과 태도로 하여금 어디까지든 광명정대하게 하라.
>
> 기미년 3월 조선 민족 대표 33인

① 양반 유생의 주도로 시작되었다.
② 고종의 사망을 계기로 전개되었다.
③ 통감부가 탄압하여 실패로 끝났다.
④ 무력 투쟁을 통한 독립을 지향하였다.
⑤ 나라의 빚을 갚기 위해 모금 운동을 펼쳤다.

10 일제가 다음 방침을 세우는 계기가 되었던 사건으로 옳은 것은?

> 1. 핵심적 친일 인물을 골라 그 인물로 하여금 귀족, 양반, 유생, 부호, 교육가, 종교가에 침투하여 각종 친일 단체를 조직하게 한다.
> 2. 각종 종교 단체도 중앙 집권화해서 그 최고 지도자에 친일파를 앉히고 고문을 붙여 어용화시킨다.
> 3. 친일적인 민간 유지들에게 편의와 원조를 주고, 수재 교육의 이름 아래 많은 친일 지식인을 긴 안목으로 키운다.

① 갑신정변
② 3·1 운동
③ 동학 농민 운동
④ 서울 진공 작전
⑤ 애국 계몽 운동

09 교사의 질문에 대한 학생의 답변으로 가장 적절한 것은?

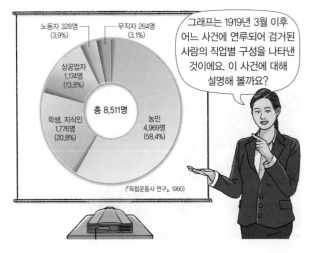

① 독립 협회의 주도로 시작되었어요.
② 수신사를 파견하는 계기가 되었어요.
③ 13도 창의군이 서울 진공 작전을 펼쳤어요.
④ 대구에서 시작되어 전국으로 확산되었어요.
⑤ 대한민국 임시 정부 수립에 영향을 끼쳤어요.

11 (가) 독립운동 단체에 대한 설명으로 옳은 것은?

① 대한매일신보를 발행하였다.
② 105인 사건으로 해체되었다.
③ 공화주의 이념을 실천하였다.
④ 교육입국 조서를 발표하였다.
⑤ 영남 만인소를 고종에게 올렸다.

12 (가)에 들어갈 내용으로 옳은 것은?

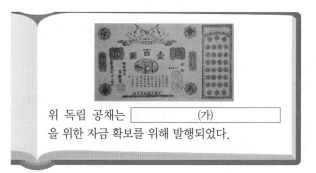

위 독립 공채는 [(가)   ]
을 위한 자금 확보를 위해 발행되었다.

① 광무개혁
② 독립문 건립
③ 국채 보상 운동
④ 화폐 정리 사업
⑤ 대한민국 임시 정부의 독립운동

13 다음 청원에 반발하여 일어난 움직임으로 옳은 것은?

> 우리는 자유를 사랑하는 2천만의 이름으로 (미국 대통령)
> 각하에게 청원합니다. …… 한국을 일본의 학정으로부터 벗
> 어나게 하여 주십시오. 장래 완전한 독립을 보장하고 당분
> 간은 한국을 국제 연맹 통치 밑에 두게 할 것을 바랍니다.

① 국민대표 회의의 소집 요구가 거세졌다.
② 파리 강화 회의에 독립 청원서를 제출하였다.
③ 전로 한족회 중앙 총회를 정부 형태로 바꾸었다.
④ 삼권 분립에 기초한 대한민국 임시 정부가 출범하였다.
⑤ 독립 협회가 만민 공동회를 열어 자주 국권 운동을 전
   개하였다.

14 다음 주장을 펼친 세력의 활동으로 옳은 것은?

> 임시 정부와 같이 비현실적인 행정 관청을 개조하는 것만으
> 로는 독립운동을 지도할 수 있는 유능한 기관을 확보할 수
> 없다. …… 해방 운동은 더 직접적으로 추진되어야 한다.

① 항일 무장 투쟁을 강조하였다.
② 국제 연맹에 한국 위임 통치를 요청하였다.
③ 교육과 산업의 육성 등 실력 양성을 주장하였다.
④ 통합된 임시 정부를 상하이에 두는 것을 지지하였다.
⑤ 구미 위원부에서 미국을 상대로 외교 활동을 펼쳤다.

서술형 문제

● 정답친해 060쪽

01 다음 선언이 발표된 배경과 국내에 준 영향을 서술하시오.

> 2. 우리는 일본 의회와 정부에 조선 민족 대회를 소집하
>   여 대회의 결의에 따라 우리 민족의 운명을 결정할 기
>   회를 주기를 요구한다.
> 3. 우리는 만국 평화 회의에 대해 민족 자결주의를 우리
>   민족에게 적용하기를 요구한다.

(길잡이) 자료 중 언급된 민족 자결주의에 주목해 본다.

02 밑줄 친 '이 운동'의 명칭을 쓰고, '이 운동'의 영향을 두 가지 서술하시오.

지도는 이 운동이 전개
된 주요 시위 지역을 나타
낸 것이다. 이 운동은 전
국 각지에서 신분, 직업,
종교 등의 구별 없이 모
든 계층이 참여한 만세 시
위이자, 우리 역사상 최대
규모의 민족 운동으로 평
가받고 있다.

(길잡이) 일제 강점기 최대 규모의 민족 운동이 무엇인지 생각해 본다.

03 (가), (나) 주장이 대립한 회의의 명칭을 쓰고, (가), (나) 세력의 주장을 비교하여 서술하시오.

> (가) 미국 윌슨 대통령에게 우리나라를 국제 연맹에 위임
>   통치해 줄 것을 요청하는 서한을 보낸 이승만은 (대
>   한민국) 임시 정부 대통령으로서의 자격이 없습니다.
>   임시 정부를 대체할 새로운 조직을 만들어야 합니다.
> (나) (대한민국) 임시 정부는 민족의 대표 기관입니다. 조
>   직과 체제를 개선하여 계속 독립운동 단체의 중심 역
>   할을 하도록 만들어야 합니다.

(길잡이) 창조파와 개조파의 주장을 구별하여 서술한다.

1 (가), (나)에 대한 설명으로 옳지 <u>않은</u> 것은?

> (가) 임병찬이 고종의 비밀 지령에 따라 조직한 단체이다. 임병찬은 전국의 의병장을 규합하여 전국적인 의병 항쟁을 추구하였으나, 지도부가 일제에 의해 붙잡히면서 실패로 끝났다.
> (나) 박상진 등이 대구에서 조직한 단체이다. 이들은 군대식 조직을 갖추고 있었고, 군자금을 모아 만주에 무관 학교를 설립하려 하였으며 친일파 처단 활동을 전개하였다.

① (가) – 복벽주의를 표방하였다.
② (가) – 일제에 국권 반환 요구서 발송을 계획하였다.
③ (나) – 105인 사건을 계기로 조직이 와해되었다.
④ (나) – 공화 정체의 근대 국가 수립을 목표로 하였다.
⑤ (가), (나) – 비밀 결사의 형태로 운영되었다.

> **국내 비밀 결사의 조직**
>
> **┃완자 사전┃**
>
> • **비밀 결사**
> 그 조직, 구성원, 소재지 따위를 겉으로 드러내지 않고 비밀로 하고 있는, 공통의 목적을 이루기 위해 만든 단체

평가원 응용

2 (가)에 대한 설명으로 옳은 것은?

> 한국사 인물 조사 보고서
>
> 3학년 △반 □□□
>
>
>
> 1. 이름: 유관순(1902~1920)
> 2. 선정 이유: 일제 강점기 우리나라 최대 규모의 민족 운동인 ⎡(가)⎤ 에 학생 신분으로 참여하여 독립운동에 헌신
> 3. 조사 내용
>   • 1919년 천안 아우내 장터 만세 운동을 주도하다 체포
>   • 1920년 ⎡(가)⎤ 1주년 기념 옥중 만세 시위 주도 일제의 혹독한 고문으로 순국
>   • 1962년 건국훈장 독립장 추서
>   • 2019년 건국훈장 대한민국장 추가 서훈

① 일본에 외교권을 빼앗긴 것에 위기의식을 느껴 봉기하였다.
② 일본의 경제적 예속에서 벗어나기 위해 국채를 갚고자 하였다.
③ 일제의 무단 통치가 이른바 문화 통치로 바뀌는 계기가 되었다.
④ 일본이 경복궁을 침략하여 국왕을 위협한 것이 알려지면서 일어났다.
⑤ 사회 진화론에 따라 민족의 실력을 먼저 길러서 국권을 수호하려 하였다.

> **유관순의 항일 민족 운동**
>
> **완자샘의 시험 꿀팁**
>
> 3·1 운동의 배경과 전개 과정, 영향을 정리해 두어야 한다. 특히 영향을 기억해 두어야 하는데, 3·1 운동을 계기로 중국 상하이에 대한민국 임시 정부가 수립되었다는 내용이 자주 출제되고 있다.

3 다음 자료와 공통적으로 관련된 단체에 대한 설명으로 옳지 <u>않은</u> 것은?

임시 대통령	임시 의정원(입법) — 내무 / 외무 / 군무 / 법무 / 학무 / 재무 / 교통 / 노동국
	국무원(행정)
	법원(사법)

제2조 대한민국의 주권은 대한 인민 전체에 있다.
제4조 대한민국의 인민은 일체 평등하다.
제5조 대한민국의 입법권은 의정원이, 행정권은 국무원이, 사법권은 법원이 행사한다.
제8조 대한민국의 인민은 법률 범위 내에서 다음 각 항에 제시된 자유를 향유한다.   – 1919. 9.

① 한일 관계 사료집을 편찬하였다.
② 신흥 강습소를 통해 독립군을 양성하였다.
③ 교통국을 통해 국내 항일 세력과 연락하였다.
④ 파리 강화 회의에 독립 청원서를 제출하였다.
⑤ 독립신문을 발행하여 독립운동 소식을 전하였다.

▶ **임시 헌법**

┃한자 사전┃

• **인민**
국가와 사회를 구성하고 있는 사람들

• **청원서**
국민이 행정 기관에 어떤 행정 처리를 요구하기 위해 작성하는 문서

---

4 다음 상황이 나타난 회의에 대한 설명으로 옳은 것은?

① 개조파와 창조파가 대립하였다.
② 일제에 대한 육탄 혈전을 결의하였다.
③ 박은식을 제2대 대통령으로 선출하였다.
④ 이상설, 이위종, 이준 등이 특사로 파견되었다.
⑤ 파리에 있던 김규식을 전권 대사로 임명하였다.

▶ **독립운동의 방향 논의**

┃한자 사전┃

• **민국 5년**
대한민국 임시 정부가 수립된 지 5년이 되는 해인 1923년을 말한다.

03 다양한 민족 운동의 전개

학습목표
• 1920년대에 전개된 무장 독립 투쟁과 의열단의 활동을 정리할 수 있다.
• 실력 양성 운동과 민족 유일당 운동의 내용을 이해할 수 있다.

이것이 핵심!

1920년대 독립군의 활동과 시련

봉오동 전투, 청산리 대첩
↓
간도 참변
↓
자유시 참변
↓
참의부, 정의부, 신민부의 3부 성립
↓
미쓰야 협정
↓
국민부, 혁신 의회 성립

★ **서로 군정서**
3·1 운동 직후 서간도에서 결성된 독립운동 단체로, 사령관에는 지청천이 선임되었다. 서로 군정서는 신흥 무관 학교에서 독립군을 양성하였다.

★ **북로 군정서**
3·1 운동 이후 대종교 세력이 조직한 중광단을 개편하여 결성한 독립운동 단체로, 총재에는 서일, 총사령관에는 김좌진이 선임되었다.

★ **훈춘 사건**
일제가 만주 일대의 마적 떼를 고용하여 훈춘의 일본 영사관과 일본인을 공격하도록 한 사건이다. 일제는 이 사건을 독립군이 저지른 것이라 주장하고 일본인을 보호한다면서 대규모 부대를 만주에 파견하였다.

★ **제1차 국공 합작**
1924년에 중국에서 군벌과 제국주의 세력을 타도하기 위하여 중국 국민당과 중국 공산당 사이에 성립된 정치적·군사적 협력 관계를 말한다.

1 무장 독립 투쟁의 전개

1. 봉오동 전투와 청산리 대첩 자료①

(1) **독립군 부대의 활동**: 3·1 운동 이후 조직적인 무장 투쟁의 필요성 증대 → 독립군 부대가 서간도(*서로 군정서 등), 북간도(*북로 군정서, 대한 독립군 등) 등에서 독립 전쟁 전개

(2) **봉오동 전투(1920. 6.)**

배경	독립군이 활발하게 국내 진입 작전을 전개함 → 일본군이 독립군의 근거지를 공격함
참가 부대	대한 독립군(홍범도), 군무 도독부군(최진동), 국민회군(안무) 등 독립군 연합 부대
전개	일본군을 봉오동으로 유인하여 큰 승리를 거둠

(3) **청산리 대첩(1920. 10.)** — 꼭! 청산리 대첩은 독립 전쟁사에서 가장 큰 전과를 거둔 전투야.

배경	봉오동 전투에서 패한 일본군이 *훈춘 사건을 조작하여 대규모 부대를 만주에 파견
참가 부대	북로 군정서(김좌진), 대한 독립군(홍범도) 등 독립군 연합 부대
전개	일본군과 청산리 일대(백운평, 완루구, 어랑촌, 고동하 등지)에서 6일간 전투를 벌여 크게 승리

북로 군정서가 대한민국 임시 정부에 보고한 자료에는 일본군 사상자가 1,257명, 독립군 사상자는 150명이었어.

2. 간도 참변과 자유시 참변

(1) **간도 참변(1920)**: 봉오동 전투, 청산리 대첩에서 패배한 일제가 간도 지역의 한인에 대한 무차별 학살 자행
예 1920년 10월 30일 용정촌 부근 장암동에 일본군이 침입해 주민을 살해하고 시신을 불태웠어.

(2) **독립군의 이동과 자유시 참변**
왜? 러시아의 레닌이 약소민족의 식민지 해방 운동을 지원하겠다고 선언하였기 때문이야.

① **독립군의 이동**: 청산리 대첩 이후 만주의 독립군이 일본군의 공세를 피해 북만주 미산(밀산)으로 집결 → 러시아의 지원을 기대하고 러시아령 자유시(스보보드니)로 이동

② **자유시 참변(1921)**: 연해주에서 활동하던 사회주의계 항일 유격 부대가 자유시로 이동 → 지휘권을 둘러싸고 독립군 내부에서 분쟁 발생 → 러시아 적군이 독립군의 무장 해제 강요 → 독립군 희생(수백 명이 사살되거나 포로가 됨)
└ 러시아 혁명을 이끈 공산당 군대

3. 독립군의 재정비와 위축

(1) **3부의 성립** 자료②
동포 사회를 이끄는 민정 기관과 독립군의 훈련과 작전을 담당하는 군정 기관을 갖추었어. 동포 사회에서 의원을 선출해 행정·사법·입법부를 구성하였고, 세금을 거둬 정부를 운영하였으며 독립군을 양성하였어.

① **배경**: 간도 참변과 자유시 참변으로 약화된 독립군을 재정비하고 역량 강화에 노력함

② **3부 성립**: 참의부(압록강 연안 지안 중심, 대한민국 임시 정부 소속의 군정부)·정의부(남만주 일대)·신민부(북만주 일대, 러시아에서 돌아온 독립군 중심) 성립

③ **특징**: 민정 기관과 군정 기관을 모두 갖춘 자치 정부의 성격을 띰

(2) **미쓰야 협정(1925. 6.)**: 일제와 만주 군벌이 독립군 체포·인도 등에 합의함 → 독립군의 활동이 위축됨 자료③

4. 민족 유일당 운동과 3부 통합

(1) **배경**: 중국 국민당과 중국 공산당의 *제1차 국공 합작 이룩 → 1920년대 후반 민족 유일당 운동 전개 → 한국 독립 유일당 북경 촉성회 조직(중국), 3부 통합의 필요성 제기(만주)

(2) **결과**: 혁신 의회, 국민부로 각각 재편 — 3부의 완전한 통합에는 실패하였어.

남만주	국민부 성립 → 국민부 아래에 조선 혁명당, 조선 혁명군을 결성하여 항일 무장 투쟁 지속
북만주	혁신 의회 성립 → 혁신 의회 해체 후 한국 독립당, 한국 독립군을 결성하여 일제에 맞섬

자료 ① 봉오동 전투와 청산리 대첩

1920년에 홍범도가 이끄는 대한 독립군, 최진동이 이끄는 군무 도독부군, 안무가 이끄는 국민회군 등이 연합하여 봉오동 전투에서 일본군을 격퇴하였다. 이에 일본군은 대규모 병력을 동원하여 다시 만주의 독립군을 공격하였다. 이후 북로 군정서, 대한 독립군 등 독립군 연합 부대가 청산리 대첩에서 일본군을 크게 무찔렀다.

문제로 확인할까?

다음 지역에서 벌어진 전투로 옳은 것은?

• 백운평 • 완루구
• 천수평 • 어랑촌
• 맹개골 • 천보산
• 고동하

① 살수 대첩
② 봉오동 전투
③ 청산리 대첩
④ 한산도 대첩
⑤ 황토현 전투

ⓒ

자료 ② 3부의 성립과 통합 노력

혁신 의회가 해산된 후 결성된 정당이야. 일제의 만주 침략 후 한국 독립군을 편성하였어.

```
참의부   정의부   신민부
              │
      ┌───────┴───────┐
  국민부          혁신 의회
 (남만주)         (북만주)
    │               │
조선 혁명당,     한국 독립당,
조선 혁명군      한국 독립군
```

↑ 3부의 관할 지역   ↑ 3부의 통합 노력

자유시 참변 이후 만주로 귀환한 독립군은 흩어진 조직을 정비하기 위해 노력하였고, 그 결과 참의부, 정의부, 신민부 등 3부가 성립되었다. 3부는 1920년대 후반에 보다 효율적인 항일 무장 투쟁을 전개하기 위해 통합 운동을 전개하였다. 그 결과 만주의 항일 무장 단체는 국민부와 혁신 의회로 재편되었다.

정리 비법을 알려줄게!

3부의 성립과 통합 운동

3부 성립
• 참의부(지안 중심)
• 정의부(남만주 일대)
• 신민부(북만주 일대)

↓

3부 통합의 배경
민족 유일당 운동 전개

↓

3부의 통합
국민부·혁신 의회 성립

자료 ③ 미쓰야 협정의 체결(1925)

1. 한국인이 무기를 가지고 다니거나 한국으로 침입하는 것을 엄금하며 위반자는 검거하여 일본 경찰에 인도한다. ─ 독립군 단체를 가리켜.
2. 만주에 있는 한인 단체를 해산하고 무장을 해제하며, 무기와 탄약을 몰수한다.
3. 일본이 지명하는 독립운동가를 체포하여 일본 경찰에 인도한다.

조선 총독부 경무국장 미쓰야는 만주 봉천 군벌 장 쭤린의 경무처장 우진과 미쓰야 협정을 체결하고, 만주의 한국인 독립운동가를 일제에 넘기면 그 대가로 현상금을 지급하기로 하였다. 이 협정의 체결로 한국인 농민도 피해를 입었으며 독립군은 중국 관리의 탄압도 피해야 하여 만주 지역에서 독립군의 항일 투쟁은 크게 위축되었다.

자료 하나 더 알고 가자!

만주 지역 독립군의 국내 침투 건수

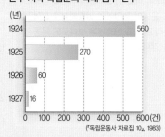

(『독립운동사 자료집 10』, 1983)

1925년 이후 독립군의 활동이 위축되고 있는 것을 알 수 있다.

03 다양한 민족 운동의 전개

★ **황푸 군관 학교**
중국 국민당 정부가 군사 간부를 양성하기 위해 만든 군관 학교로, 의열단 단원들이 입학하였다.

★ **강우규의 의거**
1919년에 65세였던 대한 노인 동맹단원 강우규가 남대문역(현재 서울역)에서 새로 부임하여 서울에 온 조선 총독 사이토 마코토에게 수류탄을 던졌다.

5. 의열 투쟁

(1) 의열단

조직	김원봉 등이 만주 지린성에서 비밀 결사로 조직(1919) → 본부를 베이징으로 이동
목표	신채호가 쓴 「조선 혁명 선언」을 활동 지침으로 함 → 일제의 주요 인물 처단, 식민 통치 기관 파괴 자료④
활동	박재혁(부산 경찰서), 김익상(조선 총독부), 김상옥(종로 경찰서), 김지섭(도쿄 궁성), 나석주(동양 척식 주식회사, 조선 식산 은행) 등이 폭탄 투척 의거 전개
변화	• 배경: 개별적인 의거 활동의 한계를 인식, 조직적인 항일 무장 투쟁을 준비 • 내용: 김원봉과 단원들이 ★황푸 군관 학교에 입학, 조선 혁명 군사 정치 간부 학교 설립(독립군 간부 양성 목적), 민족 혁명당 결성

(2) 기타 의거: ★강우규가 사이토 총독에게 폭탄 투척, 조명하가 타이완에서 일본 왕족을 죽임

┗ 이 의거는 3·1 운동 이후 개인이 단독으로 벌인 최초의 의열 투쟁이야. 이 의거 이후에 의열단이 활동하였지.

이것이 **핵심!**

일제 강점기 실력 양성 운동

물산 장려 운동	토산품 애용을 통한 민족 기업과 자본 보호, 육성
민립 대학 설립 운동	대학 설립을 위한 모금 운동 전개
문맹 퇴치 운동	문자 보급 운동, 브나로드 운동 등 전개

★ **경성 제국 대학**
1924년 조선 총독부가 한국 거주 일본인의 고등 교육과 일제에 협력할 친일 지식인의 육성 등을 위해 경성에 개교한 학교이다. 전체 학생 가운데 한국인 학생 수가 대략 3분의 1 정도로 한국인을 위한 대학은 아니었다.

★ **브나로드 운동**
브나로드는 러시아 말로 '민중 속으로'라는 의미이다. 동아일보는 1931년부터 학생 계몽대를 만들어 농촌으로 보내 야학을 열고 계몽 활동을 전개하도록 하였다. 일제는 이러한 브나로드 운동이 농민에게 민족의식을 심어준다고 보고 1935년에 브나로드 운동을 강제로 중지시켰다.

2 실력 양성 운동의 전개

1. 물산 장려 운동 자료⑤

왜? 일본 기업이 한국에 많이 진출하고, 일본 제품이 값싸게 들어오게 되기 때문이지.

배경	회사령 폐지(1920)와 일본 상품에 대한 관세 철폐 움직임으로 한국인 자본가들의 위기의식 고조
목적	민족 기업과 자본을 보호·육성
전개	• 시작: 평양에서 조만식 등이 조선 물산 장려회 조직(1920) → 경성에서 조선 물산 장려회 조직(1923), 전국적으로 확산 • 활동: 일본 상품 배격·토산품 애용·금주 및 금연 실천을 주장, '내 살림 내 것으로'·'조선 사람 조선 것' 등의 구호를 제시
결과	• 민중의 공감과 지지 획득, 민족의식 고취 • 민족 기업의 생산력 향상으로 이어지지 못하고 토산품 가격이 상승함 → 자본가와 일부 상인에게만 이익이 된다며 사회주의자들의 비판을 받음

┗ 물산 장려 운동으로 국산 무명, 광목을 만드는 공장과 상인이 호황을 누렸어. 하지만 생산력이 수요를 감당하지 못해 곧 무명과 광목의 가격이 올랐지.

2. 민립 대학 설립 운동 자료⑥

(1) **배경**: 민족의 실력 양성을 위해 교육의 중요성 자각 → 한국인의 힘으로 대학 설립 결의

(2) **전개**: 이상재 등이 조선 민립 대학 기성회 조직 → 모금 운동 전개('한민족 1천만이 한 사람이 1원씩'이라는 구호 제시)

┗ 일제는 충량한 신민 양성을 목표로 하여 한국인에게는 보통 교육과 기초 실업 교육만 실시하였어.

(3) **결과**: 일제의 방해와 자연재해로 모금 성과가 저조하여 중단, 일제는 ★경성 제국 대학 설립

3. 문맹 퇴치 운동

(1) **목적**: 민중에게 문자를 보급하여 민중을 계몽하고 생활을 개선하고자 함

(2) **문자 보급 운동**: 조선일보가 주도, 『한글 원본』 발간, '아는 것이 힘, 배워야 산다' 구호 제시

(3) ★**브나로드 운동**: 동아일보가 주도, 학생들이 참여하여 한글 교육·미신 타파·구습 제거·근검 절약 등 농촌 계몽 운동을 전개, '배우자, 가르치자, 다 함께 브나로드' 구호 제시

4. 실력 양성 운동의 의의와 한계

┗ 을사늑약 체결을 전후한 시기에 사회 진화론을 수용한 사람들이 주도한 애국 계몽 운동도 실력 양성 운동이었어.

(1) **의의**: 우리 사회의 근대적 발전 추구, 민족의 실력을 키워 독립의 토대를 마련하고자 함

(2) **한계**: 일제의 탄압에 쉽게 무너지는 경향을 보임, '선 실력 양성, 후 독립'을 내세웠으나 점차 실력 양성만을 강조하는 방향으로 바뀜

자료 ④ 신채호의 「조선 혁명 선언」

신채호는 일본 국왕과 조선 총독, 각 관공서의 관리, 매국노와 정탐노, 일제의 식민 통치 기관에 대한 직접적인 폭력, 암살, 파괴를 해야 한다고 선언하였어.

우리는 외교론, 준비론 등의 미몽을 버리고 민중 직접 혁명의 수단을 취함을 선언하노라. 조선 민족의 생존을 유지하자면 강도 일본을 쫓아내야 할 것이며, 강도 일본을 쫓아내려면 오직 혁명으로써 할 뿐이니 …… 민중은 우리 혁명의 대본영(大本營)이다. 폭력은 우리 혁명의 유일한 무기이다. 우리는 민중 속으로 가서 민중과 손을 맞잡아 끊임없는 폭력, 암살, 파괴, 폭동으로써 강도 일제의 통치를 타도하고, 우리 생활에 불합리한 일체의 제도를 개조하여 인류로써 인류를 압박하지 못하며, 사회로써 사회를 박탈하지 못하는 이상적 조선을 건설할지니라. － 「조선 혁명 선언」

⊙ 신채호(1880~1936)

「조선 혁명 선언」은 신채호가 의열단의 활동 지침으로 지은 글로, 의열단 선언이라고도 한다. 신채호는 이 글에서 외교론, 자치론, 준비론, 문화 운동론 등을 비판하고, 오직 민중의 직접 혁명에 의해서만 일제를 타도하고 독립을 이룰 수 있다고 주장하였다.

자료 ⑤ 물산 장려 운동의 전개

물산 장려 운동은 일본 상품이 많이 사용되는 것에 대한 위기의식에서 비롯되었어.

- 보아라! 우리의 먹고 입고 쓰는 것이 거의 다 우리의 손으로 만든 것이 아니었다. 이것이 세상에 제일 무섭고 위태한 일인 줄을 오늘에야 우리는 깨달았다. 피가 있고 눈물이 있는 형제자매들아, 우리가 서로 붙잡고 서로 의지하여 살고서 볼 일이다. － 조선 물산 장려회 궐기문
- 그네(노동자들)는 벌써 오랜 옛날부터 훌륭한 물산 장려 계급이다. 그네는 자본가 중산 계급이 양복이나 비단옷을 입는 대신 무명과 베옷을 입었고, 저들 자본가가 위스키나 브랜디나 정종을 마시는 대신 소주나 막걸리를 먹지 않았는가? － 동아일보, 1923

사회주의자들은 물산 장려 운동을 비판하였어.

물산 장려 운동은 민중의 지지를 받아 전국으로 확산되었다. 그러나 늘어난 수요를 감당할 만큼 생산력이 향상되지 못해 상품 가격만 올려놓는 경우가 많아서 사회주의자들은 물산 장려 운동을 자본가와 상인의 이익만을 추구하는 이기적 운동이라고 비난하기도 하였다.

자료 ⑥ 민립 대학 설립 운동의 전개

우리의 운명을 어떻게 개척할까? 정치냐, 외교냐, 산업이냐? 물론 이와 같은 일이 모두 필요하도다. 그러나 그 기초가 되고 요건이 되며, 가장 급한 일이 되고 가장 먼저 해결할 필요가 있으며, 가장 힘 있고, 필요한 수단은 교육이 아니면 아니 된다. …… 민중의 보편적 지식은 보통 교육으로도 가능하지만 심오한 지식과 학문은 고등 교육이 아니면 불가하며, 사회 최고의 비판을 구하며 유능한 인물을 양성하려면 …… 대학의 설립이 아니고는 다른 방도가 없도다.

└ 대학을 설립하려는 이유, 민립 대학 설립 운동의 이유가 나와 있어. － 조선 민립 대학 기성회의 발기 취지서, 1923

1920년대에 전개된 민립 대학 설립 운동은 고등 교육을 통한 민족의 실력 양성을 목표로 하였다. 조선 민립 대학 기성회는 한국인의 힘으로 대학을 세우기 위해 모금 운동을 전개하였다. 민립 대학 설립 운동은 전국적으로 큰 호응을 얻고 만주, 미국 등 해외까지 전파되었으나, 계속된 가뭄과 수해, 총독부의 방해 등으로 큰 성과를 거두지는 못하였다.

자료 하나 더 알고 가자!

의열단 투쟁의 목적

목숨을 아끼지 않는 열혈 지사를 규합하여, 적의 군주 이하 각 대관과 일체의 관공리를 암살하자. 적의 일체 시설물을 파괴하자. 동포들의 애국심을 환기하고, 배일사상을 고취하여, 일대 민중적 폭력을 일으키도록 하자. 끊임없는 폭력만이 강도 일본의 통치를 타도하고, 마침내는 조국 광복의 대업을 성취할 수 있다. － 김원봉의 주장

의열단은 조선 총독·일제 관리·친일파 등의 암살과 조선 총독부·동양 척식 주식회사 등 식민 통치 기관의 파괴를 통해 동포의 항일 의식을 고취하고, 일본의 식민 지배를 타도하려 하였다.

자료 하나 더 알고 가자!

1920년대 초 경성 방직 주식회사의 국산품 애용 선전 광고

'우리가 만든 것 우리가 쓰자, 조선 사람 조선 광목, 우리 손으로 맨든(만든) 광목'이라는 문구를 통해 물산 장려 운동 당시의 광고라는 것을 짐작할 수 있다.

문제로 확인할까?

1. 민립 대학 설립 운동을 전개한 단체로 옳은 것은?
① 동아일보
② 조선일보
③ 혁신 의회
④ 조선 물산 장려회
⑤ 조선 민립 대학 기성회

⑤ 답

2. 1924년에 일제가 한국에 사는 일본인의 교육 수요를 충족하고 한국인의 고등 교육에 대한 불만을 잠재우기 위해 경성에 세운 대학은?

경성 제국 대학 답

★ 참정권 운동
3·1 운동 후 일제가 문화 통치를 실시하면서 한국인의 정치 활동을 부분적으로 허용하자, 참정권 운동이 일어났다. 1920년에 조직된 국민 협회는 매년 일본 의회에 한국인도 일본 의회 선거에 참여할 수 있게 해달라는 내용의 청원서를 제출하였다.

5. 자치 운동과 참정권 운동

(1) **배경**: 일부 민족주의 계열의 지식인, 지주, 자본가들이 일제의 식민 지배를 인정하고 정치적 실력을 키워야 한다고 주장

(2) **자치 운동과 참정권 운동의 전개** ┌─ 일본에 건너가 조선 의회 설립을 청원하는 운동을 전개하기도 했어.

① **자치 운동**: 이광수, 최린, 김성수 등 타협적 민족주의 세력이 조선 총독부 아래에 자치 정부·자치 의회의 설립 운동을 전개 → 비타협적 민족주의자, 사회주의자들의 비판을 받음 자료 ⑦

② *참정권 운동: 일본 의회 선거에 참여하거나 일본 의회에 한국인 대표를 보내려는 운동 전개

(3) **한계**: 민족주의 진영의 분열 초래, 일제의 민족 분열 정책에 이용당함
└─ 민족주의 진영이 타협적인 세력과 비타협적인 세력으로 분화되었어.

이것이 핵심!

민족 유일당 운동의 전개

타협적 민족주의 세력의 자치 운동
↓
민족주의 세력의 분열
↓
민족 유일당 운동
↓
비타협적 민족주의 세력과 사회주의 세력이 신간회 결성

★ 코민테른
레닌 주도로 결성된 국제 공산당 조직으로, 국제 공산주의 운동을 지도하는 역할을 하였다.

★ 조선 민흥회
사회주의 세력과 조선 물산 장려회가 결합하여 결성한 민족 협동 전선 단체로, 후에 신간회와 통합되었다.

★ 갑산군 화전민 사건
일제의 식민지 수탈로 화전민이 증가하자, 일제는 산림 보호를 구실로 화전민을 추방하려 하였는데, 1929년에 함경남도 갑산 일대에서 화전민이 그들을 내쫓으려는 일제에 저항하여 일어난 사건이다.

---

③ 민족 유일당 운동의 전개

1. 사회주의 사상의 유입과 확산
┌─ 사유 재산 제도에 바탕을 둔 자본주의를 부정하고, 일제(제국주의 국가 일본)를 타도하려 하였어.

(1) **배경**: 레닌이 약소민족의 식민지 해방 운동 지원 선언, *코민테른의 제국주의 비판

(2) **유입과 확산**: 3·1 운동 이후 사회주의 사상 유입 → 청년·지식인층을 중심으로 확산 → 사회주의 단체 조직(농민·노동자 단체 등) → 조선 공산당 결성(1925)
└─ 국내 사회주의자들이 코민테른의 지도하에 창당하였어. 민족 해방 혁명, 반제국주의 혁명을 과제로 삼았지.

(3) **영향**: 민족 운동 세력이 민족주의 계열과 사회주의 계열로 분화

(4) **일제의 탄압**: 일제가 치안 유지법으로 사회주의 운동 탄압

2. 신간회의 결성
Qn? 조선 공산당이 6·10 만세 운동을 준비하다 사전에 발각되면서 사회주의 세력이 타격을 입었어.

(1) **배경**: 일제의 사회주의 운동 탄압, 국내 민족주의 진영의 분열

(2) **계기**: 6·10 만세 운동(1926) 이후 사회주의 세력과 비타협적 민족주의 세력의 연대 모색 → *조선 민흥회 결성, 정우회 선언 발표 교과서 자료

(3) **신간회 결성(1927)**
┌─ 기회주의란 이해관계에 따라 정치적 신념을 수시로 바꾸는 행태를 말해. 타협적 민족주의 세력을 배격하는 거야.

결성	비타협적 민족주의 세력과 사회주의 세력이 연합함
조직	회장에 이상재를 선출, 각지에 지회를 설치함 → 일본, 만주 등 국외로 조직이 확대됨
강령	정치적·경제적 각성 촉진, 민족의 단결 공고화, 기회주의 일체 부인

(4) **활동**: 전국 순회 강연회·연설회 개최, 농민·노동·여성·형평 운동 등을 지원, 원산 총파업(1929) 지원, *갑산군 화전민 사건(1929) 등에 개입, 광주 학생 항일 운동을 지원하기 위해 조사단을 파견하고 대규모 민중 대회를 계획함

(5) **신간회 해소** 자료 ⑧ Qn? 광주 학생 항일 운동을 지원하는 민중 대회를 개최하려 한 것이 일본 경찰에게 발각되면서 신간회 간부들이 체포되어 집행부가 새로 구성되었어.

① **배경**: 새 집행부의 우경화(새 집행부가 타협적 민족주의 세력과 협력하려 함)

② **해소**: 코민테른의 노선 변화(민족주의 계열과의 협동 전선 해체를 지시) → 사회주의자들이 신간회를 이탈하며 신간회가 해소됨(1931)

③ **해소 이후 활동**: 사회주의 계열은 혁명적 노동조합과 농민 조합 결성 후 반제국주의 항일 투쟁 전개, 비타협적 민족주의 계열은 조선학 운동 등 문화·학술 활동 전개

(6) **의의**: 일제 강점기 국내 최대 항일 민족 운동 단체, 비타협적 민족주의 세력과 사회주의 세력이 민족의 독립을 위해 이념과 노선의 차이를 극복한 민족 협동 전선 단체

3. 근우회: 신간회의 자매단체로 여성계의 민족 협동 전선 단체 결성(1927)
└─ '조선의 자매들아! 미래는 우리 것이다!'라는 구호를 내걸고 활동하였어.

완자 자료 탐구

내 옆의 선생님

자료 ⑦ 자치 운동의 전개

일제는 1910년대에 무단 통치를 하면서 한국인의 언론·출판·집회·결사의 자유를 빼앗았지.

지금의 조선 민족에게는 왜 정치적 생활이 없는가? …… 일본이 조선을 병합한 이래로 조선인에게는 모든 정치 활동을 금지한 것이 첫째 원인이다. 또, 병합 이래로 조선인은 일본의 통치권을 승인해야만 할 수 있는 모든 정치적 활동, 즉 참정권, 자활권 운동 같은 것은 물론이요, 일본 정부를 상대로 하는 독립운동조차 원치 아니하는 강렬한 절개 의식이 있었던 것이 둘째 원인이다. …… 조선 내에서는 허용되는 범주 내에서 일대 정치적 결사를 조직해야 한다는 것이 우리의 주장이다.
└ 일제의 식민 지배하에서 자치 의회나 자치 정부를 조직하자는 주장이야.
– 이광수, 「민족적 경륜」, 1924

1924년에 이광수가 동아일보에 「민족적 경륜」을 연재한 것을 계기로 이광수, 최린 등 타협적 민족주의자들은 일제가 허용하는 범위 내에서 한국인의 자치권을 얻자는 자치 운동을 전개하였다. 이에 대하여 이상재, 안재홍 등 민족주의자들은 자치 운동이 민족의식을 약화시켜 민족 독립을 더욱 멀어지게 할 위험성이 있다고 비판하였다.

수능이 보이는 교과서 자료 정우회 선언

우리의 승리로의 구체적 전진을 위하여 …… 민족주의적 세력에 대하여는 그 부르주아 민주주의적 성질을 명백하게 인식하는 동시에 또 과정적 동맹자적 성질도 충분히 승인하여, 그것이 타락하는 형태로 출현되지 않는 것에 한하여 적극적으로 제휴하여 대중의 개량적 이익을 위해서도 종래의 소극적 태도를 버리고 분연히 싸워야 할 것이다. – 조선일보, 1926. 11.
└ 비타협적 민족주의 세력과의 연대를 가리켜.

정우회는 1926년에 서울에서 조직된 사회주의 단체이다. 이 단체는 '정우회 선언'을 발표하여 민족주의 세력과의 제휴를 주장하였는데, 이는 신간회 창립의 계기가 되었다.

자료 ⑧ 신간회 해소에 대한 두 가지 입장

자본주의 사회의 발전으로 생겨나는 모순을 체제를 변혁하지 않고 유지하면서 점진적으로 개선만 하려는 입장을 말해.

(가) 소시민(봉급생활자, 자영업자 등)의 개량주의적 정치 집단으로 변질한 현재의 신간회는 무산 계급의 투쟁욕 성장에 장애가 되고 있다. 노동자 투쟁과 농민 투쟁을 강력하게 펼치기 위해서는 신간회를 해소하고 노동자는 노동조합으로, 농민은 농민 조합으로 돌아가야 한다.
└ 재산이 없어 노동력으로만 생활하는 계급을 말해.
– 「삼천리」, 1931

(나) 조선인의 대중적 운동의 목표는 정면의 일정한 세력을 향해 집중되어야 한다. 민족 운동과 계급 운동은 동지적 협동으로 함께 나아가야 할 것이요, 전체적으로 협동하여 진행하기보다도 그 자체 내 상호의 영도권이 다르므로, 역량의 분산 및 자기 마모의 과오를 범해서는 안 된다.
– 「비판」, 1931

(가)는 신간회를 해소하자는 주장이고, (나)는 신간회 해소를 반대하는 주장이다. 사회주의자들은 신간회 지도부의 우경화, 코민테른의 노선 변경 등을 이유로 신간회의 해소를 주장하였다. 반면 안재홍 등 비타협적 민족주의자들은 아직 신간회를 해소할 단계가 아니며 해소론은 국제주의의 기계적 수용이라고 비판하였다. 하지만 신간회는 1931년에 열린 전체 회의에서 해소를 결정하였다.

문제로 확인할까?

1920년대 자치 운동에 대한 설명으로 옳은 것을 〈보기〉에서 고른 것은?

보기
ㄱ. 이광수, 최린 등이 주도하였다.
ㄴ. 민족주의 세력의 분열을 초래하였다.
ㄷ. 사회주의 세력의 적극적인 지지를 받았다.
ㄹ. 민족 유일당 운동의 영향을 받아 전개되었다.

① ㄱ, ㄴ ② ㄱ, ㄷ ③ ㄴ, ㄷ
④ ㄴ, ㄹ ⑤ ㄷ, ㄹ

① 답

완자쌤의 탐구 강의

• 정우회 선언이 발표된 배경을 써 보자.
치안 유지법 때문에 활동이 어려워진 사회주의 세력은 6·10 만세 운동을 함께 준비하면서 형성된 민족 협동 전선의 공감대를 바탕으로 비타협적 민족주의 세력과의 연합을 주장하였다.

함께 보기 207쪽, 1등급 도전하기 6

정리 비법을 알려줄게!

1920년대 국내 민족 운동의 흐름

```
            3·1 운동(1919)
          ┌──────────┴──────────┐
      민족주의 계열            사회주의 계열
     실력 양성 운동          조선 공산당 결성
      (1920년대)               (1925)
    ┌────────┬────────┐
  타협적   비타협적          정우회 선언
 민족주의  민족주의           (1926)
  세력      세력
 자치론 주장
 (이광수 등)
          신간회 활동(1927~1931)
          ┌──────────┴──────────┐
      조선학 운동          혁명적 노동·
                          농민 조합 결성
```

STEP 1 핵심 개념 확인하기

1 다음 빈칸에 들어갈 인물을 쓰시오.

> 1920년 6월에 (   )가 이끄는 대한 독립군을 비롯한 여러 독립군 부대가 봉오동 계곡에서 일본군을 공격하여 승리를 거두었다.

2 다음 괄호 안의 내용 중 알맞은 말에 ○표를 하시오.

(1) 김좌진이 이끈 (서로 군정서, 북로 군정서)와 홍범도가 이끈 대한 독립군 등 독립군 연합 부대는 청산리에서 일본군을 크게 물리쳤다.

(2) 1921년에 러시아령으로 이동한 독립군 부대는 러시아 적군에게 무장 해제당하면서 피해를 입은 (간도 참변, 자유시 참변)을 겪었다.

3 다음 사건들을 일어난 순서대로 나열하시오.

> (가) 3·1 운동   (나) 간도 참변
> (다) 미쓰야 협정   (라) 봉오동 전투
> (마) 자유시 참변   (바) 국민부, 혁신 의회 결성

4 다음 설명이 맞으면 ○표, 틀리면 ✕표를 하시오.

(1) 의열단은 박은식이 작성한 조선 혁명 선언을 활동 지침으로 삼았다.   ( )

(2) 민립 대학 설립 운동은 '조선 사람 조선 것', '내 살림 내 것으로' 등의 구호를 내걸었다.   ( )

5 다음 신문이 전개한 운동을 옳게 연결하시오.

(1) 동아일보 •   • ㉠ 브나로드 운동

(2) 조선일보 •   • ㉡ 문자 보급 운동

6 사회주의 세력이 비타협적 민족주의 세력과의 제휴를 주장한 (   ) 선언은 신간회 결성의 계기가 되었다.

STEP 2 내신 만점 공략하기

01 ☆중요 다음 두 인물의 공통점으로 옳은 것은?

> **인물로 살펴보는 일제 강점기 독립운동**
>
> ○○○(1868~1943)
> 포수 출신으로 의병 활동을 전개하다가 국권 피탈 후 만주로 건너가 대한 독립군 사령관이 되었다.
>
> △△△(1889~1930)
> 대한 제국 육군 무관학교 출신으로 애국 계몽 운동을 하다가 만주에서 북로 군정서 총사령관이 되었다.

① 신흥 강습소를 설립하였다.
② 헤이그 특사로 파견되었다.
③ 이토 히로부미를 처단하였다.
④ 청산리 대첩에서 승리하였다.
⑤ 독립 의군부 결성을 주도하였다.

02 (가)에 들어갈 내용으로 적절한 것은?

> **만주 지역 독립군의 활동**
>
> 봉오동 전투 → (가) → 3부의 성립 → 국민부와 혁신 의회 성립

① 미쓰야 협정   ② 의열단 결성
③ 청산리 대첩   ④ 서울 진공 작전
⑤ 대한 광복회 조직

03 밑줄 친 '전투'가 있었던 지역을 지도에서 옳게 고른 것은?

1920년 10월 21일부터 26일까지 6일 동안 독립군이 일본군 주력 부대를 맞아, 백운평·완루구·어랑촌·천수평·봉밀구·고동하 등지에서 벌인 크고 작은 10여 회의 전투를 벌였다. 이 전투에서 독립군이 승리를 거두었다.

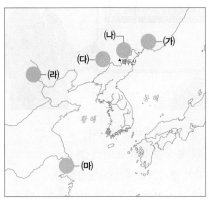

① (가)　　② (나)　　③ (다)　　④ (라)　　⑤ (마)

04 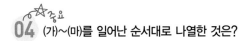 (가)~(마)를 일어난 순서대로 나열한 것은?

(가) 만주 지역에 참의부, 정의부, 신민부 등 독립군 정부 3부가 구성되었다.
(나) 일제가 만주 지역의 독립군을 탄압하기 위해 만주 군벌과 미쓰야 협정을 맺었다.
(다) 홍범도의 대한 독립군, 최진동의 군무 도독부군 등이 봉오동 전투에서 일본군을 격퇴하였다.
(라) 김좌진의 북로 군정서, 홍범도의 대한 독립군 등 독립군 연합 부대가 청산리 대첩에서 큰 승리를 거두었다.
(마) 자유시로 이동한 독립군 연합 부대가 러시아 적군에 의해 무장 해제를 당하는 자유시 참변이 발생하였다.

① (가) – (나) – (다) – (라) – (마)
② (가) – (다) – (라) – (나) – (마)
③ (다) – (나) – (라) – (마) – (가)
④ (다) – (라) – (마) – (가) – (나)
⑤ (마) – (가) – (나) – (다) – (라)

05 다음은 3부의 통합 과정을 나타낸 도표이다. (가), (나)에 들어갈 내용으로 옳은 것은?

	(가)	(나)
①	국민부	혁신 의회
②	의열단	자신회
③	을미의병	정미의병
④	대한 독립군	북로 군정서
⑤	독립 의군부	대한 광복회

06 ☆중요 (가)에 들어갈 내용으로 가장 적절한 것은?

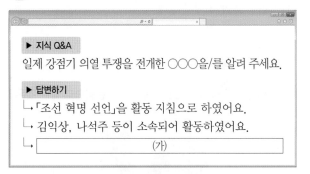

① 105인 사건으로 해체되었어요.
② 3·1 운동을 주도적으로 준비하였어요.
③ 단발령에 반발하여 의병을 일으켰어요.
④ 김원봉 등이 만주 지린성에서 결성하였어요.
⑤ 우금치 전투에 참가하여 일본군과 싸웠어요.

07 다음 자료를 활용한 탐구 활동으로 가장 적절한 것은?

민중은 우리 혁명의 대본영이다. 폭력은 우리 혁명의 유일한 무기이다. 우리는 민중 속으로 가서 민중과 손을 맞잡아 끊임없는 폭력, 암살, 파괴, 폭동으로써 강도 일제의 통치를 타도하고, 우리 생활에 불합리한 일체의 제도를 개조하여 …… 이상적 조선을 건설할지니라.

① 영남 만인소의 내용을 분석한다.
② 의열단의 의거 활동을 조사한다.
③ 임오군란의 발생 원인을 분석한다.
④ 교육입국 조서가 교육에 끼친 영향을 알아본다.
⑤ 보안회가 펼친 국권 수호 운동의 배경을 파악한다.

08 (가)에 들어갈 내용으로 옳은 것은?

- 생몰 연도: 1880~1936년
- 호: 단재(丹齋)
- 주요 활동: 「독사신론」 저술,
  (가)

한국사 인물 학습 카드

① 의열단 결성　　　　② 독립 협회 설립
③ 홍경래의 난 참여　　④ 조선 혁명 선언 작성
⑤ 강화도 조약의 체결 반대

09 ☆중요 다음 상황을 배경으로 전개된 민족 운동으로 옳은 것은?

얼마 전에 회사령이 폐지되었다는 소식을 들었어? 조만간 일본 상품에 대한 관세가 철폐될 거라고 하더군.

응. 나도 그 소식 들었네. 이제 일본 기업과 상품의 한국 침투가 더 가속화될 것 같아 걱정이야.

① 방곡령 공포　　　　② 국채 보상 운동
③ 물산 장려 운동　　　④ 상권 수호 운동
⑤ 민립 대학 설립 운동

10 다음 노래를 불렀던 운동에 대한 설명으로 옳은 것은?

조선의 동무들아 이천만민아 / 두발 벗고 두 팔 걷고 나
아오너라 / 우리 것 우리 힘 우리 재조로 / 우리가 만들어
서 우리가 쓰자 / 우리가 만들어서 우리가 쓰자
조선의 동무들아 이천만민아 / 자작자급 정신을 잊지를
말고 / 네 힘껏 벌어라 이천만민아 / 거기에 조선이 빛나
리로다 / 거기에 조선이 빛나리로다

① 대구에서 시작되었다.　　② 통감부가 탄압하였다.
③ 황성신문이 지원하였다.　④ 전국에 척화비를 세웠다.
⑤ 사회주의 세력이 비판하였다.

11 교사의 질문에 대한 학생의 답변으로 적절하지 <u>않은</u> 것은?

이 광고를 제작하는 계기가 된 민족 운동에 대해 발표해 볼까요?

① 회사령 공포를 계기로 시작되었습니다.
② 우리 민족 기업의 육성을 목표로 하였습니다.
③ 평양에서 시작되어 전국으로 확산되었습니다.
④ 일제의 관세 철폐 움직임에 대응해서 일어났습니다.
⑤ 상품 가격이 오르는 문제점이 나타나기도 하였습니다.

12 다음 민족 운동이 내건 구호로 옳은 것은?

우리의 운명을 어떻게 개척할까? 정치냐, 외교냐, 산업이
냐? 물론 이와 같은 일이 모두 필요하도다. 그러나 그 기
초가 되고 요건이 되며, 가장 급한 일이 되고 가장 먼저
해결할 필요가 있으며, 가장 힘 있고, 필요한 수단은 교육
이 아니면 아니 된다. …… 민중의 보편적 지식은 보통 교
육으로도 가능하지만 심오한 지식과 학문은 고등 교육이
아니면 불가하며, 사회 최고의 비판을 구하며 유능한 인
물을 양성하려면 …… 대학의 설립이 아니고는 다른 방도
가 없도다.

① 아는 것이 힘, 배워야 산다!
② 한민족 1천만이 한 사람이 1원씩!
③ 배우자, 가르치자. 다 함께 브나로드
④ 조선의 자매들아! 미래는 우리 것이다!
⑤ 내 살림 내 것으로, 조선 사람 조선 것!

13 (가)에 들어갈 내용으로 가장 적절한 것은?

수행 평가 보고서

○학년 ○반 이름 ○○○

- 탐구 주제: ＿＿＿(가)＿＿＿
- 탐구 목적: 1920~1930년대에 전개된 국내 민족 운동 중 농촌에서 농민을 대상으로 전개된 민족 운동의 내용을 살펴본다.
- 수집 자료

① 애국 계몽 운동
② 동학 농민 운동
③ 문맹 퇴치 운동
④ 상권 수호 운동
⑤ 민립 대학 설립 운동

14 (가)에 들어갈 내용으로 가장 적절한 것은?

△△고등학교 역사 탐구반 학술 대회

- 탐구 주제: 일제 강점기 실력 양성 운동
- 일정 -
1. 개회사
2. 발표
   - 제1모둠: 물산 장려 운동의 추진 배경
   - 제2모둠: 민립 대학 설립 운동의 성과와 한계
   - 제3모둠: ＿＿＿(가)＿＿＿
3. 폐회사

① 홍범 14조로 본 갑오개혁의 방향
② 대한매일신보의 국채 보상 운동 지원
③ 대한 자강회의 애국 계몽 운동의 의미
④ 조선일보의 문자 보급 운동이 끼친 영향
⑤ 독립 협회의 자유 민권 운동이 갖는 의의

15 다음 소설이 다룰 만한 소재로 옳은 것은?

 심훈이 지은 소설 『상록수』에는 주인공들이 일제의 탄압에도 농촌 계몽의 의지를 다지는 내용을 담고 있다. 이 소설에는 당시 우리 민족이 처한 현실과 희망이 나타나 있다.

① 국문 연구소의 설립
② 교육입국 조서의 반포
③ 브나로드 운동의 전개
④ 경성 제국 대학의 설립
⑤ 물산 장려 운동의 전개

16 밑줄 친 '이 단체'로 옳은 것은?

  민족 유일당 운동의 결과 1927년에 국내에서 결성된 단체입니다. 광주 학생 항일 운동에 진상 조사단을 파견한 이 단체는 무엇일까요?

① 보안회
② 신간회
③ 신민회
④ 일진회
⑤ 정우회

17 다음 강령을 내걸었던 단체에 대한 탐구 주제로 가장 적절한 것은?

1. 우리는 정치적, 경제적 각성을 촉진함
2. 우리는 단결을 공고히 함
3. 우리는 기회주의를 일체 부인함

① 3·1 운동의 배경
② 정우회 선언의 영향
③ 조선책략 유포의 결과
④ 만민 공동회의 개최 세력
⑤ 신흥 강습소의 교육 내용

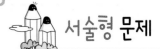
18 다음 주장에 대한 설명으로 옳은 것은?

지금의 조선 민족에게는 왜 정치적 생활이 없는가? ……
일본이 조선을 병합한 이래로 조선인에게는 모든 정치 활
동을 금지한 것이 첫째 원인이다. 또, 병합 이래로 조선
인은 일본의 통치권을 승인해야만 할 수 있는 모든 정치
적 활동, 즉 참정권, 자활권 운동 같은 것은 물론이요, 일
본 정부를 상대로 하는 독립운동조차 원치 아니하는 강렬
한 절개 의식이 있었던 것이 둘째 원인이다. …… 지금까
지 해 온 정치 운동은 모두 일본을 적대시하는 운동뿐이
었다. 이런 종류의 정치 운동은 해외에서나 할 수 있는 일
이고, 조선 내에서는 허용되는 범위 내에서 일대 정치적
결사를 조직해야 한다는 것이 우리의 주장이다.

– 동아일보, 1924

① 신채호에 의해 제기되었다.
② 의열단의 활동 지침이 되었다.
③ 항일 무장 투쟁을 강조하였다.
④ 민족 운동 세력의 분열을 초래하였다.
⑤ 국민대표 회의에서 창조파의 입장을 반영하였다.

19 (가) 단체에 대한 설명으로 옳지 **않은** 것은?

소시민(봉급생활자, 자영업자 등)의 개량주의적 정치 집
단으로 변질한 현재의 　(가)　은/는 무산 계급의 투쟁욕
성장에 장애가 되고 있다. 노동자 투쟁과 농민 투쟁을 강
력하게 펼치기 위해서는 　(가)　을/를 해소하고 노동자
는 노동조합으로, 농민은 농민 조합으로 돌아가야 한다.

– 「삼천리」

① 3·1 운동을 주도하였다.
② 광주 학생 항일 운동을 지원하였다.
③ 민족 유일당 운동의 결과로 결성되었다.
④ 일제 강점기 최대 규모의 합법적 사회 운동 단체였다.
⑤ 집행부의 우경화와 코민테른의 노선 변경으로 해소되
었다.

01 다음 협정의 명칭을 쓰고, 이 협정이 독립군의 활동에
끼친 영향을 서술하시오.

1. 한국인이 무기를 가지고 다니거나 한국으로 침입하는 것
을 엄금하며 위반자는 검거하여 일본 경찰에 인도한다.
2. 만주에 있는 한인 단체를 해산하고 무장을 해제하며,
무기와 탄약을 몰수한다.
3. 일본이 지명하는 독립운동가를 체포하여 일본 경찰에
인도한다.

(길잡이) 만주의 독립군을 체포해 일본 경찰에 인도한다는 데 합의한 협정이 무엇
인지 생각해 본다.

02 다음을 보고 물음에 답하시오.

이 그림은 1924년 동아일보에 실린 이 운동
의 선전 삽화이다. 깃발에 적혀 있는 '내
살림 내 것으로'라는 문구를 통해 이 운동
의 성격을 짐작할 수 있다.

(1) 밑줄 친 '이 운동'의 명칭을 쓰시오.

(2) (1)에 대한 민중과 사회주의 세력의 반응을 서술하시오.

(길잡이) 토산품의 수요가 부족해졌을 때 나타날 상황을 생각해 본다.

03 다음 선언의 명칭을 쓰고, 이 선언의 영향을 서술하시오.

민족주의 세력에 대하여는 그 부르주아 민주주의적 성질
을 명백하게 인식하는 동시에 과정적 동맹자적 성질도 충
분히 승인하여, 그것이 타락하는 형태로 출현되지 않는
것에 한하여 적극적으로 제휴하여, 대중의 개량적 이익을
위하여서도 종래의 소극적 태도를 버리고 분연히 싸워야
할 것이다.

(길잡이) 민족주의 세력에 대해 부르주아 민주주의적 성질을 갖는다고 평가할 만
한 세력이 누구인지 떠올려 본다.

STEP 3 1등급 정복하기

정답친해 065쪽

1 다음 인물의 활동으로 옳은 것은?

〈연보〉

1868년 평안북도 출생
1907년 함경북도 갑산에서 의병대 조직
1919년 대한 독립군 총사령관 취임
1920년 대한 독립군단 부총재 임명, 자유시로 이동
1922년 고려 중앙정청의 고등 군인 징모 위원에 임명
1937년 연해주에서 중앙아시아 지역으로 강제 이주
1943년 카자흐스탄에서 사망

① 의열단을 결성하였다.
② 이토 히로부미를 처단하였다.
③ 청산리 대첩에서 일본군을 격퇴하였다.
④ 고종의 밀명을 받아 독립 의군부를 조직하였다.
⑤ 파리 강화 회의에 파견되어 독립 청원서를 제출하였다.

대한 독립군의 활동

│완자 사전│

• **파리 강화 회의**
제1차 세계 대전이 끝나고 전후 처리
문제를 논의하기 위해 열린 강화 회의

2 다음은 무장 독립 투쟁의 변화를 나타낸 것이다. (가) 시기에 있었던 사실로 옳은 것을 〈보기〉
에서 고른 것은?

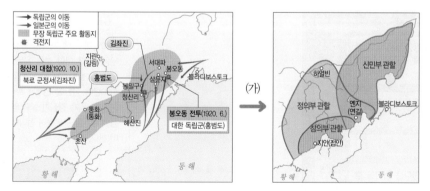

무장 독립 투쟁의 전개

│완자 사전│

• **군벌**
사적으로 무력을 갖추고 일정 지역
을 지배하는 정치 군사 집단

보기

ㄱ. 독립군 부대가 자유시 참변을 겪었다.
ㄴ. 신민회가 삼원보에 신흥 강습소를 설립하였다.
ㄷ. 일본 군경이 간도에서 우리 동포를 학살하였다.
ㄹ. 국민부는 조선 혁명군을 결성하여 항일 무장 투쟁을 계속하였다.

① ㄱ, ㄴ
② ㄱ, ㄷ
③ ㄴ, ㄷ
④ ㄴ, ㄹ
⑤ ㄷ, ㄹ

STEP 3 **1등급 정복하기**

수능 응용

3 (가)에 대한 설명으로 옳은 것은?

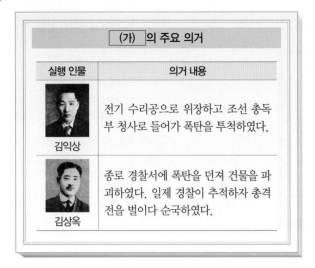

① 기관지로 독립신문을 발행하였다.
② 조선 혁명 선언을 활동 지침으로 삼았다.
③ 관민 공동회에서 헌의 6조를 결의하였다.
④ 신흥 강습소를 설립하여 독립군을 양성하였다.
⑤ 을사늑약에 반발하여 나철, 오기호가 조직하였다.

평가원 응용

4 (가)에 들어갈 내용으로 가장 적절한 것은?

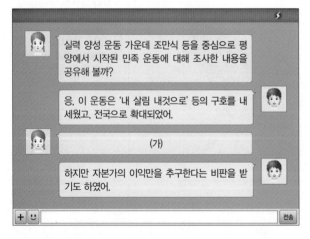

① 서울에 국채 보상 기성회가 조직되면서 확산되었지.
② 국내를 비롯해 간도, 하와이까지 모금 운동이 전개되었지.
③ 학생들이 농촌으로 가서 야학을 열고 계몽 운동을 전개하였어.
④ 민족 기업의 육성과 민족 자본의 성장을 위해 토산물 애용을 호소하였지.
⑤ 조선 총독부 아래에 자치 의회나 자치 정부를 만들자고 주장하기도 하였다.

▶ 의열 활동 단체

완자쌤의 시험 꿀팁
의열 활동을 전개한 개인 및 단체와 그 활약을 구분하여 정리해 두고, 의열 단체들이 어떻게 변해갔는지 파악해 두도록 한다.

▶ 실력 양성 운동의 전개

완자쌤의 시험 꿀팁
1920년대 초에 시작된 물산 장려 운동, 민립 대학 설립 운동, 1920년대 말에 전개된 문자 보급 운동, 1930년대 전반에 전개된 브나로드 운동 등 일제 강점기 실력 양성 운동의 특징을 구분하여 정리해 두어야 한다.

5 다음 주장을 펼친 세력에 대한 설명으로 옳은 것은?

> 실상을 말한다면 노동자에게는 이제 새삼스럽게 물산 장려를 말할 필요가 없는 것이다. 그네는 벌써 오랜 옛날부터 훌륭한 물산 장려 계급이다. 그네는 자본가 중산 계급이 양복이나 비단옷을 입는 대신 무명과 베옷을 입었고, 저들 자본가가 위스키나 브랜디나 정종을 마시는 대신 소주나 막걸리를 먹지 않았는가?

① 임오군란을 일으켰다.
② 신간회 창립에 참여하였다.
③ 구미 위원부에서 활동하였다.
④ 평양에서 물산 장려 운동을 일으켰다.
⑤ 갑신정변을 일으키고 개혁 정강을 발표하였다.

> **물산 장려 운동의 비판 세력**
>
> **┃한자 사전┃**
>
> • 구미 위원부
> 대한민국 임시 정부가 미국에 설치한 기관이다. 이승만을 중심으로 한국 문제를 국제 여론화하는 역할을 수행하였다.

6 다음 주장이 등장하게 된 배경으로 옳은 것을 〈보기〉에서 고른 것은?

> • 우리 조선 민흥회는 조선 민족의 공동 권익을 쟁취하고, 조선인의 단일 전선을 결성할 목적으로 창설되었습니다. 민족적 통합의 목적은 바로 '조선의 해방'에 있습니다. 유럽의 프롤레타리아 계급은 봉건주의와 독재주의를 타파할 목적으로 자본가들과 뭉쳤습니다. 조선의 사회주의자들도 반제국주의 운동에 있어서 우리 민족주의자들과의 연합이 필요하다고 느낄 것입니다.
> • 우리의 승리로의 구체적 전진을 위하여 …… 민족주의적 세력에 대하여는 그 부르주아 민주주의적 성질을 명백하게 인식하는 동시에 또 과정적 동맹자적 성질도 충분히 승인하여, 그것이 타락하는 형태로 출현되지 않는 것에 한하여 적극적으로 제휴하여 대중의 개량적 이익을 위해서도 종래의 소극적 태도를 버리고 분연히 싸워야 할 것이다.

┃보기┃
ㄱ. 상하이에 대한민국 임시 정부가 수립되었다.
ㄴ. 타협적 민족주의 세력이 자치 운동을 전개하였다.
ㄷ. 외교 독립론을 비판하며 국민대표 회의의 개최가 요구되었다.
ㄹ. 일제가 치안 유지법을 적용해 사회주의 세력을 강력히 탄압하였다.

① ㄱ, ㄴ   ② ㄱ, ㄷ   ③ ㄴ, ㄷ
④ ㄴ, ㄹ   ⑤ ㄷ, ㄹ

> **민족 협동 전선 단체의 형성 배경**
>
> **┃한자 사전┃**
>
> • 프롤레타리아
> 자신의 노동력을 팔아 생활하는 산업 노동자 계급(무산자 계급)
>
> • 부르주아
> 생산 수단을 소유하고 노동자를 고용해 기업을 경영하는 사람

04 사회·문화의 변화와 사회 운동

학습목표
- 일제 강점기 식민지 근대화의 실상과 사회 모습 변화를 파악할 수 있다.
- 일제 강점기에 전개된 다양한 사회 운동과 민족 문화 수호 노력을 설명할 수 있다.

이것이 핵심!

일제 강점기의 사회와 경제

사회	식민지 근대화 → 근대적 도시화 진행, 도시 빈민 형성
경제	산미 증식 계획, 식민지 공업화 정책 → 농민·노동자의 삶 열악

★ X 자형 간선 철도망 완성(1928)
조선 총독부가 호남선, 경원선, 함경선 등을 부설하여 한반도를 X 자형으로 가로지르는 철도망을 완성하였다.

★ 농촌 진흥 운동
대공황(1929) 이후 농촌 경제가 피폐해지고 소작 쟁의가 확산되자, 일제는 춘궁 퇴치, 부채 근절을 목표로 1932년부터 농촌 진흥 운동을 전개하였다.

1 사회 구조와 생활 모습의 변화

1. 식민지 근대화의 실상 자료①

(1) **식민지 근대화**: 근대 문물의 확산(효율적인 식민 지배와 식민 통치 정당화 목적) → 일본인과 일부 부유한 한국인만 혜택을 누림 ┌일제가 근대 문물 도입을 위해 각종 세금을 부과하면서 대다수 한국인의 형편은 더욱 어려워졌어.
┌일제는 '일본인은 우월하고, 한국인은 열등하다.'라는 의식을 조장하였어.

(2) **교통 발달**: 한반도에 ★X 자형 간선 철도망 완성 → 일제의 대륙 침략 전쟁 확대에 활용

(3) **도시 발달과 도시 빈민 형성**: 도시 인구 증가, 근대적 도시화 진행, 일본인 거주지와 한국인 거주지 분리, 도시로 이주한 농민들이 도시 외곽에 빈민촌 형성(토막민 거주)
┌경성은 청계천을 기준으로, 북쪽의 북촌에는 한국인이, 남쪽의 남촌에는 일본인이 주로 거주하였어.

2. 산업 구조의 변화와 농촌의 개편
┌공장과 노동자 수가 증가하게 되었어.

산업 구조 변화	1920년대 회사령 폐지로 한국인 기업 증가(경공업 중심) → 1930년대 식민지 공업화 정책 실시, 중일 전쟁 발발(1937) 이후 병참 기지화 정책 추진(중화학 공업 발달), 한국인 노동자는 단순 노무직 담당
농촌의 개편	토지 조사 사업, 산미 증식 계획 실시 → 지주의 대토지 소유 확대(소작농 증가) → 지주의 횡포, 높은 소작료 등으로 농민 몰락 → 일제가 ★농촌 진흥 운동 추진, 조선 농지령 제정(1934)

3. 생활 양식 변화: 의(구두·양복 확산), 식(일본·서양 음식 소비), 주(문화 주택 보급) 자료①
┌소작료 인하, 자영농 육성 등 근본적인 문제를 외면하여 농촌 경제의 어려움을 해결하지는 못하였어.

이것이 핵심!

다양한 사회 운동의 전개

농민·노동 운동	생존권 투쟁(1920년대) → 혁명적·비합법적 조합 중심(1930년대)
학생 운동	6·10 만세 운동, 광주 학생 항일 운동 전개
여성 운동	근우회 결성
소년 운동	천도교 소년회 중심
형평 운동	조선 형평사 조직

★ 조선 노농 총동맹
1924년에 전국의 노농 단체를 포괄하여 결성된 조직으로, 노농 계급을 해방할 것 등을 주장하였다. 이후 1927년에 조선 노동 총동맹과 조선 농민 총동맹으로 분리되었다.

★ 원산 총파업(1929)
원산 인근의 라이징 선 석유 회사에서 일본인 현장 감독이 한국인 노동자를 구타한 사건을 계기로 노동자들이 벌인 노동 쟁의이다. 일제의 탄압으로 실패하였으나 일제 강점기 최대 규모의 노동 쟁의였으며, 이후 전개된 반제국주의 항일 투쟁에 영향을 주었다.

2 다양한 사회 운동

1. 농민 운동 자료②

1920년대	소작인 조합·농민 조합 조직(조선 농민 총동맹), 소작 쟁의 전개(생존권 투쟁, 암태도 소작 쟁의 발생)
1930년대	사회주의자들과 연대, 혁명적·비합법적 농민 조합 조직, 정치 투쟁으로 확대

└'토지는 밭갈이하는 농민에게', '노동자와 농민이 주인인 세상을 만들자'

2. 노동 운동
라는 급진적 구호를 내걸고 계급 해방을 요구하기도 하였어.

1920년대	노동조합 조직·노동 단체에 참여(★조선 노농 총동맹, 조선 노동 총동맹), 노동 쟁의 전개(노동 조건 개선·임금 인상 요구 등 생존권 투쟁, ★원산 총파업 발생)
1930년대	사회주의자들과 연대, 혁명적·비합법적 노동조합 조직 → 정치 투쟁으로 확대

┌Qw? 당시 한국인 노동자들은 저임금, 장시간 노동 등 열악한 노동 환경에 처해 있었어.

3. 청년·학생 운동
┌1924년에 여러 청년 단체가 연합하여 조선 청년 총동맹을 구성하였어.

(1) **청년·학생 운동의 활성화**: 청년 운동(각종 청년회 조직, 강연회·토론회·야학 등을 통해 계몽 운동), 학생 운동(독서회 등 조직, 수업 거부·동맹 휴학 등으로 일제에 민족 차별 중지 요구)

(2) **6·10 만세 운동과 광주 학생 항일 운동**
┌꼭! 사회주의의 영향을 받아 '소작료 납부 거부', '8시간 노동제 실시' 등을 내세웠어.

구분	6·10 만세 운동(1926)	광주 학생 항일 운동(1929) 자료③
배경	사회주의 세력의 성장, 일제의 수탈과 식민지 교육에 대한 반발, 순종 서거	일제의 민족 차별과 식민지 차별 교육, 학생 운동의 조직화(독서회, 비밀 결사 중심)
전개	사회주의 계열과 학생 단체, 천도교 세력의 만세 시위 계획 → 사전 발각으로 지도부 체포 → 학생들을 중심으로 순종의 장례일(인산일)에 만세 시위 전개, 시민 가세 → 일제의 탄압	일본 남학생의 한국 여학생 희롱 사건 발생 → 한·일 학생 간 충돌 → 경찰과 교육 당국의 편파적 사건 처리 → 광주 지역 학생들의 대규모 시위 전개 → 신간회의 진상 조사단 파견, 시위의 국내외 확산
의의	민족 유일당 결성의 공감대 형성	3·1 운동 이후 전개된 최대 규모의 항일 민족 운동

└꼭! 6·10 만세 운동의 영향으로 1927년에 신간회가 결성되었어.

완자 자료 탐구

 내 옆의 선생님

자료 ① 일제 강점기 사회 모습의 변화

↑ 모던걸과 모던보이

↑ 토막민의 생활 모습 — 경성에서 단발머리와 양장, 양복 차림으로 거리를 활보하던 신식 여성과 남성을 가리켜.

토막민들은 도시 외곽에서 둑, 강가, 다리 밑 등지의 공터에 땅을 파고 짚이나 거적 같은 것을 둘러서 살았어. 일제의 수탈로 식량도 부족하였지.

일제 강점기에는 대도시를 중심으로 철도, 통신 등 각종 근대 시설이 들어섰다. 이와 더불어 서양식 복장이 점차 보편화되었고 커피·아이스크림 등 서양 식품이 유행하기도 하였으며, 당시 최신식 주택인 문화 주택이 보급되었다. 한편, 일제는 흰옷 대신 색깔 있는 옷을 입게 하였고 중일 전쟁 이후에는 국민복과 몸뻬 착용을 강요하였다.

자료 ② 일제 강점기의 농민 운동

이 시기에는 일제의 산미 증식 계획으로 농민들의 생활이 갈수록 어려워졌어.

[1920년대 소작 쟁의의 요구 사항]
1. 종래의 지정 소작료를 폐지할 것
2. 소작료는 생산의 절반을 분배할 것
3. 지세 및 부가세를 지주 부담으로 할 것
6. 지주에 대한 무상 노력을 전폐할 것
– 진주 노동자 대회 결의 사항, 1922

[암태도 소작 쟁의의 결과]
오랫동안 맹렬히 싸워 오던 암태 소작 문제는 이 사이 일단락을 마쳤다는데, …… 지주 문재철 씨는 소작인회의 요구인 4할(40%)을 승낙하는 동시에 금 이천 원을 그 소작인회에 기부하기로 되었더라.
– 동아일보, 1924

1920년대의 소작 쟁의는 소작료 인하, 소작권 안정, 지세 부담 전가 반대 등을 요구하는 생존권 투쟁의 성격을 띠었다. 암태도 소작 쟁의(1923~1924)에서 농민들은 70~80% 정도의 소작료를 징수하던 지주 문재철에게 소작료를 40% 정도로 낮춰 줄 것을 요구하였다. 그러나 이러한 요구가 거절되자 1923년에 추수 거부, 소작료 불납 동맹으로 지주에게 맞섰다. 이들은 1년여에 걸친 투쟁 끝에 소작료를 40% 정도로 낮출 수 있었다.

자료 ③ 광주 학생 항일 운동의 전개

[광주 학생 항일 운동의 배경]
┌박준채
나는 피가 역류하는 분노를 느꼈다. 가뜩이나 그놈들하고는 한차에 통학을 하면서도 민족 감정으로 서로를 혐오하며 지내온 터인데, 그자들이 우리 여학생을 희롱하였으니 나로서는 당연한 감정적 충격이었다. – 「신동아」, 1969

[광주 학생 항일 운동 당시 격문]
학생, 대중이여 궐기하라! 우리의 슬로건 아래로!
• 검거된 학생들을 즉시 우리 손으로 탈환하자.
• 언론, 출판, 집회, 결사의 자유를 획득하자.
• 조선인 본위의 교육 제도를 확립하라.
• 식민지 노예 교육 제도를 철폐하라.

박준채는 자신의 사촌인 박기옥이 일본 학생에게 수모를 당하자 일본 학생과 충돌하였다. 이 사건은 한국 학생의 민족 감정을 고조하여 광주 학생 항일 운동이 일어나는 계기가 되었다. 광주 학생 항일 운동은 3·1 운동 이후 최대 규모의 항일 민족 운동이었다.

자료 하나 더 알고 가자!

일제 강점기 산업 구조의 변화

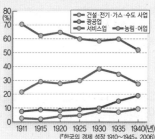

(『한국의 경제 성장 1910~1945』, 2006)

범례:
- 건설·전기·가스·수도 사업
- 광공업
- 서비스업
- 농림·어업

한국의 산업 구조 변화는 한국 경제의 발전을 목표로 한 것이 아니라 일본의 식민 통치와 원료 약탈을 위한 것이었다.

자료 하나 더 알고 가자!

소작 쟁의 발생 추이

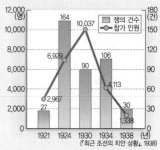

(『최근 조선의 치안 상황』, 1938)

범례:
- 쟁의 건수
- 참가 인원

1920년대 후반에는 소작 쟁의 횟수와 참여 농민 수가 크게 늘어났지만, 1930년대에는 일제의 탄압으로 소작 쟁의가 점차 감소하였다.

문제로 확인할까?

광주 학생 항일 운동에 대한 설명으로 옳은 것을 〈보기〉에서 고른 것은?

〈보기〉
ㄱ. 순종의 장례일에 일어났다.
ㄴ. 일제의 민족 차별에 반대하였다.
ㄷ. 3·1 운동 이후 전개된 최대 규모의 항일 민족 운동이었다.
ㄹ. 사회주의 계열과 민족주의 계열이 협력하는 계기가 되었다.

① ㄱ, ㄴ ② ㄱ, ㄷ ③ ㄴ, ㄷ
④ ㄴ, ㄹ ⑤ ㄷ, ㄹ

★ 근우회
민족주의 계열과 사회주의 계열로 나누어져 있던 여성 단체가 1927년에 신간회 창립을 계기로 만든 통합 단체이다. 근우회는 강연회와 토론회, 부인 야학 등을 진행하며 계몽 활동을 하였고, 여성 노동자에 대한 차별을 없애기 위해 노력하였다.

4. 여성·소년·형평 운동

┌ 이들은 여성에 대한 차별과 억압에
저항하며 남녀평등 운동을 벌였어.

여성 운동	• 배경: 3·1 운동 이후 여성이 민족 운동 및 사회 활동에 적극 참여, 신여성 등장 • 전개: 여성계의 민족 협동 전선이자 신간회의 자매단체로 ★근우회 조직 자료④
소년 운동	방정환이 주도한 천도교 소년회 중심, '어린이' 용어 사용, 어린이날 제정, 잡지 『어린이』 발행 └ 당시에는 5월 1일을 어린이날로 정하였어.
형평 운동	• 배경: 백정에 대한 사회적 차별 • 전개: 경남 진주 백정들의 주도로 조선 형평사 조직(전국으로 조직 확대, 다른 분야의 사회 운동 단체와 협력) → 1930년대 이후 일제의 탄압으로 형평 운동 쇠퇴 자료⑤

이것이 핵심!

민족 문화 수호 운동

한글	조선어 연구회, 조선어 학회의 활동
한국사	민족주의 사학, 사회 경제 사학, 실증 사학 연구
종교	민족의식 고취, 사회사업, 교육 운동 등 전개
교육	사립 학교, 야학, 개량 서당 등에서 교육 활동 전개
언론	한글 신문 발행 → 일제의 통제
문예	영화 「아리랑」 발표, 신경향파 문학과 저항 문학 등장

★ 조선어 학회 사건
일제가 조선어 학회를 독립운동 단체로 규정하여 이윤재, 최현배 등의 회원들을 대거 검거한 사건이다. 이로 인해 조선어 학회가 해산되었고, 『우리말 큰사전』 편찬도 중단되었다.

★ 식민 사관
일제는 한국 역사가 외세의 영향을 받아 타율적으로 전개되었고(타율성론), 발전 없이 정체되었으며(정체성론), 한국인은 잘못된 민족성을 가졌기 때문에 당파를 만들어 싸움을 한다(당파성론)고 주장하였다.

★ 조선학 운동
정약용의 저서를 모은 『여유당전서』를 간행하는 등 우리 민족의 전통 사상과 문화 속에서 민족의 고유한 특색을 찾아내 문화적으로 민족의 주체성을 유지하려는 민족 운동

★ 유물 사관
사회주의에 기초한 역사관으로, 역사 발전의 원동력을 물질적인 생산력과 생산 관계의 변화로 보았다.

③ 민족 문화 수호 노력과 다양한 문예 활동

1. 한글 연구

조선어 연구회(1921)	가갸날(한글날) 제정, 기관지 『한글』 발간, 강연회 개최
조선어 학회(1931)	조선어 연구회 계승, 문맹 퇴치 운동 지원, 한글 맞춤법 통일안과 표준어·외래어 표기법 제정, 『우리말 큰사전』 편찬 시도 → ★조선어 학회 사건(1942)으로 강제 해산

└ 문자 보급 교재를 만들었어.

2. 한국사 연구 교과서 자료

┌ 한국사를 왜곡하여 정리하였어.

배경	일제가 ★식민 사관(타율성론, 정체성론 등)으로 한국사 왜곡, 조선사 편수회 설치(『조선사』 편찬)
민족주의 사학	• 박은식: 국혼 강조, 『한국통사』, 『한국독립운동지혈사』 저술, 일제 침략·한국 독립운동의 역사 정리 • 신채호: 고대사 연구에 주력, 『조선상고사』, 『조선사연구초』 등 저술, 민족의 고유한 정신 강조 • 정인보, 안재홍, 문일평 등: 일제의 민족 문화 말살 정책에 맞서 ★조선학 운동 전개
사회 경제 사학	★유물 사관의 입장에서 한국사 연구, 백남운이 『조선사회경제사』 저술(한국사가 세계사의 보편적인 발전 과정을 걸어왔음을 주장, 정체성론 반박)
실증 사학	이병도·손진태 등이 한국사를 실증적으로 연구, 진단 학회 조직, 『진단 학보』 발행

3. 종교계의 활동
꼭! 적극적인 항일 투쟁을 전개하기 위해 국권 피탈 이후 본부를 만주로 이동하였고, 단군 숭배 사상을 전파하여 민족의식을 고취하였어.

대종교	민족의식 고취, 만주에서 중광단 조직(이후 북로 군정서로 개편), 항일 무장 투쟁 전개
천도교	제2의 독립 선언 운동 계획, 청년·여성·소년 운동 등 전개, 잡지 『개벽』·『신여성』 등 발간
천주교	고아원·양로원 운영 등 사회사업 확대, 만주에서 의민단 조직(→ 항일 무장 투쟁 전개)
개신교	교육과 의료 활동, 신사 참배 거부 운동 전개
불교	조선 불교 유신회 조직, 한용운을 중심으로 사찰령 폐지 운동 전개
원불교	박중빈이 창시, 새 생활 운동(저축 운동, 허례허식 폐지, 남녀평등, 미신 타파, 금주·단연 등) 전개

┌ 1911년에 일제가 한국 불교를 억압하고 민족정신을 말살하기 위해 제정한 법령

4. 교육 활동과 언론 활동
┌ 기존의 서당과 다르게 국어, 역사, 지리, 과학 등의 근대 학문을 가르치며 민족의식을 일깨웠어.

교육	사립 학교·강습소·야학·개량 서당 등에서 민족 교육 실시, 조선 교육회·조선 여자 교육회 조직
언론	3·1 운동 이후 '문화 통치'를 표방하며 조선일보·동아일보 등 한글 신문 발행 허가 → 일제의 언론 통제(정간·압수·삭제 조치 등) → 1940년에 조선일보와 동아일보 폐간

5. 문예 활동
┌ 동아일보가 일장기 말소 사건(1936년에 열린 베를린 올림픽에서 손기정 선수가 우승하자, 선수의 유니폼에 그려진 일장기를 삭제하여 보도한 일)으로 무기 정간 조치를 받았어.

문학	• 1910년대: 이광수, 최남선 등의 주도로 계몽적 성격의 문학 유행 • 1920년대: 『창조』·『폐허』·『백조』 등의 동인지 발간, 사회주의의 영향을 받은 신경향파 문학 등장 • 1930년대 이후: 저항 문학(윤동주, 이육사 등), 순수 문학(식민지 현실 외면), 친일 문학 등장
예술	• 연극: 3·1 운동 이후 토월회(1923)의 신극 운동 전개, 1930년대 극예술 연구회가 연극 공연 • 영화: 나운규의 「아리랑」 발표(1926) → 나라 잃은 민족의 울분과 설움 표현, 대중의 큰 호응을 얻음 • 기타: 축음기·레코드·라디오의 보급으로 대중가요 유행, 『별건곤』·『삼천리』 등 대중 잡지 발간

완자 자료 탐구

자료 ④ 근우회의 조직

여성 단체들은 민족주의와 사회주의 진영으로 분산되어 있었어.

우리 사회에서도 여성 운동이 시작된 것은 또한 이미 오래이다. 그러나 회고하여 보면 여성 운동은 거의 분산되어 있었다. 그것에는 통일된 조직이 없었고 통일된 목표와 지도 정신도 없었다. 그러므로 그 운동은 효과를 충분히 내지 못하였다. 우리는 운동상 실천으로부터 배운 것이 있으니 우리가 실지로 우리 자체를 위하여 우리 사회를 위하여 분투하려면 우리 조선 자매 전체의 역량을 공고히 단결하여 운동을 전반적으로 전개하지 아니하면 아니 된다. 일어나라! 오너라! 단결하자! 조선의 자매들아! 미래는 우리의 것이다.

여성계의 민족 유일당 운동을 의미해.

근우회는 여성의 단결과 지위 향상을 내걸고 여성 운동을 전개하였어.

– 근우회 창립 취지문, 1927

↑ 근우회가 발간한 회지 「근우」

1927년에 신간회가 결성되자 여성 운동 단체들도 통합 단체로서 근우회를 조직하였다. 근우회는 국내외에 지회를 설치하고 회지인 『근우』를 발간하였다.

자료 ⑤ 형평 운동의 전개

조선 형평사를 가리켜.

공평은 사회의 근본이고 사랑은 인간의 본성이다. 우리는 계급을 타파하고 모욕적인 칭호를 폐지하여 교육을 장려하고 우리도 참다운 인간으로 되고자 함이 본사(本社)의 중요한 뜻이다. 지금까지 백정은 어떠한 지위와 압박을 받아 왔던가? …… 따라서 이 문제를 선결하는 것이 우리들의 급선무라고 설정함은 당연한 것이다.

– 조선 형평사 설립 취지문, 1923. 4. 25.

갑오개혁 때 신분제가 폐지되었지만 일제는 호적에 붉은 점 등을 표시하여 백정을 구별하였어.

신분 차별이 법제상으로 갑오개혁 때 폐지되었으나 백정에 대한 사회적 차별과 편견은 여전히 남아 있었다. 백정들은 차별 대우에 항의하며 1923년에 경남 진주에서 조선 형평사를 만들고 백정에 대한 평등한 대우를 요구하는 형평 운동을 벌였다. 이는 언론과 사회주의 계열 등의 지지를 받아 전국적인 운동으로 발전하였으며, 전국으로 조직이 확대되었다.

수능이 보이는 교과서 자료   일제 강점기의 한국사 연구

(가) • 옛 사람이 나라는 멸망할 수 있으나 그 역사는 결코 없어질 수 없다고 말하였다. 나라가 형체라면 역사는 정신이기 때문이다. 이제 우리나라의 형체는 없어져 버렸지만, 정신은 살아남아야 한다.

– 박은식, 『한국통사』 서문

• 역사란 무엇인가? 인류 사회의 아(我)와 비아(非我)의 투쟁이 시간부터 발전하며 공간부터 확대하는 심적 활동 상태의 기록이니 …… 조선사라 하면 조선 민족이 그리되어 온 상태의 기록이다.

– 신채호, 『조선상고사』

(나) 조선의 역사 발전은 …… 세계사적·일원론적인 역사 법칙에 따라 다른 여러 민족과 거의 동일한 발전 과정을 거쳐 왔다.

– 백남운, 『조선사회경제사』

박은식, 신채호 등 민족주의 사학자들은 자주적으로 민족사를 연구하고 민족정신을 굳건히 지키면 독립을 이룰 수 있다고 보았다. 한편, 백남운은 유물 사관을 수용하여 한국사가 세계사의 보편적인 법칙에 따라 발전하였다고 주장하였다.

자료 하나 더 알고 가자!

일제 강점기 신여성의 등장

사 남매 아해들아! 에미를 원망하지 말고 사회 제도와 도덕과 법률과 인습을 원망하라. 네 에미는 과도기에 선각자로 그 운명의 줄에 희생된 자였더니라.

– 나혜석, 「이혼 고백서」, 1934

개항 이후 근대 교육을 받은 여성들을 전통적인 여성인 '구여성'에 반대되는 의미로 '신여성'이라고 불렀다. 화가이자 시인, 소설가였던 나혜석은 신여성의 상징적인 존재로서, 남편과 이혼한 뒤 자신의 심경을 밝힌 「이혼 고백서」를 발표하여 남성 중심의 사회를 비판하였다.

자료 하나 더 알고 가자!

형평사 대회 포스터

백정들은 저울을 상징으로 삼아 '저울처럼 형평(衡平)에 맞는 사회를 만들자.'라는 취지로 조선 형평사를 조직하였다.

완자샘의 탐구 강의

• (가), (나)의 한국사 연구 경향을 각각 써 보자.
(가) 민족주의 사학, (나) 사회 경제 사학

• (가), (나)가 비판한 식민 사관의 주장을 각각 서술해 보자.
민족주의 사학은 식민 사관의 타율성론을 비판하였고, 사회 경제 사학은 식민 사관의 정체성론을 비판하였다.

함께 보기 217쪽, 1등급 정복하기 4

1 다음 내용을 관련 있는 것끼리 옳게 연결하시오.

(1) 한국인 거리 ·   · ㉠ 경성의 남촌
(2) 일본인 거리 ·   · ㉡ 경성의 북촌

2 다음에서 설명하는 운동을 쓰시오.

일제가 춘궁 퇴치, 부채 근절 등을 목표로 1932년부터 농촌에서 전개한 운동으로, 소작료 인하, 자영농 육성 등 근본적인 문제를 외면한 채 실시되었다.

3 다음 설명이 맞으면 ○표, 틀리면 ×표를 하시오.

(1) 토지 조사 사업과 산미 증식 계획의 실시로 한국 농민들의 생활이 대부분 나아졌다. (   )

(2) 방정환이 활약한 천도교 소년회는 어린이날을 정하고, 어린이 잡지인 어린이를 발행하였다. (   )

4 다음에서 설명하는 운동을 〈보기〉에서 골라 기호를 쓰시오.

보기
ㄱ. 6·10 만세 운동   ㄴ. 광주 학생 항일 운동

(1) 민족 유일당 결성의 공감대 형성 계기가 되었다. (   )

(2) 3·1 운동 이후 전개된 최대 규모의 항일 민족 운동이다.
(   )

5 다음 괄호 안의 내용 중 알맞은 말에 ○표를 하시오.

(1) 박중빈이 창시한 (대종교, 원불교)는 새 생활 운동을 전개하였다.

(2) (조선어 학회, 조선어 연구회)는 한글 맞춤법 통일안과 표준어, 외래어 표기법을 제정하였다.

(3) 사회 경제 사학자인 (백남운, 신채호)은/는 조선사회경제사를 저술하여 식민 사관의 정체성론을 비판하였다.

6 나운규는 1926년에 우리 민족의 애환을 담은 영화인 (   ) 을 발표하였다.

  STEP 2 내신 만점 공략하기

01 사진과 같은 모습을 볼 수 있었던 시기에 대한 설명으로 옳지 않은 것은?

↑ 경성의 모습

↑ 모던걸과 모던보이

① 도시에 최신식 주택인 문화 주택이 보급되었다.
② 도시 상류층을 중심으로 서양 음식이 유행하였다.
③ 양복과 양장 등 서양식 복장이 점차 보편화되었다.
④ 경성은 일본인 거주지와 한국인 거주지로 구분되었다.
⑤ 근대 문물의 도입으로 대다수 한국인의 생활이 개선되었다.

02 그래프는 일제 강점기 산업 구조의 변화를 나타낸 것이다. (가) 시기 일제의 정책으로 옳은 것은?

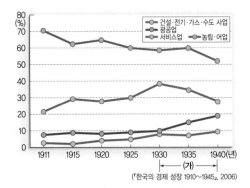
(『한국의 경제 성장 1910~1945』, 2006)

① 한국과 일본 사이에 관세를 설정하였다.
② 대륙 침략을 목적으로 경부선을 개통하였다.
③ 한국의 병참 기지화를 목적으로 중화학 공업을 육성하였다.
④ 한국인의 기업 설립을 억제하기 위해 회사령을 공포하였다.
⑤ 일본에 식량을 공급하기 위해 처음으로 산미 증식 계획을 실시하였다.

03 (가)에 들어갈 내용으로 옳은 것을 〈보기〉에서 고른 것은?

1930년대 초에 이르러 대공황에 따른 농업 공황이 한반도에서 발생하였다. 농업 공황은 농산물의 과잉 생산으로 농산물 가격이 크게 떨어져 농촌 경제가 어려워지고, 이로 인해 농산물의 소비도 위축되는 농업 부문의 경제 공황을 말한다. 농촌 경제가 더욱 어려워지자 사회주의 혁명을 지향하는 비합법적인 농민 조합을 중심으로 농민 운동이 확산되었다. 그러자 일제는 ___(가)___

보기
ㄱ. 조선 농지령을 제정하였다.
ㄴ. 치안 유지법을 도입하였다.
ㄷ. 농촌 진흥 운동을 실시하였다.
ㄹ. 토지 조사 사업을 시행하였다.

① ㄱ, ㄴ   ② ㄱ, ㄷ   ③ ㄴ, ㄷ
④ ㄴ, ㄹ   ⑤ ㄷ, ㄹ

04 다음 합의문이 작성되었을 당시에 볼 수 있는 모습으로 가장 적절한 것은?

합의문
전라남도 신안군 암태도의 지주 문재철과 소작인 대표 박복영은 다음과 같이 합의한다.
1. 지주 문재철과 소작인회 간의 소작료는 4할로 약정하고, 지주는 소작인회에 일금 2,000원을 기부한다.
2. 작년에 미납된 소작료는 향후 3년간 분할 상환한다.
3. 구금 중인 쌍방의 인사에 대해서는 9월 1일 공판정에서 쌍방이 고소를 취하한다.
4. 파괴된 비석은 소작인회의 부담으로 복구한다.

① 토지 조사령을 발표하는 총독부 관리
② 광주 학생 항일 운동에 참여하는 학생
③ 105인 사건으로 체포되는 신민회 회원
④ 조선일보, 동아일보의 폐간 소식에 탄식하는 기자
⑤ 산미 증식 계획에 따라 밭을 논으로 변경하는 농민

05 다음 두 사건의 공통점으로 옳은 것은?

• 원산 총파업   • 암태도 소작 쟁의

① 사회주의 사상의 영향을 받았다.
② 회사령이 제정되는 계기가 되었다.
③ 형평 운동이 쇠퇴하는 원인이 되었다.
④ 치안 유지법이 폐지되는 계기가 되었다.
⑤ 토지 조사 사업이 실시되는 배경이 되었다.

06 밑줄 친 부분에 해당하는 내용으로 옳은 것은?

1929년에 대공황이 발생하는 등 세계 자본주의 체제가 위기를 맞았다고 판단한 사회주의자들은 한반도에도 혁명적 정세가 도래하였다고 생각하였다. 이들은 기존의 노동조합이 제구실을 못하고 있다고 비판하면서 새 운동 방침을 세워 노동 운동을 전개하였다. 이는 도시의 공장 지대와 한반도 북부의 공업 도시를 중심으로 이루어졌다.

① 조선 형평사를 만들었다.
② 물산 장려 운동을 비판하였다.
③ 조선 노농 총동맹을 결성하였다.
④ 비합법적인 혁명적 노동조합을 조직하였다.
⑤ 민족 유일당 운동을 펼쳐 신간회를 창립하였다.

07 밑줄 친 '만세 시위'에 대한 설명으로 옳은 것은?

사진은 순종의 장례 행렬이다. 순종이 서거하자 사회주의와 민족주의 계열, 학생들은 순종의 장례일에 만세 시위를 하기로 계획하였다.

① 헌병 경찰의 탄압을 받았다.
② 민족 유일당을 결성하는 배경이 되었다.
③ 신간회의 지원으로 전국으로 확대되었다.
④ 대한민국 임시 정부의 수립에 영향을 주었다.
⑤ 탑골 공원에서 독립 선언서를 낭독하면서 전개되었다.

08 (가)에 들어갈 구호로 가장 적절한 것은?

한국사 신문   19○○. ○○. ○○.

광주에서 학생들의 대규모 시위 발생

한국 학생들이 광주에서 총궐기를 하며 시위에 나섰다. 일본 남학생이 한국 여학생을 희롱한 사건이 일파만파로 확산되는 분위기이다. 시위에 참가한 한국 학생들은 "일본 경찰이 일본 학생에게 유리하게 사건을 처리하고 있다."며 자신들이 시위에 나선 이유를 말하였다. 그러면서 [(가)]와/과 같은 구호를 외쳤다.

---

① 한민족 1천만이 한 사람이 1원씩!
② 배우자 가르치자 다 함께 브나로드!
③ 식민지 노예 교육 제도를 철폐하라!
④ 내 살림 내 것으로, 조선 사람 조선 것!
⑤ 조선의 자매들아! 미래는 우리의 것이다!

09 다음 자료와 관련된 사회 운동에 대한 설명으로 옳은 것은?

사진은 1923년에 어린이날을 기념하여 만든 포스터이다. 이날 발표된 선언문에는 '어린이를 재래의 윤리적 압박으로부터 해방하여 그들에 대한 인격적 대우를 허락하게 하라.' 등의 아동 존중 사상이 담겨 있다.

① 방정환 등이 주도하였다.
② 순종의 장례일에 시작되었다.
③ 통감부의 방해와 탄압 등으로 실패하였다.
④ 조선 청년 총동맹을 결성하여 활동을 펼쳤다.
⑤ 식민지 교육에 반대하며 동맹 휴학을 전개하였다.

10 다음 취지문을 발표한 단체에 대한 설명으로 옳은 것은?

공평은 사회의 근본이고 사랑은 인간의 본성이다. 우리는 계급을 타파하고 모욕적인 칭호를 폐지하여 우리도 참다운 인간으로 되고자 함이 본사(本社)의 중요한 뜻이다.

---

① 관민 공동회를 개최하였다.
② 태극 서관과 자기 회사를 운영하였다.
③ 일제의 황무지 개간권 요구를 반대하였다.
④ 백정에 대한 사회적 차별 철폐를 주장하였다.
⑤ 코민테른의 노선 변화를 배경으로 해소되었다.

11 밑줄 친 '이 단체'의 활동으로 옳은 것은?

1942년 일본 경찰은 우리말로 대화하다가 적발된 여학생 박영옥을 취조하였다. 취조 결과 이들에게 영향을 준 인물이 우리말 사전을 편찬하고 있던 정태진이라는 것을 알아냈다. 일본 경찰은 정태진을 취조하여 이 단체가 학술 단체로 위장하여 독립운동을 목적으로 활동하고 있다는 강제 자백을 받은 후 이 단체의 회원들을 검거하였다.

---

① 가갸날 제정   ② 오산 학교 설립
③ 진단 학보 발행   ④ 한글 맞춤법 통일안 제정
⑤ 민립 대학 설립 운동 주도

12 (가), (나)에 들어갈 내용으로 가장 적절한 것은?

일제 강점기의 한국사 연구

구분	민족주의 사학	사회 경제 사학	실증 사학
인물	(가)	백남운	이병도, 손진태
특징	민족 운동의 하나로 우리 역사 연구	유물 사관의 입장에서 식민 사관의 (나) 을 반박함	문헌 고증을 통해 객관적 사실을 밝힘

	(가)	(나)		(가)	(나)
①	박은식	타율성론	②	신채호	정체성론
③	안창호	당파성론	④	정인보	근대화론
⑤	주시경	반도성론			

● 정답친해 069쪽

13 (가) 종교의 활동으로 옳은 것은?

▶ 지식 Q&A

(가) 에 대해 알려 주세요.

▶ 답변하기

└ 1909년에 나철은 동지 오기호 등 10명과 함께 단군교 포명서(檀君敎佈明書)를 공포함으로써 국조(國祖) 단군을 숭상하는 종교를 창시하였습니다. 포교한 지 1년 만에 교도 수는 2만여 명으로 늘었고, 이후 교명을 개칭하였습니다. 1916년에 나철이 죽자, 제2대 교주로 김교헌이 취임하였습니다.

① 만주에서 의민단을 결성하였다.
② 사찰령 폐지 운동을 추진하였다.
③ 개벽, 신여성 등의 잡지를 발간하였다.
④ 항일 무장 단체인 중광단을 조직하였다.
⑤ 박중빈을 중심으로 새 생활 운동을 전개하였다.

14 밑줄 친 '이 시기'에 있었던 사실로 적절하지 않은 것은?

잡지로 살펴보는 근현대사

⬆ 『폐허』의 표지   ⬆ 『백조』의 표지

일제가 이른바 문화 통치를 표방하였던 이 시기에는 다양한 사조가 등장하여 『창조』, 『폐허』, 『백조』 등의 동인지가 발간되었다. 또한 이 시기에는 민족적인 작품이 많이 발표되었다.

① 한국인의 신문 발행이 허가되었다.
② 이육사가 절정이라는 저항시를 발표하였다.
③ 토월회가 결성되면서 신극 운동이 전개되었다.
④ 나운규가 제작한 영화 아리랑이 처음 개봉되었다.
⑤ 사회주의 사상의 영향으로 신경향파 문학이 등장하였다.

01 다음을 읽고 물음에 답하시오.

우리 사회에서도 여성 운동이 시작된 것은 또한 이미 오래이다. 그러나 회고하여 보면 여성 운동은 거의 분산되어 있었다. 그것에는 통일된 조직이 없었고 통일된 목표와 지도 정신도 없었다. …… 우리가 실지로 우리 자체를 위하여 우리 사회를 위하여 분투하려면 우리 조선 자매 전체의 역량을 공고히 단결하여 운동을 전반적으로 전개하지 아니하면 아니 된다.

(1) 위 취지문을 발표한 단체의 명칭을 쓰시오.

(2) (1) 단체가 결성된 계기를 서술하시오.

길잡이 결성 당시 민족 운동 전선의 통일 필요성이 제기되고 있었다는 사실에 주목한다.

02 (가)에 들어갈 내용을 두 가지 서술하시오.

소년 운동은 1921년에 방정환을 중심으로 천도교 소년회가 조직되면서 본격적으로 시작되었다. 방정환은 아이들을 인격체로 대하라는 의미에서 '어린이'라는 용어를 사용하였다. 이는 어린이를 소중히 여기고 바르게 키우는 것이 독립운동의 인재를 양성하는 것이라고 여겼기 때문이다. 이후 천도교 소년회는 (가)

길잡이 천도교 소년회가 아이들의 지위 향상을 위해 전개한 활동을 생각해 본다.

03 다음에 해당하는 식민 사관을 쓰고, 이를 반박하는 내용을 사회 경제 사학의 입장에서 서술하시오.

일제는 한국이 고려, 조선으로 이어진 왕조 교체에도 불구하고 역사가 발전하지 못하고 정체되었다고 주장하였다. 이와 더불어 한국이 일본과 같은 지방 분권적 봉건 사회 단계에 이르지 못하여, 개항 이전까지 10세기 말 고대 일본의 수준과 비슷한 역사 발전 단계에 머물렀다고 보았다.

길잡이 역사가 발전하지 못하고 정체되었다는 주장을 반박하는 내용을 써 본다.

STEP 3 · 1등급 정복하기

1 다음 자료에 해당하는 시기 한국인 노동자의 상황에 대한 설명으로 옳지 **않은** 것은?

⬆ 을밀대 지붕 위의 강주룡

평양의 2,300명 고무 직공의 살이 깎이지 않기 위하여 내 한 몸이 죽는 것은 아깝지 않습니다. …… 그래서 나는 죽음을 각오하고 이 지붕 위에 올라왔습니다. 나는 평원 고무 공장 사장이 이 앞에 와서 임금을 삭감하겠다는 입장을 철회하기 전에는 결코 내려가지 않겠습니다. …… 누구든지 이 지붕 위에 사다리를 대 놓기만 하면 나는 곧 떨어져 죽을 뿐입니다.

– 「강주룡 회견기」, 1931

① 저임금, 장시간 노동에 시달렸다.
② 일본인과 비교하여 차별 대우를 받았다.
③ 일제의 식민지 정책으로 생활이 어려워졌다.
④ 여성과 미성년 노동자의 노동 환경은 더욱 열악하였다.
⑤ 중화학 공업이 발달하면서 고급 공업 기술을 독점할 수 있었다.

일제 강점기 노동자의 삶

┃ 완자 사전 ┃

• 강주룡
평양 평원 고무 공장의 노동자로, 1931년에 임금 삭감에 저항하여 평양의 을밀대 지붕 위에 올라가 농성을 벌였다. 강주룡은 단식 투쟁을 계속 이어 갔고, 결국 1931년 서른한 살의 나이로 세상을 떠났다.

2 다음 사건이 발단이 되어 일어난 민족 운동에 대한 설명으로 옳은 것은?

나는 피가 머리로 거꾸로 치솟는 듯한 분노를 느꼈다. 가뜩이나 그놈들과는 한차로 통학하면서도 민족 감정 때문에 서로를 멸시하고 혐오하며 지내 온 터인데, 그자들이 우리 여학생을 희롱하였으니 나로서는 당연히 감정적으로 대응할 수밖에 없었다. …… "후쿠다, 너는 명색이 중학생인 녀석이 야비하게 여학생을 희롱해?" 그러자 후쿠다는 "뭐라고 센징 놈이 까불어!" 이 센징이란 말이 후쿠다의 입에서 떨어지기가 무섭게 내 주먹은 그자의 얼굴에 날아가 작렬하였다.

– 박준채의 회고, 「신동아」

① 오산 학교와 대성 학교를 설립하였다.
② 평양에서 시작되어 전국으로 확산되었다.
③ 신간회가 진상 조사단을 파견하여 지원하였다.
④ 대한민국 임시 정부가 수립되는 데 영향을 끼쳤다.
⑤ 만민 공동회를 열어 열강의 이권 침탈을 비판하였다.

일제 강점기의 학생 운동

완자쌤의 시험 꿀팁

일제 강점기에 일어난 학생 운동에 대한 문제가 시험에 자주 출제된다. 이 시기에 일어난 대표적인 학생 운동의 배경, 전개 과정을 정리해 둔다.

┃ 완자 사전 ┃

• 신동아
1931년부터 동아일보사에서 시사·평론에서부터 과학·운동·연예·취미에 이르기까지 각 분야를 망라하여 발행한 잡지

3 (가) 단체에 대한 설명으로 옳은 것은?

> 1927년에 결성된 [(가)]은/는 '여성에 대한 사회적·법률적 일체 차별 철폐, 일체 봉건적 인습과 미신 타파, 조혼 폐지 및 결혼의 자유' 등의 행동 강령을 발표하고 '조선 여자의 공고한 단결과 지위 향상'을 도모하였다. 또한 전국 순회 강연회, 토론회를 개최하며 농민 운동에 참여하는 등 여성 해방에 대한 인식을 확산시키고자 노력하였다. 그러나 신간회가 해소되면서 [(가)]은/는 1931년에 해체되었다.

① 회지로 신여성을 발간하였다.
② 6·10 만세 운동에 참여하였다.
③ 고종의 강제 퇴위를 반대하였다.
④ 암태도 소작 쟁의를 지원하였다.
⑤ 여성계의 민족 유일당 운동으로 결성되었다.

▶ 일제 강점기의 여성 운동

┃완자 사전┃

• 신여성(新女性)
개벽사가 1922년에 창간된 「부인」의 제목을 바꾸어 1923년에 새롭게 창간한 잡지이다. 근대 교육을 받은 '신여성'을 대상으로 하여 발행되었으며, 기존의 여성과 다르게 근대적인 생활 양식을 적극적으로 받아들이던 신여성들의 모습을 보여 주는 잡지였다.

4 (가), (나)를 저술한 인물에 대한 설명으로 옳은 것은?

> (가) 조선의 역사 발전은 …… 다른 민족의 역사 발전 법칙과 구별되어야 하는 독자적인 것이 아니며 세계사적·일원론적인 역사 법칙에 따라 다른 여러 민족과 거의 동일한 발전 과정을 거쳐 왔다.
>
> (나) 옛 사람이 나라는 멸망할 수 있으나 그 역사는 결코 없어질 수 없다고 말하였다. 나라가 형체라면 역사는 정신이기 때문이다. 이제 우리나라의 형체는 없어져 버렸지만, 정신은 살아남아야 한다. 이것이 내가 역사를 쓰는 까닭이다. 정신이 살아서 없어지지 않으면 형체도 부활할 때가 있을 것이다.

① (가) – 식민 사관의 정체성론을 반박하였다.
② (가) – 얼을 강조하고 조선학 운동을 주도하였다.
③ (나) – 진단 학회를 조직하였다.
④ (나) – 유물 사관에 기초하여 한국사를 연구하였다.
⑤ (가), (나) – 조선사 편수회에 참여하였다.

▶ 한국사의 연구

완자샘의 시험 꿀팁

일제 강점기에 한국사를 연구한 인물의 활동을 묻는 문제가 시험에 출제된다. 민족주의 사학, 사회 경제 사학 등을 연구한 인물의 대표 저서와 활동을 기억해 두도록 한다.

┃완자 사전┃

• 조선사 편수회
조선 총독부가 식민 통치에 활용하기 위해 설립한 조선 역사 편찬 기구이다. 우리 민족의 역사를 왜곡하고 식민지 지배에 정당성을 부여하기 위한 역사서 편찬을 담당하였다.

05 전시 동원 체제와 민중의 삶

학습목표
- 제2차 세계 대전과 일제의 침략 전쟁 확대 과정을 파악할 수 있다.
- 1930년대 이후 일제의 식민지 지배 방식을 주요 정책들을 통해 설명할 수 있다.

이것이 핵심!

제2차 세계 대전

배경	이탈리아의 파시즘, 독일의 나치즘, 일본의 군국주의화 추진
전개	독일의 폴란드 침공 → 일본의 진주만 기습으로 미국 참전 → 미국의 미드웨이 해전 승리 → 소련의 스탈린그라드 전투 승리 → 이탈리아 항복 → 연합군의 노르망디 상륙 작전 성공 → 독일 항복 → 미국이 일본에 원자 폭탄 투하 → 일본 항복
결과	미국과 소련 중심의 국제 질서 형성, 한국 등 식민지 독립

★ 뉴딜 정책
미국의 루스벨트 대통령이 대공황을 극복하기 위해 추진한 정책으로, 국가가 경제에 적극 개입하여 정부 지출을 늘리고 대규모 공공사업을 통해 일자리를 창출하는 방식으로 전개되었다.

★ 전체주의
국가나 특정 권력 집단이 개인의 자유와 권리를 억압하는 독재 체제이다. 이탈리아의 파시즘, 독일의 나치즘, 일본의 군국주의가 밑바탕으로 삼은 이론이다.

★ 군국주의
국가의 가장 중요한 목적을 군사력에 의한 대외적 발전에 두고, 전쟁과 그 준비를 위한 정책이나 제도를 국민 생활 속에서 최상위에 두려는 이념 및 그에 따른 정치 체제를 말한다. 제2차 세계 대전 때의 독일, 이탈리아, 일본 등이 대표적인 예이다.

★ 대동아 공영권
대동아 공영권의 '대동아'는 일제가 일본, 중국, 만주국, 한국과 동남아시아의 일부 지역을 아우르기 위해 만든 말이다. 일제는 아시아가 서양 열강의 식민 지배에서 벗어나려면 일본을 중심으로 대동아 공영권을 결성하여 아시아에서 서양 제국주의를 몰아내야 한다고 주장하였다.

① 전체주의의 대두와 제2차 세계 대전

1. 대공황과 전체주의의 대두

(1) 대공황(1929) 자료①
> 미국은 제1차 세계 대전 중 연합국에 군수 물자를 판매하며 세계 최대의 공업국이 되었어.

① 배경: 제1차 세계 대전 이후 세계 경제의 호황, 기업의 과잉 생산 → 대중의 구매력이 생산량의 증가를 따라가지 못함, 상품의 재고 증가

② 전개: 미국 뉴욕 증권 거래소의 <u>주가</u> 폭락 → 기업·은행 파산, 실업자 증가 → 전 세계로 경제 위기 확산
> 주식이나 주권의 가격

(2) 대공황 극복을 위한 노력
> 각국은 자유방임주의의 한계를 인식하고 새로운 경제 정책을 통해 경제 위기를 극복하려 하였어.

미국	국가가 경제에 적극적으로 개입하는 ★뉴딜 정책 추진
영국, 프랑스	본국과 식민지를 연결하는 블록 경제 형성(영국의 파운드 블록, 프랑스의 프랑 블록)

(3) ★전체주의의 대두 자료②
> 자국과 식민지를 하나의 경제권으로 묶고 그 안에서만 교류하는 체제야.

① 배경: 이탈리아·독일·일본 등 후발 자본주의 국가들은 산업 기반 취약, 식민지 부족 → 시장 확보를 위해 대외 침략 정책 추진 → 전체주의 세력이 정권 장악
> 대공황을 극복하기 위한 블록 경제의 형성은 세계 무역을 위축시켜 전체주의 세력이 침략 전쟁을 일으키는 배경이 되었어.

② 전체주의 국가

이탈리아	무솔리니가 이끄는 파시스트당이 정권 장악
독일	나치당을 이끄는 히틀러가 총통에 취임(1934)
일본	만주 사변(1931)을 일으켜 이듬해 만주국 수립, 군부 강경파의 쿠데타 발생(★군국주의화 추진) → 중일 전쟁(1937) 이후 이른바 ★대동아 공영권 건설을 내세우며 침략 전쟁 본격화

> 일제가 만주 지역을 침략한 사건이야.

2. 제2차 세계 대전(1939~1945) 자료③

(1) 배경: 대공황 발생 → 독일, 이탈리아, 일본에서 전체주의 확산 → 3국 방공 협정 체결(독일·이탈리아·일본, 1937)
> 코민테른과 소련에 대항하기 위해 맺은 협정이야.

(2) 발발: <u>독소 불가침 조약</u> 체결(1939), 독일의 폴란드 침공(1939) → 영국과 프랑스가 독일에 선전 포고
> 독일과 소련이 상호 간에 침략하지 않겠다는 내용으로 비밀리에 맺은 조약이야.

(3) 전개
> **왜?** 영국과의 장기전에 대비한 식량과 석유를 확보하기 위해서였어.

유럽 전선	독일이 노르웨이·덴마크·프랑스 등 점령, 영국의 항전 → 독일이 독소 불가침 조약 파기 후 소련 침공(1941. 6.)
아시아·태평양 전선	일본이 동남아시아와 인도 방면으로 침략 전쟁 확대 → 미국의 일본에 대한 경제 제재(석유 수출 중단) → 일본이 하와이의 진주만 기습 공격(태평양 전쟁 발발, 1941. 12.) → 미국의 참전

(4) 종결: 미국이 미드웨이 해전에서 일본에 승리(1942) → 소련이 스탈린그라드 전투에서 독일에 승리(1943. 2.) → 이탈리아 항복(1943. 9.) → 연합군의 노르망디 상륙 작전 감행, 프랑스 파리 해방(1944) → 독일 항복 → 미국이 일본 히로시마와 나가사키에 원자 폭탄 투하, 소련의 대일전 참전 → 일본의 무조건 항복(1945. 8. 15.)

(5) 결과: 대량 학살 자행(독일의 유대인 학살, 일본의 난징 대학살 등), 대량 살상 무기 사용(원자 폭탄) → 큰 인적·물적 피해 발생

(6) 영향: 미국과 소련 중심의 국제 질서 형성(전쟁 피해로 인한 유럽 국가들의 약화), 독립 운동을 벌였던 한국 등 여러 식민지의 독립

자료 ① 대공황의 발생

↑ 일자리를 구하는 실업자들

제1차 세계 대전 후 미국은 경제 호황을 누렸으나, 대중의 구매력은 높아지지 않아 생산과 소비의 불균형이 심화되었다. 그 결과 1929년에 미국에서 주가가 폭락하면서 대공황이 시작되었으며, 세계 무역 규모도 크게 감소하였다. 대공황의 위기를 극복하고자 미국은 뉴딜 정책을 실시하였고, 영국과 프랑스는 본국과 식민지 간의 경제를 하나로 묶는 블록 경제를 형성하였다. 하지만 국내 시장이 좁고 식민지가 많지 않았던 독일, 이탈리아, 일본은 침략 전쟁으로 식민지를 확대하여 시장을 확보하려 하였다.

[정리] 비법을 알려줄게!

대공황의 발생과 극복 노력

배경	기업의 과잉 생산 → 구매력보다 생산량이 많아 재고 증가
전개	뉴욕 증권 거래소의 주가 폭락 → 전 세계로 경제 위기 확산
극복 노력	• 미국: 뉴딜 정책 추진 • 영국·프랑스: 블록 경제 형성 • 독일·이탈리아·일본: 전체주의 대두

자료 ② 전체주의의 대두

무솔리니는 국가 지상주의를 내세우며 국민의 자유와 권리를 억압하였어.

• 국가를 떠나서는 인간과 영혼의 가치도 존재하지 않는다. 국민이 국가를 만드는 것이 아니라, 국가가 국민을 창조한다. 파시즘은 영구 평화의 가능성을 믿지 않는다. 오직 전쟁만이 인간의 힘을 최고조에 이르게 한다. ┌ 대외 침략을 추구하였어.
　　　　　　　　　　　　　　　　　　　　　　　　　　　　　　　　－ 무솔리니, 『파시즘 독트린』

• 민족주의 국가는 인종을 모든 생활의 중심에 두어야 한다. 국가는 인종의 순수한 유지를 위해 배려해야 한다. 또한 우리 국가 사회주의자는 단호하게 우리의 외교 정책 목표, 즉 독일 민족에 상응하는 영토를 이 지상에서 확보하는 것을 고수해야 할 것이다. － 히틀러, 『나의 투쟁』

┌ 히틀러는 극단적인 인종주의를 앞세워 유대인을 학살하였어.

대공황을 전후하여 이탈리아에서는 무솔리니가 파시스트당을 조직하고 정권을 장악하여 일당 독재 체제를 구축하였으며, 전체주의를 강화하였다. 한편, 독일은 대공황에 따른 경제 위기 속에서 히틀러가 이끄는 나치당이 정권을 장악하고 극단적인 민족주의와 인종주의를 앞세워 대외 침략에 나섰다. 전체주의 국가들의 계속된 침략 전쟁은 결국 제2차 세계 대전의 발발로 이어졌다.

[자료] 하나 더 알고 가자!

일본의 대륙 침략

일제는 만주 사변으로 만주를 장악하고, 루거우차오 사건을 일으켜 중일 전쟁을 시작하면서 대륙 진출을 본격화하였다.

자료 ③ 태평양 전쟁과 동아시아

↑ 태평양 전쟁의 전개

태평양 전쟁이 일어나자 대한민국 임시 정부는 일본에 선전 포고를 하고, 영국군의 요청에 따라 한국 광복군을 미얀마·인도 전선에 파견하였다. 전쟁 초기에 일본이 동남아시아와 남태평양 일대를 점령하였으나, 1942년 미드웨이 해전을 계기로 미국이 전쟁의 승기를 잡았고, 미국의 원자 폭탄 투하로 일본이 무조건 항복하면서 제2차 세계 대전은 연합국의 승리로 끝이 났다. 한편, 이 시기에 일본은 침략 전쟁을 확대하면서 한국과 타이완을 병참 기지로 활용하였다.

[자료] 하나 더 알고 가자!

일본의 진주만 기습 공격

제2차 세계 대전이 전개되는 가운데 일본의 군부 강경파는 도조 히데키를 총리로 내세우고 하와이 진주만에 정박 중이던 미국 함대를 기습 공격하여 1941년에 태평양 전쟁을 일으켰다.

05 전시 동원 체제와 민중의 삶

이것이 **핵심!**

2 1930~1940년대 일제의 식민지 지배 정책

1930~1940년대 일제의 식민지 정책	
병참 기지화 정책	조선 공업화 정책(북부 지방에 중화학 공업 육성), 남면북양 정책 실시
전시 동원 체제	• 국가 총동원법 제정 이후 인력과 물자 수탈 강화 • 지원병제·징병제·국민 징용령 등 시행, 공출 제도 실시
민족 말살 정책	황국 신민 서사 암송, 신사 참배, 궁성 요배, 일본식 성명 사용 등 강요

✳ 병참 기지화
군사 작전에 필요한 인력, 물자를 생산하고 보충하는 근거지로 삼는 것

✳ 애국반
일제는 1938년부터 시작된 국민정신 총동원 운동의 말단 조직으로 애국반을 조직하여 한국인을 감시하였다.

✳ 일본군 '위안부'
일제는 10대 여성을 비롯한 젊은 여성들을 중국과 남양 군도 등지의 전쟁 지역으로 끌고 가 일본군 '위안부'라는 이름으로 끔찍한 삶을 강요하였다.

✳ 금속 공출
일제는 놋그릇, 놋대야, 수저, 농기구, 교회와 사찰의 종 등 무기를 만들 수 있는 금속 제품이라면 가리지 않고 빼앗았다.

✳ 내선일체
'일본(내지)과 조선이 하나'라는 주장이다. 1936년에 조선 총독으로 부임한 미나미 지로 총독이 강조하였다.

✳ 조선 사상범 예방 구금령
위법 행위가 없어도 독립운동을 할 것이라는 의심만으로 체포가 가능한 법률이다. 일제는 이를 통해 독립운동가들을 재판 없이 구금하고 친일을 강요하였다.

1. 일제의 대륙 침략과 병참 기지화 정책

(1) **일제의 대륙 침략**: 대공황으로 일본의 경제 위기 심화 → 일제가 일본·한국·만주를 연결하는 경제 블록 조성, 대륙 침략 감행(만주 사변, 1931)

🔍! 광복 이후 북한은 중공업, 남한은 경공업 위주로 산업의 불균형이 계속되었어.

(2) **일제의 ✳병참 기지화 정책** (자료 4)

목적	한국의 값싼 노동력과 자원 수탈, 침략 전쟁에 필요한 군수 물자 공급
내용	• 조선(식민지) 공업화 정책 실시: 석탄·철 등의 자원이 풍부한 북부 지방에 발전소 건설, 군수 산업 관련 화학·금속·기계 공업에 투자(중화학 공업 육성) → 산업 간 불균형 및 지역에 따른 공업 격차 심화 • 남면북양 정책 실시: 남부 지방의 농민에게 면화 재배, 북부 지방의 농민에게 양 사육 강요 → 한국 농촌이 일제의 공업 원료 공급지로 전락
영향	중일 전쟁 발발(1937) 이후 침략 전쟁 확대, 병참 기지화 정책 실시 → 한국의 공업 구조 변화(소비재 산업 위축, 군수 산업 중심의 중화학 공업으로 변화)

Qw? 일본에 필요한 공업 제품의 원료를 생산하고, 일본인 방직 자본가를 보호하기 위해서였어.

2. 전시 동원 체제 (자료 5)

(1) **목적**: 인력과 전쟁 물자의 효율적 동원

(2) **내용**: 중일 전쟁 이후 국가 총동원법 제정(인력과 물자 수탈 강화, 1938), 국민정신 총동원 운동 전개(✳애국반 조직)

— 지원병과 달리 강제로 군대에 징집하는 것을 의미해. 일제 패망 때까지 20여만 명의 한국 청년이 전쟁터에 끌려갔어.

① **인력 수탈**

병력 동원	지원병제(1938), 학도 지원병 제도(1943), 징병제(1944) 실시 → 학생, 청년들을 전쟁터에 투입
노동력 동원	국민 징용령 제정(1939) → 광산, 비행장, 군수 공장 등에 청장년들을 끌고 가 노동 강요
여성 동원	여자 근로 정신대 조직, 여자 정신 근로령 제정(1944), ✳일본군 '위안부' 강제 동원

② **물자 수탈**

전쟁 물자 확보	지하자원 약탈, 각종 세금 신설, 위문 금품 모금, 국방헌금 강요, 각종 ✳금속 공출
군량미 확보	산미 증식 계획 재개(1938), 미곡 공출제·식량 배급제 실시

🔍! 일제는 군량미 확보를 위해 농가마다 공출량을 할당하고 농산물을 헐값에 가져갔어. 높은 소작료는 그대로였기 때문에 농민들의 삶은 더 어려워졌지.

3. 민족 말살 통치 (교과서 자료)

(1) **목적**: 한국인의 정신을 말살하여 한국인을 침략 전쟁에 효율적으로 동원

(2) **내용**

— 일본인과 조선인이 같은 조상에서 나왔다는 주장   매일 아침 일왕이 사는 궁을 향해 절하는 것

① **황국 신민화 정책 추진**: ✳내선일체, 일선동조론 강조 → 황국 신민 서사 암송·궁성 요배·조선 신궁을 비롯한 신사에 참배 강요, 한국인의 성과 이름을 일본식으로 바꾸도록 강요하는 법령 공포(1939)

— 창씨개명을 거부한 사람은 자녀를 학교에 입학시킬 수 없었고, 식량 배급에서도 제외되었어.

② **교육 통제**: 제3차 조선 교육령 공포(조선어 과목 사실상 폐지, 학교에서 한국어 사용 금지, 일본어로 수업, 1938), 소학교의 명칭을 국민학교로 변경(1941), 수신(도덕) 교과 강화

'황국 신민 학교'라는 뜻이야.

③ **언론 탄압**: 동아일보, 조선일보 등 한글로 된 신문 폐간(1940)

④ **사상 탄압**: ✳조선 사상범 예방 구금령 제정(1941) → 독립운동에 대한 감시·탄압 강화

— 식민지 경제 체제 아래에서 성장한 자본가나 지주, 교육자, 종교인, 언론인, 문인, 예술가 등이 일제의 침략 전쟁에 적극 부응하였어.

4. 친일파의 활동

(1) **친일파의 형성**: 일제의 황국 신민화 정책 강화 → 친일 반민족 행위자 증가

(2) **친일파의 유형**: 일제의 한국 강점 과정에 적극 참여한 자, 일제의 식민 통치 및 침략 전쟁에 적극 협력한 자(독립운동가 검거, 국방헌금 납부, 침략 전쟁 예찬, 학도병 지원 권유 등)

완자 자료 탐구　내 옆의 선생님

자료 **4** **일제의 조선 공업화 정책**

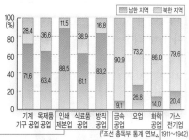

↑ 남북한 지역 공업 생산액 비율(1940)
- 경공업 분야로, 노동력이 중요한 산업이야.
- 자원과 전기 등이 중요한 요소로 사용되는 중화학 공업 분야야.

1930년대 초 만주 점령 이후 일제는 만주를 농업·원료 지대로, 한국을 중화학 공업 지대로 설정하고 조선(식민지) 공업화 정책을 실시하였다. 이에 따라 일본의 독점 자본이 한국에 대거 진출하여 자원이 풍부한 한반도 북부 지방을 중심으로 중화학 공업이 육성되었다. 반면 남부 지방에는 경공업 분야가 편중 발전하였다. 이는 한반도 공업 구조의 지역 불균형을 초래하였다.

자료 **5** **국가 총동원법의 제정**

제1조	국가 총동원이란 전시(전시에 준할 경우도 포함)에 국방 목적을 달성하기 위해 국가의 전력을 가장 유효하게 발휘하도록 인적 및 물적 자원을 운용하는 것이다.
제4조	정부는 전시에 국가 총동원상 필요할 때에는 칙령이 정하는 바에 따라 제국 신민을 징용하여 총동원 업무에 종사하게 할 수 있다.
제8조	정부는 전시에 국가 총동원상 필요할 때에는 칙령이 정하는 바에 따라 물자의 생산, 수리, 배급, 양도, 기타의 처분, 사용, 소비, 소지 및 이동에 관하여 필요한 명령을 내릴 수 있다.

- 이 법령을 근거로 식량 등을 수탈당하면서 당시 농민들은 궁핍에 시달렸어.

－ 조선 총독부, 『조선 법령 집람』 13집, 1938

일제는 중일 전쟁 이후 1938년에 국가 총동원법을 제정하고 이를 한국에도 적용하였다. 이에 따라 일제는 한국을 침략 전쟁에 필요한 인적·물적 자원을 수탈할 수 있는 전시 동원 체제로 재편하였다. 이후 일제는 한국에서 노동력과 병력 등을 동원하였으며, 공출이라는 명목으로 식량과 각종 자원을 수탈하였다.

수능이 보이는 교과서 자료
황국 신민화 정책의 추진

- 일제는 일왕에게 충성을 맹세하는 황국 신민 서사를 암송하도록 강요하였어.

[황국 신민 서사(아동용)]
1. 우리는 대일본 제국의 신민입니다.
2. 우리는 마음을 합하여 천황 폐하에게 충의를 다합니다.
3. 우리는 인고 단련하여 훌륭하고 강한 국민이 되겠습니다.

[일본식 성명 강요의 목적]
반도인이 혈통 중심에서 벗어나 국가 중심의 관념을 배양하고 천황을 중심으로 하는 국체의 본의에 철저하도록 한다.
- 한국인

↑ 황국 신민 서사를 외우고 있는 모습

일제는 침략 전쟁을 확대하면서 '문화 통치' 대신에 민족 말살 통치를 실시하였다. 이를 위해 한국인을 일왕에게 충성하는 백성으로 동화시키고자 황국 신민화 정책을 추진하여, 황국 신민 서사 암송과 일본식 성명 사용을 강요하였다. 이는 한국인의 민족 의식을 말살하여 저항을 잠재우고, 침략 전쟁에 효율적으로 동원하려는 것이었다.

문제 로 확인할까?

일제가 침략 전쟁을 확대하면서 한국에서 실시한 정책으로 옳은 것은?
① 문관 총독을 임명하였다.
② 실력 양성 운동을 전개하였다.
③ 헌병 경찰 제도를 시행하였다.
④ 병참 기지화 정책을 추진하였다.
⑤ 이른바 문화 통치를 실시하였다.

④

자료 하나 더 알고 가자!

일제의 미곡 공출

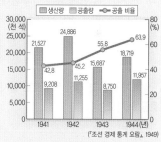

↑ 쌀 생산량과 공출량

일제의 미곡 공출 비율은 1941년 약 43%에서 1944년에 약 64%로 크게 증가하였다. 이에 따라 농민들은 식량 부족 현상에 직면하여 일상적 궁핍에 내몰리게 되었다.

완자샘의 **탐 구 강 의**

• **황국 신민화 정책의 내용을 써 보자.**
황국 신민 서사 암송, 신사 참배, 궁성 요배, 일본식 성명 사용을 강요하였다. 또한 소학교의 명칭을 국민학교로 바꾸었고, 한국어의 사용을 금지하였다.

• **일제가 민족 말살 통치를 실시한 목적을 서술해 보자.**
한국인의 정신을 말살하고 일왕에 대한 숭배 사상을 주입하여 한국인을 침략 전쟁에 효율적으로 동원하기 위해서였다.

함께 보기 227쪽, 1등급 정복하기 4

STEP 1 핵심 개념 확인하기

1 각국의 대공황 극복 노력에 대해 빈칸에 들어갈 내용을 쓰시오.

(1) 영국과 프랑스는 본국과 식민지를 연결하는 (   )를 형성하였다.

(2) 미국의 루스벨트 대통령은 국가가 경제에 적극적으로 개입하는 (   )을 추진하였다.

(3) 이탈리아, 독일, 일본에서는 시장 확보를 위한 대외 침략을 추진하는 과정에서 (   )가 대두하였다.

2 일제의 침략 전쟁 과정을 일어난 순서대로 나열하시오.

> (가) 군국주의 체제를 형성한 후 중일 전쟁을 일으켰다.
> (나) 하와이 진주만에 있는 미국 함대를 기습 공격하였다.
> (다) 대공황에 따른 경제 위기를 극복하고자 만주를 침략하였다.

3 일제가 다음과 같은 목적으로 실시한 정책을 〈보기〉에서 골라 기호를 쓰시오.

> **보기**
> ㄱ. 징병제   ㄴ. 미곡 공출제
> ㄷ. 남면북양 정책

(1) 부족한 군량미 확보 (   )

(2) 침략 전쟁에 필요한 전투 병력 공급 (   )

(3) 대공황으로 어려움을 겪던 일본 방직업자에게 원료 공급 (   )

4 일제는 1938년에 (   )을 제정하고 이를 한국에도 적용하여 본격적으로 전쟁에 필요한 물자와 인력을 수탈하였다.

5 일제가 강요한 황국 신민화 정책의 내용을 옳게 연결하시오.

(1) 일본과 조선이 하나라는 · · ㉠ 내선일체
주장

(2) 일왕이 사는 궁을 향해 · · ㉡ 창씨개명
절하는 것

(3) 우리의 성과 이름을 일본 · · ㉢ 궁성 요배
식으로 바꾸는 것

STEP 2 내신 만점 공략하기

01 (가)에 대한 설명으로 옳은 것은?

> [(가)]은/는 1929년 미국에서 시작되었다. 이로 인해 미국 내 직장인의 상당수가 일자리를 잃게 되었고, 일자리를 잃은 사람들은 직장을 구하기 위해 나이, 학력, 전공 등을 적은 팻말을 목에 걸고 다니기도 하였다. [(가)]은/는 10여 년간 지속되었다.

① 기업과 은행이 호황을 누리게 되었다.

② 제1차 세계 대전이 일어나는 계기가 되었다.

③ 국제 무역량이 크게 증가하는 결과를 낳았다.

④ 과잉 생산으로 인한 재고 증가가 원인이 되었다.

⑤ 뉴욕 증권 거래소의 주가가 크게 상승하면서 시작되었다.

02 (가)에 들어갈 내용으로 가장 적절한 것은?

미국은 대공황을 극복하기 위해 어떤 대책안을 마련하였어?

(가)

① 파운드 블록을 형성하였어.

② 군국주의를 내세우며 전쟁을 일으켰어.

③ 대규모 공공사업을 통해 일자리를 창출하였어.

④ 유대인을 학살하며 개인의 자유를 제한하였어.

⑤ 파시스트당이 집권하여 전체주의를 강화하였어.

03 (가), (나) 주장이 제기된 국가에 대한 설명으로 옳은 것은?

> (가) 민족주의 국가는 인종을 모든 생활의 중심에 두어야 한다. …… 우리 국가 사회주의자는 민족에 상응하는 영토를 이 지상에서 확보하는 것을 고수해야 할 것이다.
>
> (나) 국가를 떠나서는 인간과 영혼의 가치도 존재하지 않는다. 국민이 국가를 만드는 것이 아니라, 국가가 국민을 창조한다. …… 오직 전쟁만이 인간의 힘을 최고조에 이르게 한다.

① (가) - 뉴딜 정책을 추진하였다.
② (가) - 무솔리니가 파시스트당을 조직하였다.
③ (나) - 프랑 블록을 형성하였다.
④ (나) - 히틀러가 이끄는 나치당이 세력을 확대하였다.
⑤ (가), (나) - 전체주의 체제를 구축하였다.

04 (가)에 들어갈 내용으로 옳지 **않은** 것은?

```
           제2차 세계 대전의 전개

3국 방공 협정 체결            독소 불가침 조약 체결

                  (가)

              미국이 일본에 원자
              폭탄 투하
```

① 독일이 폴란드를 침공하였다.
② 일본이 무조건 항복을 선언하였다.
③ 소련이 스탈린그라드 전투에서 독일에 승리하였다.
④ 연합군이 노르망디 상륙 작전으로 파리를 해방하였다.
⑤ 독일이 독소 불가침 조약을 파기하고 소련을 침공하였다.

05 지도에 나타난 전쟁이 일어난 배경으로 가장 적절한 것은?

① 애로호 사건이 발생하였다.
② 3국 동맹과 3국 협상이 대립하였다.
③ 범게르만주의와 범슬라브주의가 충돌하였다.
④ 일본이 한반도를 둘러싸고 러시아와 대립하였다.
⑤ 일본이 대동아 공영권 건설을 내세우며 침략 전쟁을 확대하였다.

06 (가)에 들어갈 내용으로 적절하지 **않은** 것은?

> **수행 평가 보고서**
> • 주제: 일제의 대륙 침략
> • 배경: 대공황의 영향으로 인한 경제 악화
> • 전개
>   - 일본·한국·만주를 연결하는 경제 블록 조성
>   -   (가)

① 만주 사변을 일으키고 만주국 수립
② 한국과 타이완을 병참 기지로 활용
③ 중국 본토를 침략하여 중일 전쟁 발발
④ 한국을 농업·원료 지대로, 만주를 중화학 공업 지대로 설정
⑤ 한반도 남부 지방 농민에게는 면화 재배, 북부 지방 농민에게는 양 사육 강요

07 밑줄 친 '일제의 정책'에 대한 설명으로 옳은 것을 〈보기〉에서 고른 것은?

일본 노구치 재벌은 함경남도 함흥에 흥남 질소 비료 공장을 세워 비료와 화약을 생산하였다. 만주 사변 이후 한국을 대륙 침략의 기지로 삼고자 한 일제의 정책에 따라 흥남과 같은 공업 도시가 만들어졌다.

〈보기〉
ㄱ. 한국을 병참 기지로 만들었다.
ㄴ. 산업 분야 간의 불균형을 심화시켰다.
ㄷ. 지역 간에 공업이 균형적으로 발전하게 되었다.
ㄹ. 한반도 북부 지방에 경공업을 집중 육성하였다.

① ㄱ, ㄴ   ② ㄱ, ㄷ   ③ ㄴ, ㄷ
④ ㄴ, ㄹ   ⑤ ㄷ, ㄹ

[08~09] 다음을 읽고 물음에 답하시오.

국가 총동원이란 전시(전시에 준할 경우도 포함)에 국방 목적을 달성하기 위해 국가의 전력을 가장 유효하게 발휘하도록 인적 및 물적 자원을 운용하는 것이다.

08 ☆중요 일제가 위 법령을 제정한 목적으로 옳은 것은?

① 한국인의 기업 설립을 억제하고자 하였다.
② 일본 내의 식량 부족 문제를 해결하고자 하였다.
③ 3·1 운동 이후 식민지 지배 방식을 바꾸고자 하였다.
④ 중일 전쟁 이후 인력과 물자의 수탈을 강화하고자 하였다.
⑤ 청산리 대첩에서의 패배로 조선에 대한 탄압을 강화하려고 하였다.

09 위 법령의 제정 이후 볼 수 있는 모습으로 적절하지 않은 것은?

① 전쟁터에 강제로 투입되는 학생
② 공출로 인해 쌀을 빼앗기는 농민
③ 헌병 경찰로부터 태형을 받는 시민
④ 일본군 위안부로 강제 동원되는 여성
⑤ 군수 공장에서 강제 노동을 하는 청년

10 가상 편지에 나타난 시기에 일어난 일로 옳은 것은?

○○○에게
잘 지내고 있니? 전쟁이 확대되면서 경성에 살고 있는 우리들의 생활은 더욱 각박해졌어. 나는 학교에 가면 군가에 발을 맞춰 교실에 들어가야 한단다. 또한 쌀에 이어 고무신까지 배급제가 되었어. 쌀은 식구 수에 따라 배급받지만 항상 부족해. 고무신은 애국반을 통하여 나오는데, 인원수만큼 나오지 않아 제비를 뽑아서 받을 순서를 정하고 있지.

① 신간회 해소   ② 6·10 만세 운동
③ 강화도 조약 체결   ④ 조선 형평사 창립
⑤ 국민정신 총동원 운동

11 ☆중요 다음 내용에 해당하는 정책으로 옳지 않은 것은?

일제는 한국인의 정신을 말살하고 일왕에 대한 숭배 사상을 주입하는 민족 말살 통치를 실시하였다.

① 궁성 요배 강요   ② 신사 참배 강요
③ 일본식 성명 사용 강요   ④ 황국 신민 서사 암송 강요
⑤ 민립 대학 설립을 위한 모금 강요

12 다음 방침이 시행된 시기에 일제가 실시한 정책으로 옳은 것은?

• 창씨하지 않은 사람의 자녀에 대해서는 각급 학교의 입학과 진학을 거부한다.
• 창씨를 하지 않은 사람을 징용 대상자로 우선 지명하고, 배급에서 제외한다.

① 경성 제국 대학을 설립하였다.
② 토지 조사 사업을 실시하였다.
③ 화폐 정리 사업을 시작하였다.
④ 동아일보와 조선일보를 폐간하였다.
⑤ 어업령, 삼림령, 조선 광업령을 공포하였다.

13 다음 자료의 암송을 강요한 시기 일제의 교육 정책으로 옳지 <u>않은</u> 것은?

> 1. 우리는 대일본 제국의 신민입니다.
> 2. 우리는 마음을 합하여 천황 폐하에게 충의를 다합니다.
> 3. 우리는 인고 단련하여 훌륭하고 강한 국민이 되겠습니다.

① 교육입국 조서를 반포하였다.
② 수신(도덕) 교과를 강화하였다.
③ 조선어 과목을 사실상 폐지하였다.
④ 소학교의 명칭을 국민학교로 바꾸었다.
⑤ 학교에서 일본어로 수업을 진행하였다.

14 일제가 중일 전쟁 이후 침략 전쟁 확대 과정에서 제정한 법령으로 옳은 것을 〈보기〉에서 고른 것은?

> **보기**
> ㄱ. 회사령　　　　　ㄴ. 국민 징용령
> ㄷ. 치안 유지법　　　ㄹ. 조선 사상범 예방 구금령

① ㄱ, ㄴ　　　② ㄱ, ㄷ　　　③ ㄴ, ㄷ
④ ㄴ, ㄹ　　　⑤ ㄷ, ㄹ

15 다음 주장과 같은 생각을 가진 사람들의 활동과 거리가 <u>먼</u> 것은?

> 그때 또 사이렌이 울었다. …… 이 사이렌을 들으면 모든 가족이 사용인까지 모두 정결한 곳에 정렬해 정성스러운 마음으로 궁성을 요배해야 할 것이다. …… 대체 내선일체란 무엇이냐 하면 내가 재래의 조선적인 것을 버리고 일본적인 것을 배우는 것이다. 한마디로 하면 이것이다. 그래서 조선의 2,300만이 모두 호적을 들추어 보기 전에는 내지인인지 조선인인지 구별할 수 없게 되는 것이 그 최후의 이상이다. ─ 이광수, 「심적 신체제와 조선 문화의 진로」

① 창씨개명에 앞장섰다.
② 국방헌금을 납부하였다.
③ 침략 전쟁을 예찬하였다.
④ 학도병 지원을 권유하였다.
⑤ 저항 문학 작품을 발표하였다.

서술형 문제

● 정답친해 072쪽

01 다음에서 설명하는 체제의 명칭을 쓰고, 그 수립 배경을 서술하시오.

> 개인이 민족이나 국가와 같은 전체의 존립과 발전을 위해 존재한다고 보는 체제이다. 인간의 존엄성과 개인의 자유를 강조하는 민주주의, 자유주의와 대립되는 개념이다.

길잡이 대공황의 위기를 극복하기 위해 산업 기반이 취약하고 식민지가 적었던 국가들이 내세운 체제를 생각해 본다.

02 그래프는 1940년 남북한 지역의 공업 생산액 비율을 나타낸 것이다. 이를 보고 물음에 답하시오.

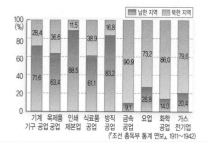

(『조선 총독부 통계 연보』, 1911~1942)

(1) 자료와 같은 상황이 나타난 배경을 서술하시오.

길잡이 남한과 북한 지역에서 각각 발달한 공업 분야에 주목한다.

(2) 자료와 같은 상황의 영향으로 나타난 한국 경제의 문제점을 서술하시오.

길잡이 식민지 공업화 정책이 한국 경제에 어떤 영향을 끼쳤을지 추론해 본다.

03 밑줄 친 '황국 신민화 정책'의 목적과 그 사례를 <u>세 가지</u> 서술하시오.

> 1936년에 조선 총독으로 부임한 미나미 지로는 '일본과 조선은 하나'라고 강조하면서 한국인을 일본인으로 만들려는 <u>황국 신민화 정책</u>을 강화하였다.

길잡이 일제가 1930년대에 한국인을 일본인으로 만들고자 실시한 정책을 떠올려 본다.

STEP 3 1등급 정복하기

1 밑줄 친 '전쟁'에 대한 설명으로 옳은 것을 〈보기〉에서 고른 것은?

▶ 일제의 침략 전쟁 확대

┃한자 사전┃

• 루거우차오 사건
1937년에 중국 베이징 서남쪽에 위치한 다리인 루거우차오에서 중국과 일본 양국 군대가 충돌한 사건

세계사 신문

1941. 12. ○○.

일본, 진주만 공습!

↑ 일본의 진주만 기습 공격 모습

12월 7일 일요일 아침, 일본이 선전 포고도 없이 하와이 진주만에 정박 중이던 미국 함대를 기습 공격하여 전쟁이 일어났다. 현재 일본은 아시아를 장악할 목적으로 침략 전쟁을 확대해 나가고 있다. 이번 전쟁에서 미국이 어떤 반격을 펼칠지 그 귀추가 주목된다.

┌ 보기 ┐

ㄱ. 전쟁의 결과 전체주의가 대두되었다.
ㄴ. 루거우차오 사건을 계기로 전쟁이 마무리되었다.
ㄷ. 미드웨이 해전에서 미국이 전쟁의 승기를 잡았다.
ㄹ. 대한민국 임시 정부가 한국 광복군을 미얀마·인도 전선에 파견하였다.

① ㄱ, ㄴ   ② ㄱ, ㄷ   ③ ㄴ, ㄷ
④ ㄴ, ㄹ   ⑤ ㄷ, ㄹ

2 그래프는 쌀 생산량과 일제의 공출량을 나타낸 것이다. 이를 바탕으로 당시의 상황을 추론한 것으로 가장 적절한 것은?

▶ 전시 동원 체제와 민중의 삶

┃한자 사전┃

• 공출(供出)
국민이 국가의 요구에 따라 농업 생산물이나 기물 따위를 의무적으로 내어 놓는 것

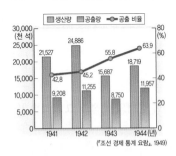

(『조선 경제 통계 요람』, 1949)

① 집집마다 자유롭게 공출에 참여하였을 것이다.
② 한국인의 1인당 쌀 소비량이 계속 증가하였을 것이다.
③ 일제가 생산비보다 높은 공출 대금을 지급하였을 것이다.
④ 소작료가 꾸준히 낮아져 소작농의 형편이 좋아졌을 것이다.
⑤ 식량이 부족해진 농민들이 일상적인 궁핍에 시달렸을 것이다.

3 다음 전시회에서 볼 수 있는 사진으로 적절하지 **않은** 것은?

> **초대장**
> 일제의 국가 총동원 체제를 생생하게 보여 주는 당시의 사진들을 모아 전시회를 개최합니다. 많은 관심 부탁드립니다.
> • 일시: 20○○년 ○월 ○일　　• 장소: ○○ 전시관

①
⬆ 군사 훈련을 받는 여학생들

②
⬆ 가마니 짜기에 동원된 학생들

③
⬆ 제복을 입고 칼을 들고 있는 교사들

④
⬆ 일본군 '위안부'로 끌려갔던 한국인 여성들

⑤
⬆ 놋그릇 강제 공출

국가 총동원 체제

완자 사전
• **국가 총동원**
전쟁이나 사변 따위가 일어났을 때, 국가 존립을 위하여 한 나라의 모든 인적·물적 자원을 가장 효과적으로 통제·운용하는 일을 말한다.

평가원 응용

4 교사의 질문에 대한 학생의 답변으로 가장 적절한 것은?

사진은 황국 신민 서사를 외우고 있는 모습입니다. 이 시기에 볼 수 있는 모습을 말해 볼까요?

① 원산 총파업에 참여하는 노동자요.
② 홍경래의 난에 가담하는 상인이요.
③ 브나로드 운동에 참여하는 학생이요.
④ 국방헌금 납부를 강요당하는 주민이요.
⑤ 민립 대학 설립을 위해 모금에 동참하는 기업인이요.

민족 말살 통치 시기

완자샘의 시험 꿀팁
황국 신민화 정책이나 국가 총동원 체제에서 실시된 정책에 대한 자료를 제시하고 이 시기에 볼 수 있는 모습을 찾는 문제가 시험에 자주 출제된다. 1930~1940년대 일제의 식민지 지배 정책의 내용과 당시의 사회 모습을 잘 파악해 두어야 한다.

06 광복을 위한 노력

학습목표
- 1930년대 만주와 중국 관내에서 전개된 민족 운동을 설명할 수 있다.
- 1940년대 대한민국 임시 정부 등 다양한 정치 세력의 건국 준비 활동을 말할 수 있다.

이것이 핵심!

1930년대 이후 항일 무장 투쟁

1930년대 초(한중 연합 작전)
• 조선 혁명군: 양세봉의 지휘, 중국 의용군과 남만주에서 활동 • 한국 독립군: 지청천의 지휘, 중국 호로군과 북만주에서 활동

↓

1930년대 중반 이후
• 동북 항일 연군: 항일 유격 투쟁 전개 (보천보 전투 등) • 조선 의용대: 조선 민족 전선 연맹의 군사 조직, 중국군 지원 활동 전개

★ 동북 항일 연군
사상에 관계없이 모든 반일 세력을 받아들인다는 원칙을 내세우고 동북 인민 혁명군을 확대·개편하여 조직된 부대

★ 보천보 전투(1937)
동북 항일 연군의 일부가 함경남도 일대를 습격하여 경찰 주재소와 면사무소 등 일제의 통치 기구를 파괴한 사건

★ 만보산 사건(1931)
중국 지린성 만보산 지역에서 한국 농민과 중국 농민이 충돌한 사건이다. 일제는 이를 이용하여 한국 내에서 중국인에 대한 반감을 높였고, 중국인들의 반한(反韓) 감정도 확산되었다.

★ 상하이 사변(1932)
일제가 이봉창의 의거 사건을 다룬 중국 신문의 내용을 빌미로 상하이를 기습 공격하여 점령한 사건

★ 독립운동 세력의 통합
중국 관내의 독립운동 세력은 민족주의 계열의 한국 광복 운동 단체 연합회와 사회주의 계열의 조선 민족 전선 연맹의 두 갈래로 통일되었다.

★ 관동 대지진 때의 한국인 학살
1923년에 관동 대지진이 일어나자 일본 당국은 '한국인들이 우물에 독을 풀고 일본 여인을 유린한다.'라는 유언비어를 퍼뜨려 사회 불안의 원인을 한국인의 탓으로 돌렸다. 이로 인해 많은 재일 한국인이 학살당하였다.

---

① 1930년대 이후 민족 운동과 국외 이주 동포들의 삶

1. 만주에서의 무장 투쟁 자료①

(1) 한중 연합 작전

① 배경: 만주 사변(1931)으로 중국 내 항일 감정 고조 → 독립군이 중국인 부대와 연합

② 활동 단체 — VS 3부 통합 운동으로 수립된 국민부는 조선 혁명군, 혁신 의회는 한국 독립군의 모태가 되었어.

조선 혁명군 (남만주)	조선 혁명당이 편성, 총사령관 양세봉, 중국 의용군과 연합, 영릉가·흥경성 전투에서 일본군 격퇴 → 1930년대 후반까지 항일 투쟁 전개, 일부는 동북 항일 연군에 가담
한국 독립군 (북만주)	한국 독립당이 결성, 총사령관 지청천, 중국 호로군과 연합, 쌍성보·사도하자·대전자령 전투 등에서 일본군 격퇴 → 이후 일제의 공세 강화로 중국 관내로 이동, 일부는 한국 광복군에 참여

(2) 항일 유격 투쟁 — 적지나 전열 밖에서 형편에 따라 적을 기습적으로 공격하는 일

① 배경: 중국 공산당의 항일 무장 투쟁, 만주의 한국인 사회주의 세력의 항일 유격대 조직

② 항일 유격 투쟁의 전개: 중국 공산당이 만주의 항일 유격대를 통합하여 동북 인민 혁명군 조직(1933) → *동북 항일 연군 조직(1936), 조국 광복회 결성(1936), *보천보 전투에서 일본군 격퇴 → 일본군의 대공세로 타격, 소련 연해주로 이동 — 동북 항일 연군의 한인 유격대가 함경도 일대의 사회주의와 민족주의 세력까지 통합하여 조직하였어.

2. 중국 관내의 항일 투쟁

(1) 한인 애국단 자료② — Qﾑ? 연통제와 교통국이 일제에 발각되어 와해되었고, 국민대표 회의의 결렬 등으로 어려움을 겪었어.

결성	대한민국 임시 정부의 활동 위축, *만보산 사건 등으로 중국 내 독립운동이 어려워짐 → 임시 정부의 침체를 극복하고 독립운동에 활력을 불어넣고자 김구가 상하이에서 한인 애국단 조직(1931)
활동	• 이봉창 의거: 도쿄에서 일왕이 탄 마차에 폭탄 투척 • 윤봉길 의거: 상하이 훙커우 공원에서 열린 일왕의 생일 및 *상하이 사변 전승 기념식장에 폭탄 투척

(2) 민족 통일 전선 형성 노력

① 배경: 일제의 만주 점령 → 독립운동가들이 중국 관내로 이동

② *독립운동 세력의 통합 자료③ — 의열단, 조선 혁명당, 한국 독립당 등이 참여하였는데, 여기서 한국 독립당은 지청천 등이 만주에서 결성한 한국 독립당과는 다른 정당이야.

민족 혁명당 (1935)	민족주의 계열과 사회주의 계열이 만든 중국 관내 최대 규모의 통일 전선 정당, 김구 등 대한민국 임시 정부 고수파 불참, 조소앙·지청천 등의 이탈로 약화 → 조선 민족 혁명당으로 계승 → 조선 민족 전선 연맹 결성(1937) — Qﾑ? 중국 국민당이 항일 투쟁에 소극적이었기 때문이야.
조선 의용대 (1938)	김원봉이 조선 민족 전선 연맹의 군사 조직으로 창설, 정보 수집·포로 심문·후방 교란 등 중국군 지원 활동 전개 → 일부가 화북 지방으로 이동하여 조선 의용대 화북 지대 결성, 나머지 세력은 김원봉의 지휘 아래 한국 광복군에 합류(1942)
한국 광복 운동 단체 연합회	김구의 한국 국민당이 조소앙·지청천 등 민족주의 세력과 연합 도모, 대한인 국민회 등과 함께 결성(1937) — 민족 혁명당에서 탈당한 인물이야.

3. 국외로 이주한 동포들의 삶 — Qﾑ? 일제가 만주국 수립 후 황무지 개간을 위해 국내 한국인들을 강제 이주시켰어.

만주	1920년대 간도 참변, 미쓰야 협정 등으로 피해를 입음 → 1930년대 일제에 의해 강제 이주해 옴 → 1940년대 중국 공산당 집권 이후 중국 공민의 자격을 받음 → 옌볜 조선족 자치주 설립(1952)
연해주	소련 정부가 연해주 지역의 한국인들을 중앙아시아로 강제 이주시킴(1937)
일본	제1차 세계 대전 이후 한국인 노동자들이 이주해 옴 → *관동 대지진(1923) 이후 많은 동포들이 학살당함 → 1930년대 이후 일제의 강제 동원으로 끌려옴
미주	대한인 국민회 조직(1910), 재미 한족 연합 위원회 결성(1941) 등을 통해 외교 독립운동에 힘씀

— 이곳의 한인들은 카레이스키 (고려인)라 불렸어.

— 한국인들이 일제에 협력하는 것을 예방한다는 명분을 내세웠어.

자료 ① 1930년대 한중 연합 작전

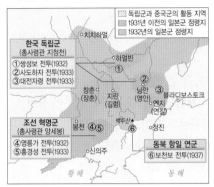

한국 독립군 (총사령관 지청천)
① 쌍성보 전투(1932)
② 사도하자 전투(1933)
③ 대전자령 전투(1933)

조선 혁명군 (총사령관 양세봉)
④ 영릉가 전투(1932)
⑤ 흥경성 전투(1933)

동북 항일 연군
⑥ 보천보 전투(1937)

독립군과 중국군의 활동 지역
1931년 이전의 일본군 점령지
1932년의 일본군 점령지

↑ 만주 지역에서의 무장 독립 투쟁

남만주 일대에서는 양세봉이 이끄는 조선 혁명군이 중국 의용군과 힘을 모아 영릉가 전투, 흥경성 전투에서 일본군을 물리쳤다. 북만주 일대에서는 지청천이 이끄는 한국 독립군이 중국 호로군과 연합하여 쌍성보 전투, 사도하자 전투, 대전자령 전투 등에서 일본군에 승리하였다. 만주의 사회주의 세력도 항일 유격대를 조직하여 중국의 사회주의 세력과 함께 항일 무장 투쟁을 전개하였다.

자료 ② 한인 애국단의 활동

↑ 한인 애국단장 김구(왼쪽)와 윤봉길(오른쪽)

김구는 침체된 대한민국 임시 정부에 활기를 불어넣고자 한인 애국단을 조직하였다. 한인 애국단원인 윤봉길은 1932년 4월에 중국 상하이 훙커우 공원에서 열린 일왕의 생일과 상하이 사변의 승리를 축하하는 기념식장에서 폭탄을 던져 일본군 장군과 여러 고위 관리들을 처단하였다. 이를 계기로 한국의 독립운동에 냉담한 입장을 보이던 중국인들의 태도가 변화하였다. 중국 국민당의 장제스는 "중국의 100만 대군도 해내지 못한 일을 한국 용사가 단행하였다."라고 하며 윤봉길의 의거를 높이 평가하였다.

자료 ③ 조선 의용대의 활동

1941. 7. 조선 의용대 화북 지대로 개편
1942. 5. 반소탕전
1942. 7. 조선 의용군 화북 지대로 개편

조선 의용군, 광복 이후 만주·국내 이동

1944. 9. 옌안으로 이동

1941. 12. 호가장 전투

1941. 3. 조선 의용대 집결 타이항산으로 이동

1940. 11. 항일 북상 결정

1938. 10. 조선 의용대 창설

↑ 조선 의용대와 조선 의용군의 활동

중일 전쟁 이후 민족 혁명당을 계승한 조선 민족 혁명당을 중심으로 조선 민족 전선 연맹이 결성되었다. 조선 민족 전선 연맹은 중국 국민당 정부의 지원을 받아 조선 의용대를 창설하였다. 이후 조선 의용대의 일부가 적극적인 항일 투쟁을 위해 화북 지방으로 이동하여 조선 의용대 화북 지대를 결성하고 호가장 전투 등에서 큰 성과를 거두었다. 화북 지방으로 이동하지 않은 조선 의용대원들은 김원봉의 지휘 아래 1942년 한국 광복군에 합류하였다.

자료 하나 더 알고 가자!

한국 독립군과 중국 항일군의 합의문

> 1. 한중 양군은 최악의 상황이 오는 경우에도 장기간 항전할 것을 맹세한다.
> 2. 중동 철도를 경계선으로 서부 전선은 중국이 맡고, 동부 전선은 한국이 맡는다.
> 3. 전시의 후방 전투 훈련은 한국 장교가 맡고 한국군에 필요한 군수품은 중국군이 공급한다.   — 1931

일제가 만주 사변을 일으켜 중국을 침략하자 한국인과 중국인은 함께 일제에 대항하였다.

자료 하나 더 알고 가자!

한인 애국단원 이봉창

1932년 1월, 도쿄에서 일왕이 탄 마차에 폭탄을 던졌다. 그의 의거는 비록 실패하였지만 일제에 커다란 충격을 주었다.

자료 하나 더 알고 가자!

민족 혁명당의 강령

> 본 당은 혁명적 수단으로써 원수이며 적인 일본의 침탈 세력을 박멸하여 5천 년 독립 자주해 온 국토와 주권을 회복하고 …… 민주 공화국을 건설하여 …… 세계 인류의 평등과 행복을 촉진한다.

민족 혁명당은 독립운동 세력을 통합하여 일제에 대항하기 위해 결성되었다.

문제 로 확인할까?

(   )는 조선 민족 전선 연맹의 군사 조직으로 창설되었다.

조선 의용대

06 광복을 위한 노력

이것이 핵심!

국내외의 건국 준비 활동

대한민국 임시 정부	한국 광복군 창설(대일 선전 포고, 국내 진공 작전 계획), 삼균주의에 기초한 건국 강령 발표
조선 독립 동맹	건국 강령 발표, 조선 의용군의 활동(팔로군과 대일 항전 전개)
조선 건국 동맹	국내에서 조직, 군사 위원회 설치, 국외 세력과의 연계 모색

★ **광복 직전 항일 단체 분포**

★ **삼균주의**
정치, 경제, 교육에서의 균등을 바탕으로 개인과 개인, 민족과 민족, 국가와 국가 간의 균등을 이루는 것을 의미한다.

★ **한국 광복군 행동 준승 9개 항**
중국 군사 위원회가 한국 광복군의 활동을 규제하기 위해 요구한 조치

★ **팔로군**
일본군과 싸운 중국 공산당의 주력 부대 가운데 하나

★ **카이로 선언**
상호 협력과 제2차 세계 대전의 전후 처리에 대해 논의한 카이로 회담에서 미국, 영국, 중국 등 연합국의 대표가 '한국 인민의 노예 상태에 유의하여 적당한 시기에 한국을 독립시킬 것' 등을 내용으로 발표한 선언이다. '적당한 시기'라는 애매한 표현 때문에 한국은 광복 이후 즉각적인 독립 정부 구성을 인정받지 못하였다.

② 건국 준비 활동

1. 대한민국 임시 정부 (자료④)

(1) 대한민국 임시 정부의 재정비

Q4? 윤봉길의 상하이 의거(1932) 이후 일제의 탄압으로 임시 정부는 더 이상 상하이에서 활동하기 어렵게 되었어.

① 체제의 재정비: 1932년 항저우로 이동 → 중국 국민당 정부를 따라 충칭 정착(1940. 9.), 김구를 주석으로 하는 단일 지도 체제 마련

② 민족 운동 세력의 결집: 한국 국민당, 한국 독립당, 조선 혁명당이 합당하여 한국 독립당 결성(1940) → 조선 민족 혁명당과 기타 사회주의 계열도 대한민국 임시 정부에 참여

③ 대한민국 건국 강령 발표(1941. 11.): 조소앙의 ★삼균주의에 기초, 민주 공화정 수립·보통 선거의 실시·토지와 대기업의 국유화·무상 교육 실시 등 제시 (교과서 자료)

Q4? 삼균주의가 사회주의 사상의 영향을 받았기 때문이야.

(2) 한국 광복군의 활동 (자료⑤)

창설	1940년에 충칭에서 대한민국 임시 정부의 정규군으로 창설(사령관 지청천) → 김원봉이 이끄는 조선 의용대의 일부가 합류(1942)하여 전력 강화
활동	• 중국 국민당의 재정 지원, 중국이 「★한국 광복군 행동 준승 9개 항」 제시 → 중국과의 협상을 통해 대한민국 임시 정부가 한국 광복군의 독자적인 작전권 확보(1944) • 태평양 전쟁 발발 후 대한민국 임시 정부가 대일 선전 성명서 발표(1941) → 연합군과 합동 작전 전개, 미얀마·인도 전선에 공작대 파견(포로 심문, 문서 번역, 선전 활동 등 담당) • 국내 진공 작전 계획: 중국에 주둔 중인 미국 전략 정보국(OSS)과 협력하여 한국 광복군이 국내 투입 유격 요원으로 훈련 참여 → 일제의 항복으로 작전 계획을 실현하지 못함

꿀! 훈련을 마친 요원을 중심으로 국내 정진군을 조직하여 1945년 8월 20일에 국내 진공 작전을 펴기로 계획하였어.

2. 여러 단체들의 활동

(1) ★조선 독립 동맹

결성	중국 화북 지방에서 한국인 사회주의자를 중심으로 결성(1942)
강령 발표	일본 제국주의 타도, 보통 선거에 의한 민주 공화국 수립, 남녀평등권의 확립, 토지 분배, 의무 교육 실시 등 제시 (교과서 자료)
군사 조직	조선 의용군(조선 의용대 화북 지대 흡수, 중국 공산당의 ★팔로군과 함께 대일 항전 전개)

VS 조선 의용대는 중국 국민당과 연합하였고, 조선 의용군은 중국 공산당과 연합하였어.

(2) ★조선 건국 동맹 — 광복 후 조선 건국 준비 위원회로 개편되었어.

결성	여운형을 중심으로 국내의 민족주의자와 사회주의자가 비밀리에 결성(1944)
강령 발표	일본 제국주의 타도를 위한 대동단결, 민주주의 원칙에 의한 국가 건설 등 제시
활동	전국 10개 도에 지방 조직 설치, 농민 동맹 조직(일제의 징용, 징병, 식량 공출, 군수 물자 수송 등 방해), 군사 위원회 설치(일본군의 후방 교란과 무장 봉기), 국외 독립운동 세력(조선 독립 동맹, 대한민국 임시 정부)과의 연계 모색

(3) 재미 한족 연합 위원회

결성	미주 지역의 한인 동포들이 결성(1941)
활동	한인 국방 경비대 조직, 미 국무부에 대한민국 임시 정부를 승인해 줄 것 요청(→ 받아들여지지 않음)

— 대한민국 임시 정부가 한국 광복군의 일원으로 인정하였어.

3. 국제 사회의 한국 문제 논의

카이로 회담(1943. 11.)	미국·영국·중국 참여, 최초로 한국의 독립 문제 논의, ★카이로 선언 발표
얄타 회담(1945. 2.)	미국·영국·소련 참여, 소련의 태평양 전쟁 참전 결정, 패전국과 해방국에서 민주 세력에 의한 임시 정부의 구성 및 자유선거 실시를 통한 정부 수립 원칙 마련
포츠담 회담(1945. 7.)	미국·영국·중국·소련 참여, 포츠담 선언 발표(일본의 무조건 항복 요구, 한국의 독립 재확인)

— 소련은 후에 대일 선전 포고를 하고 포츠담 선언에 서명하면서 회담에 참여하였어.

자료 ④ 대한민국 임시 정부의 이동과 충칭 정착

⬆ 대한민국 임시 정부의 이동 경로

대한민국 임시 정부는 1932년에 상하이를 떠나 창사, 광저우 등 중국 각지를 거치게 되었다. 1940년 9월에 중국 국민당을 따라 충칭에 자리 잡은 대한민국 임시 정부는 한국 광복군을 창설하였으며, 이전의 집단 지도 체제에서 강력한 지도력을 행사할 수 있는 주석 중심의 단일 지도 체제를 마련하고 김구를 주석으로 선출하였다. 이 시기에는 대한민국 임시 정부의 위상과 역할이 커졌다.

자료 하나 더 알고 가자!

대한민국 임시 정부의 형태 변화

1919~1925년	대통령제
1925~1927년	국무령 중심의 내각 책임제
1927~1940년	국무 위원 중심의 집단 지도 체제
1940~1944년	주석제
1944~1948년	주석제, 부주석제

수능이 보이는 교과서 자료 건국을 위한 준비

[대한민국 임시 정부가 발표한 대한민국 건국 강령(1941)]

2. 삼균 제도를 골자로 한 헌법을 실시하여 정치·경제·교육의 민주적 시설로 실제상 균형을 도모하며, 전국의 토지와 대생산 기관의 국유가 완성되고 전국의 학령 아동 전체에 대한 고급의 무상 교육이 완성되고 보통 선거 제도가 구속 없이 완전히 실시되어 …….

4. 보통 선거에는 만 18세 이상 남녀로 선거권을 행사하되 신앙, 교육, 거주 연수, 사회 출신, 재정 상황 등을 분별치 아니한다.

[조선 독립 동맹이 발표한 강령(1942)]

1. 본 동맹은 조선에 대한 일본 제국주의의 지배를 전복하고 독립 자유의 조선 민주 공화국을 수립할 목적으로 다음 임무를 실현하기 위하여 싸운다.
  (1) 전 국민의 보통 선거에 의한 민주 정권을 수립한다.
  (4) 법률적·사회생활적 남녀평등을 실현한다.
  (9) 국민 의무 교육 제도를 실시하고 이에 필요한 경비는 국가가 부담한다.

일제가 패망하기 직전 대한민국 임시 정부, 조선 독립 동맹 등은 건국 강령을 발표하여 독립 이후에 세우고자 하는 국가의 모습을 제시하였다.

완자샘의 탐구 강의

• 대한민국 건국 강령의 토대가 되었던 정치사상에 대해 서술해 보자.
대한민국 임시 정부의 건국 강령은 한국 독립당의 이념이었던 조소앙의 삼균주의에 기초하였다. 조소앙은 정치, 경제, 교육에서의 균등을 바탕으로 개인과 개인, 민족과 민족, 국가와 국가 간의 균등을 이루어 민주 국가를 건설하고자 하였다.

• 두 단체가 건국 강령에서 공통적으로 제시한 내용을 써 보자.
민주주의에 입각한 정치 형태를 갖추고 정치, 경제, 교육 등에 있어서 평등한 국가를 추구하였다.

함께 보기 237쪽, 1등급 정복하기 4

자료 ⑤ 한국 광복군의 활동

[대한민국 임시 정부의 대일 선전 성명서(1941)]

1. 한국 전 인민은 현재 이미 반침략 전선에 참가하였으니 추축국에 선전한다. ┐이탈리아, 독일, 일본을 가리켜.

3. 한국·중국 및 서태평양으로부터 왜구를 완전히 몰아내기 위하여 최후의 승리를 거둘 때까지 혈전한다.

┌ 모든 준비를 마치고 작전을 실행에 옮기기 직전, 일제의 항복으로 작전 계획을 실현하지 못하였어.

[한국 광복군과 미군의 OSS 특수 훈련]

드디어 3개월간의 제1기생 50명의 미국 전략 정보국(OSS) 특수 공작 훈련이 끝났다. 나는 무전 기술 등의 시험에서 괜찮은 성적을 받았고 국내로 침투하여 모든 공작을 수행할 수 있는 자신감을 얻었다.

1941년에 태평양 전쟁이 발발하자 대한민국 임시 정부는 일제에 대일 선전 포고를 하였고, 한국 광복군이 연합군과 합동 작전을 전개하도록 하였다. 또한 미국 전략 정보국(OSS)과 협력하여 한국 광복군을 국내 투입 유격 요원으로 훈련에 참여시켰다.

정리 비법을 알려줄게!

대한민국 임시 정부의 활동

상하이 시기
연통제·교통국 조직, 독립신문 발간, 외교 활동 전개, 국민대표 회의 개최(→ 창조파와 개조파의 대립으로 결렬)

⬇ 이동 시작(1932)

충칭 정착(1940)
한국 광복군 창설, 건국 강령 발표, 태평양 전쟁 발발 후 대일 선전 포고, 국내 진공 작전 계획

1 다음 ㉠, ㉡에 들어갈 군사 조직을 쓰시오.

> 1930년대 초 (㉠   )은 남만주 일대에서 중국 의용군과 연합하였고, (㉡   )은 북만주 일대에서 중국 호로군과 연합하여 항일전을 전개하였다.

2 다음 괄호 안의 내용 중 알맞은 말에 ○표를 하시오.

(1) (일본, 연해주) 동포들은 1923년 관동 대지진 이후에 다수가 학살당하는 참변을 겪었다.

(2) 조선 민족 혁명당을 중심으로 1937년에 (동북 인민 혁명군, 조선 민족 전선 연맹)이 결성되었다.

(3) 1930년대 초 (만주 사변, 만보산 사건)으로 중국인의 반일 감정이 높아진 가운데 한중 연합 작전이 전개되었다.

(4) 동북 항일 연군의 한인 유격대가 함경도의 세력을 통합하여 (조국 광복회, 한국 광복 운동 단체 연합회)를 만들었다.

3 다음에서 설명하는 인물을 〈보기〉에서 골라 기호를 쓰시오.

> **보기**
> ㄱ. 김구   ㄴ. 이봉창   ㄷ. 지청천

(1) 일본 도쿄에서 일왕이 탄 마차에 수류탄 투척   (   )

(2) 독립운동의 활로를 모색하고자 한인 애국단 조직 (   )

(3) 1930년대 한국 독립군의 총사령관과 1940년대 한국 광복군의 사령관 담당   (   )

4 각 단체가 전개한 활동을 옳게 연결하시오.

(1) 조선 건국 동맹   •   • ㉠ 군사 위원회 설치

(2) 조선 독립 동맹   •   • ㉡ 조선 의용군 조직

(3) 대한민국 임시 정부 •   • ㉢ 한국 광복군 조직

5 밑줄 친 '이 회담'의 명칭을 쓰시오.

> 1943년 11월에 미국, 영국, 중국의 대표들이 모인 이 회담에서 한국의 독립 문제가 최초로 논의되었다.

01 중국군과 다음과 같은 합의문을 작성한 단체에 대한 설명으로 옳은 것을 〈보기〉에서 고른 것은?

> 1. 한중 양군은 최악의 상황이 오는 경우에도 장기간 항전할 것을 맹세한다.
> 2. 중동 철도를 경계선으로 서부 전선은 중국이 맡고, 동부 전선은 한국이 맡는다.
> 3. 전시의 후방 전투 훈련은 한국 장교가 맡고 한국군에 필요한 군수품은 중국군이 공급한다.

> **보기**
> ㄱ. 지청천이 총사령관으로 지휘하였다.
> ㄴ. 이봉창과 윤봉길이 의거를 일으켰다.
> ㄷ. 쌍성보 전투에서 일본군에 승리하였다.
> ㄹ. 미산(밀산)에서 조직되어 서일을 총재로 삼았다.

① ㄱ, ㄴ   ② ㄱ, ㄷ   ③ ㄴ, ㄷ
④ ㄴ, ㄹ   ⑤ ㄷ, ㄹ

02 (가) 군사 조직에 대한 설명으로 옳은 것은?

> **역사 인물 카드**
>
> • 이름: ○○○
> • 출신지: 평안북도 철산
> • 생몰 연대: 1896~1934년
> • 주요 활동
>   – 1929년 국민부가 소속 독립군으로 (가) 을/를 편성하자 제1중대장이 됨
>   – 1931년 (가) 의 총사령관이 됨
>
> ❶ ○○○의 흉상

① 황룡촌 전투에 참전하였다.
② 국내 진공 작전을 계획하였다.
③ 미얀마·인도 전선에 투입되었다.
④ 청산리에서 일본군에 대승을 거두었다.
⑤ 중국 의용군과 연합하여 항일전을 전개하였다.

03 (가)에 들어갈 단체로 옳은 것은?

1937년에 국내로 들어와 함경남도 보천보 등지에서 경찰 주재소, 면사무소와 같은 일제의 통치 기구를 파괴하였던 단체는?

(가)

① 의열단
② 대한 광복회
③ 독립 의군부
④ 한국 광복군
⑤ 동북 항일 연군

04 (가)에 들어갈 내용으로 가장 적절한 것은?

수행 평가 보고서

- **주제:** ○○○의 의거
- **의거 내용:** (가)
- **중국의 반응:** 장제스는 "중국의 100만 대군도 해내지 못한 일을 한국의 한 청년이 해냈다."라고 하며 높이 평가함
- **영향:** 한국의 독립운동에 대한 중국인들의 태도 변화, 중국 국민당 정부가 한국의 독립운동을 적극 지원함

① 하얼빈에서 이토 히로부미를 처단함
② 샌프란시스코에서 외교 고문 스티븐스를 사살함
③ 중국 의용군과 연합하여 영릉가 전투를 승리로 이끎
④ 홍커우 공원에서 폭탄으로 일본군 장군 등을 살상함
⑤ 동양 척식 주식회사와 조선 식산 은행에 폭탄을 투척함

05 밑줄 친 '당'에 대한 설명으로 옳은 것은?

본 당은 혁명적 수단으로써 원수이며 적인 일본의 침탈 세력을 박멸하여 5천 년 독립 자주해 온 국토와 주권을 회복하고 정치, 경제, 교육의 평등에 기초를 둔 진정한 민주 공화국을 건설하여 국민 전체의 생활 평등을 확보하고 나아가 세계 인류의 평등과 행복을 촉진한다.

① 정우회 선언을 계기로 결성되었다.
② 조선 혁명군을 군사 조직으로 두었다.
③ 동북 항일 연군을 기반으로 성립되었다.
④ 미군과 협력하여 국내 진공 작전을 계획하였다.
⑤ 민족주의 계열과 사회주의 계열이 만든 중국 관내 최대의 통일 전선 정당이었다.

06 지도는 (가) 독립군의 활동을 나타낸 것이다. (가) 독립군에 대한 설명으로 옳지 <u>않은</u> 것은?

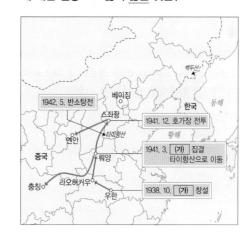

① 김원봉이 이끌었다.
② 일부가 한국 광복군에 합류하였다.
③ 조선 건국 동맹의 군사 조직이었다.
④ 적극적인 항일 투쟁을 위해 일부가 화북 지방으로 이동하였다.
⑤ 대일 전선에 배치되어 정보 수집, 포로 심문 등 중국군을 지원하는 활동을 하였다.

07 밑줄 친 '이 지역'을 지도에서 옳게 고른 것은?

이 지역에 살고 있는 한인들은 카레이스키(고려인)라 불렸다. 1937년에 소련 당국은 한국인들이 일제에 협력하는 것을 예방한다는 명분을 내세워 이 지역의 한국인들을 중앙아시아로 강제 이주시켰다. 이에 따라 한인 10만 명 이상이 우즈베키스탄 등지로 강제 이주당하였다.

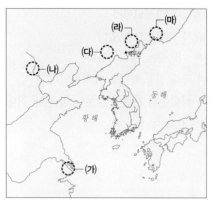

① (가)   ② (나)   ③ (다)   ④ (라)   ⑤ (마)

09 다음 자료와 관련된 독립군에 대한 설명으로 옳은 것은?

우리는 삼천만 한국 인민과 정부를 대표하여 삼가 중국, 영국, 미국 및 기타 모든 나라의 대일 선전이 일본을 물리치고 동아시아를 재건하는 가장 유효한 수단이 됨을 축하하여 이에 특히 다음과 같이 성명한다.
1. 한국 전 인민은 현재 이미 반침략 전선에 참가하였으니, 한 개의 전투 단위로서 추축국에 선전한다.
3. 한국, 중국과 서태평양에서 왜구를 완전히 몰아내기 위하여 최후의 승리를 거둘 때까지 혈전한다.

① 호가장 전투, 반소탕전에 참가하였다.
② 영릉가 전투, 흥경성 전투를 승리로 이끌었다.
③ 조선 의용대의 일부가 합류하여 전력이 강화되었다.
④ 팔로군과 함께 화북 지역에서 항일전을 수행하였다.
⑤ 13도 연합 부대를 편성하고 서울 진공 작전을 전개하였다.

08 다음은 대한민국 임시 정부의 이동 경로이다. (가) 지역에서 임시 정부가 전개한 활동으로 옳지 않은 것은?

① 한국 광복군을 창설하였다.
② 삼균주의에 기초하여 건국 강령을 공포하였다.
③ 김구를 주석으로 하는 단일 지도 체제를 마련하였다.
④ 태평양 전쟁이 발발하자 대일 선전 포고문을 발표하였다.
⑤ 연통제와 교통국을 통해 국내외 독립운동 세력과 연락하였다.

10 다음을 공포한 단체에 대한 탐구 활동으로 가장 적절한 것은?

제3장 건국
2. 삼균 제도를 골자로 한 헌법을 실시하여 정치·경제·교육의 민주적 시설로 실제상 균형을 도모하며, 전국의 토지와 대생산 기관의 국유가 완성되고 전국의 학령 아동 전체에 대한 고급의 무상 교육이 완성되고 보통 선거 제도가 구속 없이 완전히 실시되어 ······.
4. 보통 선거에는 만 18세 이상 남녀로 선거권을 행사하되 신앙, 교육, 거주 연수, 사회 출신, 재정 상황 등을 분별치 아니한다.

① 우금치 전투의 결과를 살펴본다.
② 강우규가 거행한 의거를 조사한다.
③ 조선 혁명 선언의 내용을 분석한다.
④ 한국 광복군이 전개한 활동을 알아본다.
⑤ 1930년대 한중 연합 작전의 사례를 찾아본다.

11 (가), (나)의 건국 강령을 발표한 정치 단체에 대한 설명으로 옳은 것을 〈보기〉에서 고른 것은?

> (가) 본 동맹은 조선에 대한 일본 제국주의의 지배를 전복하고 독립 자유의 조선 민주 공화국을 수립할 목적으로 다음 임무를 실현하기 위해 싸운다.
> (1) 전 국민의 보통 선거에 의한 민주 정권을 수립한다.
> – 1942
>
> (나) 1. 각인 각파를 대동단결하여 거국일치로 일본 제국주의의 모든 세력을 몰아내고 조선 민족의 자유와 독립을 회복할 것
> 3. 건설 부면에서 일체 시정을 민주주의적 원칙에 의거하고, 특히 노농 대중의 해방에 치중할 것 – 1944

보기

> ㄱ. (가) – 국내에서 비밀리에 결성되었다.
> ㄴ. (가) – 한인 국방 경비대를 군사 조직으로 두었다.
> ㄷ. (나) – 대한민국 임시 정부와의 연대를 모색하였다.
> ㄹ. (나) – 농민 동맹을 조직하여 일제의 식량 공출 등을 방해하는 활동을 하였다.

① ㄱ, ㄴ   ② ㄱ, ㄷ   ③ ㄴ, ㄷ
④ ㄴ, ㄹ   ⑤ ㄷ, ㄹ

12 (가) 회담에 대한 설명으로 옳은 것은?

↑ (가) 에 참석한 3국 대표들

전쟁에서 이탈리아가 항복하고 독일의 패전이 임박하면서 연합군이 승기를 잡자 1945년 2월에 미국, 영국, 소련의 3국 대표들이 (가) 을/를 가졌다.

① 독일 포츠담에서 개최되었다.
② 한국의 독립이 최초로 논의되었다.
③ 윌슨의 평화 원칙 14개조가 채택되었다.
④ 제1차 세계 대전의 전후 처리에 대해 논의하였다.
⑤ 소련의 태평양 전쟁 참전을 비밀리에 결정하였다.

---

01 지도는 1940년대 국내외 주요 독립운동 단체를 나타낸 것이다. 이를 보고 물음에 답하시오.

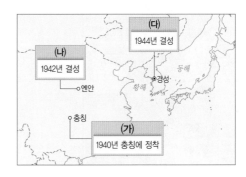

(1) (가)~(다)에 들어갈 독립운동 단체의 명칭을 쓰시오.

(2) (가)의 건국 강령에 영향을 준 정치사상의 명칭과 그 의미를 서술하시오.

길잡이 광복 직전 충칭에서 활동하였던 단체의 건국 강령 내용을 떠올려 본다.

02 다음을 읽고 물음에 답하시오.

> 드디어 3개월간의 …… 특수 공작 훈련이 끝났다. 나는 무전 기술 등의 시험에서 괜찮은 성적을 받았고 국내로 침투하여 모든 공작을 훌륭하게 수행할 수 있는 자신감을 얻었다. …… 나는 백범 선생, 부대의 총사령관인 지청천 장군이 계속 의논하는 것을 옆에서 들었기 때문에 더욱 일의 중대성을 절감하였다. 독립 투쟁 수십 년에 조국을 탈환하는 결정적 시기가 온 것이다.

(1) 밑줄 친 '부대'의 명칭을 쓰시오.

(2) (1)이 전개한 활동을 세 가지 서술하시오.

길잡이 지청천을 총사령관으로 하여 국내 침투를 계획한 부대의 활동을 서술한다.

1 지도는 1930년대의 무장 독립 투쟁을 나타낸 것이다. (가)~(다) 군사 조직에 대한 설명으로 옳은 것은?

> 만주에서의 무장 독립 투쟁

①독립군과 중국군의 활동 지역
②1931년 이전의 일본군 점령지
③1932년의 일본군 점령지

(가)
①쌍성보 전투(1932)
②사도하자 전투(1933)
③대전자령 전투(1933)

(나)
④영릉가 전투(1932)
⑤흥경성 전투(1933)

(다)
⑥보천보 전투(1937)

① (가) – 양세봉의 지휘 하에 일본군에 항전하였다.
② (가) – 일부가 중국 관내로 이동하여 한국 광복군에 참여하였다.
③ (나) – 조국 광복회를 결성하였다.
④ (나) – 중국의 호로군과 연합하여 항일전을 수행하였다.
⑤ (다) – 미군과 협력하여 국내 진공 작전을 계획하였다.

완자 사전

• 중국 관내
'관'은 관문을 의미하고 '관내'는 관문 안쪽이라는 뜻이다. 중국 관내는 중국인들이 오래전부터 자민족의 영토로 여겼던 만리장성 동쪽 끝 산하이관 이남 지역으로, 중국 본토 지방에 해당한다. 한편, 중국 관외는 중국의 동북 지방인 만주 지역을 뜻한다.

2 (가) 단체에 대한 설명으로 옳은 것은?

> 나는 적성(참된 정성)으로써 조국의 독립과 자유를 회복하기 위하여, [(가)]의 일원이 되어 중국을 침략하는 적의 장교를 도륙하기로 맹세하나이다.

① 상하이 훙커우 공원 의거를 일으켰다.
② 오산 학교와 대성 학교를 설립하였다.
③ 고종 강제 퇴위 반대 운동을 전개하였다.
④ 박상진 등이 결성하여 군대식 조직을 갖추었다.
⑤ 중국 국민당 정부의 지원으로 조선 의용대를 창설하였다.

> 중국 관내에서의 독립운동

완자샘의 시험 꿀팁

의열단, 한인 애국단 등의 단원들이 전개한 의열 투쟁을 묻는 문제가 시험에 자주 출제된다. 각 단체에 소속된 인물과 그들의 활동 내용을 잘 기억해 두어야 한다.

완자 사전

• 중국 국민당 정부
중국에서 신해혁명(1911) 이후 베이징의 군벌 정권에 대항하기 위해 쑨원을 중심으로 수립된 국민당계의 지방 정권을 말한다.

3 밑줄 친 '우리 군대'에 대한 설명으로 옳은 것을 〈보기〉에서 고른 것은?

> 우리들의 염원인 우리 조국 삼천리 강토에의 진주(進駐)를 실현코자 국내 진공 작전을 계획하였으니, 당시 주중 미군 현지 사령관의 원조를 받아 우리 군대의 일부 대원을 선발하여 특수 비밀 훈련이 시작되었던 것이다. …… 우리와 미국 사이에 군사 협의를 통해 미국은 제1차로 특수 훈련을 받고 있는 우리 대원들을 산동에서 미국 잠수함으로 국내에 잠입시켜 중요 지점을 파괴 또는 점령케 하는 동시에, 때를 잃지 않고 비행기와 선박으로 진주군을 상륙시켜 점령할 계획이었다.

> **보기**
> ㄱ. 황토현 전투에서 승리하였다.
> ㄴ. 대한민국 임시 정부가 창설하였다.
> ㄷ. 조선 독립 동맹의 군사 기반이었다.
> ㄹ. 미얀마와 인도 전선에서 영국군과 연합 작전을 펼쳤다.

① ㄱ, ㄴ   ② ㄱ, ㄷ   ③ ㄴ, ㄷ
④ ㄴ, ㄹ   ⑤ ㄷ, ㄹ

> ▶ 일제 강점기 항일 군사 조직
>
> **완자샘의 시험 꿀팁**
> 대한민국 임시 정부가 충칭에 정착한 이후의 활동은 시험에 자주 출제되는 주제이다. 이 시기 대한민국 임시 정부의 체제 정비, 건국 강령 발표, 정규군 창설 등의 내용을 잘 정리해 두어야 한다.

4 (가), (나) 건국 강령에 대한 설명으로 옳지 <u>않은</u> 것은?

> (가) 제3장 건국
>   2. 삼균 제도를 골자로 한 헌법을 실시하여 정치·경제·교육의 민주적 시설로 실제상 균형을 도모하며, 전국의 토지와 대생산 기관의 국유가 완성되고 전국의 학령 아동 전체에 대한 고급의 무상 교육이 완성되고 보통 선거 제도가 구속 없이 완전히 실시되어 …….
> (나) 1. 본 동맹은 조선에 대한 일본 제국주의의 지배를 전복하고 독립 자유의 조선 민주 공화국을 수립할 목적으로 다음 임무를 실현하기 위하여 싸운다.
>   (1) 전 국민의 보통 선거에 의한 민주 정권을 수립한다.
>   (6) 조선에 있는 일본 제국주의자의 일체 자산 및 토지를 몰수하고, 일본 제국주의와 밀접한 관계에 있는 대기업을 국영으로 귀속하며, 토지 분배를 실행한다.

① (가) – 조소앙의 삼균주의에 기초하여 제시되었다.
② (나) – 한국인 사회주의자들을 중심으로 결성된 단체에서 발표하였다.
③ (가), (나) – 일제의 패망 직후에 발표되었다.
④ (가), (나) – 국외 독립운동 단체들이 제시하였다.
⑤ (가), (나) – 민주주의에 입각한 정치 형태를 추구하였다.

> ▶ 국외 건국 준비 활동
>
> **완자 사전**
> • 조소앙(1887~1958)
> 독립운동가로서 일본에서 유학하였고, 서유럽뿐만 아니라 사회주의 혁명 이후의 러시아에서도 생활하는 등 다양한 나라에서 경험을 쌓았다. 삼균주의는 그가 체계화한 민족 운동의 기본 방향이자 신국가 건설의 지침이다.

1910
- (❶   ) 설치: 조선 총독이 행정권·입법권·사법권 장악 및 군대 통솔

1912
- 토지 조사령 공포: 소작농의 경작권 불인정

1919
- (❷   ): 전 민족적인 항일 운동
- 대한민국 임시 정부 수립: 임시 의정원(입법), 국무원(행정), 법원(사법) 구성

1920
- 청산리 대첩: 북로 군정서, 대한 독립군 등이 일본군 격파

1923
- (❸   ) 개최: 창조파와 개조파가 대립

1926
- 6·10 만세 운동: 순종의 장례일에 만세 시위 전개

1927
- 신간회 창립: 일제 강점기 최대 규모의 정치·사회단체

1929
- 원산 총파업 발생: 일제 강점기 최대 규모의 노동 쟁의
- (❹   ): 3·1 운동 이후 최대 규모의 항일 민족 운동

1932
- (❺   ) 의거: 상하이에서 일본군 장군과 다수의 고관 처단

1935
- 민족 혁명당 결성: 중국 관내 최대 규모의 통일 전선 정당

1938
- (❻   ) 제정: 일제가 인력과 물자를 전쟁에 총동원하기 위해 제정

1939
- 제2차 세계 대전 발발: 독일의 폴란드 침공으로 전쟁 발발

1940
- (❼   ) 창설: 대한민국 임시 정부의 정규군

1942
- 조선어 학회 사건: 일제가 조선어 학회의 회원 대거 검거

01 일제의 식민지 지배 정책

1. 제1차 세계 대전과 전후 세계정세

제1차 세계 대전	사라예보 사건을 계기로 전쟁 발발 → 협상국 측 승리
전후 세계정세	파리 강화 회의 개최 후 베르사유 체제 형성

2. 1910~1920년대 일제의 식민지 지배 정책

구분	1910년대	1920년대
정치	조선 총독부 설치, 무단 통치 실시(헌병 경찰 제도)	(❽) 표방(민족 분열 통치 실시)
경제	토지 조사 사업, 회사령 공포	산미 증식 계획, 회사령 폐지

02 3·1 운동과 대한민국 임시 정부

1. 1910년대 국내외의 민족 운동

국내	독립 의군부(임병찬 등, 복벽주의 추구), (❾)(박상진 등, 공화정 수립 목표) 등 비밀 결사의 활동
국외	서간도(신흥 강습소 건립), 북간도(한인 집단촌 형성), 연해주(대한 광복군 정부 조직), 미주(대한인 국민회 결성)

2. 3·1 운동

배경	윌슨의 민족 자결주의 제창, 2·8 독립 선언 등
전개	독립 선언서 낭독 → 만세 시위 전개 → 전국 및 해외로 확산
의의	우리 역사상 최대 규모의 민족 운동, (❿) 수립에 영향

3. 대한민국 임시 정부

활동	연통제·교통국 조직, 독립 공채 발행, 외교 활동 전개 등
변화	국민대표 회의 결렬(창조파와 개조파 대립) → 임시 정부 약화

03 다양한 민족 운동의 전개

1. 무장 독립 투쟁과 의열 투쟁의 전개

무장 독립 투쟁	봉오동 전투, 청산리 대첩 → 간도 참변 → 자유시 참변 → 3부 성립 → 3부 통합(국민부, 혁신 의회)
의열 투쟁	김원봉이 (⓫) 결성, 식민 통치 기관에 폭탄 투척

2. 실력 양성 운동

경제	물산 장려 운동(토산품 애용 강조)
교육	민립 대학 설립 운동, 문맹 퇴치 운동(조선일보, 동아일보 주도)

3. 민족 유일당 운동의 추진

민족 협동 전선	조선 민흥회 결성, 정우회 선언 발표
(⑫)	비타협적 민족주의 세력과 사회주의 세력이 연대하여 결성 → 광주 학생 항일 운동 때 조사단 파견 등

04 사회·문화의 변화와 사회 운동

1. 도시와 농촌의 변화

식민지 근대화	근대 문물 확산, 도시화 → 일제의 식민 통치 정당화
산업 구조 변화	1930년대 식민지 공업화 정책 → 중화학 공업 발달
농촌의 개편	농민 몰락 → 일제가 농촌 진흥 운동 등 추진

2. 다양한 사회 운동

농민·노동 운동	• 1920년대: 농민·노동 단체 결성, 생존권 투쟁 중심 (암태도 소작 쟁의, 원산 총파업 등 발생) • 1930년대: 혁명적·비합법적 조합 중심, 정치 투쟁·항일 민족 운동의 성격 강화
청년·학생 운동	3·1 운동 이후 계몽 활동 전개, 각종 단체 결성 → 6·10 만세 운동, 광주 학생 항일 운동 등 전개
여성 운동	여성 단체의 민족 유일당 운동으로 근우회 조직
소년 운동	방정환 주도로 천도교 소년회 조직, 어린이날 제정
(⑬)	조선 형평사 조직, 백정에 대한 사회적 차별 철폐 주장

3. 민족 문화 수호 노력과 문예 활동

한글 연구	조선어 연구회(가갸날 제정), (⑭)(한글 맞춤법 통일안과 표준어·외래어 표기법 제정, 『우리말 큰사전』 편찬 시도)
한국사 연구	박은식(국혼 강조, 『한국통사』 저술), 신채호(『조선상고사』 저술), 백남운(『조선사회경제사』 저술, 정체성론 반박)
종교계 활동	대종교(중광단 조직), 천도교(제2의 독립 선언 운동 계획), 천주교(의민단 조직), 개신교(신사 참배 거부 운동), 불교(사찰령 폐지 운동), 원불교(새 생활 운동)
문예 활동	• 문학: 신경향파 문학 등장, 저항 문학 활동 • 예술: 토월회의 신극 운동, 나운규의 「아리랑」 발표

05 전시 동원 체제와 민중의 삶

1. 전체주의 대두와 제2차 세계 대전: 대공황 → 전체주의 국가의 침략으로 전쟁 발발 → 종전 후 한국 독립

2. 1930~1940년대 일제의 식민지 지배 정책

(⑮)	일제의 침략 전쟁 확대(만주 사변, 중일 전쟁) → 조선 (식민지) 공업화 정책, 남면북양 정책 실시
전시 동원 체제	국가 총동원법(1938) 제정 이후 수탈 강화 → 인력 수탈(지원병제, 징병제, 국민 징용령, 여자 정신 근로령, 일본군 '위안부' 동원 등), 물자 수탈(금속 및 미곡 공출, 식량 배급제 실시 등)
민족 말살 통치	• 목적: 한국인의 정신 말살 → 한국인을 침략 전쟁에 효율적으로 동원 • 내용: 황국 신민화 정책 추진 → 황국 신민 서사 암송·궁성 요배·신사 참배·일본식 성명 사용 강요, 소학교의 명칭을 국민학교로 변경, 우리말 사용 금지

06 광복을 위한 노력

1. 1930년대 이후 항일 무장 투쟁

만주	• 한중 연합 작전: 조선 혁명군(양세봉), 한국 독립군(지청천)이 항일 중국군과 연합 • 항일 유격 투쟁: 동북 항일 연군, 조국 광복회의 활동
중국 관내	• (⑯): 김구 중심, 이봉창·윤봉길의 의거 → 중국 국민당 정부가 한국의 독립운동 적극 지원 • 민족 혁명당: 조선 민족 전선 연맹 결성(조선 의용대 창설)

2. 건국 준비 활동

대한민국 임시 정부	한국 광복군 창설(조선 의용대 합류, 미얀마·인도 전선에 공작대 파견), (⑰)에 기초하여 건국 강령 발표, 대일 선전 포고, 국내 진공 작전 계획
조선 독립 동맹	중국 화북 지방에서 결성, 조선 의용군 창설
조선 건국 동맹	여운형 중심, 국내에서 건국 준비

3. 국제 사회의 독립 약속

(⑱)	최초로 한국의 독립 문제 논의
얄타 회담	소련의 태평양 전쟁 참전 결정
포츠담 회담	포츠담 선언에서 한국의 독립 재확인

01 다음 법령이 시행된 시기에 있었던 사실로 옳은 것은?

> 제11조 태형은 감옥 또는 즉결 관서에서 비밀리에 행한다.

① 치안 유지법이 제정되었다.
② 국민정신 총동원 운동이 전개되었다.
③ 학교 교원이 제복과 칼을 착용하였다.
④ 황국 신민 서사의 암송이 강요되었다.
⑤ 식량 배급제와 미곡 공출제가 추진되었다.

02 (가) 시기에 일제가 실시한 정책으로 옳은 것은?

사진은 일제의 검열로 기사가 삭제된 신문을 보여 준다. 일제는 3·1 운동을 계기로 식민 통치 방식을 ⃞ (가) ⃞ (으)로 바꾸었다. 그러나 이는 우리 민족의 불만을 달래려는 기만적인 술책에 불과하였다.

① 회사령을 제정하였다.
② 토지 조사령을 공포하였다.
③ 남면북양 정책을 실시하였다.
④ 농촌 진흥 운동을 시행하였다.
⑤ 문관도 총독에 임명될 수 있도록 하였다.

03 밑줄 친 '이 정책'의 시행 결과로 가장 적절한 것은?

> 일본은 제1차 세계 대전 후 공업 발달로 도시 인구가 늘었지만, 농업 생산량이 이에 미치지 못하였다. 일제는 부족한 식량을 얻기 위해 한국에서 이 정책을 실시하였다.

① 지계가 발급되었다.
② 국채 보상 기성회가 창립되었다.
③ 동양 척식 주식회사가 설립되었다.
④ 조선 총독부의 지세 수입이 크게 증가하였다.
⑤ 증산량보다 많은 양의 쌀이 일본으로 이출되었다.

04 (가) 단체에 대한 설명으로 옳은 것은?

> 장면 #25 서대문 감옥 종로 구치감
> · 검사: ⃞ (가) ⃞ 은/는 한국을 독립시킬 목적으로 만든 것인가?
> · 박상진: 그렇다.
> · 검사: 어떤 방법으로 한국의 국권을 회복할 계획이었나?
> · 박상진: 무기를 구입하여 국권 회복을 준비하고자 하였다.
> · 검사: 무기의 구입 비용은 어떻게 조달하려 하였나?
> · 박상진: 부호에게서 의연금을 걷고 일본 사람들이 불법으로 징수한 세금을 압수하여 조달하려 하였다.

① 105인 사건으로 해체되었다.
② 공화정의 수립을 목표로 하였다.
③ 고종 강제 퇴위 반대 운동을 벌였다.
④ 일본의 황무지 개간권 요구 반대 운동을 전개하였다.
⑤ 국권 반환 요구서를 조선 총독부에 보내려고 계획하였다.

05 (가) 운동의 영향으로 옳은 것은?

1919년에 민족 대표 33인의 독립 선언으로 시작된 만세 시위이자 우리 역사상 최대 규모의 민족 운동은?

(가)

① 청일 전쟁이 일어났다.
② 을미사변이 발생하였다.
③ 강화도 조약이 체결되었다.
④ 고종이 강제 퇴위를 당하였다.
⑤ 대한민국 임시 정부가 수립되었다.

06 (가)에 들어갈 내용으로 옳지 <u>않은</u> 것은?

역사 다큐

대한민국 임시 정부 수립 100주년 특집

제1부 상하이에서 수립되다

미리 보기

여러 임시 정부가 통합을 논의한 결과 1919년 9월 상하이에서 이승만을 임시 대통령, 이동휘를 국무총리로 하는 대한민국 임시 정부가 수립되었다. 대한민국 임시 정부는 (가) 등의 활동을 하게 되는데 …….

시청자 평점 ★★★★★

① 독립신문 발간
② 독립 공채 발행
③ 연통제와 교통국 조직
④ 미국에 구미 위원부 설치
⑤ 자기 회사와 태극 서관 운영

07 다음 두 사건 사이에 있었던 사실로 옳은 것은?

> • 홍범도가 이끄는 대한 독립군, 최진동이 이끄는 군무 도독부군, 안무가 이끄는 국민회군 등이 연합하여 봉오동 계곡에서 일본군을 공격하여 승리를 거두었다.
> • 일본군은 독립군의 지지 기반을 무너뜨리기 위해 간도 지역의 한인 마을을 습격하였다. 일제는 한인들의 가옥, 학교 등을 불태우고, 우리 동포를 무차별 학살하는 만행을 저질렀다.

① 미쓰야 협정이 체결되었다.
② 참의부, 정의부, 신민부가 성립되었다.
③ 만주에서 국민부와 혁신 의회가 조직되었다.
④ 북로 군정서 등 독립군 부대가 백운평, 완루구에서 일본군에 승리하였다.
⑤ 자유시에 모인 독립군 부대를 통합하는 과정에서 많은 독립군이 희생되었다.

08 다음 내용을 활동 지침으로 삼은 단체의 활동으로 옳은 것은?

> 우리는 외교론, 준비론 등의 미몽을 버리고 민중 직접 혁명의 수단을 취함을 선언하노라. 조선 민족의 생존을 유지하자면 강도 일본을 쫓아내야 할 것이며, 강도 일본을 쫓아내려면 오직 혁명으로써 할 뿐이니, 혁명이 아니고는 강도 일본을 내쫓을 방법이 없는 바이다.

① 가갸날을 제정하였다.
② 김익상이 조선 총독부에 폭탄을 투척하였다.
③ 순종의 장례식을 기해 만세 시위를 계획하였다.
④ 이봉창이 도쿄에서 일왕에게 폭탄을 투척하였다.
⑤ 광주 학생 항일 운동 당시 진상 조사단을 파견하였다.

09 다음 구호가 제시된 민족 운동으로 옳은 것은?

> **한 민족 1천만이 한 사람이 1원씩!**
>
> 일제의 식민 지배를 받고 있는 우리 민족의 운명을 개척할 방도는 바로 교육입니다. 고등 교육 기관이 부재한 현실, 당신의 작은 정성으로 극복해 낼 수 있습니다. 바로 지금, 모금 운동에 동참해 주세요!

① 원산 총파업
② 국채 보상 운동
③ 물산 장려 운동
④ 6·10 만세 운동
⑤ 민립 대학 설립 운동

10 다음 자료와 관련된 단체에 대한 설명으로 옳은 것은?

> 1. 우리는 정치적, 경제적 각성을 촉진한다.
> 2. 우리는 단결을 공고히 한다.
> 3. 우리는 기회주의를 일체 부인한다.

① 만민 공동회를 개최하였다.
② 평양에 대성 학교를 설립하였다.
③ 정우회 선언을 계기로 결성되었다.
④ 조선어 학회 사건으로 해산되었다.
⑤ 타협적 민족주의자들을 중심으로 조직되었다.

11 (가)에 들어갈 내용으로 가장 적절한 것은?

수행 평가 보고서

• 주제: [(가)]
• 조사 방법: 문헌 조사, 인터넷 검색, 박물관 견학 등
• 수집 자료

↑ 일제 강점기의 경성

↑ 토막민의 생활 모습

① 식생활의 변화 모습
② 민족 분열 통치의 사례
③ 일제 강점기 교육 제도
④ 식민지 도시화의 양면성
⑤ 치안 유지법의 제정 배경

12 (가)~(마)와 관련된 운동에 대한 설명으로 옳지 않은 것은?

(가)

(나)

(다)

(라)

(마)

① (가) – 법적인 신분제의 폐지를 주장하였다.
② (나) – 천도교 소년회를 중심으로 전개되었다.
③ (다) – 여성의 단결과 지위 향상을 도모하였다.
④ (라) – 한글 보급과 문맹 퇴치를 위해 노력하였다.
⑤ (마) – 토산품 애용을 통한 민족 기업의 육성을 추구하였다.

13 (가)에 들어갈 내용으로 가장 적절한 것은?

이것은 여러분이 미리 공부해 온 인물 학습 주제에 대해 모둠별로 만든 토의 질문입니다. 주제와 맞게 잘 만들어졌네요.

학습 주제: ○○○의 활동
모둠별 토의 질문
– 1모둠: 유교 구신론은 어떤 내용을 담고 있을까?
– 2모둠: 민족정신으로 강조된 국혼은 무엇을 의미할까?
– 3모둠: 대한민국 임시 정부의 제2대 대통령은 어떤 활동을 하였을까?
– 4모둠: [(가)]

① 신간회의 설립 과정은 어떠하였을까?
② 조선어 학회가 해체된 배경은 무엇일까?
③ 천도교 소년회를 주도한 인물은 어떤 활동을 하였을까?
④ 조선 혁명 선언에서 제시한 독립운동의 방법은 무엇일까?
⑤ 한국통사, 한국독립운동지혈사의 주요 내용은 무엇일까?

14 다음 자료와 같은 모습을 볼 수 있었던 시기를 연표에서 옳게 고른 것은?

이 시기에 일제는 한국을 대륙 침략에 필요한 물자와 인력을 공급하는 병참 기지로 만들려고 하였다. 공출 제도를 실시하여 놋그릇, 놋대야, 수저, 농기구, 교회와 사찰의 종 등 무기를 만들 수 있는 금속 제품이라면 가리지 않고 빼앗았다.

↑ 놋그릇 강제 공출

1897	1910	1919	1929	1931	1945
(가)	(나)	(다)	(라)	(마)	
▲ 대한 제국 수립	▲ 국권 피탈	▲ 3·1 운동	▲ 광주 학생 항일 운동	▲ 만주 사변 발발	▲ 8·15 광복

① (가) ② (나) ③ (다) ④ (라) ⑤ (마)

15 일제가 다음 내용의 암송을 강요한 시기에 볼 수 있는 모습으로 적절하지 않은 것은?

> 우리는 대일본 제국의 신민입니다. 우리는 마음을 합하여 천황 폐하에게 충의를 다합니다. 우리는 인고 단련하여 훌륭하고 강한 국민이 되겠습니다.

① 학도병 지원을 권유하는 문학가
② 토지 조사 사업을 거부하는 농민
③ 일왕이 사는 궁을 향해 절하는 청년
④ 소학교를 국민학교로 개명하는 이유에 대해 묻는 학생
⑤ 일본식으로 성과 이름을 바꾸도록 강요하는 일본인 교사

16 밑줄 친 '이 지역'의 동포들에 대한 설명으로 옳은 것은?

> 이 지역에서 조직된 권업회는 한인의 단결과 지위 향상 및 독립운동의 기반 조성에 힘썼으며, 권업신문을 발간하였다. 1914년에는 이상설을 정통령, 이동휘를 부통령으로 하는 대한 광복군 정부를 조직하였다.

① 중앙아시아로 강제 이주되기도 하였다.
② 사탕수수 농장에서 고된 노동에 시달렸다.
③ 신민회가 자치 기관인 경학사를 조직하였다.
④ 대지진이 발생하였을 때 많은 수가 희생당하였다.
⑤ 서전서숙과 명동 학교에서 민족 교육을 실시하였다.

17 (가) 군사 조직에 대한 설명으로 옳은 것은?

> 3부는 항일 무장 투쟁을 효율적으로 전개할 목적으로 1920년대 후반부터 통합 운동을 전개하였다. 그 결과, 남만주의 국민부와 북만주의 혁신 의회로 통합되었다. 국민부는 조선 혁명당을 조직하고 그 산하에 무장 부대인 [(가)]을/를 결성하여 무장 투쟁을 전개하였다.

① 양세봉의 지휘 아래에서 활동하였다.
② 미군과 협력하여 국내 진공 작전을 계획하였다.
③ 쌍성보 전투와 사도하자 전투를 승리로 이끌었다.
④ 백운평, 어랑촌 등 청산리 일대에서 전투를 벌였다.
⑤ 중국 공산당의 팔로군과 함께 대일 항전을 전개하였다.

18 밑줄 친 '이 단체'로 옳은 것은?

⬆ 김구와 윤봉길

> 이 단체는 김구가 조직하였다. 윤봉길은 이 단체 소속으로 1932년에 중국 상하이 훙커우 공원에서 열린 일왕의 생일과 상하이 사변의 승리를 축하하는 기념식장에서 폭탄을 던져 일본군 장군과 여러 고위 관리들을 처단하였다.

① 신민회
② 의열단
③ 대한 광복회
④ 독립 의군부
⑤ 한인 애국단

19 (가) 정부에 대한 설명으로 옳은 것은?

> 본시 [(가)]은/는 3·1 운동의 산물이다. …… 최근에는 전 민족의 의지와 역량을 집중시키기 위해 건국 강령을 반포하였다. 이 강령은 반일 독립과 정치·경제·교육의 기회 균등을 지향하는 삼균 제도의 건국 원칙을 주된 내용으로 하고 있다. 건국 강령에 이어 [(가)]은/는 대일 선전 포고문을 발표하였다.

① 대한국 국제를 제정하였다.
② 군사 조직으로 한국 광복군을 창설하였다.
③ 화북 지방에서 한국인 사회주의자를 중심으로 결성되었다.
④ 농민 동맹을 조직하여 일제의 군수 물자 수송 등을 방해하였다.
⑤ 미 국무부에 대한민국 임시 정부를 승인해 줄 것을 요청하였다.

대한민국의 발전

❶ 8·15 광복과
    통일 정부 수립을 위한 노력 ····· 246

❷ 대한민국 정부 수립 ~
    6·25 전쟁과 남북 분단의 고착화 ··· 256

❸ 4·19 혁명과 민주화를 위한 노력 ····· 266

❹ 경제 성장과 사회·문화의 변화 ········· 276

❺ 6월 민주 항쟁과 민주주의의 발전 ···· 286

❻ 외환 위기와 사회·경제적 변화 ········· 292

❼ 남북 화해와
    동아시아 평화를 위한 노력 ····· 298

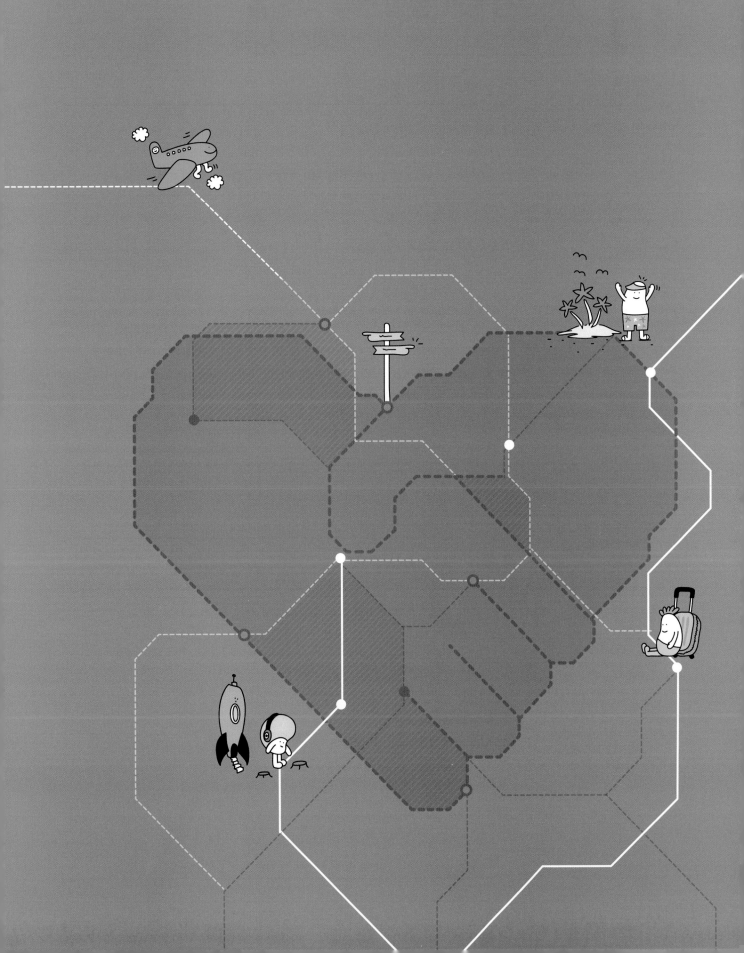

8·15 광복과 통일 정부 수립을 위한 노력

이것이 핵심!

냉전 체제의 형성과 변화

냉전 체제의 형성
자본주의 진영(미국 중심)과 공산주의 진영(소련 중심)의 대립 → 베를린 봉쇄 등으로 냉전 심화

↓

냉전 체제의 완화와 붕괴
닉슨 독트린, 독일 통일, 소련 해체 → 냉전 체제의 붕괴

★ **트루먼 독트린(1947)**
미국 대통령 트루먼이 발표한 선언이다. 동유럽 지역에서 소련의 지원을 받은 공산 정권이 수립되자, 미국은 공산주의 세력의 팽창을 적극적으로 봉쇄한다는 외교 원칙을 밝혔다.

★ **마셜 플랜(1947)**
미국이 공산주의의 확대를 저지하기 위해 실시한 유럽 경제 원조 계획

① 냉전 체제의 형성

1. 전후 처리와 국제 연합의 탄생

(1) **제2차 세계 대전의 전후 처리**: 독일이 서독(미국, 영국, 프랑스가 관리)과 동독(소련이 관리)으로 분리, 일본이 미국의 관리를 받음, 독일과 일본에서 군사 재판 개최

(2) **국제 연합(UN)의 창설(1945)**: 전쟁 방지 및 세계 평화 유지 목적, 안전 보장 이사회의 5개 상임 이사국이 결의안 거부권을 가짐, 국제 연합은 국제 분쟁 해결을 위해 무력 사용 가능
└─ 미국, 영국, 프랑스, 중국, 소련

VS 제1차 세계 대전 이후 평화 유지를 위해 설립된 국제 연맹은 무력 제재 수단이 없었지만, 국제 연합은 유엔군을 통해 국제 분쟁에 직접 개입하였어.

2. 냉전 체제의 형성과 변화 [자료 ①]

(1) **냉전의 형성**: 미국 중심의 자본주의 진영과 소련 중심의 공산주의 진영 간의 대립

자본주의 진영		공산주의 진영
*트루먼 독트린, 유럽 부흥 계획(*마셜 플랜) 수립, 북대서양 조약 기구(NATO) 설립	↔	코민포름(공산당 정보국)·공산권 경제 상호 원조 회의(COMECON) 조직, 바르샤바 조약 기구(WTO) 설립

(2) **냉전의 심화**: 베를린 봉쇄(→ 독일 분단), 6·25 전쟁, 쿠바 미사일 위기, 베트남 전쟁

(3) **냉전 체제의 변화**: 닉슨 독트린(냉전 완화에 영향, 1969), 몰타 회담(1989), 독일 통일(1990), 소련 해체(1991) 및 동유럽 공산주의 정권 붕괴 → 냉전 체제 붕괴
└─ 미국과 소련의 정상이 냉전의 종식을 선언하였어.

3. 전후 동아시아의 변화
┌─ 초기에는 장제스의 국민당이 유리하였으나, 마오쩌둥의 공산당이 토지 개혁 실시 등을 통해 농민의 지지를 얻으면서 전세가 역전되었어.

(1) **중국의 공산화**: 제2차 국공 내전에서 공산당의 승리 → 중화 인민 공화국 수립 선포(1949)

(2) **일본의 주권 회복**: 연합국과 일본 간 샌프란시스코 강화 조약 체결로 일본이 주권 회복
└─ 일본을 동아시아의 반공 거점으로 삼고자 한 미국의 주도로 1951년에 체결되었어.

이것이 핵심!

광복과 국토 분단

광복(1945. 8. 15.)

↓

조선 건국 준비 위원회 조직

↓

국토 분단
38도선을 경계로 남북에서 각각 미 군정, 소 군정 실시

★ **38도선**
미국은 소련의 한반도 단독 점령을 막기 위해 소련에 북위 38도선을 기준으로 한 한반도 분할 점령을 제안하였다.

② 8·15 광복과 국토 분단

1. 광복과 미군·소련군의 진주
┌─ 꼭! 카이로 선언(1943)을 통해 적당한 시기에 한국을 독립시킬 것을 약속하였고, 포츠담 선언(1945)에서 한국의 독립을 재확인하였어.

(1) **광복**: 우리 민족의 지속적인 독립운동, 연합국의 독립 약속 → 일본의 무조건 항복, 연합국의 승리 → 광복(1945. 8. 15.)
└─ 일본의 갑작스러운 항복으로 국내 진공 작전 등 독립운동 세력의 노력이 무산되면서 자주적인 정부 수립도 어려워졌어.

(2) **미·소 군정 실시**: *38도선을 경계로 미군과 소련군이 한반도 분할 점령 → 국토의 분단

미국	군정청 설치, 남한 지역 직접 통치, 조선 인민 공화국 및 대한민국 임시 정부 등을 인정하지 않음, 조선 총독부에서 일하였던 관료와 경찰 기용 [자료 ②] ┐ 훗날 친일파를 청산하는 데 큰 걸림돌이 되었어.
소련	각지의 인민 위원회에 행정권 이양, 북한 지역 간접 통치, 사회주의 세력을 지원함

2. 국내 정치 세력의 동향

(1) **조선 건국 준비 위원회(건준)** [자료 ③] ┌─ 식량과 생활필수품 확보에 주력하였어.

결성	광복 직후 조선 건국 동맹을 기반으로 조직, 여운형과 안재홍 중심의 좌우 연합체
활동	전국에 145개의 지부 조직, 치안대 설치(질서 유지), 국민 생활 안정화 노력
해체	조선 공산당 등 좌익 세력이 위원회의 주도권 장악, 안재홍 등 일부 우익 세력 이탈 → 중앙 조직을 정부 형태로 개편, 각 지부를 인민 위원회로 변경, 조선 인민 공화국 수립 선포(→ 미 군정의 불인정) → 해체

(2) **정치 세력의 형성**: 우익인 한국 민주당(송진우, 김성수)·독립 촉성 중앙 협의회(이승만)·한국 독립당(김구, 대한민국 임시 정부 세력), 좌익인 조선 공산당(박헌영) 등의 활동
└─ 광복 후 이승만, 김구 등 국외 독립운동가들이 귀국하여 정치 세력을 형성하였어.
└─ 1946년에 조선 공산당 등을 통합하여 남조선 노동당을 창당하였어.

완자 자료 탐구

자료 ① 냉전 체제의 형성과 전개

냉전(Cold War)이란 직접적인 무력 충돌 없이 정치, 외교, 군사 등에서 긴장 상태를 유지하였던 상황을 말해.

오늘날 전 세계의 거의 모든 나라는 두 가지 생활 방식 중 하나를 선택해야 합니다. …… 저는 모든 민족이 자유로운 상황에서 운명을 스스로 결정할 수 있도록 우리가 도와야 한다고 믿습니다.

– 미국 트루먼 대통령의 의회 연설, 1947

↑ 냉전 체제의 전개 └ 냉전이 심화되면서 6·25 전쟁, 베트남 전쟁 같은 열전(Hot War)이 일어나기도 하였어.

1947년 트루먼 독트린 이후 미국 중심의 자본주의 진영과 소련 중심의 공산주의 진영이 이념과 체제의 우위를 다투는 냉전 체제가 형성되었다. 유럽에서 시작된 냉전은 아시아 지역으로 확산되어 6·25 전쟁이 일어났고, 1960년대에는 쿠바 미사일 위기와 베트남 전쟁으로 확대되었다.

자료 ② 미 군정청의 정책

미 군정은 한국 민주당 등 우익 세력을 활용하여 급격한 변화보다는 현상을 유지하는 정책을 실시하였어.

제1조 북위 38도선 이남의 조선 영토와 조선 인민에 대한 통치의 모든 권한은 당분간 본관의 권한 아래에서 시행한다.

제2조 정부 등 모든 공공 기관에 종사하는 …… 직원과 고용인은 별도의 명령이 있을 때까지 종래의 정상 기능과 업무를 수행할 것이며 모든 기록 및 재산을 보호·보존하여야 한다.

– 「태평양 미 육군 총사령관 맥아더 사령관 포고령 제1호」, 1945. 9.

미 군정청은 현상을 유지하여 새로 수립될 정부에 권한을 넘겨주는 데 중점을 두었다. 이에 따라 일제의 식민 통치 기구였던 조선 총독부에서 일한 관료와 경찰을 기용하는 등 기존의 행정 체제를 활용하였다. 미 군정청은 대한민국 임시 정부를 정식 정부로 인정하지 않았으며, 각 지역의 인민 위원회 등 자치 기구도 인정하지 않았다.

자료 ③ 조선 건국 준비 위원회의 활동

• 우리는 완전한 독립 국가의 건설을 기함
• 우리는 전 민족의 정치적·경제적·사회적 기본 요구를 실현할 수 있는 민주주의적 정권의 수립을 기함
• 우리는 일시적 과도기에 있어 국내 질서를 자주적으로 유지하며 대중 생활의 확보를 기함

└ 조선 건국 준비 위원회는 무정부 상태를 막기 위해 치안과 행정을 담당하면서 정부의 역할을 대신하고자 하였어. – 조선 건국 준비 위원회 강령, 매일신보, 1945. 9.

조선 총독부로부터 치안권을 이양받은 여운형은 광복 직후 안재홍 등과 함께 좌우익을 망라하여 조선 건국 동맹을 중심으로 조선 건국 준비 위원회를 결성하였다. 조선 건국 준비 위원회는 전국 각지에 지부를 두고, 치안대를 설치하여 질서 유지를 위해 노력하였다. 미군이 9월에 한반도에 진주한다는 소식이 알려지자, 조선 건국 준비 위원회는 미군과의 협상에서 유리한 입장을 확보하기 위해 조선 인민 공화국 수립을 선포하였다.

정리 비법을 알려줄게!

냉전의 형성

구분	자본주의 진영	공산주의 진영
경제 원조	유럽 부흥 계획 (마셜 플랜) 수립	공산권 경제 상호 원조 회의(코메콘) 조직
군사 기구	북대서양 조약 기구(NATO) 조직	바르샤바 조약 기구(WTO) 조직

문제로 확인할까?

냉전 체제가 심화되면서 일어난 사건으로 옳지 않은 것은?

① 독일 통일   ② 6·25 전쟁
③ 베를린 봉쇄   ④ 베트남 전쟁
⑤ 쿠바 미사일 위기

① 📖

자료 하나 더 알고 가자!

대한민국 임시 정부 귀국 환영 대회

광복 이후 귀국한 대한민국 임시 정부 요인들은 귀국 환영식에서 큰 환대를 받았다. 그러나 미 군정이 이들을 인정하지 않았기 때문에 임시 정부 요인들은 개인 자격으로 귀국해야 했다.

자료 하나 더 알고 가자!

한국 민주당의 성명서

우리는 해외로부터 돌아오는 대한민국 임시 정부를 맞이하여 완전한 자유 독립 정부가 되도록 지지 육성하지 않으면 안 될 것이다. '(건준의) 인민 공화국' 운운하며 정부를 참칭하고 …… 어찌 3천만 민중이 용납할 바이랴.

조선 건국 준비 위원회의 활동에 비판적이었던 보수적인 민주주의 계열의 인사들은 한국 민주당을 창당하였다. 이들은 대한민국 임시 정부 지지를 선언하였고, 미 군정청과 긴밀한 관계를 유지하였다.

8·15 광복과 통일 정부 수립을 위한 노력

이것이 핵심!

좌우 대립의 심화

모스크바 3국 외상 회의	• 우익: 신탁 통치 반대 • 좌익: 신탁 통치를 포함하여 회의 결정 사항 지지
제1차 미소 공동 위원회	• 미국: 모든 단체의 참여 주장 • 소련: 반탁 운동에 참여한 정치 세력 배제 주장

★ **이승만의 정읍 발언**
이승만은 제1차 미소 공동 위원회가 결렬되자 정읍에서 '통일 정부를 고대하나 여의치 않으니, 우리는 남방만이라도 임시 정부 혹은 위원회 같은 것을 조직해야 한다.'라고 주장하였다.

③ 좌우 대립의 심화

1. 모스크바 3국 외상 회의(1945. 12.) 교과서 자료

> 국제 연합(UN)의 위임을 받은 국가가 새롭게 독립한 지역을 일정 기간 통치하여 질서를 안정시키는 것을 말해.

개최	미국, 영국, 소련의 외무 장관이 한반도의 전후 처리 문제 논의
결정 사항	한반도에 민주주의 임시 정부 수립, 미소 공동 위원회 개최, 최고 5년간의 신탁 통치 실시
국내 반응	• 우익 세력(김구, 이승만, 한국 민주당 등): 신탁 통치 반대 운동(반탁 운동) 전개 • 좌익 세력(조선 공산당 등): 신탁 통치 반대 → 회의 결정 사항을 총체적으로 지지
영향	좌익 세력과 우익 세력의 대립 심화

> 꼭! 모스크바 3국 외상 회의 결정의 본질이 민주주의 임시 정부 수립에 있다고 보고 이에 대한 총체적 지지로 입장을 바꾸었어.

2. 제1차 미소 공동 위원회와 이승만의 정읍 발언

(1) 제1차 미소 공동 위원회(1946. 3.)

쟁점	민주주의 임시 정부 수립에 관한 협의에 참여할 단체의 범위를 두고 미국과 소련의 의견 대립
주장	미국은 모든 정치 세력의 참여 주장, 소련은 반탁 운동에 참여한 정치 세력 배제 주장
결과	회의 결렬, 무기한 휴회

(2) *이승만의 정읍 발언(1946. 6.): 남한만의 단독 정부 수립 주장 → 우익 세력의 지지를 받음

> Q왜? 미국은 자국에 우호적인 우익 세력을 포함시키려 하였지만, 소련은 우익 세력을 배제하려고 하였지.

이것이 핵심!

통일 정부 수립 노력

좌우 합작 운동	• 여운형과 김규식 중심 • 좌우 합작 위원회 조직 → 좌우 합작 7원칙 발표
남북 협상	• 김구와 김규식 중심 • 단독 정부 수립 반대, 외국 군대 철수 요구

★ **유엔 한국 임시 위원단**
유엔 총회에서 결의한 남북한 총선거를 감시하기 위해 파견된 위원단으로 총 9개국으로 구성되었으나 실제로는 8개국 대표가 파견되었다.

★ **제주 4·3 사건의 민간인 피해**
1948년에 발생한 좌익 세력의 무장봉기 이후 1954년까지 7년여 동안 수많은 제주도민이 희생당하였다. 2000년에 '제주 4·3 사건 진상 규명 및 희생자 명예 회복에 관한 특별법'이 제정되어 정부 차원의 진상 조사가 진행되었고, 그 결과 2003년에 정부는 국가 권력에 의한 대규모 희생이 이루어진 점을 인정하고 제주도민에게 공식 사과하였다.

④ 통일 정부 수립을 위한 노력

1. 좌우 합작 운동(1946~1947) 자료④

> 미 군정은 이를 근거로 남조선 과도 입법 의원을 구성하였어.

배경	제1차 미소 공동 위원회 결렬, 이승만의 단독 정부 수립 주장
전개	여운형, 김규식 등 중도 세력이 미 군정의 지원 아래 좌우 합작 위원회 결성 → 좌우 합작 7원칙 발표
결과	좌우익의 주요 세력이 좌우 합작 7원칙에 반대, 냉전의 격화로 미 군정의 지원 철회, 여운형이 암살당함 → 좌우 합작 위원회의 활동 중단

> 트루먼 독트린으로 냉전 체제가 본격화되었어.

2. 유엔의 한반도 문제 논의

> 1947년 5월에 개최되었으나 협의 참여 단체 범위에 대해 미국과 소련이 이견을 좁히지 못하여 결국 결렬되었어.

(1) 한반도 문제의 유엔 이관: 제2차 미소 공동 위원회 결렬 → 미국이 한반도 문제를 유엔 총회에 상정 → 유엔 총회에서 인구 비례에 따른 남북한 총선거 실시 결정(1947. 11.) → 소련이 *유엔 한국 임시 위원단의 입북 거부

> Q왜? 소련은 인구 비례에 따른 선거 방식이 인구가 적은 북한에 불리하다고 생각하였어.

(2) 남한 단독 선거 결정: 유엔 소총회에서 선거 가능 지역에서만 총선거 실시 결정(1948. 2.)
　　　　　　　　　　　　　　　　└ 남한

3. 남북 협상(1948) 자료⑤

전개	김구와 김규식 등이 남북한 정치 지도자 회담(남북 협상) 제안 → 북측의 수용 → 평양에서 남북한 주요 정당·사회단체 연석회의와 남북 지도자 회의 개최(1948. 4.) → 결의문 채택
주요 내용	단독 정부 수립 반대, 외국 군대의 즉시 철수 요구 등
결과	미국과 소련이 합의안 수용 거부, 남북한에 각각 단독 정부 수립, 김구 암살 → 남북 협상 중단

4. 단독 정부 수립 반대 움직임

> 1948년 5월 10일에 제헌 국회 의원을 선출하고자 실시하기로 결정된 5·10 총선거를 의미해.

(1) 제주 4·3 사건(1948): 제주도에서 3·1절 기념식 후 군중과 경찰 사이의 충돌, 경찰의 발포로 사상자 발생(1947) → 제주도의 좌익 세력이 단독 선거 저지와 단독 정부 수립 반대를 내세우며 무장봉기(1948. 4. 3.) → 군대와 경찰의 무력 진압, *민간인 피해 발생

(2) 여수·순천 10·19 사건(1948): 이승만 정부 수립 이후 제주 4·3 사건의 잔여 세력 진압 지시 → 여수 주둔 군대 내 좌익 세력이 출동 거부, 여수와 순천 점령 → 정부가 반란 진압

> 제주도에서는 무장 세력의 단독 선거 반대 활동으로 총선거가 정상적으로 치러지지 못했어.

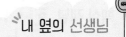
수능이 보이는 교과서 자료　모스크바 3국 외상 회의의 결정 사항과 국내 반응

1. 조선을 독립 국가로 재건설하며 그 나라를 민주주의적 원칙 아래 발전시키는 조건을 조성하고 가급적 속히 장구한 일본의 조선 통치의 참담한 결과를 청산하기 위해 …… 조선 민주주의 임시 정부를 수립할 것이다. ― 한반도에 민주주의 임시 정부 수립

2. 조선 민주주의 임시 정부 구성을 원조할 목적으로 …… 남조선 미군 사령부 대표자와 북조선 소련군 사령부의 대표자들로 공동 위원회가 설치될 것이다. ― 미소 공동 위원회의 설치

3. 공동 위원회의 제안은 최고 5년 기한의 4개국 후견의 협약을 작성하기 위해 미·영·소·중 정부의 공동 참작에 이바지하도록 조선 민주주의 임시 정부와 협의한 후 제출되어야 한다.
　　― 최고 5년간의 신탁 통치 실시　　　　　　― 모스크바 3국 외상 회의의 결정 사항, 1945. 12.

모스크바 3국 외상 회의의 결정은 독립 국가 수립을 고대하던 국민의 반발을 불러 일으켰다. 김구와 이승만 등 우익 세력은 신탁 통치가 식민 통치와 마찬가지로 한국의 독립을 부인하는 것이라며 신탁 통치 반대 운동에 나섰다. 좌익 세력도 처음에는 신탁 통치에 반대하였지만 이후 모스크바 3국 외상 회의 결정의 본질이 민주주의 임시 정부 수립에 있다고 보고, 회의 결정에 대한 총체적 지지로 입장을 바꾸었다.

완자쌤의 탐구 강의

• 모스크바 3국 외상 회의의 주요 결정 사항을 써 보자.
민주주의 임시 정부 수립, 미소 공동 위원회 설치, 최고 5년간 4개국에 의한 신탁 통치 실시 등을 결정하였다.

• 회의 결정 사항에 대한 우익과 좌익 세력의 입장 차이와 그 이유를 써 보자.
우익 세력은 모스크바 3국 외상 회의 결정 사항 중에서 신탁 통치 실시를 핵심으로 보고 반탁 운동을 전개하였다. 좌익 세력은 민주주의 임시 정부 수립을 핵심으로 파악하여 회의의 결정 사항을 총체적으로 지지하였다.

함께 보기 254쪽, 1등급 정복하기 2

자료 4　좌우 합작 운동

┌ 좌익은 친일파 즉시 처리, 무상 몰수·무상 분배의 토지 개혁을 주장하였고, 우익은 민주주의 임시 정부 수립 이후 친일파 처리, 유상 매수·유상 분배의 토지 개혁을 주장하였어. 좌우 합작 7원칙은 이러한 주장들을 절충하여 만든 거야.

1. 모스크바 3국 외상 회의의 결정에 따라 남북의 좌우 합작으로 민주주의 임시 정부를 수립할 것
2. 미소 공동 위원회의 속개를 요청하는 공동 성명을 발표할 것
3. 토지는 몰수, 유조건 몰수, 매수하여 농민에게 무상으로 분배하고, 중요 산업을 국유화할 것
4. 친일파, 민족 반역자를 처단할 조례를 제정할 것　　　　― 좌우 합작 7원칙, 1946. 10.

좌우 합작 위원회는 좌익과 우익의 의견을 절충하여 좌우 합작 7원칙을 발표하였다. 주요 내용은 미소 공동 위원회를 재개하여 남북을 망라한 임시 정부를 세우고 유상 매수·무상 분배 방식으로 토지 개혁을 실시하는 것이었다.

자료 하나 더 알고 가자!

좌우 합작을 풍자한 만평(1946. 10.)

이 그림은 좌우 합작 운동이 전개되었지만, 극좌 세력과 극우 세력의 방해로 어려움을 겪고 있는 상황을 풍자하였다.

문제로 확인할까?

1. 광복 직후 통일 정부를 수립하기 위해 전개된 노력으로 옳지 않은 것은?
① 남북 협상
② 제주 4·3 사건
③ 좌우 합작 운동
④ 이승만의 정읍 발언
⑤ 여수·순천 10·19 사건

　　　　　　　　　　　② 目暑

2. 김구는 한반도에서 통일 정부를 수립하기 위해 김규식과 함께 (　　　　)을 전개하였다.

　　　　　　　　　　상합 분남 目暑

자료 5　남북 협상의 전개

• 마음속의 38도선이 무너지고야 땅 위의 38도선도 철폐될 수 있다. …… 나는 통일된 조국을 건설하려다가 38도선을 베고 쓰러질지언정 일신에 구차한 안일을 취하여 단독 정부를 세우는 데는 협력하지 아니하겠다.　　　　― 김구, 삼천만 동포에게 눈물로 고함, 1948. 2.

• 나는 항상 조선 문제는 조선 사람 자신이 해결해야 한다는 입장을 취해 왔다. …… 지난 세월 나는 미국의 장단에 맞추어 춤을 추었지만, 지금부터는 조선의 장단에 맞추어 춤을 추겠다.
　┌ 김규식은 미국과 소련의 영향에서 벗어나 우리 민족　　　　　― 김규식, 1948
　└ 스스로 통일 문제를 해결해야 한다고 주장하였어.

남한만의 단독 선거 실시가 결정되자, 김구와 김규식 등은 통일 정부 수립을 위한 남북 협상을 전개하였다. 김구와 김규식, 김일성과 김두봉 등 남북한의 지도자는 평양에 모여 단독 정부 수립 반대, 미소 양군의 철수를 요구하는 결의문을 채택하였다.

STEP 1 핵심 개념 확인하기

1 다음에서 설명하는 국제기구를 쓰시오.

> 제2차 세계 대전이 끝나고 세계 평화 유지를 위한 국제기구의 필요성에 공감하여 창설된 기구로, 국제 분쟁을 해결하기 위해 무력을 사용할 수 있는 군대에 관한 규정을 만들었다.

2 냉전 시기에 각 진영의 활동을 〈보기〉에서 골라 기호를 쓰시오.

> **보기**
> ㄱ. 코민포름 조직　　　　ㄴ. 마셜 플랜 수립
> ㄷ. 바르샤바 조약 기구 결성　ㄹ. 북대서양 조약 기구 설립

(1) 공산주의 진영 (　　　)　(2) 자본주의 진영 (　　　)

3 다음 괄호 안의 내용 중 알맞은 말에 ○표를 하시오.

(1) (소련, 일본)은 미국의 38도선 기준 분할 점령 제안에 따라 38도선 이북 지역을 관리하였다.

(2) (조선 독립 동맹, 조선 건국 준비 위원회)은/는 광복 직후 좌우익이 참여하여 결성한 단체로, 사회 안정과 질서 유지에 힘썼다.

4 모스크바 3국 외상 회의에 대한 설명이 맞으면 ○표, 틀리면 ×표를 하시오.

(1) 우익 세력은 회의의 결정 사항을 지지하였다. (　　　)

(2) 최고 5년간의 한반도 신탁 통치를 결정하였다. (　　　)

5 제1차 미소 공동 위원회가 결렬된 후 중도파는 분단을 피하기 위해 좌우 합작 위원회를 조직하였고, 좌익과 우익의 의견을 절충하여 (　　　　　)을 발표하였다.

6 다음 인물의 활동을 옳게 연결하시오.

(1) 김구　　•　　　　•　㉠ 남북 협상 전개

(2) 여운형　•　　　　•　㉡ 정읍 발언 발표

(3) 이승만　•　　　　•　㉢ 좌우 합작 위원회 조직

STEP 2 내신 만점 공략하기

01 다음 헌장을 정한 국제기구에 대한 설명으로 옳은 것은?

> 안전 보장 이사회는 규정된 조치가 불충분할 것으로 인정하거나 또는 불충분한 것으로 판명되었다고 인정하는 경우에는 국제 평화와 안전의 유지 또는 회복에 필요한 공군, 해군 또는 육군에 의한 조치를 취할 수 있다.

① 제1차 세계 대전 직후 창설되었다.

② 소련과 미국 등 강대국이 불참하였다.

③ 베르사유 체제의 형성에 영향을 주었다.

④ 평화 유지를 위해 설립된 최초의 국제기구이다.

⑤ 5개 상임 이사국에는 안건에 대한 거부권을 주었다.

☆중요
02 다음 선언을 발표한 배경으로 옳은 것은?

> 오늘날 전 세계의 거의 모든 나라는 두 가지 생활 방식 중 하나를 선택해야 합니다. …… 저는 모든 민족이 자유로운 상황에서 운명을 스스로 결정할 수 있도록 우리가 도와야 한다고 믿습니다.
> – 트루먼 대통령, 1947

① 6·25 전쟁이 발발하였다.

② 유럽에서 공산주의가 확산되었다.

③ 베트남 전쟁에서 미군이 철수하였다.

④ 제2차 국공 내전에서 중국 공산당이 승리하였다.

⑤ 제2차 세계 대전에서 일본이 무조건 항복을 선언하였다.

03 다음 발언의 배경이 된 사실로 가장 적절한 것은?

> 왜적의 항복은 하늘이 무너지는 소식이었다. 수년 동안의 참전 준비가 허사로 돌아가고 말았다!

① 8·15 광복　　　　② 을사늑약 체결

③ 만주 사변 발발　　④ 신탁 통치 실시

⑤ 대한민국 임시 정부 수립

04 다음 자료를 통해 추론할 수 있는 미 군정의 정책으로 옳은 것을 〈보기〉에서 고른 것은?

> 제1조 북위 38도선 이남의 조선 영토와 조선 인민에 대한 통치의 모든 권한은 당분간 본관의 권한 아래에서 시행한다.
> 제2조 정부 등 모든 공공 기관에 종사하는 유급 또는 무급 직원과 고용인, 그리고 기타 제반 중요한 사업에 종사하는 자는 별도의 명령이 있을 때까지 종래의 정상 기능과 업무를 수행할 것이며 모든 기록 및 재산을 보호·보존하여야 한다.

보기
> ㄱ. 각 지역에 인민 위원회를 설치하였다.
> ㄴ. 남한만의 단독 정부 수립을 추진하였다.
> ㄷ. 대한민국 임시 정부를 인정하지 않았다.
> ㄹ. 조선 총독부의 행정 체제를 활용하였다.

① ㄱ, ㄴ ② ㄱ, ㄷ ③ ㄴ, ㄷ
④ ㄴ, ㄹ ⑤ ㄷ, ㄹ

☆중요
05 (가) 단체에 대한 설명으로 옳지 <u>않은</u> 것은?

> • 우리는 완전한 독립 국가의 건설을 기함
> • 우리는 전 민족의 정치적·경제적·사회적 기본 요구를 실현할 수 있는 민주주의적 정권의 수립을 기함
> • 우리는 일시적 과도기에 있어 국내 질서를 자주적으로 유지하며 대중 생활의 확보를 기함   ─ [(가)]의 강령

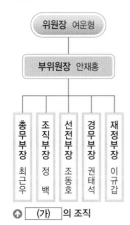

↑ (가) 의 조직

① 조선 건국 동맹을 계승하였다.
② 좌우 세력이 연합하여 조직되었다.
③ 신탁 통치 반대 운동을 주도하였다.
④ 광복 직후 치안과 행정을 담당하였다.
⑤ 조선 인민 공화국 수립을 선포하였다.

06 다음 성명서를 발표한 단체에 대한 설명으로 옳은 것은?

> '인민 공화국' 운운하며 …… 대한민국 임시 정부를 부인하는 무리가 있다면 어찌 3천만 민중이 용납할 바이랴.

① 북한 지역에서 조직되었다.
② 미 군정에 적극 참여하였다.
③ 전국에 치안대를 설치하였다.
④ 조선 공산당의 지지를 받았다.
⑤ 여운형과 안재홍이 주도하였다.

[07~08] 다음을 보고 물음에 답하시오.

☆중요
07 위 상황의 배경에 대한 탐구 활동으로 가장 적절한 것은?

① 3·1 운동의 영향을 조사한다.
② 대한민국 건국 강령의 역사적 의미를 파악한다.
③ 한국 광복군의 국내 진공 작전 계획을 살펴본다.
④ 모스크바 3국 외상 회의의 결정 사항을 찾아본다.
⑤ 미국과 소련이 한반도를 분할 점령하는 과정을 알아본다.

08 (가), (나) 정치 세력에 대한 설명으로 옳지 <u>않은</u> 것은?

① (가) – 친일 잔재 청산을 강조하였다.
② (가) – 민주주의 임시 정부 수립을 중시하였다.
③ (나) – 이승만의 정읍 발언을 적극 반대하였다.
④ (나) – 대대적인 신탁 통치 반대 운동을 전개하였다.
⑤ (가), (나) – 모스크바 3국 외상 회의 이후 충돌하였다.

09 밑줄 친 '공동 위원회'에 대한 설명으로 옳은 것은?

> 공동 위원회의 임무는 …… 한국 민주주의 임시 정부를 한국 인민이 수립하도록 지원해 주는 일입니다. 장래의 민주주의 임시 정부는 모스크바 3국 외상 회의의 결정을 지지하는 모든 민주주의적 정당 및 사회단체의 광범한 통일이라는 기초 위에 수립되어야 할 것입니다.
> – 소련 대표 시티코프 대장의 연설 내용

① 좌우 합작 7원칙을 발표하였다.
② 여운형과 김규식이 주도하였다.
③ 남한만의 단독 선거 실시를 결정하였다.
④ 미국과 소련의 의견 대립으로 결렬되었다.
⑤ 인구 비례에 의한 남북한 총선거를 결의하였다.

10 다음 내용을 발표한 인물의 활동으로 옳지 않은 것은?

> 이제 우리는 무기 휴회된 미소 공동 위원회가 재개될 기색도 보이지 않으며 통일 정부를 고대하나 여의치 않으니 우리는 남방만이라도 임시 정부 혹은 위원회 같은 것을 조직하여 38 이북에서 소련이 철퇴하도록 세계 공론에 호소하여야 될 것이니 여러분도 결심해야 할 것이다.

① 남북 협상을 전개하였다.
② 신탁 통치 반대 운동을 전개하였다.
③ 독립 촉성 중앙 협의회를 조직하였다.
④ 단독 정부 수립의 필요성을 제기하였다.
⑤ 대한민국 임시 정부의 대통령으로 취임하였다.

11 (가)~(라)를 일어난 순서대로 나열한 것은?

> (가) 신탁 통치 반대 운동
> (나) 모스크바 3국 외상 회의 개최
> (다) 미군과 소련군의 한반도 분할 점령
> (라) 유엔 소총회에서 남한만의 총선거 결의

① (가) – (나) – (다) – (라) ② (나) – (가) – (라) – (다)
③ (나) – (다) – (가) – (라) ④ (다) – (나) – (가) – (라)
⑤ (다) – (라) – (나) – (가)

12 다음 인물에 대한 설명으로 옳은 것은?

> **역사 인물 카드**
>
>
>
> • 이름: ○○○
> • 주요 활동
> – 1918년 신한청년당 조직
> – 1944년 조선 건국 동맹 조직
> – 1945년 조선 건국 준비 위원회 위원장 취임

① 조선 공산당을 창당하였다.
② 이토 히로부미를 처단하였다.
③ 조선 의용대의 총대장이었다.
④ 좌우 합작 위원회를 조직하였다.
⑤ 청산리 대첩을 승리로 이끌었다.

13 (가)에 들어갈 내용으로 옳은 것을 〈보기〉에서 고른 것은?

> 좌우 합작 위원회는 　(가)　 문제 등에서 좌익과 우익의 의견이 충돌하면서 좌우익 모두에게 비판을 받았다.

보기
ㄱ. 토지 개혁   ㄴ. 치안대 설치
ㄷ. 친일파 처벌   ㄹ. 5·10 총선거 실시

① ㄱ, ㄴ   ② ㄱ, ㄷ   ③ ㄴ, ㄷ
④ ㄴ, ㄹ   ⑤ ㄷ, ㄹ

14 다음 상황 이후에 전개된 사실로 옳은 것은?

> 제2차 미소 공동 위원회가 결렬된 후 미국은 한반도 문제를 유엔 총회에 상정하였다.

① 일본이 연합국에 무조건 항복을 선언하였다.
② 조선 총독부가 미군에게 행정권을 이양하였다.
③ 미국과 소련이 한반도 분할 점령에 합의하였다.
④ 소련이 유엔 한국 임시 위원단의 입북을 거부하였다.
⑤ 얄타 회담을 통해 소련의 대일전 참전이 결정되었다.

15 (가), (나)를 발표한 인물에 대한 설명으로 옳은 것은?

> (가) 나는 항상 조선 문제는 조선 사람 자신이 해결해야 한다는 입장을 취해 왔다. …… 지난 세월 나는 미국의 장단에 맞추어 춤을 추었지만, 지금부터는 조선의 장단에 맞추어 춤을 추겠다.
>
> (나) 자주독립적 통일 정부를 수립하려는 이때 어찌 개인이나 집단의 사리사욕을 탐하여 국가 민족의 백년대계를 그르칠 수 있으랴? 나는 통일된 조국을 건설하려다가 38도선을 베고 쓰러질지언정 일신에 구차한 안일을 취하여 단독 정부를 세우는 데는 협력하지 아니하겠다.

① (가) – 물산 장려 운동을 주도하였다.
② (가) – 조선 건국 동맹을 조직하였다.
③ (나) – 신탁 통치 실시를 찬성하였다.
④ (나) – 좌우 합작 위원회에 참여하였다.
⑤ (가), (나) – 남북 협상을 전개하였다.

16 (가) 사건이 일어난 배경으로 옳은 것은?

> ▶ 지식 Q&A
> (가) 에 대해 알려 주세요.
>
> ▶ 답변하기
> └ 갑: 남조선 노동당과 일부 주민들이 무장봉기한 사건이에요.
> └ 을: 군대와 경찰 등이 이를 진압하는 과정에서 수많은 제주도민이 희생되었어요.
> └ 병: 2003년 정부는 (가) 에 대해 제주도민에게 공식 사과하였지요.

① 대한민국 임시 정부가 건국 강령을 발표하였다.
② 유엔 소총회가 남한만의 총선거 실시를 결정하였다.
③ 여수 주둔 군대 내 좌익 세력이 여수와 순천을 일시 점령하였다.
④ 조선 건국 준비 위원회가 조선 인민 공화국 수립을 선포하였다.
⑤ 모스크바 3국 외상 회의에서 한국의 신탁 통치 실시를 결정하였다.

01 다음을 읽고 물음에 답하시오.

> 한반도 문제에 관한 결정이 발표되었다. 그 내용으로는 '한국을 독립 국가로 재건하고 일제의 식민 통치의 잔재를 없애기 위해 한국 민주주의 임시 정부를 수립할 것', '임시 정부 수립에 대한 방침을 강구하기 위해 미국과 소련 대표가 한국의 제 정당 및 사회단체와 협의할 것' 등이 있었다.

(1) 위의 결정이 발표된 회의를 쓰시오.

(2) 제1차 미소 공동 위원회 당시 밑줄 친 부분에 대한 미국과 소련의 주장을 각각 서술하시오.

길잡이 미국과 소련이 각각 자국에 우호적인 세력을 협의에 참여시키고자 하였음에 주목하여 서술한다.

02 다음을 읽고 물음에 답하시오.

> 1. 모스크바 3국 외상 회의의 결정에 따라 남북의 좌우 합작으로 민주주의 임시 정부를 수립할 것
> 2. 미소 공동 위원회의 속개를 요청하는 공동 성명을 발표할 것
> 3. 토지 개혁은 몰수, 유조건 몰수, 매수 등으로 토지를 농민에게 무상으로 분배하여 적절히 처리할 것
> 4. 친일파, 민족 반역자를 처단할 조례를 제정할 것
> 5. 정치범을 석방하고 남북, 좌우의 테러를 중지할 것
> 7. 언론, 집회, 결사, 출판, 교통, 투표의 자유를 보장할 것

(1) 위 내용을 발표한 단체를 쓰시오.

(2) 밑줄 친 '토지 개혁'에 대한 좌익과 우익 세력의 입장을 비교하여 서술하시오.

길잡이 좌우 합작 7원칙이 좌익과 우익 세력의 주장을 절충한 것임을 생각해 본다.

1 다음 조약에 대한 설명으로 옳지 <u>않은</u> 것은?

> 1. (b) 연합국들은 일본과 그 영해에 대한 일본 국민들의 완전한 주권을 인정한다.
> 14. (b) 이 조약에 별도로 정해져 있는 경우를 제외하고 연합국은 연합국의 모든 배상 청구권, 전쟁 수행 중에 일본국 및 그 국민이 취한 행동으로 발생한 연합국 및 그 국민의 다른 청구권 및 점령의 직접 군사비에 관하여 연합국의 청구권을 포기한다.

① 연합국과 일본 사이에 체결된 조약이다.
② 일본의 주권이 회복되는 결과를 가져왔다.
③ 냉전 체제가 심화되는 상황에서 체결되었다.
④ 소련의 태평양 전쟁 참전을 비밀리에 결정하였다.
⑤ 미국이 공산주의 세력의 확대를 막기 위해 체결을 주도하였다.

> ▶ **샌프란시스코 강화 조약**
>
> ┃ **완자 사전** ┃
>
> • **연합국**
> 제2차 세계 대전 때 추축국(독일, 이탈리아, 일본)과 싸운 미국, 영국, 프랑스, 중국, 소련 등의 나라를 가리킨다.

2 다음과 같은 결정에 대한 우리 민족의 반응으로 옳은 것을 〈보기〉에서 고른 것은?

> 1. 조선을 독립 국가로 재건설하며 그 나라를 민주주의적 원칙 아래 발전시키는 조건을 조성하고 가급적 속히 장구한 일본의 조선 통치의 참담한 결과를 청산하기 위해 …… 조선 민주주의 임시 정부를 수립할 것이다.
> 2. 조선 민주주의 임시 정부 구성을 원조할 목적으로 먼저 그 적당한 방책을 도출하기 위해 남조선 미군 사령부 대표자와 북조선 소련군 사령부의 대표자들로 공동 위원회가 설치될 것이다.
> 3. 공동 위원회의 제안은 최고 5년 기한의 4개국 후견의 협약을 작성하기 위해 미·영·소·중 정부의 공동 참작에 이바지하도록 조선 민주주의 임시 정부와 협의한 후 제출되어야 한다.

┌ **보기** ┐
ㄱ. 김구는 결정 사항을 총체적으로 지지하였다.
ㄴ. 우익 세력은 신탁 통치 반대 운동을 전개하였다.
ㄷ. 결정 사항이 알려지자 좌익과 우익 세력의 대립이 완화되었다.
ㄹ. 좌익 세력은 신탁 통치에 반대하였다가 이후에 입장을 바꾸었다.

① ㄱ, ㄴ   ② ㄱ, ㄷ   ③ ㄴ, ㄷ
④ ㄴ, ㄹ   ⑤ ㄷ, ㄹ

> ▶ **모스크바 3국 외상 회의**
>
> **완자샘의 시험 꿀팁**
> 모스크바 3국 외상 회의의 결정 사항 중 신탁 통치에 대한 국내 좌익과 우익 세력의 반응을 묻는 문제가 시험에 자주 출제된다. 좌우익의 입장과 함께 모스크바 3국 외상 회의 이후의 정치 상황을 정리해 두도록 한다.
>
> ┃ **완자 사전** ┃
>
> • **좌익 세력과 우익 세력**
> 광복 직후 좌익 세력은 사회주의(공산주의)를 추구하며 조선 공산당을 부활시키고, 남조선 노동당 등을 창당하였다. 우익 세력은 반공과 자본주의 체제를 강조한 세력으로 한국 민주당, 독립 촉성 중앙 협의회, 한국 독립당 등이 있다.

교육청 응용

3 다음 두 사건 사이에 있었던 사실로 옳은 것은?

한국사 신문

제1차 미소 공동 위원회가 서울 덕수궁 석조전에서 개최되었다. 미국 측은 아놀드 소장이, 소련 측은 시티코프 대장이 대표로 참석하였다. 위원회는 임시 정부 구성에 참여할 단체를 놓고 이견을 보이며 난항을 겪고 있다고 한다.

한국사 신문

아직까지 제2차 미소 공동 위원회는 미국과 소련이 이견을 좁히지 못하고 대립하면서 만족할 만한 답변을 주지 못하고 있다. 이런 상황에서 미국이 곧 한반도 문제를 유엔 총회에 상정할 것이라는 전망이 나오고 있다.

---

① 제주 4·3 사건이 일어났다.
② 좌우 합작 7원칙이 발표되었다.
③ 조선 건국 준비 위원회가 결성되었다.
④ 우리 민족이 8·15 광복을 맞이하였다.
⑤ 모스크바 3국 외상 회의가 개최되었다.

> **통일 정부 수립 노력**
>
> **완자쌤의 시험 꿀팁**
>
> 8·15 광복부터 대한민국 정부 수립까지 일련의 과정을 묻는 문제가 시험에 자주 출제된다. 사건을 단순하게 암기하는 것보다 사건들 사이의 인과관계를 파악하도록 해야 한다.

---

4 다음 성명이 발표된 배경으로 옳은 것은?

1. 우리 강토에서 외국 군대가 즉시 철거하는 것이 조선 문제를 해결하는 유일한 방법이다.
3. 연석회의에 참가한 모든 정당 사회단체들은 임시 정부를 수립하고 통일적 조선 입법 기관을 선거하여 통일적 민주 정부를 수립해야 한다.
4. 이 성명서에 서명한 모든 정당 사회단체들은 남조선 단독 선거의 결과를 결코 인정하지 않을 것이며 지지하지도 않을 것이다.
   – 남북 조선 제 정당·사회단체 공동 성명

① 군 내부의 좌익 세력을 색출하는 작업이 진행되었다.
② 연합국이 카이로 회담에서 한국의 독립을 약속하였다.
③ 샌프란시스코 강화 조약으로 일본의 주권이 회복되었다.
④ 대한민국 임시 정부의 요인들이 개인 자격으로 귀국하였다.
⑤ 유엔 소총회에서 선거가 가능한 지역에서의 총선거 실시를 결의하였다.

> **남북 협상**
>
> **완자 사전**
>
> ● **카이로 회담**
> 1943년 11월 미국의 루스벨트, 영국의 처칠, 중국의 장제스가 이집트 카이로에 모여 상호 협력과 제2차 세계 대전의 전후 처리에 대해 논의한 회담이다. 이 회담에서 각국 대표들은 한국의 독립 문제를 최초로 논의하였다.

02 대한민국 정부 수립 ~ 6·25 전쟁과 남북 분단의 고착화

이것이 핵심!

대한민국 정부의 수립 과정

5·10 총선거(1948. 5. 10.)	우리나라 역사상 최초의 민주적인 선거, 제헌 국회 구성
↓	
제헌 헌법 공포(1948. 7. 17.)	민주 공화국, 대통령 중심제, 삼권 분립, 국회에서 대통령 선출 등 규정
↓	
대한민국 정부 수립(1948. 8. 15.)	

★ **5·10 총선거**
21세 이상 모든 국민이 보통·평등·직접·비밀 선거의 원칙에 따라 참여한 우리나라 최초의 민주주의 선거

★ **북한의 토지 개혁(1946. 3.)**
5정보를 초과하는 토지를 무상으로 몰수하여 토지가 없거나 적은 농민에게 무상으로 분배하였다.

1 대한민국 정부와 북한 정권의 수립

1. 대한민국 정부의 수립 교과서 자료

*5·10 총선거 (1948. 5. 10.)	유엔 소총회의 결의에 따라 38도선 이남 지역에서 민주적인 총선거 실시(김구·김규식 등 남북 협상파 불참, 좌익 세력인 남조선 노동당이 선거 반대 투쟁 전개) → 제헌 국회 구성(임기 2년) → 국호를 '대한민국'으로 결정, 제헌 헌법 제정
제헌 헌법 공포 (1948. 7. 17.)	대한민국 정부가 대한민국 임시 정부의 법통을 계승한 민주 공화국임을 선언함, 삼권 분립과 대통령 중심제 채택, 국회에서 대통령·부통령 선출 규정
대한민국 정부 수립	대통령에 이승만, 부통령에 이시영 선출 → 이승만 대통령의 대한민국 정부 수립 선포(1948. 8. 15.) → 유엔 총회가 대한민국 정부를 한반도 내에서 유일한 합법 정부로 승인(1948. 12.)

└ 우리나라 헌정 사상 최초의 국회로, 헌법을 제정하기 위해 구성되었기 때문에 제헌 국회라고 해.

꼭! 대통령의 임기는 4년이고, 1회에 한하여 중임할 수 있었어.

2. 북한 정권의 수립

(1) **광복 직후의 북한**: 평안남도 건국 준비 위원회 결성(조만식 중심), 각 지역에 인민 위원회 조직 → 소 군정 실시(소 군정이 인민 위원회에 행정권 이양, 우익 세력 축출)

Qn? 조만식 등 우익 세력이 모스크바 3국 외상 회의의 결정에 반대하였기 때문이야.

(2) **북한 정권 수립** ┌ 소련의 후원 아래 수립되었어.

① 북조선 임시 인민 위원회 수립(1946): 김일성을 위원장으로 선출, *토지 개혁 실시(무상 몰수·무상 분배 방식), 중요 산업과 각종 자원의 국유화 → 사회주의 체제의 기초 마련

② 정권 수립 과정: 북조선 인민 위원회 수립(1947) → 헌법 초안 작성, 조선 인민군 창설, 남북 협상 참여 → 최고 인민 회의 대의원 선거 실시(1948. 8.) → 헌법 제정, 김일성을 수상으로 하는 조선 민주주의 인민 공화국 수립 선포(1948. 9. 9.)

└ 북한은 남북 협상에 참여해서 분단을 막기 위해 최선을 다하였다는 명분을 쌓았지. 대한민국 정부 수립 이후에 북한 정권의 수립을 선포한 것도 같은 이유에서 이루어진 일이야.

이것이 핵심!

제헌 국회의 활동

친일파 청산 노력	반민 특위 설치 → 친일 반민족 행위자 체포 및 조사 → 이승만 정부의 방해로 좌절
농지 개혁	농지 소유를 3정보로 제한, 유상 매수·유상 분배 방식

★ **반민족 행위 특별 조사 위원회**
반민족 행위자를 조사하기 위해 국회에서 구성된 특별 위원회이다. 국회 의원 10명과 조사관으로 구성되었다.

★ **유상 매수·유상 분배 방식**
정부는 농가 한 가구당 3정보(약 3만 ㎡)를 초과하는 농지를 사들인 후 지주에게 농지 매입 대가로 지가 증권을 발급하였다. 농지를 받은 농민들은 매년 평균 수확량의 30%씩 5년에 걸쳐 분할 상환하도록 하였다.

2 제헌 국회의 활동

1. 반민족 행위자 처벌을 위한 노력

이승만 정부는 국회 프락치 사건을 조작하여 반민 특위 소속 국회 의원들을 공산당과 접촉하였다는 구실로 구속시켰어.

배경	친일파 청산에 대한 국민의 요구, 미 군정의 친일 관료 유지 정책
과정	제헌 국회에서 반민족 행위 처벌법 제정(1948. 9.) → *반민족 행위 특별 조사 위원회(반민 특위) 설치(1948. 10.) → 친일 반민족 행위자 체포 및 조사 자료 ①
위기	반공을 중시하는 이승만 정부의 비협조와 친일 세력의 방해, 국회 프락치 사건(1949), 일부 경찰의 반민 특위 사무실 습격 사태 등으로 반민 특위의 활동 위축
결과	반민족 행위 처벌법 개정(친일파 처벌 기한 감소, 반민족 행위 범위 축소 등) → 반민 특위 해체(1949. 10.) → 친일파 청산 노력 좌절

2. 농지 개혁 자료 ②

┌ 미 군정은 신한 공사를 통해 관리해 온 동양 척식 주식회사와 일본인 소유의 농지를 농민들에게 유상 분배하였다.

(1) **배경**: 광복 당시 농민들 중 절반 이상이 소작농 → 농민들이 경자 유전의 원칙에 따른 토지 개혁 요구, 북한의 토지 개혁 실시 → 미 군정의 토지 개혁(1948)

└ 농사짓는 사람이 땅을 소유하여야 한다는 원칙

(2) **과정**: 제헌 국회에서 농지 개혁법 제정(1949. 6.) → 농지 개혁 시행(1950. 3.)

(3) **특징**: 한 가구당 3정보 이상의 농지 소유 금지, *유상 매수·유상 분배 방식

(4) **의의**: 지주·소작제의 소멸, 농민 중심의 농지 소유 확립에 기여

(5) **한계**: 6·25 전쟁 등으로 개혁 지연, 유상 분배에 따른 농민의 경제적 부담

└ 농민이 분배받은 농지를 되팔고 다시 소작농이 되기도 하였어.

완자 자료 탐구

내 옆의 선생님

수능이 보이는 교과서 자료 · 제헌 국회와 제헌 헌법

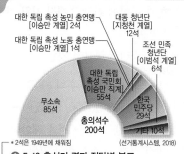

대한 독립 촉성 농민 총연맹
[이승만 계열] 2석

대한 독립 촉성 노동 총연맹
[이승만 계열] 1석

대동 청년단
[지청천 계열] 12석

조선 민족 청년단
[이범석 계열] 6석

대한 독립 촉성 국민회
이승만 직계] 55석

무소속 85석

한국 민주당 29석

총의석수 200석

기타 10석

* 2석은 1949년에 채워짐

(선거통계시스템, 2018)

⬆ 5·10 총선거 결과 정당별 분포

제주 4·3 사건으로 이듬해 다시 선거를 치른 제주에서 채워졌어.

유구한 역사와 전통에 빛나는 우리들 대한국민은 기미년 3·1 운동으로 대한민국을 건립하여 세계에 선포한 위대한 독립 정신을 계승하여 이제 민주 독립 국가를 재건함에 있어서 …… 이 헌법을 제정한다. └ '대한'은 대한민국 임시 정부의 정통성과 역사성.
'민국'은 국민 주권 국가가 탄생하였음을 의미해.

제1조 대한민국은 민주 공화국이다.

제2조 대한민국의 주권은 국민에게 있고 모든 권력은 국민으로부터 나온다. – 제헌 헌법

완자샘의 탐구 강의

· 대한민국 정부가 대한민국 임시 정부의 법통을 계승한 사실을 알 수 있는 부분을 자료에서 찾아 써 보자.
'기미년 3·1 운동으로 대한민국을 건립하여 세계에 선포한 독립 정신을 계승하여 민주 독립 국가를 재건함'이라고 명시한 부분을 통해 알 수 있다.

함께 보기 264쪽, 1등급 정복하기 1

5·10 총선거 결과 제헌 국회 의원 198명이 선출되었다. 당시 정원은 300명이었으나, 100명은 추후 38도선 이북 지역에서 선출하기로 하였다. 제헌 헌법은 대한민국 임시 헌법 및 대한민국 건국 강령이 기초한 삼균주의의 내용을 반영하였다.

자료 ① 반민족 행위 처벌법의 제정(1948. 9.)

이 법에 따라 친일 사업가 박흥식, 친일 경찰 노덕술, 민족 지도자였다가 변절한 이광수·최남선 등이 체포되었어.

제1조 일본 정부와 통모하여 한일 합병에 적극 협력한 자, 한국의 주권을 침해하는 조약에 조인한 자와 모의한 자는 사형 또는 무기 징역에 처하고 그 재산과 유산의 전부 혹은 2분의 1 이상을 몰수한다.

제2조 일본 정부로부터 작위를 받은 자 또는 일본 제국 의회의 의원이 되었던 자는 무기 또는 5년 이상의 징역에 처하고, 그 재산과 유산의 전부 혹은 2분의 1 이상을 몰수한다.

광복 이후 사회 정의와 민족정기를 바로 세우기 위해 친일파를 청산해야 한다는 국민의 요구가 많았다. 제헌 국회는 일제 강점기의 반민족 행위자 처벌 및 재산 몰수 등의 조항이 담긴 반민족 행위 처벌법을 제정하고, 반민족 행위 특별 조사 위원회와 특별 재판부를 구성하였다. 반민 특위는 1949년 1월부터 본격적인 활동을 시작하였다.

자료 하나 더 알고 가자!

반민 특위의 실적

취급 건수	682건	
영장 발부	408건	
기소	221건	
재판 종결	38건	
	· 사형 1건	· 징역 10건
	· 무기 징역 1건	
	· 공민권 정지 18건	
	· 무죄 6건	· 형 면제 2건

(특위 관계 기관 연석회의, 1949)

반민 특위는 많은 반민족 행위자들을 기소하였지만, 특별 재판부에서 실형을 선고받은 사람은 10여 명에 불과하였다.

자료 ② 농지 개혁의 추진

제5조 정부는 다음에 의하여 농지를 취득한다.

2. 다음 농지는 적당한 보상으로 정부가 매수한다.

(가) 농가가 아닌 자의 농지

(나) 자경하지 않는 자의 농지

(다) 본 법 규정의 한도를 초과하는 부분의 농지

– 농지 개혁법, 1949. 6.

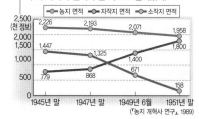

광복 이후 농지 개혁이 실시될 것을 우려한 지주들이 미리 소작지를 팔아버려서 농지 개혁 이전부터 자작지 면적이 큰 폭으로 늘어났어.

▪ 농지 면적 ▪ 자작지 면적 ▪ 소작지 면적

(천 정보)

2,500
2,226   2,193   2,071   1,958
2,000   1,800
1,500
1,447   1,400
1,325
1,000
779   868   671
500   158
0
1945년 말 1947년 말 1949년 6월 1951년 말

(『농지 개혁사 연구』, 1989)

⬆ 농지 개혁 실시 전후의 자·소작지 면적

농지 개혁의 실시로 광복 무렵 전체 농지의 65% 정도를 차지하던 소작지가 1951년에는 8% 정도로 줄어들었고, 대부분의 소작농이 자작농이 되었다.

문제로 확인할까?

남한의 농지 개혁에 대한 설명으로 옳지 않은 것은?

① 이승만 정부의 방해로 중단되었다.

② 지주·소작제의 소멸에 기여하였다.

③ 3정보를 초과하는 농지를 대상으로 하였다.

④ 유상 매수, 유상 분배 방식을 원칙으로 하였다.

⑤ 제헌 국회가 관련법을 제정하면서 실시되었다.

① 🔲

02 대한민국 정부 수립 ~ 6·25 전쟁과 남북 분단의 고착화

이것이 핵심!

6·25 전쟁

배경	남북한의 대립, 애치슨 선언
전개	북한의 남침 → 국군·유엔군의 인천 상륙 작전 → 중국군 개입 → 1·4 후퇴 → 정전 협정 체결
영향	이산가족 발생, 산업 시설 파괴, 한미 상호 방위 조약 체결

★ 애치슨 선언에 나타난 애치슨 라인

③ 6·25 전쟁

1. 배경

> 꼭! 1950년 1월에 미국 국무 장관 애치슨이 발표한 선언이야. 미국의 태평양 방위선에서 한국과 타이완 등을 제외한다는 내용을 담고 있지.

(1) **한반도의 정세 변화**: 한반도에서 미군과 소련군 철수(남한과 북한에 각각 경제적 지원 계속), 38도선 부근에서 잦은 무력 충돌, 미국의 *애치슨 선언 발표

(2) **북한의 전쟁 준비**: 조선 의용군 등을 인민군에 편입, 중국과 소련의 군사적 지원
└ 전투 경험이 많아 인민군의 군사력을 강화하였어.

2. 전개 과정: 북한의 남침(1950. 6. 25.) → 서울 함락 → 낙동강 유역까지 후퇴 → 유엔 안전 보장 이사회의 유엔군 참전 결정 → 국군과 유엔군의 인천 상륙 작전(1950. 9. 15.) → 서울 수복, 압록강 유역까지 진출 → 중국군 개입 → 흥남 철수(1950. 12.) → 서울 재함락(1·4 후퇴, 1951. 1. 4.) → 서울 재탈환, 38도선 부근에서 공방전 전개 → 정전 협상 진행 → 정전 협정 체결(1953. 7. 27.) 자료③

└ 이때 이승만 정부는 정전에 반대하며 일방적으로 반공 포로를 석방하였어.

3. 결과 및 영향
└ 6·25 전쟁 중에 국민 보도 연맹 사건이 발생하는 등 국가에 의한 민간인 학살이 자행되기도 하였어.

(1) **인적·물적 피해**: 수많은 사상자·이산가족·전쟁고아 발생, 남북한의 산업 시설 파괴 등

(2) **분단의 고착화**: 남북 간의 적대감 심화, 한미 상호 방위 조약 체결(미군이 남한에 주둔), 북한에서 중국의 영향력 강화, 남북한에서 독재 체제 강화

이것이 핵심!

전후 남북한의 정치와 경제

남한	• 이승만의 독재 체제 강화 • 원조 경제, 삼백 산업 발달
북한	• 김일성의 독재 체제 강화 • 사회주의 경제 체제 확립

★ 사사오입 개헌
헌법을 개정하려면 국회 재적 의원 203명 중 3분의 2(135.333……명) 이상인 136명이 찬성해야 하는데, 투표 결과는 찬성이 135표였다. 자유당은 사사오입(반올림)의 논리를 앞세워 개헌안을 통과시켰다.

★ 삼백 산업
흰색인 밀, 사탕수수, 면화 등을 원료로 하는 제분업, 제당업, 면방직 공업 등을 가리킨다. 1950년대에 삼백 산업 등 소비재 산업이 발달한 반면, 생산재 산업은 부진하여 공업 간 불균형이 심화되었다.

★ 천리마운동
북한이 1956년부터 대중의 노동력 동원을 바탕으로 생산성을 높이기 위해 전개한 운동

④ 전후 독재 체제의 강화

1. 전후 남한의 정치와 경제

(1) **이승만의 반공주의와 독재** 자료④

> 정부·여당의 대통령 직선제 및 양원제 개헌안과 야당의 내각 책임제 개헌안 중에 일부를 발췌, 절충하여 마련하였기 때문에 발췌 개헌이라고 불러. 이승만 정부 시기에 양원제 국회가 수립되지는 않았어.

발췌 개헌 (1952)	제2대 국회 의원 선거에서 이승만의 반대 세력 대거 당선(→ 국회의 간선제를 통한 이승만의 재선 가능성 희박) → 이승만 정부가 자유당 창당, 계엄령 선포, 야당 국회 의원 탄압 → 대통령 직선제 개헌안 통과 → 제2대 대통령 선거(1952)에서 이승만 당선
*사사오입 개헌 (1954)	여당인 자유당이 개헌 당시의 대통령(이승만)에 한해서 연임 횟수의 제한을 없애는 개헌안 제출 → 1표 차로 부결 → 사사오입 논리를 내세워 개헌안 통과 → 제3대 대통령 선거(1956)에서 이승만 당선
독재 강화	무리한 개헌으로 여론 악화, 제3대 대통령 선거에서 조봉암 선전 → 반공을 내세워 반대 세력 탄압 → 진보당 사건 조작, 국가 보안법 개정, 정부에 비판적인 언론 억압(경향신문 폐간 등)

└ 제3대 대통령 선거 이후 진보당을 창설하였어.

(2) **전후 복구와 원조 경제**

> 광복 직후 미 군정이 압류한 일본인 소유의 재산으로, 대한민국 정부 수립 이후 이승만 정부에 이관되었어.

① **경제 재건 노력**: 산업 시설 파괴로 생필품 부족, 농지 황폐화로 식량 부족 → 귀속 재산과 미국의 원조 물자를 민간 기업에 불하하여 전후 복구 자금 마련
└ 국가의 재산을 개인에게 팔아넘기는 일

② **미국의 경제 원조**: 원조 물자가 소비재 산업의 원료에 집중 → *삼백 산업 발달, 농업 기반 약화 → 1950년대 말 미국의 원조 감소 및 유상 차관 전환으로 경제 위기 자료⑤

③ **생활의 변화**: 인구의 도시 이주, 교육열 상승, 미국식 대중문화 확산, 여성의 지위 향상 등

2. 전후 북한의 정치와 경제

> 1956년 반대파가 김일성의 권력 독점과 사회주의 건설 정책을 비판한 것을 빌미로 김일성이 이들을 숙청하였어.

(1) **김일성의 독재 체제 강화**: 남조선 노동당 세력 제거, 8월 종파 사건 → 1인 독재 체제 강화

(2) **사회주의 경제 체제 확립**: 사회주의 국가들의 경제 원조 → 전후 복구 3개년 계획(1954~1956) 및 경제 개발 5개년 계획(1957~1961) 실시, *천리마운동 전개, 농업 협동화 시행

└ 사유 재산 제도를 부정하는 경제 체제

└ 토지를 비롯한 모든 생산 수단을 통합하고 투입한 노동량에 따라 수확물을 분배받는 것을 말해.

자료 3 6·25 전쟁의 전개 과정

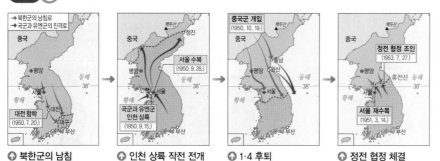

↑ 북한군의 남침 → 인천 상륙 작전 전개 → 1·4 후퇴 → 정전 협정 체결

북한의 기습적이고 전면적인 남침으로 전쟁 초기에 남한이 낙동강 유역까지 밀렸다. 국군은 유엔군과 인천 상륙 작전에 성공하여 전세를 뒤집었고, 한때 압록강 유역까지 진출하였으나 중국군이 개입하면서 남한은 다시 서울을 빼앗겼다. 이후 국군과 유엔군은 서울을 재수복하였고, 전선은 38도선 부근에서 교착 상태에 빠졌다. 1951년 7월부터 소련의 제의로 정전 협상이 시작되었으나 이는 군사 분계선 설정과 포로 송환 방식에 대한 이견으로 난항을 겪었다. 결국 1953년 7월에 판문점에서 정전 협정이 체결되었다.

자료 4 독재 체제의 강화

┌ 보안법의 적용 대상을 확대하여
│ 정부 반대 세력을 탄압하였어.

[사사오입 개헌(제2차 개헌, 1954)]
제55조 대통령과 부통령의 임기는 4년으로 한다. 단, 재선에 의하여 1차 중임할 수 있다. 대통령이 궐위된 때에는 부통령이 대통령이 되고 잔임 기간 중 재임한다. ┌ 이승만 대통령을 가리켜.
부칙 이 헌법 공포 당시의 대통령에 대하여는 제55조 제1항 단서의 제한을 적용하지 아니한다.

[국가 보안법(3차 개정, 1959)]
• 허위 사실을 발설하거나 유포한 자는 5년 이하의 징역에 처한다.
• 대통령, 국회 의장, 대법원장을 비난한 자는 10년 이하 징역에 처한다.
• 피의자가 심문 조서를 재판 과정에서 부정해도 증거로 적용할 수 있다.

이승만 정부는 개헌안 부칙의 예외 규정을 통해 이승만 대통령의 연임이 가능하도록 하여 장기 집권을 도모하였다. 또한 반공을 명분으로 야당의 반대를 무릅쓰고 국가 보안법을 개정하여 이를 반대 세력을 탄압하는 데 이용하였다.

자료 5 미국의 경제 원조

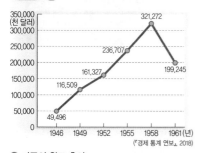

↑ 미국의 원조 추이

6·25 전쟁 이후 한국 경제에 큰 영향을 끼쳤던 것은 미국의 경제 원조였다. 미국에서 대량의 농산물이 들어오면서 식량 문제는 다소 해결되었으나 국내 농산물 가격이 폭락하여 농가 소득이 크게 줄었다. 또한 미국의 경제 불황으로 1950년대 말부터 원조가 감소하고 무상 원조가 유상 차관으로 바뀌면서 한국 경제가 어려워졌다.

└ 미국의 원조가 감소하자 많은 기업이 도산하고 실업률이 상승하였어.

1 다음 괄호 안의 내용 중 알맞은 말에 ○표를 하시오.

(1) 제헌 헌법은 대한민국 정부가 대한민국 임시 정부의 법통을 계승한 (민주 공화국, 입헌 군주국)임을 밝혔다.

(2) 유엔 총회는 (대한민국 정부, 조선 민주주의 인민 공화국)을/를 한반도 내에서 유일한 합법 정부로 승인하였다.

(3) 북한은 (북조선 인민 위원회, 평안남도 건국 준비 위원회)를 수립하여 헌법 초안을 작성하고 군대를 창설하였다.

2 다음 설명이 맞으면 ○표, 틀리면 ×표를 하시오.

(1) 남한이 북한보다 먼저 토지 개혁을 실시하였다. ( )

(2) 제헌 국회는 친일파 청산을 위해 반민족 행위 처벌법을 제정하였다. ( )

(3) 남한의 농지 개혁은 한 가구당 5정보를 초과하는 농지를 몰수하여 농민에게 무상으로 분배하였다. ( )

3 6·25 전쟁의 배경 및 과정을 일어난 순서대로 나열하시오.

(가) 1·4 후퇴	(나) 중국군 개입
(다) 북한군의 남침	(라) 정전 협정 체결
(마) 애치슨 선언 발표	(바) 인천 상륙 작전 성공

4 다음 개헌의 내용을 옳게 연결하시오.

(1) 발췌 개헌 •   • ㉠ 대통령 직선제로 변경

(2) 사사오입 개헌 •   • ㉡ 개헌 당시 대통령의 연임 제한 철폐

5 다음에서 설명하는 북한의 경제 정책을 쓰시오.

북한이 1956년부터 대중의 노동력 동원을 바탕으로 사회주의 경제를 건설하기 위해 실시하였다. 초반에는 경제 발전에 기여하였지만, 점차 노동력 강제 동원이라는 한계점이 나타났다.

01 중요 밑줄 친 '이 선거'에 대한 설명으로 옳지 <u>않은</u> 것은?

사진은 이 선거 당시에 쓰였던 포스터예요. 이 선거는 보통 선거를 실시하였다는 점에서 의미가 있지만, 한편으로는 분단된 정부를 수립하는 선거이기도 하였어요.

① 우리나라 최초의 민주주의 선거였다.

② 유엔 소총회의 결의에 따라 실시되었다.

③ 남북 협상 참가 세력이 대다수 불참하였다.

④ 일부 좌익 세력은 선거 반대 투쟁을 벌였다.

⑤ 미소 공동 위원회가 개최되는 결과를 가져왔다.

02 (가), (나) 시기 사이에 있었던 사실로 옳은 것은?

(가) 우리 역사상 처음 있는 보통 선거야. / 누구를 뽑아야 할지 고민이야.

(나) 오늘이 광복 3주년 기념일이야. / 정부 수립을 선포하는군.

① 남북 협상이 이루어졌다.

② 제헌 헌법이 공포되었다.

③ 6·25 전쟁이 발발하였다.

④ 애치슨 선언이 발표되었다.

⑤ 반민족 행위 처벌법이 제정되었다.

03 (가)에 들어갈 기구로 옳은 것은?

1946년 2월 북한에서 출범한 ‾(가)‾은/는 토지 개혁을 실시하고, 노동법과 남녀평등권법을 시행하였으며 중요 산업을 국유화하여 사회주의 체제의 기초를 마련하였다.

① 북조선 인민 위원회   ② 조선 건국 준비 위원회
③ 북조선 임시 인민 위원회 ④ 조선 민주주의 인민 공화국
⑤ 평안남도 건국 준비 위원회

04 ☆중요 다음 헌법에 대한 설명으로 옳은 것은?

제1조   대한민국은 민주 공화국이다.
제16조   모든 국민은 균등하게 교육을 받을 권리가 있다.
제86조   농지는 농민에게 분배하며 그 분배의 방법, 소유의 한도, 소유권의 내용과 한계는 법률로써 정한다.
제101조 국회는 1945년 8월 15일 이전의 악질적인 반민 족 행위를 처벌하는 특별법을 제정할 수 있다.

① 대통령의 중임에 제한을 두지 않았다.
② 남북 통일 정부 수립에 영향을 주었다.
③ 삼권 분립과 대통령 중심제를 채택하였다.
④ 이 헌법을 제정한 국회의 임기는 4년이었다.
⑤ 대통령은 국민의 직접 투표로 선출하도록 하였다.

05 밑줄 친 '위원회'에 대한 설명으로 옳지 않은 것은?

과거에 친일한 자를 한꺼번에 숙청하였으면 좋을 것인데 군정 3년 동안에 못한 것을 지금에 와서 단행하면 앞으로 우리나라가 해 나갈 일에 여러 가지 지장이 많을 것이다. 위원회에서 반역자의 징치(懲治)를 목적으로 한다면 해당 자를 비밀리에 조사하여 사법부로 넘겨야 한다.

① 반민족 행위 처벌법에 따라 설치되었다.
② 이승만 정부의 적극적인 지원을 받았다.
③ 일부 경찰들에게 사무실을 습격당하였다.
④ 국회 프락치 사건으로 활동이 위축되었다.
⑤ 법 개정으로 활동이 유명무실해지면서 해체되었다.

06 ☆중요 (가)에 들어갈 내용으로 적절한 것은?

한국사 수행 평가
• 과제: ‾(가)‾
• 모둠별 발표 주제
  – 1모둠: 지가 증권의 내용
  – 2모둠: 자·소작지 면적의 변화
  – 3모둠: 유상 매수, 유상 분배 방식의 영향

① 농지 개혁   ② 회사령 제정
③ 산미 증식 계획   ④ 토지 조사 사업
⑤ 북한의 토지 개혁

07 다음 자료에 나타난 정책에 대한 설명으로 옳은 것은?

2. 다음 농지는 적당한 보상으로 정부가 매수한다.
   (가) 농가가 아닌 자의 농지
   (나) 자경하지 않는 자의 농지
   (다) 본 법 규정의 한도를 초과하는 부분의 농지

① 미 군정에서 시행하였다.
② 북한의 토지 개혁에 영향을 주었다.
③ 지주·소작제 소멸의 계기가 되었다.
④ 소작농 수가 증가하는 결과를 가져왔다.
⑤ 5정보를 초과하는 농지를 대상으로 하였다.

08 다음 시기 국내의 상황으로 가장 적절한 것은?

미국 국무 장관 애치슨은 태평양 방위선을 '알류샨 열도 – 일본과 오키나와 – 필리핀 군도'로 이어지는 선으로 발표하였다. 이는 한국과 타이완을 미국의 태평양 방위선에서 제외함을 의미하였다.

① 사사오입 개헌이 단행되었다.
② 한미 상호 방위 조약이 체결되었다.
③ 소련의 제안으로 정전 협상이 시작되었다.
④ 한국에 주둔한 미군이 철수하기 시작하였다.
⑤ 국군과 유엔군이 인천 상륙 작전에 성공하였다.

09 (가)~(라)에 대한 설명으로 옳은 것은?

6·25 전쟁 사진전

(가) 인천 상륙 작전 | (나) 중국군 개입 | (다) 반공 포로 석방 | (라) 한미 상호 방위 조약 체결

① (가) - 남한이 서울을 수복하는 계기가 되었다.
② (나) - 북한이 낙동강 유역까지 진출하게 만들었다.
③ (다) - 남한이 미국과의 합의 아래 시행하였다.
④ (라) - 미군이 남한에서 철수하는 근거가 되었다.
⑤ (가)~(라) - 정전 협상 중에 일어났다.

10 밑줄 친 '이 전쟁'에 대한 설명으로 옳은 것을 〈보기〉에서 고른 것은?

1950년 6월 25일, 북한 인민군이 38도선 전역에 걸쳐서 남침해 왔다. 이 전쟁은 1953년 7월 27일에 서울 북방 50 km 지점에 있는 판문점에서 정전 협정이 체결되기까지 3년 1개월이나 계속되었다. 남한은 서울을 두 번이나 빼앗기고는 탈환하였다. 이 전쟁은 바로 냉전(冷戰)이 열전(熱戰)으로 변한 것이고, 한반도의 내전이 국제 전쟁화한 것이며, 남북한이 미국과 소련의 대리전쟁을 행한 것을 의미하였다.

〈보기〉
ㄱ. 전쟁 중 일본이 독도를 불법 편입하였다.
ㄴ. 남북 분단이 고착화되는 결과를 가져왔다.
ㄷ. 전후 처리 과정에서 베르사유 조약이 체결되었다.
ㄹ. 유엔 안전 보장 이사회의 결의에 따라 유엔군이 참전하였다.

① ㄱ, ㄴ   ② ㄱ, ㄷ   ③ ㄴ, ㄷ
④ ㄴ, ㄹ   ⑤ ㄷ, ㄹ

11 밑줄 친 '개헌안'의 내용으로 옳은 것은?

1954년 11월 27일, 개헌안을 국회에서 표결에 붙인 결과 재적 의원 203명(재석 의원 202명) 중 찬성 135표, 반대 60표, 기권 7표로 개헌 정족수인 136표에 1표가 미달되어 부결이 선언되었다. 그러나 자유당은 "203명의 3분의 2는 135.333……명인데 소수점 이하의 숫자는 1인의 인간이 될 수 없으므로 사사오입(반올림)하면 203명의 3분의 2는 135명이 된다."라는 억지 주장으로 이틀 후인 29일, 부결 선언을 번복하고 개헌안의 가결을 선포하였다.

① 국회 의원의 임기를 2년으로 정하였다.
② 대통령 간선제를 직선제로 변경하였다.
③ 개헌 당시 대통령의 연임 제한을 철폐하였다.
④ 반민족 행위자 처벌에 관한 법률을 제정하도록 하였다.
⑤ 임시 수도였던 부산에서 계엄령을 선포한 후 통과시켰다.

[12~13] 다음을 읽고 물음에 답하시오.

• 1956년 제3대 대통령 선거에서 당시 무소속 후보였던 (가) 이/가 예상보다 많이 득표하자, 이승만 정부는 (가) 에게 간첩 혐의를 씌워 사형에 처하였다.
• 이승만 정부는 1959년 경향신문 폐간 명령을 내렸다. 이는 경향신문이 보안법 파동 등을 보도하면서 정부에 대해 노골적으로 비판적인 기사를 게재해 왔기 때문이다.

12 (가)에 들어갈 인물에 대한 설명으로 옳은 것은?

① 진보당을 창설하였다.
② 남북 협상을 주도하였다.
③ 물산 장려 운동을 전개하였다.
④ 조선 혁명 선언을 작성하였다.
⑤ 조선 건국 준비 위원회를 조직하였다.

13 이승만 정부가 위 사건들을 일으킨 목적으로 옳은 것은?

① 헌법의 개정   ② 독재 체제 강화
③ 반민족 행위자 처벌   ④ 남한 단독 정부 수립
⑤ 전후 복구 사업 추진

14 그래프는 한국에 대한 미국의 원조 추이를 나타낸 것이다. 이 시기 남한의 경제 상황에 대한 설명으로 가장 적절한 것은?

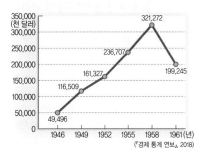

① 삼백 산업이 발달하였다.
② 농가 소득이 크게 늘어났다.
③ 식량 부족 문제가 심화되었다.
④ 국내 농산물 가격이 급등하였다.
⑤ 농촌에서 농촌 진흥 운동이 실시되었다.

15 다음 내용에 해당하는 사건으로 옳은 것은?

> 김일성은 1956년에 연안파가 자신의 권력 독점과 사회주의 건설 정책을 비판하며 권력을 장악하려 하자, 이를 기회로 삼아 반대파에 대한 숙청 작업을 진행하였다.

① 105인 사건
② 제암리 사건
③ 진보당 사건
④ 8월 종파 사건
⑤ 여수·순천 10·19 사건

16 다음 운동에 대한 설명으로 옳은 것은?

· 1956년부터 북한에서 실시
· 사회주의 경제 건설이 목표
· 초반에는 경제 발전에 이바지하기도 하였지만 큰 성과를 거두지는 못함

① 신한 공사에서 주도하였다.
② 농촌의 문맹 퇴치에 기여하였다.
③ 대중의 노동력을 강제 동원하였다.
④ 내 살림 내 것으로라는 구호를 내걸었다.
⑤ 무상 몰수·무상 분배 방식으로 실시되었다.

서술형 문제

● 정답친해 085쪽

01 지도는 6·25 전쟁의 전개를 나타낸 것이다. 전선이 다음과 같이 변화한 원인을 서술하시오.

(길잡이) 6·25 전쟁 중에 오른쪽 지도와 같이 전세를 역전시킨 사건이 무엇일지 생각해 본다.

02 다음 개헌안의 명칭을 쓰고, 이 개헌안과 기존 헌법의 차이점을 비교하여 서술하시오.

> 제53조 대통령과 부통령은 국민의 보통, 평등, 직접, 비밀 투표에 의하여 각각 선거한다.
> 부칙 이 헌법은 공포한 날로부터 시행한다. 단, 참의원에 관한 규정과 참의원의 존재를 전제로 한 규정은 참의원이 구성된 날로부터 시행한다. — 1952

(길잡이) 제헌 헌법과 이를 처음 개정한 헌법의 대통령 선거 방식을 비교하여 서술한다.

03 그래프는 국내 쌀 부족량과 외국 도입량을 나타낸 것이다. 이를 통해 미국의 경제 원조가 한국 경제에 끼친 긍정적·부정적 영향을 서술하시오.

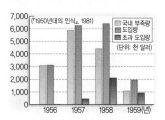

(길잡이) 미국의 잉여 농산물이 국내에 도입되면서 국내 농산물 가격에 어떤 영향을 끼쳤을지 유추해 본다.

1 교사의 질문에 대한 학생의 답변으로 적절한 것을 〈보기〉에서 고른 것은?

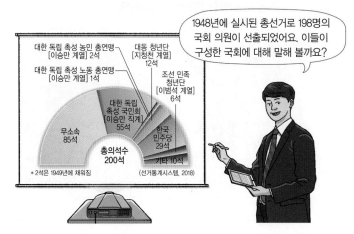

> 1948년에 실시된 총선거로 198명의 국회 의원이 선출되었어요. 이들이 구성한 국회에 대해 말해 볼까요?

대한 독립 촉성 농민 총연맹
[이승만 계열] 2석
대동 청년단
[지청천 계열]
12석
대한 독립 촉성 노동 총연맹
[이승만 계열] 1석
조선 민족
청년단
[이범석 계열]
6석
대한 독립
촉성 국민회
[이승만 직계]
55석
한국
민주당
29석
무소속
85석
총의석수
200석
기타 10석

* 2석은 1949년에 채워짐
(선거통계시스템, 2018)

보기

ㄱ. 농지 개혁법을 제정하였어요.
ㄴ. 발췌 개헌안을 통과시켰어요.
ㄷ. 초대 대통령을 선출하였어요.
ㄹ. 내각 책임제 정부를 구성하였어요.

① ㄱ, ㄴ
② ㄱ, ㄷ
③ ㄴ, ㄷ
④ ㄴ, ㄹ
⑤ ㄷ, ㄹ

> **5·10 총선거로 구성된 국회**
>
> **│ 완자 사전 │**
>
> • 내각 책임제
> 국회의 신임에 따라 정부가 성립, 존속하는 정치 제도이다. 18세기 초에 영국에서 처음 성립되었으며, 다수당을 중심으로 행정부가 만들어지기 때문에 국민은 국회를 통해 정부의 시책을 감시할 수 있다.

2 다음 법령이 발표된 정부 시기의 경제 정책으로 옳은 것은?

제1조 일본 정부와 통모하여 한일 합병에 적극 협력한 자, 한국의 주권을 침해하는 조약에 조인한 자와 모의한 자는 사형 또는 무기 징역에 처하고 그 재산과 유산의 전부 혹은 2분의 1 이상을 몰수한다.

제2조 일본 정부로부터 작위를 받은 자 또는 일본 제국 의회의 의원이 되었던 자는 무기 또는 5년 이상의 징역에 처하고, 그 재산과 유산의 전부 혹은 2분의 1 이상을 몰수한다.

제3조 일본 치하 독립운동가나 그 가족을 악의로 살상, 박해한 자 또는 이를 지휘한 자는 사형·무기 또는 5년 이상의 징역에 처하고 그 재산의 전부 혹은 일부를 몰수한다.

① 전후 복구 3개년 계획을 수립하였다.
② 신한 공사를 통해 귀속 재산을 처리하였다.
③ 남면북양 정책을 실시하여 공업 원료를 조달하였다.
④ 대중의 노동력을 동원하는 천리마운동을 전개하였다.
⑤ 미국의 원조에 의존하여 경제 문제를 해결하려 하였다.

> **대한민국 정부의 경제 정책**
>
> **│ 완자 사전 │**
>
> • 신한 공사
> 1946년 남한 지역에 미 군정이 설립한 기관으로, 동양 척식 주식회사와 일본인 소유의 재산(귀속 재산)을 넘겨받아 관리하였다.

수능 응용

3 (가) 시기에 볼 수 있는 모습으로 가장 적절한 것은?

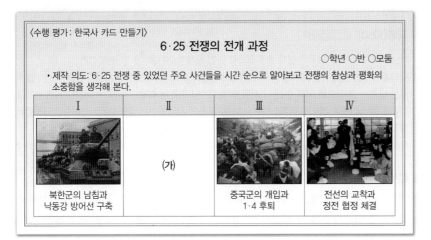

〈수행 평가: 한국사 카드 만들기〉

6·25 전쟁의 전개 과정

○학년 ○반 ○모둠

• 제작 의도: 6·25 전쟁 중 있었던 주요 사건들을 시간 순으로 알아보고 전쟁의 참상과 평화의 소중함을 생각해 본다.

I	II	III	IV
북한군의 남침과 낙동강 방어선 구축	(가)	중국군의 개입과 1·4 후퇴	전선의 교착과 정전 협정 체결

① 수용소에서 석방되는 반공 포로들
② 미국의 태평양 방위선을 발표하는 애치슨
③ 사사오입 개헌을 통과시키는 국회 의원들
④ 인천 상륙 작전을 전개하는 국군과 유엔군
⑤ 한미 상호 방위 조약을 체결하는 당국자들

▶ 6·25 전쟁의 전개 과정

완자샘의 시험 꿀팁

6·25 전쟁의 전개 과정에 대해 인천 상륙 작전을 묻는 문제가 시험에 자주 출제된다. 6·25 전쟁의 배경, 전개 과정, 결과와 관련된 사실을 꼼꼼하게 정리해 두어야 한다.

완자 사전

• 반공 포로
공산주의에서 전향하여 남한에 남기를 바라는 포로를 가리키는 말

4 (가), (나) 헌법에 대한 설명으로 옳지 <u>않은</u> 것은?

(가) 제31조 입법권은 국회가 행한다. 국회는 민의원과 참의원으로 구성한다.
　제53조 대통령과 부통령은 국민의 보통, 평등, 직접, 비밀 투표에 의하여 각각 선거한다.
　부칙 이 헌법은 공포한 날로부터 시행한다. 단, 참의원에 관한 규정과 참의원의 존재를 전제로 한 규정은 참의원이 구성된 날로부터 시행한다.
(나) 제31조 입법권은 국회가 행한다. 국회는 민의원과 참의원으로 구성한다.
　제55조 대통령과 부통령의 임기는 4년으로 한다. 단, 재선에 의하여 1차 중임할 수 있다. 대통령이 궐위된 때에는 부통령이 대통령이 되고 잔임 기간 중 재임한다.
　부칙 이 헌법 공포 당시의 대통령에 대하여는 제55조 제1항 단서의 제한을 적용하지 아니한다.

① (가) - 6·25 전쟁 중에 공포되었다.
② (가) - 사사오입의 논리를 내세워 개헌안을 통과시켰다.
③ (나) - 초대 대통령의 중임 제한을 철폐하였다.
④ (나) - 여당이었던 자유당이 제출하여 통과시켰다.
⑤ (가), (나) - 이승만의 장기 집권을 위해 제정되었다.

▶ 이승만의 장기 독재

완자샘의 시험 꿀팁

헌법 조항을 토대로 당시 정세나 정부의 정책을 묻는 문제가 종종 출제된다. 이승만 정부 시기의 발췌 개헌과 사사오입 개헌을 비롯하여 이후에 이루어지는 헌법 개정의 주요 내용 및 개헌의 배경을 확인해 둔다.

03 4·19 혁명과 민주화를 위한 노력

학 습 목 표
- 4·19 혁명의 전개 과정을 이해하고 역사적 의의를 설명할 수 있다.
- 유신 체제의 성립 과정과 이에 저항하여 일어난 민주화 운동에 대해 알 수 있다.

이것이 핵심!

4·19 혁명

배경	이승만의 장기 독재, 3·15 부정 선거
전개	마산 시위, 김주열 학생의 시신 발견 → 대규모 시위 → 대학교수들의 시국 선언 → 이승만 대통령의 하야
결과	이승만 정부 붕괴, 장면 정부 수립

★ 3·15 부정 선거
1960년에 치러진 정부통령 선거에서 자유당과 이승만 정부가 이기붕을 부통령으로 당선시키기 위해 4할 사전 투표, 대리 투표, 투표함 바꿔치기 등의 부정행위를 대대적으로 저질렀다.

① 4·19 혁명과 장면 정부

1. 4·19 혁명(1960) 교과서 자료

꼭! 김주열 학생은 경찰이 쏜 최루탄에 맞아 숨졌어. 경찰은 이를 은폐하기 위해 시신을 마산 앞바다에 버렸는데, 이 시신이 며칠 뒤에 발견되면서 시민의 분노가 폭발하였지.

배경	이승만의 장기 독재, 미국의 경제 원조 감소로 인한 경제적 어려움, *3·15 부정 선거
전개	각지에서 부정 선거 규탄 시위 발생 → 마산에서 경찰이 시위대에 발포하여 사상자 발생 → 김주열 학생의 시신 발견 → 전국으로 시위 확산 → 시위 후 돌아가던 고려대 학생의 피습 → 대규모 시위 전개(4. 19.), 경찰의 무차별 총격, 정부의 계엄령 선포 → 대학교수들의 시국 선언문 발표(4. 25.) → 이승만 대통령의 하야 성명 발표(4. 26.)
의의	학생과 시민의 힘으로 독재 정권을 무너뜨린 민주주의 혁명, 이후 민주주의 발전에 중요한 토대가 됨

2. 장면 정부

내각 책임제에서는 내각을 주도하는 국무총리가 행정부의 수반이었기 때문에 장면 정부(장면 내각)라고 불러.

(1) **출범**: 허정 과도 정부 수립 → 헌법 개정(내각 책임제, 양원제 국회 구성) → 총선거에서 민주당 승리 → 국회에서 대통령에 윤보선, 국무총리에 장면 선출 → 장면 정부 출범(1960)

(2) **내용**: 정부가 지방 자치제 실시·국토 건설 사업 추진·경제 개발 5개년 계획 마련, 각계각층의 민주화 운동 및 통일 논의 활성화 ── 민간 차원에서 남북 학생 회담을 요구하는 통일 운동이 추진되기도 하였어.

(3) **한계**: 민주당의 내분, 정부가 민주화 요구와 통일 논의에 소극적 대처
── 제주 4·3 사건의 진상 규명과 3·15 부정 선거의 책임자 처벌을 제대로 하지 못하였고, 민주화를 요구하는 시민운동을 억누르기도 하였다.

이것이 핵심!

박정희 정부

수립	5·16 군사 정변 → 군정 실시 (국가 재건 최고 회의 중심) → 헌법 개정 → 박정희 대통령 당선
정책	한일 협정 체결, 베트남 파병 → 경제 개발에 필요한 자금 확보

★ 중앙정보부
1961년 국가 안전 보장을 명분으로 설치되었으나 박정희의 정권 창출과 권력 유지에 활용되었다. 현재는 국가 정보원으로 개편되었다.

★ 브라운 각서
1966년 미국이 한국의 베트남 추가 파병에 대한 보상으로 경제적·군사적 지원을 하겠다고 약속한 문서이다. 미국은 한국 정부에 국군의 현대화와 경제 발전을 위한 기술 및 차관 제공을 약속하였고, 한국 기업의 베트남 건설 사업 참여 등을 보장하였다.

② 5·16 군사 정변과 박정희 정부

1. 5·16 군사 정변(1961. 5. 16.) 자료 ①

장면 정부의 무능과 사회 혼란을 구실로 삼았어.

박정희를 의장으로 하여 입법·사법·행정을 담당하였어.

(1) **발생**: 박정희를 중심으로 한 일부 군인 세력들이 정변을 일으켜 정권 장악

(2) **군정 실시**: '혁명 공약' 발표, 비상계엄 선포 → 국가 재건 최고 회의를 통해 군정 실시

정치	모든 정당과 사회단체 해산, 지방 자치제 중단, *중앙정보부 설치, 정치 활동 정화법 제정
경제·사회	부패 공직자와 폭력배 처벌, 농가 부채 탕감, 농산물 가격 안정 정책 실시
개헌	대통령 중심제와 단원제 국회 구성을 주요 내용으로 하는 헌법 개정 단행

정치인들의 정치 활동을 규제하기 위해 제정하였다.

2. 박정희 정부

(1) **수립**: 군부 세력이 민주 공화당 창당 → 제5대 대통령 선거에서 박정희 당선(1963)

(2) **한일 국교 정상화** 자료 ②

왜? 일본의 반성과 그에 따른 사과와 배상이 이루어지지 않은 상태에서 추진되는 굴욕적인 한일 회담에 저항하였다.

배경	경제 개발 자금 필요, 미국이 한·미·일 3각 안보 체제 강화를 위해 일본과의 국교 정상화 요구
과정	김종필과 오히라의 비밀 회담 → 학생과 시민의 한일 회담 반대 시위 전개(6·3 시위, 1964) → 정부의 휴교령·계엄령 선포, 시위 강제 진압 → 한일 협정 체결(1965)
영향	일본으로부터 경제 개발 자금 일부 획득, 식민 지배에 대한 사과 등 과거사 문제 미해결

예) 일본군 '위안부'·원폭 피해자 등에 대한 배상, 독도 문제 등

(3) **베트남 파병(1964~1973)**

한국은 파병 군인의 송금, 군수 물자 수출, 건설업체의 베트남 진출로 외화를 벌어들였어.

배경	미국의 파병 요청 →*브라운 각서 체결 이후 베트남에 대규모 국군 파병
성과	미국이 국군의 전력 증강과 경제 개발을 위한 차관 제공, 외화 획득, 한미 동맹 관계 강화
문제점	파병 군인의 인명 피해 및 부상(고엽제 후유증 등), 라이따이한(한국·베트남 혼혈인) 등의 문제 발생

(4) **3선 개헌**: 대통령의 3회 연임을 허용하는 개헌 추진 → 3선 개헌 반대 운동 → 3선 개헌안이 편법적으로 통과(1969) → 제7대 대통령 선거에서 박정희의 대통령 당선(1971)
── 여당 국회 의원들이 야당 국회 의원들의 합의 없이 개헌안을 통과시켰어.

완자 자료 탐구

수능이 보이는 교과서 자료 | 4·19 혁명

> 시위에 참가하였다가 경찰의 발포로 사망하였어.

• 끝까지 부정 선거 데모로 싸우겠습니다. 지금 …… 대한민국 모든 학생들은 우리나라 민주주의를 위하여 피를 흘립니다. 어머님, 데모에 나간 저를 책하지 마세요. 우리들이 아니면 누가 데모를 하겠습니까. 저는 아직 철없는 줄 압니다. 그러나 조국과 민족을 위하는 길이 어떻다는 걸 알고 있습니다. ─ 한성여자중학교 진영숙이 어머니께 남긴 편지, 1960. 4. 19.

• 1. 마산, 서울 기타 각지의 학생 데모는 …… 학생들의 순진한 정의감의 발로이며 부정과 불의에 항거하는 민족정기의 표현이다. ─ 4·19 혁명을 지지하였어.

5. 3·15 선거는 불법 선거이다. 공명선거에 의하여 정부통령 선거를 다시 실시하라.
└ 3·15 부정 선거를 규탄하였어. ─ 대학교수들의 시국 선언문, 1960. 4. 25.

4·19 혁명 당시 이승만 정부는 계엄령을 선포하고 군대를 동원하였지만, 학생과 시민의 자발적인 참여와 저항을 막을 수 없었다. 대학교수들도 '학생의 피에 보답하라.'라고 외치면서 이승만의 퇴진을 요구하였다. 마침내 이승만은 '국민이 원한다면 물러나겠다.'라는 내용의 성명을 발표하고 대통령직에서 물러난 뒤, 미국으로 망명하였다.

완자샘의 탐구 강의

• 4·19 혁명이 일어난 배경을 알 수 있는 부분을 자료에서 찾아 써 보자.
첫 번째 자료에서 '부정 선거 데모', '민주주의를 위하여', 두 번째 자료에서 '3·15 선거는 불법 선거' 등을 통해 4·19 혁명의 배경이 3·15 부정 선거임을 알 수 있다.

• 4·19 혁명의 의의를 서술해 보자.
4·19 혁명은 학생과 시민의 힘으로 이승만 독재 정권을 무너뜨리고 민주주의의 승리를 쟁취한 혁명으로, 이후 민주주의 발전에 중요한 토대가 되었다.

함께 보기 274쪽. 1등급 정복하기 1

자료 ① 5·16 군사 정변 세력의 '혁명 공약'(1961)

1. 반공을 제1의 국시(國是)로 한다. ─ 반공을 명분으로 5·16 군사 정변이 일어났음을 알 수 있어.
4. 민생고를 해결하고 국가 자주 경제 재건에 총력을 기울인다. ─ 경제 개발을 강조하였어.
6. 이와 같은 우리의 과업이 성취되면 참신하고도 양심적인 정치인들에게 언제든지 정권을 이양하고 우리들 본연의 임무로 복귀할 준비를 갖춘다. └ 군사 정부는 민간에 정권 이양을 약속하였지만, 박정희가 민주 공화당 후보로 나와 대통령이 되었어.

5·16 군사 정변을 일으킨 군부 세력은 '혁명 공약'을 발표하고 반공과 경제 건설, 사회 안정 등을 목표로 내세워 정변을 정당화하였다. 군부 세력은 민정 이양 계획을 발표하였지만, 이후 민주 공화당을 창당하여 지지 세력을 규합하고 정권을 유지하려 하였다.

문제 로 확인할까?

5·16 군사 정변을 일으킨 세력의 활동으로 옳지 않은 것은?
① 중앙정보부 설치
② 내각 책임제 개헌
③ 민주 공화당 창당
④ 부패 공직자 처벌
⑤ 국가 재건 최고 회의 구성

② 旧

자료 ② 한일 국교 정상화

> 우리나라는 한국 병합 조약에 따른 식민 지배 자체가 무효라고 해석하고 있고, 일본은 한국 병합 조약은 합법적인 것이지만 제2차 세계 대전에서 일본이 패배하였기 때문에 이것이 무효화되었다고 해석하고 있어.

제1조 양 체약 당사국 간에 외교 및 영사 관계를 수립한다. 양 체약 당사국 간은 대사급 외교 사절을 교환한다. 양 체약 당사국은 또한 양국 정부가 합의하는 장소에 영사관을 설치한다.
제2조 1910년 8월 22일 및 그 이전에 대한 제국과 대일본 제국 간에 체결된 모든 조약 및 협정이 이미 무효임을 확인한다.
제3조 대한민국 정부가 유엔 총회의 결정 제195호에 명시된 바와 같이 한반도에 있어서 유일한 합법 정부임을 확인한다. ─ 한일 협정(한일 기본 조약), 1965. 12.

한일 협정은 한일 기본 조약과 이에 따른 부속 협정을 모두 일컫는 것으로, 그중 한일 기본 조약을 핵심으로 하고 있다. 한일 기본 조약에는 양국의 미래 지향적 관계 설정을 위해 꼭 필요한 일본의 식민 지배에 대한 사죄와 배상에 관한 내용은 담겨 있지 않다.

자료 하나 더 알고 가자!

청구권 협정(1965. 12.)

제1조 1. 일본국은 대한민국에 대하여
(a) 3억 달러 …… 제공한다.
(b) 2억 달러 …… 차관을 행한다.
제2조 1. 양 체약국은 …… 양 체약국 및 그 국민 간의 청구권에 관한 문제가 …… 최종적으로 해결된 것이 된다는 것을 확인한다.

박정희 정부는 이 협정을 통해 대일 청구권을 포기하였지만 2018년 대법원은 일본군 '위안부', 강제 징용 피해자의 개인 청구권은 여전히 유효하다고 판결하였다.

03 4·19 혁명과 민주화를 위한 노력

★ **닉슨 독트린**
1969년 7월에 미국 닉슨 대통령이 발표한 선언으로, 아시아에서 발생하는 분쟁에 대한 미국의 군사적 개입을 축소한다는 내용을 담고 있다. 이후 미국은 베트남 전쟁에서 철수하고 중국과의 관계 개선을 추진하였다.

★ **제2차 인혁당 사건(1974)**
중앙정보부가 전국 민주 청년 학생 총연맹의 배후에 북한의 지령에 따라 국가 전복을 노리는 인민 혁명당 재건 위원회가 있다고 주장하며 관련자들을 처벌한 사건이다. 이때 처벌된 사람들은 2007년 재심 결과 모두 무죄 판결을 받았다.

③ 유신 체제의 성립과 붕괴

1. 유신 체제의 성립
> 1971년 대통령 선거에서 야당인 신민당의 김대중 후보가 선거에서는 패했지만 많은 득표수를 기록하였고, 총선에서 신민당이 과반에 가까운 의석을 차지하였어.

배경	*닉슨 독트린 발표 이후 냉전 체제 완화, 경기 침체로 국민의 불만 고조, 야당의 정치적 성장, 7·4 남북 공동 성명 발표(북한과 평화 통일 원칙에 합의, 1972)
과정	비상계엄 선포와 국회 해산 → 비상 국무 회의가 마련한 헌법 개정안(유신 헌법)을 국민 투표로 확정(10월 유신, 1972) → 통일 주체 국민 회의에서 박정희를 대통령으로 선출
유신 헌법의 내용 자료 ③	• 장기 독재 추구: 대통령 임기 6년, 대통령의 중임 제한 규정 철폐, 통일 주체 국민 회의의 간접 선거로 대통령 선출 • 대통령의 권한 강화: 대통령이 입법권·사법권·행정권 장악(대통령에게 국회 의원 3분의 1 추천권, 국회 해산권, 대법원장과 법관의 인사권 부여), 긴급 조치권 등을 가짐

2. 유신 체제의 전개 자료 ④
> 중앙정보부가 유신 반대 운동을 준비하던 김대중을 납치하자 장준하 등이 개헌을 요구하며 전개한 서명 운동이야.

(1) **유신 체제에 대한 저항**: 개헌 청원 100만 인 서명 운동(1973), 3·1 민주 구국 선언(1976)

(2) **유신 반대 세력 탄압**: 긴급 조치를 발동하여 유신 체제에 대한 반대 시위 탄압, 김대중 납치 사건 발생(1973), *제2차 인혁당 사건 조작 등

3. 유신 체제의 붕괴
> 1979년 8월에 YH 무역의 폐업에 항의하며 신민당사에서 농성하던 여성 노동자가 경찰의 진압 과정에서 사망한 사건이야.

(1) **유신 체제의 위기**: YH 무역 사건에 항의하는 김영삼이 국회 의원직에서 제명당함 → 부마 민주 항쟁 전개
> 1979년 10월에 김영삼의 정치적 근거지였던 부산과 마산에서 시민들이 전개한 유신 반대 시위야.

(2) **유신 체제 붕괴**: 박정희 대통령 피살(10·26 사태, 1979) → 통일 주체 국민 회의에서 최규하를 대통령으로 선출

이것이 핵심!

5·18 민주화 운동과 전두환 정부

5·18 민주화 운동
• 배경: 신군부의 비상계엄 전국 확대 • 전개 및 결과: 광주에서 시위 발생 → 신군부가 시민군을 무력 진압

↓

전두환 정부
• 대통령 간선제(7년 단임) 개헌 • 강압 정치와 유화 정책 전개

★ **서울의 봄**
1979년 10·26 사태 이후부터 1980년 5월 신군부의 계엄령 전국 확대 전까지 지속적으로 전개된 민주화 운동

★ **삼청 교육대**
신군부가 설치한 군대 특수 훈련장이다. 신군부는 1980년에 시민 2만여 명을 검거하여 삼청 교육대에 보내 순화·근로 교육이라는 명분으로 가혹한 훈련을 시켰다.

④ 5·18 민주화 운동과 전두환 정부

1. 신군부의 등장
(1) **12·12 사태(1979)**: 전두환, 노태우 등의 신군부 세력이 쿠데타로 군사권 장악

(2) *__서울의 봄__: 학생과 민주 인사들이 신군부 퇴진·계엄령 철폐·유신 헌법 폐지·언론 자유 보장 등 요구, 지속적인 민주화 운동 전개 → 신군부가 비상계엄을 전국으로 확대(1980. 5. 17.)

2. 5·18 민주화 운동(1980) 자료 ⑤
> 비행기로 전투 지역에 들어가 작전을 수행하는 부대

전개	광주에서 시민과 학생들이 비상계엄 확대와 휴교령에 반대하는 시위 전개(5. 18.) → 신군부의 공수 부대 투입 → 계엄군의 발포 → 시민들이 시민군 조직 → 신군부가 시민군을 무력으로 진압(5. 27.)
의의	1980년대 이후 전개된 민주화 운동의 원동력이 됨, 아시아 여러 나라의 민주화 운동에 영향, 5·18 민주화 운동 기록물이 유네스코 세계 기록 유산에 등재(2011)

> 꼭! 신군부가 탱크와 헬기를 동원하여 시민군을 무자비하게 진압하여 5·18 민주화 운동은 많은 시민의 희생 속에 끝이 났어.

3. 전두환 정부
> 부정부패한 고위 공직자 처벌, 중화학 공업 투자 재조정 등을 단행하였어.

(1) **성립**: 신군부의 국가 보위 비상 대책 위원회 설치(국정 장악) → 통일 주체 국민 회의에서 전두환을 대통령으로 선출(1980. 8.) → 선거인단의 간접 선거로 대통령 선출(임기 7년 단임)을 골자로 하는 헌법 개정 단행 → 민주 정의당을 창당한 전두환이 대통령에 당선(1981. 2.)

(2) **강압 정치**: *삼청 교육대 설치, 언론 억압(언론사 통폐합, 보도 지침), 민주화 요구 탄압

(3) **유화 정책**: 해외여행 자유화, 야간 통행금지 해제, 두발·교복 자율화, 프로 스포츠 육성

> Q왜? 악화된 국제 여론과 국민의 반발을 의식하여 영구 집권이 가능한 유신 헌법의 일부를 고쳤어. 하지만 대통령 간선제는 여전히 유지하였지.

자료 ③ 유신 헌법(1972. 12. 27.) ┌ 대통령이 입법부(국회)와 사법부(법원)의 인사권을
가지게 되면서 헌법 위에 군림하는 존재가 되었어.

> 제39조 대통령은 통일 주체 국민 회의에서 토론 없이 무기명 투표로 선거한다.
> 제40조 통일 주체 국민 회의는 국회 의원 정수의 3분의 1에 해당하는 수의 국회 의원을 선거한다.
> 제53조 대통령은 …… 신속한 조치를 할 필요가 있다고 판단할 때에는 내정·외교·국방·경제 등
> 국정 전반에 걸쳐 필요한 긴급 조치를 할 수 있다. ─ 대통령 긴급 조치권을 규정하였어.
> 제59조 대통령은 국회를 해산할 수 있다.

유신 헌법의 제정으로 대통령 직선제가 대통령 간선제로 바뀌었다. 통일 주체 국민 회의
에서 선출되는 대통령은 임기가 6년이었고, 중임 제한이 없어 종신 집권이 가능하였다. 또
한 대통령은 국회 의원 3분의 1의 추천권과 국회 해산권을 행사하였으며, 대법원장과 법
관의 인사권을 부여받아 사법부도 장악하였다. 이로써 삼권 분립은 무력화되었다.

자료 ④ 3·1 민주 구국 선언(1976. 3. 1.)

> 삼권 분립은 허울만 남았다. 국가 안보라는 구실 아래 신앙과 양심의 자유는 날로 위축되고 언론
> 의 자유와 학원의 자주성은 압살당하고 말았다. …… 이 나라의 먼 앞길을 내다보면서 '민주 구국
> 선언'을 선포하는 바이다.
> 1. 이 나라는 민주주의 기반 위에 서야 한다.
> 2. 경제 입국의 구상과 자세가 근본적으로 재검토되어야 한다. …… 현 정권은 경제력이 곧 국력
> 이라는 좁은 생각을 가지고 모든 것을 희생시켜 가면서 경제 발전에 전력을 쏟아 왔다.
> 3. 민족 통일은 오늘 이 겨레가 짊어진 지상의 과업이다.

서울 명동 성당에서 열린 3·1절 기념 미사에서 김대중, 함석헌 등 각계 지도층 인사들이
유신 체제와 박정희 정부의 경제 발전 논리를 비판하는 3·1 민주 구국 선언을 발표하였
다. 이 선언에는 긴급 조치 철폐, 구속 인사 석방, 언론·출판·결사·집회의 자유 보장, 국
회의 기능 회복, 사법부의 독립과 함께 박정희 정권의 퇴진을 요구하는 내용이 담겨 있다.

자료 ⑤ 5·18 민주화 운동(1980) ┌ 신군부는 언론을 통제하여 광주 시민을 북한을 추종하는 폭도
로 몰아갔고, 광주로 통하는 교통과 통신을 차단하였어.

> 우리는 왜 총을 들 수밖에 없었는가? …… 정부 당국에서는 17일 야간에 계엄령을 확대 선포하고
> 일부 학생과 민주 인사, 정치인을 도무지 믿을 수 없는 구실로 불법 연행하였습니다. …… 계엄
> 당국은 18일 오후부터 공수 부대를 대량 투입하여 …… 무차별 살상을 자행하였으니! …… 20일
> 밤부터 계엄 당국은 발포 명령을 내려 무차별 발포를 시작하였다는 것입니다. …… 협상이 올바
> 른 방향으로 진행되면 즉각 총을 놓겠습니다.   ─ 광주 시민군의 궐기문, 1980. 5. 25.

계엄군이 시위 진압 과정에서 시위대를 향해 총을 쏘자, 이에 분노한 시민들은 경찰서,
예비군 무기고 등에서 획득한 무기로 무장하고 시민군을 조직하였다. 광주 시민들은 더
이상의 유혈 사태를 막기 위해 수습 위원회를 조직하고 구속자 석방과 비상계엄 철폐 등
을 조건으로 협상하기를 원하였으나, 신군부는 시민군을 무자비하게 진압하였다.

자료 하나 더 알고 가자!

긴급 조치 9호(1975)

> (1) 다음 각 호의 행위를 금한다.
> ㈎ 유언비어를 날조, 유포하거나 사실
> 을 왜곡하여 전파하는 행위
> ㈏ 대한민국 헌법을 부정, 반대, 왜곡
> 또는 비방하거나 그 개정 또는 폐지
> 를 주장, 선동 또는 선전하는 행위
> (8) 이 조치에 위반한 자는 법관의 영장
> 없이 체포·구금·압수 수색할 수 있다.

긴급 조치권은 대통령에게 부여된 초헌법
적 권한으로, 대통령의 행정 명령만으로
국민의 기본권을 제한할 수 있었다.

정리 비법을 알려줄게!

유신 체제의 붕괴

유신 체제에 대한 저항
개헌 청원 100만 인 서명 운동, 3·1 민주 구국 선언, YH 무역 사건, 부마 민주 항쟁 등

유신 체제 붕괴
10·26 사태(박정희 대통령 피살)

문제 로 확인할까?

유신 체제에 대한 저항으로 옳지 않은 것은?
① 6·3 시위   ② YH 무역 사건
③ 부마 민주 항쟁   ④ 3·1 민주 구국 선언
⑤ 개헌 청원 100만 인 서명 운동

① 🔒

자료 하나 더 알고 가자!

민주 수호 범시민 궐기 대회

5·18 민주화 운동 당시 시민과 학생들은
전남 도청 앞 광장에 모여 민주 수호 범시
민 궐기 대회를 벌였다. 이들은 비상계엄
철폐, 학살 원흉 처단 등을 요구하였다.

1 (가)~(마)를 일어난 순서대로 나열하시오.

> (가) 장면 정부 출범 　　　　(나) 3·15 부정 선거
> (다) 김주열 학생 시신 발견　　(라) 대학교수들의 시국 선언
> (마) 내각 책임제, 양원제 국회로 헌법 개정

2 박정희 정부의 정책과 관련하여 빈칸에 들어갈 내용을 쓰시오.

(1) 야당과 학생들의 반대 속에 대통령 3회 연임을 허용하는 (　　　　　)을 통과시켰다.

(2) 미국으로부터 국군의 전력 증강과 경제 개발을 위한 차관을 제공받는 대가로 (　　　　)에 국군을 파병하였다.

(3) 국민의 거센 반발에도 불구하고 일본으로부터 경제 개발 자금을 얻기 위해 1965년에 (　　　　)을 체결하였다.

3 유신 체제에 대한 설명이 맞으면 ○표, 틀리면 ×표를 하시오.

(1) 10·26 사태 이후 붕괴되었다. 　　　　　　　　(　　)

(2) 유신 헌법에 따라 대통령을 국가 재건 최고 회의에서 선출하였다. 　　　　　　　　　　　　　　　　(　　)

(3) 트루먼 독트린 발표 이후 냉전 체제가 심화되는 상황에서 성립하였다. 　　　　　　　　　　　　　　　(　　)

(4) 대통령이 긴급 조치권을 통해 국민의 자유와 권리를 잠정적으로 정지시킬 수 있었다. 　　　　　　　　(　　)

4 다음 민주화 운동의 배경을 옳게 연결하시오.

(1) 4·19 혁명 　　　•　　　• ㉠ 3·15 부정 선거

(2) 유신 반대 운동 　•　　　• ㉡ 신군부의 계엄령 확대

(3) 5·18 민주화 운동 •　　　• ㉢ 박정희 정부의 긴급 조치 발동

5 다음 괄호 안의 내용 중 알맞은 말에 ○표를 하시오.

(1) 전두환 등 신군부 세력은 (12·12 사태, 5·16 군사 정변) 을/를 통해 정권을 장악하였다.

(2) 전두환 정부는 (중앙정보부, 삼청 교육대)를 설치하고 사람들에게 사회 정화를 명분으로 가혹한 훈련을 시켰다.

01 다음 선언문이 발표된 배경으로 옳은 것은?

> 상아의 진리탑을 박차고 거리에 나선 우리는 질풍과 같은 역사의 조류에 자신을 참여시킴으로써 이성과 진리, 그리고 자유의 대학 정신을 현실의 참담한 박토(薄土)에 뿌리려 하는 바이다. …… 민주주의와 민중의 공복(公僕)이며 중립적 권력체인 관료와 경찰은 민주를 위장한 가부장적 전제 권력의 하수인으로 발 벗었다. 민주주의 이념에서 가장 기본적인 공리인 선거권마저 권력의 마수 앞에 농단되었다. …… 긴 칠흑 같은 밤의 계속이다. 나이 어린 학생 김주열의 참혹한 시신을 보라!
>
> – 서울대학교 문리대 학생들의 선언문

① 유신 헌법이 공포되었다.

② 베트남 파병이 결정되었다.

③ 3·15 부정 선거가 일어났다.

④ 5·16 군사 정변이 발발하였다.

⑤ 반민족 행위 특별 조사 위원회가 해체되었다.

02 다음 선언문이 발표된 민주화 운동에 대한 설명으로 옳은 것은?

> 1. 마산, 서울, 기타 각지의 학생 데모는 …… 학생들의 순진한 정의감의 발로이며 부정과 불의에 항거하는 민족정기의 표현이다.
>
> 4. 누적된 부패와 부정과 횡포로써 민권을 유린하고 민족적 참극과 국제적 수치를 초래케 한 현 정부와 집권당은 그 책임을 지고 속히 물러가라.
>
> 5. 공명선거에 의하여 정부통령 선거를 다시 실시하라.

① 사사오입 개헌에 반발하였다.

② 대통령 직선제 개헌을 요구하였다.

③ 긴급 조치권에 의해 탄압을 받았다.

④ 이승만 대통령의 하야를 이끌어 냈다.

⑤ 시민들이 무장하여 시민군을 조직하였다.

[03~04] 다음을 읽고 물음에 답하시오.

> **올해의 주요 뉴스**
> 2월 조병옥 민주당 대통령 후보 사망
> 3월 정부통령 선거 실시
> 4월 이승만 대통령 하야
> 6월 (가) 개헌안의 국회 통과
> 8월 (나) 장면 정부 출범

03 (가)의 내용으로 옳은 것은?

① 내각 책임제를 규정하였다.
② 통일 주체 국민 회의를 설치하였다.
③ 대통령의 임기를 7년 단임으로 하였다.
④ 대통령에게 긴급 조치권을 부여하였다.
⑤ 개헌 당시 대통령의 연임 횟수 제한을 없앴다.

04 (나)에서 시행한 정책으로 옳은 것을 〈보기〉에서 고른 것은?

> **보기**
> ㄱ. 중앙정보부 설치
> ㄴ. 정치 활동 정화법 제정
> ㄷ. 지방 자치제 실시
> ㄹ. 경제 개발 5개년 계획 마련

① ㄱ, ㄴ ② ㄱ, ㄷ ③ ㄴ, ㄷ
④ ㄴ, ㄹ ⑤ ㄷ, ㄹ

05 밑줄 친 부분의 시기에 있었던 사실로 옳은 것은?

> 본인은 군사 혁명을 일으킨 책임자로서 …… 2년에 걸친 군사 혁명에 종지부를 찍고, 혁명의 악순환이 없는 조국 재건을 위하여 항구적 국민 혁명의 대오, 제3공화국의 민정에 참여할 것을 결심하였습니다. …… 다시는 이 나라에 본인과 같은 불운한 군인이 없도록 합시다.

① 장면 정부가 출범하였다.
② 진보당 사건이 발생하였다.
③ 한일 국교 정상화가 이루어졌다.
④ 이기붕이 부통령으로 선출되었다.
⑤ 국가 재건 최고 회의가 구성되었다.

[06~07] 다음을 읽고 물음에 답하시오.

> 4월 항쟁의 참다운 가치성은 반외세, 반매판, 반봉건에 있으며, 민족·민주의 참된 길로 나아가기 위한 도정이었으나, 5월 군부 쿠데타는 이러한 민족·민주 이념에 대한 정면적인 도전이었다. …… 국제 협력이라는 미명 아래 우리 민족의 치 떨리는 원수 일본 제국주의를 수입, 대미 의존적 반신불수인 한국 경제를 2중 예속의 철쇄로 속박하는 것이 조국의 근대화로 가는 첩경이라고 기만하는 반민족적 음모를 획책하고 있다.

06 밑줄 친 부분에 해당하는 정책을 추진한 목적으로 가장 적절한 것은?

① 냉전 체제의 완화   ② 국민의 기본권 제한
③ 경제 개발 자금 획득 ④ 대통령의 권한 극대화
⑤ 한·미·일 3각 안보 체제 저지

07 위 주장이 제기된 시기를 연표에서 옳게 고른 것은?

1960	1961	1969	1972	1979	1980
(가)	(나)	(다)	(라)	(마)	
4·19 혁명	5·16 군사 정변	3선 개헌	10월 유신	10·26 사태	5·18 민주화 운동

① (가) ② (나) ③ (다) ④ (라) ⑤ (마)

08 다음 각서의 체결에 대한 설명으로 옳은 것은?

> • 한국에 있는 대한민국 국군의 현대화 계획을 위하여 수년 동안 상당량의 장비를 제공한다.
> • 베트남 공화국에 파견되는 추가 병력에 필요한 장비를 제공하며, …… 일체의 추가적 원화 경비를 부담한다.
> • 이미 약속한 바 있는 차관에 추가하여 차관을 제공한다.

① 학생들이 6·3 시위를 벌여 반대하였다.
② 닉슨 독트린이 발표되는 계기가 되었다.
③ 7·4 남북 공동 성명 발표에 영향을 주었다.
④ 한국 기업의 베트남 건설 사업 참여를 보장해 주었다.
⑤ 일본의 식민지 지배에 대한 사과와 배상 문제가 제대로 해결되지 못하는 결과를 가져왔다.

09 밑줄 친 '당시 헌법'의 내용으로 옳은 것은?

> **한국사 신문**
>
> **긴급 조치 4호 '위헌' 판결**
>
> 학생들의 민주화 운동을 억압하는 도구로 쓰였던 대통령 긴급 조치 4호가 '위헌'이라는 대법원의 첫 판결이 나왔다. 대법원은 "긴급 조치 4호는 발동 요건을 갖추지 못한 데다 목적상 한계도 벗어나 민주주의의 본질인 표현의 자유와 영장주의, 법관에 의한 재판을 받을 권리, 학문의 자유 및 대학의 자율성 등 헌법상 보장된 국민의 기본권을 침해한다."라며 "당시 헌법은 물론 현행 헌법에도 위반돼 무효"라고 선언하였다.

① 대통령의 3회 연임을 허용하였다.
② 대통령의 국회 해산권을 규정하였다.
③ 대통령 선거 방식을 직선제로 바꾸었다.
④ 대통령의 임기를 7년 단임으로 정하였다.
⑤ 선거인단에서 대통령을 선출하도록 하였다.

10 밑줄 친 '현 정권'에 저항한 민주화 운동으로 옳은 것은?

> 삼권 분립은 허울만 남았다. 국가 안보라는 구실 아래 신앙과 양심의 자유는 날로 위축되고 언론의 자유는 압살당하고 말았다. 현 정권은 이 나라를 여기까지 끌고 온 책임을 져야 할 것이다.
> 1. 이 나라는 민주주의 기반 위에 서야 한다.
> 2. 경제 입국의 구상과 자세가 근본적으로 재검토되어야 한다.
> 3. 민족 통일은 오늘 이 겨레가 짊어진 지상의 과업이다.

① 서울의 봄
② 4·19 혁명
③ 5·18 민주화 운동
④ 3·15 부정 선거 규탄 시위
⑤ 개헌 청원 100만 인 서명 운동

11 다음 사건이 국내 정치에 끼친 영향으로 적절한 것은?

> 신민당사에서 농성을 벌이던 가발 공장(YH 무역)의 여성 노동자 한 명이 경찰의 강경 진압 과정에서 숨졌다.

① 4·19 혁명이 일어났다.
② 부마 민주 항쟁이 전개되었다.
③ 5·16 군사 정변이 발생하였다.
④ 3선 개헌 반대 운동이 벌어졌다.
⑤ 조봉암이 간첩 혐의로 처형되었다.

12 밑줄 친 '우리의 주장'으로 옳지 않은 것은?

> **빼앗긴 서울에도 봄은 오는가!**
>
> 19년간 전권을 휘둘러 온 독재자가 사라졌건만, 다시 군인들의 총부리 앞에서 우리는 좌절할 수밖에 없는가. 이제 일어나야 한다. 우리의 주장을 외치자!

① 비상계엄 철폐하라!　　② 신군부는 퇴진하라!
③ 유신 헌법 폐지하라!　　④ 언론 자유를 보장하라!
⑤ 박정희 대통령 물러나라!

13 (가) 민주화 운동에 대한 탐구 활동으로 적절한 것은?

> **수행 평가 보고서**
>
> • 주제: 　(가)
>
> • 수집 자료
>
> ↑ 시민들이 계엄군의 진압에 항의하고자 금남로에 모인 모습　　↑ 전남 도청 앞에서 민주 수호 범시민 궐기 대회를 벌이는 모습

① 제주 4·3 사건의 원인을 살펴본다.
② 한일 기본 조약의 내용을 조사한다.
③ 3·1 민주 구국 선언 참여 인사를 파악한다.
④ 5·18 민주화 운동의 전개 과정을 알아본다.
⑤ 모스크바 3국 외상 회의의 결정 사항을 찾아본다.

14 다음 두 기구의 공통점으로 옳은 것은?

> • 국가 재건 최고 회의   • 통일 주체 국민 회의

① 대통령을 선출하였다.
② 4·19 혁명 이전에 해체되었다.
③ 개정된 헌법에 따라 설치되었다.
④ 시민들의 민주화 운동으로 수립되었다.
⑤ 박정희의 권력 강화를 위해 만들어졌다.

15 (가)~(다)는 개헌의 주요 내용이다. 이를 제정된 순서대로 옳게 나열한 것은?

> (가) 대통령의 임기는 4년으로 한다. 대통령의 재임은 3번에 한한다.
> (나) 대통령은 통일 주체 국민 회의에서 토론 없이 무기명 투표로 선거한다.
> (다) 대통령은 대통령 선거인단에 의하여 선출한다. 임기는 7년이며 중임할 수 없다.

① (가) – (나) – (다)   ② (가) – (다) – (나)
③ (나) – (가) – (다)   ④ (나) – (다) – (가)
⑤ (다) – (나) – (가)

16 다음 과정을 거쳐 출범한 정부 시기에 있었던 사실로 옳지 않은 것은?

> 12·12 사태 → 5·18 민주화 운동 진압 → 국가 보위 비상 대책 위원회 설치 → 대통령 7년 단임제로 개헌

① 삼청 교육대가 설치되었다.
② 야간 통행금지가 해제되었다.
③ 여러 언론사가 통폐합되었다.
④ 제2차 인혁당 사건이 일어났다.
⑤ 중고생의 두발 자율화가 이루어졌다.

서술형 문제

● 정답친해 090쪽

01 다음 자료와 관련된 민주화 운동의 의의를 서술하시오.

> • 잊을 수 없는 4월 19일 / 학교에서 파하는 길에 / 총알은 날아오고 / 피는 길을 덮는데 / 외로이 남은 책가방 / 무겁기도 하더군요 / 나는 알아요 우리는 알아요 / 엄마 아빠 아무 말 안해도 / 오빠와 언니들이 / 왜 피를 흘렸는지
> 　　　　　　　　　　　　　　　　－ 수송초등학교 강명희
> • 시간이 없는 관계로 어머님을 뵙지 못하고 떠납니다. …… 어머님, 데모에 나간 저를 책하지 마시옵소서. 우리들이 아니면 누가 데모를 하겠습니까. 저는 아직 철없는 줄 압니다. 그러나 조국과 민족을 위하는 길이 어떻다는 걸 알고 있습니다.
> 　　　　　　　　　　　　　　　　－ 한성여자중학교 진명숙

(길잡이) 4월 19일에 일어난 민주화 운동이 우리나라 민주주의 발전에 준 영향을 생각해 본다.

02 다음 공약을 발표한 세력이 정변의 목적으로 내세운 것을 두 가지 서술하시오.

> 1. 반공을 제1의 국시(國是)로 한다.
> 3. 부패와 구악을 일소하고 도의와 민족정기를 바로잡는다.
> 4. 민생고를 해결하고 국가 자주 경제 재건에 총력을 기울인다.
> 6. 이와 같은 과업이 성취되면 참신하고도 양심적인 정치인들에게 언제든지 정권을 이양한다.

(길잡이) 공약의 내용을 토대로 정변을 일으킨 세력의 주장을 유추해 본다.

03 밑줄 친 부분의 근거를 두 가지 서술하시오.

> 박정희 정권은 1972년 안보 위기와 평화 통일에 대비한다는 구실로 10월 유신을 단행하였다. 유신 체제는 박정희의 종신 집권을 실현시키고 대통령의 권한을 비정상적으로 강화하는 등 민주 정치의 기본 원리를 무시한 권위주의적 독재 체제였다.

(길잡이) 10월 유신으로 마련된 헌법에서 비민주적인 성격을 가진 내용을 찾아본다.

1 (가) 사건이 있었던 시기에 볼 수 있는 모습으로 가장 적절한 것은?

> 사진으로 살펴보는 ___(가)___
>
> 이 사진은 1960년 ___(가)___ 의 전개 과정에서 있었던 대학교수들의 시위 모습이다. 대학교수들은 마산, 서울 등에서 일어난 학생들의 저항을 '부정과 불의에 항거하는 민족정기의 표현'이라고 규정하였다. …… 이후 내각 책임제 개헌이 이루어졌고 장면 정부가 수립되었다.

① 긴급 조치 위반으로 구속되는 정치인
② 한일 회담을 반대하며 행진하는 학생
③ 광주 시가지에서 계엄군과 대치하고 있는 시민
④ 이승만의 하야 선언을 속보로 전하는 아나운서
⑤ 신군부 세력의 퇴진을 요구하는 집회에 참석한 회사원

> **1960년의 민주화 운동**
>
> **완자샘의 시험 꿀팁**
>
> 우리나라 현대사의 핵심 키워드는 민주화, 경제 성장, 통일이다. 따라서 4·19 혁명은 시험에 자주 출제된다. 4·19 혁명의 배경, 전개 과정, 결과에 대해 꼼꼼하게 정리해 두도록 한다.
>
> **완자 사전**
> • 하야(下野)
> 시골로 내려간다는 뜻으로, 관직이나 정계에서 물러남을 이르는 말

2 다음 협정에 대한 설명으로 옳지 <u>않은</u> 것은?

> 제1조 양국 간에 외교 및 영사 관계를 수립한다. 양국은 대사급 외교 사절을 지체 없이 교환한다. 양국은 또한 양국 정부가 합의하는 장소에 영사관을 설치한다.
> 제2조 1910년 8월 22일 및 그 이전에 대한 제국과 대일본 제국 간에 체결된 모든 조약 및 협정이 이미 무효임을 확인한다.
> 제3조 대한민국 정부가 유엔 총회의 결정 제195호에 명시된 바와 같이 한반도에 있어서 유일한 합법 정부임을 확인한다.

① 학생과 시민들이 6·3 시위를 벌여 반대하였다.
② 한국과 일본의 국교가 재개되는 계기가 되었다.
③ 한미 상호 방위 조약이 체결되는 배경이 되었다.
④ 일본에 대한 한국의 청구권을 포기하는 내용을 담고 있다.
⑤ 정부가 경제 개발에 필요한 자금을 마련하기 위해 추진하였다.

> **한일 국교 정상화**
>
> **완자 사전**
> • 청구권(請求權)
> 개인·국가의 권리가 침해되었을 때 그것에 대해 타인·다른 국가를 상대로 일정한 요구를 할 수 있는 권리

3 밑줄 친 '개혁'의 배경으로 옳은 것을 〈보기〉에서 고른 것은?

대통령이 10월 17일 오후 7시를 기해 국회를 해산하고 정당 및 정치 활동을 중지시키며 헌법 일부 조항의 효력을 정지시키는 등 모든 체제에 유신적인 일대 개혁을 시작하는 특별 선언을 발표하였습니다.

┌─ 보기 ─
ㄱ. 경기 침체로 국민의 불만이 높아졌다.
ㄴ. 자유당 정권의 장기 독재가 이어졌다.
ㄷ. 닉슨 독트린으로 냉전 체제가 완화되었다.
ㄹ. 신군부 세력에 의해 12·12 사태가 일어났다.
└──

① ㄱ, ㄴ   ② ㄱ, ㄷ   ③ ㄴ, ㄷ
④ ㄴ, ㄹ   ⑤ ㄷ, ㄹ

4 다음 두 자료가 발표된 시기 사이에 있었던 사실로 옳지 않은 것은?

┌──
• 삼권 분립은 허울만 남았다. 국가 안보라는 구실 아래 신앙과 양심의 자유는 날로 위축되고 언론의 자유와 학원의 자주성은 압살당하고 말았다. …… 우리는 이를 보고만 있을 수 없어 여야의 정치적인 전략이나 이해를 넘어 이 나라의 먼 앞길을 내다보면서 이 선언을 선포하는 바이다.
• 우리는 왜 총을 들 수밖에 없었는가? 그 대답은 너무나 간단합니다. …… 정부 당국에서는 17일 야간에 계엄령을 확대 선포하고 …… 20일 밤부터 계엄 당국은 발포 명령을 내려 무차별 발포를 시작하였다는 것입니다. 이 고장을 지키고자 이 자리에 모이신 민주 시민 여러분! 그런 상황에서 우리가 할 수 있는 일이 무엇이겠습니까?
└──

① 부마 민주 항쟁이 일어났다.
② 신군부가 비상계엄을 전국으로 확대하였다.
③ 10·26 사태로 박정희 대통령이 사망하였다.
④ 정부에 대해 비판적인 경향신문이 폐간되었다.
⑤ YH 무역 사건에 항의하는 김영삼이 의원직에서 제명당하였다.

유신 체제의 성립

⎮완자 사전⎮

• 자유당
우리나라의 보수 정당 가운데 하나이다. 1951년 12월에 임시 수도인 부산에서 이승만을 총재로 하여 창당하였는데, 집권당으로서 독재를 자행하였다. 1960년에 3·15 부정 선거를 감행함으로써 4·19 혁명을 유발하여 붕괴되었다.

민주화를 위한 노력

⎮완자 사전⎮

• 계엄령(戒嚴令)
전시 등 병력으로 군사상 또는 공공의 안녕질서 유지의 필요가 있는 경우 대통령이 그 지역의 행정권이나 사법권 일부 또는 전부를 군의 관할에 두며, 영장 제도나 언론·출판·집회·결사의 자유 등에 제약을 가할 수 있게 하는 명령을 일컫는다.

04 경제 성장과 사회·문화의 변화

학 습 목 표
· 정부 주도로 이루어진 경제 개발의 성과와 문제점을 파악할 수 있다.
· 산업화 과정에서 나타난 사회 변화와 대중문화의 양상을 설명할 수 있다.

이것이 핵심!

산업화와 경제 성장

1960~1970년대
제1·2차(경공업 중심, 사회 간접 자본 확충), 제3·4차(중화학 공업 중심, 수출 100억 달러 달성) 경제 개발 5개년 계획 추진

↓

1980년대 중후반
3저 호황 등으로 경제 성장

↓

문제점
경제 성장 과정에서 외채 증가, 빈부 격차 심화 등 문제 발생

★ 8·3 조치(1972)
정부가 빚에 시달리던 기업의 채무를 동결시키고 낮은 이자로 자금을 제공하는 등의 조치를 취하였다.

★ 수출액 100억 달러 돌파

⬆ 수출 100억 달러 달성 기념우표
1970년대 급속한 경제 성장으로 수출액이 100억 달러를 돌파하자, 정부는 이를 기념하며 우표를 발행하였다.

★ 석유 파동
국제 원유(석유) 가격이 폭등하면서 발생한 세계적 혼란을 가리킨다. 제1차 석유 파동은 아랍 국가들과 이스라엘의 전쟁 때문에 일어났고, 제2차 석유 파동은 이란의 원유 생산 축소와 수출 중단으로 인해 발생하였다.

★ 3저 호황(1986~1989)
1980년대 중후반 3저 호황에 따라 원유와 수입 원자재의 가격이 크게 떨어져 외환을 절약할 수 있었고, 국제 금리의 하락으로 외채 이자 부담이 줄어들었다. 이를 바탕으로 1986년에는 공식 무역 통계를 낸 이래 처음으로 무역 수지에서 흑자를 냈고, 1989년까지 연속으로 흑자를 달성하였다.

① 산업화와 경제 성장

1. 1960~1970년대의 경제 성장 (자료①)

(1) 배경: 박정희 정부가 장면 정부의 경제 개발 계획을 기초로 경제 개발 5개년 계획 수립, 국가 주도의 경제 개발 추진

(2) 제1, 2차 경제 개발 5개년 계획(1962~1966, 1967~1971)

내용	· 기본 방향: 의류·합판·가발·신발 등 노동 집약적 경공업 육성(값싼 노동력 이용), 수출 중심의 경제 정책 추진 └ 왜? 자본과 기술이 부족하였기 때문이야. · 경제 개발: 기간산업 육성(화학 비료, 시멘트, 정유 등), 대규모 산업 단지와 수출 자유 지역 조성, 사회 간접 자본 확충(경부 고속 국도 등 도로 및 항만 건설) └ 외국인의 직접 투자를 유도하였어. · 외국 자본 도입: 한일 국교 정상화와 베트남 파병으로 들어온 자금, 서독 파견 광부와 간호사의 송금 → 경제 개발 자금 확보 └ 외화를 벌어들이기 위해 독일로 파견되었어.
성과	연평균 약 9.2%의 경제 성장률 달성, 수출 약 20배 이상 증가(베트남 특수 등)
경제 침체 및 정부의 대응	1960년대 말 세계 경제 침체로 경공업 제품의 수출 부진, 환율 상승으로 외채 상환 부담 증가 → 정부가 부실기업 정리, 대기업에 금융 특혜 제공(★8·3 조치)

(3) 제3, 4차 경제 개발 5개년 계획(1972~1976, 1977~1981)
└ 정부는 철강, 화학, 비철 금속, 기계(자동차), 조선, 전자 분야를 집중적으로 육성하였어.

내용	· 기본 방향: 경공업 중심의 경제 성장에 한계 인식 → 수출 주도형 중화학 공업 육성 · 경제 개발: 포항 제철소와 울산·거제 조선소 설립, 공업 단지 조성(창원, 구미, 울산, 여수), 원자력 발전소 건설(부족한 전력 마련 목적) 등 └ 1973년에 완공되어 본격적으로 철강을 생산하였어.
성과	· 산업 구조 변화: 2차 산업의 비중이 1차 산업을 능가 · 공업 구조 변화: 1970년대 중반 중화학 공업 생산액의 비중이 경공업을 추월 · 고도성장 이룩: ★수출액 100억 달러 돌파(1977), 높은 경제 성장률 기록 → '한강의 기적' · 사회 변화: 고도성장에 따른 국민의 교육열 상승, 저축률 증가(경제 발전의 밑거름이 됨)
경제 위기 및 극복 노력	· 제1차 ★석유 파동(1973) → 기업의 중동 건설 사업 진출을 통해 벌어온 오일 달러로 극복 (자료②) · 제2차 석유 파동(1978), 중화학 공업에 대한 과잉·중복 투자 → 한국 경제에 큰 타격, 기업 도산 (실업률 증가), 경제 성장률 감소

└ 경제 불황에 대한 국민들의 불만이 높아졌고, 이는 유신 체제의 위기로 이어졌다.

2. 1980년대의 경제 변화
┌ 부실기업을 인수한 기업에 대해서는 세금과 부채를 감면해 주는 등의 혜택을 주었어.

(1) 전두환 정부의 경제 정책: 1980년대 초반 마이너스 경제 성장률 기록 → 중화학 공업에 대한 중복 투자 조정, 부실기업 정리, 민간 경제의 자율적 운용 일부 허용

(2) ★3저 호황: 저유가, 저달러, 저금리 상황을 배경으로 세계 경제 호황 → 중화학 공업 중심으로 성장, 첨단 산업(반도체, 컴퓨터 등) 육성 → 1980년대 중반 이후 수출액 300억 달러 돌파, 1인당 국민 소득 5천 달러 달성 → 1980년대 말 3저 호황 소멸, 경제 악화

3. 경제 성장 정책에 따른 문제점 (자료③)

(1) 성장 위주의 경제 정책: 경제의 대외 의존도 심화(외채 증가), 부의 양극화 현상 대두

(2) 대기업 육성 정책: 대기업과 중소기업 간의 격차 심화, 재벌 중심의 산업 구조 형성, 정경 유착 현상 심화, 부실기업 증가 └ 정치권과 경제계가 서로 이익을 위해 밀접한 관계를 맺는 경우를 일컬어.

(3) 공업 중심의 경제 개발 정책: 저임금·저곡가 정책 추진으로 노동자와 농민에게 부담 전가 → 빈부 격차 심화, 산업 구조의 불균형 초래 └ 정부가 수출 경쟁력을 유지하기 위한 저임금 정책을 지속하고자 농산물 가격을 인하하였어.

└ 왜? 기업들이 기술 개발보다 사업 확장을 통해 경제 구조에 대한 지배권을 확대하였기 때문이야.

완자 자료 탐구

 내 옆의 선생님

자료 ① 1960~1970년대의 경제 성장

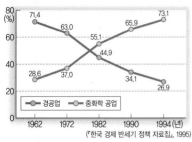

↑ 공업 구조의 변화

(「한국 경제 반세기 정책 자료집」, 1995)

경공업 / 중화학 공업

71.4, 63.0, 55.1, 65.9, 73.1
28.6, 37.0, 44.9, 34.1, 26.9
1962 1972 1982 1990 1994(년)

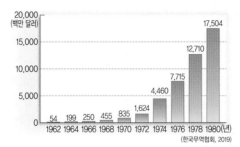

↑ 수출액의 변화

(한국무역협회, 2019)

54 199 250 455 835 1,624 4,460 7,715 12,710 17,504
1962 1964 1966 1968 1970 1972 1974 1976 1978 1980(년)

박정희 정부는 1962년부터 경제 개발 5개년 계획을 실시하였다. 1960년대에는 노동 집약적 경공업을 육성하고 수출을 늘리는 데 힘썼다. 1970년대에는 경제 발전 방향을 중화학 공업 중심으로 바꾸었으며, 1970년대 중반 이후 중화학 공업 생산액의 비중이 경공업을 크게 넘어섰다. 공업 구조의 변화는 급속한 경제 성장으로 이어져 1977년에는 수출액이 100억 달러를 돌파하였고, 1973년에서 1979년 사이에 연평균 8.9%에 달하는 고도성장을 이룩하였다. 이러한 급속한 경제 발전은 '한강의 기적'이라고 불리기도 하였다.

자료 ② 제1차 석유 파동의 발생

↑ 이란에서 조선소를 세우는 한국 노동자들

제1차 석유 파동 이후 석유 가격이 상승하면서 석유 소비국은 국제 수지 적자를 본 반면에, 산유국은 막대한 자금을 축적하게 되었다. 이를 바탕으로 산유국에서 건설 붐이 일자, 우리나라 기업과 노동자들이 중동 지역에 진출하여 건설 사업에 참여하였고 오일 달러를 벌어들이면서 석유 파동을 극복할 수 있었다.

└ 석유 파동 이후 석유 가격의 상승으로 산유국이 벌어들인 막대한 자금

자료 ③ 박정희 정부의 경제 정책에 대한 평가

[긍정적 평가]

박정희 전(前) 대통령이 추진한 경제 개발 정책을 높이 평가하는 외국 학자들의 주장에 따르면 …… 경제가 일정 수준에 올라 중산층이 두터워져야 민주주의가 발전할 수 있다는 것이다. 그런 점에서 자유를 부득이 유보하고 경제 발전을 우선시한 박 전(前) 대통령의 생각은 옳았다는 것이다. - 「주간조선」, 1999. 11. 4.

[부정적 평가]

경제 개발이라는 미명 아래 가혹한 인권 탄압과 고문, 유신 독재로 국민에게 말로 표현할 수 없는 고통을 안겨 준, 18년간의 독재 정권이었다. …… 또 부익부 빈익빈, 정경 유착의 왜곡된 경제 구조와 오늘의 경제 위기도 박정희 정권의 잘못된 경제 정책에 기인한 바가 크다. - 김영삼 전(前) 대통령, 1999. 5. 17.

한국은 1960~1970년대에 박정희 정부의 성장 중심 경제 정책으로 높은 경제 성장률을 보이며 고도성장을 하였지만, 한편으로는 재벌 중심의 산업 구조 형성, 정경 유착 현상 심화, 도시와 농촌 간 소득 격차 심화 등 다양한 문제들도 함께 발생하였다.

정리 비법을 알려줄게!

1960~1980년대 주요 수출 상품의 변화

1960년대	경공업 제품의 수출 비중 증가
1970년대	철강, 선박 등 중화학 공업 제품이 수출의 40~50% 차지
1980년대	중화학 공업 제품이 수출의 절반 이상 차지

자료 하나 더 알고 가자!

경부 고속 국도

1968년에 착공되어 1970년에 완성되었으며, 이후 산업 발달의 원동력이 되었다.

문제 로 확인할까?

박정희 정부 시기 경제 상황에 대한 설명으로 옳지 않은 것은?
① 경부 고속 국도가 개통되었다.
② 3저 호황으로 경제가 발전하였다.
③ 두 차례의 석유 파동이 발생하였다.
④ 수출액이 100억 달러를 돌파하였다.
⑤ 경제 개발 5개년 계획이 실시되었다.

② 답

자료 하나 더 알고 가자!

한국의 높은 무역 의존도

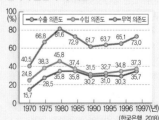

수출 의존도 / 수입 의존도 / 무역 의존도

40.5 66.8 81.6 72.9 61.7 63.7 65.1 73.0
24.8 38.3 45.8 37.4 31.5 32.7 34.8 37.3
15.7 28.5 35.8 35.8 30.2 31.0 30.3 35.7
1970 1975 1980 1985 1990 1995 1996 1997(년)

(한국은행, 2018)

한국은 외국 자본 유치를 통한 수출 위주의 경제 성장 정책을 추진하여 외채 부담이 증가하였고, 내수 산업보다 수출입의 비중이 커졌다. 이 때문에 한국 경제는 세계 경제 상황의 영향을 많이 받게 되었다.

★ **광주 대단지 사건(1971)**
서울시가 서울 도심을 정비하기 위해 10만여 명을 경기도 광주(현재 경기도 성남시)로 이주시켰는데, 이주민들은 상하수도, 도로 등 사회 기반 시설조차 없는 곳에서 천막집을 짓고 어렵게 생활하였다. 이주민들은 서울시의 무계획적인 도시 정책과 졸속 행정에 반발하며 대규모 시위를 전개하였다.

★ **함평 고구마 피해 보상 운동**
1976년 전라남도 함평 농협이 고구마를 전량 수매하겠다고 약속하고 이를 이행하지 않자, 함평 농민들이 전개한 피해 보상 운동이다. 함평 농민들은 가톨릭농민회를 중심으로 3년에 걸쳐 끈질긴 투쟁을 하였고, 결국 피해를 보상받았다(1978).

★ **국가주의 교육**
박정희 정부가 국가와 민족이라는 이름 아래 개인의 희생을 강조하였던 교육을 말한다. 이를 위해 국민 교육 헌장과 국기에 대한 맹세 등을 제정(1968)하여 학생들에게 암송하도록 강요하였다. 또한 학교에 학도 호국단을 설치하고 군사 교육을 실시하였다.

★ **자유 언론 실천 선언(1974)**
정부의 언론 통제에 대항하여 동아일보 기자들이 발표한 선언이다. 이에 박정희 정부는 광고주들에게 압력을 넣어 동아일보에 내기로 하였던 광고를 취소하도록 하였다.

★ **보도 지침**
전두환 정부가 언론을 통제하기 위해 각 언론사에 하달한 보도 가이드라인이다. 보도의 방향, 내용, 형식까지 구체적으로 지시하였다.

② 경제 성장에 따른 사회·문화의 변화

1. 현대 사회의 변화와 사회 문제

(1) 산업화와 도시화의 진전

① 산업화와 도시화: 제조업과 서비스 산업의 비중 확대 → 농촌에서 도시로 인구 이동(도시화) → 도시 문제 발생(도시 빈민 문제, 주택 부족, 교통난, 환경 문제 등) 자료④

> 도시로 온 농민들은 안정된 일자리를 찾지 못하고 도시 빈민이 되었고, 대도시의 변두리와 높은 지대에는 '달동네', '판자촌'이라고 불리는 빈민촌이 형성되었어.

② 도시 문제에 대한 대책: 고속 국도 확대, 지하철 등의 대중교통 확장, 도시 재개발 사업 실시(→ 와우 아파트 붕괴 사고, *광주 대단지 사건 발생), 의료 보험 제도 실시(1977) 등

> 1970년 부실 공사로 인해 서울 마포구 와우 시민 아파트 건물이 붕괴되어 입주자들이 사망하였어.

(2) 농촌의 변화와 농민 운동

① 농촌 문제: 1960년대 이후 정부의 공업화·저곡가 정책 → 도시와 농촌의 소득 격차 심화

> 정부는 노동자의 생계비를 최소화하고자 곡물 가격을 낮게 유지하는 정책을 추진하였다.

② 새마을 운동(1970) 자료④

내용	농촌의 생활 환경 개선과 농가 소득 향상 목표, 정부 주도로 농촌 개발 사업 추진 → 도시와 직장으로 확대, '근면·자조·협동'을 강조하는 국민 의식 개혁으로 이어짐	예 주택 개량·도로와 전기 시설 확충 등
결과	농어촌의 근대화에 기여, 정부의 농촌 통제와 유신 체제 유지에 이용	

③ 농민 운동

> 가을에 수확한 벼의 수급을 조절하기 위해 정부가 일정량의 벼를 사들이는 일

1970년대	농촌 경제 악화 → *함평 고구마 피해 보상 운동, 추곡 수매 운동 전개
1980년대 이후	이중 곡가제 중지, 쌀 수매가 동결, 수입 농산물 개방 압력 → 전국 농민 운동 연합 결성, 농산물 수입 개방 반대 운동 전개

> 정부가 시중 가격보다 비싸게 사서 소비자에게 싼값에 공급하는 정책을 말해.

(3) 노동 문제와 노동 운동 교과서 자료

① 노동 문제: 산업화에 따라 노동자 수 급증, 낮은 임금과 열악한 작업 환경·장시간 노동

② 노동 운동

> 박정희 대통령과 근로 감독관에게 근로 환경 개선을 요구하는 탄원서를 전하였어.

1970년대	전태일 분신 사건(1970) 이후 노동 운동 본격화 → 노동자의 생존권 보장 요구 투쟁, 노동조합 설립 움직임 활발 → 정부의 탄압 → 유신 체제에 대한 저항으로 발전(YH 무역 사건 등)
1980년대 이후	민주화의 진전으로 노동 운동 활성화, 노동조합 결성, 금융 기관·병원 등 사무직 노동자로 확대 → 전국 민주 노동조합 총연맹(민주 노총) 결성(1995)

> 임금 인상, 노동 환경 개선 등을 요구하는 대규모 노동 운동을 전개하였어.

2. 교육의 변화와 대중문화의 성장

(1) 교육의 변화

① *국가주의 교육: 박정희 정부 시기 군사 교육과 반공 교육 강화

② 교육 문제 발생과 해결 노력: 높은 교육열을 바탕으로 교육 발전 → 입시 경쟁, 사교육비 증가 등의 문제 발생 → 정부가 중학교 무시험 진학 제도(1969), 고교 평준화 제도(1970년대), 과외 전면 금지와 대학 졸업 정원제(1981) 등 시행

(2) 언론 활동과 대중문화의 성장

> 꼭! 유신 정권은 정부에 비판적인 기자들에게는 프레스 카드를 발급해 주지 않아 행정 기관의 출입을 통제하였다.

시기	언론	대중문화 자료⑤
1960년대	박정희 정부의 언론 규제 강화, 일부 언론 폐간	라디오 보급, 노래와 영화 등 대중문화 확산
1970년대	비판적인 언론인 구속·해직, 프레스 카드제 실시 → 동아일보 기자들이 *자유 언론 실천 선언 발표, 언론 자유 운동 확산	• 정부가 문화와 예술에 대한 검열·통제 강화, 장발과 미니스커트 단속 • 텔레비전 보급, 청년 문화 확산
1980년대	신군부의 언론 통제, 언론사 통폐합, *보도 지침 하달, 기사 검열 → 6월 민주 항쟁(1987) 이후 언론의 자유 확대	상업적 프로 스포츠(프로 야구 등) 등장, 민중 문화 활동 전개 → 6월 민주 항쟁 이후 대중문화에 대한 통제 완화

> 한겨레신문이 창간되는 등 여러 언론이 등장하였고, 전국 언론 노동조합 연맹이 결성되었어.

> Q내? 전두환 정부는 정치에 불만을 가진 국민의 관심을 다른 곳으로 돌리기 위해 야구, 축구 등에서 프로 스포츠를 출범시켰어.

자료 ④ 급격한 도시화와 새마을 운동의 추진

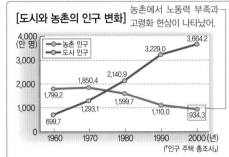

[도시와 농촌의 인구 변화]

농촌에서 노동력 부족과 고령화 현상이 나타났어.

- 농촌 인구
- 도시 인구

4,000 (만 명)
3,000
2,000
1,000
0

1,799.2
699.7
1,850.4
1,293.1
2,140.9
1,599.7
3,229.0
1,110.0
3,664.2
934.3

1960 1970 1980 1990 2000 (년)
(『인구 주택 총조사』)

[새마을 운동의 추진]

부지런히 일해서 사는 집도 깨끗이 하고, 결국 거기서 소득도 더 많이 올리도록 하고, 동시에 산이나 하천의 환경도 정리하고 경지도 정리하고 도로도 닦고, …… 사람들의 의욕을 북돋우도록 해서 이런 의욕이 …… 밑에서 끓어오르면 그 농촌은 불과 2, 3년 이내에 전부 일어설 수 있습니다. – 박정희 대통령, 1970

문제 로 확인할까?

1. 1960년대 이후 우리나라에서는 도시의 일자리가 늘어나 인구가 도시로 몰리는 ( ) 현상이 나타났다.

답 도시화

2. 새마을 운동에 대한 설명으로 옳은 것은?
① 농지 개혁으로 이어졌다.
② 민간의 주도로 추진되었다.
③ 일제의 수탈에 저항하였다.
④ 근면, 자조, 협동을 강조하였다.
⑤ 전두환 정부 시기에 시작되었다.

답 ④

박정희 정부는 저임금 정책을 뒷받침하기 위해 곡식 가격을 낮게 유지하였다. 그 결과 도시와 농촌의 소득 격차가 점점 심해졌고, 생활이 어려워진 농민이 일자리를 찾아 도시로 이주하여 농촌 인구가 급감하였다. 이에 박정희 정부는 1970년부터 낙후된 농촌을 근대화하여 도시와 농촌을 균형 있게 발전시킨다는 명분으로 새마을 운동을 실시하였다.

수능이 보이는 교과서 자료 노동 운동의 전개

당시 '1일 8시간 및 1주 48시간 근무, 주 1회 유급 휴일 보장, 13~15세 노동자들은 1일 7시간 근무'를 명시한 근로 기준법이 있었지만, 전혀 지켜지지 않았어.

저희들은 근로 기준법의 혜택을 조금도 못 받으며 더구나 2만여 명을 넘는 종업원의 90% 이상이 평균 연령 18세의 여성입니다. …… 또한 2만여 명 중 40%를 차지하는 시다공들은 평균 연령 15세의 어린이들로서, …… 1주 98시간의 고된 작업에 시달립니다. …… 1일 15시간의 작업 시간을 1일 10~12시간으로 단축해 주십시오. 1개월 휴일 2일을 늘려서 일요일마다 쉬기를 원합니다. …… 절대로 무리한 요구가 아님을 맹세합니다. 인간으로서 최소한의 요구입니다. – 전태일, 대통령에게 드리는 글, 1969. 12.

전태일은 동대문 평화 시장의 노동 실태를 노동청을 비롯한 각계에 알렸으나 나아지는 것은 없었다. 노동자들의 생존권 요구는 무시되었고 근로 기준법은 지켜지지 않았다. 결국 1970년 11월 13일, 당시 22세였던 전태일은 근로 기준법 준수, 열악한 노동 환경의 개선을 요구하며 몸에 불을 붙이고 쓰러졌다.

완자쌤의 탐 구 강 의

• 박정희 정부 시기에 노동 환경이 열악하였던 배경을 써 보자.
노동자에 대한 저임금 정책이 지속되어 노동자들은 저임금과 열악한 작업 환경 속에서 장시간 노동에 시달렸다.

• 전태일의 죽음이 노동 운동에 끼친 영향을 서술해 보자.
노동 조건에 대한 사회적 관심이 높아졌고, 노동 운동이 활발해졌다.

함께 보기 285쪽, 1등급 정복하기 4

자료 ⑤ 대중문화 통제와 청년 문화의 확산

↑ 장발 단속
귀를 덮는 긴 머리를 한 사람을 경찰이 단속하였어.

↑ 청바지와 통기타
1970년대에 확산된 청년 문화는 청바지, 통기타, 장발로 대표되었어.

1970년대 들어 통기타와 청바지는 청년 문화의 상징이 될 정도로 유행하였다. 정부는 풍기 문란 등을 이유로 청년 문화를 탄압하였지만, 청년들은 청바지와 미니스커트 등을 통해 자신의 개성을 드러냈다.

자료 하나 더 알고 가자!

정부의 언론 통제

광고란이 비워진 동아일보이다. 동아일보 백지 광고 사태(1974~1975)를 통해 박정희 정부의 언론 탄압을 알 수 있다.

정답친해 091쪽

STEP 1 핵심 개념 확인하기

1 우리나라 산업 발전의 과정을 순서대로 나열하시오.

(가) 반도체 산업 등 첨단 산업 육성
(나) 의류, 신발 등 노동 집약적 경공업 육성
(다) 철강, 화학, 조선 등 수출 주도형 중화학 공업 육성

2 다음 괄호 안의 내용 중 알맞은 말에 ○표를 하시오.

(1) (1970년대, 1990년대) 우리 경제는 '한강의 기적'이라 불릴 만큼 비약적으로 발전하였다.

(2) 1980년대 중후반 우리나라는 저유가, 저달러, 저금리 상황을 배경으로 (3저 호황, 석유 파동)을 맞았다.

3 다음 빈칸에 들어갈 용어를 쓰시오.

(1) 정치권과 경제계가 밀접한 관계를 맺는 (　　　　)이 발생하면서 부정부패 등 사회 문제가 발생하였다.

(2) 제1차 석유 파동은 석유 가격 상승으로 산유국이 얻은 자금인 (　　　　)를 노동자들이 벌어들이면서 극복하였다.

4 다음에서 설명하는 운동의 명칭을 쓰시오.

박정희 정부가 1970년부터 농촌의 생활 환경 개선과 소득 증대를 목표로 전개한 농촌 근대화 운동이다.

5 다음에서 설명하는 것을 〈보기〉에서 골라 기호를 쓰시오.

보기
ㄱ. 청년 문화　　　　ㄴ. 전태일 분신 사건
ㄷ. 함평 고구마 피해 보상 운동

(1) 1970년대 장발, 청바지, 통기타 등이 유행하였다. (　　)

(2) 근로 기준법 준수를 통한 노동 환경 개선을 요구하며 노동자가 자살하였다. (　　)

(3) 전라남도 함평군의 농민들이 농협에 피해 보상을 요구하며 투쟁을 전개하였다. (　　)

STEP 2 내신 만점 공략하기

01 다음 내용에 해당하는 시기의 경제 정책에 대한 설명으로 옳지 않은 것은?

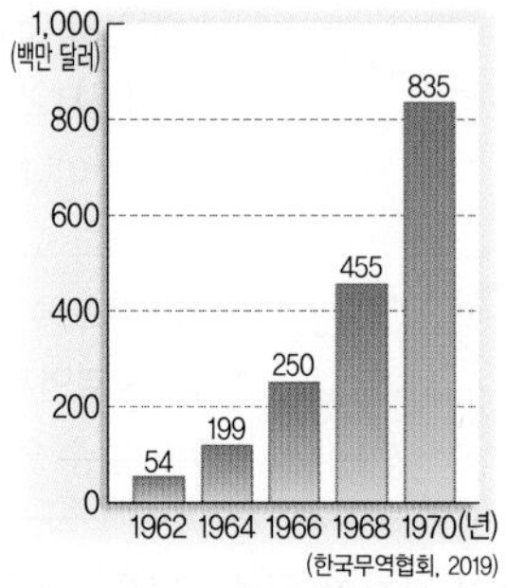

우리나라의 수출액 변화

- 장면 정부가 마련한 경제 개발 5개년 계획을 보완하여 추진
- 노동 집약적 경공업을 중심으로 수출을 늘리는 데 집중
- 울산과 마산에 각각 대규모 산업 단지와 수출 자유 지역 조성

① 저임금·저곡가 정책이 실시되었다.
② 경부 고속 국도의 건설을 추진하였다.
③ 의류, 신발 등의 제품을 주로 수출하였다.
④ 반도체 산업을 비롯한 첨단 산업을 육성하였다.
⑤ 일본과 국교를 정상화하면서 경제 개발 자금을 확보하였다.

중요
02 다음 연설문이 발표된 시기를 연표에서 옳게 고른 것은?

우리나라 공업은 이제 바야흐로 중화학 공업 시대에 들어갔습니다. 따라서 정부는 이제부터 중화학 공업 육성의 시책에 중점을 두는 중화학 공업 정책을 선언하는 바입니다. …… 우리의 수출 목표를 달성하려면, 전체 수출 물품 중에서 중화학 제품이 50%를 훨씬 더 넘게 차지해야 하는 것입니다. 그러기 위해서 정부는 지금부터 철강·조선·기계·석유 화학 등 중화학 공업 육성에 박차를 가해서 이 분야의 제품 수출을 강화하려고 추진하고 있습니다.

1950		1960		1965		1969		1979		1981
	(가)		(나)		(다)		(라)		(마)	
6·25 전쟁 발발		4·19 혁명		한일 협정 체결		3선 개헌		10·26 사태		제5공화국 출범

① (가)　② (나)　③ (다)　④ (라)　⑤ (마)

03 (가)에 들어갈 내용으로 가장 적절한 것은?

> **한국사 수행 평가**
> • 과제: 박정희 정부 때 경제 개발에 투자된 자금의 조달 방법 조사하기
> • 모둠별 조사 주제
>   – 1모둠: 베트남 전쟁과 브라운 각서
>   – 2모둠: 한일 국교 정상화와 청구권 협정
>   – 3모둠: (가)

① 국채 보상 운동   ② 금속과 미곡 공출
③ 미국의 무상 원조   ④ 일제 귀속 재산의 처분
⑤ 광부와 간호사의 독일 파견

04 밑줄 친 부분의 원인으로 옳은 것을 〈보기〉에서 고른 것은?

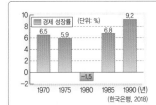

그래프는 한국의 경제 성장률 변화를 나타낸 것이다. 고도 성장을 하던 한국은 1980년에 마이너스 성장률을 기록하였다.

> **보기**
> ㄱ. 제2차 석유 파동이 일어났다.
> ㄴ. 우리나라가 3저 호황을 맞이하였다.
> ㄷ. 중화학 공업에 과잉 투자가 이루어졌다.
> ㄹ. 미국의 원조가 유상 차관으로 전환되었다.

① ㄱ, ㄴ   ② ㄱ, ㄷ   ③ ㄴ, ㄷ
④ ㄴ, ㄹ   ⑤ ㄷ, ㄹ

05 (가) 인물의 활동으로 옳지 않은 것은?

>   (가)   정권 때 경제 개발이라는 미명하에 인권 탄압과 유신 독재로 국민이 고통을 겪었다. 정경 유착의 왜곡된 경제 구조도   (가)   정권의 경제 정책에 기인한 바가 크다.

① 3선 개헌 추진   ② 유신 헌법 제정
③ 5·16 군사 정변 주도   ④ 5·18 민주화 운동 진압
⑤ 경제 개발 5개년 계획 실시

06 ★중요 그래프는 1980년대의 수출과 수입을 나타낸 것이다. (가) 시기의 경제 상황에 대한 설명으로 옳은 것은?

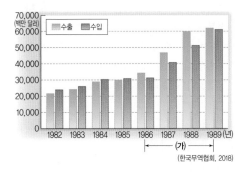

(한국무역협회, 2018)

① 베트남 특수로 해외 수출이 증가하였다.
② 저유가·저달러·저금리의 호황을 맞이하였다.
③ 삼백 산업을 중심으로 소비재 산업이 발전하였다.
④ 농가 소득 증대를 위한 새마을 운동이 시작되었다.
⑤ 중동 건설 사업 진출을 통해 석유 파동을 극복하였다.

07 ★중요 (가)에 들어갈 내용으로 적절한 것을 〈보기〉에서 고른 것은?

> 우리나라는 자본이 부족한 상황에서 경제 개발을 시작하였기 때문에 외국 자본을 유치할 수밖에 없었고, 수출 주도 정책으로 무역의 비중이 커졌어. 이로 인해 어떤 문제가 나타났을까?

> (가)

> **보기**
> ㄱ. 우리나라 경제의 대외 의존도가 높아졌어.
> ㄴ. 저임금·저곡가 정책이 실시되어 빈부 격차가 커졌어.
> ㄷ. 소비재 산업에 비해 생산재 산업의 발전이 부진하였어.
> ㄹ. 미국의 잉여 생산물이 들어와 국내 농산물 가격이 폭락하였어.

① ㄱ, ㄴ   ② ㄱ, ㄷ   ③ ㄴ, ㄷ
④ ㄴ, ㄹ   ⑤ ㄷ, ㄹ

08 밑줄 친 '도시화 현상'이 나타난 배경으로 옳은 것은?

> 1960년대 이후 인구가 도시로 몰리는 도시화 현상이 나타났다. 이에 정부는 도시와 도시를 잇는 고속 국도를 확대하고, 지하철을 비롯한 대중교통을 확장하여 전국을 일일생활권으로 만들었다. 또한 대규모 아파트 단지를 조성하고, 신도시를 개발하여 주택난을 완화하였다.

① 대중 매체의 보급
② 수입 농산물 개방 압력 강화
③ 전쟁으로 인한 산업 시설 파괴
④ 산업화에 따른 산업 구조의 변화
⑤ 미국 무상 원조의 유상 차관 전환

09 (가)에 들어갈 내용으로 가장 적절한 것은?

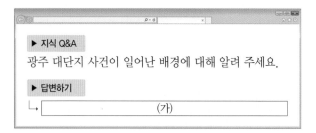

> ▶ 지식 Q&A
> 광주 대단지 사건이 일어난 배경에 대해 알려 주세요.
>
> ▶ 답변하기
> └ (가)

① 기업들이 근로 기준법을 지키지 않았어요.
② 정부가 도시 재개발 사업을 추진하였어요.
③ 정부가 김영삼을 의원직에서 제명하였어요.
④ 정부가 프레스 카드제를 실시하여 언론을 탄압하였어요.
⑤ YH 무역이 노동자들에게 일방적으로 폐업을 공고하였어요.

10 밑줄 친 부분의 사례로 옳은 것은?

> 1970년대 후반에 들어 정부의 농업 정책이 한계에 직면하면서 농촌 경제가 어려워졌다. 이에 농민들은 자신들의 권익을 지키고자 농민 운동을 본격적으로 추진하였다.

① 새마을 운동
② 농촌 진흥 운동
③ 암태도 소작 쟁의
④ 산미 증식 계획 실시
⑤ 함평 고구마 피해 보상 운동

11 다음 자료에 나타난 운동에 대한 설명으로 옳은 것을 〈보기〉에서 고른 것은?

> 오늘날 우리가 말하는 지역 사회 개발이 여기저기서 벌어지고 있기는 합니다만, 문제는 그 부락, 그 고장에 사는 사람이 자발적으로 우리 고장을 어떻게 하면 살기 좋은 고장을 만들까 하는 노력이나 열성이 없다는 것입니다. …… 좀 더 부지런히 일해서 사는 집도 깨끗이 하고, 결국 거기서 소득도 더 많이 올리도록 하고, 산이나 하천의 환경도 정리하고 경지도 정리하고 도로도 닦고, …… 모두 같이 일을 하자고 이끌어 나가며, 사람들의 의욕을 북돋우도록 해서 …… 이런 의욕이 밑에서 끓어오르면 그 농촌은 불과 2, 3년 이내에 전부 일어설 수 있습니다.

┌ 보기 ┐
ㄱ. 과도한 개발과 환경오염을 막고자 하였다.
ㄴ. 전후 경제 복구 사업의 하나로 추진되었다.
ㄷ. 도시와 농촌의 소득 격차가 커지자 실시되었다.
ㄹ. 근면, 자조, 협동을 강조하는 국민 의식 개혁으로 이어졌다.

① ㄱ, ㄴ
② ㄱ, ㄷ
③ ㄴ, ㄷ
④ ㄴ, ㄹ
⑤ ㄷ, ㄹ

12 다음 탄원서를 쓴 인물에 대한 설명으로 옳은 것은?

> 저희들은 근로 기준법의 혜택을 조금도 못 받으며 더구나 2만여 명을 넘는 종업원의 90% 이상이 평균 연령 18세의 여성입니다. …… 또한 2만여 명 중 40%를 차지하는 시다공들은 평균 연령 15세의 어린이들로서, …… 1주 98시간의 고된 작업에 시달립니다. …… 1일 15시간의 작업 시간을 1일 10~12시간으로 단축해 주십시오. 1개월 휴일 2일을 늘려서 일요일마다 쉬기를 원합니다.

① 원산 총파업을 주도적으로 전개하였다.
② 근로 기준법 준수를 요구하며 분신하였다.
③ 고구마 수매를 요구하여 정부로부터 보상을 받아 냈다.
④ 국민 징용령에 따라 광산으로 끌려가 강제 노동을 하였다.
⑤ 회사의 무책임한 폐업에 맞서 신민당사에서 시위하였다.

13 다음 교육 헌장에 대한 설명으로 옳은 것은?

> 우리는 민족중흥의 역사적 사명을 띠고 이 땅에 태어났다.
> …… 나라의 융성이 나의 발전의 근본임을 깨달아 책임과
> 의무를 다하여, 스스로 국가 건설에 참여하고 봉사하는
> 국민정신을 드높인다.　　　　　　－ 국민 교육 헌장

① 이승만 정부가 제정하였다.
② 입시 경쟁 과열 문제를 일으켰다.
③ 민주 시민 양성에 초점을 맞추었다.
④ 국가주의 교육을 강화하고자 하였다.
⑤ 고교 평준화 정책의 하나로 보급되었다.

14 다음 선언이 발표될 당시의 상황으로 옳은 것은?

> 1. 신문·잡지·방송에 대한 어떠한 외부 간섭도 우리의
>   일치된 단결로 강력히 배제한다.
> 3. 언론인의 불법 연행을 거부한다.　　－ 자유 언론 실천 선언

① 신군부가 언론사를 통폐합하였다.
② 정부에 비판적인 경향신문이 폐간되었다.
③ 6월 민주 항쟁으로 언론의 자유가 확대되었다.
④ 유신 체제의 지속으로 기자의 활동이 제한되었다.
⑤ 정부가 언론사에 하달한 보도 지침이 폭로되었다.

15 ★중요 다음 두 사진에 해당하는 시기에 볼 수 있는 모습으로 가장 적절한 것은?

↑ 이란의 한국 노동자들

↑ 통기타를 치는 청년들

① 경성 제국 대학 설립을 준비하는 관리
② 새마을 운동으로 지붕을 개량하는 농민
③ 농지 개혁으로 지가 증권을 발급받는 지주
④ 부산에서 발췌 개헌안에 반대하는 국회 의원
⑤ 김주열 사망에 분노하여 시위하는 마산 시민들

● 정답친해 093쪽

서술형 문제

01 그래프는 공업 구조의 변화를 나타낸 것이다. 이를 바탕으로 (가) 시기 정부의 경제 정책에 대해 서술하시오.

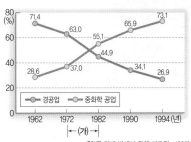
(『한국 경제 반세기 정책 자료집』, 1995)

길잡이 (가) 시기에 중화학 공업의 비중이 경공업을 앞지르게 된 배경을 생각해 본다.

02 밑줄 친 '3저 호황'이 무엇인지 쓰고, 그것이 한국 경제에 준 영향을 서술하시오.

> 제2차 석유 파동으로 시련을 겪던 한국 경제는 전두환 정부가 부실기업을 정리하고 금융 시장 일부를 개방하면서 서서히 회복되었다. 1980년대 중반에는 3저 호황이라는 국제 경제 환경의 변화를 맞았다.

길잡이 3저 호황의 상황이 한국 경제에 어떤 영향을 주었을지 유추해 본다.

03 밑줄 친 부분의 사건이 일어난 시기의 노동 문제를 서술하시오.

> 한국은 1960년 이후 급속한 경제 성장을 이루었지만, 정작 경제 개발의 주역인 노동자들은 생존권을 위협받으며 힘들게 살아야 했다. 전태일은 노동청에 진정서를 보내는 등 노동 실태에 항의하였으나 행정 기관과 사업주들의 방해로 달라지는 것은 없었다. 결국 1970년 11월 13일, 평화 시장 앞에서 "근로 기준법을 준수하라. 우리는 기계가 아니다."라고 외치며 분신자살하였다. 그의 죽음은 이후 노동 운동이 활발해지는 계기가 되었다.

길잡이 1960년대 이후 정부와 기업의 저임금 정책으로 여러 노동 문제가 나타났음에 주목하여 서술한다.

평가원 응용

1 (가), (나) 사이 시기에 있었던 사실로 적절하지 <u>않은</u> 것은?

(나)
1977년, 수출 100억 달러 달성

(가)
1970년, 경부 고속 국도 개통

① 프레스 카드제가 실시되었다.
② 광주 대단지 사건이 발생하였다.
③ 저임금·저곡가 정책이 실시되었다.
④ 유신 헌법 반대 투쟁이 전개되었다.
⑤ 중화학 공업에 대한 중복 투자가 조정되었다.

> 유신 체제 시기의 사회 모습

완자샘의 시험 꿀팁

박정희 정부 시기 경제 발전에 대한 출제 키워드는 경제 개발 5개년 계획, 경부 고속 국도, 수출 100억 달러 달성 등이다. 박정희 정부에 대해서는 경제뿐만 아니라 정치·사회·문화 분야와 함께 묻는 문제가 출제될 수 있다. 특히 유신 체제 시기의 사실을 잘 정리해 두어야 한다.

2 다음 상황을 배경으로 일어난 사실로 옳은 것은?

> 석유 파동

한국사 신문

석유 파동, 한국 경제를 흔들다

↑ 석유를 구매하고자 길게 줄을 서 있는 사람들

이란이 원유 수출을 중단하면서 석유 공급 부족과 석유 가격 폭등 현상이 계속되고 있다. 박 씨 등은 "석유를 사기 위해 집에서 2km나 떨어진 곳에 왔는데 며칠째 석유를 한 방울도 못 사고 그냥 돌아갔다."라며 불만을 털어놓았다. 주유소 옆에서 낚시점을 경영하고 있는 이 씨도 "바로 옆집에 살면서도 3일째 석유를 못 사고 있다."라고 말하였다.

① 베트남에 한국 군대를 파병하였다.
② 일본과의 국교 정상화를 추진하였다.
③ 유신 체제에 대한 국민의 불만이 높아졌다.
④ 8·3 조치를 통해 대기업에 금융 특혜를 제공하였다.
⑤ 공업 원료 조달을 위해 남면북양 정책을 실시하였다.

3 그래프는 도시와 농촌 인구의 변화를 나타낸 것이다. (가) 시기에 나타난 현상으로 옳은 것을 〈보기〉에서 고른 것은?

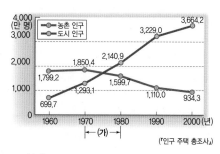

("인구 주택 총조사」)

┌─ **보기** ─────────────────────────────
ㄱ. 3저 호황이 끝나면서 경기 침체가 나타났다.
ㄴ. 대도시의 변두리나 고지대에 판자촌이 형성되었다.
ㄷ. 미국의 경제 원조로 국내 농산물 가격이 폭락하였다.
ㄹ. 도시 재개발 사업이 추진되면서 철거민 문제가 대두되었다.
└────────────────────────────────────

① ㄱ, ㄴ   ② ㄱ, ㄷ   ③ ㄴ, ㄷ
④ ㄴ, ㄹ   ⑤ ㄷ, ㄹ

> **산업화와 도시화**
>
> **| 완자 사전 |**
>
> • **판자촌**
> 1960년대 이후 도시화 현상으로 좁은 공간에 많은 사람들이 몰리면서 사람들은 무허가 판자촌 등을 지어 모여 살기도 하였다.

4 다음 글이 쓰인 시기 노동자들이 밑줄 친 부분과 같은 상황에 처한 배경으로 옳은 것은?

> 저의 직장은 동대문구 평화 시장으로서 종업원은 2만여 명이 됩니다. …… 그러나 저희들은 근로 기준법의 혜택을 조금도 못 받으며 더구나 종업원의 90% 이상이 평균 18세의 여성입니다. …… 인간으로서 어떻게 여자에게 하루 15시간의 작업을 강요합니까? …… 40%를 차지하는 시다공(보조)들은 평균 연령 15세의 어린이들로서, …… 1주 98시간의 고된 작업에 시달립니다. 저희들의 요구는 1일 15시간의 작업 시간을 1일 10시간 ~ 12시간으로 단축해 주십시오. 1개월 휴일 2일을 늘려서 일요일마다 휴일로 쉬기를 원합니다. 건강 진단을 정확하게 하여 주십시오. 시다공들의 수당을 50% 인상하십시오. 절대로 무리한 요구가 아님을 맹세합니다. 인간으로서 최소한의 요구입니다.   – 대통령에게 드리는 글

① 제1차 석유 파동으로 원유 가격이 폭등하였다.
② 산업화로 도시와 농촌 간의 소득 격차가 확대되었다.
③ 산미 증식 계획으로 증산량보다 더 많은 양의 쌀이 이출되었다.
④ 새마을 운동이 도시로 확산되어 국민 의식 개혁으로까지 이어졌다.
⑤ 수출품의 가격 경쟁력을 유지하기 위해 저임금 정책이 실시되었다.

> **노동 문제와 노동 운동**
>
> **| 완자 사전 |**
>
> • **근로 기준법**
> 근로 조건의 최저 기준을 정하여 노동 관계 일반에 적용하는 노동 보호법이다. 우리나라는 1953년에 근로 기준법을 제정·공포하였다.

05 6월 민주 항쟁과 민주주의의 발전

학 습 목 표
• 6월 민주 항쟁 이후 평화적 정권 교체가 이루어졌음을 알 수 있다.
• 시민 사회가 성장하면서 민주주의가 발전하였음을 파악할 수 있다.

이것이 핵심!

6월 민주 항쟁

배경	박종철 고문치사 사건
전개	4·13 호헌 조치 → 전국적인 민주화 요구 시위
결과	6·29 민주화 선언 → 대통령 직선제 개헌

★ **박종철 고문치사 사건(1987. 1.)**
서울대학교 대학생 박종철이 경찰의 고문을 받다가 사망한 사건이다. 박종철이 사망하자 경찰은 "책상을 탁 치자 억 하고 죽었다."라는 터무니없는 발표를 하여 사건 자체를 숨기려 하였다.

★ **4·13 호헌 조치(1987. 4.)**
전두환 대통령이 대통령 직선제 개헌을 거부하고 간선제로 대통령을 선출하는 방식을 고수하겠다고 발표한 조치

★ **금융 실명제(1993)**
불법적 금융 거래를 규제하기 위해 금융 거래를 할 때, 실제 거래자의 이름을 사용하도록 한 제도

① 민주주의의 발달

1. 6월 민주 항쟁(1987) 교과서 자료
└ 정부는 처음에 이 사건을 은폐하려 하였지만, 이후 사건의 전모가 폭로되면서 정부의 도덕성에 큰 타격을 주었어.

배경	전두환 정부의 강압적 통치(→ 시민들의 대통령 직선제 개헌 요구), 부천 경찰서 성 고문 사건(1986)과 박종철 고문치사 사건 발생
전개	4·13 호헌 조치 발표 → 민주 헌법 쟁취 국민운동 본부 결성, 직선제 개헌과 전두환 정권 퇴진 운동 전개, 이한열의 최루탄 피격 사건 → 6·10 국민 대회(호헌 철폐, 독재 타도 주장), 전국적인 민주화 요구 시위
결과	6·29 민주화 선언 발표 → 5년 단임의 대통령 직선제 개헌(1987), 노태우의 대통령 당선

2. 민주주의의 진전
└ 야당(국회)의 견제가 강화되면서 대통령이 뜻대로 국정을 이끌어 가기 힘든 상황이 되었어.

노태우 정부 (1988~1993)	야당의 국회 의석 과반수 차지로 여소 야대 국면 형성(→ 전두환 정부의 비리와 5·18 민주화 운동의 진상 규명을 위한 청문회 개최), 3당 합당, 지방 자치제의 부분적 실시, 언론 기본법 폐지(언론의 자유 확대), 북방 외교 추진(소련, 중국, 동유럽의 사회주의 국가와 외교 관계 체결)
김영삼 정부 (1993~1998)	고위 공무원의 재산 등록 의무화, 금융 실명제 실시, 지방 자치제의 전면 시행(1995), '역사 바로 세우기' 진행, 외환 위기 발생(1997) 자료 ① └ 국제 통화 기금(IMF)의 구제 금융을 받았어.
김대중 정부 (1998~2003)	헌정 사상 최초의 여야 간 평화적 정권 교체로 성립, 남북 정상 회담 성사(2000), 김대중 대통령의 노벨 평화상 수상, 국제 통화 기금(IMF)의 관리 체제 극복 자료 ①
노무현 정부 (2003~2008)	제2차 남북 정상 회담 개최(2007), 수도권 소재 주요 공공 기관의 지방 이전과 과거사 정리 사업 추진, 정경 유착 단절과 권위주의 청산 노력
이명박 정부 (2008~2013)	선거를 통한 여야 간 평화적 정권 교체, 실용주의를 앞세워 자유 무역 협정(FTA) 체결 확대·기업 활동의 규제 완화 등 정책 추진, G20 서울 정상 회의 개최(2010)
박근혜 정부 (2013~2017)	민간인에 의한 국정 농단 의혹 사건 등으로 국회에서 박근혜 대통령 탄핵 소추안 가결(2016), 헌법 재판소의 탄핵 인용 결정(2017) → 헌정 사상 최초로 대통령이 파면당함
문재인 정부 (2017~현재)	국민의 나라, 정의로운 대한민국을 국정 지표로 내걸고 복지, 지역 발전, 남북 평화에 중점을 둔 정책 표방

└ 진실·화해를 위한 과거사 정리 위원회가 반민주적·반인권적 사건들의 진상을 규명하고 역사적 진실을 밝혔어.

이것이 핵심!

시민 사회의 성장

시민운동의 활성화	시민 단체의 성장, 경제·환경·여성 문제 제기
시민의 정치 참여 확대	총선 연대의 낙선 운동, 시민들의 촛불 집회 등

★ **사회 보장 제도의 확충**

1977년	의료 보험법 제정
1981년	장애인 복지법 제정
1986년	최저 임금법 제정
1987년	남녀 고용 평등법 제정
1989년	전 국민 의료 보험 실시
1995년	사회 보장 기본법 제정, 고용 보험 제도 실시
2008년	노인 장기 요양 보험 제도 시행

② 시민 사회의 성장

1. 시민운동의 활성화
└ 비정부 기구(Non Governmental Organization)는 정부나 기업과 달리 시민들이 자발적으로 모여 공익을 위해 활동하는 단체를 일컬어.

배경	6월 민주 항쟁 이후 민주화의 진전 → 비정부 기구(NGO)인 시민 단체 성장
내용	경제 정의(경제 정의 실천 시민 연합의 정경 유착 타파 노력, 참여 연대의 정치·경제 권력의 남용 견제 노력), 환경(공해 추방 운동 등), 여성(가부장제 철폐, 성차별 타파, 여성의 인권 보호, 여성의 사회적 지위 향상을 위한 노력) 등 다양한 영역에서 활동하며 사회 문제 제기

2. 시민의 정치 참여 확대
└ 선거 운동은 선거 관리 기관이 주관하고, 선거에 대한 경비는 국가가 지불함으로써 부담을 낮춰 국민의 정치 참여를 국가가 보장하고자 한 제도

배경	선거 공영제와 지방 자치제 등을 통해 시민의 정치 참여 확대
내용	총선 연대의 낙선 운동, 촛불 집회(2002년 미군 장갑차 사고로 숨진 여중생 추모, 2008년 미국산 쇠고기 수입 반대 집회, 2016년 국정 농단에 대한 진상 규명과 박근혜 대통령 퇴진 요구 집회) 등 자료 ②

└ 공직 선거에서 출마하기에 부적격한 후보자가 뽑히지 못하도록 벌이는 활동

3. 인권 증진과 사회 복지의 확대

인권 증진 노력	헌법 소원 심판 청구 제도 마련, 국가 인권 위원회 설치(2001) 등
★ 사회 보장 제도 확충	의료 보험 제도 시행(1977), 국민연금 제도 시작(1988), 국민 기초 생활 보장법 제정(1999) 등

└ 공권력 행사로 기본권을 침해받은 국민이 직접 헌법 재판소에 구제를 청구할 수 있도록 한 제도

완자 자료 탐구

내 옆의 선생님

수능이 보이는 교과서 자료 | 6월 민주 항쟁과 6·29 민주화 선언(1987)

[6·10 국민 대회 선언문(1987. 6. 10.)] ┌ 박종철 고문치사 사건
국가의 미래요 소망인 꽃다운 젊은이를 야만적인 고문으로 죽여 놓고 그것도 모자라 뻔뻔스럽게 국민을 속이려 했던 현 정권에게 국민의 분노가 무엇인지를 분명히 보여 주고, 국민적 여망인 개헌을 일방적으로 파기한 4·13 폭거를 철회시키기 위한 민주 장정을 시작한다.
└ 4·13 호헌 조치
[6·29 민주화 선언(1987. 6. 29.)]
첫째, 여야 합의 하에 대통령 직선제로 개헌하고, 새 헌법에 의한 대통령 선거로 1988년 2월 평화적으로 정권을 이양한다.
└ 6·10 국민 대회 선언문에서 국민이 주장하였던 대통령 직선제 개헌 요구를 수용한 거야.
다섯째, 언론 관련 제도와 관행을 개선하고 언론의 자율성을 최대한 보장한다.

4·13 호헌 조치가 발표되자, 야당과 종교계, 학생 운동 조직 등은 직선제 개헌과 전두환 정권 퇴진 운동을 전개하였다. 이한열의 최루탄 피격 사건을 계기로 6월 10일에는 전국 주요 도시에서 시민들이 호헌 철폐와 독재 타도를 외치며 시위를 전개하였다. 결국 전두환 정부는 국민의 민주화 요구에 굴복하여 여당 대통령 후보인 노태우를 통해 대통령 직선제 개헌을 주요 내용으로 하는 6·29 민주화 선언을 발표하였다.

완자샘의 탐구 강의

• 첫 번째 자료에서 6월 민주 항쟁의 배경이 된 사건들을 찾아 써 보자.
박종철 고문치사 사건, 4·13 호헌 조치 등이 배경이 되어 6월 민주 항쟁이 일어났다.

• 6월 민주 항쟁의 의의를 당시 개정된 헌법의 주요 내용과 함께 서술해 보자.
대통령이 6·29 민주화 선언을 통해 국민의 대통령 직선제 개헌 요구를 수용함에 따라 국민이 직접 대통령을 선출하게 되었다. 6월 민주 항쟁은 오랜 독재 정치를 끝내고 우리 사회의 민주화가 진전되는 토대가 되었다.

함께 보기 291쪽. 1등급 정복하기 1

자료 ① 민주주의의 진전

┌ 정부 수립 이후 최초로 선거에 의한 여야 간 정권 교체가 이루어졌어.

[김영삼 대통령 특별 담화문(1995)]
광역 및 기초 단체장과 의원을 함께 뽑는 이번 선거를 계기로, 우리나라는 전면적인 지방 자치를 실시하게 됩니다. …… 지방 자치는 지역 주민이 주체가 되어 삶의 질을 향상시키고 지역 발전을 이룩하는 '주민 자치'입니다.

[김대중 대통령 취임사(1998)]
오늘은 이 땅에서 처음으로 민주적 정권 교체가 실현되는 자랑스러운 날입니다. 또한 민주주의와 경제를 동시에 발전시키려는 정부가 마침내 탄생하는 역사적 순간이기도 합니다.

김영삼 정부는 1995년에 지방 자치제를 전면적으로 실시하였는데, 지방 자치제는 풀뿌리 민주주의를 실현하는 데 기여하였다. 한편, 제15대 대통령 선거에서 야당의 김대중 후보가 당선되면서 헌정 사상 최초로 여야 간 평화적 정권 교체가 이루어졌다.

자료 하나 더 알고 가자!

조선 총독부 청사 철거

1995년에 김영삼 정부는 '역사 바로 세우기'의 하나로 조선 총독부 청사를 철거하였다. 이와 함께 전두환, 노태우를 비롯한 12·12 사태 관련자와 5·18 민주화 운동 진압 관련자를 처벌하기도 하였다.

자료 ② 촛불 집회의 전개

⬆ 촛불 집회가 열린 광화문 광장(2016)

촛불 집회는 항의나 추모를 목적으로 하는 비폭력 평화 시위의 한 방식이다. 특히 한국에서는 법률로 야간 시위를 금지하여 '촛불 문화제'라는 독특한 형식으로 나타났다. 촛불 집회는 2000년대 이후 시민이 평화적으로 자신의 뜻을 전달하는 수단이자 새로운 시민운동의 하나로 자리 잡았다.

자료 하나 더 알고 가자! ┐ 이후 2008년에 호주제가 폐지되었어.

여성의 사회적 지위 향상 노력

호주제 법률에 대해 헌법 불합치 결정을 내리자 …… 시민 단체는 "이번 결정으로 다양한 가족 형태를 존중하고 ……"라고 평가하였다. — 세계일보, 2005

여성 단체들의 호주제 폐지 운동으로 호주제가 폐지되었다.

1 다음 괄호 안의 내용 중 알맞은 말에 ○표를 하시오.

(1) (6월 민주 항쟁, 5·18 민주화 운동)을 통해 시민들은 호헌 철폐와 독재 타도를 외쳤다.

(2) 노태우는 대통령 직선제 개헌 등을 주요 내용으로 하는 (4·13 호헌 조치, 6·29 민주화 선언)을/를 발표하였다.

2 (가)~(라)를 일어난 순서대로 나열하시오.

> (가) 6·29 민주화 선언
> (나) 박종철 고문치사 사건
> (다) 정부의 4·13 호헌 조치
> (라) 대학생 이한열의 최루탄 피격 사건

3 다음 정부와 관련된 정책을 옳게 연결하시오.

(1) 김대중 정부 •　　　• ㉠ 북방 외교 추진

(2) 김영삼 정부 •　　　• ㉡ 외환 위기 극복

(3) 노무현 정부 •　　　• ㉢ 역사 바로 세우기 진행

(4) 노태우 정부 •　　　• ㉣ 제2차 남북 정상 회담 실시

4 다음 설명이 맞으면 ○표, 틀리면 ×표를 하시오.

(1) 6월 민주 항쟁 이후 시민 단체의 활동이 크게 위축되었다. 　　　(　)

(2) 촛불 집회는 항의나 추모를 목적으로 하는 비폭력 평화 시위를 말한다. 　　　(　)

5 다음에서 설명하는 개념을 〈보기〉에서 골라 기호를 쓰시오.

> 보기
> ㄱ. 낙선 운동　　　　　　ㄴ. 선거 공영제
> ㄷ. 헌법 소원 심판 청구 제도

(1) 공직 선거에서 출마하기에 부적격한 후보자가 뽑히지 못하도록 함 　　　(　)

(2) 선거 관리 기관이 선거 운동을 주관하고, 국가가 선거에 대한 경비를 지불함 　　　(　)

(3) 공권력 행사로 기본권을 침해받은 국민이 직접 헌법 재판소에 구제를 청구할 수 있도록 함 　　　(　)

01 다음과 같은 조치에 대한 설명으로 옳은 것은?

> 본인은 얼마 남지 않은 촉박한 임기와 현재의 국가적 상황을 종합적으로 판단하여 …… 임기 중 개헌이 불가능하다고 판단하고 현행 헌법에 따라 후임자에게 정부를 이양할 것을 천명하는 바입니다. …… 국력을 낭비하는 소모적인 개헌 논의를 지양할 것을 선언합니다. ― 1987. 4. 13.

① 노태우 대통령이 발표하였다.

② 국민이 요구한 내용을 수용하였다.

③ 5·18 민주화 운동이 일어나는 계기가 되었다.

④ 통일 주체 국민 회의가 설치되는 결과를 가져왔다.

⑤ 간접 선거를 통해 차기 대통령을 선출하고자 하였다.

02 (가)에 들어갈 내용으로 옳은 것은?

> ○○ ○○ ○○
> 1. 배경: 부천 경찰서 성 고문 사건, 박종철 고문치사 사건
> 2. 전개
> 　 - 민주 헌법 쟁취 국민운동 본부 결성
> 　 - 　　　　(가)
> 3. 결과: 6·29 민주화 선언 발표

① 긴급 조치 9호 시행

② 6·10 국민 대회 개최

③ 3·1 민주 구국 선언 발표

④ 계엄군의 진압에 맞서 시민군 조직

⑤ 시위 중 실종된 김주열 학생의 시신 발견

03 6월 민주 항쟁에 대한 설명으로 옳은 것은?

① 대통령 직선제 개헌을 이끌어 냈다.

② 3선 개헌 추진에 반발하여 일어났다.

③ 일제의 황무지 개간권 요구를 철회시켰다.

④ 허정 과도 정부가 수립되는 계기가 되었다.

⑤ 신간회가 진상 조사단을 파견하여 지원하였다.

[04~05] 다음을 읽고 물음에 답하시오.

> 국민 여러분, …… 민주 정의당 총재 노태우와 통일 민주당 총재 김영삼, 그리고 신민주 공화당 총재 김종필, 우리 세 사람은 민주, 번영, 통일을 이룰 새로운 역사의 장을 열기 위해 오늘 국민 여러분 앞에 함께 섰습니다. …… 우리 사회 모든 민족, 민주 세력은 이제 뭉쳐야 합니다.
> – 신당 창당에 관한 3당 총재 공동 선언

04 위와 같은 상황이 나타난 배경으로 적절한 것은?

① 6·25 전쟁이 발발하였다.
② 12·12 사태가 발생하였다.
③ 발췌 개헌안이 통과되었다.
④ 여소 야대 정국이 형성되었다.
⑤ 반민족 행위 처벌법이 제정되었다.

05 위 선언이 발표된 정부 시기의 사실로 옳지 않은 것은?

① 북방 외교를 추진하였다.
② 지방 자치제가 부분적으로 실시되었다.
③ 고위 공무원의 재산 등록을 의무화하였다.
④ 언론 기본법이 폐지되어 언론의 자유를 확대하였다.
⑤ 전두환 정부의 비리와 5·18 민주화 운동의 진상 규명을 위한 청문회가 개최되었다.

06 (가) 인물이 대통령으로 재임한 시기의 사실로 옳은 것은?

> 제14대 대통령 선거에서 여당의 대통령 후보인 ［ (가) ］ 이/가 당선되었다. ［ (가) ］ 은/는 5·16 군사 정변 이후 처음으로 등장한 일반 국민 출신의 대통령이었다.

① 유신 헌법이 제정되었다.
② 금융 실명제를 처음 실시하였다.
③ 7·4 남북 공동 성명을 발표하였다.
④ 진보당 사건이 일어나 조봉암이 사형당하였다.
⑤ 국제 통화 기금(IMF)의 관리 체제에서 벗어났다.

07 밑줄 친 '정부'의 정책으로 옳은 것은?

> 오늘은 이 땅에서 처음으로 민주적 정권 교체가 실현되는 자랑스러운 날입니다. 또한 민주주의와 경제를 동시에 발전시키려는 정부가 마침내 탄생하는 역사적 순간이기도 합니다.
> – 대통령 취임사

① 새마을 운동을 시작하였다.
② 야간 통행금지를 해제하였다.
③ G20 서울 정상 회의를 개최하였다.
④ 최초로 남북 정상 회담을 개최하였다.
⑤ 자유 무역 협정(FTA)의 체결을 확대하였다.

08 (가)에 들어갈 내용으로 적절한 것을 〈보기〉에서 고른 것은?

> ▶ 지식 Q&A
> 비정부 기구(NGO)인 시민 단체의 활동 사례에 대해 알려 주세요.
>
> ▶ 답변하기
> └ 경제 정의 실천 시민 연합(경실련)은 급속한 경제 성장 과정에서 생겨난 부동산 투기, 정경 유착 등을 몰아내기 위한 활동을 전개하고 있어요.
> └ ［ (가) ］

보기

ㄱ. 국제 통화 기금(IMF)은 외화 자금의 조달을 원활히 하는 활동을 하고 있어요.
ㄴ. 참여 연대는 정치와 경제 권력의 남용을 고발하는 권력 감시 활동을 하고 있어요.
ㄷ. 여성 단체들이 여성의 사회적 지위 향상을 위해 노력하여 2008년에 호주제가 폐지되었어요.
ㄹ. 유네스코는 교육, 과학, 문화 교류를 통해 국제 사회의 협력을 촉진하기 위해 노력하고 있어요.

① ㄱ, ㄴ   ② ㄱ, ㄷ   ③ ㄴ, ㄷ
④ ㄴ, ㄹ   ⑤ ㄷ, ㄹ

09 (가)에 들어갈 내용으로 적절한 것은?

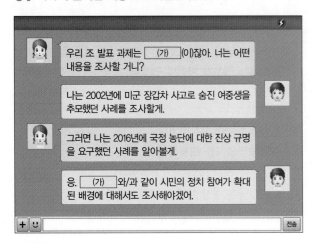

우리 조 발표 과제는 [(가)](이)잖아. 너는 어떤 내용을 조사할 거니?

나는 2002년에 미군 장갑차 사고로 숨진 여중생을 추모했던 사례를 조사할게.

그러면 나는 2016년에 국정 농단에 대한 진상 규명을 요구했던 사례를 알아볼게.

응. [(가)]와/과 같이 시민의 정치 참여가 확대된 배경에 대해서도 조사해야겠어.

전송

① 촛불 집회
② 브나로드 운동
③ 국채 보상 운동
④ 물산 장려 운동
⑤ 광주 학생 항일 운동

10 다음 내용에 해당하는 사실로 적절한 것을 〈보기〉에서 고른 것은?

> 1980년대 후반에 민주화가 진행되면서 사회적 약자에 대한 배려와 복지에 대한 관심이 커졌고 사회 보장 제도가 확충되었다.

보기
ㄱ. 프레스 카드제 실시
ㄴ. 고용 보험 제도 시행
ㄷ. 비정부 기구(NGO) 결성
ㄹ. 국민 기초 생활 보장법 제정

① ㄱ, ㄴ   ② ㄱ, ㄷ   ③ ㄴ, ㄷ
④ ㄴ, ㄹ   ⑤ ㄷ, ㄹ

서술형 문제

● 정답친해 096쪽

01 다음을 읽고 물음에 답하시오.

> 첫째, 여야 합의하에 조속히 대통령 직선제 개헌을 하고 새 헌법에 의해 대통령 선거로 1988년 2월 평화적 정부 이양을 실현토록 하겠습니다. …… 국민은 나라의 주인이며, 국민의 뜻은 모든 것에 우선하는 것입니다.
> 둘째, 최대한의 공명정대한 선거 관리가 이루어져야 합니다.
> 셋째, 극소수를 제외한 모든 시국 관련 사범들은 석방되어야 합니다.
> 다섯째, 언론 자유의 창달을 위해 관련 제도와 관행을 획기적으로 개선하며 언론의 자율성을 최대한 보장해야 합니다.
> 여섯째, 지방 자치 및 교육 자치를 실시하고, 대학의 자율화를 보장해야 합니다.

(1) 위 선언의 배경이 된 민주화 운동을 쓰시오.

(2) (1) 민주화 운동의 의의를 서술하시오.

길잡이 자료에 나타난 변화상에 주목한다.

02 다음을 보고 물음에 답하시오.

1995년 6월에 실시된 지방 선거의 개표 모습이다. [(가)] 정부는 지방 자치 단체장 선거를 실시하여 전면적인 지방 자치 시대를 열었다.

(1) (가) 정부의 명칭을 쓰시오.

(2) 제시된 자료 이외에 (가) 정부가 실시한 정책을 두 가지 서술하시오.

길잡이 (가) 정부가 실시한 정책을 그 내용과 함께 서술한다.

STEP 3 1등급 정복하기

민주화 운동의 구호

평가원 응용

1 다음 선언문을 발표하였던 민주화 운동의 구호로 적절한 것은?

> 오늘 우리는 전 세계 이목이 우리를 주시하는 가운데 40년 독재 정치를 청산하고 희망찬 민주 국가를 건설하기 위한 거보를 전 국민과 함께 내딛는다. 국가의 미래요 소망인 꽃다운 젊은이를 야만적인 고문으로 죽여 놓고 그것도 모자라 뻔뻔스럽게 국민을 속이려 했던 현 정권에게 국민의 분노가 무엇인지를 분명히 보여 주고, 국민적 여망인 개헌을 일방적으로 파기한 4·13 폭거를 철회시키기 위한 민주 장정을 시작한다.

① 3선 개헌 중단하라!
② 사사오입 개헌 규탄한다!
③ 남한만의 단독 선거를 중지하라!
④ 굴욕적인 한일 협정 체결을 반대한다!
⑤ 호헌 조치를 철폐하고 대통령 직선제 개헌하라!

완자쌤의 시험 꿀팁

4·19 혁명, 5·18 민주화 운동과 함께 6월 민주 항쟁의 배경, 전개, 결과를 묻는 문제는 시험에 자주 출제된다. 특히 6월 민주 항쟁의 결과로 5년 단임의 대통령 직선제 개헌이 이루어졌다는 사실을 꼭 기억해 두도록 한다.

2 (가)에 들어갈 내용으로 가장 적절한 것은?

민주주의의 진전

> 수행 평가 안내
> ### 역사 신문 만들기
> • 주제: ○○○ 정부에 대한 신문 기사 작성
> • 방법: 제시된 신문 기사 헤드라인을 모두 활용해서 신문 기사를 작성할 것
> • 신문 기사 헤드라인
>   – 헌정 사상 최초, 여야 간 평화적 정권 교체 실현
>   – 남북 정상, 평양에서 처음으로 회담 개최
>   – 대통령, 노벨 평화상 수상자로 선정
>   –   (가)

① 금융 실명제 전격 실시
② 베트남 파병 동의안 통과
③ 경부 고속 국도 준공식 개최
④ 제헌 헌법 공포와 국민의 감격
⑤ 국제 통화 기금(IMF)의 관리 체제 극복

완자 사전

• **국제 통화 기금(IMF)**
환율과 국제 수지를 안정시켜 국제 유동성을 확대하려는 목적으로 설립된 유엔의 전문 기구이다. 회원국의 요청이 있을 때에는 기술 및 금융 지원을 직접 제공한다.

06 외환 위기와 사회·경제적 변화

학 습 목 표
• 외환 위기의 발생 원인과 극복 과정을 설명할 수 있다.
• 현대 사회의 변화와 당면한 사회적 과제를 파악할 수 있다.

이것이 핵심!

1990년대 이후의 경제

김영삼 정부	신자유주의 정책 실시, 외환 위기 발생 → 국제 통화 기금(IMF)에 구제 금융 요청
김대중 정부	강도 높은 구조 조정, 노사정 위원회 설치 등을 통해 국제 통화 기금의 지원금 조기 상환

★ 우루과이 라운드
1986년 우루과이에서 개최된 '관세 및 무역에 관한 일반 협정(GATT)'의 제8차 다자간 무역 협상이다. 1993년에 타결되어 1995년부터 발효되었으며, 여기에 근거하여 세계 무역 기구(WTO) 체제가 출범하였다.

★ 노사정 위원회
1998년에 근로자·사용자·정부를 대표하는 위원으로 구성된 협의체이자 대통령 자문 기구로, 고용 보험 확대와 근로 시간 단축 등의 노력을 하였다.

① 세계화에 따른 한국 경제의 변화

1. 시장 개방과 한국 경제

(1) **시장 개방**: 1980년대부터 시장 개방 압력 강화 → *우루과이 라운드 타결(1993) → 세계 무역 기구(WTO) 체제 출범(1995) → 국제 교역량 증가, 세계 자본 시장 통합

┌ 정부는 우루과이 라운드에 참여하면서 국제 금융 자본과 다국적 기업의 국내 진출을 허용하였다.

(2) **신자유주의 정책 실시**: 공기업 민영화, 금융 규제 완화, 경제 협력 개발 기구(OECD) 가입(1996)

└ 세계 경제 문제를 공동으로 대처하기 위한 국제 기구로, 이른바 선진국 클럽이라고 불려.

2. 외환 위기

┌ 급격한 시장 자율화와 경제 개방 속에서 대기업은 무리하게 은행 자금을 빌려 사업을 확장하였어.

(1) **발생**: 대기업의 무분별한 사업 확장, 동남아시아의 외환 위기 → 외환 보유고 고갈, 기업들의 연쇄 부도 → 김영삼 정부가 국제 통화 기금(IMF)에 구제 금융 요청(1997)

(2) **극복**: 김대중 정부의 구조 조정과 외국 자본 유치(부실기업과 은행 통폐합·외국에 매각, 부실 금융 기관 정상화)·공기업 민영화·*노사정 위원회 설치(정리 해고제, 근로자 파견제 도입), 국민의 금 모으기 운동 등 → 국제 통화 기금의 지원금 조기 상환(2001) **자료①**

3. 오늘날의 한국 경제 **교과서 자료**

┌ 꼭! 국가 간의 자유로운 무역 활동을 위해 무역 장벽을 완화시키거나 제거하는 협정이야.

(1) **세계화의 확대**: 상품과 자본 시장 개방, 칠레·미국·유럽 연합(EU) 등과 자유 무역 협정(FTA) 체결 → 반도체·전자·자동차 산업 등 약진, 농축산물 시장 개방으로 농가 경제 악화

(2) **경제 성장에 따른 변화**: 대외 의존도 심화, 대기업과 중소기업 간 격차 심화, 대기업의 소상공업 진출(→ 서민 상권 위협), 도시와 농촌 및 공업과 농업 간 불균형 심화

이것이 핵심!

현대 사회의 변화

경제적 양극화	외환 위기 이후 임금 격차 심화 → 소득 격차 등 불평등 심화
다문화 사회	세계화로 외국인 근로자와 국제결혼 이주민 증가 → 다문화 사회로 진입

★ 외국인 주민 수와 비중

연도	외국인 주민 수(만 명)	외국인 주민 비중(%)
2013	145	2.8
2014	157	3.1
2015	174	3.4
2016	176	3.4
2017	186	3.6

(행정안전부, 2017)

한국은 2007년 국내 거주 외국인이 100만 명을 넘으면서 본격적으로 다문화 사회로 변화하고 있다.

② 현대 사회의 변화

1. 가족 형태와 인구 구조의 변화

┌ 독거노인의 질병과 빈곤 문제가 발생하였어.

(1) **가족 형태의 변화**: 산업화·도시화의 진행으로 핵가족화, 1인 가구 및 노년층 증가

(2) **인구 구조의 변화**: 결혼과 출산 기피로 저출산, 고령화 현상 → 정부가 지원 정책 강화

└ **왜?** 청년 실업이 늘고 자녀의 교육비 지출이 커졌기 때문이야.

2. 경제적 양극화의 심화: 정규직과 비정규직 및 대기업과 중소기업 간 임금 격차 심화, 소득 격차에 따른 교육 기회의 불평등 문제 발생 등 → 정부가 사회 복지 정책 추진 **자료②**

3. 다문화 사회 진입과 사회 변화

┌ 국제결혼 증가로 다문화 가정과 학생 수도 늘어나고 있어.

(1) **다문화 사회 진입**: 세계화와 시장 개방으로 *외국인 근로자와 국제결혼 이주민 등 증가 → 정부가 다문화 사회 지원 법률 제정

(2) **다문화 사회 진입에 따른 사회 변화** **예** 재한 외국인 처우 기본법(2007), 다문화 가족 지원법(2008)

긍정적 측면	저출산·고령화에 따른 노동력 부족 현상 해소에 기여, 문화적 다양성 증가
과제	이주민이 문화적 차이와 의사소통의 어려움을 겪음, 외국인에 대한 사회적 차별과 편견으로 고통받음 → 다문화 구성원들과 지속적으로 소통, 다문화 가정의 자녀들에게 문화 체험 및 언어 교육 등 기회 제공, 외국인 노동자들의 인권과 처우 개선을 위한 법률적인 정비 필요

┌ 최근에는 유튜브, 누리 소통망(SNS)을 통해 한국 문화가 세계로 전파되고 있어.

4. 한국의 위상 강화: 1990년대부터 '한류' 열풍·케이팝(K-Pop) 인기, 세계적 규모의 스포츠 경기 개최, 한국 국제 협력단(KOICA)의 해외 봉사 활동 등으로 국제 사회에 공헌

└ **예** 1988년 서울 올림픽 대회, 2002년 한일 월드컵 대회, 2018년 평창 동계 올림픽 대회 등

완자 자료 탐구

내 옆의 선생님

자료 1 외환 위기의 발생과 극복

- 국제 통화 기금(IMF)으로부터 적절한 규모의 자금 지원
- 부실 금융 기관 구조 조정 및 인수, 합병 제도 마련
- 외국 금융 기관의 국내 자회사 설립 허용
- 외국인 주식 취득을 종목당 50%까지 확대
- 노동 시장의 유연성을 높임
  - IMF 대기성 차관 협약을 위한 양해 각서안

외환 위기가 발생하자 김영삼 정부는 국제 통화 기금(IMF)과 구제 금융 협약을 체결하였다. 이후 김대중 정부의 노력과 국민들의 금 모으기 운동 등으로 한국은 외환 위기를 극복하였다. 그러나 국제 통화 기금의 요구로 한국은 자본 시장 개방과 노동 시장의 유연화 정책을 받아들여야 했으며, 강도 높은 구조 조정으로 인해 실업자와 비정규직 노동자가 증가하였고 중산층의 비중이 낮아졌다.

자료 하나 더 알고 가자!

한국 경제의 변화

한국 경제는 1997년에 발생한 외환 위기, 2008년에 발생한 세계 금융 위기로 어려움을 겪었으나, 이후 이를 극복하였다.

수능이 보이는 교과서 자료 **오늘날의 한국 경제**

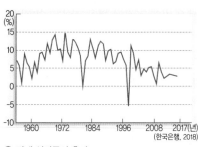

↑ 경제 성장률의 추이

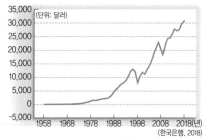

↑ 1인당 국민 총소득(GNI) · 일정한 기간에 한 나라의 국민이 벌어들인 소득

한국 경제는 1960년대 중반부터 30여 년간 연평균 8% 내외의 높은 성장률을 기록하며 짧은 기간에 비약적으로 성장하였다. 또한 1950년대 말 70달러도 되지 못하였던 우리나라 1인당 국민 총소득은 1996년에는 1만 달러, 2006년에는 2만 달러를 넘어섰다. 통계에 따르면 2018년에는 1인당 국민 총소득이 3만 달러를 넘은 것으로 집계되었다. 한편, 한국은 2004년 칠레를 시작으로 여러 나라와 자유 무역 협정(FTA)을 맺어 무역 시장을 확대하였고, 2011년에 무역 수지가 1조 달러를 돌파하였다.

완자샘의 탐구 강의

- 1970년대 말에 경제 성장률이 마이너스를 기록한 이유를 써 보자.
한국은 1978년에 제2차 석유 파동이 일어나 큰 경제적 위기를 겪었다.

- 자료에서 1997년과 같은 변화를 가져온 경제 상황에 대해 서술해 보자.
한국은 대기업의 무분별한 사업 확장과 동남아시아의 금융 불안 등의 영향으로 외환 보유고가 고갈되어 1997년에 외환 위기를 맞았다. 이때 국제 통화 기금(IMF)에 구제 금융을 요청하여 긴급 자금을 지원받았다.

함께 보기 297쪽, 1등급 정복하기 2

자료 2 경제적 양극화의 심화

↑ 소득 계층별 교육비 지출 추이

외환 위기 이후 실업이 늘어나고 소득 격차는 더욱 벌어졌다. 그뿐만 아니라 정규직과 비정규직, 대기업과 중소기업 간의 임금 차이가 더욱 커지면서 소득의 양극화도 심화되었다. 소득에 따른 교육비 지출의 격차도 커져 교육 기회의 불평등 문제가 발생하고 있고, 이는 부모의 사회적·경제적 지위가 자녀에게 대물림하는 양상으로 나타나 소득 불평등으로 이어질 수 있다.

정리 비법을 알려줄게!

경제적 양극화

배경	외환 위기 이후 실업 증가 → 소득 격차 확대
문제점	소득 불평등, 빈부 격차와 그에 따른 계층 세습 → 사회 통합 저해
해결 노력	국가 차원에서 사회 취약 계층에 대한 경제적 지원 강화, 정부 지원 장학 제도 신설, 국민 기초 생활 보장법 제정(1999) 등

STEP 1 핵심 개념 확인하기

정답친해 097쪽

1 신자유주의 정책의 특징만을 〈보기〉에서 골라 기호를 쓰시오.

> **보기**
> ㄱ. 공기업 민영화
> ㄴ. 금융 규제 완화
> ㄷ. 복지 예산 대폭 확대
> ㄹ. 정부의 적극적인 시장 개입

2 다음 ㉠, ㉡에 들어갈 인물을 각각 쓰시오.

> 1997년 말에 외환 위기를 맞은 (㉠   ) 정부는 국제 통화 기금(IMF)으로부터 긴급 자금을 지원받았다. 이후 (㉡   ) 정부 시기에 우리나라는 국제 통화 기금의 관리 체제에서 벗어났다.

3 다음에서 설명하는 기구를 〈보기〉에서 골라 기호를 쓰시오.

> **보기**
> ㄱ. 노사정 위원회   ㄴ. 국제 통화 기금(IMF)
> ㄷ. 세계 무역 기구(WTO)   ㄹ. 경제 협력 개발 기구(OECD)

(1) 노동 부문을 담당하는 대통령의 자문 기구   (   )

(2) 우루과이 라운드가 타결된 후 자유 무역의 확대를 위해 1995년에 설립된 국제기구   (   )

(3) 환율과 국제 수지를 안정시켜 국제 유동성을 확대하려는 목적으로 설립된 유엔의 전문 기구   (   )

(4) 회원국 간의 협력을 통해 세계 경제 발전과 세계 무역 확대를 지향하는 기구로 선진국 클럽이라 불림   (   )

4 국가 간의 자유로운 무역 활동을 위해 무역 장벽을 완화시키거나 제거하는 협정을 (   )(이)라고 한다.

5 현대 사회의 변화에 대해 다음 설명이 맞으면 ○표, 틀리면 ×표를 하시오.

(1) 외환 위기 이후 경제적 양극화가 완화되었다.   (   )

(2) 결혼과 출산 기피 현상으로 저출산 현상이 나타나고 있다.
      (   )

STEP 2 내신 만점 공략하기

01 (가)에 들어갈 내용으로 가장 적절한 것은?

> 제1·2차 석유 파동으로 경제적 위기를 맞은 선진 자본주의 국가들은 농산물, 섬유, 철강, 금융, 지적 재산권 등 개발 도상국의 이해를 좌우하는 분야를 포함하여 전면적 시장 개방을 논의하였다. 이 과정에서 우루과이 라운드가 타결되고, 관세 및 무역에 관한 일반 협정(GATT) 체제를 흡수·통합한 세계 무역 기구(WTO) 체제가 출범하였다. 이때 한국은 ┃   (가)   ┃

① 3저 호황을 누렸다.
② 신자유주의 정책을 펼쳤다.
③ 두 차례의 석유 파동을 겪었다.
④ 제2차 경제 개발 5개년 계획을 실시하였다.
⑤ 생활필수품과 소비재 중심의 원조 물자를 지원받았다.

02 다음 두 사건 사이에 있었던 사실로 옳은 것은?

> • 저유가, 저달러, 저금리의 3저 호황으로 3년 동안 매년 10% 이상의 높은 경제 성장률을 기록하였다.
> • 외환 위기로 인해 국제 통화 기금(IMF)으로부터 구제 금융 지원을 받았다.

① 제2차 석유 파동으로 경제 위기를 맞았다.
② 제3차 경제 개발 5개년 계획을 실시하였다.
③ 경제 협력 개발 기구(OECD)에 가입하였다.
④ 칠레와 자유 무역 협정(FTA)을 체결하였다.
⑤ 농촌 근대화를 목표로 새마을 운동이 시작되었다.

03 다음 중 세계화의 영향과 거리가 먼 것은?

① 세계 자본 시장이 통합되었다.
② 무역 장벽이 낮아져 국제 교역량이 증가하였다.
③ 농축산물 시장 개방으로 국내 농가 경제가 활성화되었다.
④ 반도체 수출이 증가하고 우리 기업이 세계로 진출하였다.
⑤ 우리나라가 여러 나라와 자유 무역 협정(FTA)을 체결하였다.

04 다음 각서안을 체결하게 된 배경으로 적절한 것은?

- IMF로부터 적절한 규모의 자금 지원
- 부실 금융 기관 구조 조정 및 인수, 합병 제도 마련
- 외국 금융 기관의 국내 자회사 설립 허용
- 외국인 주식 취득을 종목당 50%까지 확대
- 노동 시장의 유연성을 높임

　　　　　　 − IMF 대기성 차관 협약을 위한 양해 각서안

① 외환 보유고의 급증
② 상품과 자본 시장 폐쇄
③ 신자유주의 정책의 철회
④ 대기업의 무분별한 사업 확장
⑤ 동남아시아 금융 시장의 호황

06 (가) 시기에 볼 수 있는 모습으로 가장 적절한 것은?

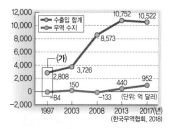

① 물산 장려 운동을 홍보하는 상인
② 한일 회담 반대 시위를 벌이는 학생
③ 미국에서 온 원조 물자를 배정하는 관리
④ 금 모으기 운동에 자발적으로 참여하는 시민
⑤ 회사령에 따라 회사 설립을 신고하는 사업가

[07~08] 다음을 보고 물음에 답하시오.

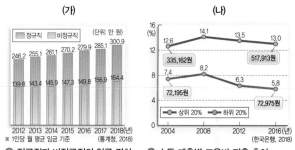

(가) 정규직과 비정규직의 임금 격차 　 (나) 소득 계층별 교육비 지출 추이

05 ☆중요 (가)에 들어갈 내용으로 적절하지 <u>않은</u> 것은?

우리나라가 긴급 구제 금융을 받아 국제 통화 기금(IMF)의 관리 체제 아래 있었던 시기에 어떤 일들이 있었나요?

(가)

① 노사정 위원회가 설치되었습니다.
② 부실기업과 은행이 통폐합되었습니다.
③ 강도 높은 구조 조정이 실시되었습니다.
④ 공기업의 민영화와 경영 혁신의 개혁이 추진되었습니다.
⑤ 서독에 광부와 간호사를 파견하여 외화를 획득하고자 하였습니다.

07 ☆중요 (가), (나)를 활용한 탐구 주제로 적절한 것은?

① 석유 파동의 영향
② 외환 위기의 원인
③ 경제적 양극화 심화
④ 새마을 운동의 결과
⑤ 고령화 사회로의 진입

08 (나)에 나타난 문제를 해결하기 위한 노력으로 옳은 것은?

① 농지 개혁법을 제정하였다.
② 국가 총동원법을 시행하였다.
③ 경제 개발 5개년 계획을 시작하였다.
④ 정부 지원의 장학 제도를 신설하였다.
⑤ 국제 통화 기금(IMF)에 구제 금융을 요청하였다.

09 교사의 질문에 대한 학생의 답변으로 적절하지 <u>않은</u> 것은?

그래프는 우리나라의 외국인 주민 수와 비중을 보여 줍니다. 이에 대해 발표해 볼까요?

① 우리나라가 다문화 사회에 진입하였음을 알 수 있어요.
② 우리는 외국인 주민들의 문화를 존중하는 자세를 가져야 해요.
③ 외국인 주민들은 외국인에 대한 사회적 차별로 고통받기도 해요.
④ 정부는 최저 임금법을 제정하여 법률적인 정비 노력을 하고 있어요.
⑤ 외국인 근로자들은 노동력 부족 현상을 해소하는 데 기여하고 있어요.

10 다음과 같은 문화의 양상이 나타난 시기를 연표에서 옳게 고른 것은?

민주화의 진전으로 사고와 표현의 다양성을 존중받게 되면서 문화 예술 분야가 눈부신 성장을 이루었다. 세계화·정보화 속에서 한국 문화가 세계에 널리 알려졌는데, 한국의 대중문화가 드라마를 중심으로 중국과 일본에 수출되면서 '한류'라는 문화 열풍이 일어나기 시작하였다.

1950	1960	1970	1980	1987	2000
(가)	(나)	(다)	(라)	(마)	
▲ 6·25 전쟁 발발	▲ 4·19 혁명	▲ 전태일 분신 사건	▲ 5·18 민주화 운동	▲ 6월 민주 항쟁	▲ 제1차 남북 정상 회담

① (가) ② (나) ③ (다) ④ (라) ⑤ (마)

서술형 문제

01 다음은 김영삼 대통령이 신년사를 발표하는 모습이다. 밑줄 친 부분에 해당하는 정책을 서술하시오.

21세기를 눈앞에 두고 세계는 지금 새로운 질서가 펼쳐지고 있습니다. 새해와 더불어 세계 무역 기구(WTO) 체제가 출범하여 나라와 나라 사이에, 지역과 지역 사이에 치열한 무한 경쟁이 벌어지는 시대가 온 것입니다. 올해, 정부는 물론 모든 국민이 <u>세계화</u>를 본격 추진하는 해가 되어야 할 것입니다.

(길잡이) 세계화의 의미를 떠올려 보고, 국내의 상품과 자본 시장 변화에 주목하여 서술한다.

02 그래프는 1인당 국민 총소득(GNI)을 나타낸 것이다. 이를 보고 물음에 답하시오.

(1) (가)와 같은 수치 하락의 원인이 된 사건을 쓰시오.

(2) (1)을 극복하기 위해 추진한 정책 중 노동 부문에 해당하는 내용을 두 가지 서술하시오.

(길잡이) 1997년 말에 발생한 사건을 극복하기 위해 정부가 노동 부문에서 실시한 정책을 생각해 본다.

1등급 정복하기

정답친해 099쪽

1 다음 기사가 발표된 시기의 사회 모습으로 옳은 것은?

한국사 신문

시민들, 장롱 속 외화 들고 나와 모금에 참여

시민들이 자발적으로 금 모으기 운동에 동참하고 있다. 돌 반지, 결혼반지가 장롱에서 나왔고 달러 모으기도 호응을 얻고 있다. 기업가, 연예인, 정치인, 종교 지도자 등도 금을 기탁하여 참여를 독려하고 있다. 이에 전국적으로 많은 금이 모이고 있다. 정부는 이렇게 모인 금을 수출하여 외환 보유고를 늘릴 예정이다. 이러한 금 모으기 운동은 '제2의 국채 보상 운동'이라고 할 수 있겠다.

① 실업자가 감소하였다.
② 중산층의 비중이 높아졌다.
③ 소득의 양극화가 완화되었다.
④ 비정규직 근로자가 크게 늘었다.
⑤ 대기업과 중소기업의 임금 격차가 크게 줄어들었다.

> **외환 위기**
>
> **┃ 한자 사전 ┃**
>
> • **외환 보유고**
> 한 나라가 일정 시점에 대외 지급에 대비하여 보유하고 있는 외국환 어음과 채권의 총수량
>
> • **비정규직 근로자**
> 일하는 방식이나 시간, 고용의 지속성 등의 조건이 정규 근로자와 다른 근로자를 말한다. 대체로 한시적 근로자, 시간제 근로자, 비전형 근로자로 나뉜다.

교육청 응용

2 그래프는 경제 성장률의 추이를 나타낸 것이다. (가), (나) 시기 우리나라의 경제 상황에 대한 설명으로 옳은 것은?

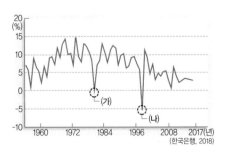

(한국은행, 2018)

① (가) – 저유가, 저달러, 저금리의 상황을 맞았다.
② (가) – 제1차 경제 개발 5개년 계획이 추진되었다.
③ (나) – 제2차 석유 파동으로 경제 불황을 겪었다.
④ (나) – 국제 통화 기금(IMF)으로부터 긴급 자금을 지원받았다.
⑤ (가), (나) – 신자유주의 정책이 추진되었다.

> **우리나라의 경제 상황**
>
> **완자샘의 시험 꿀팁**
>
> 박정희 정부 시기의 경제 개발 5개년 계획과 석유 파동, 1980년대 중후반의 3저 호황, 1997년의 외환 위기, 2000년대 이후의 자유 무역 협정(FTA) 체결 등을 묻는 문제가 그래프와 함께 시험에 출제된다. 우리나라의 경제 성장 과정에서 있었던 사실을 해당 정부와 함께 정리해 둔다.

07 남북 화해와 동아시아 평화를 위한 노력

학습 목표
• 북한 사회의 변화와 남북한의 통일 노력을 설명할 수 있다.
• 동아시아의 영토와 역사 갈등 문제를 이해하고, 동아시아 평화를 위한 방안을 설명할 수 있다.

이것이 핵심!

북한 사회의 변화

정치	김일성 독재 체제 수립(주체사상) → 김정일, 김정은으로 이어지는 3대 권력 세습 체제 확립
경제	사회주의 경제 체제의 비효율성 → 경제 위기 → 부분적인 경제 개방 정책 추진
사회	식량난 등으로 북한 이탈 주민 발생

★ **주체사상**
사상에서의 주체, 경제에서의 자립, 정치에서의 자주, 국방에서의 자위 등을 내세운 북한의 정치 이론이다. 김일성의 유일 지배 체제 구축, 북한 주민 통제, 반대파 숙청에 이용되었다.

★ **3대 혁명 소조 운동**
1970년대부터 사상, 기술, 문화의 혁명 수행을 목적으로 하여 김정일의 주도로 시행된 운동

★ **선군 사상**
김정일이 2009년에 헌법 개정을 통해 새로운 통치 방식으로 제시한 이념이다. 정치, 경제, 문화 등 모든 분야에서 군의 선도적 역할을 강조하였다.

1 북한의 변화

1. 정치적 변화

1950년대 후반부터 중국과 소련이 사회주의의 방향을 둘러싸고 대립하였다.

(1) **김일성 독재 체제 확립**: 중소 분쟁으로 북한이 독자 노선 추구, 1960년대 초 *주체사상 수립 → 사회주의 헌법 제정(주체사상을 국가 통치 이념으로 명문화, 1972), 국가 주석제 채택, 김일성이 국가 주석에 취임 → 김일성 1인 독재 체제 강화

(2) **김정일 체제 성립**: *3대 혁명 소조 운동 추진(1970년대), 김정일 후계 체제 공식화(1980) → 김정일이 김일성 사망(1994) 후 권력 승계, 헌법 개정(1998)으로 주석직 폐지·국방 위원장 자격으로 북한의 최고 권력자가 됨, *선군 사상 강조
김정일은 김일성 사후 3년간 그가 생전에 지시하였던 것(유훈)에 따라 통치하였다.

(3) **3대 권력 세습 체제 확립**: 김정일 사망(2011) 후 김정은이 권력 승계 → 집권 초기 핵무기 개발 강행으로 국제적 고립 → 남북 정상 회담, 북미 정상 회담을 통해 변화 모색

2. 경제적 변화 〔자료①〕

중국과 소련의 경제 원조 축소와 군사비 증가 등으로 목표 달성에 실패하였다.

경제 개발	제1차 7개년 계획 추진(1961~1967) → 6개년 계획 수립(생산력 강화·국민 소득 증가, 1971~1976)
경제 위기	중공업 치중에 따른 소비재 부족, 자립 경제 주장으로 인한 대외 교역의 한계, 사회 기반 시설과 기술 부족, 1990년대 초반 사회주의 국가들의 몰락 이후 국제적 교류 감소, 자연재해 지속
위기 극복 노력	1980년대부터 부분적인 개방 정책 추진(합작 회사 경영법 제정, 나진·선봉 경제 무역 지대 설치) → 2000년대부터 시장 경제 요소의 제한적 도입(7·1 경제 관리 개선 조치), 대외 경제 개방 정책 추진(경제 지대, 공업 지구, 관광특구 등 지정) → 경제 회복 부진

Q? 자본 부족, 자연재해, 핵무기 개발 문제로 인한 국제 사회의 경제적 제재 등 때문이야.

3. 사회 모습의 변화 〔자료②〕

(1) **경제생활 변화**: 집단주의에 기초한 사회주의적 생활 양식 유지 → 1990년대 중반 홍수와 가뭄 등으로 경제적 어려움 발생 → 시장 경제의 부분적 도입(개인의 경제 활동에 대한 통제 완화) → 문화생활에도 영향
시장을 통해 외부 문물을 접하며 성장하여 한국 드라마, 미국 영화를 보거나 팝송을 즐겨 듣는 부류도 있어.

(2) **북한 이탈 주민 발생**: 인간의 기본권 무시, 인권 침해 지속, 식량난으로 북한 이탈 주민 증가

이것이 핵심!

남북한의 화해와 협력을 위한 노력

박정희 정부	7·4 남북 공동 성명
노태우 정부	남북 기본 합의서 채택
김대중 정부	6·15 남북 공동 선언
노무현 정부	10·4 남북 공동 선언
문재인 정부	한반도의 평화와 번영, 통일을 위한 판문점 선언

★ **북한의 무력 도발**
1·21 사태(북한이 청와대 습격 및 요인 암살을 목적으로 특수 부대원을 남한에 침투, 1968), 울진·삼척 무장간첩 침투 사건(1968) 등이 발생하였다.

2 남북한의 화해와 협력을 위한 노력

1. 1950~1960년대 남북의 갈등

조봉암은 사형당하고, 진보당은 해체되었어.

이승만 정부	북진 통일 주장 → 평화 통일론을 주장한 진보당 탄압(진보당 사건, 1958)
장면 정부	민간 차원의 통일 논의 활발 → 정부가 '선 민주, 후 통일'을 내세우며 소극적 대응
박정희 정부	강력한 반공 정책 실시, '선 건설, 후 통일' 주장, *북한의 무력 도발로 남북 간 갈등 심화

2. 남북 관계의 개선

경제 발전에 주력하였다.

7·4 남북 공동 성명의 규정에 의거하여 남북한의 합의 사항을 추진하기 위해 설치한 공식 대화 기구야.

(1) **박정희 정부**: 닉슨 독트린 발표(1969) 이후 냉전 완화 → 남북 적십자 회담 개최(1971) → 7·4 남북 공동 성명 발표(1972) → 남북 조절 위원회 설치(실무자 회담 진행) → 북한의 대화 중단 선언 → 남북한에서 각각 독재 체제 강화 〔자료③〕

(2) **전두환 정부**: 민족 화합 민주 통일 방안 제시(1982), 최초로 남북한 이산가족 상봉과 예술 공연단 교환 방문 성사(1985)

Q? 남한의 인구 비례에 의한 총선거 주장과 북한의 남북 연방제 통일 주장이 접점을 찾지 못하자 북한이 대화 중단을 선언하였어.

자료 ① **북한의 경제적 변화**

제1조　조선 민주주의 인민 공화국 합영법은 우리나라
　　　와 세계 여러 나라들 사이의 경제·기술 협력과
　　　교류를 확대 발전시키는 데 이바지한다.
제5조　합영 기업은 당사자들이 출자한 재산에 대한
　　　소유권을 가지며 독자적으로 경영 활동을 한다.
　　　　　　　　　　－ 합작 회사 경영법(합영법), 1984)
└ 자본주의적 요소를 도입하겠다는 거야.

무역 지대 내에서의 자유 무역 시장 개장, 자영업 허용 등의 조치를 취하였어.

`『2018 북한 이해』, 2017`

신의주 국제 경제 지대
• 2002년 9월 설치

황금평·위화도 경제 지대

개성 공업 지구
• 2002년 11월 설치

나선 경제 무역 지대
• 1991년 12월 설치
• 북한의 최초 개방 지역

원산·금강산 관광특구
• 2002년 11월 설치
• 남한과 일본 관광객 유치

황 해 / 동 해

↑ 북한의 경제 특구

북한은 1980년대 들어서 사회주의 계획 경제에서 변화를 꾀하였다. 이에 따라 합영법을 제정하여 외국 자본과 기술을 직접 도입하려 하였고, 1991년에는 나진·선봉 지역에 중국식 경제 특구인 자유 경제 무역 지대를 설치하여 외국 자본 유치를 위한 법적·제도적 환경을 마련하였다. 1990년대 말부터는 김대중 정부와 노무현 정부의 대북 화해 협력 정책으로 금강산 관광, 개성 공업 지구 사업 등 남한과의 경제 교류가 확대되었다.

자료 ② **북한의 경제 위기와 북한 이탈 주민**

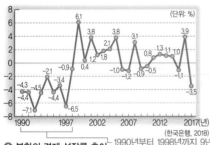

(단위: %)

6.1, 3.8, 2.1, 1.8, 3.8, 3.1, 1.2, 0.8, 1.3, 1.1, 1.0, 3.9
−4.3, −4.4, −2.1, −4.5, −3.4, −4.4, −0.9, 0.4, −1.0, −1.2, −0.9, −0.5, −1.1, −3.5
−7.1, −6.5

1990　1997　2002　2007　2012　2017(년)
(한국은행, 2018)
↑ 북한의 경제 성장률 추이 ┘ 1990년부터 1998년까지 9년간 마이너스의 성장률을 보였어.

(명)
8　41　86　148　1,043　1,285　1,384　2,554　2,914　2,706　1,514　1,275　1,127

1993　1995　1997　1999　2001　2003　2005　2007　2009　2011　2013　2015　2017(년)
(통일부, 2018)
↑ 북한 이탈 주민의 남한 입국 현황

북한은 1995년과 1996년의 대홍수, 1997년의 가뭄 등 자연재해와 국제 사회의 제재로 극심한 식량난과 경제 위기를 겪었는데, 김정일은 이 시기를 '고난의 행군'이라고 명명하였다. 한편, 북한에서는 경제적 어려움으로 많은 주민이 굶어 죽는 상황까지 발생하였으며, 북한을 탈출하는 북한 이탈 주민도 계속 나타나고 있다.

자료 ③ **7·4 남북 공동 성명의 발표(1972)**
└ 자주, 평화, 민족 대단결은 남북한 정부가 최초로 합의한 통일의 3대 원칙이야.

첫째, 통일은 외세에 의존하거나 외세의 간섭을 받음이 없이 <u>자주적으로</u> 해결하여야 한다.
둘째, 통일은 상대방을 반대하는 무력행사에 의거하지 않고 <u>평화적 방법으로</u> 실현하여야 한다.
셋째, 사상과 이념, 제도의 차이를 초월하여 하나의 민족으로서 <u>민족적 대단결</u>을 도모하여야 한다.

닉슨 독트린 발표로 냉전이 완화되면서 남북 관계도 개선되었다. 남북한은 1971년에 이산가족 만남을 위한 남북 적십자 회담을 개최하였다. 1972년에는 자주·평화·민족 대단결의 통일 원칙을 담은 7·4 남북 공동 성명을 발표하였는데, 이는 이후 남북한 교류 협력의 기본 원칙이 되었다.

자료 하나 더 알고 가자!

7·1 경제 관리 개선 조치(2002)

• 일부 지역에서 협동 농장 토지를 개인에게 할당·경작하도록 하는 개인 영농제 시범 실시
• 공장·기업소가 거둔 수입을 종업원에게 나누어 주거나, 해당 공장 혹은 기업소가 경영 개선을 위해 자체적으로 사용할 수 있도록 허용

북한은 7·1 경제 관리 개선 조치를 통해 시장 경제 요소를 부분적으로 도입하였다. 기업소와 공장에 경영의 자율성을 확대하였고, 주민들 간의 생필품 교류 시장을 일부 허용하였으며, 수익에 따른 분배의 차등화 및 배급제 폐지 등을 시행하였다.

자료 하나 더 알고 가자!

북한의 경제생활 변화

↑ 북한 평양 통일거리 시장(2004)

1990년대 심각한 경제난 이후 북한에 '장마당'이라고 불리는 시장이 생겨나기 시작하여 북한 주민들은 배급받던 식량부터 의류, 집 등 대부분을 시장에서 해결하고 있다. 이와 함께 북한에서는 백화점과 상점이 늘어나고 개인 간 상업 거래가 활발해지고 있다.

정리 비법을 알려줄게!

7·4 남북 공동 성명

┌─────────────────────┐
│ 닉슨 독트린, 남북 적십자 회담 │
└─────────────────────┘
　　　　　　↓
┌─────────────────────┐
│ 7·4 남북 공동 성명 발표 │
│ 남북 간 합의를 통해 통일의 3대 원칙 천명 │
└─────────────────────┘
　　　　　　↓
┌─────────────────────┐
│ 남북한 독재 체제 강화 │
└─────────────────────┘
• 남한: 유신 헌법 제정(1972)
• 북한: 사회주의 헌법 제정(1972)

07 남북 화해와 동아시아 평화를 위한 노력

★ **소 떼 방북**
정주영은 1998년 6월과 10월, 두 차례에 걸쳐 소 1,001마리를 100대의 트럭에 나누어 싣고 북한을 방문하였다. 이를 계기로 금강산 관광 등 남북 경제 협력이 본격화되었다.

★ **한반도의 평화와 번영, 통일을 위한 판문점 선언(2018. 4. 27.)**

3. 남과 북은 한반도의 항구적이며 공고한 평화 체제 구축을 위해 적극 협력해 나갈 것이다.
  • 불가침 합의를 재확인하고 엄격히 준수하기로 하였다.
  • 완전한 비핵화를 통해 핵 없는 한반도를 실현한다는 공동의 목표를 재확인하였다.

3. 남북 관계의 변화와 진전 `교과서 자료`

> 노태우 정부는 1990년대를 전후하여 사회주의 진영이 붕괴하는 상황에서 북방 외교를 추진하였고, 북한도 외교적 고립을 피하기 위해 다시 남한과의 대화에 나섰어.

노태우 정부	• 정책: 남북 고위급 회담 개최 → 남북한 유엔 동시 가입(1991) → 남북 기본 합의서(남북 사이의 화해와 불가침 및 교류·협력에 관한 합의서) 채택(1991) → 한반도 비핵화 공동 선언에 합의 • 사회·문화 교류: 세계 탁구 선수권 대회와 세계 청소년 축구 대회에 남북 단일팀 참가(1991)
김영삼 정부	정책: 북한의 핵 확산 금지 조약(NPT) 탈퇴(1993)로 남북 관계 악화 → 한민족 공동체 건설을 위한 3단계 통일 방안 제시(화해와 협력 → 남북 연합 → 통일 국가 완성, 1994)
김대중 정부	정책: 대북 화해 협력 정책(햇볕 정책) 추진 → 정주영의 '*소 떼 방북' 및 금강산 관광 시작(1998), 남북 정상 회담 개최(6·15 남북 공동 선언 발표, 2000)
노무현 정부	• 정책: 대북 화해 협력 정책 계승, 제2차 남북 정상 회담 개최(10·4 남북 공동 선언 발표, 2007) • 사회·문화 교류: 겨레말큰사전 공동 편찬 위원회 설립(2005), 남북 열차 시험 운행(2007), 개성 지역의 고려 궁성(만월대) 발굴 사업 공동 추진(2007)
이명박 정부	정책: 금강산 관광 중단(2008), 천안함 피격 사건과 연평도 포격 사건 발생(2010) → 남북 관계 경색
박근혜 정부	정책: 대북 강경 정책 유지, 개성 공업 지구 폐쇄(2016)
문재인 정부	• 정책: 남북 정상 회담 개최(*한반도의 평화와 번영, 통일을 위한 판문점 선언 발표, 2018) • 사회·문화 교류: 평창 동계 올림픽에서 여자 아이스하키 남북 단일팀 구성(2018)

> 6·15 남북 공동 선언을 바탕으로 남북 관계를 확대·발전시킬 것을 합의하였어.

> 1998년 11월에 배를 이용한 금강산 관광이 시작되었고, 2003년 2월부터 육로 관광이 시작되었어.

`이것이 핵심!`

동아시아의 영토와 역사 갈등

일본과의 갈등	일본의 독도 영유권 주장, 역사 교과서의 역사 왜곡
중국과의 갈등	고조선, 고구려, 발해의 역사를 중국사에 편입 시도 (동북공정)

★ **샌프란시스코 강화 조약**
'일본은 한국의 독립을 승인하고 제주도, 거문도 및 울릉도를 포함해 한국에 대한 모든 권리와 청구권을 포기한다.'라고 명시하였다. 이 조항에는 한국의 주요 도서만 언급되었으며, 울릉도의 부속 도서인 독도는 당연히 한국의 영토로 포함된 것이다.

★ **야스쿠니 신사**
일본 도쿄에 있는 야스쿠니 신사는 극동 국제 군사 재판에서 사형 판결을 받고 처형당한 전쟁 범죄자들까지 신으로 숭배한다.

★ **통일적 다민족 국가론**
현재 중국에 있는 56개 민족의 역사와 현재 중국 영토 안에서 벌어졌던 과거의 사실이 모두 중국의 역사라는 주장

③ 영토와 역사 갈등 해결을 위한 노력

1. 일본의 독도 영유권 주장과 역사 왜곡

(1) 독도 문제 `자료 4`

일본의 독도 영유권 주장	러일 전쟁 중 일본이 독도를 자국 영토에 강제 편입(시마네현 고시, 1905) → '다케시마의 날' 제정, 방위 백서에 독도를 '다케시마'라고 표기(2005) → 2008년 이후 일본 검인정 교과서에 독도가 일본 영토임을 명시, 국제 사법 재판소에 독도 문제 제소(독도를 영토 분쟁 지역화) 시도
독도가 우리 영토인 근거	광복(1945) 후 한국이 독도에 대한 영토 주권 회복 → 연합국 최고 사령관 각서 제677호 발표(1946) → *샌프란시스코 강화 조약 체결(1951) → 인접 해양에 대한 주권에 관한 대통령 선언(평화선 선언) 발표(1952) → 독도 경비대가 독도에 상주하며 독도 주권 수호

(2) 역사 왜곡: 1980년대 이후 일본의 우경화 심화 → 왜곡된 역사 교과서 발행(한국 식민 지배 정당화, 침략 전쟁 미화, 반인륜적인 전쟁 범죄 은폐·축소 등), 일본 정치인들의 *야스쿠니 신사 참배, 침략 전쟁 당시 강제 징용 피해자에 대한 배상과 일본군 '위안부'에 대한 사과 및 배상 거부 등

> 꼭! 2018년 우리나라 대법원은 일본 기업에 근로 정신대와 강제 징용 피해자들에게 손해 배상을 하라는 판결을 내렸어.

> 1992년부터 일본군 '위안부' 문제 해결을 요구하는 수요 집회가 매주 수요일마다 서울 종로구 일본 대사관 앞에서 열리고 있어.

2. 중국의 동북공정 `자료 5`

배경	사회주의 국가들의 붕괴로 사회 통합 논리였던 공산주의 약화 → *통일적 다민족 국가론 주장(중국 내 소수 민족을 하나의 중화 민족으로 통합하려는 목적)
내용	• 2002년부터 5년간 중국 동북 지역(랴오닝성, 지린성, 헤이룽장성)의 역사, 지리, 민족에 관련된 문제를 집중 연구하는 사업 진행 → 고조선, 고구려, 발해 등의 역사를 중국의 역사에 포함하려고 함 • 역사 교과서와 박물관·유적지 안내문 등에서 한국의 고대사 왜곡, 문화재의 관리

> 2004년에 고구려 문화재인 장군총을 유네스코 세계 유산으로 등재하였어.

3. 동아시아의 영토 갈등: 러·일 간의 북방 4도(쿠릴 열도) 분쟁, 중·일 간의 센카쿠 열도(댜오위다이오) 분쟁 등

4. 동아시아의 영토와 역사 갈등 해결 노력: 일본군 '위안부' 문제 해결을 위한 아시아 연대 회의 개최, 한·중·일 3국 공동 역사 교재 편찬, 동아시아 청소년 역사 캠프 개최 등 → 화해와 협력을 통한 상호 발전 추구

완자 자료 탐구

내 옆의 선생님

수능이 보이는 교과서 자료 **남북한의 통일 노력**

(가) 남북 기본 합의서(1991) ┐ 남북한 정부 간 최초의 공식 합의서
제1조 남과 북은 서로 상대방의 체제를 인정하고 존중한다. — 상대방의 체제 인정
제4조 남과 북은 상대방을 파괴·전복하려는 일체 행위를 하지 아니한다. — 상호 불가침
제15조 남과 북은 민족 경제의 통일적이며 균형적인 발전과 민족 전체의 복리 향상을 도모하기 위하여 자원 공동 개발, 민족 내부 교류로서의 물자 교류 등 경제 교류와 협력을 실시한다. — 남북한 교류 협력 확대

(나) 6·15 남북 공동 선언(2000)
1. 남과 북은 나라의 통일 문제를 그 주인인 우리 민족끼리 서로 힘을 합쳐 자주적으로 해결해 나가기로 하였다.
2. 남과 북은 남측의 연합제 안과 북측의 낮은 단계의 연방제 안이 서로 공통성이 있다고 인정하고, 앞으로 이 방향에서 통일을 지향하기로 하였다.

완자샘의 탐구 강의

• (가), (나) 문서의 공통점을 정리해 보자.
남한과 북한이 정부 차원에서 통일에 대한 원칙을 합의하였다.

• (가), (나) 문서를 체결한 협의 주체를 각각 써 보자.
(가)는 남북한 고위(총리)급이 만나 협의하였고, (나)는 남북한 정상인 김대중 대통령과 김정일 국방 위원장이 만나 협의하였다.

• (나) 발표에 따라 남북 간에 이루어진 교류·협력의 내용을 서술해 보자.
이산가족 방문이 이루어졌고, 경의선 철도 복구, 개성 공단 건설 등의 경제 협력과 사회·문화 교류가 전개되었다.

1991년 12월에 채택된 남북 기본 합의서를 통해 남과 북은 서로의 체제를 인정하고 상호 불가침에 합의하였다. 2000년에는 평양에서 최초의 남북 정상 회담이 개최되었다. 정상 회담의 결과 발표된 6·15 남북 공동 선언에 따라 이산가족 방문이 이루어졌고, 경의선 철도 복구, 개성 공단 건설 등의 경제 협력과 사회·문화 교류가 전개되었다.

함께 보기 307쪽, 1등급 정복하기 3

자료 4 독도가 우리 땅인 이유

↑ **연합국 최고 사령관 각서 제677호의 부속 지도(1946)** 독도(TAKE)가 한국 영토 안에 포함되어 있어.

1946년 연합국 최고 사령관 각서 제677호에서는 제주도와 울릉도, 독도를 통치상·행정상 일본으로부터 분리하여 한국에 반환한다고 명시하였다. 1951년에 샌프란시스코 강화 조약이 체결되자 1952년 이승만 정부는 이른바 평화선 선언을 발표하여 독도가 우리 영토임을 분명히 하였다. 독도는 지리적, 역사적, 국제법적으로 명백한 대한민국의 고유 영토이며, 실질적으로도 우리나라가 지배하고 있다.

자료 5 중국의 동북공정과 우리나라 고대사 서술

• 고구려는 중국의 고대 민족이 세운 중국 고대의 지방 정권이다.
• 고구려는 중국 왕조의 책봉을 받고 조공을 하였던 중국의 지방 정권이다.
• 수·당과 고구려의 전쟁은 중국 내부의 통일 전쟁이다.
• 고려는 고구려를 계승한 나라가 아니다.
　　　　　　 – 중국이 주장하는 동북공정의 근거

중국이 동북공정을 진행하자 한국 정부는 중국 정부에 공식적으로 문제를 제기하였고, 양국은 2004년에 고구려사를 정치 문제로 확대하지 않고 학술 교류를 통해 극복하기로 합의하였다. 그러나 중국 정부는 이후에도 한국 고대사를 중국사에 편입하려 시도하였다. 이에 한국에서는 정부와 학계 차원에서 해결책을 모색하고 있다.

자료 하나 더 알고 가자!

일본과 동아시아의 영토 분쟁

쿠릴 열도 러시아가 제2차 세계 대전 후 차지 → 일본이 반환 요구
센카쿠 열도 일본이 청일 전쟁 승리 후 차지 → 중국이 반환 요구

일본은 동아시아 여러 지역에서 영토 갈등을 일으키고 있다.

문제로 확인할까?

중국의 동북공정에 대한 설명으로 옳지 않은 것은?
① 2002년부터 5년간 진행되었다.
② 통일적 다민족 국가론을 내세웠다.
③ 신라의 역사를 중국사라고 주장하였다.
④ 고구려를 중국 고대의 지방 정권으로 인식하였다.
⑤ 중국 내 소수 민족의 분리 독립을 방지하기 위해 추진되었다.

STEP 1 핵심 개념 확인하기

1 다음 빈칸에 들어갈 내용을 쓰시오.

(1) 북한은 외국 자본과의 합작·투자를 목적으로 (　　　　)을 제정하였다.

(2) 2011년에 (　　　　)이 권력을 승계하면서 북한의 3대 권력 세습 체제가 확립되었다.

(3) (　　　　)은 1960년대 김일성이 1인 지배 체제를 확립하는 과정에서 등장하여 북한의 통치 이념이 되었다.

2 다음 내용과 관련 있는 정부를 〈보기〉에서 골라 기호를 쓰시오.

> **보기**
> ㄱ. 이승만 정부　　　　　　ㄴ. 전두환 정부

(1) 최초로 이산가족 상봉이 이루어졌다.　　　　(　　)

(2) 평화 통일론을 주장한 진보당을 탄압하였다.　(　　)

3 다음 정부의 통일 노력을 옳게 연결하시오.

(1) 김대중 정부 •　　　　　• ㉠ 7·4 남북 공동 성명

(2) 노무현 정부 •　　　　　• ㉡ 6·15 남북 공동 선언

(3) 노태우 정부 •　　　　　• ㉢ 10·4 남북 공동 선언

(4) 박정희 정부 •　　　　　• ㉣ 남북 기본 합의서 채택

4 다음 설명이 맞으면 ○표, 틀리면 ×표를 하시오.

(1) 일본은 청일 전쟁 중 독도를 시마네현에 강제 편입하였다.　　　　　　　　　　　　　　　　　(　　)

(2) 중국은 중국 내 소수 민족을 중화 민족으로 통합시키기 위해 통일적 다민족 국가론을 내세웠다.　(　　)

5 동아시아의 영토와 역사 갈등 해결 노력으로 옳은 것만을 〈보기〉에서 골라 기호를 쓰시오.

> **보기**
> ㄱ. 중국의 동북공정 진행
> ㄴ. 한·중·일 공동 역사 교재 편찬
> ㄷ. 동아시아 청소년 역사 캠프 개최
> ㄹ. 일본 정치가의 야스쿠니 신사 참배

STEP 2 내신 만점 공략하기

01 중요 (가) 사상에 대한 설명으로 옳지 <u>않은</u> 것은?

> (가) 은/는 북한의 모든 분야에서 유일한 지도 이념으로, 사상에서의 주체, 경제에서의 자립, 정치에서의 자주, 국방에서의 자위를 표방하며 이론적으로 체계화되었다.

① 김일성 1인 지배 체제를 뒷받침하였다.

② 6·25 전쟁이 일어나는 데 영향을 주었다.

③ 김일성의 반대파를 숙청하는 구실로 이용되었다.

④ 북한이 독자 노선을 추구하는 과정에서 등장하였다.

⑤ 사회주의 헌법에서 국가 통치 이념으로 명문화되었다.

02 도표는 북한의 3대 세습 체제를 나타낸 것이다. (가)~(다) 인물에 대한 설명으로 옳은 것은?

> (가) 김일성　➡　(나) 김정일　➡　(다) 김정은

① (가) - 북미 정상 회담을 성사시켰다.

② (가) - 국방 위원장으로서 북한을 통치하였다.

③ (나) - 사회주의 헌법을 제정하였다.

④ (나) - 선군 사상을 통치 방식으로 내세웠다.

⑤ (다) - 3대 혁명 소조 운동을 주도하였다.

03 다음 법령과 유사한 목적을 가진 조치로 적절한 것을 〈보기〉에서 고른 것은?

> 제1조 조선 민주주의 인민 공화국 합영법은 우리나라와 세계 여러 나라들 사이의 경제·기술 협력과 교류를 확대 발전시키는 데 이바지한다.

> **보기**
> ㄱ. 사회주의 헌법을 제정하였다.
> ㄴ. 3대 혁명 소조 운동을 추진하였다.
> ㄷ. 7·1 경제 관리 개선 조치를 취하였다.
> ㄹ. 나진·선봉 경제 무역 지대를 설치하였다.

① ㄱ, ㄴ　　② ㄱ, ㄷ　　③ ㄴ, ㄷ

④ ㄴ, ㄹ　　⑤ ㄷ, ㄹ

04 지도를 통해 알 수 있는 북한의 경제 정책에 대한 설명으로 가장 적절한 것은?

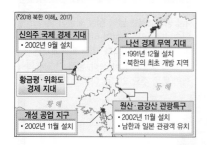

> (『2018 북한 이해』, 2017)
>
> **신의주 국제 경제 지대**
> • 2002년 9월 설치
>
> **나선 경제 무역 지대**
> • 1991년 12월 설치
> • 북한의 최초 개방 지역
>
> **황금평·위화도 경제 지대**
>
> **개성 공업 지구**
> • 2002년 11월 설치
>
> **원산·금강산 관광특구**
> • 2002년 11월 설치
> • 남한과 일본 관광객 유치
>
> 동 해
> 황 해

① 남한과의 경제 교류를 추진하였다.
② 생산 수단의 국유화를 시작하였다.
③ 전면적인 개방 정책을 실시하였다.
④ 본격적인 전후 복구 사업을 전개하였다.
⑤ 사회주의 국가들과의 교류만 시행하였다.

05 그래프는 북한의 경제 성장률 추이를 나타낸 것이다. (가) 시기 이후 북한의 사회 모습에 대한 설명으로 옳은 것을 〈보기〉에서 고른 것은?

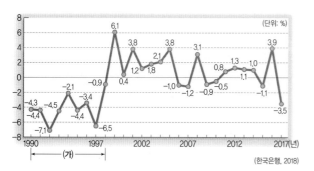

> (단위: %)
> 6.1
> 3.8 3.8
> 2.1 3.1 3.9
> 1.2 1.8 0.8 1.3 1.0
> 0.4 1.1
> -0.9 -1.0 -1.2 -0.9 -0.5 -1.1
> -2.1 -3.5
> -3.4
> -4.3 -4.5 -4.4
> -4.4 -6.5
> -7.1
> 1990   1997   2002   2007   2012   2017(년)
> (가)
> (한국은행, 2018)

보기

ㄱ. 개인의 경제 활동에 대한 통제가 더욱 강화되었다.
ㄴ. 장마당이라고 불리는 시장이 생겨나기 시작하였다.
ㄷ. 인권이 신장되면서 북한 이탈 주민이 거의 나타나지 않았다.
ㄹ. 한국 드라마와 미국 영화를 보거나 팝송을 즐겨 듣는 부류가 나타났다.

① ㄱ, ㄴ   ② ㄱ, ㄷ   ③ ㄴ, ㄷ
④ ㄴ, ㄹ   ⑤ ㄷ, ㄹ

06 (가)에 들어갈 내용으로 가장 적절한 것은?

> **1950~1960년대 남북의 갈등**
> • 이승만 정부: 북진 통일 주장
> • 장면 정부: 민간 차원의 통일 논의에 소극적 대응
> • 박정희 정부: 강력한 반공 정책 실시, [(가)]

① 정전 협정 체결
② 개성 공업 지구 폐쇄
③ 선 민주, 후 통일 정책 추진
④ 평화 통일론을 주장한 진보당 탄압
⑤ 울진·삼척 무장간첩 침투 사건 발생

07 다음을 발표한 정부 시기에 있었던 사실로 옳은 것은?

> 첫째, 통일은 …… 자주적으로 해결하여야 한다.
> 둘째, 통일은 …… 평화적 방법으로 실현하여야 한다.
> 셋째, 사상과 이념, 제도의 차이를 초월하여 우선 하나의 민족으로서 민족적 대단결을 도모하여야 한다.

① 유신 헌법 제정   ② 홍범 14조 반포
③ 사사오입 개헌 단행   ④ 4·13 호헌 조치 발표
⑤ 반민족 행위 처벌법 공포

08 다음 기사가 발표된 시기를 연표에서 옳게 고른 것은?

> **한국사 신문**
>
> **눈물의 남북 이산가족 상봉**
>
> 분단 이후 남과 북에 떨어져 살았던 이산가족의 교환 방문이 서울과 평양에서 처음 이루어졌다. 이것은 지난해 서울에 수해가 발생하였을 때 북한이 원조 물자를 보내온 이후 적십자 회담 등이 성사되며 이루어진 결과이다.

1953	1972	1981	1988	1998	2019
(가)	(나)	(다)	(라)	(마)	
정전 협정 체결	유신 헌법 공포	제5공화국 출범	서울 올림픽 개최	소 떼 방북	북미 정상 회담

① (가)   ② (나)   ③ (다)   ④ (라)   ⑤ (마)

09 다음 합의서에 대한 설명으로 옳지 <u>않은</u> 것은?

> 남과 북은 …… 쌍방 사이의 관계가 나라와 나라 사이의 관계가 아닌 통일을 지향하는 과정에서 잠정적으로 형성되는 특수 관계라는 것을 인정하고, 평화 통일을 성취하기 위한 공동의 노력을 경주할 것을 다짐하면서, 다음과 같이 합의하였다.
> 제1조 남과 북은 서로 상대방의 체제를 인정하고 존중한다.
> 제4조 남과 북은 상대방을 파괴·전복하려는 일체 행위를 하지 아니한다.
> 제15조 남과 북은 민족 경제의 통일적이며 균형적인 발전과 민족 전체의 복리 향상을 도모하기 위하여 자원 공동 개발, 민족 내부 교류로서의 물자 교류 등 경제 교류와 협력을 실시한다.

① 남북 고위급 회담을 통해 내용을 협의하였다.
② 남북한이 유엔에 동시 가입한 이후에 채택되었다.
③ 정부가 북방 외교를 추진하는 상황에서 발표되었다.
④ 남북한 정부 간에 이루어진 최초의 공식 합의서이다.
⑤ 자주, 평화, 민족 대단결의 3대 통일 원칙이 처음으로 제시되었다.

10 다음은 역대 정부의 통일 정책을 순서대로 정리한 사진첩이다. 찢어진 부분에 들어갈 내용으로 옳은 것은?

↑ 남북 기본 합의서 채택   ↑ 제1차 남북 정상 회담 개최

① 금강산 관광이 중단되었다.
② 남북 조절 위원회가 설치되었다.
③ 연평도 포격 사건이 발생하였다.
④ 김구와 김규식이 남북 협상을 추진하였다.
⑤ 북한이 핵 확산 금지 조약(NPT)을 탈퇴하였다.

11 밑줄 친 '회담'을 추진한 정부의 통일 정책으로 옳은 것은?

> 지금 평양에서는 남북 정상 회담이 열리고 있습니다. 남북 정상이 직접 만나는 것은 분단 이후 처음입니다. 이번 회담에서는 한반도의 통일과 평화 정착, 남북 간 교류와 협력 등을 주요 의제로 다루고 있습니다.

① 남북 기본 합의서를 채택하였다.
② 7·4 남북 공동 성명을 발표하였다.
③ 6·15 남북 공동 선언을 발표하였다.
④ 남북 적십자 회담을 처음 개최하였다.
⑤ 한반도 비핵화 공동 선언에 합의하였다.

12 다음 정부 시기의 사실로 옳지 <u>않은</u> 것은?

① 박근혜 정부 – 개성 공단 건설이 추진되었다.
② 이명박 정부 – 천안함 피격 사건이 발생하였다.
③ 노무현 정부 – 10·4 남북 공동 선언이 발표되었다.
④ 김대중 정부 – 배를 이용한 금강산 관광이 시작되었다.
⑤ 김영삼 정부 – 화해·협력, 남북 연합, 통일 국가 완성에 이르는 3단계 통일 방안이 제시되었다.

13 남북한의 통일 노력을 일어난 순서대로 나열한 것은?

> (가) 남북 기본 합의서 채택
> (나) 7·4 남북 공동 성명 발표
> (다) 6·15 남북 공동 선언 발표
> (라) 한민족 공동체 건설을 위한 3단계 통일 방안 제시

① (가) – (나) – (다) – (라)   ② (가) – (나) – (라) – (다)
③ (나) – (가) – (라) – (다)   ④ (나) – (라) – (다) – (가)
⑤ (다) – (나) – (가) – (라)

14 밑줄 친 '이 나라'의 역사 왜곡 모습으로 적절하지 않은 것은?

이 나라는 센카쿠 열도 영유권 문제, 쿠릴 열도의 북방 4개 섬 영유권 문제 등으로 주변국과 외교적 마찰을 빚고 있다.

쿠릴 열도
러시아가 제2차 세계 대전 후 차지 → 일본이 반환 요구

센카쿠 열도
일본이 청일 전쟁 승리 후 차지 → 중국이 반환 요구

① 일본군 '위안부'에 대한 배상을 거부하고 있다.
② 정치인들이 야스쿠니 신사 참배를 강행하고 있다.
③ 국제 사법 재판소에 독도 문제 제소를 시도하고 있다.
④ 통일적 다민족 국가론을 내세워 자국 내 민족을 통합시키려고 하고 있다.
⑤ 침략 전쟁과 식민 지배를 미화하는 내용이 담긴 역사 교과서를 만들었다.

15 다음과 같은 중국의 주장에 대한 설명으로 옳지 않은 것은?

• 고구려는 중국의 고대 민족이 세운 중국 고대의 지방 정권이다.
• 수·당과 고구려의 전쟁은 중국 내부의 통일 전쟁으로, 중앙에 항거한 지방 정권의 반란을 평정한 것이었다.
• 고려는 고구려를 계승한 나라가 아니다.

① 우리나라의 고대사를 심각하게 왜곡하고 있다.
② 고조선, 고구려, 발해의 역사가 중국의 역사라는 주장이다.
③ 이러한 주장에 맞서 우리 정부와 학계가 적극적으로 대응할 필요가 있다.
④ 만주 지역의 고구려 유적을 보호하고 계승하려는 중국의 의도가 담겨 있다.
⑤ 중국 동북 지역의 역사와 현재 상황을 연구하는 동북공정의 근거로서 내세웠다.

01 다음을 읽고 물음에 답하시오.

1. 남과 북은 나라의 통일 문제를 그 주인인 우리 민족끼리 서로 힘을 합쳐 자주적으로 해결해 나가기로 하였다.
3. 남과 북은 흩어진 가족 친척 방문단을 교환하며, 비전향 장기수 문제를 해결하는 등 인도적 문제를 조속히 풀어 나가기로 하였다.
4. 남과 북은 경제 협력을 통하여 민족 경제를 균형적으로 발전시키고, 사회, 문화, 체육, 보건, 환경 등 제반 분야의 협력과 교류를 활성화하여 서로의 신뢰를 다져 나가기로 하였다.

(1) 위 선언의 명칭을 쓰시오.

(2) (1)이 발표된 시기에 추진된 대북 정책의 명칭을 쓰시오.

(3) (1)이 발표된 이후 남북한 간에 이루어진 협력 내용을 세 가지 서술하시오.

(길잡이) 자료의 선언을 발표한 정부 시기에 추진된 남북 간의 협력 내용에 주목하여 서술한다.

02 (가) 지역의 명칭을 쓰고, 밑줄 친 부분에 해당하는 내용을 서술하시오.

2005년에 일본의 시마네현 의회가 '다케시마의 날'을 제정하는 등 일본은 (가) 에 대한 영유권을 주장하고 있다. 그러나 우리나라는 광복 후 이 지역에 대한 영토 주권을 회복하였다. 1946년에 발표된 연합국 최고 사령관 각서 제677호의 부속 지도에는 (가) 이/가 일본에서 분리되어 한국 영토 안에 포함되어 있다. 이뿐만 아니라 이승만 정부도 이 지역이 우리 영토임을 분명히 하였다.

(길잡이) 이승만 정부 때 독도가 우리 땅임을 발표한 선언의 명칭을 떠올려 본다.

1 (가)에 들어갈 내용으로 적절한 것은?

이것은 7·1 경제 관리 개선 조치의 내용입니다. 북한은 이 조치를 통해 (가)

- 일부 지역에서 협동 농장 토지를 개인에게 할당·경작하도록 하는 개인 영농제 시범 실시
- 공장·기업소가 거둔 수입을 종업원에게 나누어 주거나, 해당 공장 혹은 기업소가 경영 개선을 위해 자체적으로 사용할 수 있도록 허용

① 전후 복구 사업을 추진하였습니다.
② 김일성 1인 독재 체제를 강화하였습니다.
③ 시장 경제 요소를 제한적으로 도입하였습니다.
④ 대중의 노동력 동원을 바탕으로 사회주의 경제를 건설하였습니다.
⑤ 투입한 노동량에 따라 수확물을 분배받는 농업 협동화를 전면 시행하였습니다.

> **북한의 경제 개방 정책**
>
> **│ 한자 사전 │**
>
> • **협동 농장**
> 농민들의 자발적 뜻에 따라 토지를 비롯한 생산 수단을 통합하고 공동 노동에 기초하여 농업 생산을 하는 사회주의적 집단 경영의 농장을 일컫는다.

2 밑줄 친 '남북한 유엔 동시 가입'을 성사시킨 정부의 통일 노력으로 옳은 것은?

> 남한과 북한 두 나라의 가입 신청은 유엔 안전 보장 이사회에서 만장일치로 채택되었다. 남북한 유엔 동시 가입은 한반도에서 긴장을 완화하고 서로 간의 신뢰를 구축하기 위한 분위기를 조성할 것이며, 서로의 공통점을 확인하고 통일을 가로막는 장애를 극복해 나가는 적절한 대화의 장을 제공할 것이다.

① 남북 기본 합의서를 채택하였다.
② 7·4 남북 공동 성명을 발표하였다.
③ 제2차 남북 정상 회담을 개최하였다.
④ 대북 화해 협력 정책(햇볕 정책)을 추진하였다.
⑤ 한반도의 평화와 번영, 통일을 위한 판문점 선언을 발표하였다.

> **남북 관계의 진전**
>
> **│ 한자 사전 │**
>
> • **유엔 안전 보장 이사회**
> 세계 평화와 안전을 지키고 분쟁을 해결하기 위하여 둔 국제 연합(UN)의 주요 기관
>
> • **대북 화해 협력 정책(햇볕 정책)**
> 남한과 북한의 교류와 협력을 증진시키고자 추진한 대북 정책이다. 북한에 대한 압력을 줄이면서 지원을 강화함으로써 관계를 개선하고 북한이 개방의 길로 나올 수 있도록 유도하고자 하였다.

통일을 위한 노력

평가원 응용

3 밑줄 친 '공동 선언문'의 발표 결과로 옳은 것은?

> ○○○○년 ○○월 ○○일
> 요즈음 뉴스에서 남북 정상 회담 이야기가 많이 나온다. 2년 전부터 금강산 관광이 시작되었고, 드디어 남북 정상 회담이 열렸다. 오늘은 두 정상이 공동 선언문을 발표하였다. "남측의 연합제 안과 북측의 낮은 단계의 연방제 안이 서로 공통성이 있다고 인정하고 앞으로 이 방향에서 통일을 지향시켜 나가기로 하였다."라는 내용이 인상적이었다.

① 정전 협정을 체결하였다.
② 남북 조절 위원회를 설치하였다.
③ 이산가족 상봉이 처음으로 이루어졌다.
④ 남북 사이에 철도를 연결하기로 하였다.
⑤ 한반도 비핵화 공동 선언에 합의하였다.

> **완자쌤의 시험 꿀팁**
>
> 각 정부 시기의 통일 노력은 시험에 자주 출제된다. 7·4 남북 공동 성명, 남북 기본 합의서, 6·15 남북 공동 선언 등의 내용을 해당 정부의 통일 정책과 함께 정리해 두어야 한다.

수능 응용

4 (가) 지역에 대한 탐구 활동으로 가장 적절한 것은?

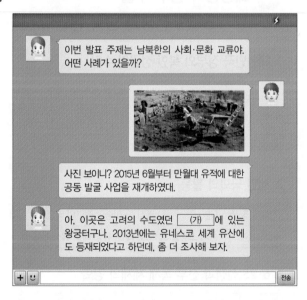

이번 발표 주제는 남북한의 사회·문화 교류야. 어떤 사례가 있을까?

사진 보이니? 2015년 6월부터 만월대 유적에 대한 공동 발굴 사업을 재개하였대.

아, 이곳은 고려의 수도였던 [(가)]에 있는 왕궁터구나. 2013년에는 유네스코 세계 유산에도 등재되었다고 하던데, 좀 더 조사해 보자.

① 7·4 남북 공동 성명이 발표된 곳을 확인한다.
② 제1차 남북 정상 회담이 열렸던 장소를 조사한다.
③ 남북 경제 협력 사업으로 공단이 세워진 곳을 찾아본다.
④ 북한에 자유 경제 무역 지대가 최초로 설치된 지역을 파악한다.
⑤ 한국 기업이 처음으로 북한 관광 사업을 시행한 곳을 알아본다.

남북한의 사회·문화 교류

> **완자 사전**
>
> • **자유 경제 무역 지대**
> 북한이 외국으로부터 선진 과학과 기술을 도입하고 경제에 활력을 불어넣기 위해 중국의 '경제특구'를 모방하여 만든 특수 지역

대단원 되돌아보기

1945	• 광복(8. 15.): 일본의 식민 지배로부터 벗어남 • 모스크바 3국 외상 회의 개최: 제2차 세계 대전 이후 한반도 문제 논의
1947	• (❶　　　　): 공산주의 세력의 팽창을 봉쇄한다는 미국의 외교 원칙 발표, 냉전의 본격화
1948	• (❷　　　　): 최초의 민주주의 선거, 제헌 국회 구성 • 대한민국 정부 수립: 삼권 분립의 민주 공화국 체제
1950	• 6·25 전쟁 발발: 북한의 기습 남침으로 전쟁 발발
1960	• (❸　　　　): 3·15 부정 선거에 저항
1961	• 5·16 군사 정변: 박정희 중심의 군인 세력이 정권 장악
1965	• 한일 협정 체결: 한일 국교 정상화
1972	• 7·4 남북 공동 성명: 자주·평화·민족 대단결의 통일 원칙
1979	• 12·12 사태: 전두환 중심의 신군부 세력이 군사권 장악
1980	• (❹　　　　): 광주 시민이 비상계엄 확대에 저항
1987	• 6월 민주 항쟁: 대통령 직선제 개헌 요구 시위 • 6·29 민주화 선언: 대통령 직선제 개헌 요구 수용 선언
1991	• (❺　　　　) 채택: 남북 화해, 상호 불가침, 교류·협력
1997	• 외환 위기: (❻　　　　)에 긴급 구제 금융 요청
2000	• (❼　　　　): 최초의 남북 정상 회담에서 채택

01 8·15 광복과 통일 정부 수립을 위한 노력

1. 냉전 체제의 형성과 변화

형성	자본주의 진영과 공산주의 진영 간 대립 → 트루먼 독트린 발표
변화	(❽　　　　) 발표 이후 냉전 완화 → 냉전의 붕괴

2. 광복 후 정부 수립 논의

(❾　　　　)	여운형과 안재홍 중심 → 조선 인민 공화국 수립 선포
모스크바 3국 외상 회의	신탁 통치 실시 등 결정 → 우익의 신탁 통치 반대, 좌익의 모스크바 3국 외상 회의 결정 지지
미소 공동 위원회	민주주의 임시 정부 수립에 참여할 단체의 범위를 두고 미국과 소련의 의견 대립 → 회의 결렬

3. 국내의 정부 수립 노력

정읍 발언	이승만이 남한만의 단독 정부 수립 주장
좌우 합작 운동	통일 정부 수립을 위한 좌우 합작 위원회 결성
남북 협상	김구, 김규식 등이 남북 통일 정부 수립 노력

02 대한민국 정부 수립 ~ 6·25 전쟁과 남북 분단의 고착화

1. 대한민국 정부와 북한 정권의 수립

대한민국 정부 수립	유엔 소총회의 남한만의 총선거 실시 결정 → 제주 4·3 사건 → 5·10 총선거 → 제헌 국회 구성 → 제헌 헌법 제정 → 대한민국 정부 수립 → 여수·순천 10·19 사건
북한 정권 수립	조선 민주주의 인민 공화국 수립

2. 제헌 국회의 활동

친일파 청산	(❿　　　　) 조직 → 이승만 정부의 비협조로 실패
농지 개혁	농지 소유를 3정보로 제한, 유상 매수·유상 분배 방식

3. 6·25 전쟁과 전후 독재 체제의 강화

6·25 전쟁	북한의 남침(1950. 6. 25.) → 유엔군 참전 → 인천 상륙 작전 성공 → 중국군 개입 → 1·4 후퇴 → 휴전 협정 체결
독재 체제 강화	• 남한: 발췌 개헌, 사사오입 개헌 → 이승만의 장기 집권 • 북한: 김일성이 반대 세력 숙청 → 1인 독재 체제 강화

03 4·19 혁명과 민주화를 위한 노력

1. 4·19 혁명과 장면 정부

4·19 혁명 (1960)	(⑪　　　　　) 규탄 시위 → 김주열의 시신 발견 → 대규모 시위 전개 → 대학교수들의 시국 선언 → 이승만 하야
장면 정부	개헌(내각 책임제, 양원제 국회 구성) → 장면 정부 출범

2. 박정희 정부와 유신 체제

5·16 군사 정변	박정희 중심의 군인 세력이 정변을 일으켜 정권 장악 → 국가 재건 최고 회의를 통해 군정 실시
박정희 정부	한일 협정 체결, 베트남 파병, 3선 개헌 등 추진
유신 체제	10월 유신((⑫　　　　　) 제정) → 10·26 사태로 붕괴

3. 5·18 민주화 운동과 신군부의 집권

신군부 등장	전두환 등 신군부 세력의 군사 반란(12·12 사태)
5·18 민주화 운동(1980)	계엄령 철폐, 신군부 퇴진 등 요구 → 계엄군의 무력 진압으로 사상자 발생
신군부 집권	국가 보위 비상 대책 위원회 설치, 전두환 대통령 선출

04 경제 성장과 사회·문화의 변화

1. 산업화와 경제 성장

1960년대	제1·2차 경제 개발 5개년 계획(경공업 육성)
1970년대	제3·4차 경제 개발 5개년 계획(중화학 공업 육성), 석유 파동 발생(1973, 1978)
1980년대	(⑬　　　　)(저유가·저달러·저금리 현상으로 경제 호황)

⬇

고도성장, 경제의 대외 의존도 심화, 정경 유착 발생 등

2. 사회·문화의 변화: 산업화·도시화 → 도시·농촌 문제 발생 → 새마을 운동과 농민·노동 운동 전개, 대중문화 성장

05 6월 민주 항쟁과 민주주의의 발전

1. 6월 민주 항쟁: 박종철 고문치사 사건 → 4·13 호헌 조치 → 6·10 국민 대회 → (⑭　　　　)(직선제 개헌 요구 수용)

2. 민주주의의 진전

노태우 정부	여소 야대 정국, 3당 합당, 북방 외교 추진
(⑮　　　　)	금융 실명제·지방 자치제 전면 시행, 외환 위기 초래
김대중 정부	여야 간 평화적 정권 교체, IMF 관리 체제 극복
노무현 정부	과거사 정리 사업 추진, 권위주의 청산 노력
이명박 정부	실용주의 표방, 자유 무역 협정(FTA) 체결 확대
박근혜 정부	국정 농단 의혹 사건으로 대통령이 파면당함
문재인 정부	복지, 남북 평화에 중점을 둔 정책 표방

3. 시민 사회의 성장: 시민운동의 활성화, 시민의 정치 참여 확대, 인권 증진과 사회 복지의 확대

06 외환 위기와 사회·경제적 변화

1. 1990년대 이후의 경제: 신자유주의 정책 → 외환 위기로 국제 통화 기금(IMF)의 긴급 자금 지원 → 외환 위기 극복

2. 현대 사회의 변화

경제적 양극화	경제 성장 과정에서 경제적 양극화 현상 심화
다문화 사회	국제결혼 이주민 증가 등으로 다문화 사회로 진입

07 남북 화해와 동아시아 평화를 위한 노력

1. 북한의 변화

정치	김일성 독재 체제 확립 → 김정일, 김정은의 권력 세습
경제	부분적인 경제 개방 추진(합영법 제정, 경제 무역 지대 설치 등)

2. 남북한의 화해와 협력을 위한 노력

남북 관계의 개선	박정희 정부((⑯　　　　) 발표) → 전두환 정부(최초의 남북 이산가족 상봉)
남북 관계의 진전	노태우 정부(남북 기본 합의서) → 김대중 정부(최초의 남북 정상 회담, 6·15 남북 공동 선언) → 노무현 정부(10·4 남북 공동 선언) → 문재인 정부(한반도의 평화와 번영, 통일을 위한 판문점 선언)

3. 동아시아 영토와 역사 갈등: 일본(독도 영유권 주장, 역사 교과서의 역사 왜곡), 중국(동북공정 주장 등)

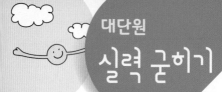
01 조선 건국 준비 위원회에 대한 설명으로 옳은 것은?

① 만민 공동회를 개최하였다.
② 이승만의 주도로 조직되었다.
③ 105인 사건을 계기로 해체되었다.
④ 미국과 소련의 대립으로 어려움을 겪었다.
⑤ 전국에 지부를 조직하고 치안대를 설치하였다.

02 (가), (나) 시기 사이에 있었던 사실로 옳은 것은?

↑ 광복을 기뻐하는 사람들

↑ 신탁 통치에 대한 반대 운동

① 한국 광복군이 창설되었다.
② 5·10 총선거가 실시되었다.
③ 좌우 합작 7원칙이 발표되었다.
④ 모스크바 3국 외상 회의가 개최되었다.
⑤ 제2차 미소 공동 위원회가 결렬되었다.

03 (가)의 배경으로 가장 적절한 것은?

사진은 김구 일행이 [(가)]을/를 위해 38도선을 넘는 모습을 보여 준다. [(가)]은/는 김구, 김규식 등이 김일성 등에게 제안하여 진행되었다.

① 냉전 체제가 완화되었다.
② 애치슨 선언이 발표되었다.
③ 카이로 회담이 개최되었다.
④ 남한만의 총선거 실시가 결정되었다.
⑤ 조선 민주주의 인민 공화국 수립이 선포되었다.

04 (가) 선거에 대한 설명으로 옳은 것을 〈보기〉에서 고른 것은?

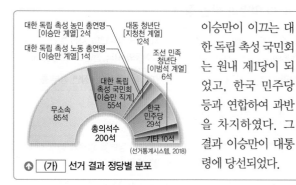

이승만이 이끄는 대한 독립 촉성 국민회는 원내 제1당이 되었고, 한국 민주당 등과 연합하여 과반을 차지하였다. 그 결과 이승만이 대통령에 당선되었다.

↑ (가) 선거 결과 정당별 분포

보기
ㄱ. 김구와 김규식은 불참하였다.
ㄴ. 200명의 국회 의원이 선출되었다.
ㄷ. 우리나라 최초의 민주주의 선거였다.
ㄹ. 선출된 국회 의원들이 발췌 개헌을 통과시켰다.

① ㄱ, ㄴ ② ㄱ, ㄷ ③ ㄴ, ㄷ
④ ㄴ, ㄹ ⑤ ㄷ, ㄹ

05 다음 담화문이 발표된 시기에 볼 수 있는 모습으로 적절한 것은?

국회에서는 대통령이 친일파를 옹호한다고 말하며 민심을 선동하고 있다. …… 공산당이 취하는 방식이라고 말할 수 있을 것이다. …… 국회에서는 치안 혼란을 선동하고 있다. 즉 경찰을 체포하여 경찰의 동요를 일으킴은 치안의 혼란을 조장하는 것이다. …… 과거에 친일한 자를 한꺼번에 숙청하였으면 좋을 것인데 기나긴 군정 3년 동안에 못한 것을 지금에 와서 단행하면 앞으로 우리나라가 해 나갈 일에 여러 가지 지장이 많을 것이다.

① 치안 유지법 제정을 알리는 관리
② 한일 회담 반대 집회를 벌이는 학생
③ 집강소에서 행정 사무를 맡아보는 농민
④ 투고함의 문서들을 수합하는 반민 특위 위원
⑤ 국채 보상 운동에 참여하여 성금을 내는 부녀자

06 그래프는 자·소작지 면적의 변화를 나타낸 것이다. (가) 시기 수치 변화의 배경으로 가장 적절한 것은?

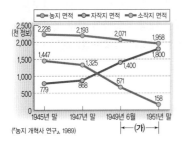

(「농지 개혁사 연구」, 1989)

① 농지 개혁이 시행되었다.
② 삼백 산업이 발달하였다.
③ 남면북양 정책이 실시되었다.
④ 소작 쟁의가 빈번히 발생하였다.
⑤ 정부가 지주의 토지를 무상 몰수하였다.

07 밑줄 친 '전쟁' 중에 있었던 사실로 옳은 것은?

> 오늘 하루 호외가 두 번이나 돌고 신문은 '괴뢰군의 38전선에 걸친 불법 남침'을 알리었다. …… '전쟁은 기어이 벌어지고 말았구나.'하는 생각에 뒤이어 '5년 동안 민족의 넋을 가위 누르던 동족상잔의 비극이 오고야 마는구나.' 하는 순간, 눈앞이 깜깜해졌다. – 김성칠, 「역사 앞에서」

① 브라운 각서가 체결되었다.
② 국가 총동원법이 제정되었다.
③ 트루먼 독트린이 발표되었다.
④ 인천 상륙 작전이 전개되었다.
⑤ 한미 상호 방위 조약이 체결되었다.

08 다음 성명서를 활용한 탐구 주제로 가장 적절한 것은?

> 첫째, 국민이 원한다면 대통령직을 사임하겠다.
> 둘째, 3·15 정부통령 선거에 많은 부정이 있었다 하니 선거를 다시 하도록 지시하였다.

① 3·1 운동의 영향
② 4·19 혁명의 결과
③ 국민대표 회의의 쟁점
④ 6·10 만세 운동의 배경
⑤ 5·18 민주화 운동의 전개 과정

09 (가) 정부에 대한 설명으로 옳은 것은?

> 사진은 (가) 정부의 출범식 모습이에요. (가) 정부는 우리나라 헌정 역사상 유일한 내각 책임제 정부였어요.

① 10·26 사태로 붕괴하였다.
② 제주 4·3 사건을 진압하였다.
③ 경제 개발 5개년 계획을 마련하였다.
④ 진보당 사건을 일으켜 조봉암을 처형하였다.
⑤ 베트남 파병을 통해 경제 개발 자금을 마련하였다.

10 다음 공약을 발표한 정치 세력에 대한 설명으로 옳은 것은?

> 1. 반공을 제1의 국시(國是)로 한다.
> 2. 미국 및 자유 우방과의 유대를 공고히 한다.
> 3. 부패와 구악을 일소하고 도의와 민족정기를 바로잡는다.
> 4. 민생고를 해결하고 국가 자주 경제 재건에 총력을 기울인다.
> 5. 통일을 위하여 공산주의와 대결할 실력 배양에 힘쓴다.
> 6. 이와 같은 우리의 과업이 성취되면 참신하고도 양심적인 정치인들에게 언제든지 정권을 이양하고 우리들 본연의 임무로 복귀할 준비를 갖춘다.

① 지방 자치제를 전면 실시하였다.
② 국가 재건 최고 회의를 설치하였다.
③ 전두환을 중심으로 한 신군부 세력이었다.
④ 6월 민주 항쟁을 계기로 권력을 상실하였다.
⑤ 5년 단임의 대통령 직선제 개헌안을 마련하였다.

11 밑줄 친 '이 헌법'이 적용된 시기의 사실로 옳지 <u>않은</u> 것은?

남북통일을 위한 사회 질서 안정을 명분으로 1972년에 제정된 이 헌법에 대해 말해 볼까?

통일 주체 국민 회의에서 국회 의원의 3분의 1을 선출할 수 있도록 하였어.

대통령이 긴급 조치를 발동할 수도 있었지.

① 한일 협정이 체결되었다.
② 부마 민주 항쟁이 일어났다.
③ 베트남에 국군을 파병하였다.
④ 제2차 석유 파동이 발생하였다.
⑤ 3·1 민주 구국 선언이 발표되었다.

12 다음 우표를 발행한 정부 시기의 경제 성장에 대한 설명으로 옳은 것을 〈보기〉에서 고른 것은?

〈보기〉
ㄱ. 금융 실명제가 실시되었다.
ㄴ. 경부 고속 국도가 준공되었다.
ㄷ. 제3차 경제 개발 5개년 계획이 추진되었다.
ㄹ. 저유가, 저달러, 저금리의 3저 호황을 맞았다.

① ㄱ, ㄴ ② ㄱ, ㄷ ③ ㄴ, ㄷ
④ ㄴ, ㄹ ⑤ ㄷ, ㄹ

13 다음 글이 발표된 배경으로 적절한 것은?

우리는 왜 총을 들 수밖에 없었는가? …… 계엄 당국은 18일 오후부터 공수 부대를 대량 투입하여 시내 곳곳에서 학생, 젊은이들에게 무차별 살상을 자행하였으니! ……

① 6·25 전쟁이 발발하였다.
② YH 무역 사건이 일어났다.
③ 3·15 부정 선거가 자행되었다.
④ 4·13 호헌 조치가 발표되었다.
⑤ 신군부가 비상계엄을 전국으로 확대하였다.

14 그래프는 공업 구조의 변화를 나타낸 것이다. (가) 시기 한국의 경제 상황에 대한 설명으로 옳은 것은?

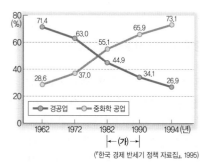

(『한국 경제 반세기 정책 자료집』, 1995)

① 물산 장려 운동이 전개되었다.
② 두 차례의 석유 파동으로 위기를 겪었다.
③ 반도체 산업 등 첨단 산업을 육성하였다.
④ 제1차 경제 개발 5개년 계획이 실시되었다.
⑤ 경제 협력 개발 기구(OECD)에 가입하였다.

15 (가)에 대한 설명으로 적절한 것은?

[(가)]은/는 농촌의 환경 개선과 균형 발전을 내세우며 추진된 운동으로 근면, 자조, 협동을 강조하였다.

① 대한매일신보 등 언론의 지원을 받았다.
② 외환 위기를 극복하기 위해 전개되었다.
③ 여운형, 김규식 등 중도 세력이 주도하였다.
④ 유신 체제 유지에 이용되었다는 비판을 받았다.
⑤ 함평 고구마 피해 보상 운동을 계기로 추진되었다.

16 다음 내용을 통해 파악할 수 있는 문화의 동향으로 가장 적절한 것은?

> • 당시 록의 대표 주자였던 신중현이 발표한 「거짓말이야」는 불신감을 조장한다는 이유로 금지되었다.
> • 배호의 「0시의 이별」이라는 곡은 밤 시간대에 일반인의 통행을 금지하였던 당시 상황에서 0시의 이별은 있을 수 없다는 이유로 금지곡이 되었다.

① 한류 문화가 전 세계로 확산되었다.
② 유튜브를 비롯한 새로운 소통 수단이 생겨났다.
③ 문화, 예술에 대한 정부의 검열과 통제가 강화되었다.
④ 일제의 탄압으로 판소리 등 전통적인 공연이 위축되었다.
⑤ 사회주의 사상의 영향을 받은 신경향파 문학이 등장하였다.

17 밑줄 친 '현 정권'에 대한 설명으로 옳은 것은?

> 국민 합의 배신한 4·13 호헌 조치는 무효임을 전 국민의 이름으로 선언한다. 오늘 우리는 전 세계 이목이 우리를 주시하는 가운데 40년 독재 정치를 청산하고 희망찬 민주 국가를 건설하기 위한 거보를 전 국민과 함께 내딛는다. 국가의 미래요 소망인 꽃다운 젊은이를 야만적인 고문으로 죽여 놓고 그것도 모자라 뻔뻔스럽게 국민을 속이려 했던 현 정권에게 국민의 분노가 무엇인지를 분명히 보여 주고, 국민적 여망인 개헌을 일방적으로 파기한 4·13 폭거를 철회시키기 위한 민주 장정을 시작한다.

① 유신 헌법을 제정하였다.
② 5·16 군사 정변으로 무너졌다.
③ 보도 지침을 내리는 등 언론을 통제하였다.
④ 3당 합당을 통해 민주 자유당을 창당하였다.
⑤ 역사 바로 세우기를 통해 전직 대통령을 구속하였다.

18 다음 상황이 전개된 시기를 연표에서 옳게 고른 것은?

> 정부는 사회 정의 실현과 경제 활성화를 목적으로 금융 실명제를 전격 단행하였다. 이 조치는 은행의 가명 계좌를 실명 계좌로 바꾸는 것이었다.

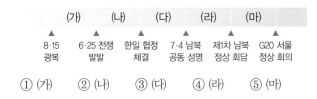

(가)	(나)	(다)	(라)	(마)
▲ 8·15 광복	▲ 6·25 전쟁 발발	▲ 한일 협정 체결	▲ 7·4 남북 공동 성명	▲ 제1차 남북 정상 회담	▲ G20 서울 정상 회의

① (가)　② (나)　③ (다)　④ (라)　⑤ (마)

19 다음 사진을 활용한 탐구 활동으로 가장 적절한 것은?

⬆ 촛불 집회가 열린 광화문 광장

① 새마을 운동의 영향을 조사한다.
② 프레스 카드제의 내용을 확인한다.
③ 복지 제도의 확충 과정을 찾아본다.
④ 국가 인권 위원회의 역할을 알아본다.
⑤ 시민의 정치 참여 확대 사례를 살펴본다.

20 (가)~(라)를 일어난 순서대로 옳게 나열한 것은?

> (가) 제1차 석유 파동으로 원유 가격이 폭등하여 경제 불황에 직면하였다.
> (나) 외환 위기로 인해 국제 통화 기금(IMF)에 구제 금융 지원을 요청하였다.
> (다) 칠레, 유럽 연합(EU), 미국 등과 자유 무역 협정(FTA)을 체결하였다.
> (라) 저유가, 저달러, 저금리의 3저 호황으로 연 10%가 넘는 고도성장을 하였다.

① (가) – (나) – (다) – (라)　② (가) – (라) – (나) – (다)
③ (나) – (다) – (라) – (가)　④ (나) – (라) – (다) – (가)
⑤ (다) – (나) – (가) – (라)

21 표는 우리나라에서의 혼인 건수를 나타낸 것이다. 이에 대한 설명으로 적절한 것을 〈보기〉에서 고른 것은?

연도	혼인 총 건수(건)	한국인 간 결혼 건수(건)	국제결혼 비율(%)
1995	398,484	384,991	3.4
2000	332,090	320,485	3.5
2005	314,304	271,948	13.5
2010	326,104	291,869	10.5
2015	302,828	281,554	7.0

보기
ㄱ. 우리나라는 다문화 사회로 진입하고 있다.
ㄴ. 다문화 가구의 수는 지속적으로 감소하고 있다.
ㄷ. 우리 사회의 문화적 다양성이 더 높아질 것이다.
ㄹ. 이주민은 공존이 아닌 동화의 대상으로 인식해야 한다.

① ㄱ, ㄴ   ② ㄱ, ㄷ   ③ ㄴ, ㄷ
④ ㄴ, ㄹ   ⑤ ㄷ, ㄹ

22 북한에서 다음 법령이 제정된 배경으로 옳은 것은?

제1조 조선 민주주의 인민 공화국 합영법은 우리나라와 세계 여러 나라들 사이의 경제·기술 협력과 교류를 확대 발전시키는 데 이바지한다.
제5조 합영 기업은 당사자들이 출자한 재산에 대한 소유권을 가지며 독자적으로 경영 활동을 한다.
제7조 국가는 장려하는 대상과 해외 조선 동포들과 하는 합영 기업, 일정한 지역에 창설된 합영 기업에 대하여 세금의 감면, 유리한 토지 이용 조건의 제공 같은 우대를 한다.

① 천리마운동이 전개되었다.
② 3대 권력 세습 체제가 확립되었다.
③ 사회주의 계획 경제 체제를 적극 추진하였다.
④ 무상 몰수, 무상 분배 방식의 토지 개혁이 실시되었다.
⑤ 대외 교역의 한계, 기술 부족 등으로 경제 위기를 겪었다.

23 (가)에 들어갈 내용으로 옳은 것은?

다큐멘터리 기획안
• 제목: 평화 통일을 위한 남북한의 노력
• 기획 의도: 남북한이 대화를 통해 평화적으로 분단을 극복하고자 노력한 과정을 시간 순으로 보여 준다.
• 주요 장면
#1. 7·4 남북 공동 성명 발표
#2. 남북 기본 합의서 채택
#3.   (가)
#4. 제2차 남북 정상 회담 개최

① 남북 조절 위원회 설치
② 좌우 합작 위원회 구성
③ 6·15 남북 공동 선언 발표
④ 최초의 이산가족 상봉 성사
⑤ 한반도의 평화와 번영, 통일을 위한 판문점 선언 발표

24 다음 주제에 대한 학생들의 발표 내용으로 옳지 <u>않은</u> 것은?

역사 동아리 발표 대회
이번에 우리 동아리에서 발표 대회를 엽니다. 관심 있는 학생들의 많은 참여 바랍니다.
• 일시: 20○○년 ○○월 ○○일
• 장소: ○○고등학교 소강당
• 발표 주제: 일본의 독도 영유권 주장에 대한 반박

① 독도에는 현재 독도 경비대가 파견되어 한국이 실질적으로 지배하고 있습니다.
② 이승만 정부는 평화선 선언을 발표하여 독도가 우리 영토임을 분명히 하였습니다.
③ 일본이 청일 전쟁에서 승리한 이후 강제로 차지하고 있는 땅이므로 되돌려 주어야 합니다.
④ 샌프란시스코 강화 조약에 일본이 영토 및 한국에 대한 모든 권리와 청구권을 포기한다고 명시되어 있습니다.
⑤ 연합국 최고 사령관 각서 제677호에 독도를 일본으로부터 분리하여 한국에 반환한다고 명시되어 있습니다.

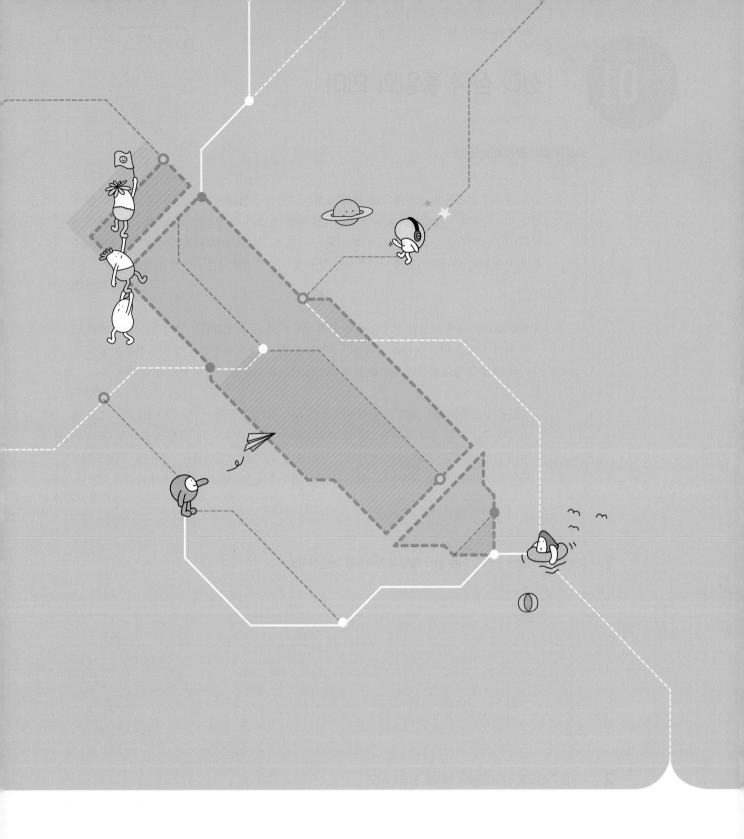

논술형 문제

≫ 정답친해 107쪽

주제 01 신라 삼국 통일의 의미

다음을 읽고 물음에 답하시오.

> (가) 다른 종족을 불러들여 같은 종족을 없애는 것은 도적을 끌어들여 형제를 죽이는 것과 다를 바 없다. 이 뜻이 매우 명백하여 비록 삼척동자도 가히 깨달을 수 있는데, 애석하다, 우리나라 역사가들이여, 이러한 뜻을 아는 자가 적구나. …… 민족 전체로 보면 민족적 역량과 영토의 축소를 가져왔으며, 외세와 결탁한 반민족적인 것이며, 사대주의적 나쁜 요소를 심었다.
>
> – 신채호, 「독사신론」
>
> (나) • 선왕(김춘추)께서 백성의 참혹한 죽음을 불쌍히 여겨 …… 귀하심을 잊으시고 바다 건너 당에 가서 황제를 뵙고 군사를 청하였다. (이것은) 두 나라를 평정하여 영구히 전쟁을 없애고, 여러 해 동안 깊이 맺혔던 원수를 갚고 백성들의 남은 목숨을 온전히 하고자 함이다.
>
> – 「삼국사기」
>
> • 설인귀가 포위를 풀고 퇴각한 후에 말 1천 필을 얻었다. 이근행이 군사 20만을 거느리고 매소성에 주둔하자, 우리 군사가 그들을 격퇴시켰다. 이 싸움에서 3만 3백 80필의 말과 그 이외에 많은 병기도 얻었다. …… 사찬 시득이 수군을 이끌고 설인귀와 소부리주 기벌포에서 싸우다가 패하였으나, 다시 크고 작은 20번의 전투에서 승리하고 4천여 명의 머리를 베었다.
>
> – 「삼국사기」

1 (가)에서 바라보는 신라가 이룬 삼국 통일의 한계점을 논술하시오.

....

....

....

....

2 (나)를 기반으로 삼국 통일의 의의를 논술하시오.

....

....

....

....

주제 02 건국 이야기와 천신 신앙

다음을 읽고 물음에 답하시오.

(가) 탁리국왕의 시녀가 임신을 하였다. …… 시녀가 말하기를 "크기가 달걀만 한 기운이 있었는데 하늘로부터 저에게 내려왔으므로 임신을 하였습니다."라고 하였다. 후에 아들을 낳으니, (왕은) 돼지우리에 버렸지만 돼지가 입김을 불어 넣어 죽지 않았다. …… 이름을 동명이라 하였다. …… 활을 잘 쏘자 왕은 두려워하여 그를 죽이고자 하였다.　　　　　　　　　　　　－「후한서」

(나) (부여왕 금와가) 유화를 궁실에 가두었다. 햇빛이 그녀를 비추었고, 몸을 움직여 피하여도 햇살이 따라와 비추었다. 이로 인해 임신하여 알을 낳았는데 …… 왕이 알을 버려 개, 돼지에게 주었는데 먹지 않았다. …… 한 사내아이가 껍질을 깨고 나왔다. …… 활을 만들어 쏘았는데 백발백중이었다. 부여의 속어에 활을 잘 쏘는 사람을 주몽이라고 하였으므로 이를 아이의 이름으로 삼았다. …… 주몽의 어머니가 몰래 알려 주며 말하기를 "나라 사람들이 너를 해치려 한다. …… 멀리 가서 뜻을 이루는 것이 낫겠다."라고 하였다. …… 길이 막힌 주몽이 "나는 천제의 아들이며 어머니는 하백의 딸이다. 오늘 도망하는데 추격자들이 따라오니 어찌하면 좋은가."라고 소리치자 물고기와 거북이 다리를 만들어 건너게 해 주었다. …… 나라 이름을 고구려라고 하고 성을 고씨라고 하였다.　　　　　　　　　　　　－「삼국사기」

1 (가), (나) 이야기에 담긴 공통점을 서술하시오.

....

....

....

....

2 (가), (나)에 담긴 사상이 당시 사회에서 어떤 역할을 하였는지 논술하시오.

....

....

....

....

....

고구려의 독자적 천하관

다음을 토대로 하여 고구려인들이 어떤 천하관을 가졌는지 근거를 들어 논술하시오.

(가) 시조 추모왕이 나라를 세웠는데 (왕은) 북부여에서 태어났으며, 천제(天帝)의 아들이었고 어머니는 하백(물의 신)의 따님이었다. …… 17세손에 이르러 국강상광개토경평안호태왕이 18세에 왕위에 올라 칭호를 영락 대왕이라 하였다. (대왕의) 은혜로운 혜택이 하늘까지 미쳤고 용맹함과 위엄이 사방의 바다에 떨쳤다. 나쁜 무리를 없애니 백성이 각기 생업에 힘쓰고 편안히 살게 되었다. …… 백잔(百殘)과 신라(新羅)는 예로부터 고구려의 속민으로 조공을 해왔다. …… 신라 왕이 사신을 보내어 아뢰기를, "왜인이 그 국경에 가득 차 성지를 부수고 노객(奴客)을 왜의 백성으로 삼으려 하니 이에 왕께 귀의하여 구원을 요청합니다."라고 하였다. 태왕이 은혜롭고 자애로워 신라 왕의 충성을 갸륵히 여겨, …… 보병과 기병 도합 5만 명을 보내 신라를 구원하게 하였다.

– 「광개토 대왕릉비」

(나) 하백의 손자이며 일월의 아들인 추모성왕이 북부여에서 나셨으니, 이 나라 이 고을이 가장 성스러움을 천하 사방이 알지니 …… 국강상대개토지호태성왕에 이르러 (모두루의) 조부와의 인연으로 노객 모두루와 □□모에게 은혜를 베푸시어 영북부여수사로 파견하니, …….

– 「모두루묘지문」

고려의 대외 관계

주제 **04**

다음을 읽고 물음에 답하시오.

> (가) 현재 태사를 맡고 있는 유야소도 역시 고려를 부모의 나라로 삼고 있습니다. …… 만약 9성을 돌려주어 안정된 생업을 누릴 수 있게 해 주신다면 하늘에 맹세코 대대로 조공을 바칠 것이며, 감히 기와 조각 하나라도 귀국의 영토에 던지지 않겠나이다. – 『고려사』
>
> (나) 형인 대 여진 금국 황제는 아우인 고려 국왕에게 편지를 보내오. …… 거란은 무도하게 우리의 강역을 유린하고 우리의 백성을 노예로 삼았으며, 아무 명분도 없이 자주 군사를 일으켜 왔소. 우리는 부득이 그들에게 대항하였고, 하늘의 보살핌으로 그들을 섬멸하였소. 왕은 우리와 화친 을 허락하고 형제의 관계를 맺어 대대로 끝없는 우호 관계를 이루기를 바라오. – 『고려사』
>
> (다) 인종 4년 대부분 신하들은 사대할 수 없다고 주장하였다. 그러나 이자겸과 척준경이 "옛날의 금은 소국으로 거란과 우리를 섬겼습니다. 하지만 지금은 갑자기 세력이 커져 거란과 송을 멸 망시키고, 정치적 기반을 굳건히 함과 동시에 군사력이 나날이 강해지고 있습니다. …… 작은 나라가 큰 나라를 섬기는 것은 선왕의 법도입니다. 마땅히 먼저 사신을 보내어 예를 닦는 것이 옳습니다."라고 말하였다. – 『고려사』

1 고려와 여진의 관계가 (가)에서 (나)로 변하게 된 배경을 서술하시오.

....
....
....
....

2 (다)에서 고려가 금의 사대 요구를 수용한 이유를 쓰고, 이러한 결정이 어떤 영향을 끼쳤는지 논술하시오.

....
....
....
....
....

주제 05 북벌론과 북학론

다음을 읽고 물음에 답하시오.

(가) 우리나라는 실로 명 신종 황제의 은혜를 입어 임진왜란 때 나라가 이미 폐허가 되었다가 다시 보존되고 백성이 거의 죽었다가 다시 소생하였으니 우리나라 나무 한 그루와 풀 한 포기와 백성의 터럭 하나하나에도 황제의 은혜가 미치는 바가 아님이 없습니다. 그런즉 오늘날에 있어 원통, 분통하는 자가 천하를 들어도 누가 우리만 하겠습니까? …… 비록 창을 들고 죄를 문책하며 중원을 쓸어 말끔히 우리 신종 황제의 망극한 은혜는 갚지 못하더라도, 혹 국경의 문을 닫고 약속을 끊으며 이름을 바르게 하고 이치를 밝혀 우리 의리의 원만함은 지킬 수 있을 것입니다.
– 송시열, 『송자대전』

(나) 청이 천하를 차지한 지 1백 년이 지났다. 여기(청)에 있는 사람들을 모조리 오랑캐라 하고 중국의 법마저 폐기해 버린다면 크게 옳지 않다. 진실로 백성에게 이롭기만 한다면, 그 법이 비록 오랑캐에게서 나왔다 하더라도 성인은 취할 것이다. …… 명을 위해 원수를 갚아 주고 우리의 부끄러움을 씻으려면 20년 동안 힘껏 중국을 배운 다음, 함께 의논하여도 늦지 않을 것이다.
– 박제가, 『북학의』

1 (가) 주장이 제기된 시기 조선의 대외 정책을 서술하시오.

2 (가), (나) 중 하나의 입장을 정하고, 다른 주장을 비판하는 글을 논술하시오.

주제 06 조선 후기의 경제 변화

다음을 읽고 물음에 답하시오.

(가) 모내기를 하는 것은 세 가지 이유가 있다. 김매기의 노력을 더는 것이 첫째요, 두 땅의 힘으로 하나의 모를 기르는 것이 둘째요, 좋지 않은 것을 솎아내고 튼튼한 것을 고를 수 있는 것이 셋째이다.

– 서유구, 『임원경제지』

(나) 부농층은 …… 직접 농사를 짓지 않고서도 향락을 누릴 수 있으며, 빈농층 중 어떤 농민은 지주의 농지를 빌려 경작함으로써 살아갈 수 있으며, 그들 가운데 어떤 자는 농지를 얻을 수 없으므로 임노동자가 되어 타인에게 고용됨으로써 생계를 유지한다.

– 정상기, 『농포문답』

(다) 조정에서 은이 나는 곳에 은점을 설치하도록 허가해 주면, 돈 많은 장사꾼은 각자 재물을 내어 일꾼을 모집할 것입니다. 땅이 없어 농사를 짓지 못하는 백성이 점민이 되어 그곳에 모여 살며, 은을 캐서 호조와 각 영, 고을에 세를 바치고 남는 대로 물주에게 돌릴 것이니 공사 간에 유익한 일입니다.

– 우정규, 『경제야언』

1 (나)와 같은 현상이 나타난 이유를 (가)를 참고하여 서술하시오.

2 (다)와 같은 정책이 추진된 배경을 당시의 경제 상황과 관련하여 논술하시오.

주제 07

흥선 대원군의 개혁 정치

다음을 읽고 물음에 답하시오.

(가) "근래에 각 고을 군정의 폐단이 매우 심하다고 한다. 작년부터 흥선 대원군의 분부가 있었기 때문에 양반호(戶)는 노비의 이름으로 포(布)를 내게 하였고 소민(小民)은 신포(身布)로 내게 하였다. 지금은 백골(白骨)이나 황구(黃口: 어린아이)의 원성이 없으니, …… 각 도에 알려 길고 오랜 법식으로 삼는 것이 좋겠다."라고 하였다.   – 『고종실록』

(나) 대원군이 8도 감사에게 엄하게 단속하여 먼저 창고의 실제 숫자를 점검하고 다시 축낸 액수를 조사하여 천 석 이상 축낸 자는 목을 베고, 그 이하는 귀양을 보냈다. …… 이로 말미암아 죽은 자는 적고 창고는 모두 가득하였다. 다시 고을에 명하여 여러 동리와 면에 창고를 설치하게 하고 사창이라 하였다. …… 가까운 창고에서 환곡을 받고 상환하며 흉년에는 사창에서 진휼을 하니 모두 편리하게 여겼다.   – 박제형, 『근세조선정감』

1 (가) 정책의 실시가 국가 재정에 끼친 영향을 다음 그래프를 참고하여 서술하시오.

▲ 호포제 실시로 인한 군포 부담층의 변화(경상도 영천 지방)

....

....

....

....

2 (가), (나) 정책의 주요 내용을 쓰고, 그 공통적인 실시 목적을 논술하시오.

....

....

....

....

갑신정변의 의의와 한계

다음을 읽고 물음에 답하시오.

(가) 임오군란 때 나는 청군을 따라 돌아왔고, 이때부터 청국이 우리나라의 내정을 많이 간섭하였으므로, 나는 청나라 당으로 지목되었다. 김옥균 등은 청이 우리의 자주권을 침해하는 데 분노하여, 마침내 일본 공사와 갑신정변을 일으켜 일본 당으로 지목되었다. 갑신정변이 실패하자 세상이 그를 역적이라 하였는데, 나는 정부에 몸을 담고 있어 그를 토벌하여 죽여야 한다는 외의 다른 목소리를 낼 수 없었다. 그러나 두 마음(김옥균과 나의 마음)을 비춰 보면, 그 뜻이 다른 데 있는 것이 아니라 나라를 사랑하는 데서 나온 것이었다.
　　　　　　　　　　　　　　　　　　　　　　　　　　　　　　　　 – 김윤식, 『속음청사』

(나) • 외세를 믿고 의지하였으니 반드시 오래가지 못할 것이 실패할 둘째 이유이다. 백성이 따르지 아니하여 변이 안에서부터 일어날 것이니 실패할 셋째 이유이다. …… 숫자가 적은 일본군이 어찌 많은 청군을 대적할 수 있겠는가? 이것이 실패할 넷째 이유이다.　– 윤치호, 『윤치호 일기』

　　 • 개화당의 실패를 어떤 이는 애석하게 생각한다. …… "저들 일본인이 어찌 순수하게 다른 나라 사람을 위하여 일을 하겠는가?" …… 대저 혁명가는 …… 오로지 자기의 힘으로써 나와야 하는데 오히려 외국인이 우리나라의 내부 분쟁을 이용하여 간섭함에 있어서랴. …… 다른 나라의 힘에 의지하여 얻을 것 같으면 소위 독립이 되었다고 하더라도 어찌 고귀하다고 하리요.
　　　　　　　　　　　　　　　　　　　　　　　　　　　　　　　　 – 박은식, 『한국통사』

---

1 (가)의 입장에서 갑신정변의 의의를 논술하시오.

2 (나)를 참고하여 갑신정변이 실패한 이유를 논술하시오.

사실 이해 ✛ 자료 분석

주제 09 동학 농민 운동의 성격과 의의

다음을 읽고 물음에 답하시오.

(가) 1. 전운사를 혁파하고 이전과 같이 각 읍에서 조세를 상납하게 할 것
    3. 탐관오리를 징계하고 쫓아낼 것
    5. 노비 문서는 불태워 버릴 것
    6. 각종 항목의 결세액은 평균 분배하되 마구 걷지 말 것
    9. 각국 상인은 항구에서만 매매하게 하되, 한성에 점포를 열거나 각지에서 임의로 행상하지
       못하게 할 것

(나) • 심문자: 작년 1월 고부 등지에서 민중을 크게 모았다고 하는데, 무슨 사연으로 그리하였는가?
    • 전봉준: 그때 고부 군수가 정액 이외에 가혹하게 거두어들인 것이 수만 냥인 이유로 민심이
      원통하고 한스러워 거사를 강행하였다.
    • 심문자: 흩어져 돌아간 후에는 무슨 일로 다시 봉기하였는가?
    • 전봉준: 그 후에 장흥 부사 이용태가 안핵사로 본 고을에 와서 봉기한 인민을 동학도로 통칭
      하고 체포하여 그 집을 불태우며, 당사자가 없으면 아내와 자식을 체포하여 살육하였기 때문
      에 다시 봉기하였다.
    • 심문자: 1894년 9월에 다시 봉기한 것은 무슨 이유인가?
    • 전봉준: 일본이 개화라 칭하며 일언반구도 없이 군대를 거느리고 우리 도성에 들어와 밤중에
      왕궁을 공격하여 임금을 놀라게 하였다. 이에 초야의 선비와 백성들이 충군 애국하는 마음으
      로 의병을 규합하고 일본인과 접전하여 그 책임을 묻고자 함이었다.

1 (가)를 참고하여 동학 농민군이 개혁하고자 한 내용을 서술하시오.

....

....

....

2 (가), (나)를 참고하여 동학 농민 운동의 성격과 의의를 논술하시오.

....

....

....

항일 의병 운동의 전개

다음을 읽고 물음에 답하시오.

(가) 아, 우리 8도의 동포들은 차마 망해 가는 나라를 내버려 두려 하는가. …… 국모의 원수를 생각
하며 이미 이를 갈았는데, 참혹함이 더욱 심해져 임금께서 머리를 깎이시고 의관을 찢기는 지
경에 이른 데다가 …… 우리 부모로부터 받은 몸을 금수로 만드니 이 무슨 일인가. 우리 부모로
부터 받은 머리카락을 깎았으니 이 무슨 변괴인가.
　　　　　　　　　　　　　　　　　　　　　　　　　　　　　　　　　　 – 유인석, 「격고팔도열읍」

(나) 아, 지난 10월의 소행은 실로 만고에 없었던 일이다. 하룻밤 사이에 종잇조각에 강제로 도장을
찍게 하여, 오백 년 종사가 마침내 망하고 말았으니, …… 우리나라를 통째로 원수에게 준 역적
이지용은 실로 우리나라 만대의 원수요, 제 임금을 죽이고 남의 임금을 범한 이토 히로부미는
마땅히 천하의 여러 나라가 함께 토벌해야 할 것이다.
　　　　　　　　　　　　　　　　　　　　　　　　　　　　　　　　　　 – 최익현, 「창의격문」

(다) 근래 소위 의병의 무리는 모두 나라에 화를 입히는 싹이오, 민에게 해를 끼치는 독이라. 공허한
의(義)를 빙자하여 불량한 난폭함을 드러낼 뿐이니 불쌍하지 않은가? …… 지금 세상이 어떤
세상이며, 지금 때가 어느 때인가? 전날 폐쇄해 지키던 시대가 아니오, 우리 국민이 죄를 뉘우
치며 우매함을 각성하고 분발하여 개명(開明)의 걸음으로 나아간 이후에야 만회할 날이 있으
리니 …….
　　　　　　　　　　　　　　　　　　　　　　　　　　　　　　　　　　 – 황성신문

1 (가), (나) 격문을 발표한 두 의병 운동의 공통점을 서술하시오.

2 (가), (나)의 입장에서 (다)의 주장을 비판하는 내용을 논술하시오.

주제 **11**

독도 영유권 문제

다음을 보고 물음에 답하시오.

(가) 제1조 울릉도를 울도로 개칭하여 강원도에 부속하고 도감(島監)을 군수(郡守)로 개정하여
관제 중에 편입하고 군의 등급은 5등으로 할 것

제2조 군청의 위치는 태하동으로 정하고 구역은 울릉 전도와 죽도, 석도를 관할할 것

– 「대한 제국 칙령 제41호」, 1900

(나)

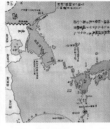

▲ 팔도총도 ▲ 삼국접양지도

『신증동국여지승람』의 부속 지도인 「팔도총도」에는 우산도(독도)가 울릉도의 서쪽에 그려져 있다. 「삼국접양지도」는 일본인 하야시 시헤이가 만든 지도이다. 이 지도는 나라별로 채색을 하였는데, 이 중 울릉도와 독도를 조선의 영토 색으로 색칠하였다.

(다) 북위 37도 9분 30초, 동경 131도 55분, 오키시마에서 서북으로 85해리 거리에 있는 섬을 '다케시마'라고 칭하고 지금 이후부터는 본 현 소속의 오키 도사(島司)의 소관으로 정한다.

– 「시마네현 고시 제40호」, 1905

1 (가)를 참고하여 1900년에 제정한 「대한 제국 칙령 제41호」가 갖는 의미를 논술하시오.

2 (가), (나)를 참고하여 (다)의 불법성을 비판하는 글을 논술하시오.

주제 **12**

일제의 경제 수탈

다음을 보고 물음에 답하시오.

> (가) 일본에서의 쌀 소비는 연간 약 6천 5백만 석인데, 일본 내 생산고는 약 5천 8백만 석을 넘지 못해 해마다 그 부족분을 다른 제국판도 및 외국의 공급에 의지하는 형편이다. 게다가 일본의 인구는 해마다 약 70만 명씩 증가하고 있을 뿐만 아니라 국민 생활의 향상과 함께 1인당 소비량도 역시 점차 증가하게 될 것은 필연적인 대세이다. 따라서 장래 쌀 공급은 계속 부족해질 것이고, 그러므로 지금 미곡의 증수 계획을 수립하여 일본 제국의 식량 문제를 해결하는 데 도움을 주는 것은 진실로 국책상 급무라고 믿는다.
>
> – 조선 총독부 농림국, 「조선 산미 증식 계획 요강」
>
> (나)
>
>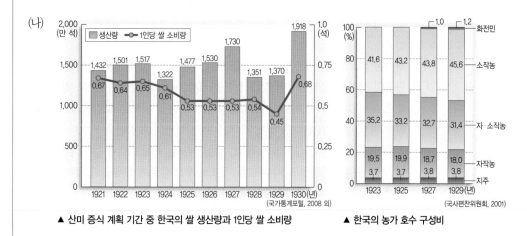
>
> ▲ 산미 증식 계획 기간 중 한국의 쌀 생산량과 1인당 쌀 소비량 　　▲ 한국의 농가 호수 구성비

1 (가)를 참고하여 일제가 산미 증식 계획을 실시한 이유를 서술하시오.

2 (가), (나)를 참고하여 다음의 입장에서 산미 증식 계획을 비판하는 글을 논술하시오.

> 일제의 식민지 경제 정책은 조선 사회의 수탈을 위한 것으로 우리나라의 경제에 도움이 되지 않았다.

사실 이해 ✛ 역사적 판단

주제 **13**

자치 운동의 대두

다음을 읽고 물음에 답하시오.

> (가) 조선 민족은 지금 정치적 생활이 없다. …… 왜 지금의 조선 민족에게는 정치적 생활이 없나. 그 대답은 간단하다. 일본이 한국을 병합한 이래로 조선인에게는 모든 정치적 활동을 금지한 것이 제1의 원인이요, 병합한 이래로 조선인은 일본의 통치권을 승인하는 조건 밑에서 하는 모든 정치적 활동, 즉 참정권·자치권 운동 같은 것은 물론, 일본 정부를 상대로 하는 독립운동조차도 원치 아니하는 극렬한 절개 의식이 있었던 것이 제2의 원인이다. …… 그러나 우리는 무슨 방법으로나 조선 내에서 전 민족적인 정치 운동을 하도록 새로운 방면에서 타개할 필요가 있다. 우리는 조선 내에서 허용되는 범위 내에서 일대 정치적 결사를 조직하여야 한다는 것이 우리의 주장이다.
>
> – 이광수, 「민족적 경륜」
>
> (나) 우리는 외교론, 준비론 등의 미몽을 버리고 민중 직접 혁명의 수단을 취함을 선언하노라. 조선 민족의 생존을 유지하자면 강도 일본을 쫓아내야 할 것이며, 강도 일본을 쫓아내려면 오직 혁명으로써 할 뿐이니, 혁명이 아니고는 강도 일본을 내쫓을 방법이 없는 바이다. …… 민중은 우리 혁명의 대본영(大本營)이다. 폭력은 우리 혁명의 유일한 무기이다. 우리는 민중 속으로 가서 민중과 손을 맞잡아 끊임없는 폭력, 암살, 파괴, 폭동으로써 강도 일제의 통치를 타도하고, 우리 생활에 불합리한 일체의 제도를 개조하여 인류로써 인류를 압박하지 못하며, 사회로써 사회를 박탈하지 못하는 이상적 조선을 건설할지니라.
>
> – 신채호, 「조선 혁명 선언」

1 (가)와 같은 주장을 내세운 운동의 추진 배경과 당시의 정치적 상황을 서술하시오.

....

....

....

....

2 (나)의 입장에서 (가)의 주장이 갖는 한계점을 논술하시오.

....

....

....

....

건국 준비 활동

(가)~(다) 강령에 나타난 특징과 세 강령이 공통적으로 추구한 정치 체제를 논술하시오.

(가) 2. 삼균 제도를 골자로 한 헌법을 실시하여 정치·경제·교육의 민주적 시설로 실제상 균형을 도모하며, 전국의 토지와 생산 기관의 국유화가 완성되고 전국의 학령 아동 전체를 대상으로 한 고등 교육의 무상 교육이 완성되고 보통 선거 제도가 구속 없이 완전히 시행되어 …….

4. 보통 선거에는 만 18세 이상 남녀로 선거권을 행사하되 신앙, 교육, 거주 연수, 사회 출신, 재정 상황과 과거 행동을 분별치 아니하며 …….

6. 대생산 기관의 공구와 시설을 국유로 하고 …… 대규모 농·공·상기업과 성시, 공업 구역의 공용적 주요 산업은 국유로 하고 소규모 및 중등 기업은 사영으로 한다.

– 대한민국 임시 정부의 건국 강령, 1941

(나) 1. 본 동맹은 조선에 대한 일본 제국주의의 지배를 전복하고 독립 자유의 조선 민주 공화국을 수립할 목적으로 다음 임무를 실현하기 위하여 싸운다.

(1) 전 국민의 보통 선거에 의한 민주 정권을 수립한다.

(6) 조선에 있는 일본 제국주의자의 일체 자산 및 토지를 몰수하고, 일본 제국주의와 밀접한 관계에 있는 대기업을 국영으로 귀속하며, 토지 분배를 실행한다.

(9) 국민 의무 교육 제도를 실시하고, 이에 필요한 경비는 국가가 부담한다.

– 조선 독립 동맹의 건국 강령, 1942

(다) 1. 각인 각파를 대동단결하여 거국일치로 일본 제국주의의 모든 세력을 몰아내고 조선 민족의 자유와 독립을 회복할 것

2. 반추축 제국(연합국)과 협력하여 대일 연합 전선을 형성하고 조선의 완전한 독립을 저해하는 일체 반동 세력을 박멸할 것

3. 건설 부면에 있어서 일체 시위를 민주주의적 원칙에 의거하고, 특히 노농 대중의 해방에 치중할 것

– 조선 건국 동맹의 건국 강령, 1944

친일파 청산 문제

다음을 읽고 물음에 답하시오.

(가) 제1조 북위 38도 이남의 조선 영토와 인민에 대한 통치의 모든 권한은 당분간 나의 권한 아래에서 시행한다.

제2조 공공 기관의 직원 및 고용인과 중요한 사업에 종사하는 모든 사람은 새로운 명령이 있을 때까지 그의 정당한 기능과 의무를 실행하고 모든 기록과 재산을 보존해야 한다.

– 맥아더 포고령 1호

(나) 총대로 나의 허리를 마구 때리고 발로 찼다. 나는 대항할 힘도 없이 그 자리에 엎어졌다. 다른 경찰이 합세하여 나를 발로 찼다. 결국 나는 그들에게 신분증과 권총을 빼앗기고 사무실 뒤편에 있는 마당으로 끌려갔다. 끌려가서 보니 나보다 먼저 출근한 특위 요원들과 낯이 익은 국회 의원 등 여러 명이 모두 머리에 손을 얹고 땅바닥에 꿇어앉아 있었다.

– 반민 특위 조사관 정철용의 증언

(다) 제2차 세계 대전 당시 프랑스의 비시 정부는 4년에 걸쳐 독일의 프랑스 통치에 적극 협력하였다. 연합군의 노르망디 상륙 작전 이후 파리가 해방되자 망명 정부를 이끌던 드골은 "국가가 애국적 국민에게는 상을 주고 반민족 행위자에게는 벌을 주어야만 국민을 단결시킬 수 있다.", "나치 협력자들의 범죄와 악행을 방치하는 것은 흉악한 종양들을 그대로 두는 것과 같다."라며 나치 협력자에 대한 단죄를 시작하였다. 이후 독일에 협력한 혐의자 12만 명 이상이 재판에 회부되어 약 3만 8천여 명이 유·무기 징역이나 금고형을 선고받았다.

1 (가), (나)를 토대로 친일파 청산이 제대로 이루어지지 않은 이유를 서술하시오.

....

....

....

2 (다)를 토대로 친일파 청산 문제가 현재에도 중요한 이유를 논술하시오.

....

....

....

한일 협정의 체결

다음을 읽고 물음에 답하시오.

(가) 제1조 1. 일본국은 대한민국에 대하여 (a) 3억 달러와 동등한 …… 무상으로 제공한다.

　　　　　　　　　　　　　　(b) 2억 달러와 동등한 …… 차관을 …… 행한다.

　　　제2조 1. 양 체약국은 양 체약국 및 그 국민(법인을 포함함)의 재산, 권리 및 이익과 양 체약국 및 그 국민 간의 청구권에 관한 문제가 …… 완전히 그리고 최종적으로 해결된 것이 된다는 것을 확인한다.

　　　　　　　　　　　　　　　　　　　　　　　　　　　　　　　－ 청구권·경제 협력에 관한 협정

(나) 1997년 12월, 고된 노역을 하고도 임금을 착취당한 일제 강제 징용 피해자들은 일본 제철(당시 신일철주금)을 상대로 일본 오사카 지방 재판소에 강제 징용 피해 보상 및 임금 배상을 위한 소송을 제기하였다. 그러나 2003년 일본 최고 재판소는 1965년 한일 양국이 맺은 한일 협정에 의해 개인에게 배상할 책임이 없다고 1심 판결을 확정하였다. 이에 피해자들은 2005년 2월 한국의 법원에 손해 배상 소송을 냈다. 2018년 10월 30일, 대법원은 일제 강제 징용 피해자들에 대한 일본 전범 기업의 손해 배상 책임을 인정해 원고 승소 판결을 확정하고 피해자들에게 1인당 1억 원씩을 지급하라고 최종 판결하였다. 한국 대법원은 한일 협정의 내용을 개인 청구권에 적용할 수 없다고 판단한 것이다. 일본 정부는 대법원의 판결이 나오자 국제법에서 볼 때 한일 협정으로 해결된 문제를 번복하였다며 반발하였다.

---

1 (가) 협정이 체결된 배경에 대해 한국, 미국의 입장을 포함하여 서술하시오.

....

....

....

....

2 (가), (나)를 토대로 강제 징용 피해자 문제에 대한 우리 정부와 일본 정부의 입장 차이를 논술하시오.

....

....

....

....

주제 **17**

5·18 민주화 운동

(가)에서 학생과 시민들이 무장한 이유를 쓰고, 이를 참고하여 (나)의 주장을 반박하는 글을 논술하시오.

(가) 우리는 왜 총을 들 수밖에 없었는가? 그 대답은 너무 간단합니다. 너무나 무자비한 만행을 더 이상 보고 있을 수만 없어서 너도나도 총을 들고 나섰던 것입니다. …… 정부 당국에서는 18일 오후부터 공수 부대를 대량 투입하여 시내 곳곳에서 학생, 젊은이들에게 무차별 살상을 자행하였으니! …… 너무나 경악스런 또 하나의 사실은 20일 밤부터 계엄 당국은 발포 명령을 내려 무차별 발포를 시작했다는 것입니다. 이 고장을 지키고자 이 자리에 모이신 민주 시민 여러분! 그런 상황에 우리가 할 수 있는 일은 무엇이겠습니까? 우리가 어떻게 해야겠습니까?
– 광주 시민군 궐기문, 1980

(나) 지난 18일 수백 명의 대학생들에 의해 재개된 평화적 시위가 오늘의 엄청난 사태로 확산된 것은 상당수의 타 지역 불순 인물 및 고정 간첩들이 사태를 극한적인 상태로 유도하기 위하여 여러분의 고장에 잠입, 터무니없는 악성 유언비어의 유포와 공공시설 파괴, 방화, 장비 및 재산 약탈 행위 등을 통하여 계획적으로 지역감정을 자극, 선동하고 난동 행위를 선도한 데 기인된 것입니다.
– 계엄사령관 이희성 담화문, 1980

경제 성장의 빛과 그림자

다음을 읽고 물음에 답하시오.

> (가) • 우리나라는 천연자원은 아직 미개발 상태에 있으나 반면에 인적 자원은 풍부합니다. 그러므로 …… 저렴하고 풍부한 노동력을 최대한으로 활용하여 다각적인 생산 활동을 벌여 나가야 합니다. 특히 노동 집약적인 산업을 육성시키고 여기서 만들어지는 공산품 수출을 진흥하는 데 더욱 노력할 것을 아울러 요망해 두고자 합니다.　　　　　　 – 박정희 대통령의 연설, 1964
>
> 　　 • 우리나라의 공업은 이제 바야흐로 '중화학 공업 시대'에 들어갔습니다. …… 정부는 지금부터 철강, 조선, 기계, 석유 화학 등 중화학 공업 육성에 박차를 가해서 이 분야의 제품 수출을 강화하려고 추진하고 있습니다.　　　　　　　 – 박정희 대통령의 연두 기자 회견, 1973
>
> (나) 1976년 7월 전라남도 함평 농협은 농민들에게 고구마 전량 수매를 약속하며 생산을 독려하였다고 한다. 그러나 고구마 수매가를 낮추려는 농협과 관련 기업의 농간으로 11월이 지나도록 수매가 제대로 이루어지지 않아 고구마가 썩기 시작하였다. 이에 농민들은 피해 보상을 요구하며 소송을 제기하고, 가톨릭 농민회의 지원 아래 집단 항의 농성을 전개하였다.
>
> (다) 존경하는 대통령 각하! …… 저희들은 근로 기준법의 혜택을 조금도 못 받으며 …… 이들은 전부가 다 영세민들의 자제이며, 굶주림과 어려운 현실을 이기려고 하루에 90원 내지 100원의 급료를 받으며 1일 15시간씩 작업을 합니다. …… 저희들의 요구는 …… 1일 10시간~12시간으로, 1개월 휴일 2일을 일요일마다 휴일로 쉬기를 희망합니다.　　　　 – 박정희 대통령에게 보낸 탄원서

1 (가)를 토대로 박정희 정부의 경제 정책이 어떻게 변화하였는지 서술하시오.

2 (가)~(다)를 바탕으로 박정희 정부 때 추진된 경제 정책의 성과와 문제점을 논술하시오.

주제 19 현대 사회의 과제

다음을 보고 물음에 답하시오.

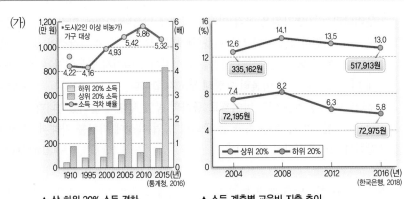

▲ 상·하위 20% 소득 격차   ▲ 소득 계층별 교육비 지출 추이

(나) 복지와 사회 안전망을 강화하여 정부의 소득 재분배 기능이 정상화되어야 양극화와 불평등을 해소할 수 있다. 재벌의 경제력 집중을 막고 공정한 시장 질서가 정착하는 데 총력을 집중해야 한다. 그래야 극심한 양극화를 해소할 수 있고 경제의 혁신 동력이 마련된다.

(다) 급격한 최저 임금 인상과 근로 시간 단축으로 생산 기지는 해외로 옮겨 가고, 일자리가 감소하고 있다. 일자리를 늘리고 양극화를 개선하기 위해서는 기업과 소상공인을 지원해야 한다. 근로 시간을 단축하거나 임금을 올리는 것도 좋지만, 기업가 정신으로 도전하고 벤처 기업을 창업할 수 있도록 지원해 주는 것이 더 우선이다.

1 (가)를 바탕으로 우리 사회에 나타난 문제점에 대해 논술하시오.

2 (나), (다)를 토대로 (가)에 나타난 문제점을 해결할 수 있는 방안을 논술하시오.

Memo

Memo

15개정 교육과정

· 완벽한 자율학습서 ·

완자

완자네 새주소

자율학습시
비상구

정확한 답과 친절한 해설

정답친해로
53

정답친해로
오삼~

한 국 사

visang

ABOVE IMAGINATION

우리는 남다른 상상과 혁신으로
교육 문화의 새로운 전형을 만들어
모든 이의 행복한 경험과 성장에 기여한다

완벽한 자율학습서

완자

자율학습시
비상구
정답친해로
53

정확한 답과 **친절한 해설**

한 국 사

I. 전근대 한국사의 이해

01 고대 국가의 지배 체제

STEP 1   핵심 개념 확인하기   016쪽

1 신석기 시대 **2** (1) ○ (2) × (3) ○ **3** (1) ㄷ (2) ㄴ (3) ㄱ (4) ㄹ
4 ㄱ, ㄴ **5** 선왕

STEP 2   내신 만점 공략하기   016～019쪽

01 ④   02 ③   03 ②   04 ④   05 ③   06 ④   07 ⑤
08 ③   09 ④   10 ①   11 ③   12 ①   13 ⑤   14 ④
15 ③

01 신석기 시대의 생활 모습
제시된 빗살무늬 토기는 신석기 시대를 대표하는 유물 중 하나이다. 한반도의 신석기 시대는 약 1만 년 전부터 시작되었는데, 농경과 목축이 시작되었고 정착 생활이 이루어졌다. 그리고 간석기와 토기가 제작되어 사용되었다.
┃바로 알기┃ ① 청동기 시대에 계급이 발생하였다. ② 철기 시대에 철제 농기구가 보급되어 농업 생산력이 증가하였다. ③ 구석기 시대에 뗀석기를 만들기 시작하였다. 신석기 시대에는 간석기를 만들어 사용하였다. ⑤ 구석기 시대에 주로 동굴이나 바위 그늘에 거주하면서 이동 생활을 하였다.

02 고조선의 사회 모습
자료는 고조선에 있던 8조의 법 중 전하는 일부 내용이다. 고조선은 기원전 2333년에 청동기 문화를 바탕으로 단군왕검이 건국하였다고 전하는데, 단군왕검의 명칭을 통해 당시가 제정일치 사회였음을 짐작할 수 있다. 고조선에서는 부왕과 준왕 등의 왕이 등장하여 왕위를 세습하였다. 왕 아래에는 상, 대부, 장군 등의 관직을 두어 일정한 관직 체계를 갖추었다.
┃바로 알기┃ ③ 제가들이 사출도를 관할한 것은 부여에 해당한다.

03 삼한의 발전
자료는 신지, 읍차, 소도 등의 내용을 통해 삼한과 관련이 있음을 알 수 있다. 삼한은 마한, 진한, 변한으로 이루어졌다. 삼한에서는 신지·읍차 등의 군장이 각 소국을 통치하였고, 천군이라는 제사장이 소도에서 종교 의례를 주관하였다.
┃바로 알기┃ ① 단군왕검은 고조선의 시조이다. ③ 불교는 삼국 시대에 수용되었다. ④ 백제 무령왕이 22담로를 설치하고 왕족을 파견하였다. ⑤는 부여에 대한 설명이다.

04 부여와 옥저의 성장
지도는 만주와 한반도에서 철기 문화를 바탕으로 등장한 나라들을 나타낸 것으로, (가)는 부여, (나)는 옥저에 해당한다. 부여는 쑹화강 유역의 평야 지대에서 성장하였으며, 왕 아래에 마가·우가·구가·저가, 대사자·사자 등이 존재하였다. 옥저는 함경도 해안 지역을 중심으로 성장하였으며, 읍군과 삼로라는 군장이 부족을 다스렸다.
┃바로 알기┃ ① 마한 소국들이 백제에 통합되었다. ②는 삼한, ③은 고조선에 대한 설명이다. ⑤ 옥저는 왕이 통치하는 국가로 발전하지 못하여 율령을 반포하지 못하였다.

05 고구려의 발전
자료에서 대가들이 각각 사자, 조의, 선인 등의 관리를 거느리고 있다고 한 점, 제가들이 모여 회의한 점 등을 통해 고구려와 관련이 있음을 알 수 있다. 『삼국사기』에 따르면 고구려는 기원전 37년 압록강 부근의 졸본에서 건국되었으며, 1세기 초에 국내성으로 도읍을 옮겼다.
┃바로 알기┃ ① 3세기경부터 가야 연맹을 이끌었던 나라는 금관가야에 해당한다. ② 천군은 삼한의 제사장으로, 종교 의례를 주관하였다. ④, ⑤는 신라에 대한 설명이다.

06 가야 연맹의 발전
(가)는 가야 연맹이다. 가야 연맹은 변한 지역의 소국들이 통합되면서 형성되었으며, 3세기경 금관가야가 전기 가야 연맹을 주도하였다. 4세기 말 고구려 광개토 대왕이 신라를 지원하고자 보낸 군대가 금관가야를 공격하면서 가야 연맹은 타격을 입었고, 이후 연맹의 맹주가 금관가야에서 대가야로 바뀌게 되었다. 가야 연맹은 풍부한 철과 우수한 제철 기술을 바탕으로 발전하였으나 각 소국이 독자적인 권력을 유지하고 백제와 신라의 압력을 받아 중앙 집권 국가로 성장하지는 못하였다. 멸망 이후에는 많은 사람이 신라, 왜 등으로 건너가 문화 발전에 이바지하였다.
┃바로 알기┃ ① 골품제는 신라의 신분 제도였다. ② 정사암 회의는 백제에서 국정을 논의하는 회의체였다. ③ 16등급의 관등제는 백제에 해당한다. ⑤ 목지국의 지배자는 삼한 전체를 주도하였다.

07 백제 고이왕의 활동
자료는 내신좌평, 내두좌평, 병관좌평 등 6좌평을 두어 국정 분야를 나누어 맡도록 하고, 관리의 공복을 마련한 것을 통해 백제 고이왕이 추진한 정책과 관련이 있음을 알 수 있다. 고이왕은 좌평 중심의 관등제를 마련하는 등 3세기 백제의 통치 체제 정비에 많은 노력을 기울였다. 그리고 마한의 소국들을 공격하여 한강 유역을 장악하고 영토를 넓혔다.
┃바로 알기┃ ① 고구려 태조왕이 옥저를 정복하였다. ② 고구려 미천왕이 낙랑군을 몰아내고 대동강 유역을 확보하였다. ③ 백제 성왕은 사비로 도읍을 옮기고 22부의 중앙 관청을 설치하였다. ④ 신라 내물왕이 왕호를 이사금에서 마립간으로 바꾸었다.

08 신라의 성장

밑줄 친 '이 나라'는 신라에 해당한다. 신라는 『삼국사기』에 따르면 기원전 57년에 건국되었고, 경주를 도읍으로 삼아 진한 소국들을 복속시키며 영토를 넓혀 갔다. 4세기~5세기 초에 재위한 내물왕 때 신라는 김씨의 왕위 계승이 확립되었다.

바로 알기 ① 태학은 고구려 소수림왕이 설립하였다. ② 진대법은 고구려 고국천왕이 실시하였다. ④ 하남 위례성은 백제의 수도였다. ⑤ 고구려는 광개토 대왕 때 랴오둥반도로 진출하였다.

09 4세기 백제의 발전

지도는 4세기경 백제가 세력을 확대하여 최대 영토를 확보한 상황을 보여 준다. 백제는 근초고왕 때에 활발한 영토 확장을 펼쳤는데, 마한의 소국들을 복속시키고 가야 연맹에도 영향력을 행사하였으며 북쪽으로 고구려의 평양성을 공격하여 오늘날의 황해도 일대까지 진출하였다.

바로 알기 ① 신라가 지증왕 때 우산국을 정복하였다. ② 금관가야는 6세기 신라에 복속하였다. ③ 고구려가 광개토 대왕 때 만주 일대를 장악하였다. ⑤ 낙동강 동쪽 지역의 대부분을 차지한 것은 신라였다.

10 신라 법흥왕의 활동

〔자료 분석〕

법흥왕은 율령을 반포하고 관리의 공복을 정하였어.

• 〔(가)〕 7년 …… 봄 정월에 율령을 반포하고, 처음으로 모든 관리의 공복과 붉은색, 자주색으로 위계를 정하였다. - 『삼국사기』

• 〔(가)〕 9년(522) 봄 3월, 가야국 왕이 사신을 보내 혼인을 청하였기에 임금이 아찬 비조부의 여동생을 보냈다. …… 8년(531) 여름 4월, 이찬 철부를 상대등으로 삼아 나라의 일을 총괄하게 하였다. 상대등이라는 관직은 이때 처음 생겼으니, 지금의 재상과 같다. - 『삼국사기』

법흥왕은 상대등을 설치하여 재상의 역할을 부여하였어.

(가)에 들어갈 왕은 신라의 법흥왕이다. 법흥왕은 병부를 설치하여 군사 업무를 관장하게 하였으며, 율령을 반포하고 관등제를 실시하여 중앙 집권 체제를 확립하였다. 또한 불교를 공인하여 사상적 통합을 도모하였다.

바로 알기 ㄷ. 신라 진흥왕이 대가야를 병합하였다. ㄹ. 웅진 천도는 백제가 고구려의 공격을 받아 한성을 잃은 직후에 이루어졌다.

11 5~6세기 백제의 상황

첫 번째 글은 5세기 후반 백제가 고구려의 공격을 받아 한성을 잃은 상황을 담고 있다. 두 번째 글은 6세기 백제 성왕이 수도를 사비로 옮긴 사실을 보여 준다. 이 사이 시기인 웅진 도읍기에 무령왕은 지방의 22담로에 왕족을 파견하였다.

바로 알기 ① 발해는 698년 대조영이 건국하였다. ② 삼한은 장수왕이 집권하기 이전에 형성되었다. ④ 김흠돌의 난은 삼국 통일 후 신라에서 있었던 일이다. ⑤ 위만이 준왕을 몰아내고 왕위를 차지한 것은 기원전 2세기경의 일이다.

12 삼국의 관등제 정비와 운영

제시된 내용은 삼국이 관등제를 정비하여 국왕 중심의 관료 체제와 통치 질서를 확립해 나갔음을 보여 준다.

바로 알기 ② 삼국의 회의체는 왕과 부 대표들의 합의체로 운영되다가 중앙 집권화가 이루어지면서 왕 아래의 귀족 회의로 성격이 변화하였다. ③ 삼국은 전국을 행정 구역으로 편제하고 지방관을 파견하여 다스리는 지방 통치 체제를 마련하였다. ④ 삼국은 활발한 정복 활동과 제도 정비, 율령 반포 등을 통해 중앙 집권 체제를 갖추어가면서 왕위 계승을 안정시켜 나갔다. ⑤ 삼국은 5부 혹은 6부를 토대로 한 연맹체를 기반으로 국가를 성립시켰다.

13 신라 진흥왕의 활동

제시된 자료는 단양 신라 적성비로, 6세기 중반 신라 진흥왕 때 고구려와 전투를 벌여 적성을 차지하고 세운 비석이다. 이 비에는 적성 함락에 공을 세운 자들에 대한 포상과 함께 신라에 충성을 다하면 모두 포상하겠다는 내용이 담겼다. 한편, 진흥왕은 활발한 영토 확장에 나섰으며, 확보한 지역인 북한산, 황초령 등지에 순수비를 세웠다.

바로 알기 ① 백제는 진흥왕 사후인 7세기 중반에 멸망하였다. ②는 신라 법흥왕, ③은 백제 성왕, ④는 통일 신라 신문왕에 해당한다.

14 통일 신라의 통치 체제

지도는 전국을 9주로 나누고 5소경이 설치된 것을 통해 통일 신라의 지방 행정 구역을 나타낸 것임을 알 수 있다. 신라는 삼국을 통일한 후 통치 체제를 개편하였다. 왕의 직속 기구로 집사부를 두었고 국학을 설립하여 왕에게 충성하는 인재를 양성하고자 하였으며, 9주 아래에는 군현을 두어 지방관을 파견하였다. 군사는 9서당 10정으로 정비하였는데, 중앙군인 9서당에는 고구려와 백제 유민을 포함하였다.

바로 알기 ④ 고구려가 대대로 이하 10여 관등으로 관등제를 정비하였다.

15 발해의 발전

도표는 당의 3성 6부를 본떠 마련된 발해의 중앙 정치 기구를 나타낸 것이다. 발해는 무왕과 문왕 때에 각각 인안과 대흥이라는 연호를 사용하였다.

바로 알기 ① 상수리 제도는 통일 신라의 정책이었다. ② 9주 5소경은 통일 신라의 지방 행정 구역에 해당한다. ④는 신라 말의 정치 혼란 상황에 해당한다. ⑤ 신라에서 6두품 세력이 중앙 행정 실무를 담당하였다.

01 주제: 신라 국정 운영 방식의 변화

예시 답안 (가)에서 각 부의 대표들이 한자리에 모여 국정을 논의하여 처리하고 있음을 볼 수 있다. 그러나 중앙 집권화가 이루어져 왕권이 강화됨에 따라 (나)에서처럼 국왕이 내린 율령에 따라 국정이 처리되었다.

채점 기준

상	(가), (나) 내용을 통해 신라의 중앙 집권화 과정을 서술한 경우
하	(가), (나) 내용의 언급 없이 국정 운영 방식의 변화만 서술한 경우

02 주제: 신라 촌락 문서의 작성 목적

예시 답안 신라는 촌락 문서를 통해 마을의 인구와 가구 수, 토지의 종류와 면적, 가축의 수 등 경제 상황을 파악하여 조세와 노동력을 거두는 데 활용하였다.

채점 기준

상	마을의 경제 상황을 파악하여 조세와 노동력을 거두는 데 활용하였다고 서술한 경우
중	조세와 노동력을 거두는 데 활용하였다고만 서술한 경우
하	마을의 경제 상황을 파악하기 위해서라고만 서술한 경우

03 주제: 신라 말의 정치적 상황

예시 답안 신라 말에 귀족들의 왕위 쟁탈전이 일어났으며, 지배층의 권력 다툼으로 국정이 문란해지면서 민생이 악화되어 곳곳에서 농민 봉기가 일어났다.

채점 기준

상	신라 말 귀족들의 왕위 쟁탈전과 지배층의 권력 다툼에 따른 민생 악화로 농민 봉기가 일어났음을 모두 서술한 경우
중	신라 말 귀족들의 왕위 쟁탈전과 민생 악화에 따른 농민 봉기 중 한 가지만 서술한 경우
하	신라 말 정치가 혼란하였다고만 서술한 경우

STEP 3 **1등급 정복하기**   020~021쪽

1 ②   2 ④   3 ④   4 ②

1 고구려와 신라의 발전

(가)는 고구려에서 제가 회의가 열렸음을 보여 주고, (나)는 신라의 화백 회의가 만장일치로 운영되었음을 보여 준다. 고구려에는 지배층으로 왕과 여러 가들이 있었는데, 이들은 각각 사자, 조의, 선인 등의 관리를 거느렸다.

┃바로 알기┃ ①은 신라, ③은 백제, ④는 고조선에 대한 설명이다. ⑤ 고구려와 신라는 중앙 집권 국가로 발전하였다.

2 신라 법흥왕의 활동

자료 분석

> 금관가야의 마지막 통치자로, 신라에 항복하고 왕족에 준하는 대우를 받았어.

> [(가)] 19년에 금관국의 왕인 김구해가 왕비와 세 명의 아들 노종, 무덕, 무력을 데리고 나라의 창고에 있던 보물을 가지고 와서 항복하였다. 왕이 예로써 대접하고 상등의 벼슬을 주었으며, 본국을 식읍으로 삼게 하였다. 아들 무력은 벼슬이 각간에 이르렀다. …… 재위 23년에는 처음으로 연호를 칭하기를 '건원' 원년이라 하였다.
> 법흥왕 때 사용된 신라의 독자적인 연호야. ─『삼국사기』

금관국(금관가야) 정복, '건원' 사용 등을 통해 (가)가 법흥왕임을 알 수 있다. 법흥왕은 병부와 상대등을 설치하여 중앙 집권 체제 정비에 기여하였다.

┃바로 알기┃ ① 왕호를 이사금에서 마립간으로 바꾼 것은 내물왕에 해당한다. ② 진대법은 고구려 고국천왕 때 실시된 제도이다. ③ 안시성에서 당의 군대를 물리친 것은 고구려와 관련이 있다. ⑤ 제가 회의는 고구려의 회의체였다.

3 신라 신문왕의 활동

자료 분석

사료로 보는 한국사	『삼국사기』편
재위 1년 …… "병부령 이찬 군관은 …… 반역자 흠돌 등과 교섭하여 역모 사실을 미리 알고도 말하지 않았다. …… 군관과 맏아들은 스스로 목숨을 끊게 하고 ……."	재위 7년, 명을 내려 문무 관리들에게 토지를 주었는데 차등이 있었다. …… 재위 9년, 정월에 명을 내려 내외관의 녹읍을 없애고 해마다 조(租)를 차등 있게 주었다.

> 신문왕 즉위년에 일어난 김흠돌의 난을 가리켜.

> 신문왕은 녹읍을 없애 귀족들의 경제 기반을 약화하였어.

자료는 신문왕과 관련이 있다. 문무왕의 뒤를 이어 즉위한 신문왕은 9주 5소경 체제를 마련하고 유학 교육 기관인 국학을 설치하는 등 통치 체제를 정비하였다.

┃바로 알기┃ ① 대가야는 진흥왕 때 신라에 복속하였다. ② 수의 군대를 살수에서 물리친 것은 고구려 을지문덕이다. ③ 22담로에 왕족을 파견한 것은 백제 무령왕이다. ⑤ 백제를 공격하여 한강 유역을 차지한 것은 고구려 장수왕, 신라 진흥왕 등에 해당한다.

4 발해의 성립과 발전

자료에서 신라와 맞닿아 있고 해동성국이라고 불린 점 등을 통해 (가)는 발해임을 알 수 있다. 발해는 대조영이 고구려 유민과 말갈인을 이끌고 건국하였으며, 무왕, 문왕 대를 거치면서 영토를 확장하고 통치 체제를 정비하였다. 그리고 선왕 때에 최대 영토를 차지하는 등 전성기를 누렸다.

┃바로 알기┃ ① 9서당은 통일 신라의 중앙군이다. ③ 고조선은 한의 침공으로 멸망하였다. ④ 향, 부곡 등의 특수 행정 구역은 신라에 존재하였다. ⑤ 혜공왕은 통일 신라의 국왕이다.

02 고대 사회의 종교와 사상

STEP 1 핵심 개념 **확인**하기　　026쪽

1 (1) ○ (2) ○ (3) ×　　**2** (1) ㄷ (2) ㄱ (3) ㄴ (4) ㄹ　　**3** 선종
4 (1) 도교 (2) 이차돈 (3) 태학 (4) 설총　　**5** 독서삼품과

STEP 2 내신 만점 **공략**하기　　026~029쪽

01 ②	02 ②	03 ④	04 ③	05 ④	06 ①	07 ⑤
08 ④	09 ③	10 ④	11 ③	12 ①	13 ③	14 ②
15 ⑤						

01 신석기 시대의 원시 신앙

신석기 시대에는 농경과 목축이 시작되고 정착 생활이 이루어지면서 자연물 혹은 자연 현상을 숭배하는 원시 신앙이 등장하였다. 이를 애니미즘이라고 한다.

▌바로 알기▐ ① 불교는 삼국 시대에 수용되어 통일 신라 때 대중화되었다. ③ 청동기 시대에 선민사상이 등장하였다. ④ 풍수지리설은 신라 말 도선 등이 수용하였다. ⑤ 사신도는 고구려 고분 벽화에 도교의 네 방위신을 그린 그림이다.

02 부여의 천신 신앙

자료는 부여의 건국 이야기로, 시조인 동명을 하늘(천신)과 연결하여 시조가 신성한 존재임을 드러냈다.

▌바로 알기▐ ① 제시된 자료는 부여의 건국 이야기이다. ③ 부여에서 영고가 개최되었으나 제시된 자료로 알 수 없다. ④ 부여는 철기 시대를 기반으로 성립하였다. ⑤는 구석기 시대와 관련된 설명이다.

03 고구려의 사회 모습

자료에서 동맹이라는 제사를 드린 내용을 통해 밑줄 친 '이 나라'는 고구려임을 알 수 있다. 고구려는 제가 회의에서 국가의 중대사를 논의하였다.

▌바로 알기▐ ①은 고조선, ②는 부여, ③, ⑤는 삼한에 대한 설명이다.

04 삼국의 천손 의식

삼국의 왕실은 자신들이 하늘의 자손이라는 천손 의식을 내세워 왕실의 안정을 꾀하였다. 그리하여 왕실은 시조를 모시는 사당을 세우고 제사를 지냄으로써 왕이 속한 집단이 연맹을 구성하는 다른 집단보다 우월함을 내세웠다.

▌바로 알기▐ ① 삼국은 율령을 수용하여 왕권을 강화하였다. ② 신라 말 선종이 유행하면서 승탑과 탑비가 많이 세워졌다. ④ 삼국은 유학을 교육하여 관리를 양성하였다. ⑤ 삼국은 관등제를 정비하고 관복을 정해 위계 질서를 세웠다.

05 고구려의 독자적 천하관

> **자료 분석**
>
> • 시조 추모왕이 나라를 세웠는데 …… 17세손에 이르러 국강상광개토경평안호태왕이 18세에 왕위에 올라 칭호를 영락 대왕이라 하였다. (대왕의) 은혜로운 혜택이 하늘까지 미쳤고 용맹함과 위엄이 사방의 바다에 떨쳤다.　└ 고구려 시조가 천손임을 밝히고 있다.　– 「광개토 대왕릉비」
>
> • 하백의 손자이며 일월의 아들인 추모성왕이 북부여에서 나셨으니, 이 나라 이 고을이 가장 성스러움을 천하 사방이 알지니 …… 국강상대개토지호태성왕에 이르러 (모두루의) 조부와의 인연으로 노객 모두루와 □□모에게 은혜를 베푸시어 영북부여수사로 파견하니, ……　└ 광개토 대왕 때 북부여 수사의 관직에 올랐던 모두루의 활동을 담고 있다.　– 「모두루묘지문」

└ 광개토 대왕이 온 세상에 권위를 떨쳤다고 하며 고구려 중심의 천하관을 내세웠어.

┌ 광개토 대왕이 즉위하였으며 '영락'이라는 연호와 '태왕' 호칭을 사용하였음을 알 수 있어.

제시된 두 자료에서는 모두 고구려의 시조인 추모왕(추모성왕)이 천신의 후손이고 광개토 대왕이 그 혈통을 이어받았다고 기록하였으며, 광개토 대왕을 태왕으로 표현하고 있다. 이는 모두 고구려가 독자적 천하관을 가졌음을 보여 준다.

▌바로 알기▐ ① 삼국 통일은 나당 연합군이 백제와 고구려를 멸망시킨 후 나당 전쟁에서 신라가 승리함으로써 완성되었다. ② 고구려는 장수왕 때 남진 정책을 추진하여 도읍을 평양으로 옮기고 한강 유역을 장악하였다. ③ 고구려는 7세기 전반에 수, 당과 항쟁을 벌였다. ⑤ 삼국은 4~6세기에 치열한 경쟁을 통해 한강 유역을 차지하려 하였는데, 제시된 자료들과는 관련이 없다.

06 신라의 불교 공인과 발전

자료는 귀족들이 불교 수용을 반대하였다가 이차돈의 희생으로 불교를 공인하였음이 나타난 것을 통해 신라와 관련이 있음을 알 수 있다. 신라는 불교 수용 과정에서 귀족들의 반발을 겪다가 6세기 이차돈의 순교를 계기로 불교를 공인하였다. ① 신라 진흥왕 시기에 이사부의 건의를 수용하여 거칠부가 『국사』를 편찬하였다.

▌바로 알기▐ ② 영고는 부여의 제천 행사이다. ③ 오경박사는 백제에서 유학 교육을 담당하였다. ④ 고구려 광개토 대왕 때 왕을 '대왕', '태왕' 등으로 불렀고, '영락'이라는 독자적인 연호를 사용하였다. ⑤ 경당은 고구려의 교육 기관이다.

07 삼국의 불교 수용

삼국은 국왕 중심의 위계질서를 더욱 확고히 하고 사회의 통합을 꾀하기 위해 불교를 수용하였다. 삼국의 왕실은 불교의 여러 요소를 활용하여 왕권의 위상을 높이고자 하였다. 대표적으로 불교 세계의 이상적 통치자를 가리키는 '전륜성왕'을 국왕과 연결시켰고, 신라 진평왕은 왕명을 불교식으로 지어 왕실을 석가모니(부처)의 집안과 동일하게 만들었다. 이로써 부처를 믿는 것과 왕을 따르는 것이 같다고 강조하였다.

▌바로 알기▐ ① 독자적인 연호 사용은 국가의 국제적 위상을 높이는 효과가 있었다. ②는 삼국의 천신 신앙과 관련이 있다. ③ 통일 신라의 국학과 고구려의 태학은 유학 교육 기관이었다. ④ 이사금, 마립간 등의 칭호 사용은 불교 수용과 관련이 없다.

08 원효의 활동

자료는 통일 신라의 원효가 아미타 신앙을 전하였음을 보여 준다. 따라서 밑줄 친 '그'는 원효이다. 원효는 일심 사상을 내세우는 한편, 여러 종파의 대립을 없애고자 화쟁 사상을 주장하였다. 더불어 누구나 부지런히 '나무아미타불'을 외우면 내세에는 아미타불이 있는 극락(서방 정토)에 태어날 수 있다는 아미타 신앙을 전파하여 하층민들도 불교를 친숙하게 받아들이도록 하였다. 이에 힘입어 불교가 대중화되었다.

▮ **바로 알기** ▮ ④ 통일 신라의 승려 의상은 「화엄일승법계도」로 교리를 체계화하였다.

09 의상의 활동

자료 분석

> 의상은 부석사, 화엄사 등의 사찰을 건립하여 제자를 키웠어.

> [(가)] 이/가 열 곳의 절에 교리를 전하게 하였으니 태백산의 부석사, …… 남악의 화엄사 등이 그것이다. 「화엄일승법계도」를 저술하고 주석을 붙여 요긴한 알맹이를 포괄하였으니 …… 제자 오진, 지통 등은 우두머리가 되었는데, 모두 성인에 버금갔다.
> 의상은 화엄 사상을 깊이 연구하여 그 핵심 사상을 「화엄일승법계도」에 담았어.
> – 『삼국유사』

(가)는 통일 신라의 승려 의상이다. 의상은 중국에서 화엄학을 공부하고 신라에 돌아와 신라(해동) 화엄종을 개창하고, 사찰을 세워 많은 제자를 길렀다.

▮ **바로 알기** ▮ ① 원효는 화쟁 사상을 주장하여 종파의 대립을 없애고자 하였다. ② 『왕오천축국전』은 혜초가 저술하였다. ④는 이차돈, ⑤는 원측과 관련이 있다.

10 신라 말 선종의 유행

제시된 문화유산은 승려의 사리를 보관하기 위해 세운 승탑인 화순 쌍봉사 철감 선사탑이다. 승탑이 유행하는 데 영향을 끼친 불교 사상은 선종이었다. 선종은 신라 말 사회가 혼란하던 시기에 교종의 폐단을 비판하며 확산되었고, 참선 수행을 통한 깨달음과 실천을 중시하였다.

▮ **바로 알기** ▮ ① 원효는 교종 중심의 불교를 발전시켰다. ②는 풍수지리설에 대한 설명이다. ③ 교종이 진골 귀족들의 후원을 받았다. ⑤는 도교에 대한 설명이다.

11 발해의 불교 발전

제시된 자료에서 이불 병좌상, 수도 상경성 등을 통해 (가) 국가가 발해임을 알 수 있다. 발해는 고구려 불교를 계승하였고 당의 문화를 수용하면서 불교 사상을 발전시켜 나갔다. 발해에서 문왕을 높여 부른 칭호에는 '금륜', '성법' 등 불교의 전륜성왕 관념이 반영되었다.

▮ **바로 알기** ▮ ① 미륵사는 백제에서 건축되었다. ② 9산선문은 신라 말의 선종과 관련이 있다. ④ 원광의 세속 5계는 신라 화랑의 다섯 가지 계율이었다. ⑤는 통일 신라의 불교문화에 대한 설명이다.

12 임신서기석과 신라의 유교 발전

자료에서 임신년에 두 명이 충성의 맹세를 한 것과 3년 안에 유학 경전을 습득하기로 약속한 것을 통해, 해당 비석은 신라의 임신서기석임을 알 수 있다. 임신서기석은 신라의 젊은이들이 유학을 학습하고 교육을 받았음을 뒷받침하는 자료이다.

▮ **바로 알기** ▮ ②는 단양 신라 적성비, 서울 북한산 신라 진흥왕 순수비 등과 관련이 있다. ③은 고구려의 유학 교육과 관련이 있다. ④ 제시된 자료는 유학 교육과 관련된 것으로, 도교의 전래와 관련이 없다. ⑤ 『신집』 5권은 고구려에서 편찬된 역사서이다.

13 풍수지리설의 수용

밑줄 친 '이 이론'은 풍수지리설을 가리킨다. 신라의 지방 호족들은 풍수지리설을 이용하여 수도 금성의 운수가 다하였다고 주장하면서 자신의 근거지에서 세력을 키워 나갔다.

▮ **바로 알기** ▮ ① 영고는 부여의 제천 행사이다. ②는 유교, ④는 불교의 업설과 관련이 있다. ⑤ 풍수지리설은 신라 말 수도 금성 중심의 통치 질서를 약화하는 데 영향을 주었다.

14 신라 진흥왕 대의 사회 모습

자료에서 북한산을 순행한 점, 대가야가 반란을 일으켰는데 이사부를 보내 토벌하여 항복을 받아낸 점 등을 통해 (가)는 신라 진흥왕임을 알 수 있다. 진흥왕이 재위하던 시기에 거칠부가 『국사』를 편찬하였다.

▮ **바로 알기** ▮ ①은 법흥왕, ③, ⑤는 신문왕, ④는 내물왕의 재위 시기에 있었던 일들이다.

15 통일 신라 6두품의 활약

제시된 글은 통일 이후 신라의 유학 발전과 지식인들 중 6두품의 활약에 대해 이야기하고 있다. 대표적 6두품인 강수는 신라의 삼국 통일 전후 시기에 외교 문서 작성과 해석 등에 큰 기여를 하였으며, 설총은 이두를 체계적으로 정리하였다.

▮ **바로 알기** ▮ ①, ② 원측과 혜초는 통일 신라의 승려로 불교 발전에 기여하였다. ③ 오경박사는 백제에서 유학 교육을 담당하였다. ④ 김대문은 진골 출신 지식인이었다.

서술형 문제

029쪽

01 주제: 삼국 시대 불교의 역할

예시 답안 신라 왕들은 불교식 왕명을 짓고 왕실을 석가모니 집안의 환생으로 내세우면서 왕을 중심으로 한 위계질서를 합리화하였다.

채점 기준

상	불교식 왕명, 석가모니 집안의 환생을 내세움 등을 사례로 들어 왕권 강화에 기여하였다고 서술한 경우
하	왕권 강화에 기여하였다고만 서술한 경우

02 주제: 독서삼품과의 운영

예시 답안 독서삼품과. 신라 원성왕은 독서삼품과를 실시함으로써 유학 경전에 대한 지식수준을 평가하여 우수한 인재를 관리로 선발하고 유학 교육을 진흥하고자 하였다.

채점 기준

상	독서삼품과를 쓰고, 제도의 실시가 유학 교육 진흥, 인재 양성 등과 관련이 있음을 서술한 경우
중	독서삼품과를 쓰고, 제도의 실시 목적을 일부만 서술한 경우
하	독서삼품과만 쓴 경우

03 주제: 발해 유학의 발전

예시 답안 발해는 교육 기관으로 주자감을 설립하여 유학 소양을 갖춘 인재를 양성하였다. 또 당에서 유교 경전을 비롯한 여러 서적을 들여와 문적원에서 관리하였다.

채점 기준

상	주자감과 문적원의 활동을 모두 서술한 경우
하	주자감과 문적원의 활동 중 한 가지만 서술한 경우

STEP 3 1등급 정복하기

030～031쪽

1 ③   2 ⑤   3 ⑤   4 ②

1 호국 불교의 발달

자료에는 황룡사 9층 목탑이 주변국으로부터 신라를 지키려는 염원에 따라 세워졌음이 드러나 있다. 이를 통해 당시 신라에서 호국 불교가 발달하였음을 유추할 수 있다. 삼국 시대의 불교는 국가의 안녕과 발전을 비는 호국 불교의 성격을 띠었다. 그리하여 왕실 주도로 호국적 성격의 대규모 사찰을 건립하였는데, 고구려는 평양에 9개의 사찰을 건립하였고 백제는 미륵사를 창건하였다. 신라 선덕 여왕은 불교를 통해 국가의 위기를 극복하고자 황룡사 9층 목탑을 세웠다.

바로 알기 ① 관음 신앙은 자비를 베풀어 중생을 구제한다는 관음보살을 믿는 신앙으로, 통일 신라의 승려 의상이 전파하였다. ② 불교의 대중화는 원효와 의상의 활동과 관련이 있다. ④는 신라 이차돈의 희생에 대한 일화와 관련이 있다. ⑤ 6두품 출신 유학자들은 신라 말 골품제 사회를 비판하였으나, 제시된 자료와는 관련이 없다.

완자 정리 노트 삼국 시대 불교의 역할

왕권 강화	국왕 중심의 위계질서 확립에 활용, 전륜성왕 관념 채택, 왕즉불(왕이 곧 부처) 사상 제시, 불교식 왕명(신라) 사용 등
호국	국가의 안녕과 발전을 위해 대규모 사찰과 탑 제작(백제의 미륵사, 신라의 황룡사와 황룡사 9층 목탑 등), 각종 불교 행사 개최, 신라의 세속 5계 규정 등

2 원효의 활동

자료는 불교의 학문적·철학적 이해를 심화한 통일 신라의 승려, 일심 사상 주장, 『무량수경종요』의 내용 등을 통해 원효와 관련이 있음을 알 수 있다. 원효는 화쟁 사상을 주장하여 불교 교리 간 이론적 대립을 해소하려 하였다. 또한 불교 교리를 잘 몰라도 '나무아미타불'을 간절히 외우면 극락에 갈 수 있다는 아미타 신앙을 전파하여 불교의 대중화에 기여하였다.

바로 알기 ① 김대문은 화랑의 전기를 모은 『화랑세기』와 명망 있는 승려들의 전기를 모은 『고승전』을 지었다. ②는 신라와 발해의 유학자들에 대한 설명이다. ③ 신라의 승려 자장이 황룡사 9층 목탑의 건립을 건의하였다고 전해진다. ④는 혜초의 활동에 해당한다.

3 도교의 발달

제시된 문화유산은 백제 금동 대향로이다. 이 유물에서 불로장생을 상징하는 봉황 조각, 신선 조각 등은 도교 사상이 반영된 것이다. 삼국에서 도교는 도가, 신선 사상, 민간 신앙 등이 결합되어 성장하였다.

바로 알기 ① 신라 말 풍수지리설은 각 지방의 지리적 중요성을 일깨워 수도인 금성을 중심으로 한 통치 질서와 국토에 대한 관념을 바꾸는 데 영향을 주었다. 그리하여 송악 길지설 등을 뒷받침하였다. ② 「화엄일승법계도」는 승려 의상이 화엄 사상의 요지를 간결한 시로 축약한 글로, 불교와 관련이 있다. ③ 전륜성왕은 불교에서 부처의 가르침에 따라 세계를 지배하는 이상적인 통치자를 가리킨다. ④ 신라 말 불교의 종파인 선종이 유행하면서 승탑과 탑비가 많이 제작되었다.

완자 정리 노트 도교 문화유산

사신도	고구려 고분 벽화에 그려진 도교의 방위신(청룡, 백호, 주작, 현무)으로서 죽은 자의 사후 세계를 지켜 준다고 알려짐
산수무늬 벽돌	백제에서 제작된 것으로, 봉황과 구름 무늬, 산수무늬가 표현되어 자연과 더불어 살고자 하는 바람이 담겨 있음
백제 금동 대향로	불교적 요소(연꽃 봉오리 등)와 더불어 도교의 이상 세계(불로장생을 상징하는 신선, 봉황 등)가 표현되어 있음
백제 무령왕릉 지석, 진묘수	• 지석: 토지신에게 값을 치르고 무덤 터를 산다는 계약서가 새겨져 있음 • 진묘수: 신상으로 무덤을 수호하고 죽은 사람의 영혼을 신선 세계로 인도한다는 믿음이 담김

4 삼국 역사서의 편찬

(가)의 『신집』 5권은 고구려, (나)의 과정으로 편찬된 『국사』는 신라의 역사서이다. 삼국에서는 교육 기관을 설립하여 유학적 소양을 갖춘 인재를 양성하고, 이들을 관료로 등용하였다. 고구려는 소수림왕 때 수도에 태학을 세워 유교 경전과 역사서를 가르쳤다.

바로 알기 ① 국학은 통일 신라의 교육 기관이다. ③ 연개소문은 고구려에서 집권하여 도교를 장려하였다. ④는 백제의 관등제와 관련이 있다. ⑤는 (가) 고구려에만 해당한다.

STEP 1 핵심 개념 확인하기 036쪽

1 왕건(태조)　　2 (1) × (2) × (3) ○　　3 (1) ㄴ (2) ㄱ (3) ㄷ
4 안찰사　　5 (1) 별무반 (2) 서희 (3) 강조의 정변

STEP 2 내신 만점 공략하기 036~038쪽

01 ③　02 ④　03 ⑤　04 ④　05 ①　06 ④　07 ⑤
08 ⑤　09 ②　10 ①

01 후삼국의 분열과 고려의 통일

첫 번째 글은 900년, 두 번째 글은 935년의 사실이다. 이 사이 시기에 궁예는 후고구려의 수도를 철원으로 옮기고 국호를 태봉으로 바꾸었다.

바로 알기 ①, ②는 통일 신라에서 있었던 일들이다. ④는 신라의 삼국 통일 과정에서 있었던 일이다. ⑤ 6세기 백제 무령왕이 22담로에 왕족을 파견하였다.

02 태조의 정책

자료는 고려의 태조가 남긴 훈요 10조의 내용이다. 태조는 고구려 계승 의식을 바탕으로 서경을 중시하면서 북진 정책을 추진하였다. 또한 발해 유민을 포용하고 거란을 배척하였으며, 사심관 제도와 기인 제도 등을 실시하여 호족 세력을 통합하고자 하였다. 세금을 감면해 주고 호족의 지나친 세금 징수를 금지하는 등 민생 안정을 위한 정책도 펼쳤다.

바로 알기 ④ 인안은 발해의 무왕 때 사용한 연호이다.

03 광종의 정책

자료 분석

광종은 쌍기의 건의를 받아들여 과거제를 처음 시행하였어.

삼국 이전에는 과거의 법이 없었고, …… (가) 이/가 쌍기의 의견을 수용하여 과거로 인재를 뽑게 하니, 이때로부터 학문을 중시하는 풍조가 일어나기 시작하였다.

과거는 유교적 소양을 갖춘 관리를 등용하는 제도였어.

(가)는 광종이다. 광종은 노비안검법을 실시하여 후삼국 통일 과정에서 포로가 되거나 호족이 강압적으로 노비로 삼은 자를 조사하여 양인으로 풀어 주도록 하였다. 이를 통해 호족과 공신들의 경제력을 약화하였다.

바로 알기 ① 성종이 국자감을 정비하였다. ② 경종이 전시과를 실시하였다. ③ 태조가 후삼국 통일을 완성하였다. ④ '영락'은 고구려 광개토 대왕이 사용한 연호이다.

04 최승로의 시무 28조

자료는 최승로가 성종에게 올린 시무 28조의 내용이다. 이 내용은 중앙 집권을 강화하기 위해 지방관 파견을 제안한 것으로, 성종은 이를 수용하여 12목을 설치하고 지방관을 파견하였다.

바로 알기 ① 불교는 삼국 시대에 중국을 통해 전래되었다. ② 백제의 성왕은 수도를 웅진에서 사비로 옮겼다. ③ 통일 이후 신라는 수도인 금성이 한쪽으로 치우친 문제를 해소하고자 5소경을 설치하였다. ⑤ 신라 진흥왕은 화랑도를 국가적 조직으로 개편하였다.

05 고려의 중앙 정치 기구

제시된 글은 도병마사를 설명한 것이다. (가) 도병마사는 중서문하성의 재신과 중추원의 추신이 참여하여 국방 문제를 회의한 기구로, 고려만의 독자적 기구였다. 중요한 안건의 경우에는 회의 참여 인원을 늘려 다수에게 의견을 물었다.

바로 알기 ② (나) 상서성은 실무 행정 부서인 6부를 관리하며 정책을 집행하였다. ③ (다) 중추원은 왕의 비서 기구로 군사 기밀과 왕명의 출납을 담당하였다. ④ (라) 어사대는 감찰 기구로 중서문하성의 낭사와 함께 대간으로 불리며 왕권을 견제할 수 있는 권한을 가졌다. ⑤ (마) 삼사는 재정과 회계를 담당하였다.

06 고려의 관리 등용 제도

고려 시대에는 과거와 음서로 관리를 등용하였다. 과거는 문과인 제술과와 명경과, 잡과, 승과가 실시되었다. 공신이나 5품 이상 고위 관리의 자손은 과거를 거치지 않고 음서를 통해 관리가 될 수 있었다.

바로 알기 ㄱ. 독서삼품과는 통일 신라 원성왕 때 실시되었다. ㄷ. 고려 시대에 무과는 거의 실시되지 않았다.

07 고려의 지방 행정 제도

지도는 고려의 지방 행정 제도를 나타낸 것이다. 고려는 전국을 경기, 5도와 양계로 나누어 통치하였다. 일반 행정 구역인 5도에는 안찰사를 파견하여 행정을 살폈고, 도 아래에는 주·군·현을 두었다. 군사적으로 중요한 지역에는 북계와 동계를 두어 병마사를 파견하였다. 또한 고려 시대에는 지방관이 주재하는 고을이 주현으로서 지방관이 파견되지 않은 속현을 감독하였는데, 주현보다 속현의 수가 많았다.

바로 알기 ⑤ 백제의 무령왕은 지방에 대한 통제를 강화하고자 22담로에 왕족을 파견하였다.

08 고려와 거란의 관계

자료는 거란 장수 소손녕과 고려 서희의 외교 담판을 보여 주는 것으로, 밑줄 친 부분은 모두 거란을 가리킨다. 거란은 고려를 세 차례 침략하였는데, 1010년에는 강조의 정변을 구실로 고려를 침략하였다. 이때 개경이 함락되기도 하였으나, 지방 고을들의 자체적인 방어와 중앙군의 전열 정비로 거란군이 큰 소득을 거두지 못하고 돌아갔다. 3차 침입 때는 강감찬이 귀주에서 거란군에 대승을 거두어 마침내 거란의 침입을 물리쳤다.

┃ 바로 알기 ┃ ㄱ. 고려는 여진을 정벌하고 동북 9성을 쌓았다가 이를 여진에게 돌려주었다. ㄴ. 매소성 전투와 기벌포 전투는 나당 전쟁에서 전개된 전투였다.

09 고려와 여진의 관계

지도의 (가)는 여진이다. 고려가 거란의 침입을 물리치자 동북쪽의 여진은 고려에 조공을 바치며 복속할 것을 자처하였다. 그러나 12세기에 들어 여진은 완옌부를 중심으로 부족들을 통합하고 세력을 키워 고려의 국경을 침범하기 시작하였다. 이에 고려는 윤관의 건의에 따라 별무반이라는 특수 부대를 편성하였다. 윤관은 예종 때 별무반을 이끌고 여진을 정벌하여 천리장성 밖 동북 지역에 9개의 성을 쌓았다. 이후 이 지역을 찾으려는 여진의 끊임없는 침입으로 방비가 어려워지자 여진의 충성 맹세를 받고 동북 9성을 돌려주었다.

┃ 바로 알기 ┃ ① 9서당은 통일 이후 신라에서 조직한 중앙군이다. ③ 광군은 고려 초기에 거란의 침입에 대비하여 조직한 예비군 성격의 군대이다. ④ 거란을 멸망시킨 금이 고려에 군신 관계를 요구하자 고려에서는 이를 두고 논쟁을 벌이다가 결국 수용하였다. ⑤ 발해의 무왕은 당을 견제하고자 산둥 지방을 공격하였다.

10 고려의 독자적 천하관

자료에서 '해동 천자' 자처, 여진 등 주변국을 제후국으로 삼음, 독자적 연호 사용, 개경을 황제의 도시라는 의미의 황도로 지칭, 신하에게 작위를 주어 제후처럼 대함 등의 내용을 통해 고려의 천하관과 관련된 내용임을 알 수 있다. 고려는 내부적으로 황제국 체제를 확립하고 국왕의 복식이나 용어, 의례 등을 중국의 황제와 동등하게 하였다.

┃ 바로 알기 ┃ ② 태조의 훈요 10조 등에 북진 정책을 추진하였음이 드러나 있다. ③ 태조는 호족 세력을 포섭하기 위해 성씨를 하사하고, 사심관 제도 등을 실시하였다. ④ 성종 때 유교 이념을 바탕으로 통치 체제를 정비하였다. ⑤ 고려의 지방 행정 체제를 통해 당시 특수 행정 구역을 운영하였음을 확인할 수 있다.

서술형 문제

038쪽

01 주제: 태조의 호족 통제 정책

예시 답안 (가)는 기인 제도, (나)는 사심관 제도이다. 태조는 기인 제도와 사심관 제도를 실시하여 호족을 통제하고 지방 통치를 보완하였다.

채점 기준

상	(가), (나) 제도의 명칭을 쓰고 호족 통제와 지방 통치 보완이 목적이었음을 서술한 경우
중	(가), (나) 제도의 명칭만 쓰거나, 호족 통제와 지방 통치 보완이 목적이었음만 서술한 경우
하	(가), (나) 중 한 제도의 명칭만 쓴 경우

02 주제: 최승로의 시무 28조와 성종의 개혁

예시 답안 성종은 최승로의 개혁안을 수용하여 당의 제도를 바탕으로 중앙 관제를 정비하였고, 국가 행사에 유교 의례를 도입하는 등 유교 중심의 통치 체제를 확립하였다.

채점 기준

상	당의 제도에 기반한 중앙 관제 정비, 유교 중심의 통치 체제 확립을 모두 서술한 경우
하	당의 제도에 기반한 중앙 관제 정비, 유교 중심의 통치 체제 확립 중 한 가지만 서술한 경우

03 주제: 별무반의 편성 목적

예시 답안 별무반. 고려는 기병이 뛰어난 여진을 정벌하기 위해 기병인 신기군이 포함된 별무반을 편성하였다.

채점 기준

상	별무반을 쓰고, 여진 정벌을 위해 기병이 포함된 별무반을 편성하였다고 서술한 경우
중	여진 정벌을 위해 특수 부대를 편성하였다고 서술한 경우
하	별무반의 명칭만 쓴 경우

STEP 3 ○ **1등급 정복하기**

039쪽

1 ③   2 ⑤

1 태조의 활동

자료 분석

> 태조는 발해의 유민을 적극적으로 포용하는 한편, 대광현에게 왕씨 성을 하사하기도 하였어.

- 발해국의 세자 대광현과 장군 신덕, …… 검교개국남 박어, 공부경 오흥 등이 나머지 무리들을 이끌고 오니, …… 왕은 이들을 매우 후하게 대접했는데, 대광현에게는 왕계라는 성명을 내려 주고 종실의 적(籍)에 붙여서 그 선대의 제사를 받게 하였다.
- 왕이 신하들에게 말하기를, "옛 도읍인 평양이 황폐해진 지 비록 오래되었으나 터는 아직도 남아 있다. …… 백성을 옮겨 이곳을 채우고 변방을 굳게 지켜 대대손손 이롭게 하라."고 하였다. 이에 평양을 대도호(서경)로 삼고 왕식렴과 열평을 보내 이곳을 지키게 하였다.

> 태조는 평양을 서경으로 삼아 중시하면서 북진 정책을 추진하였어.

첫 번째 자료는 발해가 거란(요)의 공격으로 멸망하자 그 유민들이 고려에 들어왔고, 이를 받아들였다는 내용이다. 두 번째 자료는 고구려의 수도였던 평양을 서경으로 삼고 중시하였다는 내용이다. 이를 통해 밑줄 친 '왕'이 고려 태조(왕건)임을 알 수 있다. 태조는 호족 세력을 통제하기 위해 사심관 제도를 마련하였다.

┃ 바로 알기 ┃ ① 통일 신라 신문왕은 녹읍을 폐지하였다. ② 고려 광종은 노비안검법을 실시하였다. ④ 고려 성종은 최승로의 건의안을 받아들여 개혁을 추진하였다. ⑤ 9주 5소경은 통일 신라의 지방 행정 구역이다.

2 고려의 독자적 천하관과 황제국 체제

제시된 「풍입송」에서는 고려 국왕을 해동의 천자로 보아 부처와 같이 고귀한 존재로 칭송하고 있으며, 여진, 탐라 등을 제후국으로 보고 있다. 이를 통해 고려가 내부적으로 황제국의 체제를 갖추고 중국과는 구별되는 독자적 세계인 '해동 천하'를 형성하였음을 엿볼 수 있다.

| 바로 알기 | ① 신라 말 호족이 성장하고 농민 봉기가 빈번하게 일어나면서 신라가 후삼국으로 분열되었다. ② 광개토 대왕릉비 등에 고구려가 천손 의식을 가졌음이 드러나 있다. ③ 신라는 당군과 연합하여 삼국 통일을 이루었다. ④ 발해는 당과 신라를 견제하다가 문왕 때 당과 친선을 유지하는 등 유연한 대외 정책을 펼쳤다.

---

04 고려의 통치 체제와 국제 질서의 변동(2)

STEP 1 핵심 개념 확인하기
044쪽

1 (1) ◯ (2) ✕ (3) ◯ 　2 (1) 중방 (2) 묘청 (3) 이자겸 　3 (1) ㄱ
(2) ㄴ (3) ㄷ 　4 공민왕 　5 (가) – (나) – (다)

STEP 2 내신 만점 공략하기
044~046쪽

| 01 ④ | 02 ③ | 03 ② | 04 ③ | 05 ① | 06 ① | 07 ⑤ |
| 08 ③ | 09 ② | 10 ⑤ |

01 문벌의 특징

제시된 글에서 여러 대에 걸쳐 고위 관리를 배출하였다는 것을 통해 (가)는 문벌임을 알 수 있다. 고려 시대의 문벌은 과거와 음서를 통해 관직에 진출하였고, 왕실이나 문벌 가문과 혼인 관계를 맺어 권력을 키웠다.

| 바로 알기 | ① 골품제는 신라의 신분 제도이다. ② 녹읍은 신라에서 관료에게 직무의 대가로 지급한 토지이다. ③ 통일 신라 신문왕은 김흠돌의 난을 진압한 것을 계기로 진골 귀족들을 숙청하였다. ⑤ 신라 말에 지배 체제가 동요하자 지방에서 호족이 성장하여 스스로 성주나 장군을 칭하였다.

02 이자겸의 활동

(가)는 이자겸이다. 이자겸은 임금의 장인이자 외할아버지로서 막강한 권력을 행사하였다. 이에 인종이 측근 세력을 동원하여 이자겸을 공격하자 척준경과 손을 잡은 이자겸이 반란을 일으켰다.

| 바로 알기 | ① 묘청 등 서경 세력이 황제를 칭하고 연호를 사용하자는 칭제건원을 주장하였다. ② 『왕오천축국전』은 통일 신라의 혜초가 저술하였다. ④ 최충헌의 아들 최우는 정방을 설치하여 인사권을 장악하였다. ⑤ 최승로는 성종에게 시무 28조를 올렸다.

03 묘청의 서경 천도 운동

자료는 음양가, 대화세 등의 내용과 서경에 궁궐을 지을 것을 주장한 것을 통해 서경 세력의 주장과 관련이 있음을 알 수 있다. 서경 세력은 풍수 도참사상을 내세워 서경으로 천도하고 금을 정벌할 것을 주장하였다.

| 바로 알기 | ①은 고구려의 지배층인 왕과 여러 가들에 대한 설명이다. ③ 독서삼품과는 통일 신라의 제도이다. ④ 교정도감은 최씨 무신 정권의 최고 권력 기구였다. ⑤는 신라 말 6두품 세력과 관련이 있다.

04 무신 정권의 전개

(가) 시기는 무신 정권 초기에 해당한다. 무신 정권은 초기에 최고 회의 기구가 된 중방을 중심으로 권력을 행사하였는데, 권력 다툼이 벌어져 이의방, 정중부, 경대승, 이의민의 순서로 집권자가 자주 바뀌었다.

| 바로 알기 | ①, ②는 무신 정변 이전에 일어난 일들이다. ④는 몽골과의 항쟁으로, 최씨 무신 정권이 수립된 이후의 사건이다. ⑤는 고구려의 살수 대첩에 대한 설명이다.

05 최우의 활동

┌ 자료 분석 ┐

백관이 그의 집에 가서 인사 관련 장부를 올리니, 마루에 앉아서 이를 받았다. 이때부터 그는 정방을 자기 집에 설치하고 정방에서 백관의 인사를 결정하였다.
└ 최우가 자신의 집에 설치한 인사 담당 기구야. 이를 통해 최우는 인사권을 장악하였지.

밑줄 친 '그'는 최우이다. 최충헌에 뒤이어 집권한 최우는 서방을 두어 능력 있는 문신들의 자문을 얻었다. 또한 야별초를 조직하여 치안을 안정시키고 정권을 보호하였는데, 야별초는 훗날 삼별초로 확대 개편되었다.

| 바로 알기 | ② 교정도감은 최충헌이 설치한 최씨 무신 정권 시기의 최고 권력 기구이다. ③은 거란의 3차 침입을 물리친 강감찬, ④는 묘청의 난을 진압한 김부식, ⑤는 거란의 1차 침입 당시 외교 담판에 나선 서희와 관련이 있다.

완자 정리 노트 　최씨 무신 정권의 권력 기반

구분	설립자	성격
교정도감	최충헌	최고 권력 기구
정방	최우	인사 담당
서방	최우	문신 자문 기구
도방	경대승 설립, 최충헌 확대	호위 업무(사병 기구)
삼별초	최우(야별초 조직)	치안 안정, 정권 보호

06 무신 정권 시기 농민과 천민의 봉기

첫 번째 자료는 무신 정권기에 공주 명학소에서 일어난 망이·망소이의 난, 두 번째 자료는 최충헌이 집권한 시기 만적의 봉기 계획에 대한 것이다. 무신 정권 시기에는 중앙 정부의 지방 통제가 약화되고 무신들의 수탈이 늘어나면서 수많은 봉기가 일어났다.

▌**바로 알기**▌ ②는 원 간섭기에 있었던 일이다. ③ 신라 말 6두품 지식인은 사회 개혁안을 제시하였다. ④ 주자감은 발해에 설립된 유학 교육 기관이다. ⑤ 고려 말 홍건적을 토벌하는 과정에서 이성계 등의 신흥 무인 세력이 성장하였다.

07 권문세족의 성장

밑줄 친 '간악한 무리'는 권문세족을 가리킨다. 원 간섭기에 친원적 성향을 보이며 성장한 권문세족은 주로 음서를 통해 관직에 진출하여 도평의사사를 장악하였다. 또한 이들은 농장을 확대하여 부를 축적하였다.

▌**바로 알기**▌ ⑤ 고려 말 신진 사대부는 성리학을 학문적 기반으로 삼아 권문세족의 부정과 부패를 비판하였다.

08 고려의 대몽 항쟁

자료는 몽골의 침입에 맞서 고려인들이 충주성에서 항쟁한 사실을 보여 준다. 몽골이 고려에 침입하자 정부는 일단 몽골과 강화를 맺고 수도를 강화도로 옮겨 장기 항전을 준비하였다. 다시 몽골이 쳐들어오자 처인성, 충주성 등지에서 대몽 항쟁이 일어났다.

▌**바로 알기**▌ ① 관료전은 통일 신라에서 지급되었다. ② 훈요 10조는 고려를 건국한 태조가 남긴 유훈이다. ④ 3성 6부는 발해의 중앙 정치 조직이다. 고려의 중앙 정치 조직은 2성 6부 체제를 근간으로 하였다. ⑤ 광개토 대왕릉비에는 고구려의 독자적 천하관이 나타나 있다.

09 원 간섭기의 고려

밑줄 친 '이 시기'는 원 간섭기이다. 원과 강화를 맺은 이후 고려는 독립국의 지위는 유지하였으나 원의 간섭을 받게 되었고, 그 결과 왕실의 용어와 관제도 제후국 체제로 낮추어졌다. 이 시기에는 다루가치가 파견되어 고려의 내정에 간섭하였다.

▌**바로 알기**▌ ① 상대등은 신라 시대 귀족을 대표하는 최고 관직이다. ③ 고구려의 소수림왕은 불교 수용, 태학 설립, 율령 반포 등의 개혁 정책을 통해 국가 체제를 정비하였다. ④ 발해의 무왕이 '인안'이라는 연호를 사용하였다. ⑤ 사정부는 신라에 설치된 감찰 기구였다.

10 공민왕의 개혁 정치

지도에서 화주 이북의 땅을 수복한 것을 통해 (가)는 공민왕임을 알 수 있다. 공민왕은 친원 세력을 제거하고 정동행성이문소를 폐지하였다. 또한 제후국 수준으로 낮추어졌던 왕실의 용어와 관제를 고려 전기의 체제로 회복하였다.

▌**바로 알기**▌ ① 국학은 통일 신라의 신문왕 때 체계적인 유학 교육을 목적으로 설립되었다. ② 진대법은 고구려 고국천왕 때 실시되었다. ③ 과거제는 고려 광종 때 처음 시행되었다. ④ 백제의 성왕은 수도를 웅진에서 사비로 옮겼다.

서술형 문제

046쪽

01 주제: 무신 정변의 배경

예시 답안 무신은 문신에 비해 낮은 대우를 받았고 의종은 측근 세력과 향락에 빠져 있었다. 이에 불만을 품은 무신 세력은 무신 정변을 일으켰다.

채점 기준

상	무신들에 대한 차별과 의종의 향락을 모두 서술한 경우
하	무신들에 대한 차별과 의종의 향락 중 한 가지만 서술한 경우

02 주제: 공민왕의 개혁

(1) 전민변정도감

(2) **예시 답안** 공민왕은 전민변정도감을 통한 개혁으로 권문세족이 불법적으로 빼앗은 토지를 원래 주인에게 돌려주고 불법적으로 노비로 삼은 이들을 양민으로 해방하여 권문세족의 세력을 약화하고 국가 재정을 확대하고자 하였다.

채점 기준

상	정책의 주요 내용(권문세족이 불법으로 빼앗은 토지와 강제로 노비가 된 자들을 원래대로 되돌림)과 그 목적(권문세족의 세력 약화와 국가 재정 확대를 꾀함)을 모두 서술한 경우
중	정책의 주요 내용과 그 목적 중 일부만 서술한 경우
하	정책의 주요 내용과 그 목적 중 한 가지만 서술한 경우

STEP 3 1등급 정복하기

047쪽

1 ⑤   2 ③

1 서경 세력의 주장

밑줄 친 '저희'는 묘청이 주도한 서경 세력이다. 서경 세력은 금에 대한 사대를 청산하고 금을 정벌할 것을 주장하였다. 또한 황제의 칭호를 사용하고 나라를 건국한 왕의 연호를 사용하자는 칭제건원을 주장하였다.

▌**바로 알기**▌ ㄱ. 신진 사대부가 명과 친하게 지내고자 하였다. ㄴ. 급진파 신진 사대부가 새로운 왕조를 개창하자고 주장하였다.

2 공민왕의 반원 자주 정책

자료는 원·명 교체기에 반원 자주 정책을 펼쳤고, 관제 복구, 몽골 풍 금지, 쌍성총관부 공격 등의 활동을 한 것을 통해 공민왕과 관련이 있음을 알 수 있다. 공민왕은 신돈을 등용하고 전민변정도감을 설치하여 권문세족이 빼앗은 토지를 원래 주인에게 돌려주고 억울하게 노비가 된 사람을 양민으로 해방하였다.

▌**바로 알기**▌ ①은 통일 신라의 신문왕, ②는 고려의 태조, ④는 고려의 성종, ⑤는 고려의 광종과 관련이 있다.

1 향리　2 (1) × (2) × (3) ○　3 풍수지리설　4 (1) 삼국유사
(2) 성리학 (3) 팔만대장경　5 ㉠ 의천 ㉡ 지눌

| 01 ③ | 02 ④ | 03 ③ | 04 ⑤ | 05 ⑤ | 06 ② | 07 ③ |
| 08 ① | 09 ② | 10 ① | 11 ② | 12 ④ | 13 ④ | 14 ① |

01 중간 계층의 특징

도표에서 (가) 계층은 양인이면서 하급 지배층에 속하는 것을 통해 중간 계층임을 알 수 있다. 서리, 남반, 하급 장교, 향리 등 중간 계층은 중앙과 지방 통치 기구의 말단 행정 실무를 주로 담당하였으며, 직역에 대한 대가로 토지를 지급받았다.

▌바로 알기 ▌ ① 백정이라 불린 농민은 조세, 공납, 역을 부담하였다. ② 일천즉천의 원칙은 부모 중 한 명이 노비이면 자녀도 노비가 되는 원칙이었다. ④ 노비 중 외거 노비는 관청이나 주인에게 직접 노동력을 제공하지 않고 매년 신공이라는 몸값을 바쳤다. ⑤ 지배층의 상위에 있는 문무 양반은 고위 관직에 진출하여 문벌을 형성하기도 하였다.

02 특수 행정 구역에 대한 차별

고려 시대에 특수 행정 구역인 소에서는 구리, 철, 자기, 종이, 먹 등을 생산하여 국가에 바쳤다. 소의 주민은 군현의 주민과 같은 양인이었으나 군현민에 비해 사회적 지위가 낮았다. 소와 같은 특수 행정 구역으로는 향과 부곡이 존재하였는데 이 지역의 거주자는 대개 농업에 종사하였다. 이러한 특수 행정 구역의 주민들은 거주지 이전과 과거 응시가 제한되었으며, 승려가 될 수 없었다. 또한 백정보다 많은 조세와 역을 부담하였고, 군현의 주민과 결혼할 수 없었다.

▌바로 알기 ▌ ④는 노비에 대한 설명이다.

완자 정리 노트　고려의 특수 행정 구역

구분	향, 부곡	소
역할	농업 생산 지역(국유지 경작)	공물의 수취를 위해 설치된 지역, 수공업·광산품을 국가에 바침
법적 신분	양인(양민)	
사회적 차별	거주지 이전 제한, 과거 응시 금지, 군현의 양민과의 결혼 금지, 승려 금지, 형벌을 받을 때 노비와 동등하게 취급됨. 백정보다 많은 조세와 역 부담	

03 노비의 특징

밑줄 친 '평량'은 노비 중 외거 노비에 해당한다. 고려 시대에 노비는 천인의 대부분을 차지하였고, 재산으로 취급되어 증여와 상속, 매매의 대상이 되었다.

▌바로 알기 ▌ ① 고려에서 백정은 직역을 가지지 않은 농민을 뜻하였다. ②는 문무 양반, ④는 백정에 대한 설명이다. ⑤ 상급 향리는 과거 응시에 제한이 없어 과거를 통해 중앙 관리로 진출하였는데, 특히 고려 말 신진 사대부는 향리 출신이 많았다.

04 정호의 특징

(가)는 국가에서 일정한 직역을 부여받은 지배 계층이므로 정호에 해당한다. 향리나 하급 장교, 기인 등으로 구성된 정호는 과거에 합격하여 고위 관리가 되거나 군공을 세워 무관으로 출세할 수 있었다. 정호에 빈자리가 생기면 백정 중에서 선발하여 직역과 토지를 주고 정호로 삼기도 하였다.

▌바로 알기 ▌ ① 백정은 군공 등으로 정호가 되기도 하였다. ②는 외거 노비에 대한 설명이다. ③ 마가, 우가, 저가, 구가는 부여의 지배층이었다. ④는 향·부곡·소 등 특수 행정 구역 주민에 대한 설명이다.

05 고려 시대 지역 간 위상 차이

첫 번째 글은 소가 현으로 승격된 사실을 보여 주고, 두 번째 글은 부곡이 현으로 승격된 사실을 보여 준다. 두 자료를 통해 고려 시대에는 공을 세운 특수 행정 구역이 군현으로 승격되기도 하였음을 알 수 있다.

▌바로 알기 ▌ ① 골품제는 신라의 신분제이다. ②, ③은 고려 사회의 모습이지만 제시된 자료로 알 수 없다. ④ 상수리 제도는 신라에서 실시되었다.

06 고려의 지역 사회 운영

제시된 글에서 매향 활동을 한 것을 통해 밑줄 친 '이 공동체'는 향도를 가리킴을 알 수 있다. 고려 시대 지역민은 향도라는 공동체를 만들었다. 향도는 고려 전기에 매향이나 사원을 조성하기 위한 불교 신앙 활동을 하였으며, 고려 후기에 마을 제사나 상장례 등 공동체 생활을 주도하였다.

▌바로 알기 ▌ ① 화백은 신라의 귀족 회의 기구이다. ③은 화랑도, ④는 별무반, ⑤는 제위보에 대한 설명이다.

07 고려의 가족 제도

첫 번째 자료는 고려 시대에 여성도 호주가 될 수 있었음을 보여 준다. 두 번째 자료는 여성의 재혼이 특별한 제약 없이 이루어졌으며, 재가한 여성의 아이는 차별받지 않았음을 알려 준다. 이를 통해 고려 시대에는 가족 내에서 남성과 여성의 관계가 비교적 수평적이었음을 알 수 있다.

▌바로 알기 ▌ ① 고려 시대에는 여성이 호주가 되는 경우도 있었다. ②, ④ 두 번째 자료를 통해 여성의 재혼이 허용되었으며, 재가한 여성의 자녀도 차별받지 않았음을 짐작할 수 있다. ⑤ 고려에서는 아버지 쪽과 어머니 쪽의 권리와 의무가 동등하였다.

08 토착 신앙의 유행

고려에서는 불교, 유교 이외에 토착 신앙, 도교, 풍수지리설 등 다양한 사상과 종교가 유행하였다. 이에 많은 행사들이 개최되었는데, 그중에서 밑줄 친 부분에 해당하는 것은 팔관회이다. 고려에서는 매년 겨울에 개경과 서경에서 다양한 신앙이 융합된 대규모 종교 행사인 팔관회를 성대하게 열었다.

┃바로 알기┃ ② 9산선문은 불교의 선종과 관련이 있다. ③ 애니미즘은 신석기 시대에 등장한 원시 신앙이다. ④ 소도, 천군은 모두 삼한 사회와 관련이 있다. ⑤ 전륜성왕 관념은 불교와 관련이 있다.

09 도교의 발달

자료에서 초제가 거행된 사실과 유물에 신선으로 보이는 노인이 표현된 점을 통해 (가)에 들어갈 사상은 도교임을 알 수 있다. 고려 시대에 도교는 주로 귀족과 왕실에서 믿었으며, 왕실에서는 도교 사원을 세우고 초제를 열어 국왕의 장수를 빌었다. 그러나 이 시기에 도교는 독자적인 교리 체계와 교단을 갖추지는 못하였다.

┃바로 알기┃ ① 북진 정책은 서경 길지설로부터 영향을 받았다. ③ 이차돈의 순교로 신라 법흥왕 때 불교가 공인되었다. ④ 승탑과 탑비의 유행은 선종의 확산과 관련이 있다. ⑤는 풍수지리설에 대한 설명이다.

10 원 간섭기의 유교

「수월관음도」와 같은 불화가 제작되었고, 임제종이 수용된 것을 통해 밑줄 친 '이 시기'는 원 간섭기에 해당함을 알 수 있다. 원 간섭기에는 안향이 성리학을 수용하였다.

┃바로 알기┃ ② 고려에서 풍수지리설은 도참사상과 결합하여 유행하였다. ③ 초제는 도교에서 지내는 제사이다. ④ 『삼국유사』와 『제왕운기』에는 불교와 토착 신앙 등이 반영되었다. ⑤는 고려 전기 유교의 발달 모습이다.

11 『삼국사기』의 편찬

김부식은 인종의 명을 받아 『삼국사기』를 편찬하였다. 김부식은 유교적 합리주의 사관에 입각하여 『삼국사기』를 편찬하면서 『구삼국사』의 신비한 내용을 대폭 삭제하였고, 사마천이 쓴 『사기』의 역사 서술 체제인 기전체를 따랐다.

┃바로 알기┃ ①은 이승휴가 저술한 『제왕운기』에 대한 설명이다. ③ 고려 말 성리학의 영향을 받은 역사서가 편찬되었다. ④는 고구려 영양왕 때 이문진이 편찬한 『신집』에 대한 설명으로, 현재 이 책은 전하지 않는다. ⑤는 이규보가 쓴 「동명왕편」에 대한 설명이다.

완자 정리 노트   고려 역사서의 편찬

책명	저술	특징
삼국사기	김부식	유교적 합리주의 사관 적용, 기전체 서술
동명왕편	이규보	동명왕을 칭송하는 서사시, 고구려 계승 의식 강조
삼국유사	일연	불교 신앙 중심, 야사·신화 수록, 단군왕검을 처음으로 서술
제왕운기	이승휴	우리 역사의 시작을 단군으로 서술
사략	이제현	성리학적 유교 사관 적용

12 의천의 활동

자료는 의천의 주장이다. 의천은 화엄종을 중심으로 교종을 통합하고자 하였고, 해동 천태종을 창시하여 선종까지 포섭하려 하였다. 그러나 의천 사후에 교단이 분열하여 교종과 선종의 대립은 해결되지 못하고 지속되었다.

┃바로 알기┃ ①은 고려의 태조 왕건, ②는 통일 신라의 의상, ③은 고려의 각훈, ⑤는 통일 신라의 원측에 대한 설명이다.

완자 정리 노트   의천과 지눌

의천	• 불교 통합: 화엄종 중심으로 교종 통합 → 해동 천태종을 창시하여 선종 포섭 • 주장: 교관겸수(이론의 연마와 실천의 수행을 아울러 강조)
지눌	• 불교 통합: 선종의 입장에서 교종을 통합하려 함 • 주장: 돈오점수(마음이 곧 부처라는 진리를 단번에 깨닫고, 계속해서 수행해야 함) → 정혜쌍수의 실천 수행 방법 제시

13 지눌의 활동

밑줄 친 '그'는 지눌이다. 지눌은 불교계의 세속화를 비판하고 수선사를 중심으로 결사 운동을 벌였으며, 선·교 일치의 사상 체계를 정립하고 정혜결사를 조직하였다. 그는 선과 교학을 고루 닦아야 한다는 정혜쌍수와 단박에 깨달음을 얻고 깨달은 후에도 꾸준히 수행해야 한다는 돈오점수를 주장하였다.

┃바로 알기┃ ④는 의천에 대한 설명이다.

14 고려 불교의 발달

고려는 불교를 국가 통합에 적극 이용하였다. 특히 외적이 침입하면 부처의 힘을 빌려 이를 극복하고자 대규모 법회를 열거나 대장경을 조판하였다. 현종 대에 거란의 침략을 물리치기 위해 초조대장경을 조판한 것이나, 고종 대에 몽골의 침략에 맞서 팔만대장경을 조판한 것이 대표적인 사례이다.

┃바로 알기┃ ② 동북 9성은 윤관이 이끈 별무반이 여진 세력을 제압한 후 천리장성 밖에 세운 성들이다. ③ 광종은 호족과 공신들의 경제력을 약화시키기 위해 노비안검법을 시행하였다. ④ 고려 정부는 중앙에 국자감, 지방에 향교를 세워 유학 교육에 힘썼다. ⑤ 신라 선덕 여왕은 자장의 건의를 받아들여 황룡사 9층 목탑을 세웠다.

서술형 문제

055쪽

01 주제: 고려 시대 여성의 지위

예시 답안 고려에서 남성이 처가살이하는 것은 자연스러웠으며, 고려의 여성은 남편이 죽으면 재혼하는 것에 제약이 없었다.

채점 기준

상	남성의 처가살이와 여성의 재혼이 자연스러웠음을 모두 서술한 경우
하	남성의 처가살이와 여성의 재혼 중 한 가지만 언급한 경우

02 주제: 풍수지리설의 영향

예시 답안 풍수지리설은 고려 태조 때의 송악 길지설, 서경 길지설과 북진 정책, 묘청의 서경 천도 운동, 한양의 남경 승격 등에 영향을 주었다.

채점 기준

상	송악 길지설, 서경 길지설과 북진 정책, 서경 천도 운동, 한양의 남경 승격 중 두 가지를 언급하여 서술한 경우
하	송악 길지설, 서경 길지설과 북진 정책, 서경 천도 운동, 한양의 남경 승격 중 한 가지만 언급하여 서술한 경우

03 주제: 지눌의 주장

예시 답안 지눌. 지눌은 선종을 중심으로 교종을 포용할 것을 주장하였다.

채점 기준

상	지눌을 쓰고 선종 중심의 교종 포용을 주장하였음을 서술한 경우
중	지눌의 언급 없이 선종 중심의 교종 포용을 주장하였다고 서술한 경우
하	지눌만 쓴 경우

STEP 3 1등급 정복하기
056~057쪽

1 ② 2 ④ 3 ③ 4 ④

1 고려 신분제의 유동성

자료 분석

고려 시대에는 해당 직역을 담당할 정호가 부족하면 백정층에서 정호를 충당하기도 하였어.

• 각 역의 정호를 나누어 6과(科)로 하였다. …… 1과는 정(丁) 75, 2과는 정 60, 3과는 정 45, 4과는 정 330, 5과는 정 12, 6과는 정 7이다. …… 토지가 있으나 정호의 수가 부족하면 그 역의 백정 자제 중 자원하는 자로 충당하여 세웠다. — 『고려사』

• 이영의 아버지 이중선은 안성군의 호장으로 있었다. …… 이영은 아버지가 돌아가시자 서리가 되고자 문서를 정조주사에게 제출하였는데, 절을 하지 않았다. 주사는 화가 나 욕을 하였다. 이영은 문서를 찢어버리며 "내가 과거로 조정에 나갈 수 있거늘 어찌 너 같은 무리를 공경하겠는가."라고 하였다. 이영은 급제하여 사관과 대간을 역임하였다. — 『고려사절요』

호장의 아들로 향리였던 이영은 과거를 통해 고위 관리가 되었어.

두 자료의 백정층에서 정호를 충당하였고, 향리가 과거를 통해 고위 관리에 등용된 사례를 통해 고려 시대 신분제가 유동적이었음을 짐작할 수 있다.

바로 알기 ① 상피제는 일정한 범위 내의 친족이 동일한 관청에 함께 근무하지 못하게 한 제도이다. ③ 골품제는 신라의 신분제이다. ④ 신진 사대부는 불교계의 폐단을 비판하였으며, 원과 멀리하고 명과 친해질 것을 주장하였다. ⑤ 특수 행정 구역의 주민은 일반 군현민에 비해 사회적 차별을 받았는데 거주 이전의 제한, 과거 응시 금지 등이 대표적이다.

2 고려 문화의 발달

이의민은 무신 정권기에 하층민 출신으로서 최고 권력자에 올랐어.

자료 분석

무신 정변을 가리켜.

(가) 이의민은 경주 사람인데, 부친 이선은 소금과 체를 파는 사람이었고, 모친은 연일현 옥령사 노비였다. …… 정중부의 난 때 이의민이 살해한 사람이 제일 많았다. 이의민은 중랑장이 되었다가 즉시 장군으로 승진하였다.

(나) 유청신은 장흥부 고이부곡 사람이다. …… 몽골어를 익혀 원에 사신으로 가서 잘 응대하였다. …… 충렬왕의 총애를 받아 낭장에 임명되었다. …… 고이부곡을 고흥현으로 승격하였다.

원 간섭기에 몽골어 등을 잘해 신분을 상승하기도 했지.

(가)는 무신 정권기에 권력을 잡았던 이의민에 대한 내용을 담고 있다. 이의민의 사례를 통해 고려에서 군인이 공을 세워 무관으로 출세할 수 있음을 확인할 수 있다. (나)는 원 간섭기의 상황으로, 원과 특별한 관계를 맺은 사람들이 관료가 된 경우를 보여 준다. ④ 원 간섭기에는 왕실과 권세가의 후원으로 화려한 불화가 많이 제작되었다.

바로 알기 ① 진대법은 고구려에서 시행된 구휼 제도이다. ② 후삼국은 고려 건국 전에 성립하였다. ③ 사심관 제도는 태조가 신라 왕 김부를 경주의 사심관으로 삼으면서 시작되었다. ⑤ 사학 12도는 (가) 이전 문벌 사회가 성장한 시기에 출현하였다.

3 수평적인 가족 관계

고려의 가족 제도에서 남성과 여성의 관계는 비교적 수평적이었다. 제시된 호적에서 장녀 소사의 남편 황문이 처갓집 구성원으로 올라와 있는 사례를 통해 당시 사위가 처가로 장가들어 사는 경우가 있었음을 확인할 수 있다.

바로 알기 ① 고려 시대에는 여성도 호주가 될 수 있었다. ② 호적에는 성별이 아닌 태어난 순서대로 올랐다. ④ 여성과 남성 모두 재혼하는 것은 자유로웠다. ⑤ 부부는 각자 재산을 소유하다가 아들과 딸에게 균등하게 나누어 주었다.

4 자주 의식이 강조된 역사서 편찬

고려에서는 무신 정변과 몽골의 침략을 거치며 민족의 우수성과 자주 의식을 드러낸 역사서가 편찬되었다. 이규보의 『동명왕편』은 고구려의 시조로 알려진 동명왕의 신화적 행적을 칭송하는 서사시로, 우리 역사에 대한 자부심을 드러냈다. 이러한 움직임은 몽골의 침입 이후 더욱 확대되었는데, 충렬왕 때 일연이 지은 『삼국유사』는 고조선을 처음으로 서술하였고, 단군을 비롯한 역대 시조의 신비스러운 탄생과 업적을 강조함으로써 고려가 몽골과 다른 독자적인 문화를 가지고 있음을 서술하였다. 이승휴가 지은 『제왕운기』도 우리 역사의 시작을 단군으로 설정하였다.

바로 알기 ① 『국사』는 신라 진흥왕 시기에 편찬된 역사서이다. ②, ③ 화랑의 전기를 모은 『화랑세기』와 명망 있는 승려들의 전기를 모은 『고승전』은 통일 신라의 김대문이 저술하였다. ⑤ 『삼국사기』는 고려 전기에 쓰인 역사서이다.

06 조선 시대 세계관의 변화(1)

STEP 1 핵심 개념 확인하기   062쪽

1 (1) ㄱ (2) ㄷ (3) ㄴ (4) ㄹ   2 (1) 의정부 (2) 관찰사 (3) 3사
(4) 의금부   3 (1) × (2) ○ (3) ○   4 사림   5 공론

STEP 2 내신 만점 공략하기   062~065쪽

01 ②   02 ⑤   03 ④   04 ①   05 ③   06 ④   07 ⑤
08 ⑤   09 ②   10 ②   11 ①   12 ④   13 ②   14 ①

01 위화도 회군의 발발

14세기 새로 건국된 명이 철령 이북의 땅을 요구하자 고려는 요동 정벌을 추진하였다. 요동 정벌을 반대하던 이성계는 1388년 압록강 하류의 위화도에서 군대를 돌려 개경으로 돌아와 권력을 장악하였다(위화도 회군). 권력을 장악한 이성계와 신진 사대부는 과전법을 시행하여 신진 관료의 경제적 기반을 마련하는 등 개혁 정책을 펼쳤다.

02 정도전의 활동

자료 분석 —— 정도전은 재상이 정치를 주도해야 한다고 강조하였어.

> 임금의 직책은 한 사람의 재상을 정하는 데 있다. …… 재상은 임금의 아름다운 점은 순종하고 나쁜 점은 바로잡으며 …… 임금으로 하여금 가장 올바른 경지에 들게 해야 한다. – 「조선경국전」

조선 건국 이후 정도전은 「조선경국전」을 편찬하여 종합적 통치 규범을 제시하였다. 그는 능력 있는 재상이 정치를 주도해야 한다고 주장하면서 민본과 덕치에 기반을 둔 유교 통치 체제를 확립하기 위해 노력하였다.

┃바로 알기┃ ① 「경국대전」은 세조 때 편찬을 시작하여 성종 때 완성되었다. ② 「제왕운기」는 고려 시대에 이승휴가 저술하였다. ③ 훈요 10조는 고려 태조가 후대 왕에게 남긴 유훈이다. ④ 중종 시기 조광조는 현량과 실시를 건의하였다.

03 태종의 업적

제시된 글의 사병 혁파, 6조 직계제 채택, 호패법 시행 등의 내용을 통해 (가)는 태종임을 알 수 있다. 태종은 양전 사업을 실시하여 국가 재정의 기초를 다졌다.

┃바로 알기┃ ① 태조 이성계가 국호를 '조선'으로 바꾸고 도읍을 한양으로 옮겼다. ②, ③ 성종 때 집현전을 계승하여 홍문관을 설치하였고, 「경국대전」을 반포하였다. ⑤ 세종은 유교 윤리를 보급하기 위해 「삼강행실도」를 간행하였다.

04 6조 직계제의 시행

(가)는 6조 직계제를 나타낸 것이다. 6조 직계제는 6조가 의정부를 거치지 않고 곧바로 국왕에게 업무를 보고하고 재가를 받아 시행하는 체제로, 왕권 강화에 기여하였다.

┃바로 알기┃ ② 6조 직계제는 태종 때 처음 실시되었다. ③은 의정부 서사제에 대한 설명이다. ④ 신진 사대부는 고려 말에 등장하였다. ⑤ 6조 직계제는 의정부의 기능을 약화하였다.

완자 정리 노트   6조 직계제와 의정부 서사제

구분	6조 직계제	의정부 서사제
실시 시기	태종, 세조	세종 등
운영 방식	6조 ⇌ 국왕	6조 ⇌ 의정부 ⇌ 국왕
영향	국왕의 국정 주도권 강화	재상의 국정 주도권 강화 → 왕권과 신권의 조화

05 세종의 업적

(나)는 의정부 서사제를 나타낸 것이다. 의정부 서사제는 세종이 처음 실시하였다. 세종은 유교의 덕치와 민본 사상을 바탕으로 훈민정음을 창제하고 각종 편찬 사업을 추진하였다.

┃바로 알기┃ ① 태조는 정도전을 중용하여 개혁 정치를 펼쳤다. ② 세종은 집현전을 설치하였고, 세조가 집현전을 없앴다. ④ 「국조오례의」는 성종 때 간행하였다. ⑤ 「경국대전」은 세조 때 편찬하기 시작하였다.

06 의정부의 기능

(가)는 아래에 6조를 둔 것을 통해 의정부임을 알 수 있다. 의정부는 재상들의 합의로 정책을 심의·결정하면서 국정을 총괄하였다.

┃바로 알기┃ ①은 승정원, ②는 춘추관, ③은 한성부, ⑤는 의금부에 대한 설명이다.

07 3사의 역할

사헌부는 감찰과 풍속 교정, 사간원은 간언과 간쟁, 홍문관은 왕의 고문 역할을 하였다. 이들은 3사라고 불리면서 잘못된 정책 결정을 비판·견제하여 권력의 독점과 부정을 방지하였다.

┃바로 알기┃ ①은 의정부에 대한 설명이다. ② 고려는 당의 제도를 본떠 중앙 정치 조직을 정비하였다. ③은 고려 시대의 도병마사, 식목도감에 대한 설명이다. ④ 승정원은 왕의 비서 기구 역할을 하였다.

08 조선의 지방 행정 제도

지도는 조선의 지방 행정 조직을 나타낸 것이다. 조선은 전국을 8도로 나누고 각 도에 관찰사를 파견하였다. 특수 행정 구역이었던 향·부곡·소는 일반 군현으로 승격하였다. 향리는 고려 시대에 비해 지위가 낮아졌고 수령에게 직속되어 행정 실무를 담당하였다. 국방상 주요 지역에는 영과 진을 설치하였는데, 지방군은 이곳을 지키며 병마절도사와 수군절도사의 지휘를 받았다.

┃바로 알기┃ ⑤ 조선 시대에는 모든 군현에 지방관을 파견하였다.

09 조선의 관리 등용 제도

조선은 과거, 음서, 천거 등을 통해 관리를 등용하였다. 과거는 문과, 무과, 잡과로 운영하였는데, 고려 시대에 무과를 거의 시행하지 않은 것과 달리 조선에서는 무과를 제도화하였다.

▮바로 알기▮ ① 고려 시대에도 문과를 실시하였다. ③ 조선 시대에는 고려에 비해 음서의 혜택을 받는 대상이 줄었다. ④ 고려 시대에도 잡과를 실시하여 기술관을 선발하였다. ⑤ 고려와 조선 모두 과거를 통해 유교적 교양을 갖춘 인재를 선발하였다.

10 태종 시기의 대외 정책

자료는 왕자의 난으로 즉위, 개국 공신과 왕족들의 사병 혁파, 재상권 약화, 양전 사업과 호패법 실시 등의 내용을 통해 태종과 관련이 있음을 알 수 있다. 조선은 건국 초기 태조와 정도전이 요동 정벌을 추진하여 명과 갈등을 빚었다. 그러나 태종 즉위 이후부터 조공과 책봉 체제를 바탕으로 하는 사대 외교를 펼쳐 명과 친선 관계를 유지하였다.

▮바로 알기▮ ① 세종은 이종무를 보내 왜구의 근거지인 쓰시마섬을 토벌하였다. ③ 고려 공민왕은 쌍성총관부를 공격하여 철령 이북의 땅을 되찾았다. ④, ⑤ 세종은 여진을 내몰고 4군 6진을 개척한 후 사민 정책과 토관 제도를 실시하였다.

11 여진에 대한 교린 정책

자료분석 ┬ 고려는 경원, 경성에 무역소를 설치하였어.

경원·경성 지방에 야인의 출입을 금하지 아니하면 혹은 떼 지어 몰려들 우려가 있고, 일절 끊고 금하면 야인이 소금과 쇠를 얻지 못하여서 혹은 변경에 불상사가 생길까 합니다. 원하건대, 두 고을에 무역소를 설치하여 저들로 하여금 와서 물물 교역을 하게 하소서. ┬ 고려는 무역소를 설치해서 여진과 ─ 『연려실기술』 └ 제한적인 교류를 허용했어.

조선은 여진에 대해 강경책과 회유책을 병행하는 교린 정책을 펼쳤다. 강경책으로 여진이 국경을 침범하면 강경하게 토벌하였고, 세종 때는 4군 6진을 개척하였다. 회유책으로 국경 지역에 무역소를 설치하여 제한된 교역을 허용하였다.

▮바로 알기▮ ②는 고려에 해당하는 설명이다. ③은 세종이 일본에 펼친 강경책이다. ④는 조선이 일본에 펼친 회유책이다. ⑤는 조선이 명에 사대 외교를 전개한 것과 관련이 있다.

12 사림의 특징

자료는 정몽주와 길재의 학통을 이어받고 동인과 서인을 형성한 것을 통해 사림의 계보를 나타낸 것임을 알 수 있다. 사림은 15세기 이후 지방에서 성장하다가 성종 때 3사 언관직에 진출하여 공론을 주도하고 훈구를 비판하였다. 이들은 향촌 자치와 왕도 정치를 추구하였으며, 사화에도 불구하고 서원과 향약을 기반으로 향촌 사회에서 세력을 확대하였다.

▮바로 알기▮ ④는 훈구에 대한 설명이다.

13 조광조의 활동

자료는 중종 때 개혁 정치를 실시하였고, 경연과 언론 활동을 활성화하였으며 일부 훈구의 공훈 삭제를 주장하다가 기묘사화로 제거되었음을 통해 조광조와 관련이 있음을 알 수 있다. 조광조는 학문과 덕행이 뛰어난 인재를 천거하여 왕이 참석한 가운데 구술 시험을 치러 관리로 등용하는 현량과를 실시하여 사림의 관직 진출을 도왔다.

▮바로 알기▮ ① 강감찬은 고려에 침입한 거란군을 격파하였다. ③ 고려의 서희는 거란의 1차 침입 때 외교 담판을 벌여 강동 6주를 획득하였다. ④ 정도전은 태조 때 요동 정벌을 추진하였다. ⑤ 김종직은 성종 때 세조의 왕위 찬탈을 빗대어 「조의제문」을 지었는데, 이는 연산군 시기 무오사화가 일어나는 빌미가 되었다.

14 붕당 정치의 전개

자료에는 사림이 동인과 서인으로 나뉜 사실이 나타나 있다. 선조 때 동인과 서인으로 분열한 사림은 이후 여러 붕당을 형성하였다. 붕당이 형성되면서 붕당들이 서로 다른 공론을 내세워 비판과 견제를 하는 붕당 정치가 전개되었다.

▮바로 알기▮ ② 붕당 정치는 사림이 주도하였다. ③ 고려 말 공민왕이 반원 자주 정책을 펼치면서 친원 세력인 권문세족을 숙청하였다. ④ 교정도감은 고려 시대 최씨 무신 정권기에 설치된 기구이다. ⑤ 묘청의 서경 천도 운동 등으로 고려 문벌 사회의 모순이 드러났다.

 **서술형 문제**

065쪽

01 주제: 6조 직계제와 의정부 서사제

(1) (가) 6조 직계제, (나) 의정부 서사제
(2) **예시 답안** 6조 직계제는 왕권의 강화에 기여하였고, 의정부 서사제는 재상의 국정 주도권을 강화하였다.

채점 기준

상	6조 직계제와 의정부 서사제가 왕권과 신권에 끼친 영향을 모두 서술한 경우
하	6조 직계제와 의정부 서사제가 왕권과 신권에 끼친 영향 중 한 가지만 서술한 경우

02 주제: 사림의 정치적 성향

(1) 사림
(2) **예시 답안** 사림은 도덕과 의리에 바탕을 둔 왕도 정치를 추구하였고, 사족이 유교 윤리를 바탕으로 농민을 이끌어 가는 향촌 자치를 주장하였다.

채점 기준

상	사림이 왕도 정치와 향촌 자치를 추구하였음을 각 정치의 특징을 포함하여 서술한 경우
중	사림이 왕도 정치와 향촌 자치를 추구하였다고 서술한 경우
하	왕도 정치와 향촌 자치 중 한 가지만 언급하여 서술한 경우

1 『경국대전』의 편찬

자료에서 여섯 권으로 만들어졌고, 그중 두 권은 형전과 호전이며, 세조 때 시작되어 성종 때 완성되었다는 내용을 통해 (가)는 『경국대전』임을 알 수 있다. 『경국대전』은 중앙 정치 조직인 6조 체제에 맞추어 6전으로 구성되었다. 조선은 『경국대전』을 편찬함으로써 유교적 법치 국가의 토대를 마련하게 되었다.

┃바로 알기┃ ㄱ. 『경국대전』은 정치, 경제, 사회를 망라한 법전이었다. ㄹ은 『조선경국전』에 대한 설명이다.

2 유교적 통치 이념의 확립

조선은 유교적 통치 이념을 확립해 갔다. 왕도 정치를 실시하여 예를 통한 교화를 중요하게 여겼고, 유교 윤리 보급과 의례 정비를 위해 『삼강행실도』와 『국조오례의』를 편찬하였다. 대외 관계에서는 명을 큰 나라로 섬겨 사대 외교를 펼쳤다. 통치 제도는 성리학 이념을 바탕으로 정비하여 『경국대전』으로 성문화하였다.

┃바로 알기┃ ① 고려는 해동 천하 의식을 가지고 황제국을 칭하였다. ③은 공민왕의 반원 자주 정책 등과 관련이 있다. ④ 사림은 붕당을 형성하고 공론을 내세워 붕당 정치를 전개하였다. ⑤ 삼국 등은 지배층이 하늘의 자손이라는 천손 의식을 갖고 독자적 천하관을 형성하였다.

완자 정리 노트　조선의 유교적 통치 이념

정치 체제	왕도 정치 추구, 공론 정치 추구, 의정부와 6조 중심의 중앙 통치 조직 마련, 3사의 언론 기구 설치
관리 등용	과거제 실시(문과 가장 중시), 유학 교육 기관 설립
편찬 사업	『삼강행실도』(유교적 모범 사례 모음)·『국조오례의』(유교적 예법에 맞게 국가 행사 정비) 간행, 『경국대전』 편찬
대외 정책	사대교린(명에 사대 외교, 여진·일본과 교린 외교)

3 세종 시기의 사회 모습

지도의 4군 6진을 개척한 (가) 왕은 세종이다. 세종은 이상적인 유교 정치를 이루기 위해 경연을 활성화하였고, 집현전을 설치하여 관리들의 학문 연구를 장려하였다.

┃바로 알기┃ ①은 고려 무신 정권기, ③은 삼한, ④는 고려 성종 시기, ⑤는 고구려에서 볼 수 있는 모습이다.

4 공론 정치의 전개

자료는 공론에 따른 정치를 중시하고 있다. 공론 정치는 지방 사족의 의견까지 정치에 반영할 수 있는 장점이 있었다.

┃바로 알기┃ ① 공론은 성리학에 부합하는 의견을 중시하였다. ② 천신 신앙은 하늘 자체를 신격화하거나 하늘에 있는 초인적인 신을 믿는 신앙으로, 공론 정치와는 관련이 없다. ③은 고려의 북진 정책 등과 관련이 있다. ⑤ 공론 정치는 사림이 주도하였다.

07 조선 시대 세계관의 변화(2)

STEP 1 ▷ 핵심 개념 확인하기　072쪽

1 비변사　2 (1) ○ (2) × (3) ×　3 (1) ㄱ (2) ㄷ (3) ㄴ
4 (1) 북벌 운동 (2) 영조 (3) 남인　5 세도 정치

STEP 2 ▷ 내신 만점 공략하기　072~075쪽

01 ①	02 ③	03 ⑤	04 ②	05 ③	06 ④	07 ⑤
08 ④	09 ①	10 ④	11 ②	12 ③	13 ②	14 ①

01 왜란의 전개

제시된 인물 카드에서 이순신이 명량 대첩과 한산도 대첩을 승리로 이끈 내용을 통해 (가)가 왜란임을 알 수 있다. 왜란 초반에는 조선이 일본군에게 밀렸으나, 이순신이 이끄는 조선 수군이 남해의 해상권을 장악하였고 육지에서는 의병이 일어나 일본군에게 큰 타격을 주었다. 여기에 명의 지원군이 전쟁에 참여하여 조선군과 함께 평양성을 탈환하자 일본은 명에 휴전을 제의하였다. 휴전 협상이 결렬되자 일본은 조선을 다시 침입하여 정유재란을 일으켰으나 조선과 명의 군대가 일본군의 북진을 막고 이순신이 명량에서 일본군을 대파하였다.

┃바로 알기┃ ①은 병자호란 때 있었던 사실이다.

02 왜란의 영향

지도는 왜란의 전개 과정을 나타낸 것이다. 일본은 왜란 중에 조선의 인쇄공, 도자기 기술자, 학자 등을 일본으로 데려갔다. 그리고 이들로부터 인쇄술과 도자기 제조법, 성리학 등을 받아들여 문화를 발전시켰다.

┃바로 알기┃ ① 왜란 이후 일본에서 에도 막부가 성립하였다. ② 왜란의 영향으로 중국에서 명의 국력이 약화되고 여진이 급속히 성장하였다. ④ 조선에서는 지원군을 보내 준 명에 대한 숭상 의식이 확대되었다. ⑤ 왜란으로 조선의 인구가 감소하고 국가 재정이 악화되었다.

03 통신사의 활동

밑줄 친 '사절단'은 통신사이다. 왜란 이후 조선 정부는 에도 막부의 요청을 받아들여 일본에 통신사를 파견하였다. 이들은 외교 사절의 역할과 함께 조선의 문물을 전파하여 일본 문화 발전에 기여하였다.

┃바로 알기┃ ① 통신사는 외교 사절단으로 조공 무역과는 관계가 없다. ② 통신사는 임진왜란 이후에 파견되었다. ③ 청에 파견된 연행사의 활동은 북학론이 대두되는 데 영향을 주었다. ④ 4군 6진은 임진왜란 이전인 세종 때 개척되었다.

04 광해군의 외교 정책

> 광해군은 강홍립이 이끄는 지원군을 명에 파견하는 한편, 강성해진 후금과의 대결을 피하기 위해 상황에 따라 대처할 것을 지시하였어.

자료 분석

(광해군이) 도원수 강홍립에게 지시하였다. "원정군 가운데 1만은 조선의 정예병만을 선발하여 훈련하였다. 이제 장수와 병사들이 서로 숙달하게 되었노라. …… 그대는 명군 장수들의 명령을 그대로 따르지 말고 신중하게 처신하여 오직 패하지 않는 전투가 되도록 최선을 다하라."

— 「광해군일기」

자료에는 광해군의 중립 외교 정책이 나타나 있다. 광해군은 명이 조선에 군사를 요청하자 명과 후금 사이에서 중립 외교를 펼쳤다. 서인 세력은 이러한 외교 정책을 비판하며 인조반정을 일으켜 광해군을 몰아내고 인조를 왕으로 세웠다.

▌바로 알기▐ ㄴ. 서인은 광해군의 중립 외교를 비판하고 친명배금 정책을 전개하였다. ㄹ. 서인의 친명배금 정책을 배경으로 정묘호란이 일어났고, 조선이 청의 군신 관계 요구를 거절하자 병자호란이 일어났다.

05 주전론의 영향

제시된 주장은 청의 군신 관계 요구를 거절하고 청과 전쟁을 벌이자는 주전론(척화론)의 입장이다. 청이 조선에 군신 관계를 요구하자 조선에서는 주전론과 주화론이 대립하였다. 주전론이 우세하여 조선이 청의 요구를 거절하자 청 태종이 조선을 침입하여 병자호란을 일으켰다.

▌바로 알기▐ ① 기묘사화는 중종 때 일어났다. ② 북학론은 병자호란 이후에 대두되었다. ④ 6조 직계제는 조선 전기에 실시되었다. ⑤ 권문세족은 고려 시대 원 간섭기에 정권을 장악하였다.

06 병자호란의 영향

지도는 병자호란의 전개를 나타낸 것이다. 조선이 청의 군신 관계 요구를 거절하자 청 태종이 군대를 이끌고 조선을 공격하여 병자호란이 일어났다. 인조는 남한산성으로 피신하여 항전을 꾀하였으나 결국 청에 항복하였고, 삼전도에서 청과 군신 관계를 맺었다.

▌바로 알기▐ ① 성리학은 고려 시대 원 간섭기에 수용되었다. ② 훈련도감은 임진왜란 중에 설치되었다. ③ 조명 연합군은 임진왜란 때 결성되었다. ⑤ 황룡사 9층 목탑은 고려 시대에 몽골의 침입으로 소실되었다.

07 백두산정계비의 건립

자료에서 압록강과 토문강을 경계로 국경을 정한 내용을 통해 해당 자료가 백두산정계비의 내용임을 짐작할 수 있다. 조선과 청 사이에 국경 분쟁이 일어나자 두 나라는 국경을 정하기 위해 1712년 백두산정계비를 세웠다.

▌바로 알기▐ ① 4군 6진은 세종 때 여진을 몰아내고 개척한 지역이다. ② 동북 9성은 고려 시대에 여진을 몰아내고 축조하였다. ③ 북벌 운동은 병자호란 이후 오랑캐인 청에 당한 치욕을 씻고 명에 대한 의리를 지키자는 요지로 추진된 운동이다. ④ 조선 건국 초 태조와 정도전이 요동 정벌을 추진하여 조선은 명과 갈등을 빚었다.

08 조선 후기 통치 체제의 변화

양난 이후 조선의 정치 운영에서는 많은 변화가 나타났다. 중앙 정치에서는 비변사의 기능이 강화되면서 의정부와 6조 중심의 행정 체계가 유명무실해졌다. 중앙군은 5군영 체제로 정비되었으며, 지방군에는 양반부터 노비까지 포함된 속오군을 편성하였다. 정부는 농촌의 안정과 국가 재정의 확대를 위해 수취 체제도 개편하였는데, 인조 때 토지 1결당 쌀 4~6두를 전세로 거두는 영정법을 시행하였다.

▌바로 알기▐ ④ 조선 후기에는 비변사가 국가 정책 전반을 논의하는 최고 기구가 되었다.

09 대동법의 시행과 반발

밑줄 친 부분은 대동법을 토호(지주)들은 싫어하고 백성들은 좋아한다고 말하고 있다. 대동법이 실시되면서 공납의 수취 기준이 가호에서 토지로 바뀌었기 때문에 토지를 가진 지주들은 대동법을 반대하였다.

▌바로 알기▐ ②, ④는 균역법, ③은 영정법, ⑤는 조선 전기 역의 수취와 관련이 있다.

완자 정리 노트 | 대동법의 실시

배경	16세기 이후 방납의 폐단 심화
시행	광해군 때 경기도에서 시작, 100여 년에 걸쳐 확대됨
내용	공납의 전세화, 토지 결수에 따라 쌀·무명·베·동전 등으로 징수
반응	방납 관련자와 지주층 반대, 농민 환영
결과	양반 지주의 부담 증가, 농민의 부담 감소, 공인 등장, 상품 화폐 경제의 발달 촉진

10 균역법의 보완책

제시된 대화는 균역법 실시에 따라 군포가 1필로 경감된 사실을 보여 준다. 영조 때에는 균역법을 실시하여 농민의 군포 부담을 절반으로 줄여 주었다. 이에 따라 생긴 부족한 재정 수입은 지주에게 결작을 부과하거나 일부 부유층에게 선무군관포를 내게 하여 보충하였다.

▌바로 알기▐ ① 대동법은 방납의 폐단을 시정하기 위해 실시한 정책이다. ② 속오군은 양반에서 노비까지 포함하여 편성된 군대이다. ③ 상평통보는 균역법 실시 이전에 유통되었다. ⑤ 대동법 실시에 따라 관청에서 필요한 물품은 공인에게 조달하게 하였다.

11 붕당 정치의 전개

도표에서 인조반정을 주도하고, 예송 논쟁을 벌였으며 환국을 겪은 것을 통해 (가)는 서인임을 알 수 있다. 서인은 효종과 함께 북벌 운동을 추진하였다.

▌바로 알기▐ ① 서인은 친명배금 정책을 추진하였다. ③ 정조는 서인에서 갈라진 노론과 소론, 남인 등을 고루 등용하였다. ④ 북인이 광해군과 함께 중립 외교 정책을 펼쳤다. ⑤는 남인의 주장이다. 서인은 예송 논쟁에서 왕실도 사대부의 예를 따라야 한다고 주장하였다.

12 영조의 업적

자료는 영조가 세운 탕평비와 이 비석에 새겨진 내용이다. 영조는 붕당 간의 세력 균형이 무너져 정치가 불안해지자 탕평 정치를 비롯한 개혁 정책을 실시하였다. 그는 붕당을 없애자는 자신의 주장에 동의하는 탕평파를 육성하였고 이들을 중심으로 국정을 이끌어 나갔다. 붕당의 뿌리를 없애기 위해 재야 사림의 존재를 부정하고 붕당의 본거지인 서원을 대폭 정리하였으며 이조 전랑이 3사의 관리를 추천하는 관행을 없앴다. 하지만 영조 말년에는 탕평책의 후원 세력으로 중용되었던 외척의 힘이 강해지는 문제점이 드러나기도 하였다. 한편, 영조는 『속대전』, 『동국문헌비고』 등을 편찬하여 문물제도를 정비하였다.

┃바로 알기┃ ③ 정조는 친위 부대인 장용영을 설치하여 왕권을 뒷받침하였다.

13 정조의 정책

밑줄 친 '그'는 정조이다. 정조는 규장각에 비서실 기능을 부여하고 과거 시험과 관리 교육까지 담당하게 하여 강력한 정치 기구로 육성하였다. 그리고 규장각을 자신의 권력과 정책을 뒷받침하는 기구로 삼았다. 또한 젊고 재능 있는 관료들을 선발하여 규장각에서 학문을 연구하게 하는 초계문신제를 실시하여 자신의 권력 기반을 강화하였다.

┃바로 알기┃ ① 홍문관은 성종이 설치하였다. ③ 정조는 노론과 소론, 남인을 고루 등용하였다. ④ 인조는 청과 삼전도에서 강화를 맺었다. ⑤ 중종 때 조광조는 현량과를 실시하였다.

완자 정리 노트   영조와 정조의 정책

구분	영조	정조
왕권 강화	탕평책 실시(탕평파 육성, 서원 정리, 재야 사림 부정, 이조 전랑의 권한 축소)	탕평책 실시(고른 인재 등용), 규장각·장용영 설치, 초계문신제 실시
민생 안정	균역법 실시, 가혹한 형벌 금지	서얼 출신 학자를 규장각 검서관에 등용
문물제도 정비	『속대전』, 『동국문헌비고』 편찬	『대전통편』 편찬

14 세도 정치기의 사회 모습

(가) 시기는 세도 정치 시기이다. 세도 정치는 순조, 헌종, 철종의 3대 60여 년 동안 이어졌고 이 시기 안동 김씨, 풍양 조씨 등이 권력을 행사하였다. 세도 정치 시기에는 세도 가문이 비변사의 주요 관직을 독점하고, 다른 정치 세력이나 지방 사족을 권력에서 철저하게 배제하여 정치 기강이 크게 문란해졌다. 그리하여 과거제 운영과 관직 임명 과정에서 비리가 나타났고, 관직을 사고파는 일이 흔하게 일어났다.

┃바로 알기┃ ② 선조 때 사림이 동인과 서인으로 분열하였다. ③ 선조 때 임진왜란과 정유재란이 일어났다. ④ 연산군 때 무오사화가 일어났다. ⑤ 현종 때 예송 논쟁이 일어났다.

서술형 문제

075쪽

01 주제: 북벌론의 대두

예시 답안 조선에서는 병자호란의 결과 청과 굴욕적인 강화를 맺었고, 조선 중화주의가 나타났다. 이에 오랑캐에게 당한 치욕을 씻고 명에 대한 의리를 지키자는 북벌론이 대두되었다.

채점 기준

상	북벌론의 대두 배경 두 가지(청과 굴욕적 강화 체결, 조선 중화주의 대두)와 그 핵심 내용을 모두 서술한 경우
중	북벌론의 대두 배경 한 가지와 그 핵심 내용을 서술한 경우
하	북벌론의 대두 배경과 그 핵심 내용 중 한 가지만 서술한 경우

02 주제: 비변사의 기능 강화

예시 답안 비변사의 기능이 강화되면서 의정부와 6조 중심의 행정 체계가 유명무실해지고 왕권이 약화되었다.

채점 기준

상	비변사의 기능 강화가 의정부·6조 중심의 행정 체계와 왕권에 끼친 영향을 모두 서술한 경우
하	비변사의 기능 강화가 의정부·6조 중심의 행정 체계와 왕권에 끼친 영향 중 한 가지만 서술한 경우

03 주제: 대동법의 영향

예시 답안 대동법. 방납의 폐단을 시정하기 위해 대동법이 실시되면서 농민의 부담이 감소하였고 재정이 호전되었으며 공인이 등장하였다.

채점 기준

상	대동법을 언급하고 그 영향을 한 가지 서술한 경우
중	대동법의 언급 없이 그 영향만 서술한 경우
하	대동법만 쓴 경우

STEP 3 **1등급 정복하기**

076~077쪽

1 ①   2 ④   3 ③   4 ⑤

1 광해군의 활동

자료에서 중립 외교 정책이 반영되어 강홍립이 후금에 항복하였다는 내용을 통해 밑줄 친 '이 왕'은 광해군임을 알 수 있다. 광해군은 왜란 이후 명과 후금 사이에서 중립 외교를 전개하였다. 또한 그는 토지 대장과 호적을 정비하고 대동법을 실시하는 등 북인과 함께 전후 복구 사업과 제도 개편을 추진하였다.

┃바로 알기┃ ㄷ. 효종은 북벌 운동을 추진하였다. ㄹ. 영조는 이조 전랑의 권한을 약화하였다.

2 주전론과 주화론의 대립

(가)는 주전론(척화론), (나)는 주화론의 입장이다. 정묘호란 이후 세력을 키운 후금이 이름을 청으로 바꾸고 조선에 군신 관계를 요구하자 조선 정부는 주전론과 주화론으로 나뉘어 대립하였다. 주전론은 부모의 나라인 명에 대한 의리를 지키고 오랑캐인 청에게 굴복하면 안 된다는 주장이다. 반면 주화론은 청이 강성하므로 청과 화의를 맺어 전쟁을 피하자는 주장이다. 조선이 주전론에 따라 청의 군신 관계 요구를 거부하자 청이 조선을 다시 침략하여 병자호란을 일으켰다.

▮ **바로 알기** ▮ ④ 서인의 친명배금 정책은 명을 가까이하고 후금을 배척하는 정책으로 주화론과 관련이 없다.

3 대동법의 운영

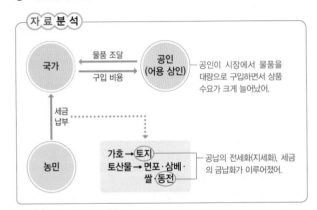

자료 분석

제시된 도표에서 농민이 국가에 세금을 납부하면 국가는 공인으로부터 필요한 물품을 조달받는 것과 세금 수취의 기준이 가호에서 토지로 바뀐 것을 통해 자료는 대동법의 운영 과정을 나타낸 것임을 알 수 있다. 대동법이 실시되면서 지주의 부담이 늘어난 반면 농민의 부담은 감소하였다.

▮ **바로 알기** ▮ ① 지주들은 대동법의 시행을 반대하였다. ② 대동법은 임진왜란 이후에 실시되었다. ④ 탕평비에는 영조의 탕평책 실시 의지가 담겨 있다. ⑤ 영조는 대립과 방군 수포의 폐단을 시정하기 위해 균역법을 실시하였다.

4 정조의 업적

자료에서 탕평책 추진, 장용영 설치, 초계문신제 시행 등의 정책을 펼쳤고, 우표에 수원 화성의 사진이 담긴 것을 통해 (가)에 들어갈 국왕은 정조임을 알 수 있다. 정조는 규장각을 설치하여 자신의 권력과 정책을 뒷받침하였으며, 서얼 출신 학자를 규장각 검서관으로 등용하였다.

▮ **바로 알기** ▮ ① 영조는 양난 이후 늘어난 농민의 군포 부담을 줄이기 위해 군포를 2필에서 1필로 경감한 균역법을 실시하였다. ② 서인이 인조반정으로 광해군을 몰아내고 인조를 옹립하여 정권을 장악하였다. ③ 선조는 임진왜란이 일어나자 광해군을 세자로 책봉하여 별도의 조정을 이끌게 하고 자신은 의주로 피난하였다. ④ 세종은 이종무를 보내 왜구의 근거지인 쓰시마섬을 토벌하였다.

---

08 양반 신분제 사회와 상품 화폐 경제

STEP 1 핵심 개념 확인하기   084쪽

1 ㉠ 양천제 ㉡ 반상제   2 (1) 농민 (2) 덕대 (3) 모내기법
(4) 유향소   3 (1) × (2) ○ (3) × (4) ○   4 (1) ㄱ (2) ㄷ (3) ㄴ
5 임술 농민 봉기

STEP 2 내신 만점 공략하기   084~088쪽

01 ①	02 ④	03 ①	04 ②	05 ①	06 ③	07 ④
08 ②	09 ③	10 ①	11 ②	12 ①	13 ②	14 ⑤
15 ④	16 ③					

01 양반의 특징

자료에서 문·무반을 아울러 불렀던 명칭이라는 것을 통해 (가)는 양반임을 알 수 있다. 양반은 주요 관직을 차지하고 군역을 면제받는 등 정치적 특권을 누렸으며, 관직 복무의 대가로 과전과 녹봉을 받았다.

▮ **바로 알기** ▮ ②는 노비에 대한 설명이다. ③ 수공업자는 상민에 속하였다. ④ 양반은 과거에 응시할 수 있었다. ⑤ 신량역천은 상민 중 천한 일을 담당한 사람들을 가리킨다.

02 중인의 특징

자료는 기술관이 양반에 진출하는 것을 반대하는 글로, 밑줄 친 '의원과 역관'은 중인에 해당한다. 중인에는 기술관과 함께 서리, 향리 등 관청의 하급 관리가 있었다. 또한 양반의 첩에게서 태어난 서얼도 중인과 같은 신분으로 대우를 받았다. 이는 양반들이 자신들의 기득권을 지키기 위해 하급 관리와 서얼을 중인으로 격하시켰기 때문이다.

▮ **바로 알기** ▮ ① 농민은 상민의 대부분을 차지하였다. ② 농민이 조세, 공납, 역을 부담하였다. ③ 노비는 재산으로 취급되어 매매와 상속의 대상이 되었다. ⑤ 수군, 역졸은 상민 중 신량역천에 해당한다.

03 양반 중심의 향촌 지배 체제

자료에서 유향소를 운영하였고 향회를 조직하였으며, 서원을 통해 여론을 모으고 학문을 닦았다는 내용을 통해 밑줄 친 '이들'은 조선 전기 지방 사족을 가리킴을 알 수 있다. 지방 사족들은 향촌 자치 규약인 향약을 운영하여 향촌의 질서를 유지하고 농민을 교화하였다.

▮ **바로 알기** ▮ ② 조선 정부는 지방 통제를 강화하기 위해 한성에 경재소를 설치하고 유향소를 통제하게 하였다. ③은 조선 후기에 등장한 덕대에 대한 설명이다. ④ 이자겸은 고려 시대의 문벌에 해당한다. ⑤는 고려의 권문세족에 해당한다.

04 조선 후기의 경제

첫 번째 자료는 상품 화폐 작물의 재배, 두 번째 자료는 민영 광산이 번성한 모습으로 모두 조선 후기에 해당한다. 조선 후기 농업에서 모내기법이 전국으로 확산되어 광작이 나타났고 지대 납부 방식이 타조법에서 도조법으로 변화하여 소작농의 부담이 감소하였다. 수공업에서는 선대제가 활발하게 일어났으며 공장제 수공업이 확산되었다.

∥바로 알기∥ ② 조선 전기 세종 때 『농사직설』이 간행되었다.

05 모내기법의 영향

자료는 모내기법(이앙법)의 이점을 쓴 것으로, 밑줄 친 '이 농법'은 모내기법이다. 모내기법으로 잡초를 제거하는 노동력을 덜게 되자, 1인당 경작 가능 면적이 늘어나면서 광작이 가능해졌다.

∥바로 알기∥ ② 제위보는 고려 시대의 빈민 구제 기관이다. ③ 진대법은 고구려에서 시행되었다. ④ 모내기법이 확산되면서 수리 시설이 크게 늘었다. ⑤ 광작으로 일부 농민은 부농이 된 반면, 많은 농민은 부세와 고리대의 부담 등으로 토지를 잃고 빈농이 되었다.

06 사상의 발달

지도의 (가)에 해당하는 만상, 유상, 송상, 경강상인, 내상은 모두 사상에 해당한다. 상업 활동이 활발해지면서 국가의 허가를 받지 않은 사상들이 등장하였다. 정조 때 통공 정책을 실시하여 육의전을 제외한 시전 상인의 금난전권이 철폐되자 사상의 활동은 더욱 활발해졌다.

∥바로 알기∥ ① 금난전권은 시전 상인들에게 부여한 특권이다. ② 사상은 국가의 허가를 받지 않은 상인이었다. ④는 덕대, ⑤는 보부상에 해당하는 설명이다.

07 포구 상업의 발달

∥자료 분석∥ ─ 조선 후기 해로와 수로를 이용한 상품 운송이 늘었어.

우리나라는 동, 서, 남의 3면이 바다이므로, 배가 통하지 않는 곳이 없다. 배에 물건을 싣고 오가면서 장사하는 상인은 반드시 강과 바다가 이어지는 곳에서 이득을 얻는다. …… 충청도 은진의 강경포는 육지와 바다 사이에 위치하여 바닷가 사람과 내륙 사람이 모두 여기에서 서로 물건을 교역한다. ─ 이중환, 『택리지』

└ 포구는 대규모 거래가 이루어지면서 상품 유통의 거점 역할을 담당하였어.

자료는 강경포 등 포구에서 상업 활동이 일어난 모습을 보여 준다. 조선 후기 해로와 수로를 이용한 상품 운송이 늘면서 포구가 새로운 상업 중심지로 성장하였다. 포구에서는 중간 상인인 객주와 여각 등이 상품 매매를 중개하고, 운송업, 숙박업, 금융업 등에 종사하였다.

∥바로 알기∥ ① 보부상은 전국 장시를 돌아다니며 활동하였다. ② 의창은 고려 시대의 빈민 구제 기관이다. ③ 정방은 고려 시대에 최우가 설치한 기구로, 인사 행정을 담당하였다. ⑤ 잠채는 광물을 몰래 채굴하거나 채취하던 행위를 말한다.

08 화폐의 전국적 유통

─ 숙종 이전에도 동전을 주조하여 유통하려는 노력이 있었으나 널리 통용되지 못하였어.

∥자료 분석∥

돈은 천하에 통행하는 재화인데 오직 우리나라에서는 예부터 누차 시행하려고 하였으나 행할 수 없었다. 동전이 토산이 아닌 데다 풍속이 중국과 달라서 막히고 방해되어 행하기 어려운 폐단이 있었기 때문이다. 이때에 이르러 대신 허적과 권대운 등이 시행하기를 청하였다. 왕이 여러 신하에게 물으니, 신하들이 모두 그 편리함을 말하였다. 왕이 그대로 해당 관청에 명하여 상평통보를 주조하여 돈 4백 문을 은 1냥 값으로 정하여 시중에 유통하게 하였다. ─ 『숙종실록』

└ 숙종 때 상평통보 4백 문을 은 1냥 값으로 정하여 유통하게 하였어.

조선 후기 숙종 이후 상평통보가 전국적으로 유통되었다. 이후 조세 및 소작료의 금납화가 확대되고 상품 유통이 활발해지면서 화폐 유통이 더욱 활성화되었다. 대규모 상거래에서는 환, 어음 등의 신용 화폐도 사용되었다. 한편, 지주나 상인들이 화폐를 고리대나 재산 축적에 이용하여 전황이 일어나기도 하였다.

∥바로 알기∥ ② 조선 후기에는 장시가 확대되었다.

09 조선 후기 신분 질서의 변동

첫 번째 자료에는 몰락한 양반에게 양반 신분을 돈으로 사고 싶다는 내용이 담겨 있고, 두 번째 자료에는 백성이 돈으로 호적을 위조하여 양반 행세를 하는 사실이 담겨 있다. 이는 모두 조선 후기 신분 질서가 동요한 상황을 보여 준다. ③ 조선 후기에는 대동법이 실시되면서 공인이 관수품을 조달하였다.

∥바로 알기∥ ①은 고려, ②는 조선 전기, ④는 고려 시대 최씨 무신 정권기, ⑤는 백제에서 있었던 일이다.

10 조선 후기 신분제의 동요

제시된 그래프는 조선 후기에 양반의 수가 크게 늘고 상민과 노비의 수가 줄어들었음을 보여 준다. 양난 이후 양반 중심의 신분 질서가 크게 흔들렸다. 전쟁 중에 노비 문서가 많이 불타 없어졌고, 상품 화폐 경제가 발달하면서 생긴 부농들은 공명첩과 납속책을 통해 양반으로 신분을 상승시키기도 하였다. 영조 때 양인을 확보하기 위해 노비종모법을 실시하여 노비는 더욱 줄어들었다.

∥바로 알기∥ ① 상피제는 친족이 동일한 관청에서 함께 근무하지 못하게 한 제도로 조선 후기 신분제의 동요와는 관련이 없다.

11 향전의 배경

자료는 향전이 일어났음을 보여 준다. 조선 후기에 부를 축적해 양반으로 신분을 상승한 신향이 나타나 향촌 사회의 지배권에 도전하면서 구향과 신향 사이에 향전이 일어났다.

∥바로 알기∥ ① 붕당 정치가 변질되어 왕권이 약화되었다. ③ 삼정의 문란이 심화되어 농민 봉기가 일어났다. ④ 고려 말 신진 사대부가 등장하여 조선 시대에 지배층을 형성하였다. ⑤ 권문세족은 고려 시대의 지배층이다.

12 정약용의 주장

정약용은 마을 단위로 토지를 공동 소유하고 공동 경작해서 노동량에 따라 소득을 분배하자는 여전제를 제안하였어.

자료 분석

여(閭: 마을)에는 여장을 두고 1여의 농토를 여에 사는 사람들이 함께 다스리고 같이 농사짓게 하되, 내 땅 네 땅의 구별이 없고, 오직 여장의 명령에 따르게 하는 것이다. 그들이 매양 하루 일을 하면 여장은 그들의 노력을 장부에 매일 기록하여 두었다가, 추수할 때에 곡식의 수확을 전부 여장의 집으로 운반해 놓고, 그 곡물을 나누되 먼저 나라에 바치는 세금을 떼어 놓고, 그 다음은 여장의 녹(봉급)을 주고, 그 나머지를 가지고 장부에 기준하여 분배한다.

정약용의 저술을 정리한 문집이야. ― 「여유당전서」

정약용 등 농업 중심 개혁론자들은 토지 제도를 개혁하여 농촌 사회를 안정시켜야 한다고 주장하였다.

바로 알기 ② 정약용은 실학자이다. 성리학이 사회 변동에 제대로 대응하지 못하자, 실증적인 연구 방법으로 사회 모순을 해결하려는 실학이 제기되었다. ③은 박지원, 박제가의 주장이다. ④는 박제가의 주장이다. ⑤는 이익의 한전론에 해당한다.

13 천주교의 특징

제시된 스피드 퀴즈에서 정답이 천주교이므로, (가)에는 천주교에 해당하는 내용의 질문이 들어가면 된다. 17세기에 중국을 왕래한 조선 사신들은 서학이라는 이름으로 천주교를 소개하였고, 18세기 남인 계열의 실학자들이 천주교를 신앙으로 받아들이기 시작하였다.

바로 알기 ①, ③은 동학, ④는 실학에 대한 설명이다. ⑤ 망이·망소이의 난은 고려 시대에 일어났다.

완자 정리 노트 천주교와 동학

구분	천주교	동학
시작	17세기 학문으로 수용, 18세기 신앙으로 발전	최제우가 창시
특징	인간 평등과 박애 강조	인내천·시천주 사상, 후천개벽 주장
공통점	인간 평등 강조, 하층민 사이에서 유행, 정부의 탄압을 받음

14 동학의 교리

제시된 자료에서 경상도 경주, 시천주, 최 선생(최제우) 등의 내용을 통해 (가)는 동학임을 알 수 있다. 동학은 '사람이 곧 하늘'이라는 인내천 사상을 바탕으로 인간 평등을 강조하여 하층민들의 호응을 얻었다.

바로 알기 ① 불교의 종파인 선종이 승탑의 건립에 영향을 주었다. ② 임신서기석에는 신라 청년들이 왕에 대한 충성과 유교 경전 공부를 약속한 내용 등이 기록되어 있다. ③ 조선은 성리학을 통치 이념으로 채택하였다. ④ 통일 신라 원성왕 때 유교 경전의 이해 정도를 시험하여 관리를 선발하는 독서삼품과가 시행되었다.

15 홍경래의 난이 일어난 배경

자료는 홍경래의 난 당시에 발표된 격문이다. 삼정의 문란 등으로 농민들의 생활이 어려운 가운데 정부가 평안도민을 차별하고 과도한 세금을 부과하자 몰락 양반인 홍경래의 주도 아래 농민 봉기가 일어났다(1811).

바로 알기 ①은 고려 시대 만적의 난에 대한 설명이다. ② 진주 농민 봉기가 전국적 농민 봉기인 임술 농민 봉기로 확산되었다. ③ 최제우는 동학의 교조로, 홍경래의 난과는 관련이 없다. ⑤ 조선 시대에는 특수 행정 구역이 사라졌다.

16 임술 농민 봉기의 영향

지도의 (가)는 1862년에 일어난 임술 농민 봉기이다. 1862년 진주 농민 봉기를 시작으로 농민 봉기가 전국적으로 확산되어 임술 농민 봉기가 일어났다. 대규모 농민 봉기가 일어나자, 세도 정권은 안핵사를 파견하여 주동자를 처벌하도록 하였다.

바로 알기 ① 공명첩은 왜란 중에 발급되기 시작하였다. ② 대동법은 17세기에 시작되었다. ④ 제위보는 고려 시대의 빈민 구제 기관이다. ⑤ 세도 정치 시기에 삼정의 문란을 배경으로 임술 농민 봉기가 일어났다.

서술형 문제

088쪽

01 주제: 통공 정책의 영향

예시 답안 정조의 통공 정책으로 사상의 활동이 더욱 활발해져 일부는 독점적 도매상인인 도고로 성장하였다.

채점 기준

상	사상의 활동이 활발해진 사실과 이들이 도고로 성장한 사실을 모두 서술한 경우
하	사상의 활동이 활발해진 사실과 이들이 도고로 성장한 사실 중 한 가지만 서술한 경우

02 주제: 이익의 한전론

예시 답안 이익. 이익은 생활에 필요한 최소한의 토지는 매매하지 못하도록 하자고 주장하였다.

채점 기준

상	이익을 쓰고 한전론의 주요 내용을 서술한 경우
중	한전론의 주요 내용만 서술한 경우
하	이익만 쓴 경우

03 주제: 임술 농민 봉기의 배경

예시 답안 조선 후기 농민들은 삼정의 문란이 심화되고 관리들의 부정과 수탈로 생활이 어려워지자 대규모 봉기를 일으켰다.

채점 기준

상	삼정의 문란, 관리들의 부정과 수탈을 모두 서술한 경우
하	삼정의 문란, 관리들의 부정과 수탈 중 한 가지만 서술한 경우

STEP 3 1등급 정복하기

1 ③ 2 ① 3 ① 4 ④ 5 ⑤ 6 ③

1 양반과 노비의 특징

(가)는 양반, (나)는 노비이다. 조선 전기 노비는 일천즉천의 원칙을 적용받아 부모 중 한쪽이 노비일 경우 그 자녀도 노비가 되었다.

▌바로 알기▌ ①은 서얼에 대한 설명이다. ②는 중인에 대한 설명이다. ④ 노비는 과거 응시가 금지되었다. ⑤ 노비는 천인에 속하였다.

2 조선 후기의 경제

제시된 그림은 「경직도」로 모내기하는 장면을 그린 것이다. 모내기법이 전국으로 확산된 (가)는 조선 후기이다. 조선 후기에는 덕대가 상인 물주의 자금으로 채굴업자, 채굴 노동자 등을 고용하여 광산을 운영하였다.

▌바로 알기▌ ② 중방은 고려 시대 무신 정권기에 설치되었다. ③ 「조의제문」은 조선 성종 때 김종직이 지은 글로, 무오사화가 일어나는 배경이 되었다. ④ 삼별초는 고려 시대의 군대이다. ⑤ 신라 말에서 고려 전기에 지방에서 호족들이 성주, 장군을 자처하였다.

완자 정리 노트 조선 후기 상품 화폐 경제의 발달

농업	모내기법 확산, 상품 작물 재배, 도조법 도입 → 부농층 형성
수공업	민영 수공업 발달, 공장제 수공업 확산, 선대제 활발
광업	민간의 광산 채굴 허용, 은광 개발 활발, 덕대 등장
상업	• 상인: 공인 등장, 사상의 활동 확대 → 도고 등장 • 장시: 전국적으로 활성화, 보부상 활약 • 포구 상업: 포구에서 객주·여각의 중개·운송·숙박·금융업 발달
무역	청, 일본과 개시와 후시 전개
화폐	상평통보의 전국적 유통, 전황 발생, 신용 화폐 사용

3 도고의 성장

자료의 허생은 조선 후기에 성장한 독점적 도매상인인 도고에 해당한다. 조선 후기에 상품 화폐 경제가 발달하면서 도고가 성장하였고, 이는 당시 상업 자본이 성장하였음을 보여 준다.

▌바로 알기▌ ㄷ. 정조의 통공 정책으로 육의전을 제외한 시전의 금난전권이 폐지되면서 도고가 성장하였다. ㄹ. 조선 후기에는 지대 납부 방식이 타조법에서 도조법으로 바뀌었다.

4 조선 후기 신분 질서의 변화

첫 번째 자료는 공명첩으로, 조선 후기 농민들이 합법적으로 신분을 상승한 수단 중 하나이다. 두 번째 자료는 돈을 받고 노비를 양인으로 풀어 준 문서이다. 따라서 두 자료는 모두 조선 후기에 신분 질서가 변화한 사실을 보여 준다.

▌바로 알기▌ ① 조선 후기 생활이 어려운 백성들 사이에서는 말세의 도래와 변란을 예언하는 사상이 유행하였다. ②는 장시와 포구 상업의 발달, 화폐 사용의 확대 등과 관련이 있다. ③ 향전은 신향과 구향 간의 싸움을 가리킨다. ⑤ 조선 전기 지방 사족들이 향촌 사회를 지배하였다.

5 박제가의 활동

자료 분석

박제가가 청의 풍속과 제도를 시찰하고 돌아와서 그 견문한 바를 쓴 책이야.

• 중국의 배만 통상하고, 해외의 모든 나라와 통상하지 않는 것은 역시 일시적인 술책이고, 정론은 아니다. 국가의 힘이 조금 강해지고 백성의 생업이 안정되면 차례로 이를 통하는 것이 마땅하다.
└ 박제가는 중국과 통상을 하고 국력이 강해지면 일본이나 서양 여러 나라와도 통상해야 한다고 주장하였어. – 「북학의」

• 대체로 재물은 샘과 같은 것이다. 퍼내면 차고, 버려두면 말라버린다. …… 기교를 숭상하지 않아서 나라에 공장의 도야하는 일이 없게 되면 기예가 망하게 되며 농사가 황폐해져서 그 법을 잃게 되므로 …… 서로 구제할 수 없게 된다. – 「북학의」
└ 생산을 자극하기 위해서 소비를 권장해야 한다는 주장이야.

박제가는 조선 후기에 나타난 사회 모순의 해결책을 구상하는 과정에서 상공업 중심의 개혁론을 펼쳤다. 그는 청과 교역하여 청의 문물을 적극 수용해야 하고, 수레와 선박을 이용하여 상공업을 진흥해야 한다고 주장하였다.

▌바로 알기▌ ① 경주의 몰락 양반 최제우가 동학을 창시하였다. ② 고려 시대의 승려 일연은 야사와 설화 등을 수록하여 「삼국유사」를 저술하였다. ③ 박제가는 의병을 일으키지 않았다. 왜란 당시 정문부, 휴정, 유정, 곽재우, 고경명 등이 의병을 일으켰다. ④ 고려 시대의 승려 지눌은 수선사를 중심으로 결사 운동을 벌였다.

6 삼정의 문란과 농민 봉기

자료 분석

• 시아버지 죽어 이미 상복 입었고, / 갓난아인 배냇물도 안 말랐는데
삼대의 이름이 군적에 모두 다 실렸으니 / 가서 억울함 호소해도 문지기는 호랑이요 └ 죽은 사람과 갓난아이까지 군적에 올랐음을 보여 줘.
이정(里正)은 호통하며 마구간 소 끌고 갔네. – 「여유당전서」

• 봄철에 좀먹은 것 한 말 받고 / 가을에 정미 두 말을 갚는데 더구나 좀먹은 쌀값 돈으로 내라니 / 정미 팔아 돈으로 낼 수밖에
남는 이윤은 교활한 관리 살찌워 / 환관 하나가 밭이 1,000두락이고 └ 환곡이 고리대로 이용되었어.
백성들 차지는 고생뿐이어서 / 굵어 가고 벗겨 가고 걸핏하면 매질이라. └ 환곡의 문란으로 백성들의 생활이 어려워졌어. – 「여유당전서」

자료는 군정과 환곡의 문란으로 백성들의 생활이 어려웠음을 보여 준다. 조선 후기 삼정의 문란으로 생활이 어려워진 농민들은 곳곳에서 봉기하였는데, 1862년(임술년)에는 진주 농민 봉기를 시작으로 전국에서 농민 봉기가 일어났다.

▌바로 알기▌ ① 남인은 여러 차례 환국을 겪으면서 몰락하였다. ② 조광조는 중종 때 사림 세력을 등용하기 위해 현량과를 실시하였다. ④ 고려 시대에 신돈은 권문세족이 저지른 부정을 되돌려 왕권을 강화하고 국가 재정을 안정시키기 위해 전민변정도감을 설치하였다. ⑤ 서얼들은 신분 상승을 위해 집단 상소 운동을 전개하였다.

대단원 실력 굳히기

094쪽 ~ 097쪽

01 ④	02 ①	03 ⑤	04 ③	05 ④	06 ①	07 ③
08 ⑤	09 ③	10 ②	11 ①	12 ④	13 ②	14 ③
15 ①	16 ②	17 ⑤	18 ①			

01 중앙 집권 강화

첫 번째 그림에서 왕은 각 부의 유력자와 함께 분쟁을 처리하고 있고, 두 번째 그림에서 왕은 율령에 따라 명령을 내리고 있다. 삼국은 초기에 왕과 부의 대표들이 합의하여 국가 중대사를 결정하였다. 그러다 점차 왕을 중심으로 한 중앙 집권적 고대 국가의 모습을 갖추면서 족장 세력들은 왕권에 복속하였고, 왕은 율령을 반포하여 통치 제도를 정비하였다.

바로 알기 ① 철기는 삼국이 성립될 무렵에 보급되었다. ② 연맹 왕국 단계에서 왕은 족장들과 국가의 중대사를 논의하였다. ③은 삼한에 천군과 군장이 존재한 사실 등과 관련이 있다. ⑤는 옥저, 동예 등과 관련이 있다.

완자 정리 노트 삼국의 중앙 집권화

삼국 성립 초기
강력한 부의 대표가 왕으로 군림, 각 부의 자치권 행사, 초기 회의체 운영

❖

중앙 집권적 고대 국가로 성장
영토 확장, 중앙 관제 마련·관등제 정비(→ 일원적 통치 체제 확립), 족장 세력이 왕권에 복속(→ 중앙 귀족으로 전환), 율령 반포, 불교와 유학 수용(→ 국왕 중심의 지배 이념 확립), 중앙 행정 기구 정비, 지방 제도 정비 등

02 지증왕의 업적

신라에서 '왕' 호칭을 처음 사용한 왕은 지증왕이다. 지증왕은 이사부를 앞세워 우산국(울릉도) 일대를 정복하였다.

바로 알기 ②, ⑤는 진흥왕, ③은 내물왕, ④는 법흥왕에 대한 설명이다.

03 통일 신라의 발전

자료는 통일 신라에서 실시된 독서삼품과와 관련이 있다. 통일 신라는 신문왕 때 관리에게 관료전을 지급하고 녹읍을 폐지하였으며, 전국을 9주 5소경 체제로 정비하였다. 중앙 정치 조직은 집사부를 중심으로 운영하였다. 당시에는 불교가 발달하였는데 원효가 아미타 신앙을 전파하여 불교의 대중화에 기여하였다.

바로 알기 ⑤ 발해는 주변국들로부터 '해동성국'이라 불렸다.

04 도교의 발달

제시된 사신도와 산수무늬 벽돌에는 도교 사상이 반영되어 있으며, 사후 세계를 믿고 신선 사상에 산천 숭배 사상이 결합하여 발전하였다는 내용을 통해 (가)는 도교임을 알 수 있다. 도교는 불로장생과 현세구복을 추구하였다.

바로 알기 ①, ⑤는 유교, ②는 선종, ④는 불교와 관련이 있다.

05 고려 성종의 정책

자료는 최승로가 성종에게 건의한 시무 28조이다. 성종은 이를 수용하여 12목을 설치하고 지방관을 파견하였으며, 유학 교육을 장려하고 국가 행사에 유교 의례를 도입하는 등 유교 중심의 통치 체제를 확립하였다.

바로 알기 ① 노비안검법은 광종이 실시하였다. ② 공민왕은 신돈을 등용하여 전민변정도감을 설치하였다. ③은 백제 무령왕의 정책이다. ⑤ 의정부는 조선의 중앙 정치 기구이다.

06 고려와 금의 관계

자료에서 요(거란)와 고려를 섬겼다가 요와 송을 멸망시켰다는 내용을 통해 밑줄 친 '이 나라'는 금을 가리킴을 알 수 있다. 고려 시대에 묘청 등 서경 세력은 금국을 정벌하고 독자적인 연호를 사용하자고 주장하였다.

바로 알기 ② 원이 고려에 쌍성총관부를 설치하였다. ③ 조선 시대에 일본이 임진왜란과 정유재란을 일으켰다. ④ 고려군은 귀주에서 거란군을 물리쳤다. ⑤ 원은 고려를 부마국으로 삼고 내정에 간섭하였다.

07 무신 정변의 배경

자료는 젊은 문관이 늙은 대장군을 능멸하는 모습으로, 당시 무신에 대한 차별이 심하였음을 짐작하게 한다. 고려 시대에 문신을 우대하고 무신을 차별하는 것에 분노한 정중부, 이의민 등은 의종 대에 무신 정변을 일으켰다(1170).

바로 알기 ① 성종 때 최승로가 시무 28조를 올렸다. ② 인종 때 이자겸과 척준경이 이자겸의 난을 일으켰다. ④ 인종 때 묘청이 서경 천도 운동을 전개하였다. ⑤ 서희는 993년 거란 장수와 외교 담판을 벌였다.

08 공민왕의 업적

자료는 공민왕이 신돈을 등용하여 실시한 개혁과 관련이 있다. 공민왕은 전민변정도감을 설치하여 권문세족이 불법으로 빼앗은 토지를 본래의 주인에게 돌려주고, 강제로 노비가 된 사람을 양민으로 해방하였다. 공민왕은 반원 자주 정책도 펼쳤는데, 고려 정치에 간섭하던 정동행성이문소를 폐지하였으며, 쌍성총관부를 공격하여 영토를 회복하였다.

바로 알기 ①은 고려 성종, ②는 고려 광종, ③은 통일 신라 신문왕, ④는 조선 태종의 업적이다.

09 특수 행정 구역에 대한 차별

밑줄 친 '다인철소'는 고려의 특수 행정 구역인 소에 해당한다. 고려 시대에 특수 행정 구역 주민들은 법적으로 양인에 속하였지만 일반 군현민에 비해 차별을 받아 과거 응시, 거주 이전 등에 제한이 있었다.

바로 알기 ① 특수 행정 구역민들은 과거 응시가 금지되었다. ② 특수 행정 구역민들은 일반 군현민보다 많은 조세와 역을 부담하였다. ④ 일천즉천의 원칙은 부모 중 한 명이 노비이면 자녀도 노비가 되는 원칙이다. ⑤는 중간 계층에 대한 설명이다. 특수 행정 구역민은 양민에 속하였다.

10 고려의 역사서

고려에서는 몽골의 침략과 간섭으로 나라가 위기에 처하자 자주 의식을 강조한 『삼국유사』와 『제왕운기』가 편찬되었다. 두 책은 단군을 시조로 기록하고 우리의 전통문화를 자랑스럽게 서술하여 민족 정체성을 확립하고자 하였다.

바로 알기 ① 『삼국유사』와 『제왕운기』는 현재 전하고 있다. ③은 이규보의 「동명왕편」과 관련이 있다. ④는 고려 후기 성리학의 영향을 받은 역사서들에 대한 특징으로, 이제현의 『사략』이 대표적이다. ⑤는 김부식의 『삼국사기』와 관련이 있다.

11 의천의 활동

밑줄 친 '그'는 고려 시대의 승려 의천이다. 의천은 화엄종을 중심으로 교종을 통합하고 해동 천태종을 창시하여 선종까지 포섭하려 하였다. 그리고 그는 불교의 이론적 교리 공부와 실천적 수행을 함께 닦아야 한다는 교관겸수를 주장하였다.

바로 알기 ② 요세는 백련사 결사를 조직하였다. ③ 통일 신라의 원효는 아미타 신앙을 전파하여 불교의 대중화에 기여하였다. ④ 혜심은 유불 일치설을 주장하여 성리학 수용의 사상적 기반을 마련하였다. ⑤ 지눌은 정혜쌍수와 돈오점수를 주장하였다.

12 조선의 통치 체제

자료는 조선의 중앙 정치 조직을 나타낸 것이다. 조선은 전국을 8도로 나누어 관찰사를 파견하였고, 모든 군현에 수령을 파견하였다. 중앙군은 5위를 설치하였고, 지방군은 병마절도사와 수군절도사의 지휘를 받도록 하였다. 관리는 과거와 음서, 천거 등을 통해 등용하였다. 한편, 지방 사족들은 유향소를 만들어 향촌에서 영향력을 행사하였는데, 정부는 한성에 경재소를 설치하여 유향소를 통제하였다.

바로 알기 ④는 고려 시대에 해당한다.

13 사림의 성장

자료는 사림이 왕도 정치를 주장한 내용이다. 사림은 서원과 향약을 기반으로 향촌 사회에서 세력을 꾸준히 확대하여 선조 대에 정국을 주도하게 되었다.

바로 알기 ① 고려 시대 중서문하성의 재신과 중추원의 추신은 도병마사에서 회의를 열어 정책을 결정하였다. ③은 훈구에 대한 설명이다. ④는 고려 시대 권문세족에 대한 설명이다. ⑤ 사림은 고려 말 온건파 신진 사대부였던 정몽주의 학통을 계승하였다.

14 북벌론과 북학론

(가)는 북벌론, (나)는 북학론의 입장이다. 북학론자들은 청의 문물을 수용하여 국가 발전을 이루어야 한다고 주장하였다.

바로 알기 ① 18세기경 일부 실학자들은 청의 문물을 수용하자는 북학론을 제기하였다. ② 북벌론자들은 청(오랑캐)에 당한 치욕을 씻고 명에 대한 의리를 지키자고 주장하였다. ④ 통신사는 일본에 파견된 사절단이다. 연행사로 다녀온 이들이 북학론에 영향을 주었다. ⑤ 북벌론과 북학론은 병자호란 이후에 대두되었다.

15 영조의 탕평책

붕당 정치가 변질되면서 붕당은 상대 붕당을 인정하지 않고 권력을 독점하려 하였으며, 공론은 붕당의 이익을 대변하는 데 이용되었어.

자료 분석

나라를 위해 몸과 마음을 다 바칠 의리와 서로 화목하게 지낼 도리를 생각하지 않고 오직 자기 당파의 주장과 어긋나지 않을지만 염려를 하니, …… 탕평하는 것은 공이요, 당에 물드는 것은 사인데, 여러 신하는 공을 하고자 하는가, 사를 하고자 하는가? ― 『영조실록』

영조는 탕평책을 실시하였어.

밑줄 친 부분은 붕당의 다툼이 심해져 붕당 정치가 변질되었음을 보여 준다. 영조는 붕당 간 세력 균형을 이루고 왕권을 강화하기 위해 탕평책을 실시하면서 붕당의 기반인 서원을 대폭 정리하였다.

바로 알기 ② 과거제는 붕당 정치가 변질되기 이전부터 시행하였다. ③ 영정법은 전세의 문란을 시정하기 위해 실시하였다. ④ 광해군은 강성해진 후금과의 충돌을 피하기 위해 명과 후금 사이에서 중립 외교를 펼쳤다. ⑤ 태종과 세조 때 왕권을 강화하기 위해 6조 직계제를 실시하였다.

16 조선 후기의 사회 모습

(가)는 조선 후기에 전국적으로 확산된 모내기법(이앙법)이다. 조선 후기에는 국경 지역에서 청, 일본 등과의 개시와 후시가 활발하게 일어났다.

바로 알기 ① 조선 후기 광작으로 일부 농민은 부농이 되었으나 다수의 농민은 토지를 잃고 빈농이 되었다. ③ 조선 시대에는 향·부곡·소가 철폐되었다. ④ 진대법은 고구려에서 실시된 제도이다. ⑤ 조선 후기에는 양반의 수가 증가하고 상민과 노비의 수가 감소하였다.

17 향전의 영향

향전이 일어나자 수령은 재정 위기를 해결하기 위해 신향을 지원하였다. 이 과정에서 구향이 약화되었으나, 신향이 향촌 사회를 완전히 장악하지 못하면서 오히려 수령의 권한이 강화되었다. 사족의 이익을 대변하던 향회는 점차 지방관을 견제하는 기능을 잃고, 세금을 부과할 때 의견을 묻는 자문 기구로 역할이 축소되었다.

바로 알기 ① 향약은 조선 전기부터 보급되었다. ② 향전은 수령의 권한이 강화되는 결과를 낳았다. ③ 고려 성종은 12목을 설치하고 지방관을 파견하였다. ④ 사림은 이조 전랑 임명 문제를 계기로 동인과 서인으로 갈라졌다.

18 임술 농민 봉기의 배경

자료는 임술 농민 봉기의 시작이 된 진주 농민 봉기가 일어난 사실을 보여 준다. 조선 후기 삼정의 문란, 관리들의 부정과 수탈 등으로 살기 어려워진 농민들이 수령이나 지주, 고리대금업자들을 공격하면서 크고 작은 봉기가 일어났다. 그러다 1862년에 진주 농민 봉기를 시작으로 봉기가 전국적으로 확산되었다.

바로 알기 ② 선무군관포는 균역법의 실시에 따른 부족분을 해결하기 위해 일부 부유층에게 선무군관이라는 칭호를 주고 매년 받았던 세금이다. ③ 이자겸의 난은 고려 시대의 사건이다. ④는 홍경래의 난이 일어난 배경과 관련이 있다. ⑤는 고려 시대 무신 정변의 배경에 해당한다.

II. 근대 국민 국가 수립 운동

01 서구 열강의 접근과 조선의 대응

STEP 1 핵심 개념 확인하기
106쪽

1 제국주의　　2 사회 진화론　　3 (1) ○ (2) × (3) ×　　4 (1) ㄴ
(2) ㄱ (3) ㄷ　　5 (1) ㉡ (2) ㉠

STEP 2 내신 만점 공략하기
106~110쪽

01 ④	02 ③	03 ④	04 ②	05 ②	06 ④	07 ③
08 ②	09 ③	10 ②	11 ②	12 ⑤	13 ⑤	14 ②
15 ⑤	16 ⑤	17 ④	18 ④	19 ①

01 제국주의의 등장

자료는 당시 동아시아로 접근해 오던 서구 열강, 제국주의 국가들을 풍자한 그림과 설명이다. 따라서 밑줄 친 '이들 국가'들이 취한 정책은 제국주의 정책이다. 19세기에 제국주의는 서구 열강이 우월한 경제력과 군사력을 앞세워 식민지를 차지하려는 식민지 확보 경쟁이었다. 제국주의 열강들은 사회 진화론을 근거로 자신들의 침략 행위를 합리화하였으며, 백인 우월주의를 내세워 백인 제국주의 국가의 흑인이나 황인 국가의 지배를 정당화하였다. 19세기에 점차 배타적이고 침략적인 성격을 띤 민족주의가 발달하면서 선진 자본주의 국가의 대외 침략을 촉진하였다.

┃ **바로 알기** ┃ ④ 산업 혁명은 18세기 후반에 영국에서 면직물 수요가 급증하면서 시작되었으며, 19세기에는 미국, 독일 등으로 확산되고, 전기, 철강 등 중화학 공업이 발달하였다. 이후 독점 자본주의가 등장하면서 제국주의 단계로 나아갔다.

02 난징 조약의 체결

자료에서 영국 국민이 상하이를 비롯한 청의 몇 개 항구 지역에서 자유롭게 거주할 수 있다고 한 점, 청이 영국에 홍콩을 양도한다는 내용 등을 통해 해당 조약은 영국과 청이 1842년에 체결한 난징 조약임을 알 수 있다. 영국에서 청에 아편을 밀수출하여 청의 아편 문제가 심각해지자, 청 정부가 아편을 단속하였다. 영국은 이를 빌미로 제1차 아편 전쟁(1840~1842)을 일으켰다. 이 전쟁에서 패한 청은 영국과 난징 조약을 맺어 상하이를 비롯한 5개 항구를 개방하고 홍콩을 영국에 넘겨주었다.

┃ **바로 알기** ┃ ①은 1871년 조선의 상황이다. ② 제너럴셔먼호 사건을 계기로 조선에서 신미양요가 발생하였다. ④는 일본의 개항과 관련된 내용이다. ⑤는 제2차 아편 전쟁으로, 이 결과 톈진 조약과 베이징 조약이 체결되었다.

03 삼군부의 부활

자료에서 조선 초기에 설치되었다가 19세기 후반에 다시 부활하여 군사 업무를 총괄한 점, 병인양요 이후 본격화한 군비 강화를 주도하기 위해 다시 설치했다고 한 점 등을 통해 (가)는 삼군부임을 알 수 있다. 흥선 대원군은 의정부의 기능을 부활시켜 세도 가문의 권력 기구가 되어 왕권을 제약하던 비변사의 기능을 축소하였다. 그 이듬해에는 비변사를 폐지하고, 삼군부를 부활시켜 의정부와 삼군부가 정치와 군사 업무를 나누어 맡게 하였다.

┃ **바로 알기** ┃ ①은 균역청에 대한 설명이다. 균역법에 따른 여러 가지 일을 관장했던 균역청은 얼마 지나지 않아 선혜청으로 합쳐졌다. ② 19세기 세도 가문이 독점하였던 세도 가문의 권력 기구는 비변사이다. ③ 18세기 후반에 정조는 친위 부대인 장용영을 설치하여 군사 기반을 강화하였다. ⑤ 홍경래의 난을 진압한 것은 관군이다.

04 경복궁 중건의 의미

┌─ 자 료 분 석 ─┐

에—에헤이야 얼널럴 거리고 방아 홍애로다.
조선 팔도 좋다는 나무는
경복궁 짓노라 다 들어간다.　→양반 묘지림의 벌목은 양반층의 불만을 야기하였어.
도편수란 놈의 거동 보소.　→집을 짓는 목수 중 우두머리
먹통 메고 갈팡질팡 한다.
　　　……
남문 열고 바라 둥당 치니
계명산천에 달이 살짝 밝았네.
경복궁 역사가 언제나 끝나
그리던 가족을 만나 볼까.　→부역 노동에 시달린 백성의 불만이 높아졌어.

자료에서 좋다는 나무는 경복궁 짓노라 다 들어간다, 경복궁 역사가 언제나 끝나냐는 가사 등을 통해 해당 노래는 경복궁 중건 때 생겨난 「경복궁 타령」임을 알 수 있다. 흥선 대원군은 임진왜란 때 불타 버린 경복궁을 다시 지어 왕실의 권위를 세우고자 하였다.

┃ **바로 알기** ┃ ① 안동 김씨 등 몇몇의 가문이 국가를 운영하던 세도 정치는 순조, 헌종, 철종 때 펼쳐졌다. 흥선 대원군은 집권 후 세도 가문을 몰아냈다. ③ 임술 농민 봉기의 대책으로는 삼정이정청이 설치되었다. ④는 정조 때 세운 수원 화성과 관련된 내용이다. ⑤는 척화비 건립의 결과이다.

05 원납전 징수의 배경

자료에서 재정 부족으로 8도의 부자 명단을 뽑아서 돈을 거두어들였다는 점, 백성들이 원망하며 바친 돈이라고 말한 점 등을 통해 (가)는 원납전임을 알 수 있다. 흥선 대원군은 경복궁 중건 공사 자금을 마련하기 위해 원납전이라는 기부금을 강제로 거두었다. 또한 고액 화폐인 당백전을 발행하였다.

┃ **바로 알기** ┃ ①은 영조와 흥선 대원군의 정책에 해당한다. 서원 철폐로 국가 재정이 늘고 민생이 안정되었다. ③은 정조의 정책이다. ④ 광해군 때 대동법을 처음 실시하였다. ⑤ 숙종 때 상평통보가 처음으로 발행되었다.

06　서원의 기능

자료에서 우리나라 선현께 제사하는 곳이라는 내용을 통해 (가)는 서원임을 알 수 있다. 지방 양반들이 세운 서원은 유학의 선현에게 제사를 지내고, 후학을 기르는 사립 교육 기관이다. 국왕이 현판과 토지, 서적을 내리기도 하였다. 서원은 면역의 특권이 있었고, 서원의 토지는 면세의 혜택이 있었다. 서원은 붕당의 근거지가 되어 영조 때 정리되기도 하였다.

┃바로 알기┃ ④ 유학을 교육하는 국립 교육 기관으로는 지방에 향교, 중앙에 4부 학당이 있었고, 최고 교육 기관으로는 성균관이 있었다.

07　서원 철폐의 효과

자료에서 (가)가 서원인 점을 통해 당시 흥선 대원군의 (가)에 대한 조치가 서원 철폐라는 것을 파악할 수 있다. 당시 서원은 지방 사족의 세력 기반으로, 선현에 대한 제사를 구실로 농민을 수탈하였고, 면세의 특권을 누렸다. 흥선 대원군은 이러한 폐단을 지닌 서원을 철폐하여 민생 안정과 국가 재정 확충 등의 효과를 거두었다.

┃바로 알기┃ ① 숙종 때 붕당이 변질되면서 환국이 발생하였다. ② 흥선 대원군의 서원 철폐는 백성들이 지지하였다. 서양과의 통상 수교 거부 정책을 양반 유생이 지지하였다. ④ 철종 때 임술 농민 봉기에 대한 대책으로 삼정이정청을 설치하였다. ⑤는 경복궁 중건과 관련된 내용이다.

08　호포제 실시

자료에서 흥선 대원군의 분부로 양반호도 포를 내게 하였다는 내용을 통해 자료의 제도는 호포제임을 알 수 있다. 흥선 대원군은 군정의 폐단을 고쳐 민생을 안정시키고 국가 재정을 확대하기 위해 호포제를 실시하였다. 상민에게만 거두던 군포를 양반에게까지 징수하여 신분에 관계없이 군포를 부과하였다. 이로 인해 군포 납부층이 확대되었다.

┃바로 알기┃ ①은 균역법과 관련된 내용이다. ③ 방납의 폐단을 시정하고자 대동법이 실시되었다. ④는 양전 사업과 관련된 내용이다. ⑤ 흥선 대원군 때 환곡제를 개편해 민간에서 곡식을 대여해 주는 사창제를 실시하였다.

09　사창제 실시

자료에서 면에서 근면 성실하고 넉넉한 자를 택하여 뽑는다고 한 점, 환곡을 운영한 점 등을 통해 해당 제도는 사창제임을 알 수 있다. 흥선 대원군은 환곡의 폐단을 없애기 위해 지역민이 자치적으로 운영하는 사창제를 실시하여 지방관과 향리의 횡포를 막았다.

┃바로 알기┃ ① 호포제 실시로 군포 납부층이 늘어났다. ②는 균역법에 대한 설명이다. ④ 서원이 선현에 대한 제사를 명목으로 백성들을 수탈하자 흥선 대원군이 서원을 철폐하였다. ⑤는 향약, 서원과 관련된 사실이다.

10　병인양요의 발발

지도는 양헌수, 한성근의 활약이 표시되어 있고, 프랑스 함대의 두 차례에 걸친 강화도와 부근 지역의 침입로가 표시된 것에서 병인양요를 나타낸 지도임을 알 수 있다. 프랑스는 병인박해 때 프랑스 선교사가 죽은 것을 빌미로 조선을 침입하였다. 프랑스군은 강화도를 공격하고 약탈을 자행하였는데, 한성근 부대가 문수산성에서 대항하였고, 양헌수 부대는 삼랑성에서 프랑스군을 물리쳤다.

┃바로 알기┃ ①은 천주교 박해 사건으로 병인양요의 빌미가 되었다. ③은 미국의 강화도 침략 사건으로 어재연이 맞서 싸웠지만 패배하였다. ④는 대동강에서 일어난 사건이다. ⑤는 충청도 덕산에서 일어난 사건이다.

11　통상 수교 거부 정책과 양요

흥선 대원군이 집권할 무렵은 대외적으로 이양선이 침몰하며 통상 수교를 요구하였고, 러시아가 연해주를 차지하면서 위기의식이 높아졌다. 흥선 대원군은 프랑스 신부를 통해 프랑스를 이용해 러시아를 견제하려다 실패하였는데, 이때 천주교 박해 요구가 거세져 마침내 (가) 병인박해가 1866년 봄에 일어났다. 천주교 박해로 서양에 대한 경계심이 높아진 상황에서 (라) 1866년 여름에 제너럴셔먼호가 통상을 요구하며 횡포를 부리자 평양 관민이 제너럴셔먼호를 불태워 버렸다. 1866년 가을에 프랑스 로즈 함대가 병인박해를 빌미로 강화도와 부근을 침략하여 (나) 병인양요가 일어났고, 1871년 봄에 미국 로저스 함대가 제너럴셔먼호 사건을 빌미로 강화도에 침입하여 (다) 신미양요가 일어났다.

12 병인양요의 계기

자료에서 많은 천주교 신자들이 처형되었다는 점, 절두산이라는 용어의 기원이 제시된 점 등을 통해 (가)는 병인양요임을 알 수 있다. 1866년에 프랑스는 병인박해를 구실로 극동 함대의 로즈 제독을 보내 조선의 문호 개방을 요구하며 병인양요를 일으켰다. 프랑스군은 갑곶진에 상륙한 뒤 강화부를 점령하여 재물을 약탈하고 조선인을 살해하였다. 조선 정부는 그 책임을 천주교 신자에게 물어 천주교 신자들을 잡아들여 절두산에서 처형하였다.

│바로 알기│ ① 오페르트의 남연군 묘 도굴 미수 사건은 1868년에 일어났다 ②는 일본의 개항 때 나타난 모습이다. ④ 신미양요 때 미군은 강화도의 광성보를 함락하고 어재연 장군의 '수' 자 기를 전리품으로 가져갔다. ⑤는 제너럴셔먼호 사건과 관련된 내용이다.

13 병인양요의 전개

자료 분석

양헌수가 순무중군으로 있었다. ····· 광성보에서 몰래 전등사로 가서 주둔하였다. ····· 전등사는 높은 산 위라 매복하고 있다가 한꺼번에 북과 나발을 불며 좌우에서 총을 쏘았다. 장수가 총에 맞아 말에서 떨어지고 서양인 십여 명이 죽었다. 혼쭐이 난 서양인들을 쫓아가니 제 동료의 시체를 옆에 끼고 급히 본진으로 도망갔다. - 삼랑성(정족산성) 안에 위치한 사찰이야. - 프랑스와의 전쟁에서 승리하였음을 알 수 있지. - 『병인양난록』

자료에서 양헌수가 활약한 점, 서양인이 도망갔다는 내용에서 자료의 사건은 병인양요임을 알 수 있다. 프랑스는 병인박해를 구실로 군함을 보내 병인양요를 일으켰다. 한성근 부대가 문수산성에서 프랑스군에 맞서 싸웠고, 양헌수 부대는 삼랑성(정족산성)에서 프랑스군을 물리쳤다. 프랑스군은 물러가면서 강화도의 주요 시설에 불을 지르고 외규장각에 보관되어 있던 의궤 등 귀중한 문화유산과 재물을 약탈하였다.

│바로 알기│ ①은 병자호란과 관련된 내용이다. ② 임진왜란 때 선조가 의주로 피신하였고, 병자호란 때 인조가 남한산성으로 피신하였다. ③은 신미양요의 결과이다. ④ 미국은 제너럴셔먼호 사건을 구실로 신미양요를 일으켰다.

14 병인양요 때의 사실

자료에서 의궤를 약탈해 갔다가 2011년에 반환되었다는 내용을 통해 밑줄 친 '외국의 군대가 침략'은 병인양요를 가리킴을 알 수 있다. 1866년에 프랑스는 병인박해를 구실로 로즈 제독을 보내 조선에 문호 개방을 요구하며 강화도를 공격하였다. 프랑스군은 갑곶진에 상륙한 뒤 강화부를 점령하였다.

│바로 알기│ ①은 1871년에 미국이 조선을 침략한 신미양요 때의 사실이다. ③ 제너럴셔먼호가 통상을 요구하며 조선의 관리를 감금하고 횡포를 부렸다. 이에 평양 관민이 제너럴셔먼호를 침몰시켰다. 이는 신미양요가 일어나는 빌미가 되었다. ④는 1860년에 베이징 조약이 체결된 결과로 나타난 사실이다. ⑤는 1868년에 일어난 오페르트의 남연군 묘 도굴 미수 사건이다.

15 오페르트의 남연군 묘 도굴 미수 사건의 영향

자료 분석 — 오페르트가 흥선 대원군의 아버지 남연군의 무덤을 도굴하려다 미수에 그친 사건을 가리켜.

너희 나라와 우리나라의 사이에는 애당초 소통이 없었고, 또 서로 은혜를 입거나 원수진 일도 없었다. 그런데 이번 덕산 묘소에서 저지른 변고야말로 어찌 인간의 도리상 차마 할 수 있는 일이겠는가. ····· 이런 지경에 이르렀기 때문에 우리나라 신하와 백성들은 단지 힘을 다하여 한마음으로 너희 나라와는 한 하늘을 이고 살 수 없다는 것을 다짐할 따름이다.

— 흥선 대원군의 서양과의 통상 수교 거부 의지가 더 확고해졌음을 알 수 있어.

자료에서 해당 사건이 덕산 묘소에서 발생한 점, 인간의 도리상 차마 할 수 있는 일이겠는가라고 반문하는 점 등을 통해 밑줄 친 '변고'는 오페르트의 남연군 묘 도굴 미수 사건임을 알 수 있다. 독일 상인 오페르트는 1868년에 충남 덕산에 있는 흥선 대원군의 아버지 남연군의 묘를 도굴하려다 실패하였다. 이 사건으로 흥선 대원군은 서양과의 통상 수교 거부 의지를 굳혔다. 따라서 1871년에 미국의 개항 요구에 응하지 않아 신미양요가 일어났고, 신미양요를 일으킨 미군은 광성보를 함락해도 흥선 대원군이 통상 수교 협상에 응하지 않자 물러갔다. 그 후 흥선 대원군은 척화비를 전국에 세워 서양과의 통상 수교 거부 의지를 널리 알렸다.

│바로 알기│ ㄱ. 당시에는 서양에 대한 반감이 여전하여 천주교 박해가 지속되었다. ㄴ은 신미양요의 빌미가 된 제너럴셔먼호 사건으로 1866년의 일이다.

16 병인양요와 신미양요 사이의 사실

왼쪽 장면은 프랑스군이 자국의 선교사 살해를 구실로 강화부를 점령하였다는 내용을 통해 병인양요(1866)임을 알 수 있다. 오른쪽 장면은 미군이 어재연 장군의 '수' 자 기를 전리품으로 가져갔다는 내용을 통해 신미양요(1871)임을 알 수 있다. 이 사이인 1868년에 독일 상인 오페르트는 프랑스 선교사, 미국 자본가의 지원을 받아 흥선 대원군의 아버지 남연군의 묘를 도굴하려다 실패하였다.

│바로 알기│ ①은 1871년의 일이다. 척화비는 신미양요 이후에 세워졌다. ② 1866년의 병인박해는 병인양요의 원인이 되었다. ③ 제너럴셔먼호 사건은 1866년의 일이며, 병인양요 이전에 일어났다. ④ 1863년에 고종이 즉위하였고 흥선 대원군이 정치적 영향력을 행사하기 시작하였다.

17 신미양요 관련 지역

자료에서 흥선 대원군의 대외 정책과 관련된 장소인 점, 답사 지역에 초지진과 광성보가 포함된 점 등을 통해 (가)는 신미양요나 어재연과 관련된 주제임을 알 수 있다. 미군은 1871년 강화도에 상륙하여 초지진과 덕진진을 함락하고 광성보를 공격하는 등 신미양요를 일으켰다. 이에 어재연이 이끄는 부대가 광성보에서 항전하였으나 전력의 열세로 패배하였다.

│바로 알기│ ①은 병인양요와 관련된 주제이다. ②는 제너럴셔먼호 사건과 관련된 주제이다. ③ 고려 대몽 항쟁 시기에 강화도는 임시 수도의 역할을 하였다. ⑤ 병인양요 때 프랑스군은 철수하면서 외규장각 건물에 불을 지르고, 의궤를 비롯한 각종 도서와 재물을 약탈하였다.

18 신미양요의 전개 과정

마인드맵에서 대외 정책 중 한성근 부대 활약이 제시된 점을 통해 해당 시기는 흥선 대원군 집권기이며, 그중 (가)에는 미국에 대한 대외 정책과 관련된 사건이 들어가면 된다. 흥선 대원군 집권기에 미국이 조선을 침략하여 신미양요가 발생하였다. 미국은 제너럴셔먼호 사건을 구실로 강화도를 침략한 것인데, 이 과정에서 어재연이 이끄는 부대가 광성보에서 결사 항전을 벌였으나 패배하였다.

‖ **바로 알기** ‖ ① 난징 조약은 1842년에 청과 영국 사이에 체결된 조약이다. ②는 병인양요와 관련된 내용이다. ③ 독일 상인 오페르트가 통상을 요구하다 거절당하자, 1868년에 덕산에 있는 흥선 대원군의 아버지 남연군의 묘를 도굴하려 했지만 실패하였다. ⑤는 일본의 개항과 관련이 있다.

완자 정리 노트 병인양요와 신미양요

병인 양요	• 발발: 자국 신부가 죽임을 당한 병인박해를 빌미로 프랑스 로즈 제독이 강화도 침입 • 저항: 한성근이 문수산성에서 저항하다 패배, 양헌수가 삼랑성(정족산성)에서 항전해 승리 • 결과: 프랑스군이 퇴각하면서 외규장각에 보관되어 있던 의궤 등 유출
신미 양요	• 발발: 제너럴셔먼호 사건을 빌미로 미국 로저스가 강화도 침입 • 저항: 광성보에서 어재연이 분전 • 결과: 물러가던 미군이 어재연의 장군기를 가져감

19 흥선 대원군의 정책 평가

자료에서 흥선 대원군의 대외 정책을 대상으로 하고 있다는 점, 부정적인 평가에 해당한다는 점 등을 통해 (가)에 들어갈 내용은 흥선 대원군의 대외 정책에 대한 부정적인 평가임을 알 수 있다. 흥선 대원군은 두 차례의 양요를 겪은 후 통상 수교 거부 정책을 더욱 확고히 하여 전국 각지에 척화비를 세웠다. 이러한 흥선 대원군의 대외 정책은 서양 세력의 침략을 일시적으로 막았으나, 한편으로는 조선의 근대화를 지연시켰다는 평가를 받기도 한다.

‖ **바로 알기** ‖ ② 명과의 의리를 중시한 것은 인조 때 친명 사대 외교를 편 서인, 병자호란 후 북벌 운동을 주도한 송시열 등과 관련이 있다. ③ 양반과 유생이 반발한 흥선 대원군의 정책은 서원 철폐, 호포제 실시 등 개혁 정책이 해당한다. 양반과 유생은 흥선 대원군의 대외 정책은 지지하였다. ④는 흥선 대원군의 왕권 강화책 중 하나이다. ⑤ 전국적으로 일어난 농민 봉기인 임술 농민 봉기는 흥선 대원군 집권 이전에 일어났다.

서술형 문제

110쪽

01 주제: 호포제 실시의 의미

(1) 호포제

(2) **예시 답안** 호포제 실시를 통해 군포 납부층이 늘어나 국가 재정이 증가하였으며, 기존에 상민에게만 군포를 부담시키면서 나타난 군정의 폐단도 개선되었다.

채점 기준

상	국가 재정 증가와 군정의 폐단 개선을 모두 서술한 경우
하	국가 재정 증가와 군정의 폐단 개선 중 한 가지만 서술한 경우

02 주제: 병인양요의 전개 과정

예시 답안 병인양요. 병인양요 중에 한성근 부대가 문수산성에서 프랑스군에 맞서 싸웠으며, 양헌수 부대가 삼랑성(정족산성)에서 프랑스군에게 승리를 거두었다.

채점 기준

상	병인양요를 쓰고, 한성근·양헌수의 전투 내용을 모두 서술한 경우
중	병인양요를 쓰고, 한성근·양헌수의 전투 중 한 가지만 서술한 경우
하	병인양요나 한성근의 전투, 양헌수의 전투 중 한 가지만 쓴 경우

03 주제: 척화비 건립 목적

예시 답안 척화비. 흥선 대원군은 척화비를 세워 서양과의 통상을 거부한다는 의지를 널리 알렸다. 이를 통해 당시 통상 수교 거부 정책이 실시되었음을 알 수 있다.

채점 기준

상	척화비를 쓰고, 설립 목적과 대외 정책의 방향을 모두 서술한 경우
중	척화비을 쓰고, 설립 목적이나 대외 정책 방향 중 한 가지만 서술한 경우
하	척화비만 쓴 경우

STEP 3 1등급 정복하기

111~113쪽

1 ② 2 ① 3 ② 4 ③ 5 ④ 6 ①

1 일본의 개항

자료에서 요코하마에 상륙한 페리 제독 사진, 개항국 국민이 상상한 제독 페리의 모습이라는 사진을 통해 해당 개항국은 일본임을 알 수 있다. 즉 사진과 관련된 조약은 미일 화친 조약이다. 1853년에 페리가 이끄는 미국 함대가 에도 앞바다에서 무력시위를 벌이면서 일본에 개항을 요구하였다. 결국 에도 막부는 1854년에 미일 화친 조약을 체결하여 시모다, 하코다테의 2개 항구를 개항하고, 미국에 최혜국 대우 등을 인정하였다. 한편 일본은 4년 후인 1858년에 미국과 다시 미일 수호 통상 조약을 체결하여 5개 항구를 개항하고, 미국에 영사 재판권을 인정하였다.

‖ **바로 알기** ‖ ① 병인양요는 프랑스가 조선을 침략한 사건으로, 미일 화친 조약과 관련이 없다. ③ 러시아는 1860년 베이징 조약에 따라 조선과 국경을 마주하게 되었다. ④ 미일 화친 조약은 전쟁의 결과로 체결된 조약이 아니다. 청을 개항시킨 난징 조약이 아편 전쟁의 결과로 체결되었다. ⑤ 오페르트의 남연군 묘 도굴 미수 사건은 흥선 대원군이 통상 수교 거부 의지를 강화하는 데 영향을 주었다.

청	• 대상국: 영국 • 개항 과정: 제1차 아편 전쟁 → 난징 조약, 후면 추가 조약(영사 재판권, 최혜국 대우 인정 포함) 체결
일본	• 대상국: 미국 • 개항 과정: 페리 제독의 무력시위 → 미일 화친 조약(최혜국 대우 인정 포함) 체결 → 미일 수호 통상 조약(영사 재판권 인정 포함) 체결

2 당백전 발행의 문제점

자료 분석

최익현은 흥선 대원군의 정책 중 서원 철폐에 대한 비판, 경복궁 중건에 대한 비판을 했어.

신 최익현 아뢰옵니다.

전하께서 경비가 부족한 것을 근심하시어 이렇게 외로운 뜻을 펼친 것은 훌륭한 조치입니다. 그러나 시행한 지 2년 동안에 사·농·공·상이 모두 금전적으로 그 해를 입었는데, 그 피해가 되풀이되어 온갖 물건이 축나고 손상을 입었습니다. 그러니 　(가)

물가 폭등을 떠올릴 수 있어.

자료에서 왕(고종)이 경비 부족을 이유로 취한 조치라는 점, 시행하면서 사·농·공·상이 모두 금전적으로 피해를 입었다는 점 등을 통해 해당 글은 경복궁 중건에 필요한 자금을 충당하기 위해 발행하였던 당백전의 문제점을 지적하고 있음을 알 수 있다. 따라서 (가)에는 당백전에 대한 요구가 해당된다. 최익현은 상소를 통해 당백전의 폐해를 비판하면서 당백전을 발행하는 원인이 되었던 경복궁 공사의 중단을 강력히 요구하였다.

바로 알기 ② 19세기 조선의 연안에는 이양선이 빈번히 출몰해 서양 세력이 통상을 요구하였으며, 이에 대한 위기감이 높아졌다. ③ 18세기 후반 이후 정부는 성리학적 질서를 무너뜨린다는 이유에서 천주교를 사교로 규정하고 탄압하였다. ④ 19세기에 서원은 면세와 면역의 혜택을 누리며 선현에 대한 제사를 빌미로 인근 지역의 백성을 수탈하여 원성을 샀다. ⑤ 흥선 대원군의 경복궁 중건을 두고 양반들이 반발한 이유 중 하나는 양반들의 묘지림을 베어 경복궁을 짓는 데 목재로 사용하였기 때문이다.

3 흥선 대원군 정책의 평가

자료에서 흥선 대원군의 정책이라고 한 점, 양반 유생이 아니라 백성들이 지지하는 정책이라고 한 점 등을 통해 (가)는 흥선 대원군의 민생 안정 개혁과 관련되어 있음을 알 수 있다. 흥선 대원군은 선현에 대한 제사를 핑계로 백성을 수탈했던 서원을 정리하였다. 군정의 폐단을 시정하기 위해 호포제를 실시하여 종래 상민에게만 거두었던 군포를 양반에게도 징수하였다. 이 정책들에 대해 양반 유생은 반발했지만 백성은 지지하였다.

바로 알기 ① 당백전 발행으로 물가 폭등이 발생하는 등 사회·경제적 폐단이 발생하였다. 따라서 당백전 발행에 대해서는 양반 유생, 백성 모두 불만을 가졌다. ③ 대동법은 광해군 때 처음 제정된 제도이다. ④ 경복궁 중건에 대해서는 양반 유생과 백성 모두 반발하였다. ⑤ 삼정이정청은 1862년에 임술 농민 봉기의 대응책으로 설치되었다.

4 흥선 대원군의 통상 수교 거부 정책 전개 과정

자료에서 (가)는 프랑스군의 강화도 침략 즉 병인양요(1866)와 척화비 건립(1871) 사이에 있는 서구 열강의 침략 사건이므로 신미양요이다. 신미양요는 1866년에 일어난 제너럴셔먼호 사건을 빌미로 1871년에 미국 로저스 함대가 통상을 요구하며 강화도를 침략한 사건이다. 이때 어재연이 광성보에서 미군에 맞서 싸웠으나 패하였다. 이후 흥선 대원군은 미국의 통상 요구를 거부하고, 전국에 척화비를 세웠다. 한편, 광성보를 함락한 미군은 어재연 장군기인 '수' 자 기를 전리품으로 가져갔는데, 2007년에 장기 임대 형식으로 우리나라에 돌아왔다.

바로 알기 ①은 병인박해에 대한 탐구 활동이다. ②는 조선의 위기의식이 높아진 사건에 대한 탐구 활동이다. ④는 청의 개항과 관련된 탐구 활동이다. ⑤는 제너럴셔먼호 사건에 대한 탐구 활동이다.

5 병인양요와 신미양요 비교

자료에서 어재연 장군의 '수' 자 기를 빼앗겼다는 내용을 통해 (가)는 1871년에 일어난 신미양요임을 알 수 있다. 또한 외규장각 도서가 약탈당했다는 내용을 통해 (나)는 1866년에 일어난 병인양요임을 알 수 있다. 병인양요 때 프랑스군은 철수 과정에서 외규장각에 불을 지르고, 의궤를 비롯한 각종 도서와 재물을 약탈하였다. 병인양요를 계기로 흥선 대원군의 통상 수교 거부 정책은 더욱 강화되었고 천주교에 대한 탄압도 심해졌다.

바로 알기 ①은 병인양요 때의 일이다. 양헌수 부대가 삼랑성(정족산성)에서 프랑스군을 물리쳤다. ② 흥선 대원군은 러시아를 견제하기 위해 프랑스 선교사를 통해 프랑스와 교섭하려다 실패하였고, 이후 병인박해가 일어났다. ③은 신미양요와 관련된 설명이다. ⑤ 독일 상인 오페르트의 남연군 묘 도굴 미수 사건은 1868년에 일어났는데 흥선 대원군의 통상 수교 거부 의지를 강화시키는 데 영향을 끼쳤다.

6 흥선 대원군의 통상 거부 정책 사례

자료에서 서양 오랑캐의 침입에 맞서 싸워야 한다는 의지를 밝힌 점 등을 통해 해당 비석은 1871년에 전국에 건립된 척화비임을 알 수 있다. 흥선 대원군은 서양과의 통상 수교 거부 의지를 널리 알리기 위해 전국에 척화비를 세웠다. 흥선 대원군의 통상 수교 거부 정책에 해당하는 사례로는 제너럴셔먼호 사건, 병인양요, 신미양요 등을 들 수 있다.

바로 알기 ㄷ. 홍경래의 난은 1811년에 발생하였으며, 세도 정권의 수탈과 서북 지방민에 대한 차별 대우 등을 원인으로 평안도를 중심으로 일어났다. ㄹ. 정묘호란 때 의병장 정봉수가 용골산성에서 적의 보급로를 차단하자 후금이 조선과 화의를 맺고 물러갔다.

02 동아시아의 변화와 근대적 개혁의 추진

STEP 1 핵심 개념 확인하기　120쪽

1 (1) × (2) ○ (3) × 　2 ㄴ, ㄷ, ㄹ 　3 별기군 　4 (1) ㄱ (2) ㄴ
(3) ㄷ 　5 (1) ⓛ (2) ⓐ

STEP 2 내신 만점 공략하기　120~124쪽

01 ② 　02 ③ 　03 ⑤ 　04 ③ 　05 ① 　06 ③ 　07 ①
08 ⑤ 　09 ② 　10 ④ 　11 ④ 　12 ① 　13 ② 　14 ③
15 ③ 　16 ④

01 청의 양무운동의 특징

자료 분석 ─ 모두 양무운동의 성과들이야. 청은 양무운동으로 서양식 무기를 도입하고, 군수 공장을 설립하였어.

전날 강남에서 군대를 움직일 때에는 청이 서양에서 대포를 사들였으므로 대포를 만들 줄 아는 서양인들이 더 유리하였으나, 요즈음에는 청이 서양 대포를 모방하여 만들어 쓰기 때문에 서양인들의 유리한 점이 사라지게 되었습니다. 전날에는 청 상인이 화륜선을 빌려 썼기 때문에 서양인들이 이득을 얻었으나, 오늘날에는 청 역시 화륜선을 모방해서 만들어 다시는 빌려 쓰지 않음으로써 서양인들이 또한 이득을 잃게 되었습니다.

－ 『승정원 일기』, 박규수의 보고서
└ 박규수는 청에 가서 양무운동을 보고 돌아온 후 개국 통상론을 주장하였어.

자료에서 청이 서양 대포를 모방해 만든다는 내용을 통해 밑줄 친 부분은 청의 양무운동임을 알 수 있다. 청의 한인 관료들은 중국의 전통 체제는 유지하면서 서양의 기술은 수용한다는 중체서용의 원칙 아래 서양식 무기를 도입하고 군수 공장을 설립하는 등 양무운동을 전개하였다.

| 바로 알기 | ① 은 일본의 메이지 유신에 해당한다. ③ 은 일본의 이와쿠라 사절단과 관련된 내용이다. ④ 일본은 미국 페리의 무력시위에 의해 개항한 후, 운요호를 조선에 보내 무력시위를 하였다. ⑤ 일본에서는 메이지 유신을 추진하는 중에 조선을 무력 침공하자는 '정한론'이 일어났다.

02 운요호 사건의 배경

자료의 상황은 1875년에 일어난 운요호 사건이다. 흥선 대원군이 물러나고 고종이 직접 정치에 나서면서 통상 수교 거부 정책이 완화되었다. 이러한 상황을 틈타 일본은 자국을 개항시킨 미국의 포함 외교를 본떠 운요호 사건을 일으켰다.

| 바로 알기 | ① 흥선 대원군이 비변사를 폐지하고 삼군부를 부활시켰다. ② 병인양요는 흥선 대원군의 통상 수교 거부 의지가 더 강화되는 계기가 되었다. ④ 는 강화도 조약 체결 이후의 사실이다. ⑤ 는 1882년의 일이다.

03 강화도 조약의 특징

자료에서 일본과 300년 동안 사신을 보내 왔다가 최근에 외교 문서 문제로 대립했는데, 일본이 통상 요구를 해오니 거절할 필요는 없다고 한 점 등을 통해 해당 상황은 일본과 강화도 조약을 체결하는 과정 중 한 장면임을 알 수 있다. 1876년에 조선은 일본과 강화도 조약을 체결하였다. 이 조약은 조선이 외국과 맺은 최초의 근대적 조약이었다.

| 바로 알기 | ① 은 조미 수호 통상 조약이 해당된다. ② 임오군란 이후 조선은 일본과 제물포 조약을 체결하였고, 청과 조청 상민 수륙 무역 장정을 체결하였다. ③ 제2차 수신사로 일본에 다녀온 김홍집이 청의 외교관이 쓴 『조선책략』을 들여왔으며, 이는 조미 수호 통상 조약 체결에 영향을 주었다. ④ 관세 부과 조항은 조미 수호 통상 조약 때 처음 포함되었다.

04 강화도 조약과 부속 조약의 내용

(가)는 조선과 일본이 평등하다고 하고, 조선 정부가 부산과 두 항구를 개방한다고 한 점 등을 통해 강화도 조약임을 알 수 있다. (나)는 일본인에게 양곡 수출입을 허용한 것에서 강화도 조약의 부속 조약인 조일 무역 규칙임을 알 수 있다. 강화도 조약은 일본에 영사 재판권을 인정하였는데 제10조에서 알 수 있다.

| 바로 알기 | ① 강화도 조약 체결 이후 정부는 개화 정책을 추진하였으며 이때 별기군이 설치되었다. ② 지조법 개혁은 갑신정변 때 개화당 정부가 발표한 개혁 정강에 포함된 내용이다. ④, ⑤ 는 또 다른 강화도 조약의 부속 조약인 조일 수호 조규 부록의 조항들에 대한 설명이다.

05 조미 수호 통상 조약의 내용

보고서에서 탐구 대상 국가가 제너럴셔먼호 사건과 관련된 나라라는 점을 통해 미국임을 알 수 있다. 따라서 (가)는 미국과의 통상 수교에 관한 사건이므로 조미 수호 통상 조약의 체결임을 알 수 있다. 조선은 미국과 1882년에 조미 수호 통상 조약을 체결하였다. 이 조약에는 거중 조정 조항과 수출입 상품에 대한 관세 부과 조항이 포함되었다. 하지만 영사 재판권과 최혜국 대우를 허용하여 조선에 불리한 불평등 조약이었다.

| 바로 알기 | ②, ③ 은 모두 강화도 조약에 해당하는 사실이다. ④ 강화도 조약을 체결한 후 조선은 일본에 수신사를 파견하였다. 조미 수호 통상 조약을 체결하여 조선에 미국 공사가 파견된 후에는 그 답례로 미국에 보빙사를 파견하였다. ⑤ 는 조러 비밀 협약 체결 시도와 관련된 사실이다.

완자 정리 노트 　조선이 체결한 수호 통상 조약

강화도 조약 (조일 수호 조규, 1876)	부산 등 3개 항구 개항, 해안 측량권 인정, 영사 재판권 허용
조미 수호 통상 조약 (1882)	거중 조정·관세 자주권 규정, 최혜국 대우·영사 재판권 허용
조청 상민 수륙 무역 장정(1882)	조선이 청의 속방임을 규정, 청의 조선 국방 담당권·청 상인의 내지 통상권 허용
조영 통상 조약(1883)	영국 상인의 내지 통상권 허용, 자율 협정 관세 규정

06 조선책략의 외교 방향

조선이라는 땅덩어리는 실로 아시아의 요충을 차지하고 있어 그 형세가 반드시 다툼을 불러올 것이다. 조선이 위태로우면 중동(中東)의 형세도 위급해진다. 따라서 러시아가 강토를 공략하려 한다면 반드시 조선이 첫 번째 대상이 될 것이다. …… 오직 중국과 친하고 일본과 맺고 미국과 연합함으로써 자강을 도모하는 길뿐
└ 러시아가 조선을 침략하는 데 대한 대책을 제시한 거야.
이다.
─ 김홍집, 『수신사일기』
김홍집이 제2차 수신사로 일본에 다녀오면서 쓴 보고서야.
여기에서 황준헌의 『조선책략』을 소개하였어.

자료에서 러시아가 강토를 공략하려 한다면 조선이 첫 번째 대상이 된다고 한 점, 중국과 친하고 일본과 맺고 미국과 연합해야 한다는 방법을 제시한 점 등을 통해 해당 자료는 『조선책략』임을 알 수 있다. 『조선책략』은 주일 중국 외교관 황준헌이 조선이 당면한 외교 방책을 제안한 것으로, 러시아의 남하를 저지하기 위해 조선이 중국, 일본, 미국과 우호 관계를 맺어야 한다고 주장하였다.

∥바로 알기∥ ① 『조선책략』은 일본에 다녀온 제2차 수신사 김홍집이 소개하였다. ②는 『조선책략』 유포에 대해 반발하여 제기된 영남 만인소에 대한 설명이다. ④ 개국 통상론이 강화도 조약 체결에 영향을 끼쳤다고 볼 수 있다. 『조선책략』은 조미 수호 통상 조약 체결에 영향을 끼쳤다. ⑤는 왜양일체론으로 1870년대 양반 유생이 전개한 위정척사 운동의 핵심 주장이었다.

07 초기 개화 사상가의 주장

자료에서 (가)는 북학파와 개화파 사이의 '초기 개화 사상가'로 구분되는 사람들인 박규수, 오경석, 유홍기 등이다. 이들은 문호를 개방하여 서양과 통상하자는 개국 통상론을 주장하였다. 북학파 실학자 박지원의 손자인 박규수는 청을 왕래하며 청의 양무운동을 목격하고 서양 기술의 우수성을 경험하였다. 역관이었던 오경석도 청을 드나들면서 박규수에게 개화를 건의하였다. 의관이었던 유홍기도 오경석과 교류하였다. 이들은 김옥균, 박영효, 김윤식 등 젊은 양반 자제와 교류하며 개화의 필요성을 교육하였다. 이 젊은 양반 자제들이 개화파를 형성하였다.

∥바로 알기∥ ② 병자호란 후 효종은 송시열, 이완 등과 함께 청에 당한 치욕을 씻기 위해 북벌 운동을 추진하였다. ③은 급진 개화파의 입장을 보여준다. ④는 위정척사 운동을 전개한 양반 유생들의 주장이다. ⑤는 왜란 후 일본 에도 막부의 입장이다.

08 조사 시찰단의 파견

지도가 일본으로 가는 행로이므로 일본으로 파견된 사절단임을 알 수 있다. 일본이 양력을 사용하는 것을 보고한 박정양은 조사 시찰단의 일원이었다. 일본으로 비밀리에 파견되었던 조사 시찰단은 일본의 제도와 법률, 공장 등 근대 시설을 조사하였다.

∥바로 알기∥ ① 제2차 수신사인 김홍집이 일본에서 『조선책략』을 들여왔다. ② 임진왜란 이후 에도 막부가 국교 재개와 사절 파견을 요청하자 조선 정부는 통신사를 파견하였다. ③은 연행사 파견과 관련이 있다. ④ 주한 미국 공사가 부임하자 그 답례로 고종은 보빙사를 미국에 파견하였다.

통신사	• 조선에서 일본 막부의 장군에게 보낸 공식 사절단 • 조선 전기에 8회, 조선 후기에 12회 파견
연행사	• 조선 후기에 청으로 보낸 조선 사신의 총칭 • 1637년부터 1894년까지 총 507회 파견
수신사	• 강화도 조약 체결 후 조선이 일본에 파견한 사절단 • 제1차 김기수(1876), 제2차 김홍집『조선책략』 소개, 1880)
조사 시찰단	• 1881년 4월에 약 4개월 동안 일본에 파견된 문물 시찰단 • 내무성·육군·세관 등 관공서, 포병공창을 비롯한 산업 시설 시찰
영선사	• 개항기에 최초로 청에 파견한 유학생 인솔 사절단(1881) • 귀국 후 기기창 건립
보빙사	1882년 조미 수호 통상 조약 체결 후 1883년에 주한 미국 공사가 내한하자 답례로 미국에 파견된 사절단

09 영선사의 영향

자료에서 김윤식과 유학생 등이 청으로 파견되었다는 내용을 통해 해당 사절단은 영선사임을 알 수 있다. 고종은 청에 영선사 김윤식을 대표로 하여 유학생과 기술자들을 파견하였다. 이들은 근대식 무기 제조법과 군사 훈련법을 배웠으나, 근대 기술에 대한 지식과 정부의 재정 지원 부족으로 성과를 거두지 못하고 1년 만에 돌아왔다. 그 후 한성에 근대식 무기 제조 공장인 기기창이 설치되었다.

∥바로 알기∥ ①은 조선 정조 때의 일이다. ③ 삼군부는 흥선 대원군이 비변사를 철폐하고 부활시켰다. ④ 흥선 대원군은 『대전회통』, 『육전조례』 등 법전을 편찬해 통치 체제를 재정비하였다. ⑤ 『조선책략』은 1880년 제2차 수신사인 김홍집이 국내로 들여왔다.

10 위정척사 운동의 전개

병인양요를 가리켜.
(나) 오늘날 서양 오랑캐의 침입을 당하여 국론이 화친과 전쟁으로 나뉘어 있다. 그런데 서양인을 공격해야 한다는 주장은 내 나라 쪽 사람의 주장이고, 서양인과 화친해야 한다는 주장은 적국 쪽 사람의 주장이다. 전자를 따르면 나라와 문화의 전통을 보전할 수 있지만 후자를 따른다면 인류(조선인)가 금수의 지경으로 빠지고 말 것이다.
─ 이항로, 『화서집』
병인양요 때 궁궐에 들어가 흥선 대원군에게 척화 주전론을 건의하였어.

러시아 견제를 위해 미국을 끌어들이는 것을 견제하는 것에서 (가)는 1880년대 초의 영남 만인소임을 알 수 있다. 서양 오랑캐의 침입을 당하여 전쟁을 해서 물리쳐야 한다고 한 점을 통해 (나)는 1860년대 척화 주전론임을 알 수 있다. 병인양요가 일어나자 이항로 등의 위정척사 운동가들은 서양에 맞서 싸우자는 척화 주전론을 주장하며 흥선 대원군의 통상 수교 거부 정책을 지지하였다.

∥바로 알기∥ ①은 1890년대 위정척사 운동과 관련이 있다. ② 북벌 운동은 조선 효종 때 일어났다. ③은 1880년대 위정척사 운동과 관련이 있다. ⑤ 운요호 사건 후 강화도 조약 체결 때에는 왜양일체론이 제기되었다.

11 임오군란의 전개

지도에서 사건이 시작된 지점으로 선혜청을 들고 있는 점, 민겸호의 집과 일본 공사관 등에서 충돌이 발생한 점 등을 통해 지도가 보여 주는 사건은 임오군란임을 알 수 있다. 구식 군대의 군인들이 신식 군대와의 차별 대우에 불만을 품다 임오군란을 일으켰는데 여기에 도시 하층민이 가담하여 규모가 커졌다. 당시 권력을 잡고 있었던 민씨 일파는 군란 진압을 위해 청에 파병을 요청하였다. 청군은 흥선 대원군을 군란의 책임자로 지목하여 톈진으로 납치하고 무력으로 군란을 진압하였다. 이후 청은 조선에 군대를 주둔시키고 고문을 파견하여 조선의 내정을 간섭하였다.

바로 알기 ①은 1862년에 일어난 임술 농민 봉기와 관련이 있다. ②는 의병 운동에 해당한다. ③ 갑신정변 때 개화당 정부는 개혁 정강을 발표하였다. ⑤ 『조선책략』의 유포와 청의 알선으로 조미 수호 통상 조약이 체결되었다. 임오군란 이후에는 조청 상민 수륙 무역 장정이 체결되었다.

12 갑신정변의 발생

자료에서 김옥균 사진, 상평통보 1개가 5문(文)에 해당하는 것(당오전)을 주조함에도 국고가 부족하다고 한 점, (차관을 얻으러 왔다가) 빈손으로 일본에서 귀국하면 집권 사대당이 비판할 것이라는 점을 통해 제시된 대화는 급진 개화파 중 김옥균의 가상 대화임을 알 수 있다. 일본에서의 차관 도입 실패로 입지가 좁아진 급진 개화파는 1884년에 우정총국 개국 축하연을 이용하여 정변을 일으켜 개화당 정부를 수립하였다.

바로 알기 ②는 임오군란과 관련이 있다. ③ 임오군란의 결과 조선은 일본과 제물포 조약을 체결하였다. ④는 민씨 일파가 임오군란, 갑신정변 때 한 일이다. ⑤는 온건 개화파에 대한 설명이다.

13 갑신정변의 영향

자료에서 우정총국에서 시작된 점, 주도 세력이 개화당이라는 점 등을 통해 문화 해설사가 갑신정변을 설명 중임을 알 수 있다. 갑신정변으로 세워진 개화당 정부는 청군이 정변을 진압하고 일본군이 약속을 어기고 철수하면서 3일 천하로 끝이 났다. 정변을 주도하였던 급진 개화파는 일본 공사관에 피신했다가 일본으로 망명하였다. 이후 조선에 대한 청의 내정 간섭이 심해졌다.

바로 알기 ①은 임오군란과 관련이 있다. ③은 1875년에 일어난 운요호 사건으로, 강화도 조약 체결의 배경이 되었다. ④는 제2차 수신사와 관련된 내용이다. ⑤는 임오군란의 영향에 해당한다.

14 갑신정변의 개혁 정강

자료에서 3일간 일어났다는 점, 우정총국에서 시작된 점 등을 통해 지도의 사건이 갑신정변임을 알 수 있다. 급진 개화파는 고종의 승인을 받고 왕실의 종친과 온건 개화파까지 포함하는 새 정부를 구성하였다. 그 후 김옥균 등은 조선의 자주독립, 문벌 폐지, 인민 평등권 제정, 인재 등용, 재정의 일원화, 지조법 개혁, 군제 개혁, 내각제 수립 등을 포함하는 개혁 정강을 발표하였다.

바로 알기 ① 규장각은 조선 시대 정조가 설치하였다. ② 흥선 대원군이 왕권을 강화하기 위해 삼군부를 부활시켰다. ④ 흥선 대원군이 국정의 문란을 바로잡기 위해 호포제를 실시하였다. ⑤ 임오군란 때 흥선 대원군이 집권하면서 통리기무아문을 폐지하고 별기군도 없앴다.

15 거문도 사건의 배경

지도에서 영국이 조선에 세력을 뻗친 결과 일어난 사건이라는 점, 거문도라는 섬과 관련된 점 등을 통해 (가)는 거문도 사건임을 알 수 있다. 갑신정변 이후 청의 내정 간섭이 심화되자 고종은 청을 견제하기 위해 러시아와 비밀 협약을 모색하였다. 이에 세계 곳곳에서 러시아와 대립하고 있던 영국은 1885년에 러시아의 남하를 견제한다는 구실로 거문도를 불법 점령하는 거문도 사건을 일으켰다. 조선의 항의와 청의 중재로 영국군은 2년 만에 거문도에서 철수하였다.

바로 알기 ① 갑신정변 후 청과 일본은 톈진 조약을 체결하여 동시에 군대를 철수하고, 어느 나라가 조선에 출병하게 될 때에는 상대국에 서로 통보하기로 하였다. ② 메이지 유신 이후 일본은 조선과 새로운 외교 관계를 맺기 위해 조선에 문서를 보냈으나 조선이 이를 거부하였다. 이에 일본에서는 정한론이 일어났다. ④ 1860년에 러시아는 청과 영국 등 사이에 베이징 조약을 주선한 대가로 연해주를 확보하였고 이를 계기로 조선과 국경을 마주하게 되었다. 이에 조선에서 러시아에 대한 위기의식이 높아졌다. ⑤ 임오군란이 일어나자 민씨 일파는 군란 진압을 위해 청군의 파병을 요청하였다. 청군은 군란의 책임자로 흥선 대원군을 지목하고 청으로 데려갔다.

16 중립론의 대두

자료 분석

> 급진 개화파로, 우리나라 최초의 미국 유학생이었고, 유럽을 돌아보고 1885년에 귀국하였어.

> 이제 우리나라는 지역으로 말하면 아시아의 목에 처해 있는 것이 유럽의 벨기에와 같고, 중국에 조공하던 것은 터키에 조공하던 불가리아와 같다. 불가리아가 중립 조약을 체결한 것은 유럽의 여러 대국이 러시아를 막으려는 계책에서 나온 것이고, 벨기에가 중립 조약을 체결한 것은 유럽의 여러 대국이 자국을 보전하려는 계책에서 나온 것이었다. 대저 우리나라가 아시아의 중립국이 된다면 러시아를 방어하는 큰 기틀이 될 것이고, 또한 아시아의 여러 대국이 서로 보전하는 전략도 될 것이다. ─ 『유길준 전서』

> 불가리아와 벨기에가 중립국이 된 배경에서 조선이 중립국이 되면 얻을 이익을 설명하고 있어.

자료에서 불가리아, 벨기에가 중립 조약을 체결하였다고 한 점, 우리나라가 아시아의 중립국이 되면 나타날 모습 등을 제시한 것을 통해 해당 주장은 유길준의 중립론임을 알 수 있다. 1880년대 후반에 조선이 언제든지 열강의 각축장이 될 수 있다는 인식 아래 조선을 중립국으로 만들자는 논의가 나타났다. 독일 부영사였던 부들러는 조선을 영세 중립국으로 만들자는 건의를 하였으며, 미국 유학에서 돌아온 유길준은 열강이 보장하는 중립국 구상을 제시하였다.

바로 알기 ① 황준헌은 『조선책략』에서 러시아 방어책을 제시하였다. ② 온건 개화파는 동도서기론에 입각해 개화를 추진하였다. 유길준은 급진 개화파이다. ③은 흥선 대원군의 통상 수교 거부 정책과 관련이 있다. ⑤는 위정척사 운동과 관련이 있다.

서술형 문제

124쪽

01 주제: 강화도 조약의 의미

예시 답안 강화도 조약(조일 수호 조규). 강화도 조약은 불평등 조약인데, 제7조에서 일본이 자유로운 해안 측량권을 지녀 영토에 대한 조선의 주권을 침해한 점, 제10조에서 영사 재판권을 일본에 허용하여 조선 인민과 관계되는 사건일 때에도 일본 영사들이 재판한다는 점 등을 근거로 들 수 있다.

채점 기준

상	강화도 조약을 쓰고, 제시된 조약에서 강화도 조약이 불평등 조약인 근거 두 가지를 서술한 경우
중	강화도 조약을 쓰고, 제시된 조약에서 강화도 조약이 불평등 조약인 근거를 한 가지만 서술한 경우
하	강화도 조약만 쓴 경우

02 주제: 갑신정변의 개혁 정강

(1) 갑신정변

(2) **예시 답안** 문벌을 폐지하여 능력에 따라 관리를 등용하려 하였다는 2항에서 급진 개화파들이 인민이 평등한 사회 체제를 추구하였음을 알 수 있다. 대신과 참찬 중심의 내각 제도를 수립하고자 하였다는 13항에서 입헌 군주제 방식의 정치 체제를 지향하였음을 알 수 있다.

채점 기준

상	개혁 정강의 조항을 들어 지향하는 정치 체제와 사회 체제를 모두 서술한 경우
중	개혁 정강의 조항을 들어 지향하는 정치 체제와 사회 체제 중 한 가지만 서술한 경우
하	지향하는 정치 체제나 사회 체제만 서술한 경우

03 주제: 1880년대 조선을 둘러싼 열강의 대립

예시 답안 1880년대에는 조선을 둘러싸고 첫째, 청의 내정 간섭에 따른 청과 일본의 대립, 둘째, 거문도 사건을 통해 알 수 있는 영국과 러시아의 대립의 두 가지 구도가 있어 조선의 중립국화 주장이 등장하였다.

채점 기준

상	열강의 대립 구도 두 가지를 모두 서술한 경우
중	열강의 대립 구도 중 한 가지만 서술한 경우
하	대립한 국가만 언급한 경우

STEP 3 1등급 정복하기

125~127쪽

1 ②　2 ④　3 ②　4 ④　5 ①　6 ②

1 강화도 조약과 조미 수호 통상 조약의 공통점

첫 번째 조약에서 부산 이외에 두 곳의 항구를 별도로 개항하며, 일본국 인민의 왕래·통상을 허가한다는 내용을 통해 이 조약은 1876년에 체결된 강화도 조약임을 알 수 있다. 두 번째 조약에서 반드시 서로 도와주며 중간에서 잘 조정해 두터운 우의와 관심을 보여 준다고 한 점, 미국이 관세를 납부해야 한다고 한 점 등을 통해 이 조약은 1882년에 체결된 조미 수호 통상 조약임을 알 수 있다. 강화도 조약과 조미 수호 통상 조약 모두 불평등 조약으로, 영사 재판권(치외 법권)을 인정하는 조항이 포함되어 있다.

바로 알기 ① 별기군은 1881년에 조선 정부가 개화 정책으로 설치하였다. ③ 제물포 조약에서 일본 공사관의 경비병 주둔을 허용하였다. ④는 조미 수호 통상 조약만 해당한다. ⑤는 조청 상민 수륙 무역 장정에 해당한다.

2 『조선책략』의 영향

자료에서 수신사로 일본에 갔던 김홍집이 들여왔다는 점, 러시아를 경계한 점 등을 통해 해당 책은 『조선책략』임을 알 수 있다. 1880년에 김홍집이 일본에 제2차 수신사로 다녀오면서 『조선책략』을 들여와 고종에 바쳤다. 고종은 이를 널리 돌려 읽게 하였는데, 이 결과 미국과의 조약 체결에 호의적인 분위기가 조성되었다. 이후 조선은 1882년에 미국과 조미 수호 통상 조약을 맺었다.

바로 알기 ① 척화비는 신미양요 후 1871년에 세워졌다. ②는 1876년 강화도 조약 체결의 결과이다. ③은 조선 후기의 사실이다. ⑤ 1866년에 통상 수교 거부 정책으로 제너럴셔먼호 사건이 일어났다.

3 통리기무아문 설치 시기의 정책

자료에서 조선 정부의 외교와 개화 정책을 담당했다고 한 점, 기구 아래에 12사를 두었다고 한 점 등을 통해 (가)는 통리기무아문임을 알 수 있다. 정부는 개화 관련 정책을 총괄하는 통리기무아문과 그 아래 실무를 담당하는 12사를 설치하고, 개화파 인사를 등용하였다. 통리기무아문은 중앙군을 5군영에서 2군영으로 개편하였으며, 1881년에 신식 군대를 양성하기 위해 별기군을 창설하였다.

바로 알기 ①은 숙종 때의 사실이다. ③은 흥선 대원군의 정책 중 하나이다. ④는 정조 때의 사실이다. ⑤는 임진왜란 중의 일이다.

4 1880년대 위정척사 운동의 전개

자료에서 경상도 지역에서 시작되었고, 1880년대에 전개되었으며 위정척사 운동이라는 점 등을 통해 퀴즈의 답은 이만손이고, (가)에는 이만손이 영남 만인소에 대한 설명이 들어갈 수 있음을 알 수 있다. 1880년대에 들어 개화 정책이 실시되고 미국과의 수교를 권하는 『조선책략』이 퍼지자, 이만손을 중심으로 한 영남 유생들은 만인소를 올려 정부의 개화 정책 및 미국과의 수교에 반대하였다.

바로 알기 ① 별기군은 임오군란 때 흥선 대원군이 폐지하였다. ②는 1870년대 최익현의 주장과 관련이 있다. ③ 흥선 대원군은 신미양요 직후 통상 수교 거부 정책을 널리 알리기 위해 전국 곳곳에 척화비를 건립하였다. ⑤ 1860년에 최제우는 서학에 반대하여 동학을 창시하였다.

5 임오군란의 배경

자료에서 구식 군대의 군인들이 일으키고, 도시 하층민이 적극 가담한 점, 흥선 대원군이 일시적으로 재집권한 점 등을 통해 (가)는 임오군란임을 알 수 있다. 별기군은 1881년에 창설된 신식 군대로, 구식 군대보다 대우가 좋았는데, 이러한 차별은 구식 군대의 군인들이 임오군란을 일으키는 원인 중 하나로 작용하였다. 신식 군대와의 차별 대우에 불만을 가진 구식 군대의 군인들은 13개월 만에 지급된 급료에 겨와 모래가 섞인 것을 계기로 난을 일으켰다. 이것이 임오군란이다.

┃ 바로 알기 ┃ ② 삼정이정청은 1862년에 임술 농민 봉기가 일어났을 때 박규수의 건의로 조선 정부가 설치한 기구이다. ③ 위정척사 운동을 전개한 양반 유생들은 1890년대에는 항일 의병 운동을 일으켰다. ④, ⑤는 임오군란 이후의 사실이다.

6 갑신정변 이후 정세

자료에서 대상 국가가 청인 점, 풍자화가 눈먼 조선 선비를 청이 조종하고 있는 것으로 보아 풍자화가 풍자하고 있는 사실인 (가)는 1880년대 청의 내정 간섭이 해당함을 알 수 있다. 1882년 임오군란 이후 청과 일본의 군대가 조선에 주둔하게 되었고, 특히 청의 정치적 간섭과 경제적 침투가 심화되었다. 1884년에 갑신정변으로 청의 내정 간섭이 더욱 심해지자 고종은 청을 견제하기 위해 조러 비밀 협약을 추진하기도 하였다.

┃ 바로 알기 ┃ ① 영선사는 임오군란 직전에 청에 파견되어 서양식 무기 제조 기술을 배워 왔다. ③ 강화도 조약 체결로는 일본의 영향력이 높아졌다. ④ 갑신정변으로 충돌했던 청과 일본은 톈진 조약을 체결하여 조선에서 양국 군대를 철수하되, 앞으로 조선에 군대를 보낼 때 상대국에 미리 알리기로 하였다. ⑤ 척화비가 흥선 대원군의 통상 수교 거부 정책을 보여 준다.

완자 정리 노트 풍자화 비교

풍자화			
시기	19세기 후반	19세기 후반 갑신정변 후	1905년 을사늑약 체결
풍자한 사실	제국주의 열강이 중국을 침략하다.	청이 조선 내정을 간섭하다.	을사늑약은 강요된 것이다.

---

03 근대 국민 국가 수립을 위한 노력

STEP 1 핵심 개념 확인하기   134쪽

1 교조 신원 운동   **2** (1) × (2) ○ (3) ○   **3** (다) − (라) − (가) − (나)
4 (1) ㄱ (2) ㄴ (3) ㄷ   **5** (1) ㉡ (2) ㉠

STEP 2 내신 만점 공략하기   134∼138쪽

01 ⑤	02 ④	03 ③	04 ①	05 ③	06 ③	07 ①
08 ①	09 ⑤	10 ④	11 ②	12 ①	13 ⑤	14 ④
15 ③	16 ⑤					

01 교조 신원 운동의 특징

자료 분석   ┌ 공주 집회의 요구 사항을 정리한 거야.

• 동학은 사학(邪學)이 아니라 유·불·선을 합일한 것으로 유교와는 대동소이하고 이단이 아니다.
• 가혹한 탄압으로 교도들이 극심한 고통을 당하고 있다. 체포된 교도들을 석방해 달라. └ 정부가 동학이 백성을 미혹하고, 유교를 어지럽히는 종교라고 규정했던 것에 대한 비판이야.
• 최제우의 신원(伸冤)을 조정에 아뢰어 달라.
　└ 이 요구 사항이 있었기 때문에 이 공주 집회를 교조 신원 운동이라고 해. ─「각도동학유생의송단자」

자료에서 동학, 가혹한 탄압, 최제우의 신원을 말한 점 등을 통해 해당 운동은 동학교도들의 교조 신원 운동임을 알 수 있다. 동학의 제2대 교주 최시형은 교단 조직인 포접제를 정비하면서 포교에 나섰다. 그 결과 삼남 지방을 중심으로 동학의 교세가 확장되었다. 교세가 확장되자 동학교도들은 교조 신원과 동학 포교의 자유를 얻으려는 교조 신원 운동을 전개하였다.

┃ 바로 알기 ┃ ①은 병인양요와 관련된 내용이다. ②는 임오군란, 갑신정변 등에 해당하는 내용이다. ③은 임술 농민 봉기에 대한 정부 대책에 해당한다. ④는 임오군란에 대한 설명이다.

02 고부 농민 봉기의 발생

자료에서 전봉준, 사발통문, 만석보 등을 통해 밑줄 친 '이 사건'은 고부 농민 봉기임을 알 수 있다. 군수 조병갑의 부정부패와 횡포에 시달리던 고부 농민들은 1894년 초 전봉준의 지도하에 봉기하여 만석보를 허물고 부패한 향리들을 붙잡아 다스렸다. 이후 안핵사로 파견된 장흥부사 이용태가 봉기에 참여한 농민들을 동학교도라는 죄목으로 잡아들여 농민들의 불만이 고조되었다.

┃ 바로 알기 ┃ ① 제1차 갑오개혁 때 교정청을 폐지하고 군국기무처를 설치하였다. ②는 갑신정변 때의 사실이다. ③은 동학 농민군의 제1차 봉기 후의 사실이다. ⑤는 동학 농민군의 전주성 점령 이후의 사실이다.

03 집강소 설치 배경

자료에서 전라도 대부분의 고을에 설치된 점, 동학교도가 집강이 되어 지방의 치안과 행정을 담당하였다는 내용을 통해 (가)는 집강소임을 알 수 있다. 동학 농민군은 정부와 전주 화약을 체결한 후 전라도 53개 고을에 자치적 개혁 기구로 집강소를 설치하였다. 그리고 폐정 개혁안을 실천해 갔다.

| 바로 알기 | ① 청일 전쟁 중 평양 전투에서 승리를 거둔 일본군이 동학 농민군을 진압하려 하자 동학 농민군의 제2차 봉기가 일어났다. 집강소는 제1차 봉기 후에 설치되었다. ② 호포제는 흥선 대원군이 군정의 폐해를 없애기 위해 실시하였다. ④ 동학 농민군의 제2차 봉기 과정에서 공주 우금치 전투가 일어났고, 이 전투에서 동학 농민군이 크게 패하였다. ⑤ 흥선 대원군은 임오군란 때 일시적으로 재집권했다가 청으로 압송되었고, 제1차 갑오개혁 때 일본이 흥선 대원군을 내세워 일시적으로 재집권한 적이 있다.

04 동학 농민 운동의 성격

자료에서 사진이 황토현 전투 유적지에 세워진 기념비라는 점을 통해 교사의 질문 중 '이 운동'은 동학 농민 운동임을 알 수 있다. 동학 농민 운동은 반봉건·반침략의 성격을 띤 민족 운동으로 우리 역사상 최대 규모의 농민 운동이었다. 이 운동에서 제기된 노비 제도 철폐 등 양반 중심 신분 질서를 타파하려는 반봉건의 개혁 요구는 일정 부분 갑오개혁에 반영되었으며, 외세의 침략을 물리치고자 했던 반외세의 움직임은 항일 의병 투쟁으로 이어졌다.

| 바로 알기 | ②는 임오군란과 관련된 내용이다. ③은 흥선 대원군이 추진한 개혁의 한계에 해당한다. ④는 갑신정변의 한계와 관련된 내용이다. ⑤는 갑신정변에 대한 역사적 평가이다.

05 동학 농민군의 폐정 개혁

자료는 전봉준의 사형 판결문에 실린 개혁안들이다. 전봉준은 동학 농민군을 이끈 사람이므로 이 개혁안들은 동학 농민군이 추진한 폐정 개혁안임을 알 수 있다. 동학 농민군은 제1차 봉기 때 전라도 각지를 점령하고 정부군과 전주에서 화약을 체결하였다. 그 후 전라도 각지에 집강소를 설치하고 폐정 개혁을 추진하였다.

| 바로 알기 | ①을 계기로 광무개혁이 추진되었다. ②를 계기로 제2차 갑오개혁이 추진되었다. ④를 계기로 을미개혁이 전개되었다. ⑤를 계기로 비변사 폐지, 호포제 실시, 서원 철폐 등 왕권을 강화하고 민생을 안정시키는 개혁이 추진되었다.

06 조선의 교정청 설치와 자주적 개혁

자료에서 왕명을 받들어 설치한 점, 동학당의 사정을 들어 개혁을 추진한 점, 일본인들의 요구와 끼어듦을 막고자 한 점 등을 통해 (가)는 교정청임을 알 수 있다. 전주 화약 체결 이후 조선 정부는 교정청을 설치하여 동학 농민군이 요구한 폐정 개혁을 포함한 자주적 개혁을 추진하였다. 하지만 일본군은 경복궁을 점령하고 흥선 대원군을 앞세워 김홍집 중심의 새로운 정권을 수립하였다. 김홍집 정권은 교정청을 폐지하고 군국기무처를 설치하여 제1차 갑오개혁을 추진하였다.

| 바로 알기 | ① 대한 제국은 1897년에 수립되었다. 교정청은 1894년에 설치되었다. ②는 제1차 갑오개혁 때의 사실이다. ④ 중추원은 고문 기구로 1894년에 처음으로 설치되었는데 독립 협회에 의해서 의회식으로 개편안이 마련되었다. ⑤ 임술 농민 봉기의 대책으로 삼정이정청이 설치되었다.

07 제1차 갑오개혁의 특징

> **자료분석**
>
> 갑오개혁을 가리켜.
>
> • 나(무쓰 무네미쓰, 일본 외무대신)는 처음부터 조선 내정의 개혁을 정치적 필요 이상의 의미가 있는 것으로 보지 않았으며, …… 이 때문에 군이 일본의 이익을 희생시킬 필요가 있는 것으로 보지 않았다. …… 이는 원래 청일 양국의 전쟁 등 얽혀 있는 난국을 조정하기 위한 하나의 정책이었던 것인데 …… .
> 갑오개혁에 대한 일본의 입장을 엿볼 수 있어. — 무쓰 무네미쓰, 『건건록』
>
> 갑오개혁을 가리켜.
> • 지금 조선의 개혁은 행하지 않을 수가 없지만 조선인 된 자에게는 세 가지 부끄러움이 있습니다. 스스로 개혁을 행하지 못해 귀국(일본)의 권유와 강박을 받았으므로 우리나라 인민에게 부끄럽고, 세계 만국에게 부끄럽고, 천하 후세에게 부끄럽습니다. …… 개혁을 잘 이룸으로써 …… 보국안민하게 되면 오히려 허물을 벗어날 수 있을 겁니다. — 유길준, 「세 가지 부끄러움」
> 갑오개혁에 임하는 조선 관리의 적극적인 의지를 엿볼 수 있어. 군국기무처 회의원이었어.

첫 번째 자료에서 일본 외무대신 무쓰가 조선의 개혁을 청일 양국에 얽힌 난국 조정책 정도로 보았다는 점에서 일본이 당시 조선의 개혁에 소극적이었음을 알 수 있다. 두 번째 자료에서 개혁을 잘 이루어 보국안민을 돕겠다는 유길준의 말을 통해 개화된 조선 관리들은 개혁에 적극적이었음을 알 수 있다. 이러한 일본과 조선의 입장 차이에서 밑줄 친 '개혁'은 모두 제1차 갑오개혁을 가리킴을 알 수 있다. 제1차 갑오개혁은 당시 청일 전쟁 중이던 일본이 개혁에 소극적이어서 군국기무처가 개혁을 주도하였다. 이때 국왕의 전제권을 제한하기 위해 왕실 사무를 담당하는 궁내부가 설치되었다.

| 바로 알기 | ② 흥선 대원군이 비변사를 철폐하고 삼군부를 부활시켰다. ③은 대한 제국의 개혁이다. ④ 통리기무아문은 1880년에 설치된 개화 정책 추진 기구이다. ⑤는 동학 농민 운동과 관련된 내용이다.

08 제1차 갑오개혁의 내용

도표는 궁내부와 경무청이 있고, 의정부 아래에 8아문이 설치된 것으로 보아 제1차 갑오개혁으로 마련된 중앙 정치 조직임을 알 수 있다. 제1차 갑오개혁 때 노비제를 폐지하고 신분 차별을 없애 봉건적 신분제가 철폐되었다. 이는 갑신정변과 동학 농민 운동의 요구를 반영한 것이다.

| 바로 알기 | ②는 제2차 갑오개혁에 해당한다. 이때 사법권이 독립되어 재판소가 설치된 결과 지방관의 사법권이 박탈되었다. ③ 제2차 갑오개혁 때 고종이 직접 교육입국 조서를 반포하였다. 이후 한성 사범 학교 관제, 외국어 학교 관제, 소학교 관제 등 근대적 교육 제도가 마련되었다. ④는 을미개혁 때의 사실이다. ⑤ 삼국 간섭 이후 조선에 친러·친미적인 내각이 구성되자, 위기의식을 느낀 일본이 을미사변을 일으켰다.

구분	제1차 갑오개혁	제2차 갑오개혁	을미개혁
정치	• 개국 기년 사용 • 궁내부 설치 • 6조 → 80아문 • 경무청 신설 • 과거제 폐지	• 의정부-80아문 → 내각 7부 • 8도-부·목·군·현 → 23부-군 • 재판소 설치 • 훈련대, 시위대 설치	• '건양' 연호 채택 • 훈련대 해산, 친위대와 진위대 신설
경제	• 재정 일원화 • 조세 금납화 • 은 본위 화폐제	• 예산 제도 도입 • 관세사·징세사 설치 • 육의전·상리국 폐지	
사회	• 신분제 폐지 • 조혼 금지 • 과부 재가 허용 • 고문·연좌제 폐지	• 교육입국 조서 반포 • 한성 사범 학교 소학교·외국어 학교 관제 등 마련	• 태양력 사용 • 단발령 공포 • 종두법 시행

09　을미개혁의 추진

자료 분석

상투는 몇 세기의 역사를 가지고 있으며 그 역사는 국가의 발생 시기까지 거슬러 올라간다. …… 상투가 없으면 성인으로 간주하지 않고 존칭도 붙이지 않으며, 정중한 대우도 받지 못한다. …… 그들의 자존심과 위엄은 모두 비난받고 발아서래 짓밟혔다. …… 성문에는 파수꾼들이 지키고 서서 지나가는 사람들의 상투를 잘랐으며, 모든 공직자와 군인은 일시에 삭발을 당하였다. 통곡과 비탄과 울부짖음 소리가 들려왔다. ┌ 단발령이 공포되고 단발이 시행되었어.

– 언더우드(Underwood, L. H.), 『상투의 나라』

자료는 성문에서 파수꾼이 지켜 서서 지나가는 사람들의 상투를 잘랐다는 것을 통해 단발령이 시행된 상황을 나타내고 있음을 알 수 있다. 을미사변 이후 김홍집, 유길준 등 친일 관료로 구성된 내각은 을미개혁을 추진하였는데, 이때 단발령이 공포되었다.

바로 알기 ① 을미개혁으로 을미의병이 일어난 이듬해인 1896년에 아관 파천이 일어났다. ② 황국 협회는 1898년에 대한 제국 황제의 측근 관료들이 독립 협회를 견제하기 위해 보부상들을 내세워 조직한 단체이다. ③, ④는 제1차 갑오개혁에 해당하는 사실이다.

10　독립 협회의 활동

자료에서 조선의 자주와 독립을 상징하는 독립문을 세웠다고 한 점 등을 통해 (가)는 독립 협회임을 알 수 있다. 독립 협회는 최초의 근대적 민중 집회인 만민 공동회를 열어 러시아의 이권 침탈에 맞서 자주 국권 운동을 전개하였다.

바로 알기 ①은 제1차 갑오개혁에 해당한다. ② 전봉준의 지도하에 고부 농민들이 군수 조병갑의 수탈을 상징하는 만석보를 파괴하였다. ③은 제2차 수신사로 일본에 파견된 김홍집의 활동이다. ⑤는 1880년대에 조선을 둘러싸고 청과 일본, 영국과 러시아가 각축을 벌이는 상황에서 독일 부영사 부들러, 유길준 등이 제기하였다.

11　관민 공동회의 개최

자료에서 독립 협회 회장 윤치호가 취지 설명을 했다는 점에서 독립 협회가 주최한 행사임을 알 수 있고, 박정양을 비롯한 정부 관리와 대중이 참여하였다는 점에서 밑줄 친 '이 모임'은 관민 공동회임을 알 수 있다. 천하고 무식한 사람이라고 하는 백정 출신 박성춘이 연설하고 있는 점, 관리와 백성이 힘을 합하자고 한 점 등을 통해서도 알 수 있다. 독립 협회는 정부 대신이 참여한 관민 공동회에서 헌의 6조를 채택하여 고종에게 올려 재가를 받았다.

바로 알기 ①은 대한 제국이 한 일이다. ③은 고종이 한 일이다. ④는 제1차 갑오개혁 때의 일이다. ⑤는 갑신정변과 관련된 내용이다.

12　독립 협회의 활동

자료는 의회 설립을 역설하는 독립신문의 논설이다. 두 글에서 의회를 설립하면 현명한 이들이 의원으로 선출되어 생기는 이로운 점이 있고, 국민의 정치 참여가 이루어져 애국심이 더 커지는 이로운 점이 있다고 주장하였다. 이 논설이 주장하는 의회 설립 운동을 전개한 단체는 독립 협회이다. 독립 협회는 갑오개혁 때 설립된 중추원을 서유럽의 상원 의회와 같은 기구로 개편하여 입헌 군주정 체제를 수립하려고 하였다. 서재필이 독립문을 세우기 위해 창설한 독립 협회는 독립문 건립 모금에 참여하면 회원이 될 수 있었다. 독립 협회는 자주 국권 운동을 전개하여 러시아의 여러 이권 요구를 철회시켰고, 신체의 자유와 재산권 보호를 요구하는 등 자유 민권 운동을 전개하였다. 하지만 공화정을 세우려 한다는 모함을 받아 고종이 해산 명령을 내렸다.

바로 알기 ①은 황국 협회에 대한 설명이다. 황국 협회는 독립 협회와 만민 공동회를 해산시키는 데 이용된 단체이다.

13　대한 제국의 등장 배경

자료에서 한(韓)이란 이름은 우리의 고유한 나라 이름이라고 한 점, 대한(大韓)이라는 이름이 적합하다고 한 점 등을 통해 해당 상황은 국호 '대한 제국'이 마련될 때 모습임을 알 수 있다. 국내 여론과 국제 사회의 압력 속에 고종은 러시아 공사관에서 1년 만에 경운궁으로 환궁하였다. 이때 열강의 간섭에서 벗어나 자주독립 국가임을 대내외에 과시하기 위해 칭제건원해야 한다는 목소리가 높았다. 이에 따라 고종은 1897년에 '광무'라는 연호와 함께 대한 제국을 선포하였다.

바로 알기 ① 1899년에 대한국 국제가 발표되었다. ② 김홍집 내각은 1896년에 아관 파천으로 무너졌다. ③ 흥선 대원군은 임오군란, 제1차 갑오개혁 때 재집권하였다. ④는 1895년에 일어난 을미사변에 해당한다.

14　대한 제국 시기의 사실

자료는 대한국이 세계 만국이 공인한 자주독립 제국인 점, 황제가 무한한 군주권을 누린다고 한 점 등을 통해 1899년에 반포된 대한국 국제임을 알 수 있다. 대한 제국에서는 황제권을 강화하고, 원수부를 설치하여 황제가 대원수로 직접 군대를 통솔하게 하였다.

┃바로 알기 ① 장용영은 조선 정조의 친위 부대이다. ② 『조선책략』이 유포되자 영남 유생은 이만손을 중심으로 만인소를 올리며 반발하였다. 이들의 반대에도 불구하고 조미 수호 통상 조약이 체결되었다. ③ 흥선 대원군은 왕권을 제약하던 비변사를 축소·폐지하고, 의정부와 삼군부가 정치와 군사 업무를 나누어 맡게 하였다. ⑤ 을미개혁을 추진하였던 김홍집 내각은 1896년에 아관 파천으로 붕괴되었다.

완자 정리 노트   독립 협회와 대한 제국이 지향하는 정치 체제

독립 협회가 지향하는 정치 체제	헌의 6조	• 외국과의 이권에 대한 계약과 조약은 해당 부처의 대신과 중추원 의장이 함께 날인해 시행할 것 → 황제권 견제 • 칙임관은 정부에 뜻을 물어 과반수가 동의하면 임명할 것 → 황제권 견제
	중추원 관제 개편안	• 중추원이 입법권·정부 안건 심사권·정부 정책 자문권 등 행사. 국정 중요 사항 동의권 행사 • 중추원 의관 50명 중 25명은 독립 협회에서 선출
대한 제국이 지향하는 정치 체제	대한국 국제	• 대한국은 자주독립 제국 → 자주독립의 황제 국가 • 대한국의 정치는 전제 정치 → 전제 국가 • 대한국 대황제는 무한한 군주권, 군 통솔권, 법률 제정·반포, 법령 집행권, 조약 체결권을 가짐 → 전제 군주정

15 광무개혁의 정책

자료에서 황실 중심의 재정 확보가 추진된 점, 홍삼 전매권, 상업세가 황실 재원으로 흡수된 점 등을 통해 (가)는 대한 제국 시기에 전개된 광무개혁이 해당함을 알 수 있다. 대한 제국에서는 구본신참(舊本新參)을 개혁의 원칙으로 삼아 점진적인 개혁을 추진하였다. 이 시기에는 전화, 전차, 철도 등 근대 시설이 설치되었고, 식산 흥업 정책이 추진되어 근대적 산업 기술의 습득을 위해 상공 학교와 광무 학교 등 실업 학교를 설립하고 기술 교육을 실시하였다.

┃바로 알기 ①, ④는 제2차 갑오개혁에 해당한다. ②는 을미개혁에 해당한다. ⑤는 제1차 갑오개혁에 해당한다. 제1차 갑오개혁에서는 국가의 재정을 탁지아문으로 일원화하여 왕실이나 각 관청에서 자의적으로 징세하는 폐단을 시정하고자 하였다.

16 지계 발행의 목적

자료에서 문서 앞면에 소유자, 면적, 주소 등이 표시된 점, 문서 뒷면에 외국인 소유 금지 등 발급 규정이 명시된 점 등을 통해 해당 문서는 지계임을 알 수 있다. 대한 제국은 조세 수입을 늘리고 토지 소유 관계를 정비하기 위해 양지아문을 통해 양전 사업을 실시하였고, 지계아문을 설치하여 토지 소유권을 보장하는 문서인 지계를 일부 지역에 발급하였다.

┃바로 알기 ①은 흥선 대원군 때 호포제와 사창제 등을 실시한 목적이다. ② 갑오개혁은 대한 제국 수립 전인 1894년에 추진되었다. ③은 제2차 갑오개혁 때 추진된 개혁 내용 중 하나이다. ④는 제1차 갑오개혁 때 이미 추진되었다.

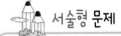
서술형 문제   138쪽

01 주제: 동학 농민 운동의 성격

예시 답안 동학 농민 운동은 대내적으로 양반 중심의 지배 질서를 타파하고, 대외적으로 일본의 침략을 물리쳐 나라를 지키고자 한 반봉건·반침략적 농민 운동이었다.

채점 기준

상	대내적 차원과 대외적 차원의 성격을 모두 서술한 경우
하	대내적 차원과 대외적 차원의 성격 중 한 가지만 서술한 경우

02 주제: 을미개혁의 영향

예시 답안 단발령으로 인해 사람들의 상투가 잘리는 상황은 을미개혁 때 단발령이 공포되면서 나타나게 되었다.

채점 기준

상	단발령과 을미개혁을 모두 언급하여 서술한 경우
하	단발령과 을미개혁 중 한 가지만 언급하여 서술한 경우

03 주제: 헌의 6조의 의미

(1) 헌의 6조

(2) **예시 답안** 독립 협회. 외국과의 조약을 맺을 때 각부 대신 및 중추원 의장이 함께 날인한다고 한 점, 칙임관을 임명할 때 황제가 정부에 자문을 구하는 점 등을 통해 당시 독립 협회는 황제권을 제한한 입헌 군주정 체제를 수립하고자 하였음을 짐작할 수 있다.

채점 기준

상	독립 협회를 쓰고, 독립 협회가 지향한 정치 체제와 근거 조항을 모두 서술한 경우
중	독립 협회를 쓰고, 독립 협회가 지향한 정치 체제만 서술한 경우
하	독립 협회만 쓴 경우

STEP 3 **1등급 정복하기**   139~141쪽

1 ③   2 ④   3 ①   4 ⑤   5 ①   6 ④

1 동학 농민군의 제1차 봉기

자료에서 백산 집결, 4대 강령 발표 등을 통해 밑줄 친 부분은 동학 농민군의 제1차 봉기를 가리킴을 알 수 있다. 제1차 봉기 때 동학 농민군은 황토현에서 관군을 물리쳤으며, 황룡촌 전투에서 정부군을 크게 격파하고, 전주성까지 점령하였다.

┃바로 알기 ① 단발령 공포는 을미개혁에 해당하며, 이에 반발하여 을미의병이 일어났다. ② 갑신정변 후 급진 개화파 일부가 일본으로 망명하였다. ④ 청일 전쟁이 일어난 후 동학 농민군의 제2차 봉기가 일어났다. ⑤는 1860년대 흥선 대원군의 대외 정책에 해당하는 사실이다.

2 동학 농민군의 제2차 봉기

자료에서 일본 오랑캐가 군대를 동원하여 우리 임금을 핍박하였다는 점을 통해 당시는 일본군이 경복궁을 점령한 상황임을 알 수 있다. 또한, 일본군이 관군과 연합하여 동학 농민군을 진압하려 하는 상황이라는 것도 알 수 있다. 이에 동학 농민군은 일본군 타도라는 반침략의 기치를 내세우며 제2차 봉기를 일으켰다. 이때 손병희가 이끄는 북접군과 전봉준이 이끄는 남접군은 한성으로 진격하기 위해 논산에서 합류하였다.

┃바로 알기┃ ① 은 임오군란의 상황에서 일어난 일이다. ② 1880년대 후반 조선을 두고 청과 일본, 영국과 러시아 등 열강의 대립이 거세지자 조선을 중립국으로 만들자는 의견이 나왔다. ③ 전주 화약이 체결되면서 동학 농민군의 제1차 봉기가 종결되었다. ⑤ 독립 협회가 헌의 6조를 올리자 정부에서는 이를 받아들여 의회식으로 중추원 관제를 개편하였다.

3 갑오개혁의 한계

자료에서 갑신정변 때 제기된 개혁안과 동학 농민군의 요구 사항이 일부 반영되었다는 점을 통해 해당 개혁이 갑오개혁임을 알 수 있다. 갑오개혁은 봉건적 통치 체제를 개혁하려 한 근대적 개혁이었으나, 일본의 간섭을 받아 추진되었고 국방력 강화와 상공업 진흥 등에 소홀하였다는 한계를 지닌다.

┃바로 알기┃ ② 는 갑신정변과 관련된 내용이다. ③ 은 온건 개화파에 해당하는 사실이다. ④ 는 흥선 대원군 집권기의 개혁과 관련된 내용이다. ⑤ 임오군란 후 마건상과 묄렌도르프가 고문으로 파견되어 조선의 내정과 외교를 간섭하였다.

4 홍범 14조와 제2차 갑오개혁의 추진

자료 분석

자주독립을 맹세해서 알린 글이야. 독립 서고문이라고 해.

개국 기년을 쓰는 것으로 보아 시기가 제1차 갑오개혁 이후야.

개국 503년 12월 12일, 감히 선조의 신령 앞에 고합니다. …… 오직 자주독립만이 우리나라를 튼튼하게 할 수 있습니다. 저 소자가 어찌 감히 천시(天時)를 받들어 우리 조종이 남기신 업적을 보전 《고종이야.》 하지 않을 수 있겠습니까. …… 이에 14개 조목의 홍범을 하늘에 계신 우리 조종의 신령 앞에 맹세하여 고하노니, 우러러 조종이 남긴 업적을 잘 이어서 감히 어기지 않을 것입니다. 밝은 신령께 서는 굽어 살피소서. 《홍범 14조야.》

1. 청에 의존하려는 마음을 버리고 자주독립하는 기초를 확고히 할 것
3. 대군주가 정사를 각 대신에게 물어 재결하며 왕비와 후궁, 종친이 간여하지 못하게 할 것
4. 왕실 사무와 국정 사무를 나누어 서로 혼합하지 아니할 것
9. 왕실 비용 및 각 관부 비용은 1년 예산을 세워 재정의 기초를 세울 것
12. 장교를 교육하고 징병제를 실행하여 군제의 기초를 확정할 것
13. 민법과 형법을 명확하게 제정하고, 인민의 생명과 재산을 보전할 것

– 「고종실록」

자료는 개국 503년(1894년에 해당)이라고 한 점, 14개 조목의 홍범을 신령 앞에 맹세한다고 한 점, 그 아래 14개 조목이 나열된 점 등을 통해 독립 서고문과 홍범 14조임을 알 수 있다. 1894년 12월, 고종은 종묘에서 자주독립의 맹세를 하는 독립 서고문을 발표하고, 국정 개혁의 기본 강령인 홍범 14조를 반포하였다. 이후 추진된 제2차 갑오개혁에서는 중앙 핵심 정치 기구인 의정부와 8아문을 내각과 7부로 고치고 총리대신이 통할하게 하였다. 지방 행정 조직은 8도를 23부로 개편하였다. 홍범 14조 중 9조에 따라 제2차 갑오개혁에서는 근대적 예산 제도를 도입하였다.

┃바로 알기┃ ① 은 을미개혁에 해당한다. ② 제1차 갑오개혁은 군국기무처 주도로 추진되었다. ③ 은 갑신정변에서 발표된 개혁 정강 중 하나이다. ④ 는 동학 농민군의 폐정 개혁안 등에 해당한다.

5 독립 협회의 활동

자료에서 독립문 건설을 주도한 점, 독립관에서 토론회를 개최한 점, 토론 주제로 러시아의 절영도 조차 등 이권 침탈을 비판하는 것, 의회 설립을 주장하는 것 등을 통해 (가)는 독립 협회임을 알 수 있다. 독립 협회는 자주 국권 운동뿐만 아니라 법률에 따른 신체의 자유와 재산권 보호를 요구하고, 언론·출판·집회·결사의 자유를 요구하는 자유 민권 운동을 전개하였다.

┃바로 알기┃ ② 1899년에 대한 제국은 대한국 국제를 발표해 대한 제국이 자주독립 국가이며, 황제가 무한한 군주권을 가진 전제 국가임을 밝혔다. ③ 제1차 갑오개혁을 통해 봉건적 신분제가 폐지되었다. ④ 1884년에 급진 개화파가 우정총국 개국 축하연을 계기로 갑신정변을 일으켰다. ⑤ 1881년에 정부는 개화 정책 추진을 위해 일본과 청에 각각 조사 시찰단과 영선사를 파견하였다.

6 대한 제국 정부의 정책

제시된 가상 대화는 환구단에서 제사를 지냈다는 점, 국호를 새로 정한다는 점에서 1897년의 고종의 황제 즉위와 국호 '대한 제국'의 선포에 대한 것임을 알 수 있다. 대한 제국 정부는 1898년부터 양전 사업을 추진해 전국 곳곳의 토지를 측량하고 여러 지역에 토지 소유권을 입증하는 지계를 발급하였다.

┃바로 알기┃ ① 은 제1차 갑오개혁 때의 사실이다. ② 갑신정변 이후 청의 내정 간섭이 심해지자 고종은 청을 견제하기 위해 조러 비밀 협약을 추진하였다. ③ 은 동학 농민군이 전주 화약 체결 후 전개한 일이다. ⑤ 는 갑신정변 직전의 상황이다. 고종은 개항 후 개화 정책을 펴면서 국가 재정이 부족해지자 당오전을 발행하였다.

완자 정리 노트 대한 제국의 근대적 개혁

양전 사업과 지계 발급	토지 측량 후 토지 소유권 증명 문서인 지계 발급 → 조세 수입 증대, 외국인 토지 소유 금지
근대 시설 설치	전화 가설, 우편 제도 정비, 전차와 철도 부설
식산흥업 정책	섬유 회사, 운수 회사, 광업 회사, 은행 설립
실업 교육 실시	외국에 유학생 파견, 실업 학교와 각종 기술 교육 기관 설립

핵심 개념 확인하기 148쪽

1 (1) ○ (2) × (3) × 2 을사늑약 3 (가) – (나) – (다) 4 (1) ⓒ
(2) ⓒ (3) ㄱ 5 (1) ㄴ (2) ㄱ (3) ㄷ

내신 만점 공략하기 148~152쪽

01 ②	02 ⑤	03 ②	04 ③	05 ④	06 ⑤	07 ②
08 ⑤	09 ③	10 ①	11 ④	12 ⑤	13 ⑤	14 ②
15 ①	16 ⑤	17 ③	18 ②	19 ②		

01 열강의 한국 지배권 승인

첫 번째 조약은 미국과 일본이 체결한 가쓰라·태프트 밀약으로 미국의 필리핀 지배권과 일본의 한국 지배권을 일본과 미국이 상호 인정한 것이다. 두 번째 조약은 영국과 일본이 체결한 제2차 영일 동맹으로 영국의 인도에서의 이익과 일본의 한국에서의 이익을 서로 인정한 것이다. 세 번째 조약은 러일 전쟁이 일본의 승리로 끝나고 체결된 포츠머스 조약으로 러시아가 일본의 한국에 대한 지배권을 인정한 것이다. 세 조약의 공통점은 모두 일본이 한국을 지배하는 것을 승인하였다는 것이다.

바로 알기 ① 을미의병은 을미사변과 단발령에 반발하여 일어났다. ③ 을사늑약 전후에 전개된 애국 계몽 운동은 일본의 탄압으로 약화되었다. ④는 포츠머스 조약에만 해당하는 설명이다. ⑤는 을사늑약이 해당한다.

02 을사늑약의 내용

만평은 한일 협약의 '협'자를 조약에 붙는 '화합할 협(協)'자가 아니라, '을러 협(脅)'자를 써서 을사늑약의 강제성을 풍자하고 있다. 을사늑약에 따라 대한 제국의 외교권이 박탈되었고, 이를 담당할 일본인 통감이 파견되었다.

바로 알기 ① 한일 의정서와 제차 한일 협약이 러일 전쟁 중에 체결되었다. ② 정미7조약과 부속 각서에 의해 일본인 차관이 임명되었다. ③ 한국 병합 조약에 따라 총독이 조선의 최고 통치자로 파견되었다. ④ 제차 한일 협약에 따라 재정과 외교 분야에 외국인 고문이 임명되었다.

완자 정리 노트 일본의 국권 침탈 과정

한일 의정서	군사상 필요한 경우 한국 영토를 임의로 사용하는 권리 획득
제1차 한일 협약	재정, 외교 분야에 외국인 고문 임명
을사늑약	외교권 박탈, 통감 파견, 통감부 설치
정미7조약	통감이 내정권 장악, 일본인 차관 임명, 한국 군대 해산
한국 병합 조약	국권 박탈, 총독 파견, 총독부 설치

03 헤이그 특사의 파견

첫 번째 자료는 러일 전쟁 후 1905년에 을사늑약이 체결되었음을, 두 번째 자료는 1907년에 고종이 강제 퇴위되면서 순종이 즉위하고, 정미7조약이 강요되었음을 설명하고 있다. 고종은 을사늑약이 무효임을 선언하고, 열강의 지원을 받고자 만국 평화 회의가 열리는 네덜란드 헤이그에 외교 특사로 이상설, 이준, 이위종을 파견하였지만 일본의 방해로 실패하였다. 일본은 이것을 빌미로 고종을 강제 퇴위시켰다.

바로 알기 ① 가쓰라·태프트 밀약은 러일 전쟁 중에 체결되었다. ③ 1907년에 정미7조약과 그 부속 각서에 따라 대한 제국의 군인이 해산되었다. ④ 재정 고문 메가타가 임명된 때는 1904년이다. 그는 러일 전쟁 중에 체결된 제차 한일 협약에 따라 임명되었다. ⑤ 안중근이 이토 히로부미를 하얼빈에서 처단한 것은 1909년의 일이다.

04 일본의 국권 침탈과 관리 임명

(가)는 재정 고문, 외교 고문이고, (나)는 통감이다. 재정 고문으로 임명된 일본인 메가타는 화폐 정리 사업을 주도하였고, 외교 고문으로 임명되었던 친일 미국인 스티븐스는 을사늑약 체결 후 미국에 돌아가서 일본의 한국 지배를 옹호하는 주장을 하였다. 통감은 대한 제국의 외교권을 담당하기 위해 임명되었으나 대한 제국의 내정도 간섭하였다.

바로 알기 ① 1880년대 조선에 파견되어 당오전 발행 등을 주도한 것은 청이 보낸 고문인 묄렌도르프이다. ② 조선에서 최고 통치자로 군림한 일본 관리는 조선 총독이었다. ④ 헤이그 만국 평화 회의에 특사를 파견한 것은 고종이었다. ⑤ 외교 고문으로 임명된 인물은 미국인 스티븐스였다.

05 항일 의병 운동의 배경

(가)에는 을미의병의 봉기 배경이 들어가야 한다. 일본이 명성 황후를 시해한 을미사변과 을미개혁 중에 추진된 단발령 시행을 배경으로 위정척사 사상을 가진 양반 유생들이 전통 질서 수호와 일본 배격을 주장하며 을미의병을 일으켰다.

바로 알기 ① 아관 파천은 을미사변과 을미의병이 일어난 것을 계기로 1896년에 고종이 일본의 위협을 피해 러시아 공사관으로 거처를 옮긴 사건이다. ② 서울 진공 작전은 정미의병 때 전국의 의병이 연합하여 만든 13도 창의군이 추진하였다. ③ 제너럴셔먼호 사건은 1866년에 미국 상선 제너럴셔먼호가 대동강으로 올라와 통상을 주장하다가 평양 관민에 의해 불타 침몰한 사건이다. ⑤ 1910년에 한국 병합 조약을 체결하면서 대한 제국은 국권을 상실하였다.

완자 정리 노트 항일 의병 운동

구분	배경	특징
을미의병	을미사변과 단발령(을미개혁)	양반 유생이 주도, 고종의 의병 해산 권고로 활동 중단
을사의병	을사늑약 체결	양반 유생 의병장 주도, 평민 의병장 등장
정미의병	고종 강제 퇴위, 군대 해산	해산 군인의 합류로 투쟁력 강화, 의병 운동의 전국적 확산

06 을사의병의 배경

제시된 자료는 작년 10월에 저들이 한 행위, 한 조각의 종이에 조인, 5백 년 전해 오던 종묘사직이 망하였으니 등의 내용에서 1905년에 강요된 을사늑약을 비판하고 있는 것을 알 수 있다. 최익현은 을사늑약에 반발하여 을사의병을 일으켰던 의병장이다. 을사늑약으로 대한 제국의 외교권을 빼앗은 일제는 을사늑약에 따라 대한 제국의 외교 업무를 담당할 통감을 파견하고, 한성에 통감부를 설치하였다. 초대 통감은 이토 히로부미였다.

▮ 바로 알기 ▮ ① 보빙사는 조미 수호 통상 조약 체결에 따라 미국에서 주한 공사를 파견하자 그에 대한 답례로 1883년에 파견한 사절단이다. ② 강화도 조약은 1876년에 체결되었다. ③ 집강소는 1894년에 동학 농민군이 전라도 지방에 설치하였다. ④ 단발령은 1895년에 공포, 시행되었다.

07 정미의병의 배경

두 학생의 대화 중에서 고종의 강제 퇴위에 반발해 봉기하였다는 것과 해산 군인의 합류 내용을 통해 대화의 소재가 정미의병임을 알 수 있다. 일제는 고종의 헤이그 특사 파견을 빌미로 1907년에 고종을 강제 퇴위시키고, 순종을 즉위시킨 후 정미7조약을 강요하였다. 정미7조약 부속 각서에 따라 대한 제국 군대가 해산되자 해산 군인들이 정미의병에 참여하였다. 그 결과 정미의병의 조직력과 전투력이 강화되었다.

▮ 바로 알기 ▮ ① 임오군란은 1882년에 별기군과의 차별 대우에 반발하여 구식 군대 군인이 일으킨 반란이다. ③ 1894년에 일어난 동학 농민 운동은 양반 중심의 신분 질서를 개혁하려는 반봉건 운동이다. ④ 애국 계몽 운동은 을사늑약 체결을 전후하여 사회 진화론을 따르는 지식인들이 민족의 실력 양성을 통해 국권을 수호하려 한 운동이다. ⑤ 임술 농민 봉기는 세도 정치 때 삼정의 문란에 시달린 농민들이 1862년에 전국적으로 일으킨 봉기이다.

08 13도 창의군의 활동

제시된 자료 중 1907년에 조직된 항일 연합 부대이고 이인영이 총대장이라는 점에서 (가)는 13도 창의군임을 알 수 있다. 일제가 고종을 강제 퇴위시키고 군대를 해산하자, 의병 투쟁이 전국적으로 일어났는데 특히 해산 군인이 의병에 합류하면서 의병의 전투력과 조직력이 강화되었다. 의병이 전국적으로 확산되자 의병 지도자들은 전국 연합 부대를 조직하려 노력하였다. 그 결과 13도 창의군이 편성되었다. 이인영을 총대장으로 하는 13도 창의군은 서울 진공 작전을 전개하면서 각국 영사관에 격문을 보내 자신들을 국제법상 교전 단체로 인정할 것을 요구하고, 선발대가 동대문 밖 30리 지점까지 진격하였으나 일본군의 공격에 패배하여 서울 진공 작전은 실패하고 말았다.

▮ 바로 알기 ▮ ① 애국 계몽 운동 단체인 신민회는 민족의 실력을 양성하기 위해 대성 학교와 오산 학교를 설립하고, 자기 회사와 태극 서관을 운영하였다. ② 일진회는 1904년에 조직된 친일 단체로, 1910년 한국이 일제에 병합될 때까지 일제에 협력하였다. ③ 양반 유생이 일으킨 을미의병은 고종의 권유에 따라 해산하였다. ④ 독립 협회는 관민 공동회를 개최하여 헌의 6조를 결의하였고, 중추원을 의회식으로 개편하려 하였다.

09 안중근의 활동

◆ 자료 분석 ◆

↑ ○○○(1879~1910)

[주요 활동]
- 학교 설립과 교육 운동
- 연해주에서 의병 활동 ┐
- 단지(斷指) 동맹 결성 ┘ 이범윤과 함께 의병 활동을 하였어.
- 뤼순 감옥에서 『동양 평화론』 저술 ┐ 매국노와 침략 원흉 암살을 목적으로 결성된 비밀 결사야.

자료에 제시된 인물은 사진과 단지 동맹, 『동양 평화론』 저술 등으로 보아 안중근임을 알 수 있다. 연해주에서 의병 활동을 전개하던 안중근은 러시아와 밀약을 체결하기 위해 중국 하얼빈에 온 이토 히로부미를 처단하였다.

▮ 바로 알기 ▮ ①은 애국 계몽 운동 단체인 신민회원 안창호의 활동이다. ②는 이재명 의사의 활동이다. ④는 나철, 오기호의 활동이다. ⑤는 이인영의 활동이다.

10 을사늑약에 대한 저항

제시된 글에서 조약 파기 상소가 잇따르고, 을사5적과 일본 침략자를 직접 응징하려 한 의열 활동이 일어났다는 것에서 밑줄 친 '이 조약'은 을사늑약임을 알 수 있다. 을사늑약으로 대한 제국의 외교권이 박탈되자 고위 관료와 유생은 조약 폐기와 을사늑약 체결에 찬성한 을사5적의 처벌을 요구하는 상소를 많이 올렸다. 민영환 등 전·현직 관료는 자결로 저항하였다. 나철과 오기호는 을사5적을 직접 처단하기 위해 을사5적 암살단으로 자신회를 조직하였다. 이재명은 명동 성당 앞에서 이완용을 습격하기도 하였다.

▮ 바로 알기 ▮ ② 정미7조약 부속 각서에 따라 군대가 해산되면서 정미의병이 일어났다. ③은 러일 전쟁 중에 한국과 일본이 교환한 외교 문서이다. 이에 따라 일본은 한국 영토를 군사 기지로 사용할 수 있게 되었다. ④는 일제가 한국의 주권을 빼앗고 완전한 식민지로 만든 조약이다. ⑤는 재정 고문 메가타가 파견된 조약이다.

11 전명운과 장인환의 의열 투쟁

제시된 글에서 제1차 한일 협약에 따라 외국인 재정 고문과 외교 고문이 파견되면서 일본이 한국의 재정과 외교를 간섭하였다는 내용을 통해 (가)는 외교 고문으로 파견되었던 미국인 스티븐스를 가리키고 있다는 것을 알 수 있다. 대한 제국의 외교 고문이었던 스티븐스는 을사늑약 체결 후 미국에서 일본의 한국 지배를 옹호하는 발언을 하였기 때문에 미국 한인들의 반감을 샀고, 샌프란시스코에서 장인환과 전명운에 의해 처단되었다.

▮ 바로 알기 ▮ ① 을사늑약에 따라 일본은 대한 제국의 외교권을 관리할 일본인 통감을 임명하였다. ② 1880년대 후반에 조선을 둘러싸고 열강의 대립이 격화되자, 조선 주재 독일 부영사였던 부들러와 유길준은 조선의 중립국화를 제안하였다. ③은 을사늑약에 반발한 장지연의 언론 활동이다. ⑤는 을사늑약에 반발한 고종의 외교 노력이다.

12 애국 계몽 운동의 내용

자료는 항일 의병 운동에 대해 훈련받지 못한 병졸과 오합지중이 전략, 무예가 갖추어진 군대와 교전한다는 것은 불가능한 일이라며 비판하고 있으며, 애국 계몽 운동에서 주장하는 바대로, 산업과 교육에 힘써 국권 수호를 도모하라고 하고 있다. 여기서 애국 계몽 운동가들이 가진 항일 의병 운동에 대한 시각을 알 수 있다. 한편, 애국 계몽 운동 단체라도 신민회는 무장 투쟁을 위해 만주 서간도 삼원보에 독립운동 기지를 건설하였다.

▌바로 알기 ▌ ㄱ은 항일 의열 투쟁으로 이재명이 이완용을 습격하였고, 안중근이 이토 히로부미를 사살한 것이 대표적이다. ㄹ은 정미의병의 활동이다. 이는 자료에서 비판한 항일 의병 운동이다.

13 대한 자강회의 활동

자료는 『대한 자강회 월보』로 대한 자강회의 기관지이다. 기관지란 특정 단체나 조직이 해당 기관의 목적과 취지를 대내외에 널리 알리기 위해 발행하는 잡지이다. 대한 자강회는 대한 제국의 독립을 위해 자강이 중요하다고 보고, 자강을 위해 교육과 산업의 진흥에 노력하였다. 그리고 전국에 지회를 설치하였고, 대중 연설 등 대중적 활동을 전개하였다. 대한 자강회는 고종의 강제 퇴위 반대 운동을 전개하다 통감부의 탄압을 받아 강제로 해산되었다.

▌바로 알기 ▌ ⑤ 대한 자강회는 입헌 군주제를 목표로 하였다. 공화 정체를 지향한 애국 계몽 운동 단체는 신민회였다.

14 신민회의 활동

자료의 105인 사건은 신민회가 와해되는 계기이므로 그 판결문인 자료는 신민회의 국외 독립운동 기지 건설 활동을 설명하고 있다. 신민회는 민족 교육을 위해 평양에 대성 학교, 정주에 오산 학교를 세웠으며 평양에서 태극 서관과 자기 회사를 운영하여 산업을 진흥시키고자 노력하였다. 만주 삼원보에 무장 독립운동 기지를 건설하였고 군사 훈련 학교로 신흥 강습소를 설립하기도 하였다.

▌바로 알기 ▌ ①은 정미의병 때 편성된 13도 창의군의 활동이다. ③은 정미 7조약 부속 각서에 의해 이루어진 일제의 국권 침탈 활동이다. ④는 이재명 의사의 의열 투쟁이다. ⑤는 애국 계몽 운동 단체인 보안회의 활동과 관련이 있다.

완자 정리 노트	애국 계몽 운동 단체의 활동
보안회(1904)	일제의 황무지 개간권 요구 반대 운동 전개
헌정 연구회(1905)	입헌 군주제 연구
대한 자강회(1906)	• 입헌 군주제 목표, 전국에 지회 조직, 월보 발행 • 고종 강제 퇴위 반대 운동으로 해산
대한 협회(1907)	• 대한 자강회 주요 인사, 천도교 간부가 조직 • 실력을 길러 국권 회복 주장, 입헌 군주정 지향
신민회(1907~1911)	• 비밀 결사, 공화정 지향 • 교육과 산업의 진흥, 만주 삼원보에 무장 독립운동 기지 건설 • 105인 사건으로 와해

15 보안회의 활동

▌자료 분석 ▌ ─ 일제가 대한 제국의 황무지 개간권을 요구하자 보안회는 만국 공법을 근거로 반박하고 있어.

> 만국 공법 제2장에 따르면 "한 나라는 반드시 국토를 독점적으로 관할하여 통제하고 운영할 수 있는 권리를 가진다. 따라서 국가는 토지, 물산, 민간 재산 등을 관리할 권한을 가지며 다른 나라는 이 권리를 함께 가질 수 없다. …… 이는 한 나라가 공유하는 권리이지 한 사람이 사유하는 권리가 아니므로 국가가 함부로 그 권리를 포기할 수 없다."라고 하였습니다.
> ─ 황성신문

자료는 국토에 대한 권리를 포기할 수 없다는 내용을 통해 일제의 황무지 개간권 요구에 대해 철회 운동을 전개하는 보안회와 관련된 것임을 알 수 있다. 만국 공법에 따르면 토지를 관리할 권한은 한 국가의 독점적 권한이기 때문에 일제의 요구는 만국 공법에 위배된다고 주장하고 있다. 보안회는 종로에서 대중 집회를 열며 일제의 황무지 개간권 요구 철회 운동을 벌였다. 마침내 일본은 황무지 개간권 요구를 철회하였다.

▌바로 알기 ▌ ② 신민회는 만주 삼원보에 독립운동 기지를 건설하였다. ③ 독립 협회는 민중 계몽을 통한 근대 국민 국가 수립을 위해 노력하였고, 만민 공동회를 통해 러시아 등 열강의 이권 침탈을 저지하였다. ④ 대한 자강회는 입헌 군주제를 지향하였으며, 전국에 지회를 두고 『대한 자강회 월보』를 발행하였다. 이 단체는 고종의 강제 퇴위에 반대하다가 해산되었다. ⑤ 헌정 연구회는 입헌 군주제를 지향해 연구하였으며, 을사늑약에 저항하다가 해산되었다.

16 신민회의 활동

지도에 표시된 삼원보에 신흥 강습소를 세운 단체는 신민회이다. 신민회는 애국 계몽 운동을 전개하는 비밀 결사였다. 따라서 대성 학교와 오산 학교를 세워 민족 교육을 실시하고, 자기 회사와 태극 서관을 운영해 경제적으로 실력을 양성하려고 하였다. 1909년 무렵부터는 일제의 탄압이 심해지고 한국 강제 병합이 본격화되자 실력 양성 운동만으로는 국권 회복이 어렵다고 판단해 무장 투쟁을 준비하였다. 이 결과 서간도의 삼원보에 무장 독립운동을 위한 기지를 건설하고 신흥 강습소를 설립하였다.

▌바로 알기 ▌ ① 신민회는 공화 정체의 근대 국민 국가를 건설하고자 하였다. ② 을사늑약의 체결에 반발하여 의병을 일으킨 사람은 최익현이 대표적이다. ③ 장지연은 을사늑약의 체결에 반발하여 황성신문에 항일 논조의 「시일야방성대곡」을 발표하였다. ④ 대한 자강회는 전국에 지회를 설치하고 『대한 자강회 월보』를 발행하였다.

17 일본의 독도 불법 편입

1904년에 발발한 러일 전쟁 중에 일본은 독도를 자국의 영토로 불법 편입하였다. 일본 시마네현 지사는 1905년 2월 22일자로 독도를 자국 영토로 편입한다는 「시마네현 고시 제40호」를 발표하였다. 이 문서는 일본 중앙 정부가 아닌 지방 정부에서 발행하였으며, 대외적으로 고시된 것이 아니기 때문에 일본의 영토 편입은 불법이다.

18 우리 고유 영토인 독도

자료가 제목이 우리 땅, 독도의 역사이고 신라가 독도와 울릉도를 복속한 내용인 것으로 보아 이후 페이지에 들어갈 내용은 독도의 영유권을 보여 주는 역사적 근거 자료들임을 유추할 수 있다. 17세기에 안용복은 일본에 가서 일본 막부에게 울릉도와 독도가 일본령이 아님을 확인받고 돌아왔다. 1900년에 대한 제국은 울릉도를 울도군으로 승격해 독도를 관할하게 하는 「칙령 제41호」를 내렸다.

┃바로 알기┃ ㄴ. 이범윤은 간도를 시찰하던 중인 1903년에 간도 관리사로 임명되어 한인을 보호하였다. ㄹ. 백두산정계비는 1712년에 청과 조선이 양국의 국경을 정해 세운 비석이다. 훗날 이 비석의 토문강에 대한 해석 문제로 간도 영유권 분쟁이 일어났다.

19 간도의 관리

밑줄 친 '이 지역'은 간도이다. 조선과 청의 영토 분쟁으로 백두산정계비가 세워졌고, 훗날 조선의 이주민이 많아지자 이후 비문의 토문강 해석을 두고 간도 영유권 분쟁이 발생하였다. 대한 제국은 간도에 파견했던 이범윤을 간도 관리사로 임명하여 간도에 거주하는 한인들을 보호하였고, 간도를 함경도에 편입시켰다.

┃바로 알기┃ ① 대성 학교가 설립된 지역은 평양이다. ③ 아관 파천한 고종이 머문 곳은 서울에 있었던 러시아 공사관이다. ④ 병인양요 때 프랑스군과 전투가 벌어진 곳은 강화도와 그 주변 지역이다. ⑤ 갑신정변이 실패로 끝나자 갑신정변을 일으켰던 개화당 중 김옥균·박영효, 서광범, 서재필 등 9명은 일본으로 망명하였다. 나머지는 대부분 피살되었다.

서술형 문제

152쪽

01 주제: 을사늑약과 우리 민족의 저항

(1) 을사늑약

(2) **예시 답안** 고종은 을사늑약의 무효를 선언하고 국제 사회의 지원을 얻기 위해 헤이그에 특사를 파견하였다. 을사늑약 체결을 비판하며 구국 항일을 목적으로 을사의병이 봉기하였고, 매국노와 침략의 원흉을 처단하고자 의열 투쟁이 전개되었다.

채점 기준

상	을사늑약에 대한 우리 민족의 저항을 세 가지 서술한 경우
중	을사늑약에 대한 우리 민족의 저항을 두 가지 서술한 경우
하	을사늑약에 대한 우리 민족의 저항을 한 가지만 서술한 경우

02 주제: 을미의병의 발생 배경

예시 답안 일본이 명성 황후를 죽인 을미사변이 일어나고, 을미개혁에서 단발령이 시행된 것이 을미의병이 일어난 원인이다.

채점 기준

상	을미의병의 원인을 두 가지 서술한 경우
하	을미의병의 원인을 한 가지만 서술한 경우

03 주제: 항일 의병 운동과 애국 계몽 운동

예시 답안 애국 계몽 운동. 애국 계몽 운동가들이 항일 의병 운동을 비판한 이유는 훈련받지 못하고 허술한 무력으로 항쟁하다 목숨을 잃는 것보다 교육과 산업의 진흥에 힘써 독립에 필요한 힘을 먼저 기르는 것이 낫다고 생각하였기 때문이다.

채점 기준

상	애국 계몽 운동의 명칭을 쓰고, 애국 계몽 운동이 항일 의병 운동을 비판한 이유를 서술한 경우
하	애국 계몽 운동의 명칭만 쓴 경우

STEP 3 1등급 정복하기 153~155쪽

| 1 ④ | 2 ⑤ | 3 ③ | 4 ④ | 5 ① | 6 ⑤ |

1 을사늑약의 영향

제시된 자료에서 이토 히로부미, 을사5적을 볼 때 밑줄 친 '이 조약'은 을사늑약임을 알 수 있다. 을사늑약으로 대한 제국의 외교권이 박탈되는데, 고종은 이 조약이 무효임을 선언하고 국제 사회의 지원을 얻기 위해 만국 평화 회의가 열리는 네덜란드 헤이그에 이상설, 이준, 이위종을 특사로 파견하였다. 대한 제국의 외교권을 가진 일본은 청과 간도 협약을 맺고 간도를 청의 영토로 인정하였다.

┃바로 알기┃ ㄱ. 유인석은 을미사변과 단발령이 시행된 1895년에 을미의병을 일으켰다. ㄷ. 보안회는 을사늑약 체결 이전에 조직되어 활동하였다.

완자 정리 노트   을사늑약에 대한 우리 민족의 저항

고종의 저항	• 미국 특사로 헐버트 파견 • 이상설, 이준, 이위종을 헤이그 특사로 파견
언론 활동	장지연, 황성신문에 「시일야방성대곡」 발표
의거 활동	기산도의 5적 암살단, 나철의 자신회 조직, 이재명의 이완용 습격, 안중근의 이토 히로부미 처단
항일 의병 운동	을사의병(민종식, 최익현, 신돌석 등)
애국 계몽 운동	헌정 연구회의 을사늑약 반대

2 한국 병합 조약

제시된 설명 중 1910년, 일본이 대한 제국을 조선이라고 불렀다는 점에서 (가)는 한국 병합 조약임을 알 수 있다. 이 조약으로 일제는 대한 제국의 국권을 박탈하고 대한 제국을 조선이라 하여 조선에 총독을 파견해 통치하였다.

┃바로 알기┃ ① 임오군란 이후 체결된 제물포 조약에서 조선은 일본 공사관에 경비병이 주둔하는 것을 인정하였다. ② 일본은 을사늑약에 따라 대한 제국의 외교권을 박탈하였고, 이를 관리할 통감을 임명하였다. ③ 러일전쟁 중에 일본은 제1차 한일 협약 체결을 강요하고, 이에 따라 재정 고문과 외교 고문을 파견하였다. ④ 청과 일본이 조선에 파병할 때 상호 통보할 것을 규정한 조약은 톈진 조약이다.

3 정미의병의 특징

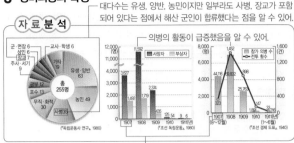

자료 분석

대다수는 유생, 양반, 농민이지만 일부라도 사병, 장교가 포함되어 있다는 점에서 해산 군인이 합류했다는 점을 알 수 있어.

의병의 활동이 급증했음을 알 수 있어.

1907년 이후의 그래프야.

자료는 통계로 본 항일 의병 운동이라는 제목과 아래 통계 자료가 1907년 이후의 자료라는 점에서 정미의병에 대한 것임을 알 수 있다. 정미의병 때에는 대한 제국의 군대가 일본에 의해 해산되자 해산 군인이 의병에 참여하여 의병의 전투력과 조직력이 높아졌고, 의병 운동에서 의병 전쟁의 상태로 나아갔다.

바로 알기 ① 동학 농민 운동이 전개되면서 집강소가 설치되었고, 폐정 개혁이 추진되었다. ② 1905년에 체결된 을사늑약으로 대한 제국은 외교권을 일본에 빼앗겼다. 이에 민족적인 저항이 일어났는데 최익현, 신돌석 등이 활약한 을사의병이 대표적이다. ④ 신민회는 애국 계몽 운동 단체로서 표면적으로는 학교를 세우고, 기업을 운영하는 등 교육과 산업 진흥에 힘썼지만, 1909년 이후 일본의 한국 병합 계획이 추진되자 국외에 독립운동 기지를 세우려 하였다. ⑤ 애국 계몽 운동 사례로는 보안회, 헌정 연구회, 신민회 등 애국 계몽 운동 단체의 활동을 들 수 있다.

4 안중근 의거와 『동양 평화론』

제시된 자료는 안중근이 쓴 『동양 평화론』의 일부이다. 안중근은 이 글에서 이토 히로부미의 죄악을 밝히고 일본의 침략을 규탄하며 동양의 평화를 위해 한·중·일이 서로 존중하고 협력해야 한다고 주장하였다. 연해주에서 의병 투쟁을 벌이던 안중근은 1909년에 러시아와 밀약을 체결하기 위해 하얼빈에 온 이토 히로부미를 저격하였다. 그 자리에서 체포된 그는 감옥에서 『동양 평화론』을 집필하였는데 완성하지 못하고 사형당하였다.

바로 알기 ① 박규수, 오경석, 유홍기 등 개국 통상론자는 문호를 개방하고 서양과 교역을 해야 한다고 주장하였다. ② 을미사변과 단발령에 대한 반발로 유인석, 이소응, 김도화 등 양반 유생이 을미의병을 일으켰다. ③ 동학 농민 운동군의 폐정 개혁 요구는 갑오개혁에 반영되었다. ⑤ 사회 진화론은 자연 법칙인 적자생존, 약육강식이 인간 사회에도 적용된다는 주장으로 서구 제국주의 국가의 침략을 정당화하는 데 사용되었으며, 동양에서는 자강(自強)을 위한 논리로 수용되어 애국 계몽 운동에 영향을 끼쳤다.

5 애국 계몽 운동 단체, 신민회

안창호, 양기탁 등이 만들고, 실력 양성 운동을 전개하면서 남만주에 무장 독립운동을 위한 거점을 마련하였다는 내용에서 밑줄 친 '이 단체'는 신민회임을 알 수 있다. 신민회는 비밀 결사로 조직되었으며, 공화정에 기반한 근대 국민 국가를 건설하고자 하였다. 표면적으로는 애국 계몽 운동을 전개하여 대성 학교, 오산 학교를 세워 교육에 힘쓰고, 자기 회사와 태극 서관을 운영하여 산업 진흥에도 노력하였다.

바로 알기 ② 일진회는 처음에는 민권 운동을 전개하였으나 을사늑약 지지 선언을 하며 친일 단체로 변하였고, 한국 병합 조약 체결 직전에는 대한 제국과 일본의 합방 청원서를 황제와 통감에게 제출하였다. ③은 독립 협회의 활동이다. ④는 대한 제국 군대 해산에 해당한다. 신민회는 1911년에 105인 사건으로 와해되었다. ⑤ 위정척사 운동은 성리학적 사회 질서를 수호하고 성리학 이외의 사상과 종교를 배격하였다.

6 한국의 고유 영토, 독도

가상 문자 대화에서 지증왕 때 울릉도와 함께 편입되었다에서 '이 섬'은 독도라는 것을 알 수 있다. (가)에는 일본에서 독도를 우리(한국) 땅이라고 본 자료가 들어가야 한다. 그 사례로는 안용복의 활약으로 일본 막부가 일본 어민의 울릉도 도해 금지령을 내린 것, 1877년 태정관 지령문에서 두 섬이 일본 땅이 아님을 확인한 것이 대표적이다.

바로 알기 ㄱ. 1905년에 나온 「시마네현 고시 제40호」는 독도를 일본 영토로 불법적으로 편입한 사실을 알린 고시이다. ㄴ. 간도 협약은 청과 조선이 영유권 분쟁을 벌였던 두만강 너머의 땅 간도 지역에 관한 협약이다.

완자 정리 노트 독도와 간도 문제

독도 문제	• 삼국 시대 이래 우리 고유 영토(『삼국사기』에 신라 지증왕 때 이사부가 우산국을 복속했다고 기록) • 일본도 조선 영토로 인식(1696년 일본 막부의 일본 어민 도해 금지령, 1877년 일본 태정관 지령문 등에 드러남) • 대한 제국이 1900년에 「대한 제국 칙령 제41호」를 발표해 울릉도를 울도군으로 승격, 독도를 관할하게 함 • 러일 전쟁 중인 1905년에 일본이 독도를 「시마네현 고시 제40호」로 불법적으로 일본에 소속시킴
간도 문제	• 간도를 둘러싼 조선과 청의 분쟁으로 백두산정계비 건립(1712) • 19세기 후반에 간도 영유권 문제 다시 발발, 백두산정계비 비문 해석 논쟁 • 대한 제국은 이범윤을 간도 관리사로 임명, 간도를 함경도에 편입 • 1909년에 일본이 남만주 철도 부설권과 푸순 탄광 개발권 등을 얻는 조건으로 간도를 청에 넘기는 간도 협약을 체결

STEP 1 핵심 개념 확인하기

160쪽

1 조청 상민 수륙 무역 장정 2 (1) ㄴ (2) ㄱ (3) ㄷ 3 (1) × (2) ○
(3) ○ 4 독립신문 5 (1) ㉠ (2) ㉢ (3) ㉡

STEP 2 내신 만점 공략하기

160~163쪽

01 ② 02 ③ 03 ④ 04 ④ 05 ③ 06 ② 07 ④
08 ④ 09 ① 10 ① 11 ④ 12 ④ 13 ⑤ 14 ⑤
15 ①

01 거류지 무역의 영향

제시된 글은 1876년 이후 강화도 조약과 그 부속 조약에 따라 전개
된 일본 상인의 거류지 무역(개항장 중심 무역)을 설명하고 있다. 거
류지에만 머물러야 했던 일본 상인은 내륙의 소비자나 생산자와 직
접 거래를 할 수 없기 때문에 조선 중개 상인이 필요하였고, 이에
따라 객주와 같은 조선의 중개 상인들이 성장할 수 있었다.

┃바로 알기┃ ① 아관 파천 이후 열강들이 최혜국 대우를 내세워 경쟁적으
로 이권 침탈에 나섰다. ③ 조청 상민 수륙 무역 장정 체결 이후 외국 상인
들이 내륙에 진출하였다. 시전 상인들은 상권을 수호하기 위해 1898년에
황국 중앙 총상회를 조직하였다. ④ 1883년에 체결된 조일 통상 장정에 근
거하여 방곡령이 내려졌지만, 일본의 항의로 철회되기도 하였다. ⑤ 일제가
대한 제국에 황무지 개간권을 요구하자 보안회가 이를 저지하였다.

완자 정리 노트 ┃ 열강의 경제 침탈을 초래한 조약들

조일 수호 조규 부록(1876)	• 개항장에서 일본 화폐 사용 가능 • 개항장에 일본인 거류지 설정
조일 무역 규칙(1876)	• 일본 상인의 양곡 수출입 허용 • 일본 선박 무항세, 수출입 무관세 규정
조미 수호 통상 조약(1882)	• 미국인에 최혜국 대우 인정 • 조선의 관세 주권 인정
조청 상민 수륙 무역 장정 (1882)	청 상인의 양화진·한성 영업소 개설 허용, 내륙 진출 사실상 허용
조일 통상 장정(1883)	• 일본에 최혜국 대우 허용 • 방곡령 공포 규정

02 조청 상민 수륙 무역 장정의 결과

자료는 조청 상민 수륙 무역 장정의 일부이다. 이는 1882년 임오군
란의 결과 청의 영향력이 강화된 상황에서 체결되었다. 이 장정에
의해 청 상인이 한성을 비롯해 조선의 내륙으로 진출할 수 있게 되
었다. 이후 최혜국 대우를 가진 여러 나라가 조선에 진출하여 조선
상인들의 상권이 크게 위협받았다.

┃바로 알기┃ ① 러일 전쟁은 1904년에 발발하였다. ② 국채 보상 운동은
1907년에 대구에서 시작되었고, 서울에서 국채 보상 기성회가 조직되었다.
④ 1905년에 강제로 체결한 을사늑약에 따라 일본은 대한 제국의 외교권
을 박탈하였고, 통감부를 설치하였다. ⑤ 1896년 아관 파천 이후 러시아가
대한 제국의 각종 이권을 침탈하였다.

03 열강의 이권 침탈

자료 분석

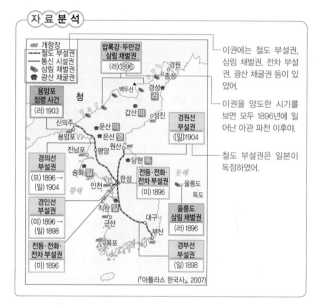

범례:
🚩 개항장
▬▬ 철도 부설권
📡 통신 시설권
🌲 삼림 채벌권
⛏ 광산 채굴권

압록강·두만강 **삼림 채벌권** (러)1896
용암포 점령 사건 (러) 1903
경원선 부설권 (일)1904
경의선 부설권 (프) 1896 (일) 1904
경인선 부설권 (미) 1896~ (일) 1898
전등·전화·전차 부설권 (미) 1896
전등·전화·전차 부설권 (미) 1896
울릉도 삼림 채벌권 (러) 1896
경부선 부설권 (일) 1898

> 이권에는 철도 부설권, 삼림 채벌권, 전차 부설권, 광산 채굴권 등이 있었어.

> 이권을 양도한 시기를 보면 모두 1896년에 일어난 아관 파천 이후야.

> 철도 부설권은 일본이 독점하였어.

『아틀라스 한국사』, 2007)

지도는 열강의 이권 침탈을 나타낸 자료이다. 열강의 이권 침탈은
1896년 아관 파천 이후 러시아가 대한 제국의 이권을 차지하자 다
른 나라들도 최혜국 대우 규정을 앞세워 이권을 경쟁적으로 차지
하면서 더욱 가속화되었다.

┃바로 알기┃ ① 1884년에 급진 개화파가 우정총국 개국 축하연에서 갑신
정변을 일으켰으나 청군이 개입하여 실패하였다. ② 1905년에 일본이 을
사늑약을 강제로 체결하여 한국의 외교권을 박탈하고 통감부를 설치하였
다. ③ 1882년에 구식 군대의 군인이 일으키고 도시 빈민이 가담한 임오군
란을 청이 진압하였다. 이후 청과는 조청 상민 수륙 무역 장정이 체결되었
고, 일본과는 제물포 조약이 체결되었다. ⑤ 1894년에 전라도 지역에서 동
학 농민 운동이 일어나 폐정 개혁을 추진하였으나 일본군과 관군의 진압으
로 지도자 전봉준이 체포되면서 실패하였다.

04 동양 척식 주식회사의 설립 목적

동양 척식 주식회사는 1908년에 일본이 설립한 국책 회사이다. 일
본은 이 회사를 통해 한국의 토지와 자원을 약탈하고, 약탈한 토
지를 일본인 농업 이민자에게 헐값에 제공하였다. 이에 한국인 농
민들이 토지를 잃고 만주로 이주하기도 하였다.

┃바로 알기┃ ① 1907년에 정미7조약 부속 각서에 의해 대한 제국의 군대
가 해산되었다. ② 1905년에 재정 고문인 일본인 메가타가 한국의 금융을
장악하기 위해 화폐 정리 사업을 주도하였다. ③ 당시 한국의 근대적 기업
육성은 한국의 상인층과 전·현직 관료 출신 자본가들에 의해 이루어졌다.
큰 자본이 필요한 은행, 해운, 철도 분야의 회사는 관료 출신 자본가들이
설립을 주도하였다. ⑤ 1907년에 일어난 국채 보상 운동은 일본 통감부의
방해와 탄압을 받았다.

05 화폐 정리 사업의 영향

자료는 제1차 한일 협약에 따라 일본이 한국에 파견한 재정 고문 메가타가 추진한 화폐 정리 사업 규정이다. 화폐 정리 사업으로 일본 제일 은행이 사실상 대한 제국의 중앙은행 역할을 하게 되면서 대한 제국이 일본의 화폐권에 편입되어 대한 제국의 재정 자주권이 침해되었다. 또한 백동화 교환 과정에서 백동화의 화폐 가치를 낮추거나 교환 자체를 거부하여 백동화를 많이 사용하던 한국의 은행이나 민간 상인들이 큰 경제적 타격을 입게 되었다.

‖ 바로 알기 ‖ ① 1876년에 강화도 조약과 그 부속 조약이 체결된 후 일본 상인과 거류지 무역이 이루어진 때에는 조선의 중개 상인이 경제적으로 성장하였다. ② 1896년 아관 파천 이후 열강의 이권 침탈 경쟁이 가속화되었다. ④ 1882년에 체결된 조청 상민 수륙 무역 장정으로 청 상인이 내륙에 진출하게 되었다. 그리고 1883년에 체결된 조일 통상 장정에서 일본에 최혜국 대우를 부여하면서 일본 상인들도 조선의 내륙에 진출할 수 있게 되었다. ⑤ 1907년에 체결된 정미7조약 부속 각서에 따라 대한 제국 군대가 해산되자 이에 반발하여 정미의병이 봉기하였다.

06 방곡령의 결과

제시된 자료에서 일본 상인들이 곡물을 사들이면서, 조선 내 곡물이 부족, 조일 통상 장정의 규정에 근거 등에서 (가)는 방곡령임을 알 수 있다. 1883년에 조일 통상 장정을 체결하면서 조선은 일본에 대해 관세 자주권의 일부를 회복하였고, 방곡령 규정을 두어 일본에 곡물 수출을 금지할 수 있는 기반을 마련하였다. 그러나 일본 측의 항의로 방곡령이 철회되고, 일본에 배상금을 지불하는 '방곡령 사건'도 발생하였다.

‖ 바로 알기 ‖ ① 단발령은 상투를 자르라는 명령으로 을미개혁 때 근대적 개혁의 하나로 시행되었다. ③ 금난전권은 조선의 시전 상인에게 부여된 특권으로 난전을 금지할 수 있는 권리이다. ④ 관세 자주권은 한 국가가 자국의 산업을 보호하기 위해 수출입 물품에 관세를 부과할 수 있는 권리이다. ⑤ 화폐 정리 사업은 재정 고문 메가타가 1905년에 실시한 것으로 대한 제국의 백동화를 일본 제일 은행권으로 교환하는 사업이다.

07 이권 수호 운동의 전개

보안회는 일본이 황무지 개간권을 요구하자 만국 공법을 근거로 하여 국토를 나눠 가질 수 없다고 주장하며 대중 집회까지 열어 철회시켰다. 러시아가 저탄소 설치 등을 이유로 절영도 조차를 시도하자 독립 협회는 만민 공동회를 열어 비판하였고, 결국 이를 저지하였다. 이들은 외국으로부터 대한 제국의 이권을 수호한 것으로 이권 수호 운동에 해당한다.

‖ 바로 알기 ‖ ① 국채 보상 운동은 일본에 진 나라 빚을 갚아 경제적 주권을 지키자는 운동이다. ② 상권 수호 운동은 조선이나 대한 제국의 상인이 청 상인과 일본 상인의 상권 침탈에 저항한 운동이다. 시전 상인이 황국 중앙 총상회를 조직한 것이 여기에 해당한다. ③ 애국 계몽 운동은 을사늑약 체결을 전후하여 사회 진화론을 수용한 지식인들이 민족의 실력을 양성해 국권을 수호하자며 전개한 운동이다. ⑤ 독립 협회는 정부에 법률과 재판에 의한 신체의 자유권과 재산권 보호, 언론·출판·집회·결사의 자유를 요구하는 등 자유 민권 운동을 전개하였다.

08 상권 수호 운동의 전개

(가)에는 상권 수호 운동으로 전개된 상회사와 황국 중앙 총상회가 조직된 배경이 들어가야 한다. 1882년에 체결된 조청 상민 수륙 무역 장정으로 인해 청 상인이 내륙으로 진출하였다. 그 이듬해에 체결된 조일 통상 장정으로 최혜국 대우를 인정받은 일본 상인들도 거류지에서 벗어나 조선의 내륙에 진출하게 되었다. 그 결과 조선 상인들의 상권이 크게 위협받았다. 이에 대응하기 위해 객주 등 조선 상인들은 근대적 상회사를 설립하였고 시전 상인들은 황국 중앙 총상회를 조직하였다.

‖ 바로 알기 ‖ ① 1905년에 화폐 정리 사업으로 대한 제국의 재정 자주권이 침해되었으며, 한국의 은행과 민간 상인들이 크게 타격을 입었다. 또한 화폐 정리 사업에 필요한 재정을 충당하기 위해 일본에서 차관을 도입하였다가 훗날 막대한 국채가 발생하여 일본에 경제적으로 예속되자 국채 보상 운동이 전개되었다. ② 동양 척식 주식회사는 1908년에 한국의 토지와 자원을 약탈하기 위해 설립되었다. ③ 보안회는 일본의 황무지 개간권 요구에 대해 반대 운동을 전개하였다. ⑤ 강화도 조약 체결 이후 거류지 무역이 이루어지면서 조선의 중개 상인들이 경제적으로 성장하였다.

09 국채 보상 운동의 전개

자료는 국채 보상 운동의 취지를 설명하는 글이다. 국채 보상 운동은 대구에서 시작되었으며, 대한매일신보 등 언론의 지원을 받으면서 서울에서 국채 보상 기성회가 조직되는 등 전국적으로 확산되었다. 일제 통감부는 항일 운동으로 발전하는 것을 막기 위해 국채 보상 운동을 방해하고 탄압하였다. 그 결과 대한매일신보의 양기탁이 횡령 혐의로 구속되기도 하였다.

‖ 바로 알기 ‖ ②는 1870년대의 위정척사 운동에 대한 설명이다. 대표적으로 최익현이 왜양일체론을 내세우며 강화도 조약 체결을 반대하였다. ③은 조선 상인들의 상권 수호 운동에 해당한다. ④는 아관 파천 후 일어난 일이다. ⑤는 신민회의 활동에 대한 설명이다.

10 전차의 개통

대한 제국의 광무개혁 시기에 근대 문물과 시설이 도입되었다. 특히 전차는 미국인과 합자 회사인 한미 전기 회사를 설립하여 1899년에 개통하였다. 경인선은 미국이 부설을 추진하다 일본에 부설권이 넘어가 일본에 의해 1899년에 개통되었다.

‖ 바로 알기 ‖ ②는 1894년, ③은 1904~1910년, ④는 1903년 이후, ⑤는 1908~1909년의 사실이다.

완자 정리 노트 　 근대 문물과 시설의 도입

구분	근대 문물과 시설
교통, 통신, 의료	전화 가설, 전차 개통(1899), 경인선 개통(1899), 경부선 개통(1905), 경의선 개통(1906), 광혜원 설립(1885)
근대 언론 (신문)	한성순보(1883)·독립신문(1896)·대한매일신보(1904) 발간
근대 교육 (학교)	원산 학사(1883)·동문학(1883)·육영 공원(1886) 설립, 교육 입국 조서 반포(1895)

11 해외 이주 동포의 생활

노동 이민이 주로 이루어지고, 독신 남성이 '사진 신부'를 구하는 현상이 일어난 곳은 하와이를 비롯한 미주 지역이다. 지도의 화살표 중 태평양으로 나가는 것을 가리키고, '1903년 이후'라는 연도가 쓰여 있는 것에서 (라)가 하와이로의 이주를 가리킴을 알 수 있다.

▮바로 알기 ① (가)는 연해주로의 이주, ② (나)는 만주로의 이주를 나타낸다. 만주와 연해주에는 많은 한인들이 이주하여 한인 사회가 형성되었고, 무장 독립 전쟁을 위한 단체들이 조직되었다. ③ (다)는 중국 본토로의 이주를 나타낸다. 중국 본토로는 주로 유학이나 독립운동을 하기 위해 이주하였다. ⑤ (마)는 일본으로의 이주를 나타낸다. 일본에는 초기에는 유학생이 주로 이주하였으나, 제1차 세계 대전 이후에는 노동자들이 많이 이주하였다.

12 손병희와 천도교

손병희가 동학에서 친일 세력을 배제하고 동학의 명칭을 천도교로 바꾸었다. 천도교는 민족 교육과 산업의 진흥을 위해 노력하였으며, 기관지 『만세보』를 간행하였다. 일제 강점기에 만세 운동, 소년 운동, 여성 운동 등을 주도하기도 하였다.

▮바로 알기 ① 유교에서는 박은식이 유교구신론을 통해 유교의 개량과 혁신을 주장하였다. ② 불교에서는 한용운이 불교계의 개혁을 위해 『조선 불교 유신론』을 저술하였다. ③ 개신교는 선교를 위해 이화 학당, 숭실 학교, 세브란스 병원 등을 설립하였다. ⑤ 천주교는 조프 수호 통상 조약의 결과 포교의 자유를 인정받았다.

완자 정리 노트 　개항 후 종교계의 모습

유교	박은식이 유교구신론을 통해 유교의 개혁 주장(교화 활동과 실천적인 유교 정신이 중요함을 강조)
불교	한용운이 『조선 불교 유신론』을 저술하여 개혁을 주장, 불교 자주성 수호 운동 전개
천도교	손병희가 동학에서 이용구 등 일진회 세력을 몰아내고 천도교로 개칭, 여러 학교 설립, 기관지 『만세보』 발행
대종교	나철, 오기호가 단군 신앙을 기반으로 창시(1909), 만주 지역으로 포교 확대
천주교	프랑스와의 수교로 포교의 자유를 인정받음, 소학교·고아원·양로원 설립, 경향신문 발행
개신교	미국과의 수교 후 선교의 일환으로 세브란스 병원 등 서양식 병원을 설립해 의사 양성, 이화 학당·숭실 학교 등을 설립해 교육에 힘씀

13 근대 학교의 등장

자료 분석

세상 형편을 돌아보건대 부유하고 강하여 우뚝 독립한 나라들은 모두 그 나라 백성의 지식이 개명한데 지식이 개명함은 교육이 잘 되었기 때문인즉 교육이 국가를 보존하는 근본이다. ······ 짐이 정부에 지시하여 학교를 널리 세우고 인재를 양성하는 것은 <u>너희 신하와 백성</u>이 학식으로 나라를 일어나게 하는 큰 공로를 <u>이룩하기</u> 위함이라.
└ 고종
└ '교육입국'을 의미해.

1895년에 고종은 교육입국 조서를 반포하여 국가의 부강함이 교육에 달려 있다고 보고 국민의 교육에 힘써야 한다고 하였다. 이후 한성 사범 학교 관제, 외국어 학교 관제 등 근대 학제가 발표되고 소학교, 한성 중학교, 한성 사범 학교 및 외국어 학교 등의 근대 관립 학교가 설립되었다.

▮바로 알기 ①은 통역관 양성을 위한 관립 영어 교육 기관으로 1883년에 세워졌다. ②는 1886년에 양반 자제들과 젊은 관리들에게 서양 학문을 교육하기 위해 설립한 관립 교육 기관이다. ③은 1883년에 함경도 덕원에서 개화파 관료들과 주민들이 세운 사립 학교로 최초의 근대식 학교이다. ④는 1886년에 개신교에서 세운 학교로 고종이 이화 학당이라는 이름을 내렸으며 우리나라 여성 교육의 효시로 여겨진다.

완자 정리 노트 　근대적 교육 기관의 발달

시기	목적	내용
개항 이후	부국강병을 위한 서양식 교육	• 정부의 관립 학교: 동문학(영어 교육 기관), 육영 공원(서양 학문 교육) • 덕원 관료와 주민의 사립 학교: 원산 학사 • 개신교 선교사의 사립 학교: 이화 학당, 배재 학당 등
갑오개혁 이후	인재 양성	• 교육입국 조서 반포 후 소학교, 한성 중학교, 한성 사범 학교 및 외국어 학교 설립 • 법관 양성소, 무관 학교, 상공 학교 건립
을사늑약 체결 전후	민족의 실력 양성	애국 계몽 운동가들이 사립 학교 설립(대성 학교, 오산 학교 등), 한국사와 한국어 교육 중심

14 대한매일신보의 특징

사진은 대한매일신보와 그 발행인인 영국인 베델이다. 대한매일신보는 영사 재판권을 가지고 있고, 일본과 동맹을 맺은 영국인 베델이 발행인이었으며, 양기탁이 신문 제작에 주도적으로 참여하였다. 항일 의병을 호의적으로 보도하였고, 일제의 침략을 규탄하였기 때문에 많은 사람들에게 인기가 있었다.

▮바로 알기 ① 박문국에서 발행된 근대 신문은 한성순보이다. ② 갑신정변으로 박문국이 불타면서 한성순보의 발행이 중단되었으나 곧 한성주보가 발행되었다. ③ 1898년에 창간된 제국신문은 하층민과 부녀자를 독자층으로 하여 순한글로 발간하였고 법률 지식을 알리고 풍속을 개량하려 하였다. ④ 순한글로 발행된 최초의 근대 신문은 서재필이 발간한 독립신문이다.

15 여권 의식의 성장

자료는 남녀평등한 나라를 부러워하며, 여성의 학문과 지식이 남자에 못지않아야 한다는 것에서 1898년에 한성의 부인들이 남녀평등 및 여권 신장을 위해 여학교 설립을 주장한 「여권통문」임을 알 수 있다. 우리나라 최초의 여성 인권 선언서라고 평가되는 「여권통문」에서는 남성과 평등한 여성의 정치 참여권·교육권·경제 활동 참여권을 주장하였다.

▮바로 알기 ② 우리나라 여성이 참정권을 가진 것은 1948년 5·10 총선거 때이다. ③은 「시일야방성대곡」이다. ④ 교육입국 조서에 대한 설명이다. ⑤는 의병에 참여한 시아버지를 도와 의병 투쟁을 지원한 윤희순에 대한 설명이다.

서술형 문제

163쪽

01 주제: 거류지 무역과 내지 무역

예시 답안 (가) 거류지 무역에서는 외국 상인이 개항장을 기준으로 동서남북 10리 이내의 거류지에서만 활동할 수 있었기 때문에 조선의 중개 상인이 성장할 수 있었다. 그러나 (나) 내지 무역에서는 청과 일본을 비롯한 외국 상인들이 조선 내지로 들어와 활동하였기 때문에 조선 상인의 상권이 크게 위협받았다.

채점 기준

상	거류지 무역과 내지 무역의 차이점을 조선 상인의 입장에서 서술한 경우
중	거류지 무역과 내지 무역의 차이점을 서술하였으나 조선 상인과 관련지어 서술하지 못한 경우
하	거류지 무역이나 내지 무역 중 한 가지에 대해서만 서술한 경우

02 주제: 철도 개통의 긍정적, 부정적 영향

예시 답안 (가)에서 철도 개통의 긍정적 영향은 운송 시간이 감소하였다는 점을 들 수 있다. (나)에서 철도 개통은 토지의 약탈과 한국인의 강제 노역을 가져오는 부정적 영향이 있었다는 것을 알 수 있다.

채점 기준

상	(가), (나) 자료를 활용하여 철도 개통의 긍정적, 부정적 영향을 하나씩 서술한 경우
중	(가), (나) 자료를 활용하지 않고 철도 개통의 긍정적, 부정적 영향을 하나씩 서술한 경우
하	철도 개통의 긍정적, 부정적 영향 중 한 가지만 서술한 경우

03 주제: 국어 연구의 목적

예시 답안 국어 연구가인 주시경은 영국, 미국, 프랑스, 독일 등의 나라들이 부강한 이유가 인민의 지식이 넓기 때문이라고 보고, 국문으로 학문을 저술, 번역해 누구든 쉽게 알도록 가르쳐 인민의 지식을 넓혀 주어야 한다고 주장하였다.

채점 기준

상	열강의 사례를 바탕으로 주시경이 국가 발전을 위해 강조한 것을 서술한 경우
하	열강의 사례에 대한 언급 없이 주시경이 국가 발전을 위해 강조한 것을 서술한 경우

STEP 3 1등급 정복하기

164~165쪽

1 ① 2 ③ 3 ① 4 ②

1 조청 상민 수륙 무역 장정의 영향

제시된 가상 대화 중 청 상인이 한성, 양화진에 침투하고, 내륙에도 허가를 받으면 진출할 수 있다는 것에서 조청 상민 수륙 무역 장정

의 체결에 따른 청 상인의 조선 진출에 대한 대화임을 알 수 있다. 조청 상민 수륙 무역 장정은 1882년에 임오군란을 청이 진압한 후 청과 조선이 체결한 조약으로, 청이 조선의 종주국임을 확인하며 청의 상인에게 특권을 부여하는 내용으로 되어 있다. 이 장정으로 청 상인이 조선 내륙으로 진출할 수 있었으며, 이후 다른 국가의 상인들도 최혜국 대우 규정을 통해 조선의 내륙으로 진출할 수 있게 되었다.

바로 알기 ② 청, 일본 상인이 경쟁적으로 상권을 침탈한 상황은 조청 상민 수륙 무역 장정이 체결된 이후의 상황이다. ③ 1884년에 갑신정변을 청이 진압한 후 청과 일본은 톈진 조약을 체결하였다. 동학 농민 운동 때 청이 조선에 군대를 파병하면서 톈진 조약에 따라 일본에 통보하자 일본도 조선에 군대를 파견하여 청일 전쟁이 발발하였다. ④ 1896년 아관 파천 이후 러시아의 이권 침탈이 노골화되자, 일본을 비롯한 열강의 이권 침탈이 가속화되었다. ⑤ 러시아 등 열강의 이권 침탈이 가속화되자 독립 협회는 1898년에 만민 공동회를 개최하여 이권 수호 운동을 전개하였다.

2 화폐 정리 사업의 영향

밑줄 친 '이 사업'은 화폐 정리 사업이다. 화폐 정리 사업은 제1차 한일 협약을 체결한 후 파견된 재정 고문 메가타가 실시하였는데, 대한 제국의 화폐인 백동화를 일본 제일 은행이 발행한 화폐로 교환하는 사업이다. 이 사업의 결과 일본 제일 은행이 대한 제국의 중앙은행 역할을 하게 되어 대한 제국의 재정 자주권이 크게 침해당했으며, 백동화를 사용하던 한국 은행이나 한국 상인들이 큰 타격을 받았다.

바로 알기 ①은 제1차 갑오개혁 때의 사실이다. ② 일본 상인은 강화도 조약과 부속 조약에 의해 보호받아 특권적으로 영업하였다. 그러나 임오군란과 갑신정변으로 조선이 청의 내정 간섭을 받으면서 일본 세력이 약해지고 청 상인이 조선에 활발하게 진출하여 일본 상인의 조선 경제에 대한 영향력도 작아졌다. ④ 대한 제국이 토지를 측량하고 지계를 발급한 것은 광무개혁의 양전 사업 및 지계 발급 사업이다. ⑤는 대한 제국 수립 직후 황실 중심 재정을 확보한 것에 해당한다.

3 대한매일신보의 역할

제시된 검색 결과에서 연관 검색어가 대한 제국, 근대 신문, 영국인이고, 1904년에 영국인 베델과 양기탁이 중심이 되어 발행된 신문인 것을 통해 (가)는 대한매일신보임을 알 수 있다. 대한매일신보는 항일 의병을 호의적으로 보도하는 등 항일 논조의 신문이었고, 일제의 국권 침탈을 비판하였다. 이에 일본은 베델을 영국에 제소하였으며 신문지법을 개정하여 탄압하였다. 대구에서 서상돈과 김광제는 일본에게 진 빚을 갚아 국권을 회복하자는 국채 보상 운동을 시작하였는데, 대한매일신보, 황성신문 등 언론의 지원을 받아 전국으로 확산되었다.

바로 알기 ②는 독립신문이 전개한 활동이다. 독립신문은 서재필이 정부의 지원을 받아 순한글과 영문으로 발간한 신문이다. ③은 한성순보에 대한 설명이다. 한성순보는 우리나라 최초의 신문이었다. ④ 정부의 관보 역할을 한 신문은 한성순보가 대표적이다. ⑤는 제국신문에 대한 설명이다.

한성순보	국왕의 명령, 정부의 정책 소개, 관보 역할 수행
독립신문	국민 계몽, 독립문과 독립관 건립 운동 전개
황성신문	• 국민 지식의 계발과 외세 침입에 대한 항쟁 활동 전개 • 을사늑약 체결에 맞서 「시일야방성대곡」 게재
제국신문	• 민족 자주정신의 배양과 대중의 지식 계발 활동 전개 • 서민과 부녀자 계몽에 주력함
대한매일신보	• 배일 사상 고취에 주력, 항일 의병 활동 적극 보도 • 국채 보상 운동을 지원함
만세보	천도교의 기관지

4 신채호의 활동

제시된 「독사신론」은 신채호가 대한매일신보에 연재한 글이다. 신채호는 이 글에서 역사가는 민족을 주체로 하여 역사를 서술해야 한다고 하여 민족주의 역사학의 기틀을 마련하였다. 이러한 사관에 따라 신채호는 『조선상고사』, 『조선사연구초』 등을 저술하여 민족주의 역사학을 발전시켰다.

║바로 알기║ ① 독립 협회를 세운 것은 서재필이다. 서재필은 정부의 지원을 받아 독립신문을 창간하고 독립 협회를 설립하였다. ③ 나철과 오기호는 단군 신앙을 기반으로 대종교를 창시하였다. ④ 안중근은 옥중에서 『동양 평화론』을 집필하여 이토 히로부미의 죄악을 밝히고 한국, 중국, 일본의 협력을 통한 동양 평화를 주장하였다. ⑤ 장인환과 전명훈이 미국에서 일본의 한국 침략이 정당하다고 주장한 스티븐스를 처단하였다.

대단원 실력 굳히기
168쪽~171쪽

01 ④	02 ④	03 ②	04 ④	05 ④	06 ②	07 ⑤
08 ⑤	09 ②	10 ⑤	11 ③	12 ②	13 ④	14 ①
15 ③	16 ③	17 ⑤	18 ④			

01 당백전의 발행

제시된 자료의 관련 이미지에 '戶大當百(호대당백)'이라고 표시된 점, 내용에서 명목 가치가 상평통보 1문전의 100배라고 한 점 등을 통해 (가)는 당백전임을 알 수 있다. 당백전의 명목 가치는 상평통보 1문전의 100배였으나 실제 가치는 5~6배에 불과하였기 때문에 당백전의 유통으로 물가가 크게 올라 백성의 원성을 샀다. 이로 인해 당백전은 발행한 지 6개월여 만에 주조가 중단되었다.

║바로 알기║ ① 전환국은 개화 정책의 하나로 설치되었다. ②는 원납전에 대한 설명이다. ③ 당백전은 서원 철폐와는 관련이 없고 서원 철폐로 재정이 늘어났다. ⑤는 당오전에 관한 설명이다.

02 서원 철폐와 호포제의 공통점

첫 번째 자료는 흥선 대원군의 서원 철폐 입장을 보여 주고 있다. 두 번째 자료는 호포제 실시에 대한 것이다. 흥선 대원군의 서원 철폐 조치는 선현의 제사를 핑계로 서원에 의해 수탈당하던 농민에게 환영을 받았다. 흥선 대원군의 호포제 실시로 상민에게만 거두던 군포를 양반에게까지 징수하여 농민의 부담이 줄어들자 농민들은 호포제를 지지하였다. 두 정책은 모두 흥선 대원군이 민생 안정을 위해 마련한 정책으로 농민들이 지지하였다는 공통점이 있다.

║바로 알기║ ① 양반 유생들은 서원 철폐와 호포제 실시에 반발하였다. ②는 흥선 대원군의 통상 수교 거부 정책과 관련된 설명이다. ③은 호포제에만 해당한다. ⑤는 비변사의 축소·폐지와 관련된 설명이다.

03 흥선 대원군의 대외 정책

자료에서 병인년 이후 서양인을 배척했다고 한 점, 종로 거리와 각 도회지에 비석을 세웠다고 한 점 등을 통해 해당 상황은 흥선 대원군의 통상 수교 거부 정책이 실시되던 상황임을 알 수 있다. 미국은 제너럴셔먼호 사건을 구실로 1871년에 신미양요를 일으켰다. 그럼에도 불구하고 흥선 대원군이 통상 수교 협상에 응하지 않자 미군은 그대로 퇴각하였다. 그해에 흥선 대원군은 통상 수교 거부 의지를 널리 알리기 위해 전국 각지에 척화비를 세웠다.

║바로 알기║ ① 1882년에 임오군란이 발생한 결과 조선에 대한 청의 내정 간섭이 나타났다. ③ 운요호 사건은 1875년에 일어났다. 이를 계기로 강화도 조약이 체결되었다. ④ 1890년대 초에 동학의 교세가 확장되면서 교조 신원 운동이 일어났다. ⑤ 1880년대 초 이만손을 비롯한 영남 유생들이 고종에게 개화와 함께 미국과의 통상 수교를 반대하는 만인소를 올렸다.

04 조사 시찰단의 파견

┌ 자 료 분 석 ┐

수행 평가 보고서

• 탐구 주제:　(가)　의 파견

• 수집 자료

[파견 경로]

조사 시찰단은 3월 말 동래부에서 집결하여 일본으로 건너갔어.

[관련 사료] ── 조사 시찰단은 암행어사 명목으로 파견되었어.
동래부 암행어사 이헌영은 들어보라.

일본 사람의 조정 논의와 시세 형편, 풍속, 인물과 다른 나라들과의 수교, 통상 등의 대략을 한번 염탐하는 것이 아주 좋겠다. 이밖에 뒷일은 별도 문서로 조용히 보고하라.

└ 『일본문견사건』 등 각종 보고서가 남아 있어.

자료에서 파견 경로가 일본으로 이어진 점, 관련 사료에서 암행어사로 파견된 점, 일본의 상황을 염탐하는 내용 등을 통해 (가)는 조사 시찰단임을 알 수 있다. 조선 정부는 1881년에 일본의 정세를 파악하고 근대적 행정 기구의 운영과 개화 정책의 정보를 확보하기 위해 일본에 조사 시찰단을 파견하였다. 조사 시찰단은 일본의 정부 기관과 산업·군사 등 근대적 시설을 살펴보았다. 이들은 귀국 후 보고서를 작성하였으며, 이를 통해 개화 정책 추진을 뒷받침하였다.

▌바로 알기▐ ①은 영선사와 관련된 내용이다. ② 제2차 수신사로 일본에 다녀온 김홍집이 청의 외교관이 쓴 『조선책략』을 들여왔다. ③은 1870년대 개국 통상론자와 관련된 내용이다. ⑤는 보빙사와 관련된 내용이다.

05 조미 수호 통상 조약의 의미

자료 분석

┌ 해당 조약의 상대국이 조선과 미국임을 알 수 있어.
대조선국 군주와 대미국 대통령 및 그 인민들은 각각 모두 영원히 화평하고 우애 있게 지낸다. 만약 타국이 어떤 불공평하고 경멸하는 일을 일으켰을 때는 일단 확인하고 서로 도와주며, 중간에서 잘 조정하여 두터운 우의를 보여 준다. ─ 거중 조정 조항이야.

조약은 체결 당사국이 조선과 미국이고 거중 조정이 규정된 것을 통해 조미 수호 통상 조약임을 알 수 있다. 이 조약에서 처음으로 거중 조정, 최혜국 대우, 수출입 상품에 대한 관세 조항을 규정하였다. 최혜국 대우는 조약 당사국 중 어느 한 쪽이 제3국 국민에게 혜택을 부여한다면 똑같은 혜택을 조약 상대국에게 보장하는 것을 말한다.

▌바로 알기▐ ① 거류지는 조약에 의해서 외국인들에게 거주하거나 영업을 하도록 토지를 빌려주고, 영사 재판권(치외 법권)을 부여한 곳을 말한다. 강화도 조약으로 일본에 개항한 후 일본이 최초로 설정하였다. ②, ⑤는 모두 강화도 조약에 규정되어 있다. ③은 각 나라와 조약을 체결할 때마다 별도로 허용하였다.

06 위정척사 운동의 흐름

(가)에서 서양 오랑캐의 해로움이 심하며, 정벌하라고 요구하는 내용을 통해 (가)는 1860년대 이항로, 기정진 등이 내세운 척화 주전론과 관련된 자료임을 알 수 있다. (나)에서 강화를 언급하고, 왜인이 양적이라고 한 점 등을 통해 (나)는 1876년 강화도 조약 체결 무렵에 제기된 최익현의 왜양일체론을 보여 주는 자료라는 것을 알 수 있다. 1860년대 양반 유생들은 서양과의 통상 수교에 반대하여 척화 주전론을 주장하였다. 따라서 이들은 흥선 대원군의 통상 수교 거부 정책을 지지하였다.

▌바로 알기▐ ① 통리기무아문이 폐지되고, 별기군이 혁파된 것은 임오군란의 결과로 재집권한 흥선 대원군과 관련된 내용이다. ③ 임오군란 직후 일본은 임오군란 당시 일본 공사관이 습격 받은 일을 구실로 조선에 제물포 조약의 체결을 강요하였다. ④ 1880년대 초에 영남 유생들은 이만손의 주도하에 정부의 개화 정책과 조미 수호 통상 조약 체결에 반대하며 만인소를 올렸다. ⑤ 청의 내정 간섭은 임오군란, 갑신정변 이후의 상황과 관련이 있다.

07 조선의 중립국화 논의 대두

자료에서 우리나라가 러시아를 막기 위해 중립국이 되어야 한다는 점, 아시아 대국들이 서로 균형을 이루는 방법이 될 수 있다는 점 등을 통해 해당 자료는 유길준이 조선 중립국화에 대해 건의한 내용임을 알 수 있다. 갑신정변 이후 조선을 둘러싸고 청과 일본의 대립이 심화되고, 1885년에 일어난 거문도 사건처럼 러시아와 영국의 대립까지 일어나면서 조선이 열강의 각축장이 될 수 있다는 인식 아래 조선을 중립국으로 만들자는 논의가 일어났다. 조선 주재 독일 부영사 부들러도 조선을 중립국으로 만들자고 하였다.

완자 정리 노트　유길준의 활동

- 1883년 한성순보 발간 실무 책임 담당
- 1882년 7월 보빙사 민영익의 수행원으로 도미, 미국 유학
- 1885년 12월 귀국, 개화파로 체포, 조선 중립국화 주장, 『서유견문』 집필
- 1894년 갑오개혁의 추진 기구인 군국기무처에 참여
- 1895년 을미개혁 때 단발령을 강행
- 1896년 2월 아관 파천 후 일본으로 망명
- 1909년 국어 문법서인 『대한문전』 저술, 간행

08 집강소 설치와 폐정 개혁

자료 분석

┌ 동학 농민군의 집강소 설치를 알 수 있어.
• 그가 각 읍의 포(包)에 명령하여 읍마다 도소(都所)를 설치하고 자기 사람으로 집강을 세워 수령의 일을 수행하게 하였다. 이렇게 되자 호남 지방의 군마(軍馬)와 돈, 곡식은 모두 적이 장악하게 되었다. ─ 동학 농민군의 노비제 폐지 노력을 알 수 있어. ─ 황현, 『오하기문』
• 그들은 주인을 협박하여 노비 문서를 불태우고 천민에서 면해 줄 것을 강요하였다. 이들 중 몇몇은 주인을 결박하여 주리를 틀고 곤장을 때리기도 하였다. 이 무렵 노비가 있는 집안에서는 이런 소문을 듣고 노비 문서를 불태워 화를 피하기도 하였다.
　　　　　　　　　　　　　　　　　─ 황현, 『오하기문』

자료에서 도소를 설치하고 집강을 세웠다는 점, 주인을 협박하고 노비 문서를 불태우기도 하였던 점 등을 통해 해당 상황은 집강소의 폐정 개혁 상황임을 알 수 있다. 1894년 청군과 일본군이 모두 조선에 파병하자, 동학 농민군은 양국 군대의 철수가 시급하다고 판단하여 정부와 전주 화약을 맺었다. 이후 동학 농민군은 각지에 자치적 민정 기구인 집강소를 설치하여 행정과 치안을 담당하면서 폐정 개혁안을 실천해 나갔다.

▌바로 알기▐ ① 1895년 을미개혁 때 단발령의 시행은 을미사변과 함께 을미의병이 일어나는 계기가 되었다. ②는 1866년에 일어난 제너럴셔먼호 사건이다. 이 사건은 훗날 신미양요가 일어나는 계기가 되었다. ③ 우금치 전투에서 동학 농민군이 패하면서 동학 농민 운동은 종결되었다. ④는 1882년에 일어난 임오군란으로 이후 청의 내정 간섭이 심해졌다.

09 을미개혁의 내용

제시된 대화에서 유길준이 내각에 적극 참여한 점, 최초의 의병 운동을 불러왔다는 점 등을 통해 밑줄 친 '개혁'은 을미개혁임을 알 수 있다. 을미사변 후 유길준이 참여한 김홍집 내각이 구성되면서 을미개혁이 추진되었다. 이때 태양력 사용과 '건양' 연호 채택, 종두법 시행, 단발령 공포 등이 실시되었다.

▮바로 알기 ①은 제1차 갑오개혁의 내용이다. ③ 일본이 경복궁을 점령한 뒤 군국기무처가 설치되어 제1차 갑오개혁을 이끌었다. ④는 1897년 대한 제국 시기의 사실이다. ⑤는 독립 협회가 주도한 관민 공동회에서 결의된 헌의 6조에 포함된 내용이다.

10 만민 공동회의 자주 국권 운동

교사의 설명에서 1898년 서울 종로에서 전개되었다고 한 점, 민중 집회로 진행된 점 등을 통해 해당 집회는 독립 협회가 개최한 만민 공동회임을 알 수 있다. 독립 협회는 1898년에 서울 종로에서 상인, 학생 등 1만여 명이 참여한 만민 공동회를 열었다. 만민 공동회에서는 러시아의 간섭과 이권 요구를 규탄하는 자주 국권 운동을 전개하였다. 결국 러시아는 재정 고문을 철수시키고, 절영도 조차 요구를 철회하였다.

▮바로 알기 ①은 갑신정변의 개혁 정강에 포함된 내용이다. ②는 애국 계몽 운동 단체 신민회와 관련이 있다. ③은 대한 자강회와 관련이 있다. ④는 제1차 갑오개혁에 포함된 내용이다.

11 대한 제국의 정책

제시된 사진이 황궁우와 환구단이며, 황제의 자리에 오르라는 내용이 포함된 점 등을 통해 자료는 대한 제국의 성립 상황을 보여 주고 있음을 알 수 있다. 대한 제국은 상공업을 진흥시키려는 식산흥업 정책을 폈다. 유능한 실무 관료를 양성하기 위하여 상공 학교, 광무 학교 등 각종 실업 학교를 설립하여 신교육을 실시하였다.

▮바로 알기 ① 흥선 대원군은 의정부의 기능과 삼군부를 부활하여 각각 정치와 군사를 담당하게 하였다. ② 1884년에 우정총국이 설치되었다가 갑신정변이 일어나 다시 폐지되었다. ④ 삼정이정청은 1862년 임술 농민 봉기 이후 삼정의 문란을 바로잡고자 조선 정부가 설치하였다. ⑤ 통리기무아문은 임오군란 때 재집권한 흥선 대원군이 폐지하였다.

12 을사늑약 체결의 배경과 결과

(가) 일본은 1905년에 러일 전쟁에서 승리한 후 포츠머스 조약을 체결하였다. 포츠머스 조약에서는 한국에 대한 일본의 지배권을 인정받았다. (라) 그 후 일본은 한국의 보호국화에 적극적으로 나서서 대한 제국에 을사늑약을 강요하였다. 그 결과 대한 제국은 외교권을 일본 통감에게 빼앗겼다. (나) 고종은 을사늑약의 무효를 선언하였고, 1907년에는 서양 열강의 도움을 구하기 위해 만국 평화 회의가 열리던 헤이그에 특사를 파견하였지만 실패하였다. (다) 1909년에 안중근은 대한 제국의 국권을 침탈한 일본을 응징하기 위해 초대 통감이었던 이토 히로부미를 처단하였다.

13 정미7조약과 한국 병합 조약 사이의 사실

자료 분석

- 제1조 한국 정부는 시정 개선에 관하여 통감의 지도를 받을 것
  제2조 한국 정부의 법령 제정 및 중요한 행정상의 처분은 미리 통감의 승인을 거칠 것 └ 통감에게 입법권을 준 거야.
- 제1조 한국 황제 폐하는 한국 전부에 관한 일체 통치권을 완전히 또 영구히 일본 황제 폐하에게 양여한다.
  제2조 일본국 황제 폐하는 제1조에 게재한 양여를 수락하고, 또 완전한 한국을 일본 제국에 병합하는 것을 승낙한다. └ 대한 제국의 국권이 완전히 일본에게 넘어갔어.

첫 번째 자료에서 시정 개선에 관해 통감의 지도를 받고, 법령을 제정하거나 중요한 행정 처분을 할 때 통감의 승인을 거친다는 내용을 통해 해당 조약은 1907년에 체결된 정미7조약(한일 신협약)임을 알 수 있다. 두 번째 자료에서 한국 황제가 일본 황제에게 통치권을 넘긴다는 내용을 통해 해당 조약은 1910년에 체결된 한국 병합 조약임을 알 수 있다. 일제는 헤이그 특사 파견을 문제 삼아 고종 황제를 강제로 퇴위시키고, 정미7조약(한일 신협약)을 강요하여 체결하였다. 정미7조약 부속 각서에 따라 대한 제국의 군대가 해산되었다. 이를 계기로 정미의병이 일어났는데 이때 13도 창의군의 서울 진공 작전이 전개되었다.

▮바로 알기 ①은 1885년 영국에 의해 발생하였다. ② 1907년에 고종이 강제 퇴위 당한 후 정미7조약이 체결되었다. ③ 시모노세키 조약은 1895년에 청일 전쟁의 결과로 청과 일본이 체결한 조약이다. ⑤는 1904년에 러일 전쟁을 일으킨 일본이 한일 의정서를 대한 제국에 강요한 결과이다.

14 정미의병의 내용

자료 분석

의병장 ○○은/는 통감부에 다음의 사항을 요구한다.

- 태황제(고종)를 복위시켜라. ┐ 고종이 강제 퇴위당한 후임을 알 수 있어.
- 외교권을 되돌려 주고, 통감부를 철거하라.
- 일본인을 관리로 임명하지 마라.
- 을미·을사·정미의 국적(國賊)을 자유로이 처단케 하라. ┐ 정미7조약 이후의 상황임을 알 수 있어.
- 내지의 산림과 금광 등을 침해하지 마라.
- 군용지와 철도를 되돌려 달라.

자료에서 태황제 고종을 복위시키라는 점, 통감부를 철거하라는 점, 을미·을사·정미의 국적을 처단케 하라는 점 등을 통해 해당 요구 사항은 정미7조약 체결 이후에 일어난 정미의병장의 것임을 알 수 있다. 정미7조약의 부속 각서에 따라 대한 제국 군대가 해산되자, 해산된 군인은 의병에 가담하였다. 이 결과 정미의병은 군인들을 비롯하여 다양한 계층이 참여하였다. 그리고 13도 창의군을 결성하여 총대장으로 이인영, 군사장으로 허위를 선출하고 서울 진공 작전을 전개하였다.

┃바로 알기 ┃ ②는 동학 농민 운동과 관련된 내용이다. ③ 을미의병은 아관 파천 이후 고종이 의병 해산 권고 조칙을 내리자 대부분 해산하였다. ④는 을미의병이 주로 해당하며, 을사의병 때 평민 의병장이 나타났다. ⑤는 을 사의병과 관련된 내용이다.

15 신민회의 활동

대성 학교, 105인 사건의 사진이 제시된 점을 통해 (가)는 신민회임을 알 수 있다. 안창호, 양기탁, 신채호 등은 1907년에 비밀 결사의 형태로 신민회를 조직하였다. 신민회에는 다수의 기독교계 인사들 외에 언론인, 교사, 학생 등 각계각층이 참여하였다. 이들은 대성 학교와 오산 학교를 세워 민족 교육을 실시하고 태극 서관과 자기 회사를 운영해 경제적 실력을 키우려 하였다. 신민회는 일본이 조작한 105인 사건으로 와해되었다.

┃바로 알기 ┃ ① 한성순보는 1883년에 박문국에서 발행하였다. ②는 독립 협회 등과 관련된 내용이다. ④는 대한 자강회, ⑤는 보안회의 활동이다.

완자 정리 노트   신민회의 활동

결성	안창호, 양기탁, 이동휘 등이 비밀 결사 형태로 조직(1907)
목표	국권 회복과 공화 정체의 근대 국가 건설 지향, 실력 양성 추진, 무장 독립 전쟁 준비
활동	• 민족 교육 실시: 오산 학교, 대성 학교 설립 • 민족 산업 육성: 태극 서관, 자기 회사 운영 • 국외 독립운동 기지 건설: 남만주 삼원보에 신흥 강습소 설립
해체	일제가 날조한 105인 사건으로 와해(1911)

16 화폐 정리 사업

자료에서 구 백동화를 교환한다는 내용을 통해 해당 사업이 화폐 정리 사업임을 알 수 있다. 일본은 1904년에 한국에 재정·외교 고문을 추천한다는 내용을 포함한 제1차 한일 협약의 체결을 강요하였고, 이를 근거로 일본은 재정 고문으로 메가타, 외교 고문으로 미국인 스티븐스를 파견하였다. 재정 고문인 메가타는 화폐 정리 사업을 실시하였다. 이로 인해 한국 상인과 은행이 큰 타격을 받았다.

┃바로 알기 ┃ ① 흥선 대원군은 경복궁 중건에 필요한 재정을 얻기 위해 당백전을 발행하였다. ② 1883년에 고종은 전환국을 설립하고 당오전을 발행하였다. ④ 일본이 최혜국 대우를 인정받으면서 일본 상인이 내륙으로 진출할 수 있게 되었다. ⑤는 1876년에 허용된 사항으로 일본 상인의 자유로운 상업 활동을 가져왔다.

17 방곡령의 선포

지도에 표시된 선포 지역과 선포되면 곡물 수출이 금지된다는 내용을 통해 (가)는 방곡령임을 알 수 있다. 개항 이후 일본 상인의 곡물 유출에 흉작 등이 더해지면서 식량난이 가중되자, 일부 지방관은 곡물 유출을 막기 위해 방곡령을 내렸다. 1889년 함경도, 1890년 황해도 관찰사가 내린 방곡령은 조선과 일본의 외교적 마찰로 이어졌다. 일본은 조일 통상 장정에 규정된 방곡령 시행 1개월 전 통고 조항을 어겼다고 항의하며 조선에 방곡령 철회와 배상금 지불을 요구하여 이를 관철시켰다.

┃바로 알기 ┃ ① 을미의병은 을미사변과 단발령 공포를 계기로 1895년에 일어났다. ②는 국채 보상 운동 등과 관련된 내용이다. ③은 임오군란과 관련된 내용이다. ④는 시전 상인들의 상권 수호 운동과 관련된 내용이다.

18 교육입국 조서의 영향

자료 분석

'교육입국'을 말해.

짐이 정부(政府)에 명하여 학교를 널리 세우고 인재를 양성하는 것은 너희들 신하와 백성의 학식으로 나라를 중흥(中興)시키는 큰 공로를 이룩하기 위해서이다. 너희들 신하와 백성은 임금에게 충성하고 나라를 사랑하는 심정으로 너의 덕성, 너의 체력, 너의 지혜를 기르라. 왕실의 안전도 너희들 신하와 백성의 교육에 달려 있고 나라의 부강도 너희들 신하와 백성의 교육에 달려 있다.

└ 고종은 국가의 부강이 교육에 달려 있다고 보았어.

– 「고종실록」

자료에서 국왕이 정부에 명하여 학교를 세울 것을 제시한 점, 교육의 중요성을 강조한 점 등을 통해 해당 조서는 교육입국 조서임을 알 수 있다. 1895년 고종의 교육입국 조서 반포 이후 정부는 학부 관제, 한성 사범 학교 관제, 소학교 관제, 외국어 학교 관제 등을 발표하였으며, 이에 따라 소학교, 한성 중학교, 한성 사범 학교 및 외국어 학교 등이 설립되었다.

┃바로 알기 ┃ ①은 교육입국 조서가 반포되기 전에 추진된 제1차 갑오개혁의 내용에 해당한다. ② 사립 학교령은 1908년에 통감부가 주도하여 공포한 법령으로 이로 인해 사립 학교의 설립이 제한되었다. ③ 동문학, 육영 공원은 1880년대에 정부가 주도하여 설립한 근대 교육 기관들이다. ⑤ 1880년대에 개신교 선교사들이 이화 학당, 배재 학당 등 사립 학교를 설립하여 근대 교육을 실시하였다.

III. 일제 식민지 지배와 민족 운동의 전개

01 일제의 식민지 지배 정책

01 제1차 세계 대전의 결과

사라예보 사건은 세르비아 청년이 사라예보를 방문한 오스트리아·헝가리 제국의 황태자 부부를 슬라브족의 해방을 내세우며 암살한 사건이다. 이 사건을 계기로 일어난 밑줄 친 '전쟁'은 제1차 세계 대전이다. 이 전쟁의 영향으로 유럽 각국은 승전국이든 패전국이든 세력이 약화되었고, 미국과 일본은 경제적 이득을 얻어 국력이 크게 성장하였다.

▎바로 알기▎ ① 독일이 프랑스를 고립시키기 위해 3국 동맹을 추진하였다. 이것은 제1차 세계 대전이 일어난 배경에 해당한다. ③ 제1차 세계 대전 중에 러시아에서 사회주의 혁명이 일어났다. ④는 제1차 세계 대전이 일어나기 전에 독일이 청에서 차지하고 있던 이권에 대한 설명이다. ⑤는 제1차 세계 대전이 일어난 배경 중 하나이다. 세르비아는 범슬라브주의, 오스트리아·헝가리 제국은 범게르만주의를 추구하였다.

02 조선 총독부의 특징

(가)는 조선 총독부이다. 일제는 대한 제국의 국권을 강탈한 후 식민지 통치 기구로 조선 총독부를 설치하였다. 현역 육군 대장 가운데 임명된 조선 총독은 행정권, 입법권, 사법권을 장악하였을 뿐 아니라 군대를 통솔하였다. 총독부의 주요 관리는 대부분 일본인이었고, 총독부의 자문 기관인 중추원은 이완용, 송병준 등 친일파로 구성되었다.

▎바로 알기▎ ㄱ, ㄷ은 통감부에 대한 설명이다. 통감부는 1905년에 체결된 을사늑약에 따라 설치되었다.

03 1910년대 무단 통치 방식

제시된 가상 문자 대화에서 3·1 운동이 일어나기 전을 통해 (가)에는 1910년대 일제의 무단 통치를 설명하는 답변이 들어가야 하는 것을 알 수 있다. 1910년대에 일제는 헌병 경찰 제도를 바탕으로

강압적인 무단 통치를 실시하였다. 이 시기에 일제는 전국 각지에 경찰 관서와 헌병 기관을 설치하고 헌병이 경찰 업무를 담당하게 하였다. 헌병 경찰이 세금 징수, 검열, 언론 지도, 위생 점검 등 일반 행정 업무도 담당하였다. 당시 헌병 경찰들은 3개월 이하의 징역, 구류, 태형 등에 처하는 범죄에 대해 법 절차나 재판을 거치지 않고 곧바로 벌 줄 수 있는 즉결 처분권이 있었다. 태형은 매질하는 형벌인데 일제는 1912년에 조선 태형령을 공포하여 한국인에게만 신체에 고통을 가하는 태형을 적용하였다.

▎바로 알기▎ ① 1907년에 일제와 정미7조약(한일 신협약)을 체결하였다. ② 홍범 14조는 고종이 1895년에 반포하였다. ③ 군국기무처는 제1차 갑오개혁을 추진한 기구로 1894년에 조선 정부가 설치하였다. ④ 고등 경찰제는 1920년에 보통 경찰제가 운영되면서 일제가 실시한 제도이다.

완자 정리 노트   시기별 일제의 식민 통치

시기	통치 방식	내용
1910년대	무단 통치	• 헌병 경찰제 실시, 태형 시행, 즉결 심판 • 언론·출판·집회·결사의 자유 박탈 • 관리·교사들도 제복과 칼 착용
1920년대	민족 분열 통치	보통 경찰제, 한국인의 신문 발행 허용, 교육 기회 확대 표방 → 친일파 양성을 통한 민족 분열책 시행
1930년대 ~ 광복 이전	민족 말살 통치	• 황국 신민화 정책 실시: 황국 신민 서사 암송·신사 참배·궁성 요배·일본식 성명 사용 강요 • 우리말 사용 금지, 학술·언론 단체 해산

04 1910년대 일제의 식민 통치

제시된 사진들은 1910년대의 상황을 보여 주고 있다. 1910년대에 일제는 교사와 관리에게도 군인, 경찰과 같이 제복을 입고 칼을 착용하게 하여 공포 분위기를 조성하였고, 식민 지배에 필요한 재정을 확보하기 위해 토지 조사 사업을 실시하였다. 헌병 경찰제도 실시하였다. 헌병 경찰은 세금 징수, 검열, 언론 지도 등 일반 행정 업무까지 맡았고, 구류, 태형, 3개월 이하의 징역 등에 해당하는 범죄에 대해 즉결 심판할 수 있는 권한도 가졌다.

▎바로 알기▎ ① 1907년에 고종의 강제 퇴위와 군대 해산을 계기로 정미의병이 일어났다. ③ 1895년에 을미사변과 단발령에 반발하여 을미의병이 봉기하였다. ④ 조선일보는 1920년에 처음으로 발행되었다. 일제가 문화 통치로 통치 방식을 바꾸면서 발행될 수 있었다. ⑤ 통리기무아문은 1880년에 개화 정책을 추진하기 위해 설치된 기구이다.

05 무단 통치 시기의 상황

제시된 글에서 식민 통치의 핵심 조직이 된 헌병 경찰 등을 통해 밑줄 친 '이 시기'는 1910년대 일제의 무단 통치기임을 알 수 있다. 1910년대에 일제는 헌병 경찰 제도를 통해 강압적인 무단 통치를 실시하였다. 전국 곳곳에 경찰 관서와 헌병 기관을 설치하였으며, 헌병이 경찰 업무를 지휘하고 일반 경찰 업무까지 관여하게 하였다. ④ 일제는 1910~1918년에 토지 조사 사업을 실시하여 식민 지배에 필요한 재정을 확보하고자 하였다.

┃바로 알기┃ ① 치안 유지법은 1925년에 제정된 법으로, 일제는 이를 사회주의자와 독립운동가들의 탄압에 이용하였다. ② 일제는 러일 전쟁이 일어난 1904년에 한일 의정서를 체결하여 대한 제국의 영토를 군사 기지로 사용할 수 있는 권리를 확보하였다. ③ 교육입국 조서는 고종이 1895년에 반포하였다. ⑤ 동양 척식 주식회사는 한국의 토지 등을 수탈해 일본인의 한국 이주를 돕기 위해 일제가 1908년에 설립하였다.

06 토지 조사 사업의 실시

자료는 1912년에 일제가 공포한 토지 조사령이다. 일제는 1910년에 임시 토지 조사국을 설치하고 1912년에 토지 조사령을 공포하여 본격적으로 토지 조사 사업을 실시하였는데, 이 사업은 1918년까지 이어졌다. 토지 조사 사업을 통해 조선 총독부는 식민 지배에 필요한 재정을 확보하고 미신고 토지나 국·공유지를 차지하였다. 그 결과 조선 총독부의 소유 토지 및 지세 수입은 증가하였고, 많은 농민은 경작권을 잃고 처지가 열악해졌다.

07 토지 조사 사업의 결과

제시된 가상 대화의 소재는 일제의 토지 조사 사업이다. 토지 조사 사업은 신고주의 원칙에 따라 진행되었다. 토지 소유자들이 땅의 소재지, 면적 등을 기재한 신고서를 일정한 기간 내에 직접 제출하면 토지 조사국에서 토지를 조사, 측량하여 토지와 그 소유권자를 확정하는 방식이었다. 이 사업으로 미신고 토지와 소유권이 불분명한 마을이나 문중의 공동 공유지 등이 국유지로 편입되었다. 한편 지주의 소유권만 인정하고 관습적으로 인정해 오던 소작농의 경작권은 인정하지 않아 소작농의 처지는 열악해졌다.

┃바로 알기┃ ① 양전 사업은 조선 시대에 전세를 제대로 걷기 위해 토지와 소유자를 조사한 사업이다. ② 헌병 경찰제는 헌병이 경찰 업무뿐만 아니라 일반 행정까지 담당하는 제도로, 헌병 경찰은 즉결 처분권을 가지고 있었다. ③ 회사령은 회사 설립 시 조선 총독의 허가를 받아야 한다는 법령이다. ④ 일제는 부족한 쌀을 한국에서 확보하기 위해 산미 증식 계획을 추진하였다.

08 회사령의 공포

(자료분석)

조선 총독부 관보 제○○호
19△△. △△. △△.

□□□

제1조 회사의 설립은 조선 총독의 허가를 받아야 한다.
제2조 조선 외에서 설립한 회사가 조선에 본점이나 지점을 설립하고자 할 때에는 조선 총독의 허가를 받아야 한다. └ 대개 일본 기업이 해당돼.
......
제5조 회사가 본령이나 본령에 의거하여 발하는 명령과 허가 조건에 위반하거나 공공질서와 선량한 풍속에 반하는 행위를 할 때 조선 총독은 사업의 정지, 지점의 폐쇄 또는 회사의 해산을 명할 수 있다.
└ 조선 총독은 회사의 설립을 허가할 뿐만 아니라 회사를 해산시킬 수도 있어.

제시된 자료는 회사령이다. 일제는 1910년에 회사 설립을 조선 총독의 허가를 받도록 한 회사령을 공포하여 회사 설립을 통제하였다. 이는 한국인의 기업 설립을 억제하고 일본 기업의 무분별한 진출도 막기 위한 것이었다. ③ 일제는 1912년에 조선 태형령을 제정하여 한국인에게만 태형을 적용하였다.

┃바로 알기┃ ① 1894년에 동학 농민군은 전주 화약을 체결한 후 집강소에서 폐정 개혁을 추진하였다. 노비제를 없애는 것도 그중 하나였다. ② 한성 사범 학교는 한성 사범 학교 관제에 근거하여 1895년에 설립되었다. ④ 국채 보상 운동은 1907년에 전개되었다. 여기에는 농민, 상인, 학생, 부녀자 등 각계각층의 사람들이 참여하였다. ⑤는 1866년에 프랑스가 조선을 침입한 병인양요에서 있었던 사실이다.

09 무단 통치의 폐지 배경

두 그래프에서 1918년 (가)에서 1920년 (나)로 경찰 기관과 경찰 인원이 급증한 것은 헌병 경찰제가 폐지되고 보통 경찰제가 실시되면서 경찰력이 증대되었기 때문이다. 1919년에 3·1 운동을 겪은 일제는 강압적인 무단 통치로는 한국을 지배하기 어렵다고 판단하여 그 이듬해에 우리 민족의 문화와 관습을 존중한다는 '문화 통치'를 표방하면서 헌병 경찰제를 폐지하고 보통 경찰제를 시행하였다.

┃바로 알기┃ ① 일본은 1909년에 기유각서를 강요하여 대한 제국의 사법권을 빼앗았다. ③ 러일 전쟁은 1904년에 발발하였다. ④ 치안 유지법은 1925년에 제정되었다. ⑤ 대한 제국은 1910년에 일본에 국권을 빼앗겼다.

10 '문화 통치'의 기만성

자료의 (가)에는 일제가 1920년대에 추진한 '문화 통치'의 기만성을 보여 주는 사례가 들어가야 한다. 일제는 3·1 운동을 계기로 통치 방식을 바꾸어 '문화 통치'를 표방하고 문관도 총독에 임명될 수 있도록 규정을 바꾸었다. 그러나 식민 통치가 끝날 때까지 문관 총독은 단 한 명도 임명되지 않았다.

┃바로 알기┃ ① 통감부는 1905년에 강요된 을사늑약에 따라 설치되었다. ② 1905년에 일본에서 파견된 재정 고문 메가타가 대한 제국의 백동화 등을 일본 제일 은행권으로 교환하는 화폐 정리 사업을 실시하였다. ③ 1920년대 문화 통치기에 조선일보와 동아일보는 기사 삭제, 정간을 빈번히 겪었다. 폐간은 1940년의 일이다. ④ 정미의병이 13도 창의군을 결성하고 1908년에 서울 진공 작전을 전개하였다.

11 치안 유지법의 활용

제시된 자료에서 퀴즈의 정답은 치안 유지법이다. 치안 유지법은 일제가 천황 체제나 사유 재산 제도를 부정하는 사상을 단속하기 위해 1925년에 제정한 법률이다. 일제는 이를 이용해 사회주의 운동뿐만 아니라 농민·노동자 운동, 항일 민족 운동을 탄압하였다.

┃바로 알기┃ ① 일제는 1907년에 신문지법을 공포하여 한국인이 발행하는 신문을 탄압하였다. ② 사립 학교령은 1908년에 통감부가 애국 계몽 운동가들의 사립 학교 설립을 제한하기 위해 공포한 법령이다. ③ 일제는 1912년에 조선 태형령을 공포하고, 한국인에게만 태형을 적용하였다. ⑤ 경찰범 처벌 규칙은 일본 헌병과 경찰이 재판 없이 한국인을 처벌할 수 있는 범죄들을 규정한 것으로 1912년에 제정되었다.

12 '문화 통치' 시기의 상황

자료는 3·1 운동으로 새로 부임한 조선 총독 사이토 마코토가 이른바 '문화 통치'를 실시할 것임을 밝힌 글이다. 사이토 마코토가 제시한 문화 통치의 본질은 민족을 이간시키고 분열시키는 데 있었다. 문화 통치가 실시된 1920년대에 일제는 한국에서 쌀을 증산하여 일본의 식량 문제를 해결하는 산미 증식 계획을 추진하였는데, 쌀 증산량보다 일본으로의 이출량이 더 많았다.

바로 알기 ① 1910년대에 일제는 무단 통치를 실시하면서 관리와 교원도 제복과 칼을 착용하고 위압적인 분위기를 조성하였다. ② 홍경래의 난은 조선 말인 1811년에 일어났다. ③ 통일 신라는 촌락 문서를 작성하여 조세와 역 부과의 근거로 사용하였다. ⑤는 14세기 고려 말의 상황이다.

13 산미 증식 계획의 전개의 전개

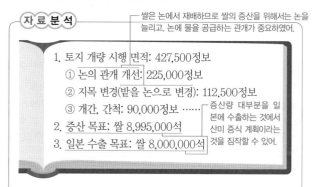

〈자료 분석〉

쌀은 논에서 재배하므로 쌀의 증산을 위해서는 논을 늘리고, 논에 물을 공급하는 관개가 중요하였어.

1. 토지 개량 시행 면적: 427,500정보
   ① 논의 관개 개선: 225,000정보
   ② 지목 변경(밭을 논으로 변경): 112,500정보
   ③ 개간, 간척: 90,000정보 …… 증산량 대부분을 일본에 수출하는 것에서
2. 증산 목표: 쌀 8,995,000석   산미 증식 계획이라는
3. 일본 수출 목표: 쌀 8,000,000석   것을 짐작할 수 있어.

자료는 토지 개량, 논의 관개 개선, 밭을 논으로 변경 등의 내용으로 보아 1920년부터 일제가 추진한 산미 증식 계획과 관련된 자료임을 알 수 있다. 1920년대에 일제는 자국의 부족한 쌀을 한국에서 확보하기 위해 산미 증식 계획을 추진하였다. 산미 증식 계획의 결과 쌀 생산량은 늘었으나, 그보다 더 많은 양의 쌀이 일본으로 이출되어 한국인의 1인당 쌀 소비량은 감소하였다.

바로 알기 ① 대한 제국이 1898년부터 양전 사업을 추진한 후 토지 소유권을 입증하는 지계를 발급하였다. ③ 토지 조사 사업은 토지의 소유권을 확인하는 사업이다. ④ 1905년에 일본인 재정 고문 메가타가 주도한 화폐 정리 사업은 백동화를 일본 제일 은행권으로 교환하는 것이었다. ⑤ 19세기 말에 집권한 흥선 대원군은 왕실의 권위를 높이기 위해 경복궁을 중건하였다.

14 산미 증식 계획의 결과

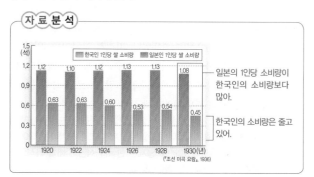

〈자료 분석〉

일본의 1인당 소비량이 한국인의 소비량보다 많아.

한국인의 소비량은 줄고 있어.

(『조선 미곡 요람』, 1936)

제시된 그래프는 1920년대에 한국인의 1인당 쌀 소비량이 일본인의 1인당 쌀 소비량에 못 미치면서 점점 줄어드는 상황을 보여 주고 있다. 1920년대에 일제는 일본의 부족한 쌀을 한국에서 확보하기 위해 산미 증식 계획을 추진하였다. 이에 따라 쌀 생산량은 꾸준히 늘어났지만 증산량보다 훨씬 많은 양의 쌀이 일본으로 빠져나가면서 국내 한국인의 1인당 쌀 소비량은 점차 줄어들었다. 한국의 부족한 곡물은 만주에서 수입한 잡곡으로 충당하였다.

바로 알기 ① 19세기 말에 식량 사정이 나빠지자 조선의 지방관들은 1883년에 체결된 조일 통상 장정에 규정된 대로 방곡령을 내려 곡물의 수출을 금지하고자 하였다. ② 회사령은 1910년에 공포되었다가 1920년에는 철폐되었다. ④ 삼정이정청은 19세기 말에 임술 농민 봉기가 일어나자 삼정의 문란을 해결하기 위해 설치한 임시 기구이다. ⑤ 흥선 대원군 집권기에 경복궁 중건에 필요한 재원을 마련하기 위해 당백전이 발행되었다. 당백전은 명목 가치가 상평통보 1문전의 100배였으나 실질 가치가 그에 못미쳐 물가가 크게 오르는 결과를 가져왔다.

완자 정리 노트	산미 증식 계획
배경	제1차 세계 대전으로 일본의 공업화·도시화 진전 → 일본의 식량 부족, 일본 내 쌀값 폭등
목적	쌀 생산을 늘려 일본의 부족한 식량을 한국에서 보충
전개	품종 개량, 비료 사용 확대, 수리 조합 조직, 토지 개량 사업 전개
결과	• 증산량은 목표에 미달, 수탈은 계획대로 강행 • 수리 조합비·품종 개량비·비료 대금 등의 증산 비용을 지주가 농민에게 전가, 소작료 인상 → 농민 몰락

15 회사령 폐지의 영향

1920년대에 한국인이 세운 공장 수는 일본인이 운영하는 공장 수와 비슷하였으나, 한국인 기업은 대부분 유통이나 제조업 분야의 소규모 회사였기 때문에 생산액은 일본인 공장보다 훨씬 낮았다. 당시 한국인의 기업 설립이 많아지고, 일본 기업의 한국 진출이 활발하게 이루어진 것은 1920년에 회사령이 폐지되고 회사 설립이 신고제로 바뀌었기 때문이다.

바로 알기 ① 회사령은 1910년에 제정되었다. ② 청일 전쟁은 1894~1895년 동안 일어났다. ③ 토지 조사령은 1912년에 제정·공포되었다. ④ 당시 산미 증식 계획이 추진되었으나 공장의 증가와는 관계가 없다.

서술형 문제
181쪽

01 주제: 토지 조사 사업의 목적

예시 답안 일제는 총독부의 지세 수입을 늘려 식민지 지배의 경제적 기반을 확보하고, 일본인의 한국 토지에 대한 투자를 쉽게 하려는 목적에서 토지 조사 사업을 실시하였다.

채점 기준

상	토지 조사 사업을 실시한 목적을 두 가지 모두 서술한 경우
하	토지 조사 사업을 실시한 목적을 한 가지만 서술한 경우

02 주제: '문화 통치'의 실상

예시 답안 ⊙ 일제는 무관이 아닌 문관도 조선 총독에 임명될 수 있다고 하였으나, 식민 통치가 끝날 때까지 문관 출신 총독을 단 한 명도 임명하지 않았다. ⓒ 헌병 경찰제를 폐지하고 보통 경찰제를 실시하였지만, 오히려 경찰 관서와 인원, 비용 등을 늘렸으며 고등 경찰제도 실시하였다.

채점 기준

상	⊙, ⓒ에 해당하는 내용의 실제 모습을 모두 서술한 경우
하	⊙, ⓒ에 해당하는 내용 중 한 가지의 실제 모습을 서술한 경우

03 주제: 산미 증식 계획의 영향

예시 답안 산미 증식 계획. 산미 증식 계획으로 지주는 일본으로 쌀을 팔아 부를 축적하였다. 농민들은 소작료뿐만 아니라 종자 개량비, 비료 대금, 수리 조합비까지 떠맡게 되어 생활이 더욱 어려워졌다.

채점 기준

상	산미 증식 계획을 쓰고, 지주와 농민에게 끼친 영향을 모두 서술한 경우
중	산미 증식 계획을 쓰고, 지주나 농민에게 끼친 영향을 한 가지만 서술한 경우
하	산미 증식 계획만 쓴 경우

STEP 3 1등급 정복하기

182~183쪽

1 ①   2 ④   3 ④   4 ⑤

1 일제의 무단 통치

자료의 헌병 경찰, 회사 설립의 허가제, 토지 조사 사업의 실시 등을 통해 (가)에는 1910년대 일제의 무단 통치와 관련된 토의 질문이 들어가야 한다는 것을 알 수 있다. 1910년대에 일제는 헌병이 일반 경찰 업무 및 행정 업무에 관여할 수 있는 헌병 경찰제를 실시하였으며, 회사령을 제정하여 조선 총독에게 회사 설립 허가와 해산 권한을 부여하였다. 또한 일제는 식민 지배에 필요한 재정을 확보하기 위해 토지 조사 사업을 실시하였다. ① 일제는 1912년에 헌병 경찰이 죄인에게 직접 신체적 형벌을 가하는 조선 태형령을 제정하여 한국인에게만 차별적으로 적용하였다.

│바로 알기│ ② 1920년에 회사령이 폐지되어 신고만 하면 회사 설립이 가능하게 되었다. 그 결과 일본 자본이 한국에 활발히 진출하였다. ③ 산미 증식 계획은 1920년부터 일제가 추진하였으며 한반도에서 쌀 생산을 늘려 일본으로 반출함으로써 일본의 식량 사정을 개선하고자 한 정책이었다. 이 정책으로 농민들은 소작료 이외에도 수리 조합비 등 각종 부담을 더 지게 되었다. ④ 일제는 3·1 운동 후 무단 통치 방식을 버리고 조선의 문화와 관습을 존중한다면서 이른바 '문화 통치'를 실시하였다. 한글 신문인 조선일보와 동아일보의 발행 허가가 문화 통치의 사례 중 하나이다. ⑤ 치안 유지법은 1925년에 제정되었다. 일제는 이 법을 항일 운동 탄압에 이용하였다.

2 조선 태형령과 치안 유지법

제시된 자료의 (가)는 조선 태형령, (나)는 치안 유지법이다. 일제는 1912년에 조선 태형령을 제정·공포하고, 한국인에게만 직접 신체에 고통을 가하는 태형을 적용하였다. 1925년에 제정된 치안 유지법은 일제의 천황제와 사유 재산 제도를 부정하는 자를 단속하기 위해 제정한 법률로, 일제는 이를 통해 사회주의 운동·공산주의 운동뿐만 아니라 농민·노동 운동, 항일 민족 운동도 탄압하였다.

│바로 알기│ ① 1905년에 체결된 을사늑약에 따라 1906년에 통감부가 설치되었으며, 1910년 국권 피탈 후에는 조선 총독부가 설치되었다. ② 이른바 '문화 통치'기는 1920년대에 해당한다. ③ 러일 전쟁은 1904~1905년에 발발하였다. ⑤ 치안 유지법은 일본에도 적용되었다.

3 '문화 통치' 시기의 상황

자료에서 '무단 통치의 한계를 인식', '경찰의 수를 대폭 증가', '치안 유지법을 적용' 등을 통해 (가)는 문화 통치임을 알 수 있다. 일제는 1920년에 문화 통치를 내세워 한국인의 반발을 무마하려 하였다. 이 문화 통치는 민족을 이간하는 기만책이었다. ④ 일제는 1923년에 일본 상품에 대한 관세를 폐지하였다. 이에 값싼 일본산 제품이 밀려오면서 한국인 기업이 큰 타격을 입었다.

│바로 알기│ ① 토지 조사 사업은 1910년부터 1918년까지 실시되었다. ② 화폐 정리 사업은 1905년에 메가타가 추진하였다. ③ 헌병 경찰제는 1910년대에 실시되었다. ⑤ 동양 척식 주식회사는 1908년 경성에 설립되었다.

4 산미 증식 계획의 영향

자료 중 증산, 토지 개량, 논으로 변환, 수리 시설 개선에서 밑줄 친 '이 계획'은 산미 증식 계획임을 알 수 있다. 1920년대에 일제는 한국에서 산미 증식 계획을 실시하여 자국 내의 식량 부족 문제를 해결하려 하였다. 산미 증식 계획을 통해 쌀 생산량은 증대되었으나 더 많은 쌀이 일본으로 이출되었다. 따라서 한국인이 1인당 쌀 소비량은 계속 하락하여 일본인의 절반 수준밖에 되지 않았다. 한국인들의 부족한 식량은 만주에서 수입한 잡곡으로 충당하였다.

│바로 알기│ ①은 토지 조사 사업에 해당한다. ② 1904년에 일제가 토지를 약탈하기 위해 대한 제국에 황무지 개간권을 요구하자, 보안회가 반대 운동을 전개하여 이를 철회시켰다. ③ 일본인 재정 고문 메가타는 1905년에 화폐 정리 사업을 주도하였다. ④ 일제는 한국을 식민 지배할 목적으로 1908년에 동양 척식 주식회사를 설립하였다.

02 3·1 운동과 대한민국 임시 정부

STEP 1 핵심 개념 확인하기 188쪽

1 독립 의군부 **2** (1) 복벽주의 (2) 공화정 **3** (1) ㉡ (2) ㉠ (3) ㉢
4 (1) × (2) ○ (3) ○ **5** ㄱ (2) ㄴ (3) ㄷ **6** 국민대표 회의

STEP 2 내신 만점 공략하기 188~191쪽

| 01 ② | 02 ① | 03 ① | 04 ③ | 05 ③ | 06 ① | 07 ④ |
| 08 ② | 09 ⑤ | 10 ① | 11 ③ | 12 ⑤ | 13 ① | 14 ① |

01 독립 의군부의 목표

자료에서 고종, 임금의 뜻, 그대(임병찬) 등을 통해 (가)는 독립 의군부임을 알 수 있다. 1912년에 임병찬은 고종의 밀지를 받고 각지의 유생들을 모아 독립 의군부를 조직하였다. 독립 의군부는 복벽주의 이념에 따라 고종의 복위를 목표로 전국적으로 의병을 일으키려 하였으나, 조선 총독부와 일본 정부에 국권 반환 요구서를 보내려고 계획하던 중에 조직이 발각되어 해체되었다.

바로 알기 ① 관민 공동회는 독립 협회가 1898년에 종로에서 개최하였다. ③ 1895년에 을미사변과 단발령을 계기로 이소응, 유인석 등 양반 유생들이 의병을 일으켰다. ④ 1880년대 초 『조선책략』 유포에 반발하여 이만손 등 영남 유생들이 영남 만인소를 올렸다. ⑤는 1915년에 대구에서 박상진 등이 조직한 국내 비밀 결사인 대한 광복회의 활동이다.

02 대한 광복회의 목표

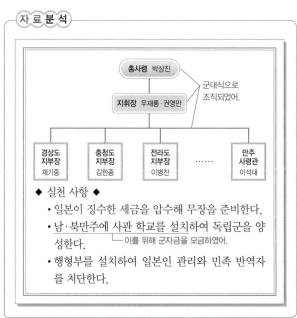

자료 분석

총사령 박상진
군대식으로 조직되었어.
지휘장 우재룡·권영만

경상도 지부장 채기중 / 충청도 지부장 김한종 / 전라도 지부장 이병찬 / …… / 만주 사령관 이석대

◆ 실천 사항 ◆
· 일본이 징수한 세금을 압수해 무장을 준비한다.
· 남·북만주에 사관 학교를 설치하여 독립군을 양성한다. ┗ 이를 위해 군자금을 모금하였어.
· 행형부를 설치하여 일본인 관리와 민족 반역자를 처단한다.

도표에서 박상진이 총사령이고, 군사적 조직을 갖추고 있으며 실천 사항에서 만주에 무관 학교 수립 내용이 있는 것을 통해 자료의 단체가 대한 광복회임을 알 수 있다. 박상진 등은 공화정의 수립을 목표로 1915년에 대구에서 대한 광복회를 조직하였다. 의병 계열과 애국 계몽 운동 계열이 모여 결성된 이 단체는 군대식 조직을 갖추었고, 군자금을 모아 만주에 무관 학교를 세우려고 하였으며, 친일파 처단 활동을 벌였다.

바로 알기 ② 신민회는 서간도(남만주)의 삼원보에 신흥 강습소를 설립하였다. ③ 신민회는 태극 서관과 자기 회사를 운영하며 민족 산업 육성을 위해 노력하였다. ④ 1907년에 고종이 강제 퇴위당하자, 대한 자강회 등은 반대 시위를 전개하였다. ⑤는 독립 의군부에 해당한다.

03 북간도 지역의 민족 운동

지도의 (가) 지역은 북간도이다. 19세기 후반부터 북간도로 이주한 동포들은 용정촌, 명동촌 등 한인 집단촌을 형성하고 자치 단체로 간민회 등을 만들어 자치적으로 동포 사회를 운영하였다. 북간도로 이주한 이상설이 서전서숙을, 김약연 등이 명동 학교를 세워 민족 교육을 실시하였다.

바로 알기 ② 1876년에 체결된 강화도 조약에 따라 부산, 원산, 인천이 개항되었다. ③ 연해주에서 의병 활동을 하던 안중근은 1909년에 러시아와 밀약을 체결하기 위해 하얼빈에 온 이토 히로부미를 처단하였다. ④ 1919년에 일본 도쿄에서 한국인 유학생들이 2·8 독립 선언을 발표하였다. ⑤ 1900년에 고종은 「대한 제국 칙령 제41호」를 공포하여 울릉도를 울도군으로 승격시키고 독도를 관할하도록 하였다.

04 신흥 강습소의 발전

자료에서 신흥 강습소로 출발, 일제 강점기 항일 무장 투쟁 등을 통해 밑줄 친 '이 기관'이 신흥 무관 학교임을 알 수 있다. 애국 계몽 운동 단체 신민회의 회원이었던 이회영, 이상룡, 이동녕 등이 서간도의 삼원보에 신흥 강습소를 설립하였다. 신흥 강습소는 민족 교육과 군사 교육을 함께 실시한 민족 교육 기관으로, 독립군 사관을 양성하는 신흥 무관 학교로 발전하였다.

바로 알기 ㄱ. 1911년 연해주 지역의 블라디보스토크에 한인 자치 단체인 권업회가 조직되었는데, 권업회는 권업신문을 발간하였다. ㄹ. 북간도에서 조직된 중광단은 3·1 운동 이후 북로 군정서로 개편되었다.

05 대한인 국민회의 활동

자료에서 장인환·전명운의 의거를 계기로 결성, 신한민보 발간 등을 통해 밑줄 친 '이 단체'가 대한인 국민회임을 알 수 있다. 1908년에 장인환, 전명운이 미국인 스티븐스를 저격한 사건을 계기로 민족 운동에 관심이 많아진 미주 지역 한인들이 여러 한인 단체를 통합하려는 노력을 하였고, 그 결과 1910년에 대한인 국민회가 결성되었다. 대한인 국민회는 독립운동 자금을 모아 만주와 연해주의 독립운동을 지원하였다. 또한 신한민보를 발행하여 항일 의식을 고취하였고, 교민들의 권익을 보호하는 활동을 펼쳤다.

∥ 바로 알기 ∥ ① 경학사는 신민회가 중심이 되어 남만주(서간도) 지역에 설치한 독립운동 단체이다. ② 중광단은 대종교 세력이 북간도 지역에 조직한 항일 운동 단체이다. 3·1 운동 이후 북로 군정서로 개편하였다. ④ 대한 국민 의회는 연해주 블라디보스토크 지역의 독립운동가들이 3·1 운동 후 수립한 임시 정부이다. ⑤ 대조선 국민군단은 하와이에서 박용만 등이 결성한 항일 무장 단체이다.

06 연해주 지역의 독립운동

성명회, 권업회, 대한 광복군 정부, 대한 국민 의회는 연해주 지역에서 조직된 독립운동 단체이다. 성명회는 1910년, 권업회는 1911년에 블라디보스토크에서 결성된 독립운동 단체이다. 권업회는 권업신문을 발간하였다. 대한 광복군 정부는 1914년에 이상설, 이동휘 등이 권업회를 토대로 결성한 독립운동 단체이다. 대한 국민 의회는 1917년에 조직된 연해주 한인 최대 정치 단체인 전로 한족회 중앙 총회를 1919년에 정부 형태로 바꾼 것으로, 3·1 운동 후 각지에서 세워진 임시 정부 중 하나이다. (가)가 블라디보스토크를 포함하고 있는 연해주 지역에 해당한다.

∥ 바로 알기 ∥ ② (나)는 만주 중 북간도 지역, ③ (다)는 만주 중 서간도 지역, ④ (라)는 베이징, ⑤ (마)는 상하이를 포함하는 지역에 해당한다.

07 3·1 운동의 배경

자 료 분 석

— 1910년 국권이 강탈된 지 10년이 지난 1919년 3월 1일에 독립 선언을 하였어.

터졌구나, 터졌구나! 조선 독립의 소리!
십 년을 참고 참아 이제야 터졌네.
삼천리 금수강산, 이천만 민족
살았구나, 살았구나! 이 한 소리에!
만만세! 조선 독립 만만세! 대한 만만세!
대한 만만세!

— 3·1 운동은 만세 시위 운동으로 전개되었어.

자료에서 조선 독립의 소리, 십 년을 참고, 조선 독립 만만세, 대한 만만세 등을 통해 자료가 1919년에 일어난 3·1 운동 자료임을 알 수 있다. 3·1 운동은 레닌의 식민지와 반식민지의 민족 해방 운동 지원 선언, 미국 대통령 윌슨이 제창한 민족 자결주의, 일본 도쿄에서 한국인 유학생들이 발표한 2·8 독립 선언 등의 영향을 받아 1919년 3월 1일에 경성, 평양, 의주 등 전국 주요 도시에서 일어났다. 1910년대 일제의 무단 통치와 수탈에 고통받던 사람들이 고종의 사망으로 반일 감정이 고조되면서 민족 지도자와 학생이 주도하던 만세 운동에 호응하여 거족적으로 전개되었다.

∥ 바로 알기 ∥ ④ 3·1 운동을 계기로 여러 지역에서 임시 정부가 수립되었고, 여러 임시 정부들이 통합을 논의한 결과 1919년 9월에 대한민국 임시 정부가 상하이에서 수립되었다. 대한민국 임시 정부는 최초로 민주 공화제를 채택하였다.

08 3·1 운동의 전개

자료는 공약 3장으로 3·1 운동 때 발표된 기미 독립 선언서의 일부이다. 3·1 운동 당시에 기미 독립 선언서가 낭독되었는데, 공약 3장은 독립운동 시 행동 강령을 나타낸 것이다. 1919년 1월, 고종이 갑자기 사망하자 천도교, 기독교, 불교계 지도자들과 학생 대표들이 비밀리에 모임을 갖고 대대적인 만세 시위를 계획하였다. 그 결과 1919년 3월 1일에 경성, 평양, 의주 등 주요 도시에서 3·1 운동이 일어났다. 경성의 탑골 공원에서는 학생·시민의 독립 선언서 낭독이 있었고, 이후 시가행진이 전개되었다.

∥ 바로 알기 ∥ ① 양반 유생의 주도로 시작된 것에는 항일 의병 투쟁이 있다. 을미사변과 단발령 시행을 계기로 일어난 을미의병이 대표적이다. ③ 1906년에 설치된 통감부는 일제가 1910년에 대한 제국을 강제 병합한 후 조선 총독부로 개편되었다. ④는 무장 독립군에 해당하는 사실이다. 3·1 운동은 대중적인 비폭력 운동을 전개한다는 방침에 따라 시작되었다. ⑤는 1907년에 일어난 국채 보상 운동에 대한 설명이다. 국채 보상 운동은 일본의 차관을 도입해 일본에 대한 경제적 예속이 심해지자 김광제·서상돈 등이 나라 빚을 갚아 국권을 회복하자는 모금 운동을 펼친 것이다.

완자 정리 노트 **독립 선언서 비교**

2·8 독립 선언서	• 일본 도쿄에서 유학생들이 조직한 조선 청년 독립단이 발표 • 독립 주장, 조선 민족 대회 소집과 민족 자결주의 적용 요구, 혈전 선언 • 국내에서 3·1 운동이 일어나는 데 영향을 끼침
대한 독립 선언서	• 국외에서 활동한 민족 지도자 39인이 만주 지린성에서 발표 • 일제에 육탄 혈전을 결의
기미 독립 선언서	• 국내에서 천도교·기독교·불교계의 민족 대표 33인이 발표 • 독립 선언, 인도주의에 입각한 비폭력 운동, 민족 자결에 의한 자주독립 방법 제시 • 한용운이 쓴 공약 3장이 포함되어 있음

09 3·1 운동의 영향

자료의 그래프는 1919년 3월 이후에 검거된 사람들이고, 학생, 지식인뿐만 아니라, 상인, 노동자, 농민 등 각계각층의 사람들이 검거된 것으로 보아 3·1 운동 당시 검거된 사람의 직업별 구성을 보여 주고 있음을 알 수 있다. 3·1 운동은 우리 민족의 독립 의지를 전 세계에 알린 역사적 사건으로 신분, 직업, 종교 등의 구별 없이 모든 계층이 참여한 우리 역사상 최대 규모의 민족 운동이었다. 3·1 운동이 점차 무력 투쟁의 양상으로 변하면서 농민들은 돌멩이와 농기구 등으로 무장하여 식민지 통치 기관을 공격하기도 하였다. 한편, 3·1 운동을 계기로 독립운동을 조직적이고 체계적으로 이끌 통일된 지도부의 필요성이 제기되었고, 그 결과 대한민국 임시 정부가 수립되었다.

∥ 바로 알기 ∥ ① 1896년에 창립된 독립 협회는 1898년에 해체되었다. ② 수신사는 조선 정부가 강화도 조약을 체결한 후에 일본에 공식적으로 파견한 외교 사절단이다. ③은 정미의병의 활동으로 1908년에 일어났다. ④는 국채 보상 운동이 해당한다. 3·1 운동에서 민족 대표가 독립 선언서를 발표한 곳은 경성의 태화관이다.

10 3·1 운동과 일제의 식민 통치 방식 변화

자료 분석

┌─ 일제는 식민 통치에 협력할 친일 단체 조직에 힘썼어.

1. 핵심적 친일 인물을 골라 그 인물로 하여금 귀족, 양반, 유생, 부호, 교육가, 종교가에 침투하여 각종 친일 단체를 조직하게 한다.
2. 각종 종교 ─ 자문하는 직책 ─ 단체도 중앙 집권화해서 그 최고 지도자에 친일파를 앉히고 고문을 붙여 어용화시킨다. ─ 이익을 위해 권력 기관에 생각을 맞춰 자주성 없이 행동하는 것
3. 친일적인 민간 유지들에게 편의와 원조를 주고, 수재 교육의 이름 아래 많은 친일 지식인을 긴 안목으로 키운다.

└─ 친일파를 양성하려고 하였어.

자료는 1919년 3·1 운동 이후 조선 총독으로 부임한 사이토 마코토가 발표한 「조선 민족 운동에 대한 대책」이다. 1919년에 3·1 운동을 겪은 일제는 헌병 경찰을 동원한 강압적인 무단 통치의 한계를 깨닫고 식민 통치 방식을 바꾸었다. 1920년대에 일제는 '문화 통치'를 내세워 식민 지배에 대한 한국인의 반발을 무마하면서 친일파를 양성해 우리 민족을 분열, 이간질하고자 하였다.

┃ 바로 알기 ┃ ① 갑신정변은 1884년에 김옥균, 박영효 등 급진 개화파가 우정총국 개국 축하연을 이용하여 일으켰다. ③ 동학 농민 운동은 반봉건, 반외세를 내세우며 1894년에 전개된 농민 운동이다. ④ 서울 진공 작전은 1908년에 13도 창의군이 전개한 것이다. ⑤ 애국 계몽 운동은 을사늑약 체결 전후 시기에 등장한 민족의 실력을 길러 국권을 수호하려는 운동이다.

11 대한민국 임시 정부의 수립

지도는 상하이 임시 정부, 대한 국민 의회, 한성 정부가 (가) 대한민국 임시 정부로 통합된 것을 보여 주고 있다. 3·1 운동 이후 주권이 국민에게 있다는 공화주의 이념에 대한 공감대가 확산되었고, 대한민국 임시 정부는 공화정 형태의 정부로 조직되었다.

┃ 바로 알기 ┃ ① 1904년에 창간된 대한매일신보는 영국인 베델이 발행인이었다. ② 105인 사건은 1911년에 일제가 조작한 데라우치 총독 암살 미수 사건에 신민회가 관련이 있다고 조작하여 105명을 기소한 사건인데, 이로 인해 신민회가 와해되었다. ④ 제2차 갑오개혁 시기인 1895년에 고종은 교육이 국력을 증진시키는 일이라는 내용을 담은 교육입국 조서를 발표하였다. ⑤ 1881년에 이만손을 중심으로 하는 영남 유생들이 정부의 개화 정책과 『조선책략』 유포에 반대하여 만인소를 올렸다.

12 독립 공채와 대한민국 임시 정부

자료는 대한민국 임시 정부가 발행한 독립 공채이다. 대한민국 임시 정부는 독립운동에 필요한 자금을 마련하기 위해 발행하였다. 중국에서 발행한 독립 공채의 금액은 1,000원, 500원, 100원의 세 가지였으며, 독립한 이후에 원금을 상환하기로 하였다.

┃ 바로 알기 ┃ ① 광무개혁은 대한 제국이 점진적으로 추진한 개혁이다. ② 독립문 건립은 독립 협회가 모금을 주도한 것으로, 1896년에 착공해서 1897년에 완공하였다. ③ 국채 보상 운동은 일본에 진 빚을 갚기 위해 1907년 대구에서 시작된 전국민적인 모금 운동이다. ④ 화폐 정리 사업은 1905년부터 일본인 재정 고문 메가타의 주도로 시행되었다. 이때 백동화가 일본의 제일 은행권으로 대체되었다.

13 국민대표 회의의 배경

자료 분석

┌─ 윌슨 대통령이야.

우리는 자유를 사랑하는 2천만의 이름으로 (미국 대통령) 각하에게 청원합니다. …… 한국을 일본의 학정으로부터 벗어나게 하여 주십시오. 장래 완전한 독립을 보장하고 당분간은 한국을 국제 연맹 통치 밑에 두게 할 것을 바랍니다.
└─ 제1차 세계 대전 직후인 1920년에 미국 윌슨 대통령의 제창으로 설립된 최초의 국제 평화 기구야.

자료는 1919년에 이승만이 미국 대통령 윌슨에게 제출한 국제 연맹 위임 통치 청원서이다. 1919년에 파리 강화 회의가 개최되자 대한인 국민회 대표로서 파리로 가려다 가지 못한 이승만은 미국 대통령 윌슨에게 한국을 국제 연맹의 위임 통치 아래 둘 것을 제안하는 청원서를 보냈다. 대한민국 임시 정부의 연통제, 교통국 조직이 와해되어 국내에서 독립 자금을 모으기가 어려워지고, 외교 활동에 성과가 미미한 상태에서 독립 투쟁 노선 논쟁이 벌어질 때 이승만의 국제 연맹 위임 통치 청원 사실이 알려지자, 이승만이 대한민국 임시 정부의 대통령으로 부적합하다는 의견이 많아지면서 국민대표 회의 개최 요구가 거세졌다.

┃ 바로 알기 ┃ ② 1919년에 신한청년당은 독립 청원서를 작성하고, 김규식을 파리 강화 회의에 대표로 파견하였다. 대한민국 임시 정부 수립 후 김규식은 전권 대사로 임명되었다. ③ 1919년에 연해주의 블라디보스토크에서는 전로 한족회 중앙 총회가 대한 국민 의회로 이름을 바꾸고 정부 수립을 선포하였다. ④ 삼권 분립 원칙에 따라 임시 의정원(입법), 국무원(행정), 법원(사법)을 갖춘 대한민국 임시 정부는 1919년에 수립되었다. ⑤ 독립 협회가 자주 국권 운동을 전개하자 러시아는 재정 고문을 철수시키고, 절영도 조차 요구도 철회하였다.

14 국민대표 회의의 창조파

자료는 1923년에 개최된 국민대표 회의 당시 창조파의 주장이다. 국민대표 회의 당시 개조파는 대한민국 임시 정부를 개선하여 독립운동의 중심 역할을 맡겨야 한다고 주장하였다. 반면 창조파는 대한민국 임시 정부의 역할과 위치를 부정하면서 이를 대신할 새로운 조직을 만들어야 한다고 주장하였다. 창조파는 신채호, 문창범 등이 대표적인데 대개 무장 투쟁 노선을 추구한 사람들이었다.

┃ 바로 알기 ┃ ②는 이승만에 해당한다. ③ 안창호를 비롯한 실력 양성론자는 개조파에 해당한다. ④ 외교 활동을 중시한 이들이 임시 정부가 상하이에 위치하는 것을 지지하였다. ⑤ 대한민국 임시 정부는 미국의 구미 위원부에서 이승만을 중심으로 미국 정부를 상대로 외교 활동을 벌였다.

완자 정리 노트 창조파와 개조파 비교

구분	창조파	개조파
주장 내용	대한민국 임시 정부를 대신할 새로운 조직 건설	대한민국 임시 정부 유지, 개선(운영 개선 / 노선 변경)
대표자	신채호, 문창범	김동삼, 안창호
노선·이념	무장 투쟁 노선	실력 양성 노선, 무장 투쟁 노선

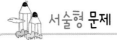
서술형 문제

191쪽

01 주제: 2·8 독립 선언의 배경과 영향

예시 답안 미국의 대통령 윌슨이 파리 강화 회의의 원칙으로 민족 자결주의를 제시하였다. 이에 자극을 받아 일어난 2·8 독립 선언은 국내에서 3·1 운동이 일어나는 데 영향을 주었다.

채점 기준

상	2·8 독립 선언의 발표 배경과 국내에 준 영향을 모두 서술한 경우
하	2·8 독립 선언의 발표 배경과 국내에 준 영향 중 한 가지만 서술한 경우

02 주제: 3·1 운동의 영향

예시 답안 3·1 운동. 3·1 운동으로 일제의 통치 방식이 무단 통치에서 이른바 '문화 통치'로 바뀌었고, 대한민국 임시 정부가 수립되었다.

채점 기준

상	3·1 운동을 쓰고, 3·1 운동의 영향 두 가지를 모두 서술한 경우
중	3·1 운동을 쓰고 3·1 운동의 영향을 한 가지만 서술한 경우
하	3·1 운동만 쓰거나 3·1 운동의 영향을 한 가지만 서술한 경우

03 주제: 국민대표 회의의 결렬

예시 답안 국민대표 회의. 국민대표 회의에서 (가) 창조파는 대한민국 임시 정부를 해체하고 새로운 정부를 수립하자고 주장하였다. (나) 개조파는 대한민국 임시 정부를 유지하면서 개편하자고 주장하였다.

채점 기준

상	국민대표 회의를 쓰고 창조파·개조파의 주장을 비교해 서술한 경우
중	국민대표 회의를 쓰고, 한 주장의 내용만 서술한 경우
하	국민대표 회의만 쓴 경우

STEP 3 1등급 정복하기

192~193쪽

1 ③   2 ③   3 ②   4 ①

1 1910년대 국내 비밀 결사의 활동

자료의 (가)는 독립 의군부, (나)는 대한 광복회이다. 독립 의군부, 대한 광복회는 1910년대에 활동한 국내 비밀 결사이다. 임병찬이 1912년에 조직한 독립 의군부는 복벽주의를 지향하고, 전국적인 의병 봉기를 계획하였다. 일제에 국권 반환 요구서를 보내려고 준비하던 중 발각되어 해체되었다. 대한 광복회는 박상진 등이 1915년에 조직한 단체로 군대식 조직을 갖추었다. 군자금을 모아 만주에 무관 학교를 세우려 하였고 친일파 처단과 독립 전쟁 계획을 추진하였다. 대한 광복회는 국권 회복 후 공화정 형태의 근대 국가 건설을 추구하였다.

바로 알기 ③ 105인 사건은 1911년에 발생하였으며, 이로 인해 애국 계몽 운동 단체인 신민회가 와해되었다.

2 3·1 운동의 전개

자료에서 유관순, 일제 강점기 우리나라 최대 규모의 민족 운동 등을 통해 (가)는 3·1 운동임을 알 수 있다. 유관순은 3·1 운동 당시 아우내 장터 등지에서 만세 운동을 하다가 일제에 의해 체포되었다. 일제는 3·1 운동을 계기로 무단 통치를 이른바 '문화 통치'로 바꾸었다.

바로 알기 ①은 을사의병에 대한 설명이다. 1905년에 을사늑약이 강제로 체결되면서 국가 존폐의 위기의식을 느낀 민종식, 최익현 등이 의병을 일으켰다. ②는 국채 보상 운동에 대한 설명이다. 국민의 힘으로 국채를 갚아 경제적 자주권을 지키자는 국채 보상 운동은 1907년에 대구에서 서상돈 등이 주도하여 일어났다. ④는 동학 농민군의 제2차 봉기에 대한 설명이다. 일본이 궁궐을 침범하고, 동학 농민군을 진압하려 하자 동학 농민군이 다시 봉기하였다. ⑤는 애국 계몽 운동에 대한 설명이다. 애국 계몽 운동가들은 학교 설립, 산업 진흥, 언론 활동을 통한 국민 계몽에 노력하였다.

3 대한민국 임시 정부의 활동

자료는 대한민국 임시 정부의 조직도와 1919년 9월에 대한민국 임시 정부에서 선포한 대한민국 임시 헌법이다. 대한민국 임시 정부는 민주 공화제를 채택하였으며, 삼권 분립을 지켜 임시 의정원(입법), 국무원(행정), 법원(사법)을 구성하였다. 통신 기관으로 교통국을 설치하여 정보 수집과 분석, 연락 업무를 담당하게 하였다. 대한민국 임시 정부는 국내외 소식과 독립운동 관련 내용을 알리기 위해 독립신문을 발행하였고, 임시 사료 편찬 위원회를 설치하여 『한일 관계 사료집』을 간행하였다. 대한민국 임시 정부는 신한 청년당 대표로 이미 파리에 가 있던 김규식을 전권 대사로 임명하여 파리 강화 회의에 독립 청원서를 제출하게 하였다.

바로 알기 ② 1909년 이후 일본의 대한 제국 병합 준비가 노골화되자, 신민회는 실력 양성 운동의 한계를 깨닫고, 장기적인 무장 독립 투쟁을 위해 국외 독립운동 기지 건설에 나서 삼원보에 경학사를 설치하고 신흥 강습소를 설립하였다.

4 국민대표 회의 당시의 상황

자료에는 1923년에 개최된 국민대표 회의 당시의 상황이 나타나 있다. 국민대표 회의에서 대한민국 임시 정부의 개편을 주장하는 개조파와 새로운 정부 수립을 주장하는 창조파가 대립하였다. 이 회의는 결국 결렬되었고, 대한민국 임시 정부는 침체 상태에 빠지게 되었다.

바로 알기 ②는 국외에서 활동하던 민족 지도자 39인이 발표한 대한 독립 선언서와 관련이 있다. ③ 국민대표 회의가 결렬된 이후 대한민국 임시 정부는 자체적으로 활로를 찾고자 하였다. 이러한 상황에서 1925년에 이승만 대통령은 탄핵되었고, 박은식이 제2대 대통령으로 임명되었다. ④ 고종은 1907년에 이상설, 이준, 이위종을 헤이그에서 열린 만국 평화 회의에 특사로 파견하여 을사늑약의 부당함을 알리고자 하였다. ⑤ 1919년에 대한민국 임시 정부는 파리에 머물고 있는 김규식을 전권 대사로 임명하여 파리 강화 회의에 독립 청원서를 제출하게 하였다.

03 다양한 민족 운동의 전개

STEP 1 **핵심 개념** 확인하기 · 200쪽

1 홍범도 **2** (1) 북로 군정서 (2) 자유시 참변 **3** (가) – (라) – (나) – (마) – (다) – (바) **4** (1) × (2) × **5** (1) ㉠ (2) ㉡ **6** 정우회

STEP 2 **내신 만점** 공략하기 · 200~204쪽

01 ④	02 ③	03 ②	04 ④	05 ①	06 ④	07 ②
08 ④	09 ③	10 ⑤	11 ①	12 ④	13 ③	14 ④
15 ③	16 ②	17 ②	18 ④	19 ①		

01 홍범도와 김좌진의 활약

제시된 자료에서 왼쪽 인물은 홍범도이고, 오른쪽 인물은 김좌진이다. 김좌진이 이끄는 북로 군정서와 홍범도의 대한 독립군을 중심으로 한 독립군 연합 부대는 청산리 일대에서 6일 동안 10여 차례의 전투 끝에 일본군을 크게 격파하였는데, 이를 청산리 대첩(1920)이라고 한다.

┃바로 알기┃ ① 신흥 강습소는 신민회에서 설립하였다. ② 헤이그 특사는 이상설, 이준, 이위종이었다. ③ 안중근은 초대 통감이었던 이토 히로부미를 1909년에 하얼빈역에서 처단하였다. ⑤ 독립 의군부는 1910년대에 임병찬이 고종의 밀명을 받아 조직한 비밀 결사이다.

완자 정리 노트 1920년대 만주의 무장 독립 투쟁 인물

이름	사진	주요 이력
홍범도		• 포수 출신, 정미의병으로 활약 • 대한 독립군을 이끌며 봉오동 전투, 청산리 대첩에서 활약
김좌진		• 대한 광복단의 일원으로 군자금 모금 • 북로 군정서 총사령관으로 청산리 대첩에서 활약
신채호		• 대한매일신보 주필 • 『조선상고사』 저술 • 「조선 혁명 선언」 작성 • 국민대표 회의에서 창조파 주도
김원봉		• 의열단 조직 • 민족 혁명당 조직 • 조선 의용대 편성 • 대한민국 임시 정부 군무부장 역임

02 만주 지역 독립군의 활동

제시된 자료에서 봉오동 전투는 1920년 6월에 일어났고, 3부의 성립은 1923~1925년에 걸쳐 이루어졌다. 따라서 (가)에는 봉오동 전투 이후부터 3부의 성립 이전에 있었던 내용이 들어가야 한다. 봉오동 전투에서 패한 일본은 대규모 병력을 동원하여 만주의 독립군을 공격해 왔다. 1920년 10월 청산리 일대의 백운평, 완루구, 어랑촌 등지에서 독립군 연합 부대가 일본군과 6일간 치열한 전투를 벌여 승리하였는데, 이를 청산리 대첩이라고 한다.

┃바로 알기┃ ① 미쓰야 협정은 조선 총독부가 만주의 독립군을 탄압하기 위해 1925년에 만주 군벌과 체결한 협정으로 3부 성립 이후의 일이다. ② 의열단은 1919년 만주 지린성에서 김원봉의 주도로 결성되었다. ④ 서울 진공 작전은 1908년에 13도 창의군이 추진하였다. ⑤ 대한 광복회는 박상진 등이 공화정 수립을 목표로 1915년 대구에서 조직한 비밀 결사이다.

03 청산리 대첩의 전개

제시된 글에서 1920년, 백운평·완루구·어랑촌·천수평·봉밀구·고동하 등을 통해 밑줄 친 '전투'가 청산리 대첩임을 알 수 있다. 북로 군정서와 대한 독립군 등의 독립군 부대는 청산리 부근으로 집결하여 일본군과 일전을 계획하고, 전투에 유리한 백운평, 완루구, 어랑촌, 고동하 등지에서 일본군에 맞섰다. 그 결과 많은 일본군을 사살하였는데, 이를 청산리 대첩이라고 한다. 지도에서 청산리 일대는 (나) 북간도에 포함된다.

┃바로 알기┃ ① (가)는 연해주 지역, ③ (다)는 남만주(서간도) 지역이다. ④ (라)는 베이징, ⑤ (마)는 상하이를 포함하는 지역이다.

04 1920년대 무장 독립 투쟁의 전개

(가)는 3부의 성립을 설명하고 있는데, 3부 중 참의부는 1923년, 정의부는 1924년, 신민부는 1925년 3월에 결성되었다. (나) 1925년 6월에 조선 총독부와 만주 군벌 사이에 미쓰야 협정이 체결되었다. (다) 봉오동 전투는 1920년 6월에 홍범도가 이끄는 대한 독립군을 비롯한 독립군 연합 부대가 일본군에 맞서 벌인 전투이다. (라) 1920년 10월에 청산리에서 북로 군정서, 대한 독립군 등 독립군 연합 부대가 일본군에 대승을 거두었다. (마) 자유시 참변은 1921년에 러시아 적군이 지휘권 양도를 거부하는 한인 부대를 공격하여 많은 독립군이 희생된 사건이다. 따라서 '(다) – (라) – (마) – (가) – (나)'의 순으로 전개되었다.

완자 정리 노트 1920년대 만주의 무장 독립 투쟁

1920년	• 6월, 봉오동 전투에서 홍범도의 대한 독립군 등이 승리 • 10월, 청산리 대첩에서 김좌진의 북로 군정서 등이 승리 • 10월, 일본군이 한인 동포에게 보복한 간도 참변 발생
1921년	자유시로 이동한 독립군들이 희생당한 자유시 참변 발생
1923~1925년	• 1923~1925년 3월, 참의부·정의부·신민부의 3부 성립 • 1925년 6월, 만주 군벌과 조선 총독부가 미쓰야 협정 체결
1920년대 말	3부 통합 운동에 따라 국민부와 혁신 의회 성립

05 3부 통합 운동

도표의 (가)와 (나)에는 3부 통합 운동의 결과에 해당하는 내용이 들어가야 한다. 1925년에 일제가 독립군 탄압을 위해 만주 군벌과 미쓰야 협정을 맺으면서 만주의 참의부, 정의부, 신민부의 활동은 크게 위축되었다. 미쓰야 협정에 따라 독립군을 체포하면 포상금 중 일부를 지급받게 된 만주의 관리들은 독립군 적발에 적극적이었다. 그 결과 일반 한국인 농민들까지도 많은 피해를 입었다. 만주 군벌의 강력한 독립운동 단속으로 만주에 있던 독립군의 기세는 약화되었다. 이러한 상황을 타개하고자 1920년대 말에 3부 통합 운동이 전개되어 남만주에는 국민부, 북만주에는 혁신 의회가 결성되었다.

┃ **바로 알기** ┃ ② 의열단은 1919년에 김원봉 등을 중심으로 만주에서 결성되었는데, 일제 식민 통치자 처단 및 통치 기구 파괴를 시도한 의열 투쟁 단체이다. 자신회는 나철, 오기호가 을사5적을 처단하기 위해 조직한 암살단이다. ③ 을미의병은 1895년에 을미사변과 단발령에 반발하여 일어났고, 정미의병은 1907년에 고종 강제 퇴위와 군대 해산에 반발하여 일어났다. ④ 1919년에 결성된 대한 독립군은 1920년에 벌어진 봉오동 전투와 청산리 대첩에서 활약하였고, 1919년에 결성된 북로 군정서는 1920년에 일어난 청산리 대첩에서 활약하였다. ⑤ 독립 의군부는 1912년에 고종의 밀지를 받아 임병찬이 결성한 국내 비밀 결사이고, 대한 광복회는 1915년에 박상진 등이 대구에서 결성한 비밀 결사이다.

06 의열단의 활동

제시된 자료에서 의열 투쟁 전개, 「조선 혁명 선언」을 활동 지침으로 함, 김익상, 나석주 등이 소속되어 활동 등을 통해 (가)에 들어갈 내용은 의열단에 대한 설명임을 알 수 있다. 의열단은 김원봉을 중심으로 1919년 만주 지린성에서 결성된 단체로, 신채호가 쓴 「조선 혁명 선언」에 따라 민중의 직접 혁명을 추구하며 의열 활동을 전개하였다.

┃ **바로 알기** ┃ ① 일제가 조작한 105인 사건으로 와해된 것은 애국 계몽 운동 단체인 신민회이다. ②는 천도교·불교·기독교계와 학생들이 해당한다. ③은 1895년에 양반 유생이 중심이 되어 일어난 을미의병에 해당한다. ⑤ 동학 농민군이 우금치 전투에서 일본군과 관군의 연합군에게 패배하였다.

07 조선 혁명 선언

자료는 신채호가 작성한 「조선 혁명 선언」이다. 김원봉은 신채호에게 의열단의 투쟁 이념과 방향을 체계화해 줄 글을 써달라고 부탁하였고, 그 결과 나온 것이 일명 '의열단 선언'이라고 알려진 「조선 혁명 선언」이다. 이 선언에서 신채호는 외교론, 자치론, 준비론 등을 비판하며 암살과 파괴를 수단으로 하는 민중의 직접 혁명에 의한 국권 회복을 주장하였다.

┃ **바로 알기** ┃ ① 영남 만인소는 이만손을 중심으로 한 영남 유생들의 위정 척사 상소이다. ③ 임오군란은 군제 개편, 급여 문제 등 차별 대우에 분노한 구식 군대의 군인들이 일으킨 사건이다. ④ 교육입국 조서는 제2차 갑오개혁 때 고종이 발표한 것이다. 이 조서에 따라 근대적 교육 제도가 마련되어 이후 한성 사범 학교와 소학교 등이 세워지게 되었다. ⑤ 1904년에 일본이 황무지 개간권을 요구하자 보안회가 반대 운동을 전개하여 철회시켰다.

08 신채호의 활동

제시된 인물 카드는 신채호를 정리한 것이다. 신채호는 민족과 국가의 운명을 개척하고 국권을 수호하는 데 역사 연구가 중요하다고 여기고 대한매일신보에 「독사신론」을 게재하여 민족을 주체로 하는 역사 연구를 주장하였다. 또한 고대사 연구에 중점을 두어 『조선상고사』, 『조선사연구초』 등을 저술하여 한국사를 주체적으로 정리함으로써 민족주의 역사학의 기반을 확립하였다. ④ 신채호는 김원봉의 요청으로 「조선 혁명 선언」을 작성하여 의열단의 활동을 정당화하고 활동 지침을 제시하였다.

┃ **바로 알기** ┃ ① 의열단의 결성을 주도한 인물은 김원봉이다. ② 독립 협회를 설립한 사람은 서재필이다. ③ 홍경래는 우군칙 등과 함께 1811년에 평안도에서 난을 일으켰다. ⑤ 1876년에 강화도 조약을 맺을 무렵에 최익현은 왜양일체론을 내세우면서 개항 반대 운동을 전개하였다.

09 물산 장려 운동의 배경

자료에서 얼마 전에 회사령이 폐지되었고, 조만간 일본 상품에 대한 관세가 철폐될 조짐이 보이며 일본 기업과 상품의 한국 침투가 가속화될 것이라는 내용을 통해 1920년대 초의 상황임을 알 수 있다. 제1차 세계 대전 이후 일본 경제가 성장하여 자본이 쌓이자, 일제는 1920년에 일본 기업이 조선에 자본을 자유롭게 투자할 수 있도록 회사령을 폐지하여 신고만 하면 회사를 설립할 수 있도록 하였다. 또한 1920년대 초에 일제가 일본 기업이 한국에 더 싼 값에 물건을 팔 수 있도록 면직업과 주류를 제외한 모든 상품의 관세를 없애려 하였다. 이러한 상황에서 민족주의자들은 민족 기업의 성장과 자본 축적을 위하여 물산 장려 운동을 전개하였다.

┃ **바로 알기** ┃ ① 방곡령은 개항 이후 일본으로의 곡물 유출을 막기 위해 지방관이 공포하였다. 1889년과 1890년에 각각 함경도와 황해도 관찰사가 내린 방곡령이 대표적이다. ② 국채 보상 운동은 일제가 제공한 차관을 국민의 힘으로 갚아 경제 주권을 수호하기 위해 1907년에 전개되었다. ④ 서울 시전 상인들이 1898년에 황국 중앙 총상회를 만들어 독립 협회와 함께 상권 수호 운동을 전개하였다. ⑤ 민립 대학 설립 운동은 한국인의 힘으로 대학을 설립하자는 운동이다.

| 완자 정리 노트 | | | 실력 양성 운동 |

운동	발생 시기	시작 지역	특징
국채 보상 운동	1907년	대구	• 금연 운동, 패물 납부 등으로 모금 • 애국 계몽 운동 단체와 황성신문, 대한매일신보 등이 적극 지원 • 한성에 국채 보상 기성회 조직
물산 장려 운동	1920년대 초	평양	• 조선 물산 장려회 조직 • 국산품 애용, 저축과 금주·금연 운동 • 모금 운동은 없었음
민립 대학 설립 운동	1920년대 초	경성	• 조선 민립 대학 기성회 출범 • 대학 건립 자금을 위한 모금 운동으로 추진 • 일제의 탄압, 가뭄과 수해로 실패

10 물산 장려 운동의 평가

자료 분석

조선의 동무들아 이천만민아
두발 벗고 두 팔 걷고 나아오너라
우리 것 우리 힘 우리 재조로 ── 국산품(토산품)을 의미해.
우리가 만들어서 우리가 쓰자
우리가 만들어서 우리가 쓰자
조선의 동무들아 이천만민아
자작자급 정신을 잊지를 말고
네 힘껏 벌어라 이천만민아 ── 스스로 만들어 스스로 공급한다는 뜻이야.
거기에 조선이 빛나리로다
거기에 조선이 빛나리로다

제시된 노래는 물산 장려 운동 당시에 불렸던 「조선 물산 장려가」이다. 물산 장려 운동은 1920년대 초에 시작된 일본 상품 배격과 토산품 애용 운동으로 '우리가 만들어서 우리가 쓰자', '내 살림 내 것으로', '조선 사람 조선 것' 등을 구호로 내세웠다. 물산 장려 운동에 민족이 적극 호응하면서 토산품에 대한 수요는 크게 늘었는데 늘어난 수요를 뒷받침할 만한 생산력 증대가 이루어지지 않아 물건 값이 오르는 문제점이 나타났다. 이에 일부 사회주의자들은 물산 장려 운동을 자본가와 상인의 이익만을 위한 운동이라고 비판하기도 하였다.

┃ 바로 알기 ┃ ①, ②는 국채 보상 운동에 해당한다. 물산 장려 운동은 평양에서 시작되어 전국으로 확산되었다. 통감부는 1906년에 설치되었고, 1910년에 조선 총독부가 설치되면서 폐지되었다. ③ 황성신문과 대한매일신보는 국채 보상 운동을 지원하였다. 1910년 국권 피탈 이후 황성신문은 강제로 한성신문으로 바뀌었다가 곧 폐간하였고, 대한매일신보는 매일신보로 이름이 바뀌고 조선 총독부 일간지로 변질되었다. ④ 1871년 신미양요가 일어났다가 미군이 물러간 후 흥선 대원군은 통상 수교 거부 의지를 밝히는 척화비를 전국 각지에 건립하였다.

11 물산 장려 운동의 전개

자료는 물산 장려 운동 당시 경성 방직 주식회사의 국산품 애용 선전 광고이다. 1920년에 회사령이 폐지되자 일본의 기업이 한국에 본격적으로 진출하였고, 1920년대 초에 한국과 일본 사이의 관세가 철폐된다는 소식이 전해지면서 한국인 자본가들의 위기의식이 높아졌다. 이러한 상황에서 물산 장려 운동은 민족 기업과 자본을 보호하고 육성하여 경제적 자립 실현을 목적으로 조만식 등 민족주의 계열이 중심이 되어 1920년에 평양에서 조선 물산 장려회 발기인 대회를 열면서 시작되었다. 물산 장려 운동으로 토산품의 수요가 늘어났으나 민족 기업의 생산력이 향상되지 못하여 상품 가격만 올려놓는 경우가 많아 물산 장려 운동은 사회주의자들의 비판을 받기도 하였다.

┃ 바로 알기 ┃ ① 1910년에 공포된 회사령으로 회사 설립 시에는 조선 총독의 허가를 받아야 했기에 1910년대에는 민족 기업의 설립이 억제되었다.

12 민립 대학 설립 운동

자료는 동아일보에 게재된 조선 민립 대학 기성회 취지서이다. 민립 대학 설립 운동은 한국인의 고등 교육을 위한 대학 설립 운동으로, 1923년에 조직된 조선 민립 대학 기성회를 중심으로 1920년대 초에 추진되었다. 조선 민립 대학 기성회는 '한민족 1천만이 한 사람이 1원씩'이라는 구호를 내걸고 모금 운동을 전개하였다.

┃ 바로 알기 ┃ ① '아는 것이 힘, 배워야 산다'는 조선일보가 주도한 문자 보급 운동의 구호이다. ③ 동아일보는 1930년대 전반에 '배우자, 가르치자. 다 함께 브나로드' 라는 구호 아래 브나로드 운동을 전개하였다. ④는 근우회의 구호이다. 근우회는 1927년에 신간회 창립에 자극을 받아 조직된 신간회의 자매단체로, 여성 운동 세력의 민족 협동 전선 단체였다. ⑤ 물산 장려 운동은 1920년대 초에 시작된 일본 상품 배격과 토산품 애용 운동으로 '내 살림 내 것으로', '조선 사람 조선 것' 등의 구호를 내걸었다.

13 문맹 퇴치 운동

제시된 사진은 문자 보급 운동 교재 『한글 원본』과 브나로드 운동 포스터이다. 조선일보는 1929년부터 문자 보급 운동을 전개하며, 한글 교재인 『한글 원본』을 발간하였다. 브나로드 운동은 동아일보의 주도로 1930년대 전반에 전개되었다. 1920년대 말부터 민족주의 진영은 궁핍한 농민들에게 생활을 향상시킬 수 있는 능력을 키워 주는 것이 시급하다고 판단하여 문맹 퇴치를 비롯한 농촌 계몽 운동을 전개하였다. 언론 기관이 중심이 되어 전개된 문자 보급 운동과 브나로드 운동은 문맹 퇴치 운동에 해당한다.

┃ 바로 알기 ┃ ① 애국 계몽 운동은 을사늑약 체결 전후에 사회 진화론을 수용한 지식인들이 국권 수호를 위해 전개한 실력 양성 운동이다. ② 동학 농민 운동은 1894년에 정부의 무능과 수탈, 일본의 경제 침탈 등에 대응하여 일어났다. ④ 상권 수호 운동은 개항 이후 조청 상민 수륙 무역 장정과 조일 통상 장정 등의 체결에 따라 외국 상인들의 조선 내륙 진출이 허용되면서 조선 상인들의 상권이 침탈당하자 전개되었다. ⑤ 민립 대학 설립 운동은 한국인의 고등 교육을 위한 대학 설립을 목표로 1920년대 초에 추진되었다.

14 일제 강점기의 실력 양성 운동

자료에서 일제 강점기 실력 양성 운동이라는 탐구 주제를 통해 (가)에는 일제 강점기 실력 양성 운동 중 물산 장려 운동과 민립 대학 설립 운동을 제외한 것이 들어가야 한다는 것을 알 수 있다. 조선일보는 1929년에 '아는 것이 힘, 배워야 산다!'라는 구호 아래 여름 방학에 귀향하는 중등학교 학생들을 동원하여 문자 보급 운동을 전개하기 시작하였다. 그 후 8천여 명의 학생들을 동원하여 귀향지에서 『한글 원본』 등의 교재를 사용해 문자 보급 운동을 전개하였다.

┃ 바로 알기 ┃ ① 국정 개혁의 기본 방향을 담은 홍범 14조는 제2차 갑오개혁 때인 1895년 1월에 발표되었다. ② 1907년에 대한매일신보는 국채 보상 운동에 적극 동참하여 이를 전국으로 확산시키는 데 크게 기여하였다. ③ 대한 자강회는 애국 계몽 운동 단체로 1907년에 고종의 강제 퇴위에 반대하는 시위를 격렬하게 전개하였다. ⑤ 1896년에 결성된 독립 협회는 법률에 의한 신체의 자유와 재산권 보호를 요구하는 등 자유 민권 운동을 전개하였다.

15 농촌 계몽 운동의 전개

제시된 글에서 소설 『상록수』가 농촌 계몽의 의지를 다지는 내용을 담고 있다는 것을 통해 일제 강점기에 전개된 농촌 계몽 운동 사례들이 소재가 될 것으로 짐작할 수 있다. 동아일보는 1930년대 전반에 문맹 퇴치, 미신 타파, 구습 제거, 근검절약 등 농촌 계몽을 위한 브나로드 운동을 전개하였는데, 심훈은 브나로드 운동을 소재로 하여 소설 『상록수』를 집필하였다. 이 소설은 1935년에 동아일보 창간 15주년 기념 장편 소설 특별 공모에 당선되어 연재되었다.

┃바로 알기┃ ① 국문 연구소는 대한 제국 정부가 한글의 체계적인 연구를 목적으로 1907년 학부에 설치하였던 한글 연구 기관이다. ② 교육입국 조서는 고종이 1895년에 반포하였다. ④ 경성 제국 대학은 1924년에 일제가 경성에 설립하였다. ⑤ 물산 장려 운동은 민족 기업과 자본의 보호와 육성을 목적으로 토산물 애용을 외친 경제적 실력 양성 운동이다.

16 신간회의 활동

자료에서 민족 유일당 운동의 결과, 1927년에 국내에서 결성 등을 통해 밑줄 친 '이 단체'가 신간회임을 알 수 있다. 신간회는 1927년에 비타협적 민족주의 세력과 사회주의 세력이 연대하여 창립된 민족 협동 전선 단체이다. 신간회는 노동·농민·여성·형평 운동 등 여러 사회 운동을 지원하였는데, 1929년에 광주 학생 항일 운동의 진상을 규명하기 위해 조사단을 파견하기도 하였다.

┃바로 알기┃ ① 1904년에 결성된 보안회는 일제의 황무지 개간권 요구를 저지하였다. ③ 신민회는 1907년에 결성된 애국 계몽 운동 단체로, 1911년에 일제가 조작한 105인 사건으로 와해되었다. ④ 1904년에 결성된 일진회는 을사늑약 체결 지지 선언을 하였고, 한국 병합 조약 직전에는 일본과 대한 제국의 합방 청원서를 황제와 통감에게 제출하기도 하였다. ⑤ 정우회는 1926년에 서울에서 조직되었던 사회주의 단체로, 민족주의 세력과 적극 제휴하여 항일 운동에 나서자고 촉구하였다.

17 신간회의 창립

┌자료 분석┐

1. 우리는 정치적, 경제적 각성을 촉진함
2. 우리는 단결을 공고히 함 ── 비타협적 민족주의 계열과 사회주의 계열의 단결을 의미해.
3. 우리는 기회주의를 일체 부인함 ── 당시 자치론을 주장하던 타협적 민족주의 세력을 가리켜.

자료는 신간회의 강령이다. 사회주의 단체였던 정우회가 비타협적 민족주의 세력과 민족 협동 전선을 구축할 수 있다고 선언하였고 여기에 비타협적 민족주의 세력이 호응하면서 민족 협동 전선 단체로 신간회가 창립되었다.

┃바로 알기┃ ① 3·1 운동은 미국 대통령 윌슨의 민족 자결주의, 일본 도쿄에서 한국인 유학생들이 한 2·8 독립 선언 등의 영향을 받아 1919년에 일어났다. ③ 1880년대 초에 『조선책략』이 국내에 유포되자 이에 반발하여 이만손 등 영남 유생들이 영남 만인소를 고종에게 올렸다. ④ 만민 공동회는 독립 협회의 주도로 1898년에 개최되었다. ⑤ 신흥 강습소는 1911년에 신민회 출신인 이회영 등이 설립하였다.

완자 정리 노트   신간회

결성(1927)	비타협적 민족주의 세력과 사회주의 세력의 연합
의의	• 민족 협동 전선 단체 • 일제 강점기 국내 최대 규모의 합법적 사회 운동 단체
3대 강령	• 정치적·경제적 각성 촉진 • 단결의 공고화 • 기회주의의 일체 부인
활동	민중 계몽 운동 전개, 노동·농민 운동 관여, 청년·여성·형평 운동 등과 조직적인 연계, 광주 학생 항일 운동에 진상 조사단 파견, 민중 대회 계획
해소(1931)	일제의 교묘한 탄압, 새 집행부의 우경화(타협적 노선 등장), 코민테른의 노선 변화(민족주의 세력과 결별) → 전체 대회에서 해소 결정

18 자치 운동의 전개

자료는 1924년에 동아일보에 게재된 이광수의 「민족적 경륜」이다. 이광수, 최린 등 타협적 민족주의자들은 일제의 식민지 지배를 인정하고 일제가 허용하는 범위 내에서 한국인의 자치권을 얻어 자치 의회나 정부를 수립하자는 자치 운동을 전개하였다. 자치 운동은 아무런 성과를 거두지 못한 채 민족주의 세력의 분열을 초래하였고 일제의 민족 분열 정책에 이용당한 것에 불과하였다.

┃바로 알기┃ ① 자치 운동은 이광수, 최린, 김성수 등에 의해 제기되었다. 신채호는 무장 투쟁을 주장하였다. ② 신채호가 작성한 「조선 혁명 선언」은 의열단의 활동 지침이 되었다. ③ 자치 운동은 무장 투쟁이 아니라 일제가 허용하는 범위 내에서 한국인의 자치권을 얻고자 한 정치 운동이었다. 항일 무장 투쟁을 강조한 것은 만주와 연해주의 독립군들이다. ⑤ 1923년에 개최된 국민대표 회의에서 창조파는 기존의 임시 정부를 해체하고 새로운 정부를 수립하자고 주장한 것으로, 자치 운동과 관련이 없다.

19 신간회의 해소

자료에서 개량주의적 정치 집단으로 변질, 해소 등의 내용을 통해 (가)가 신간회임을 알 수 있다. 6·10 만세 운동을 사회주의 세력과 민족주의 세력이 함께 준비하면서 민족 유일당 결성의 공감대가 형성되었다. 이런 상황에서 사회주의 세력이 정우회 선언을 발표한 후 비타협적 민족주의 세력과의 협력을 추구하였고, 여기에 비타협적 민족주의 세력이 호응하여 민족 협동 전선 단체로 1927년에 신간회가 결성되었다. 신간회는 일제 강점기 최대 규모의 합법적 사회 운동 단체로 1929년에 광주 학생 항일 운동이 일어나자 진상 조사단을 파견하였고 민중 대회를 열어 전국적인 항일 운동으로 확산시키려고 하였다. 민중 대회 사건 이후 새로 구성된 집행부가 점차 일제에 대해 온건하게 대하고 타협적 합법 운동을 강조하자, 사회주의자들은 이를 비판하였고, 코민테른도 그즈음 민족주의 계열과의 협동 전선 해체를 지시하였다. 이에 따라 사회주의 세력이 이탈하면서 1931년에 신간회는 해소되었다.

┃바로 알기┃ ① 3·1 운동은 1919년에 일어났고, 신간회는 1927년에 결성되었다.

서술형 문제

204쪽

01 **주제:** 미쓰야 협정의 영향

예시 답안 미쓰야 협정. 만주의 군벌과 일제가 미쓰야 협정을 체결하면서 만주의 중국 관리들이 만주 지역에서 활동하던 독립군을 탄압하여 독립군의 활동이 크게 위축되었다.

채점 기준	
상	협정의 명칭과 협정이 끼친 영향을 모두 서술한 경우
하	협정의 명칭과 협정이 끼친 영향 중 한 가지만 서술한 경우

02 **주제:** 물산 장려 운동에 대한 반응

(1) 물산 장려 운동
(2) 예시 답안 민중은 토산물을 애용하자는 물산 장려 운동을 지지하여 토산물에 대한 수요가 높아졌다. 사회주의 세력은 물산 장려 운동을 자본가와 상인의 이익만을 추구하는 이기적인 운동이라고 비난하였다.

채점 기준	
상	민중과 사회주의 세력의 반응을 모두 서술한 경우
하	민중과 사회주의 세력의 반응 중 한 가지만 서술한 경우

03 **주제:** 정우회 선언의 영향

예시 답안 정우회 선언. 사회주의 단체인 정우회는 비타협적 민족주의 세력과 제휴하겠다는 '정우회 선언'을 하였는데, 이 선언의 영향을 받아 사회주의 세력과 비타협적 민족주의 세력이 연대하여 민족 협동 전선 단체로 신간회를 결성하였다.

채점 기준	
상	선언의 명칭과 선언이 끼친 영향을 모두 서술한 경우
하	선언의 명칭과 선언이 끼친 영향 중 한 가지만 서술한 경우

STEP 3 1등급 정복하기

205~207쪽

01 ③ 2 ② 3 ② 4 ④ 5 ② 6 ④

1 홍범도의 활동

자료는 홍범도의 연보이다. 홍범도는 산포수를 중심으로 의병을 이끌며 각지에서 일본군을 격퇴하였다. 국권을 빼앗긴 후에는 1920년에 봉오동 전투를 승리로 이끌었다. 또 김좌진이 이끈 북로 군정서, 홍범도가 이끈 대한 독립군을 비롯한 여러 독립군 부대는 일본군과 청산리 일대에서 10여 차례 전투를 벌여 큰 승리를 거두었다. 1937년에 소련이 연해주 한인들을 중앙아시아로 강제로 이주할 때 홍범도도 카자흐스탄으로 이주당하여 정착하였다.

바로 알기 ① 1919년에 김원봉 등은 만주 지린성에서 의열단을 결성하였다. ② 안중근은 1909년에 하얼빈역에서 을사늑약 체결에 핵심적인 역할을 담당하였던 이토 히로부미를 처단하였다. ④ 독립 의군부는 1912년에 임병찬 등이 고종의 밀명을 받아 조직한 비밀 결사이다. ⑤ 파리 강화 회의에 파견되어 있던 김규식이 대한민국 임시 정부의 전권 대사로 임명되어 독립 청원서를 파리 강화 회의에 제출하였다.

2 1920년대 무장 항일 투쟁

첫 번째 지도에는 1920년에 전개된 봉오동 전투와 청산리 대첩의 상황이 나타나 있고, 두 번째 지도에는 1923~1925년에 걸쳐 성립된 3부가 표현되어 있다. 봉오동 전투와 청산리 대첩에서 크게 패한 일본군은 독립군의 지지 기반을 무너뜨리기 위해 간도 참변을 일으켰다. 독립군 부대는 계속되는 일본군의 공세를 피해 1921년에 소련령 스보보드니(자유시)로 넘어갔다가 소련의 적군으로부터 무장 해제를 당하면서 크게 피해를 당하였는데 이 사건을 자유시 참변이라고 한다.

바로 알기 ㄴ. 애국 계몽 운동 단체인 신민회는 1911년 만주에 신흥 강습소를 설립하였다. ㄹ. 참의부, 정의부, 신민부는 3부 통합 운동의 결과 국민부와 혁신 의회로 재편되었다. 남만주의 국민부는 조선 혁명당과 조선 혁명군을 결성해 항일 무장 투쟁을 전개하였다.

3 의열단의 활동

자료에서 김익상이 조선 총독부 청사로 들어가 폭탄을 투척하였고, 김상옥이 종로 경찰서에 폭탄을 던진 것 등을 통해 (가)가 의열단임을 알 수 있다. 의열단은 김원봉을 중심으로 1919년에 만주 지린성에서 결성된 단체이다. 1920년대에는 김익상, 김상옥, 나석주 등의 의열단원들이 일제 식민 통치 기구 파괴 및 일제 요인 암살 의거를 펼쳤다. ② 신채호는 김원봉의 요청에 따라 의열단의 행동 지침을 담은 「조선 혁명 선언」을 1923년에 작성하였다.

바로 알기 ① 독립신문은 서재필 등이 정부의 지원을 받아 창간한 신문으로 국민을 계몽하고 국내의 사정을 외국인에게 전달하는 데 기여하였다. 한편, 대한민국 임시 정부도 기관지로 독립신문을 발행하였다. ③ 관민 공동회는 독립 협회가 1898년에 종로에서 연 집회로, 관리와 민중이 함께 참여하였다. ④ 신흥 강습소는 신민회 회원이었던 이회영, 이상룡 등이 만주의 삼원보에 세웠다. ⑤ 나철과 오기호가 을사5적을 암살하기 위해 만든 단체는 자신회이다.

4 물산 장려 운동의 전개

자료에서 조만식 등을 중심으로 평양에서 시작, 내 살림 내 것으로, 자본가의 이익만을 추구한다는 비판을 받기도 등을 통해 (가)에는 물산 장려 운동과 관련된 내용이 들어가야 한다는 것을 알 수 있다. 1920년에 회사령이 폐지되고 장차 일본 상품의 관세가 폐지된다는 소식이 전해지면서 한국인 자본가의 위기의식이 높아졌다. 이런 상황에서 민족 기업의 육성과 민족 자본의 성장을 위해 토산품 애용을 주장하는 물산 장려 운동이 일어났다. 그 결과 토산품에 대한 수요가 늘어났지만 생산력이 이를 뒷받침하지 못해 상품 가격만 올라 사회주의 세력의 비판을 받기도 하였다.

바로 알기 ① 국채 보상 기성회는 1907년에 국채 보상 운동을 주도하였다. ②는 민립 대학 설립 운동에 해당한다. 민립 대학 설립 운동은 간도와 하와이 등지에서도 전개되었다. ③ 조선일보는 문자 보급 운동, 동아일보는 브나로드 운동을 펼쳐 학생들과 함께 문맹 퇴치 등 농촌 계몽 운동을 펼쳤다. ⑤ 이광수, 최린 등 타협적 민족주의 세력은 문화 통치를 틈타 일본 식민 지배 아래서 자치를 얻어 내자는 자치 운동을 벌였다.

5 사회주의 세력의 활동

자료는 사회주의 세력이 물산 장려 운동을 비판한 내용이다. 물산 장려 운동은 민족 기업의 생산력 향상으로 이어지지 못하고 상품 가격만 올려놓는 경향이 있자, 사회주의자들은 물산 장려 운동을 자본가와 상인의 이익만을 추구하는 운동이라고 비난하였다. 사회주의 계열에서 발표한 정우회 선언을 계기로 1927년에 사회주의 세력과 비타협적 민족주의 세력이 연대하여 신간회를 결성하였다.

바로 알기 ① 임오군란은 신식 군대에 비해 차별 대우를 받은 구식 군대 군인이 1882년에 일으킨 사건이다. ③ 대한민국 임시 정부는 미국에 구미 위원부를 두고 미국 정부를 상대로 외교 활동을 벌였다. ④ 물산 장려 운동은 민족주의 계열인 조만식이 중심이 되어 시작되었다. ⑤ 급진 개화파는 1884년에 갑신정변을 일으키고 개혁 정강을 발표하였다.

6 민족 유일당 운동

자료 분석

민족 협동 전선 단체임을 알 수 있어. ㄱ

• 우리 조선 민흥회는 조선 민족의 공동 권익을 쟁취하고, 조선인의 단일 전선을 결성할 목적으로 창설되었습니다. 민족적 통합의 목적은 바로 '조선의 해방'에 있습니다. 유럽의 프롤레타리아 계급은 봉건주의와 독재주의를 타파할 목적으로 자본가들과 뭉쳤습니다. 조선의 사회주의자들도 반제국주의 운동에 있어서 우리 민족주의자들과의 연합이 필요하다고 느낄 것입니다.

• 우리의 승리로의 구체적 전진을 위하여 …… 민족주의적 세력에 대하여는 그 부르주아 민주주의적 성질을 명백하게 인식하는 동시에 또 과정적 동맹자적 성질도 충분히 승인하여, 그것이 타락하는 형태로 출현되지 않는 것에 한하여 적극적으로 제휴하여 대중의 개량적 이익을 위해서도 종래의 소극적 태도를 버리고 분연히 싸워야 할 것이다. — 정우회 선언

비타협적 민족주의 세력 ┘
사회주의 세력(정우회) ┘

민족주의 세력이 주도하여 조직되었음을 파악할 수 있어. ┐

첫 번째 글은 1926년 7월에 발표된 조선 민흥회의 제안이고, 두 번째 글은 1926년 11월에 발표된 정우회 선언이다. 1920년대 전반에 최린, 이광수 등이 일제에 타협적인 태도를 보이자, 비타협적 민족주의자들은 이를 비판하였고, 나아가 사회주의자들과 연대하여 민족 운동을 강화하고자 하였다. 1925년에 제정된 치안 유지법에 따라 사회주의 세력이 큰 타격을 받았다. 이에 사회주의 세력은 비타협적 민족주의 세력과의 연대를 통해 위기를 극복하고자 하였다.

바로 알기 ㄱ. 대한민국 임시 정부는 3·1 운동의 영향을 받아 1919년에 중국 상하이에 수립되었다. ㄷ. 국민대표 회의는 대한민국 임시 정부의 위기를 타개하고 민족이 힘을 모아 추구해야 할 독립운동 노선을 논의하기 위해 1923년에 개최되었다.

04 사회·문화의 변화와 사회 운동

STEP 1 핵심 개념 확인하기 212쪽

1 (1) ㄴ (2) ㄱ 2 농촌 진흥 운동 3 (1) × (2) ○ 4 (1) ㄱ (2) ㄴ
5 (1) 원불교 (2) 조선어 학회 (3) 백남운 6 아리랑

STEP 2 내신 만점 공략하기 212~215쪽

| 01 ⑤ | 02 ③ | 03 ② | 04 ⑤ | 05 ① | 06 ④ | 07 ② |
| 08 ③ | 09 ① | 10 ④ | 11 ④ | 12 ② | 13 ④ | 14 ② |

01 식민지 근대화와 생활 양식의 변화

왼쪽 사진은 1925년경 경성의 조선은행 앞 광장(오늘날 서울 남대문로 일대)의 모습이고, 오른쪽 사진은 일제 강점기 경성 거리를 활보하던 신식 여성과 남성을 나타낸 것이다. 일제 강점기에는 근대 문물이 유입되면서 구두, 양복 등이 확산되고 단발머리가 유행하는 등 서양식 복장이 점차 보편화되었다. 도시 상류층을 중심으로 커피와 빵, 일본식 우동 등 서양·일본 식품이 소비되었고, 1920년대부터 문화 주택이 도시를 중심으로 보급되었다. 이 시기에 대부분 도시에는 일본인 거주 지역과 한국인 거주 지역이 구분되었다.

바로 알기 ⑤ 일제 강점기에 근대 문물의 혜택은 일본인과 일부 부유한 한국인만이 누릴 수 있었다. 대다수 한국인은 일제가 근대 문물 도입을 위해 각종 세금을 부과하면서 형편이 더욱 어려워졌다.

완자 정리 노트 일제 강점기 생활 양식의 변화

의	서양식 복장 보편화(고무신·운동화·구두·양복 등 확산, 단발머리 유행), 일제의 의복 생활 통제(흰옷 대신 색깔 있는 옷 착용 강요, 중일 전쟁 발발 이후 남성에게 국민복·여성에게 몸뻬 착용 강요)
식	커피·빵·아이스크림·맥주 등 서양 식품 및 일본식 우동과 어묵 소비, 일반 서민들은 식량 부족을 겪음
주	도시를 중심으로 문화 주택 보급, 농촌은 초가집이 대부분

02 일제 강점기 산업 구조의 변화

(가) 시기에 일제는 만주 사변(1931), 중일 전쟁(1937)을 일으켜 대륙 침략을 본격화하였다. ③ 일제가 침략 전쟁을 본격화하면서 한국의 병참 기지 역할에 따른 석탄 액화, 제철, 기계 등 군수 공업과 관련된 중화학 공업이 발달하였다.

바로 알기 ① 일제는 1923년에 한국과 일본 사이의 관세를 폐지하였다. ② 서울과 부산을 잇는 경부선은 러일 전쟁 중인 1904년에 완공되어 1905년 1월 1일에 전 구간이 개통되었다. ④ 일제는 1910년에 회사령을 공포하였고, 1920년에 이를 철폐하였다. ⑤ 산미 증식 계획은 1920년부터 일제가 추진하였다.

03 일제의 농촌 개편

제시된 내용은 1930년대 초 한반도에서 농업 공황이 발생하여 농민 운동이 확산되는 상황을 나타낸다. 따라서 (가)에는 이러한 상황에서 일제가 추진한 대응책이 들어가야 한다. 1930년대 초 농촌 경제가 더욱 어려워지면서 농민 운동이 확산되자 조선 총독부는 이를 무마하고자 1932년부터 춘궁 퇴치, 부채 근절 등을 목표를 내세워 농촌 진흥 운동을 실시하였으나 농민들의 사정은 나아지지 않았다. 1934년에는 지주의 자의적인 소작권 이동을 막는 조선 농지령을 제정하였으나 실제 운영 과정에서 일제는 지주의 권리를 옹호하였고, 소작료도 여전히 높아 법령의 제정만으로는 농촌의 문제를 해결하기 어려웠다.

| 바로 알기 | ㄴ. 치안 유지법은 1925년에 제정된 법으로, 일제는 이를 이용하여 사회주의자와 독립운동가를 탄압하였다. ㄹ. 토지 조사 사업은 1910년대에 실시된 일제의 경제 수탈 정책이다.

04 암태도 소작 쟁의와 당시의 사회 모습

자료는 암태도 소작 쟁의(1923~1924) 당시의 합의문이다. 1920년대 농민들의 주된 요구는 소작료를 인하하고 지주가 자신들에게 떠넘긴 각종 부담을 없애라는 것이었다. 이러한 요구에 지주들이 소작권의 박탈로 대응하는 경우가 많아지자 소작권 이전 반대 요구도 늘어났다. 암태도 소작 쟁의는 고율의 소작료를 징수하는 지주의 횡포에 맞선 것으로, 농민들은 1년여에 걸친 투쟁 끝에 소작료를 낮출 수 있었다. ⑤ 일제는 1920년부터 한국에서 산미 증식 계획을 실시하여 일본의 식량 부족 문제를 해결하려 하였다. 이에 따라 일제는 다수확 품종으로 벼 종자를 개량하고 비료 사용을 확대하였으며, 농토를 개간하고 밭을 논으로 바꾸었다. 또한 저수지나 제방을 만들기 위해 전국 각지에 수리 조합을 조직하였다.

| 바로 알기 | ① 토지 조사령은 1912년에 발표되었다. ② 광주 학생 항일 운동은 1929년에 일어났다. ③ 105인 사건은 1911년에 일어났다. ④ 조선일보와 동아일보는 1940년에 폐간되었다.

05 노동 운동과 농민 운동

원산 총파업은 원산 인근의 라이징 선 석유 회사에서 일본인 현장 감독이 한국인 노동자를 구타하자 이 일에 분노한 노동자들이 노동 조건의 개선을 요구하며 벌인 노동 쟁의이다(1929). 암태도 소작 쟁의는 전라남도 신안군 암태도에서 지주가 70% 이상의 높은 소작료를 징수하려 하자 이에 저항하여 소작인들이 일으킨 소작 쟁의이다(1923~1924). ① 원산 총파업과 암태도 소작 쟁의는 3·1 운동(1919) 이후 유입된 사회주의의 영향을 받았다. 사회주의 단체들은 노동 운동과 농민 운동 등 다양한 분야의 사회 운동을 적극 지원하거나 주도하였다.

| 바로 알기 | ② 회사령은 1910년에 공포되었고, 1920년에 폐지되었다. ③ 형평 운동을 전개한 조선 형평사는 내부 갈등 및 일제의 탄압으로 1930년대에 해체되었다. ④ 치안 유지법은 일제가 국가 체제나 사유 재산제를 부정하는 운동을 단속하기 위해 1925년에 제정한 법으로 1945년에 폐지되었다. ⑤ 토지 조사 사업은 1910~1918년에 실시되었다.

06 1930년대의 노동 운동

밑줄 친 부분은 1930년대 노동 운동의 변화와 관련된 내용이다. 1930년대의 노동 운동은 사회주의 혁명을 지향하는 비합법적인 노동조합을 중심으로 전개되었다. 혁명적 노동조합은 도시의 공업 중심 지역과 함경도의 공업 지대를 중심으로 활동하였다. 이러한 움직임은 노동자들이 자신들의 권리를 인식하는 계기가 되었고, 일제의 식민 통치 현실을 극복하려는 항일 투쟁으로 나아갔다.

| 바로 알기 | ① 조선 형평사는 백정에 대한 사회적 차별을 폐지하기 위해 1923년에 경남 진주에서 결성되었다. ② 1920년대 전반에 전개된 물산 장려 운동은 사회주의 세력으로부터 자본가 계급을 위한 이기적인 운동이라는 비판을 받았다. ③ 조선 노농 총동맹은 1924년에 결성되었다. ⑤ 신간회는 민족 유일당 운동의 결과로 1927년에 창립되었다.

완자 정리 노트   일제 강점기 농민 운동과 노동 운동의 전개

시기	농민 운동	노동 운동
1920년대	• 소작권 이동 반대, 소작료 인하 요구 등 생존권 투쟁 전개 • 암태도 소작 쟁의(1923~1924)가 대표적 • 전국적 단체로 조선 농민 총동맹 결성(1927)	• 임금 삭감 반대, 임금 인상 및 근로 환경 개선 요구 등 생존권 투쟁 전개 • 원산 총파업(1929)이 대표적 • 전국적 단체로 조선 노동 총동맹 결성(1927)
1930년대	• 사회주의 혁명을 지향하는 비합법적인 조합 중심 • 정치적 투쟁으로 확대, 항일 민족 운동의 성격 강화	

07 6·10 만세 운동의 배경

순종의 장례 행렬, 순종이 서거, 사회주의와 민족주의 계열, 순종의 장례일에 만세 시위 계획 등의 내용을 통해 밑줄 친 '만세 시위'가 1926년 6월 10일 순종의 장례일에 일어난 6·10 만세 운동임을 알 수 있다. ② 민족주의 계열과 사회주의 계열은 6·10 만세 운동을 함께 준비하면서 민족 유일당을 만들어 힘을 합칠 수 있다는 공감대를 형성하였다. 이후 민족 유일당 운동이 추진되었으며, 1927년에 신간회가 결성되었다.

| 바로 알기 | ① 헌병 경찰 제도는 1910년대에 실시되었다. ③은 1929년에 일어난 광주 학생 항일 운동에 대한 설명이다. ④ 1919년에 일어난 3·1 운동은 대한민국 임시 정부 수립에 영향을 주었다. ⑤ 1919년 3월 1일에 경성의 탑골 공원에서 학생들이 중심이 되어 독립 선언서를 발표하고 만세 시위를 전개하면서 3·1 운동이 시작되었다.

08 광주 학생 항일 운동의 구호

자료는 1929년에 일어난 광주 학생 항일 운동과 관련된 내용이므로, (가)에는 광주 학생 항일 운동 당시에 내세웠던 구호가 들어가야 한다. 광주 학생 항일 운동은 일본 남학생의 한국 여학생 희롱으로 촉발된 한·일 학생 간 충돌이 계기가 되어 일어났으나, 근본적으로는 일제의 식민 통치 정책에 그 원인이 있었다. ③ 광주 학생 항일 운동 당시 주요 도시에서 식민지 노예 교육과 민족 차별 철폐를 요구하는 시위와 동맹 휴학이 일어났다.

09 소년 운동과 방정환

제시된 사진과 함께 어린이날을 기념, 아동 존중 사상 등의 내용을 통해 자료가 소년 운동과 관련된 내용임을 알 수 있고, 자료에서 선언문은 1923년에 발표된 소년 운동 선언의 내용을 가리킨다. 일제 강점기에 대부분의 아이들이 교육의 기회를 가지지 못하였고, 공장이나 농촌에서 적은 임금을 받으며 오랜 시간 노동에 시달렸다. 이러한 가운데 1921년에 방정환을 중심으로 천도교 소년회가 만들어지면서 소년 운동이 본격적으로 전개되었다. 방정환은 어린이를 소중히 여기고 바르게 키우는 것이 우리 민족을 독립시킬 미래의 재목을 양성하는 것이라고 생각하였다.

┃ 바로 알기 ┃ ②는 1926년에 일어난 6·10 만세 운동에 대한 설명이다. ③ 을사늑약에 따라 설치된 통감부는 1910년에 조선 총독부로 개편되었다. ④는 청년 운동에 대한 설명이다. ⑤는 광주 학생 항일 운동 등 일제 강점기에 전개된 학생 운동에 대한 설명이다.

10 형평 운동

자료는 1923년에 창립한 조선 형평사의 설립 취지문으로, 본사(本社)는 조선 형평사를 가리킨다. 1894년 갑오개혁 때 신분제가 폐지되었지만 일제 강점기에도 백정에 대한 사회적 차별이 지속되었다. 백정은 기와집에 살거나 비단옷을 입을 수 없었고, 입학 원서나 관공서에 제출하는 서류에도 신분을 반드시 표시하도록 하였다. 백정들은 차별 대우에 항의하며 경남 진주에서 조선 형평사를 만들고 백정에 대한 사회적 차별 철폐를 주장하며 형평 운동을 전개하였다.

┃ 바로 알기 ┃ ① 독립 협회가 1898년에 종로에서 관민 공동회를 개최하였다. ② 신민회는 태극 서관과 자기 회사를 운영하는 등 민족 산업 육성을 위해 노력하였다. ③ 일제가 황무지 개간권을 요구하며 토지를 약탈하려 하자, 1904년에 결성된 보안회가 반대 운동을 전개하여 이를 철회시켰다. ⑤ 코민테른의 노선 변화에 따라 사회주의 세력이 이탈하면서 1931년에 신간회가 해소되었다.

11 조선어 학회의 활동

자료에서 1942년, 우리말 사전 편찬, 일본 경찰이 단체의 회원들을 검거 등의 내용을 통해 밑줄 친 '이 단체'가 조선어 학회임을 알 수 있다. 일제는 한글 연구로 민족의식이 고취되는 것을 막기 위해 조선어 학회를 독립운동 단체로 규정하여 조선어 학회 회원을 대거 검거하고 조선어 학회를 강제로 해산하는 조선어 학회 사건을 일으켰다(1942). ④ 조선어 학회는 한글 맞춤법 통일안과 표준어, 외래어 표기법을 제정하였다. 이와 함께 『우리말 큰사전』 편찬을 시도하였으나 일제가 조선어 학회를 강제로 해산시켜 완성하지 못하였다.

┃ 바로 알기 ┃ ① 1921년에 조직된 조선어 연구회는 한글날의 시초가 된 가갸날을 제정하였다. ② 신민회는 오산 학교와 대성 학교를 설립하여 민족 교육을 실시하였다. ③ 진단 학회는 실증 사학의 입장에서 한국사를 연구하고 『진단 학보』를 발행하였다. ⑤는 조선 민립 대학 기성회 등에 대한 설명이다. 조선 민립 대학 기성회는 민립 대학 설립을 위해 이상재 등이 1920년대 초반에 결성하였다.

12 일제 강점기의 한국사 연구

자료는 일제 강점기 한국사 연구와 관련하여 민족주의 사학, 사회 경제 사학, 실증 사학의 주요 인물과 특징을 정리한 것이다. (가)에는 박은식, 신채호 등의 인물이 들어갈 수 있고, (나)에는 정체성론이 들어가야 한다. ② 신채호는 『조선상고사』, 『조선사연구초』 등을 저술하였고, 우리 민족의 고유한 정신을 강조하였다. 백남운은 한국의 역사가 세계사의 보편적인 발전 법칙에 따라 발전해 왔다고 주장하여 식민 사관의 정체성론을 반박하였다.

┃ 바로 알기 ┃ ① 박은식은 민족주의 사학자로 국혼을 강조하였다. 타율성론은 한국의 역사가 외세의 영향을 받아 타율적으로 전개되었다는 주장이다. ③ 안창호는 신민회 등을 결성하였다. 당파성론은 우리 민족이 당파를 만들어 싸움을 하면서 역사 및 정치적 발전을 이루지 못하였다는 주장이다. ④ 민족주의 사학은 정인보 등으로 계승되어 조선학 운동으로 발전하였다. (식민지) 근대화론은 일제의 식민 지배가 한국의 근대화에 기여하였다는 주장이다. ⑤ 주시경은 국문 연구소에서 활동하였다. 반도성론은 한반도가 지리적으로 대륙에 속박된 위치에 있다는 주장이다.

13 대종교의 활동

자료에서 1909년, 나철, 오기호, 단군을 숭앙하는 종교 등의 내용을 통해 (가) 종교가 대종교임을 알 수 있다. 나철, 오기호 등이 창시한 대종교는 단군 숭배 사상을 내세웠다. ④ 서일 등 대종교 신자들은 1911년에 만주에서 중광단을 조직하여 항일 무장 투쟁을 전개하였다.

┃ 바로 알기 ┃ ① 의민단은 천주교 신자들이 중심이 되어 만주에서 조직한 항일 무장 투쟁 단체이다. ② 일제 강점기에 불교는 사찰령 폐지 운동을 전개하였다. ③ 천도교는 잡지 『개벽』, 『신여성』 등을 발간하였으며, 소년 운동을 주도하였다. ⑤ 박중빈이 창시한 원불교는 불교의 생활화와 대중화를 추구하면서 저축 운동, 허례허식 폐지 등 새 생활 운동을 전개하였다.

14 1920년대 문화계 동향

자료에서 이른바 문화 통치와 『창조』, 『폐허』, 『백조』 등의 동인지 발간을 통해 밑줄 친 '이 시기'가 1920년대임을 알 수 있다. 3·1 운동을 계기로 이른바 문화 통치가 실시되면서 조선일보와 동아일보 등 한글 신문이 발간되었다. 1923년에 결성된 토월회는 민중 계몽을 주장하며 신극 운동을 전개하였다. 1926년에 나운규가 영화 「아리랑」을 발표하였는데, 이 영화는 나라 잃은 민족의 울분과 설움을 그려 내어 대중의 큰 호응을 받았다. 1920년대 중반에는 사회주의의 영향을 받은 신경향파 문학이 등장하였다.

┃ 바로 알기 ┃ ② 1930년대 이후에는 일제의 탄압이 심해지면서 이에 대한 저항 의식을 담은 저항 문학이 발표되었다. 이육사의 「절정」(1940), 윤동주의 「서시」(1941)가 대표적이다.

서술형 문제

215쪽

01 **주제:** 여성 운동과 근우회

(1) 근우회

(2) **예시 답안** 여성계에서 민족주의 계열과 사회주의 계열이 연대하자는 민족 유일당 운동이 전개되고, 신간회가 창립되면서 근우회가 결성되었다.

채점 기준	
상	민족 유일당 운동의 전개, 신간회 창립을 모두 서술한 경우
하	위 내용 중 한 가지만 서술한 경우

02 **주제:** 소년 운동과 천도교 소년회

예시 답안 어린이날을 정하고, 어린이 잡지인 『어린이』를 발행하였다.

채점 기준	
상	어린이날 제정과 잡지 『어린이』 발행을 모두 서술한 경우
하	위 내용 중 한 가지만 서술한 경우

03 **주제:** 사회 경제 사학의 정체성론 비판

예시 답안 정체성론. 한국의 역사도 다른 국가들처럼 세계사의 보편적인 발전 법칙에 따라 발전해 왔다.

채점 기준	
상	사회 경제 사학의 입장에서 정체성론에 대한 반박 내용을 서술한 경우
중	정체성론에 대한 반박 내용을 서술하였으나 미흡한 경우
하	정체성론만 언급한 경우

STEP 3 1등급 정복하기

216~217쪽

1 ⑤ 2 ③ 3 ⑤ 4 ①

1 일제 강점기 노동자의 삶

자료는 1931년에 노동자 강주룡이 회사의 일방적인 임금 삭감에 반발하여 여성 노동자 48명과 함께 파업을 벌인 사실과 관련이 있다. 이때 경찰이 농성 중인 여성 노동자들을 강제로 끌어내자, 강주룡은 을밀대 지붕 위에 올라가 농성을 하였다. 1920년에 회사령이 폐지되어 공장과 기업의 설립이 늘어나면서 노동자 수가 점차 증가하였다. 그러나 한국인 노동자들은 일본인보다 적은 임금을 받고 긴 시간의 노동에 혹사당하였으며, 여성과 미성년 노동자의 노동 환경은 더욱 열악하였다. 한국인 노동자들은 자본가와 일제에 맞서 노동 조건 개선과 임금 인상을 요구하는 노동 쟁의를 벌였다.

┃ 바로 알기 ┃ ⑤ 일본인 노동자가 고급 공업 기술을 독점한 반면에, 한국인 노동자는 단순 노무직을 맡는 경우가 많았다.

2 광주 학생 항일 운동

자료는 광주 학생 항일 운동이 일어난 배경을 보여 준다. 1929년에 광주에서는 한국 여학생을 희롱하는 일본 학생과 이를 말리던 한국 학생이 충돌하는 사건이 일어났다. 경찰이 일본 학생의 편을 들자, 이에 분노한 광주 지역의 학생들이 대규모 시위를 벌였는데, 이를 광주 학생 항일 운동이라고 한다. 신간회는 광주 학생 항일 운동의 진상을 규명하기 위해 광주에 조사단을 파견하였고, 광주 학생 항일 운동을 전국적인 대중 운동으로 확산시키려 하였다.

┃ 바로 알기 ┃ ① 신민회는 오산 학교와 대성 학교를 설립하여 민족 교육을 실시하였다. ② 물산 장려 운동은 조만식 등 민족주의 계열이 중심이 되어 1920년에 평양에서 조선 물산 장려회를 조직하면서 시작되었다. ④ 1919년에 일어난 3·1 운동은 대한민국 임시 정부가 수립되는 데 영향을 끼쳤다. ⑤ 독립 협회는 1898년에 만민 공동회를 개최하여 러시아의 이권 침탈을 저지하는 등 이권 수호 운동을 전개하였다.

3 근우회

자료에서 1927년에 결성, 여성에 대한 사회적·법률적 일체 차별 철폐, 조선 여자의 공고한 단결과 지위 향상 도모, 1931년에 해체 등의 내용을 통해 (가)가 근우회임을 알 수 있다. 민족 유일당 운동이 일어나 신간회가 창립된 것을 계기로 여성 단체에서도 민족 유일당 운동이 일어났고, 그 결과 신간회의 자매단체로 1927년에 근우회가 결성되었다.

┃ 바로 알기 ┃ ① 근우회의 회지는 『근우』이다. ② 6·10 만세 운동은 1926년에 일어났다. 근우회는 1927년에 결성되었다. ③은 대한 자강회 등에 해당하는 설명이다. 1907년에 고종이 강제 퇴위되자 애국 계몽 운동 단체인 대한 자강회 등은 고종의 강제 퇴위 반대 운동을 펼쳤다. ④ 전라남도 신안군 암태도의 소작 농민들이 일으킨 암태도 소작 쟁의는 1923년에 발생하여 1년여 동안 이어졌다.

4 백남운과 박은식의 활동

┌ 자 료 분 석 ┐

└ 백남운의 『조선사회경제사』에 해당해.

(가) 조선의 역사 발전은 …… 다른 민족의 역사 발전 법칙과 구별되어야 하는 독자적인 것이 아니라 세계사적·일원론적인 역사 법칙에 따라 다른 여러 민족과 거의 동일한 발전 과정을 거쳐 왔다. ─ 정체성론을 비판하는 내용이야.

(나) 옛 사람이 나라는 멸망할 수 있으나 그 역사는 결코 없어질 수 없다고 말하였다. 나라가 형체라면 역사는 정신이기 때문이다. 이제 우리나라의 형체는 없어져 버렸지만, 정신은 살아 남아야 한다. 이것이 내가 역사를 쓰는 까닭이다. 정신이 살아서 없어지지 않으면 형체도 부활할 때가 있을 것이다.

└ 박은식의 『한국통사』 서문의 내용이야.

(가) 사회 경제 사학자인 백남운은 한국사가 세계사의 보편적인 발전 과정을 걸어왔음을 주장하면서 식민 사관의 정체성론을 반박하였다. (나) 박은식은 국혼을 강조하며 『한국통사』, 『한국독립운동지혈사』를 저술하여 일제의 침략과 한국 독립운동의 역사를 정리하였다.

바로 알기 ②는 정인보에 대한 설명이다. ③은 실증 사학자인 이병도, 손진태 등에 해당한다. ④ 유물 사관의 입장에서 한국사를 연구한 것은 백남운 등 사회 경제 사학자에 해당한다. ⑤ 조선사 편수회는 일제가 한국사를 왜곡하기 위해 만든 기구이다.

05 전시 동원 체제와 민중의 삶

STEP 1 핵심 개념 확인하기 222쪽

1 (1) 블록 경제 (2) 뉴딜 정책 (3) 전체주의 2 (다) − (가) − (나)
3 (1) ㄴ (2) ㄱ (3) ㄷ 4 국가 총동원법 5 (1) ㉠ (2) ㉢ (3) ㉡

STEP 2 내신 만점 공략하기 222~225쪽

01 ④	02 ③	03 ⑤	04 ②	05 ⑤	06 ④	07 ①
08 ④	09 ③	10 ⑤	11 ⑤	12 ④	13 ①	14 ④
15 ⑤						

01 대공황의 발생

(가)는 대공황에 해당하고, 사진은 대공황 당시에 일자리를 잃은 사람들이 직장을 구하기 위해 나이, 학력, 전공 등을 적은 팻말을 목에 걸고 있는 모습을 보여 준다. 1929년에 미국의 뉴욕 증시 폭락으로 촉발된 대공황은 제1차 세계 대전 이후 기업의 과잉 생산으로 상품의 재고가 증가하면서 발생하였다.

바로 알기 ① 대공황으로 기업과 은행이 파산하였다. ② 제1차 세계 대전은 1914~1918년에 일어났다. 1929년에 발생한 대공황의 위기를 극복하는 과정에서 전체주의 국가들이 등장하였는데, 이는 제2차 세계 대전 발발의 원인이 되었다. ③ 대공황으로 국제 무역량은 크게 감소하였다. ⑤ 뉴욕 증권 거래소의 주가가 폭락하면서 대공황이 시작되었다.

02 미국의 뉴딜 정책

대공황이 전 세계로 퍼져 나가자, 각국은 이를 극복하기 위한 대책안을 마련하였다. 미국의 루스벨트 대통령은 뉴딜 정책을 추진하여 경제 위기를 극복하고자 하였다. 뉴딜 정책은 국가가 경제에 적극적으로 개입하는 정책으로, 정부가 대규모 공공사업을 통해 일자리를 창출하는 방식으로 전개되었다.

바로 알기 ①은 영국의 대공황 극복 노력이다. ②는 일본, ④는 독일, ⑤는 이탈리아와 관련된 설명으로, 산업 기반이 취약하고 식민지가 적었던 이탈리아, 독일, 일본 등은 대공황의 위기를 극복하는 과정에서 전체주의 세력이 정권을 장악하였다.

03 전체주의의 대두

자료 분석

> 독일은 극단적인 인종주의를 앞세워 대외 침략에 나섰어.
> (가) 민족주의 국가는 인종을 모든 생활의 중심에 두어야 한다.
> …… 우리 국가 사회주의자는 민족에 상응하는 영토를 이 지상에서 확보하는 것을 고수해야 할 것이다.
> (나) 국가를 떠나서는 인간과 영혼의 가치도 존재하지 않는다. 국민이 국가를 만드는 것이 아니라, 국가가 국민을 창조한다.
> …… 오직 전쟁만이 인간의 힘을 최고조에 이르게 한다.
> 이탈리아는 국가를 위해 개인이 존재한다는 전체주의를 강화하였어.

(가)는 독일 히틀러의 주장이고, (나)는 이탈리아 무솔리니의 주장이다. 독일과 이탈리아는 대공황을 전후하여 대외 침략을 추진하는 과정에서 전체주의 체제를 구축하였다. 독일에서 나치당을 이끄는 히틀러가 1934년 총통에 취임하였고, 이탈리아에서 무솔리니가 이끄는 파시스트당이 개인보다 국가의 이익을 중시하는 전체주의를 더욱 강화하였다.

바로 알기 ① 뉴딜 정책 추진은 미국, ② 무솔리니의 파시스트당 조직은 이탈리아, ③ 프랑 블록 형성은 프랑스, ④ 히틀러가 이끄는 나치당의 세력 확대는 독일에 대한 설명이다.

04 제2차 세계 대전의 전개

3국 방공 협정 체결은 1937년, 독소 불가침 조약 체결은 1939년, 미국이 일본에 원자 폭탄을 투하한 것은 1945년의 일이다. (가)에는 1939년의 독소 불가침 조약 체결과 1945년의 미국의 원자 폭탄 투하 사이의 사실이 들어가야 한다. 1939년에 독일이 소련과 불가침 조약을 체결한 뒤 폴란드를 침공하자, 이에 반발한 영국과 프랑스가 독일에 선전 포고를 하면서 제2차 세계 대전이 시작되었다. 독일은 1941년에 소련과 맺은 불가침 조약을 파기하고 소련을 침공하였다. 그러나 소련군이 스탈린그라드 전투에서 독일에 승리하면서 전세가 역전되었고(1943), 이어 연합군이 1944년에 노르망디 상륙 작전을 감행하여 프랑스를 해방하였다. 1945년에 미국이 일본에 원자 폭탄을 투하하고 소련이 대일전에 참전하자 일본은 더 이상 버티지 못하고 무조건 항복하였다.

바로 알기 ② 일본이 무조건 항복을 선언한 것은 미국이 일본에 원자 폭탄을 투하한 이후의 일이다. 일본의 무조건 항복으로 제2차 세계 대전은 연합국의 승리로 끝이 났다.

05 태평양 전쟁의 배경

일본은 1937년에 중일 전쟁을 일으킨 이후 이른바 대동아 공영권 건설을 내세우며 동남아시아와 인도 방면으로 침략 전쟁을 확대하였다. 그러자 동남아시아에 식민지를 가지고 있던 미국이 일본에 경제 제재를 가하였다. 미국과 일본이 대립하는 가운데 유럽에서는 제2차 세계 대전이 시작되었고, 일본은 하와이 진주만에 정박 중이던 미국 함대를 기습 공격하여 태평양 전쟁을 일으켰다(1941).

바로 알기 ①은 제2차 아편 전쟁(1856~1860), ②, ③은 제1차 세계 대전(1914~1918), ④는 러일 전쟁(1904~1905)의 배경과 관련이 있다.

06 일제의 대륙 침략과 병참 기지화 정책

대공황의 영향으로 경제 위기가 깊어진 일제는 일본, 한국, 만주를 연결하는 경제 블록을 조성하여 대공황을 극복하고자 하였다. 이에 일제는 1931년에 만주 사변을 일으켜 대륙 침략을 감행하였고, 1937년에 중국 본토를 침략하여 중일 전쟁을 일으켰다. 일본은 침략 전쟁을 확대하면서 한국과 타이완을 병참 기지로 활용하는 한편, 서구 열강의 보호 무역으로부터 자국의 방직 자본가를 보호하고자 한국에서 남면북양 정책을 실시하였다.

┃**바로 알기**┃ ④ 일제는 만주 점령 이후 만주를 농업·원료 지대로, 한국을 중화학 공업 지대로 설정하고 조선(식민지) 공업화 정책을 실시하였다.

완자 정리 노트　　일제의 병참 기지화 정책

조선 공업화 정책	자원(석탄, 철)이 풍부한 북부 지방에 발전소, 화학·금속 공업 공장 등 건설
남면북양 정책	한반도 남부 지방의 농민에게 면화 재배, 북부 지방의 농민에게 양 사육 강요

07 조선 공업화 정책

밑줄 친 '일제의 정책'은 조선(식민지) 공업화 정책을 가리킨다. 일제가 조선 공업화 정책을 실시함에 따라 일본의 독점 자본이 한국에 대거 진출하여 석탄과 철 등의 자원이 풍부한 북부 지방에 발전소를 세우고, 군수 산업과 관련된 화학, 금속, 기계 공업에 투자하였다. 일제는 침략 전쟁을 확대하면서 한국을 대륙 침략에 필요한 물자와 인력을 공급하는 병참 기지로 만들려고 하였다. 한편, 일제의 조선 공업화 정책으로 중화학 공업 분야가 한반도 북부 지방에 편중되면서 지역 간, 산업 분야 간의 불균형이 심해졌다.

┃**바로 알기**┃ ㄷ, ㄹ. 일제의 조선 공업화 정책으로 북부 지방에서 중화학 공업이 육성되었고 남부 지방에서 경공업 분야가 편중 발전하였다. 이로 인해 지역 간 공업 발전의 불균형이 심해졌다.

08 국가 총동원법의 제정 목적

┌─**자 료 분 석**─┐

국가 총동원이란 전시(전시에 준할 경우도 포함)에 국방 목적을 달성하기 위해 국가의 전력을 가장 유효하게 발휘하도록 인적 및 물적 자원을 운용하는 것이다. – 일제가 우리 민족의 인적, 물적 자원 수탈을 위해 이 법령을 제정하였음을 알 수 있어.

자료는 1938년에 제정된 국가 총동원법의 내용이다. 일제는 1937년에 중일 전쟁을 일으킨 후 국가 총동원법을 제정하고 이를 한국에도 적용함으로써 본격적으로 인력과 물자의 수탈을 강화하기 시작하였다.

┃**바로 알기**┃ ①은 일제가 1910년에 공포한 회사령, ②는 일제가 1920년부터 실시한 산미 증식 계획의 목적에 해당한다. ③ 일제는 1919년 3·1 운동 이후 식민지 지배 방식을 이른바 문화 통치로 바꾸었다. ⑤ 청산리 대첩은 1920년에 일어났다. 청산리 대첩에서 독립군에 대패한 일본군은 간도 참변을 일으켰다.

09 국가 총동원법 제정 이후의 사회 모습

일제는 국가 총동원법 제정 이후 지원병제(1938), 학도 지원병 제도(1943), 징병제(1944)를 실시하여 한국인을 침략 전쟁에 동원하였다. 또한 1939년에 국민 징용령을 실시하여 광산, 비행장, 군수 공장 등지로 청장년들을 끌고 가 강제 노동을 시켰다. 한편, 일제는 젊은 여성들을 전쟁 지역으로 끌고 가 일본군 '위안부'라는 이름으로 끔찍한 삶을 강요하였다. 물자에 대한 수탈도 이루어져 식량과 금속 제품 등을 강제로 공출하였다.

┃**바로 알기**┃ ③ 헌병 경찰에 의해 태형을 받는 시민은 1910년대에 볼 수 있는 모습이다. 조선 태형령은 1920년에 폐지되었다.

10 국가 총동원 체제 시기의 사실

자료에서 전쟁 확대, 배급제, 애국반 등의 내용을 통해 가상 편지의 시기가 일제가 침략 전쟁을 본격화하였던 1930년대 후반 이후에 해당함을 알 수 있다. 중일 전쟁을 일으킨 일제는 1938년에 국가 총동원법을 제정하고 본격적으로 인력과 물자 수탈에 나섰다. 또한 한국인을 통제하고 침략 전쟁에 동원하고자 국민정신 총동원 운동을 전개하였는데, 1940년에는 국민정신 총동원 운동이 국민 총력 운동으로 확대 전환되었다. 국민정신 총동원 운동이 후방 지원의 성격이 강하였던 데 반해 국민 총력 운동은 직접 전쟁 참여를 독려하여 더 큰 희생을 강요하였다.

┃**바로 알기**┃ ① 신간회의 해소는 1931년, ② 6·10 만세 운동은 1926년, ③ 강화도 조약의 체결은 1876년, ④ 조선 형평사의 창립은 1923년에 일어난 일이다.

11 민족 말살 정책의 내용

일제는 1931년에 만주 사변, 1937년에 중일 전쟁을 일으키고 침략 전쟁을 확대하면서 한국인의 민족의식을 말살하여 한국인을 침략 전쟁에 본격적으로 동원하고자 하였다. 이 시기에 일본은 내선일체와 일선동조론을 강조하면서 한국인을 일본인으로 동화시키려는 민족 말살 정책을 시행하였다. 황국 신민 서사라는 충성 맹세문을 억지로 외우게 하였고, 매일 아침마다 일본 궁성을 향해 허리 숙여 절하도록 하였으며(궁성 요배), 전국 곳곳에 일본 왕실의 조상이나 침략 전쟁의 전사자를 신으로 하는 신사를 세우고 참배할 것을 강요하였다. 또한 일제는 한국인의 성과 이름을 일본식으로 바꿀 것을 강요하였다.

┃**바로 알기**┃ ⑤ 민립 대학 설립 운동은 일부 민족주의 지식인들이 한국인의 힘으로 고등 교육을 담당할 대학을 설립하고자 전개한 운동으로, 1920년대 초에 일어났다.

완자 정리 노트　　민족 말살 통치

목적	한국인의 민족의식 말살 → 침략 전쟁에 효율적으로 동원
정책	내선일체, 일선동조론 강조 → 황국 신민화 정책 추진
내용	황국 신민 서사 암송, 신사 참배, 궁성 요배, 일본식 성명 사용 등 강요

12 일제의 일본식 성명 강요

자료는 일본식 성명 강요를 위한 방침이다. 일제는 1939년에 한국인의 성과 이름을 일본식으로 바꾸도록 강요하는 법령을 공포하였다. 성과 이름을 일본식으로 바꿀 것을 거부한 사람은 식량 및 물자 배급에서 제외되었으며, 자녀를 학교에 입학시킬 수도 없었다. 또한 일제는 1940년에 한글을 사용하는 동아일보, 조선일보 등의 신문을 폐간하였다.

바로 알기 ① 일제는 1924년에 경성 제국 대학을 세워 한국인의 고등 교육에 대한 열기와 불만을 잠재우려고 하였다. ②, ⑤는 1910년대 일제의 정책에 해당한다. ③ 일제는 1905년부터 화폐 정리 사업을 추진하여 백동화와 엽전 등을 일본 제일 은행에서 발행하는 새 화폐로 바꾸게 하였다.

13 민족 말살 통치 시기 일제의 교육 정책

자료는 황국 신민 서사의 내용이다. 일제는 1930년대 이후 한국인의 민족의식을 말살하고 일왕에 대한 숭배 사상을 주입하는 민족 말살 통치를 실시하였다. 1936년에 조선 총독으로 부임한 미나미 지로는 내선일체를 강조하면서 한국인을 일본인으로 만들려는 황국 신민화 정책을 강화하였다. 이에 일제는 학생은 물론 일반인에게도 억지로 황국 신민 서사를 암송하게 하였다. 또한 이 시기에는 일제가 학교에서 한국어 사용을 금지하고 일본어만 사용하도록 하였으며, 학교 수업에서 조선어 과목이 사실상 폐지되었다. 1941년에는 소학교의 명칭을 국민학교로 바꾸고 황국 신민의 가치관을 주입하는 수신(도덕) 교과를 강화하였다.

바로 알기 ① 교육입국 조서는 1895년에 고종이 반포하였다. 고종의 교육입국 조서 반포 이후 정부는 소학교, 한성 중학교, 한성 사범 학교 및 외국어 학교 등 근대적 학교를 설립하였다.

14 1930년대 후반 이후 일제의 정책

일제는 1937년에 중일 전쟁을 일으키고 침략 전쟁을 확대하였다. 1939년에 국민 징용령을 공포하여 한국인의 노동력을 강제로 동원하였다. 또한 1941년에는 한국인의 사상을 통제하기 위하여 독립운동가들을 재판 없이 체포하여 가둘 수 있도록 한 법령인 조선 사상범 예방 구금령을 제정하였다.

바로 알기 ㄱ. 회사령은 1910년에 제정되었고, 1920년에 폐지되었다. ㄷ. 치안 유지법은 1925년에 제정되었다.

15 친일파의 활동

제시된 자료는 친일 반민족 행위자인 이광수의 글이다. 이광수, 최린, 최남선, 노천명, 김활란 등의 지식인과 예술인들은 황국 신민화 정책을 선전하는 강연을 하거나 침략 전쟁에 대한 협력을 권유하는 작품, 공연 등을 통해 일제에 적극적으로 협력하였다. 김활란은 침략 전쟁에 참여할 것을 독려하였고 최남선은 학도병 지원을 권유하였으며, 이광수는 창씨개명 선전에 앞장섰다. 박흥식을 비롯한 친일 기업인들은 국방헌금을 내는 데 발 벗고 나섰다. 최린은 조선 총독부의 기관지인 매일신보의 사장이 되어 친일 활동에 적극적으로 나섰다.

바로 알기 ⑤ 이육사, 윤동주, 심훈 등은 식민 통치에 대한 저항 의식을 담아 저항 문학 작품을 발표하였다. 반면에 노천명, 서정주, 김기창 등 친일 예술인과 문인들은 일제의 침략 전쟁을 예찬하는 친일 문학 작품을 발표하였다.

서술형 문제

225쪽

01 주제: 전체주의의 대두

예시 답안 전체주의. 대공황 이후 이탈리아, 독일, 일본 등 후발 자본주의 국가들이 시장 확보를 위해 침략 전쟁을 추진하는 과정에서 전체주의 체제가 수립되었다.

채점 기준

상	전체주의를 쓰고, 그 수립 배경을 서술한 경우
중	전체주의를 쓰고, 그 수립 배경을 서술하였으나 미흡한 경우
하	전체주의만 쓴 경우

02 주제: 조선 공업화 정책

(1) **예시 답안** 1930년대 초부터 일제는 조선(식민지) 공업화 정책을 실시하였다. 식민지 공업화 과정에서 한반도의 북부 지방에서 중화학 공업이 육성되었고, 남부 지방에서는 경공업 분야가 편중 발전하였다.

채점 기준

상	조선 공업화 정책이 실시되었다는 것과 북부·남부 지방의 공업 발전 내용을 서술한 경우
중	조선 공업화 정책이 실시되었다는 것과 북부·남부 지방의 공업 발전 내용을 서술하였으나 미흡한 경우
하	조선 공업화 정책이 실시되었다고만 서술한 경우

(2) **예시 답안** 산업 간 불균형이 깊어졌으며, 지역에 따른 공업 격차도 심화되었다.

채점 기준

상	산업 간 불균형, 지역 간 공업 격차 심화를 서술한 경우
하	조선 공업화 정책의 영향을 서술하였으나 미흡한 경우

03 주제: 황국 신민화 정책

예시 답안 일제는 한국인의 정신을 말살하여 저항을 잠재우고 한국인을 침략 전쟁에 효율적으로 동원하기 위해서 황국 신민 서사 암송, 신사 참배, 궁성 요배, 일본식 성명 사용을 강요하였다. 또한 소학교의 명칭을 국민학교로 바꾸었고, 학교에서 한국어의 사용을 금지하였다.

채점 기준

상	황국 신민화 정책의 목적을 쓰고, 그 사례를 세 가지 서술한 경우
중	황국 신민화 정책의 목적을 쓰고, 그 사례를 두 가지 서술한 경우
하	황국 신민화 정책의 목적만 쓰거나, 황국 신민화 정책의 사례를 한 가지만 서술한 경우

STEP 3 1등급 정복하기
226~227쪽

1 ⑤   2 ⑤   3 ③   4 ④

1 태평양 전쟁의 전개

자료에서 1941, 일본이 하와이 진주만의 미국 함대 기습 공격 등의 내용을 통해 밑줄 친 '전쟁이 1941년에 일어난 태평양 전쟁임을 알수 있다. 태평양 전쟁 초기에 일본은 전세를 유리하게 이끌었으나, 1942년 미드웨이 해전을 계기로 미국이 전쟁의 승기를 잡았다. 한편, 태평양 전쟁이 일어나자 대한민국 임시 정부는 영국군의 요청에 따라 한국 광복군을 미얀마·인도 전선에 파견하였다.

바로 알기 ㄱ. 태평양 전쟁이 일어나기 전에 전체주의가 대두되었다. ㄴ. 루거우차오 사건은 1937년에 일어난 일로 중일 전쟁의 배경이 되었다.

2 일제의 미곡 공출

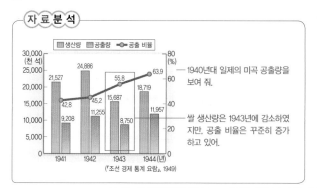

자료 분석

— 1940년대 일제의 미곡 공출량을 보여 줘.

쌀 생산량은 1943년에 감소하였지만, 공출 비율은 꾸준히 증가하고 있어.

(『조선 경제 통계 요람』, 1949)

일제는 침략 전쟁을 진행하면서 식량이 부족해지자 1938년부터 산미 증식 계획을 재개하였고, 농가마다 목표량을 정하여 미곡 공출제를 실시하였다. 공출 제도 실시 등으로 일제의 수탈이 강화되자 한국인의 생활은 더욱 어려워졌으며, 궁핍이 일상화되었다.

바로 알기 ① 일제는 집집마다 목표량을 정해 강제로 쌀을 가져갔다. ② 그래프를 보면 쌀 생산량은 감소하기도 하지만, 생산량 대비 공출량을 보여 주는 공출 비율은 꾸준하게 증가하고 있다. 이를 통해 미곡 공출로 한국인의 1인당 쌀 소비량도 감소하였음을 추론할 수 있다. ③ 미곡 공출 시 농민에게 공출 대금이 지급되었으나, 이는 생산비에 못 미치는 수준이었다. ④ 비싼 소작료와 함께 비료 대금, 수리 조합비까지 농민이 납부해야 하자 농민 중에는 경작을 포기하는 경우가 나타나기도 하였다.

3 국가 총동원 체제

일제는 1938년에 국가 총동원법을 제정하고 본격적으로 인력과 물자의 수탈을 강화하였다. 지원병제, 징병제를 실시하여 청년들을 전쟁에 투입하였고, 국민 징용령을 내려 광산, 군수 공장 등에서 청장년들에게 강제 노동을 시켰다. 여자 정신 근로령을 만들어 여성들을 군수 공장에서 일하게 하였고, 여성들을 전쟁 지역으로 끌고 가 일본군 '위안부'로 강제 동원하였다. 또한 공출 제도를 실시하여 놋그릇, 놋대야, 수저 등 금속 제품을 빼앗아갔다.

바로 알기 ③은 1910년대 무단 통치 시기의 상황을 보여 주는 사진이다.

4 민족 말살 통치 시기의 사회 모습

일제는 1937년에 중일 전쟁을 일으키는 등 침략 전쟁을 확대하면서 한국인의 정신을 말살하는 민족 말살 통치를 실시하여 한국인을 침략 전쟁에 효율적으로 동원하고자 하였다. 이에 내선일체를 강조하면서 황국 신민 서사 암송 등 한국인을 일본인으로 만들려는 황국 신민화 정책을 강화하였다. 이 시기에 일제는 위문 금품을 모금하거나 국방헌금을 강요하여 물자를 수탈하였다.

바로 알기 ① 원산 총파업은 1929년, ② 홍경래의 난은 1811년, ③ 브나로드 운동은 1930년대 초, ⑤ 민립 대학 설립 운동은 1920년대에 볼 수 있는 모습이다.

06 광복을 위한 노력

STEP 1 핵심 개념 확인하기
232쪽

1 ㉠ 조선 혁명군 ㉡ 한국 독립군   2 (1) 일본 (2) 조선 민족 전선 연맹
(3) 만주 사변 (4) 조국 광복회   3 (1) ㄴ (2) ㄱ (3) ㄷ   4 (1) ㉠
(2) ㉡ (3) ㉢   5 카이로 회담

STEP 2 내신 만점 공략하기
232~235쪽

01 ②   02 ⑤   03 ⑤   04 ④   05 ⑤   06 ③   07 ⑤
08 ⑤   09 ③   10 ④   11 ⑤   12 ⑤

01 한국 독립군의 활동

자료 분석

— 한국 독립군과 중국 항일군의 합의문이야.

1. 한중 양군은 최악의 상황이 오는 경우에도 장기간 항전할 것을 맹세한다.
2. 중동 철도를 경계선으로 서부 전선은 중국이 맡고, 동부 전선은 한국이 맡는다.
   └ 철도(길)를 지켰던 부대는 중국 국민당의 호로군(護路軍, 길을 지키는 부대)이었어.
3. 전시의 후방 전투 훈련은 한국 장교가 맡고 한국군에 필요한 군수품은 중국군이 공급한다.

제시문은 한국군과 중국군의 연합을 보여 주는 자료로 한국 독립군과 관련이 있다. 1930년대 북만주 일대에서는 지청천이 이끄는 한국 독립군이 중국 호로군과 연합하여 쌍성보 전투, 사도하자 전투, 대전자령 전투 등에서 일본군에 승리하였다.

02 조선 혁명군의 활동

역사 인물 카드의 인물은 양세봉에 해당하고, (가)는 조선 혁명군이다. 남만주 일대에서는 양세봉이 이끄는 조선 혁명군이 중국 의용군과 힘을 모아 영릉가 전투, 흥경성 전투에서 일본군을 격퇴하였다. 조선 혁명군은 총사령관 양세봉이 전사한 이후 세력이 약해졌으나 1930년대 후반까지 항일 투쟁을 전개하였다.

┃바로 알기┃ ①은 동학 농민군, ②, ③은 한국 광복군, ④는 북로 군정서와 대한 독립군 등 독립군 부대에 대한 설명이다.

03 동북 항일 연군의 활동

제시된 퀴즈의 내용은 1937년에 일어난 보천보 전투에 대한 것이다. 동북 항일 연군 내의 한 부대로 편성된 한인 유격대는 사회주의 세력과 민족주의 세력까지 포함하여 1936년에 조국 광복회를 결성하였고, 국내 민족 운동가들과 함께 함경남도 일대를 습격하여 경찰 주재소와 면사무소 등 일제의 통치 기구를 파괴하기도 하였다(보천보 전투, 1937).

┃바로 알기┃ ① 의열단은 1919년에 김원봉의 주도로 결성되어 식민 통치 기관 파괴 등 의열 투쟁을 하였다. ② 대한 광복회는 박상진 등이 공화정 수립을 목표로 1915년에 조직하였다. ③ 독립 의군부는 임병찬 등이 고종의 밀지를 받고 1912년에 유생들을 모아 조직하였다. ④ 한국 광복군은 대한민국 임시 정부의 정규군으로 1940년에 충칭에서 창설되었다.

04 윤봉길의 의거

중국 국민당 장제스의 말과 한국 독립운동에 대한 중국인들의 태도 변화 등의 내용을 통해 수행 평가 보고서의 주제가 윤봉길의 의거임을 알 수 있다. 따라서 (가)에는 윤봉길의 의거 내용이 들어가야 한다. 일제는 상하이 사변 승리 이후 훙커우 공원에서 일왕의 생일 및 상하이 점령 기념 축하식을 열었다. 이때 한인 애국단의 윤봉길이 단상에 폭탄을 던져 많은 일본군 장군과 여러 고위 관리를 살상하였다(1932).

┃바로 알기┃ ①은 1909년의 안중근, ②는 1908년의 장인환과 전명운, ③은 1930년대 양세봉이 이끈 조선 혁명군, ⑤는 1920년대 의열단의 나석주와 관련된 내용이다.

05 민족 혁명당

자료는 민족 혁명당의 강령이다. 중국 관내에서 독립운동 세력을 통합하여 일제에 대항할 필요성이 높아지면서 의열단을 중심으로 조선 혁명당, 한국 독립당, 미주 대한 독립단 등이 참여하여 1935년에 민족 혁명당을 만들었다. 민족 혁명당은 민족주의 계열과 사회주의 계열이 만든 중국 관내 최대 규모의 통일 전선 정당이었다.

┃바로 알기┃ ①은 신간회, ②는 국민부 및 조선 혁명당, ③은 조국 광복회, ④는 대한민국 임시 정부의 한국 광복군과 관련된 설명이다.

06 조선 의용대의 활동

(가)는 조선 민족 전선 연맹의 군사 조직인 조선 의용대이다. 1938년에 창설된 조선 의용대는 중국 관내 최초의 한국인 무장 부대로, 김원봉이 총대장을 맡았다. 조선 의용대는 중국의 대일 전선에 배치되어 정보 수집, 투항 권고, 포로 심문, 후방 교란 등 중국군을 지원하는 활동을 하였다. 중국 국민당의 소극적인 항일 투쟁에 반대한 조선 의용대의 일부는 적극적인 항일 투쟁을 위해 화북 지방으로 이동하였다. 화북 지방으로 이동하지 않은 조선 의용대의 일부는 1942년 한국 광복군에 합류하였다.

┃바로 알기┃ ③ 조선 건국 동맹은 일본군의 후방 교란과 무장 봉기를 목적으로 하는 군사 위원회를 만들었다.

07 연해주 지역의 동포들

카레이스키(고려인), 1937년에 중앙아시아로 강제 이주 등을 통해 제시된 내용이 연해주의 우리 동포들이 소련에 의해 중앙아시아로 강제 이주당한 사실에 대한 것임을 알 수 있다. 따라서 밑줄 친 '이 지역'은 (마)의 연해주 지역이다.

┃바로 알기┃ ① (가)는 상하이 일대, ② (나)는 베이징 일대, ③ (다)는 서간도(남만주)의 삼원보 지역, ④ (라)는 북간도의 옌지(연길) 일대에 해당한다.

08 충칭 시기 대한민국 임시 정부의 활동

지도는 대한민국 임시 정부의 이동 경로를 보여 준다. 1940년 9월, 충칭에 자리 잡은 대한민국 임시 정부는 주석 중심의 단일 지도 체제를 마련하고 김구를 주석으로 선출하였다. 또한 지청천을 사령관으로 하여 한국 광복군을 창설하였다. 이후 1941년에 조소앙의 삼균주의에 기초한 대한민국 건국 강령을 발표하였으며, 태평양 전쟁이 일어나자 일제에 대일 선전 포고를 하고 연합군의 일원으로서 대일 항전을 전개하였다.

┃바로 알기┃ ⑤는 대한민국 임시 정부가 상하이에 자리 잡았을 때에 전개한 활동이다.

완자 정리 노트　　충칭 시기 대한민국 임시 정부의 활동

체제 개편	주석 중심의 단일 지도 체제 마련
무장 투쟁	한국 광복군 창설, 대일 선전 포고, 국내 진공 작전 계획
건국 준비	건국 강령 발표(조소앙의 삼균주의에 기초 → 민주 공화정 수립, 무상 교육 실시 등 제시)

09 대일 선전 성명서와 한국 광복군

자료는 1941년 12월에 발표된 대한민국 임시 정부의 대일 선전 성명서이다. 대한민국 임시 정부의 군사 조직인 한국 광복군은 1942년에 김원봉이 이끄는 조선 의용대의 일부가 합류하여 전력을 강화하였다.

┃바로 알기┃ ①은 조선 의용대 화북 지대, ②는 조선 혁명군, ④는 조선 의용군에 대한 설명이다. ⑤ 1907년에 정미의병이 일어나면서 의병 투쟁이 전국적으로 확산되자 의병 지도자들이 13도 연합 부대(13도 창의군)를 편성하고 1908년에 서울 진공 작전을 전개하였다.

10 대한민국 건국 강령과 한국 광복군

자료는 1941년 11월에 대한민국 임시 정부가 발표한 대한민국 건국 강령이다. 대한민국 임시 정부는 1940년 9월, 중국 충칭에서 한국 광복군을 창설하였다. 지청천을 사령관으로 한 한국 광복군은 태평양 전쟁 발발 후 연합군과 합동 작전을 전개하였고, 1943년에는 영국군의 요청에 따라 미얀마·인도 전선에 공작대를 파견하였다. 또한 중국에 주둔하고 있던 미국 전략 정보국(OSS)과 협력하여 국내 진공 작전을 펴기로 계획하였다.

┃ 바로 알기 ┃ ①은 동학 농민군과 관련된 탐구 활동이다. ② 강우규는 1919년에 조선 총독 사이토를 저격하였다. ③은 의열단, ⑤는 조선 혁명군과 한국 독립군 등과 관련된 탐구 활동이다.

11 조선 독립 동맹과 조선 건국 동맹

(가)는 조선 독립 동맹의 건국 강령, (나)는 조선 건국 동맹의 건국 강령이다. 조선 독립 동맹은 1942년에 중국 화북 지방의 한국인 사회주의자들이 결성한 단체로, 일본 제국주의 타도, 보통 선거에 의한 민주 공화국 수립, 의무 교육 실시, 토지 분배 등을 주요 내용으로 하는 건국 강령을 발표하였다. 조선 건국 동맹은 여운형을 중심으로 한 국내의 민족 지도자들이 1944년에 비밀리에 결성한 단체이다. 이 단체는 일제 타도를 위한 대동단결, 민주주의 원칙에 의한 국가 건설 등을 목표로 하였으며, 농민 동맹을 조직하여 일제의 징용, 징병, 식량 공출, 군수 물자 수송 등을 방해하는 활동을 하였다. 또한 독립운동 세력과 연합 작전을 전개하기 위해 조선 독립 동맹과 대한민국 임시 정부와의 연계를 모색하였다.

┃ 바로 알기 ┃ ㄱ은 조선 건국 동맹과 관련이 있다. 조선 독립 동맹은 중국 화북 지방에서 결성되었다. ㄴ은 재미 한족 연합 위원회에 대한 설명이다. 조선 독립 동맹의 군사 조직은 조선 의용군이다.

12 얄타 회담의 내용

(가) 회담은 얄타 회담이다. 1945년 2월 미국, 영국, 소련의 대표들은 흑해 연안의 얄타에서 회담을 가졌다. 이 회담에서 미국, 영국, 프랑스, 소련 4개국이 독일을 분할 점령한다는 원칙을 세웠고, 소련의 태평양 전쟁 참전을 비밀리에 결정하였다.

┃ 바로 알기 ┃ ①은 포츠담 회담(1945. 7.), ②는 카이로 회담(1943. 11.)에 대한 설명이다. ③ 1919년에 개최된 파리 강화 회의에서 미국 대통령 윌슨의 평화 원칙 14개조가 채택되었다. ④ 얄타 회담은 제2차 세계 대전 과정에서 전후 처리를 논의하기 위해 개최되었다.

서술형 문제
235쪽

01 주제: 국내외에서의 건국 준비 활동

(1) (가) 대한민국 임시 정부, (나) 조선 독립 동맹, (다) 조선 건국 동맹

(2) **예시 답안** 대한민국 건국 강령은 조소앙의 삼균주의에 기초하였다. 삼균주의는 정치, 경제, 교육에서의 균등을 바탕으로 개인과 개인, 민족과 민족, 국가와 국가 간의 균등을 이루는 것을 말한다.

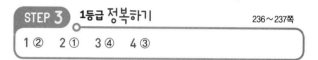

채점 기준	
상	삼균주의를 쓰고, 그 의미를 서술한 경우
중	삼균주의를 쓰고, 그 의미를 서술하였으나 미흡한 경우
하	삼균주의만 언급한 경우

02 주제: 한국 광복군의 활동

(1) 한국 광복군

(2) **예시 답안** 대한민국 임시 정부의 대일 선전 포고 후 연합군과 합동 작전을 전개하였다. 미얀마·인도 전선에 공작대를 파견하여 일본군 포로 심문, 문서 번역, 선전 활동 등을 담당하였다. 또한 미군과 협력하여 국내 진공 작전을 계획하였다.

채점 기준	
상	한국 광복군의 활동을 세 가지 서술한 경우
중	한국 광복군의 활동을 두 가지 서술한 경우
하	한국 광복군의 활동을 한 가지만 서술한 경우

STEP 3 ○ 1등급 정복하기
236~237쪽

1 ②　　**2** ①　　**3** ④　　**4** ③

1 1930년대 만주 지역에서의 무장 독립 투쟁

자료 분석

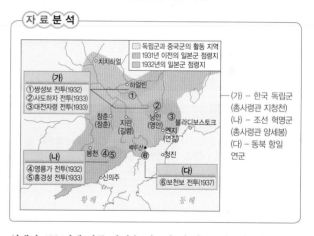

(가) – 한국 독립군 (총사령관 지청천)
(나) – 조선 혁명군 (총사령관 양세봉)
(다) – 동북 항일 연군

일제가 1931년에 만주 사변을 일으킨 뒤 만주국을 세우면서 중국인의 반일 감정이 높아졌다. 그 가운데 한국 독립군은 북만주 일대에서 중국 호로군과 연합하여 쌍성보 전투, 사도하자 전투, 대전자령 전투 등에서 일본군에 승리하였다. 지청천을 비롯한 한국 독립군의 일부는 중국 관내로 이동하여 대한민국 임시 정부에 합류하였고, 한국 광복군을 만드는 데 참여하였다.

┃ 바로 알기 ┃ ① 한국 독립군의 총사령관은 지청천이다. 양세봉은 조선 혁명군을 이끌었다. ③은 동북 항일 연군에 대한 설명이다. ④ 중국 호로군과 연합한 것은 한국 독립군이다. 조선 혁명군은 중국 의용군과 연합하였다. ⑤는 한국 광복군에 대한 설명이다.

2 한인 애국단의 활동

자료는 이봉창의 사진과 그의 선서 내용에 해당한다. 따라서 (가) 단체는 한인 애국단에 해당한다. 한인 애국단은 1931년에 김구가 침체된 대한민국 임시 정부에 활기를 불어넣고자 조직한 단체이다. 한인 애국단원이었던 이봉창은 1932년 1월, 일본 도쿄에서 일왕이 타고 가는 마차를 향해 수류탄을 던졌다. 1932년 4월에는 윤봉길이 중국 상하이 훙커우 공원에서 열린 일왕의 생일과 상하이 사변의 승리를 축하하는 기념식장에 폭탄을 던져 일본군 장군과 여러 고위 관리를 처단하였다. 이를 계기로 한국의 독립운동에 냉담한 입장을 보이던 중국인들의 태도가 변화하였다.

┃**바로 알기**┃ ② 오산 학교와 대성 학교 설립은 신민회, ③ 고종 강제 퇴위 반대 운동 전개는 대한 자강회 등, ④ 박상진 등이 결성하여 군대식 조직을 갖추었던 것은 대한 광복회, ⑤ 조선 의용대를 창설한 것은 조선 민족 전선 연맹에 해당한다.

3 한국 광복군의 활동

국내 진공 작전 계획, 특수 비밀 훈련, 우리와 미국 사이에 군사 협의, 국내에 잠입 등의 내용을 통해 밑줄 친 '우리 군대'가 한국 광복군임을 알 수 있다. 한국 광복군은 대한민국 임시 정부가 1940년에 중국 충칭에서 창설하였다. 1941년에 태평양 전쟁이 발발하자 대한민국 임시 정부는 정식으로 일제에 대일 선전 포고를 하였고, 한국 광복군이 연합군과 합동 작전을 전개하도록 하였다. 이러한 가운데 1943년에 한국 광복군은 영국군의 요청에 따라 미얀마·인도 전선에 공작대를 파견하여 일본군 포로 심문, 문서 번역, 선전 활동 등을 담당하였다.

┃**바로 알기**┃ ㄱ. 황토현 전투 승리는 동학 농민군, ㄷ. 조선 독립 동맹의 군사 기반은 조선 의용군에 해당한다.

완자 정리 노트 한국 광복군

창설	• 대한민국 임시 정부의 정규군으로 창설(1940), 사령관 지청천 • 조선 의용대의 일부가 합류하여 전력 강화(1942)
활동	• 1941년 대한민국 임시 정부의 대일 선전 포고 이후 연합군과 합동 작전 전개, 미얀마·인도 전선에 공작대 파견 • 미군과 협력하여 국내 진공 작전 계획 → 실현하지 못함

4 국외의 건국 준비 활동

(가)는 대한민국 임시 정부가 삼균주의에 기초하여 작성한 대한민국 건국 강령(1941), (나)는 한국인 사회주의자들을 중심으로 결성된 조선 독립 동맹의 건국 강령(1942)이다. 대한민국 임시 정부는 1940년 중국 충칭에 정착하였고, 조선 독립 동맹은 1942년에 중국 화북 지방인 옌안에서 결성되었다. 두 단체는 민주주의에 입각한 정치 형태를 추구하는 건국 강령을 발표하였다.

┃**바로 알기**┃ ③ 대한민국 임시 정부와 조선 독립 동맹의 건국 강령은 모두 1945년 일제의 패망 전에 발표되었다. 두 단체는 각각 건국 강령을 발표하여 일제로부터 독립을 달성한 이후에 세우고자 하는 국가의 이념과 체제를 밝혔다.

대단원 **실력 굳히기** 240쪽~243쪽

01 ③	02 ⑤	03 ⑤	04 ②	05 ⑤	06 ⑤	07 ④
08 ②	09 ⑤	10 ③	11 ④	12 ①	13 ⑤	14 ⑤
15 ②	16 ①	17 ①	18 ⑤	19 ②		

01 1910년대의 무단 통치

자료는 1912년에 제정된 조선 태형령이다. 일제는 1910년대에 헌병 경찰 제도를 바탕으로 강압적인 무단 통치를 실시하였다. 전국 각지에 경찰 관서와 헌병 기관을 설치하고 헌병이 경찰 업무를 담당하게 하였다. 헌병 경찰은 일반 행정 업무까지 맡았고 구류, 태형, 3개월 이하의 징역 등에 해당하는 범죄에 대해 즉결 심판할 수 있는 권한도 부여받았다. 이 시기에 일제는 일반 관리뿐만 아니라 학교 교원들까지 제복을 입고 칼을 차게 하여 위압적인 분위기를 조성하였다. 조선 태형령은 1920년에 폐지되었다.

┃**바로 알기**┃ ① 일제는 독립운동가를 탄압하기 위해 1925년에 치안 유지법을 제정하였다. ②, ④, ⑤는 1930년대 이후인 민족 말살 통치 시기에 있었던 사실이다.

완자 정리 노트 일제 강점기의 통치 방식과 경제 정책

구분	통치 방식	경제 정책
1910년대	무단 통치 실시(헌병 경찰 제도 시행)	토지 조사 사업 실시, 회사령 공포
1920년대	문화 통치 표방(민족 분열 통치 실시)	산미 증식 계획 추진, 회사령 폐지
1930년대 이후	민족 말살 통치 실시(황국 신민화 정책 추진)	병참 기지화 정책 추진, 국가 총동원법 제정(인적·물적 자원 수탈)

02 1920년대 이른바 문화 통치 시기

(가)는 일제가 1920년대에 내세운 이른바 문화 통치이다. '문화 통치' 시기 일제는 무관이 아닌 문관도 총독에 임명될 수 있도록 하였으나, 실제로는 식민 통치가 끝날 때까지 문관 총독은 단 한 명도 임명하지 않았다.

┃**바로 알기**┃ ①은 1910년, ②는 1912년으로 일제의 무단 통치 시기에 해당한다. ③은 1930년대에 해당한다. ④ 농촌 진흥 운동은 일제가 1932년부터 시행하였다.

03 산미 증식 계획의 결과

밑줄 친 '이 정책'은 산미 증식 계획이다. 일제는 자국의 식량 부족 문제를 한국에서 해결하기 위해 1920년부터 산미 증식 계획을 실시하였다. 일제는 농토를 개간하고 밭을 논으로 바꾸었으며, 저수지나 제방을 만들기 위해 전국 각지에 수리 조합을 조직하였다. 산미 증식 계획으로 쌀 생산량은 그다지 늘지 않았으나, 일본으로 이출되는 쌀의 양은 해마다 증가하였다. 이로 인해 한국 농민들의 생활이 더욱 어려워졌다.

‖ **바로 알기** ‖ ① 대한 제국은 토지 소유권을 증명하는 문서인 지계를 발급하였다. ② 1907년에 국채 보상 기성회가 창립되어 국채 보상 운동을 전개하였다. ③ 일제는 1908년부터 각지에 동양 척식 주식회사를 설립하였다. ④는 토지 조사 사업의 결과와 관련이 있다.

04 대한 광복회

박상진, 부호에게 의연금을 걷고 일본 사람들이 불법으로 징수한 세금을 압수한다는 내용 등을 통해 (가) 단체가 대한 광복회임을 알 수 있다. 박상진 등은 공화정의 수립을 목표로 1915년에 대구에서 대한 광복회를 조직하였다.

‖ **바로 알기** ‖ ①은 신민회, ③은 대한 자강회, ④는 보안회, ⑤는 독립 의군부와 관련된 설명이다.

05 3·1 운동의 영향

(가)는 3·1 운동에 해당한다. 1919년에 일어난 3·1 운동은 모든 계층이 참여한 우리 역사상 최대 규모의 민족 운동이었다. 이는 일제의 통치 방식에도 영향을 주어, 일제는 폭력적인 무단 통치에서 이른바 '문화 통치'로 통치 방식을 바꾸었다. 3·1 운동 이후 민족 운동가들은 독립운동을 조직적이고 체계적으로 이끌 통일된 지도부의 필요성을 제기하였고, 이에 대한민국 임시 정부가 수립되었다.

‖ **바로 알기** ‖ ①은 1894년, ②는 1895년, ③은 1876년, ④는 1907년의 일이다.

06 대한민국 임시 정부의 활동

사진은 중국 상하이의 프랑스 조계 지역에 있었던 대한민국 임시 정부 청사(1919)이고, (가)에는 대한민국 임시 정부의 활동이 들어가야 한다. 대한민국 임시 정부는 독립운동 자금을 안정적으로 확보하고 국내외의 항일 세력과 연락하기 위해 연통제와 교통국을 조직하였다. 또한 독립 공채를 발행하거나 의연금을 거두었고, 독립신문을 발간하였다. 초기의 대한민국 임시 정부는 외교 활동에 주력하였고 이를 위해 미국에 구미 위원부를 설치하여 한국의 독립 문제를 국제 여론화하는 데 힘썼다.

‖ **바로 알기** ‖ ⑤는 신민회의 활동에 해당한다.

07 1920년대의 무장 독립 투쟁

첫 번째 글은 1920년 6월에 일어난 봉오동 전투에 대한 것이고, 두 번째 글은 1920년 10월부터 1921년 봄까지 이어진 간도 참변에 대한 것이다. 이 사이 시기에는 북로 군정서와 대한 독립군 등의 독립군 부대가 청산리 부근의 백운평, 완루구, 어랑촌, 고동하 등지에서 일본군에 맞서 승리한 청산리 대첩이 일어났다(1920. 10.). 봉오동 전투와 청산리 대첩에서 독립군에 대패한 일본군은 독립군의 지지 기반을 무너뜨리려는 목적으로 간도 참변을 일으켰다.

‖ **바로 알기** ‖ ① 일제는 1925년에 만주 군벌과 미쓰야 협정을 맺어 독립군을 찾아내려 하였다. ② 간도 참변과 자유시 참변으로 큰 타격을 입은 만주의 독립운동 세력이 흩어진 조직을 정비한 결과 참의부, 정의부, 신민부 등 3부가 성립되었다. ③ 국민부와 혁신 의회는 3부의 통합 운동 과정에서 조직되었다. ⑤는 1921년에 일어난 자유시 참변에 대한 설명이다.

08 의열단의 활동

자료는 김원봉의 요청으로 신채호가 작성한 「조선 혁명 선언」의 내용에 해당한다. 여기에는 폭력 투쟁을 통한 민중의 직접 혁명을 추구하는 의열단의 기본 정신이 나타나 있다. 1919년에 만주 지린성에서 김원봉의 주도로 결성된 의열단은 본부를 베이징으로 옮겼다. 박재혁, 김익상, 김상옥, 김지섭, 나석주 등 의열단원들은 「조선 혁명 선언」을 활동 지침으로 삼아 조선 총독, 친일파 등 암살 및 조선 총독부, 동양 척식 주식회사 등 식민 지배 기관 파괴 활동을 전개하였다.

‖ **바로 알기** ‖ ①은 조선어 연구회의 활동이다. ③은 1926년에 일어난 6·10 만세 운동에 대한 설명이다. ④는 한인 애국단, ⑤는 신간회의 활동에 해당한다.

09 민립 대학 설립 운동의 구호

'한 민족 1천만이 한 사람이 1원씩'은 민립 대학 설립 운동의 구호이다. 일제가 국권 침탈 후 한국인에게 기초적인 교육의 기회만 제공하자, 한국인의 힘으로 고등 교육을 담당할 대학을 설립하자는 민립 대학 설립 운동이 전개되었다. 이상재 등이 중심이 되어 1922년에 경성에서 조선 민립 대학 기성 준비회가 만들어졌고, 이를 바탕으로 조선 민립 대학 기성회가 출범하여 전국적인 모금 운동을 벌였다.

‖ **바로 알기** ‖ ①은 1929년, ②는 1907년, ③은 1920년대 초반, ④는 1926년에 일어났다.

10 신간회의 결성

자료는 신간회의 강령이다. 1920년대 민족 유일당 운동이 전개되는 가운데, 1926년에 사회주의자들이 정우회 선언을 발표하여 비타협적 민족주의 세력과의 협력을 주장하였다. 정우회 선언을 계기로 1927년에 비타협적 민족주의자들과 사회주의자들이 연대하여 신간회를 창립하였다. 신간회는 1929년에 일어난 원산 총파업을 지원하였고, 1929년 11월에 광주 학생 항일 운동이 일어나자 광주에 조사단을 파견하기도 하였다.

‖ **바로 알기** ‖ ①은 독립 협회, ②는 신민회, ④는 조선어 학회에 대한 설명이다. ⑤ 신간회는 타협적 민족주의자들을 비판하는 비타협적 민족주의자들이 사회주의자들과 연대하여 창립한 단체이다.

11 식민지 도시화의 실상

자료에서 왼쪽 사진은 1920년대 경성의 모습, 오른쪽 사진은 토막민의 생활 모습을 보여 준다. 일제 강점기에는 경성과 같은 대도시를 중심으로 철도, 통신 등 각종 근대 시설이 들어섰다. 반면에 생활이 어려워져 농촌을 떠나 도시로 몰려든 사람들은 대부분 빈민층이 되었고, 도시 외곽에서 둑, 강가, 다리 밑 등지의 공터에 땅을 파고 짚이나 거적 같은 것을 두른 토막집에서 살았다.

‖ **바로 알기** ‖ ①, ②, ③, ⑤는 모두 제시된 자료의 주제로 보기 어렵다. 치안 유지법은 일제가 국가 체제나 사유 재산 제도를 부정하는 자를 단속하기 위해 1925년에 제정한 법률이다.

12 일제 강점기의 사회 운동

(가)는 형평사 대회의 포스터로 형평 운동과 관련이 있다. (나)는 어린이날 포스터로, 천도교 소년회를 중심으로 전개된 소년 운동과 관련이 있다. (다)는 여성의 단결과 지위 향상을 도모한 여성 단체 근우회의 회지 『근우』의 표지이다. (라)는 동아일보가 한글 보급과 문맹 퇴치를 위해 전개한 브나로드 운동의 포스터이다. (마)는 경성 방직 주식회사의 국산품 애용 선전 광고로 물산 장려 운동을 나타낸다. 물산 장려 운동은 토산품 애용을 강조하고 민족 기업의 육성을 추구하였다.

┃바로 알기┃ ① 갑오개혁으로 신분 차별이 법제상으로는 폐지되었지만 백정에 대한 차별과 편견은 쉽게 사라지지 않았다. 이러한 상황이 일제 강점기에도 전혀 달라지지 않자, 백정들은 백정에 대한 사회적 차별 철폐를 주장하며 형평 운동을 전개하였다.

13 박은식의 활동

자료에서 유교 구신론, 국혼, 대한민국 임시 정부의 제2대 대통령은 박은식과 관련된 내용으로 (가)에는 박은식의 활동에 대한 토의 질문이 들어가야 한다. 박은식은 실천적인 새로운 유교 정신을 강조하는 유교 구신론을 제창하였고, 민족주의 사학자로서 국혼을 강조하였다. 1925년에 이승만이 탄핵된 후에는 대한민국 임시 정부의 제2대 대통령을 역임하였다. ⑤ 박은식은 일본의 침략 과정을 폭로하기 위해 『한국통사』를 저술하였고, 『한국독립운동지혈사』에서 한국 독립운동의 역사를 정리하였다.

┃바로 알기┃ ① 신간회는 민족 유일당 운동의 결과로, 1927년에 비타협적 민족주의자들과 사회주의자들이 창립하였다. ② 일제는 조선어 학회를 독립운동 단체로 규정하여 1942년에 이윤재, 이극로, 최현배 등 조선어 학회 회원을 대거 검거하고 조선어 학회를 강제로 해산하였다(조선어 학회 사건). ③ 천도교 소년회는 방정환 등이 주도하였다. ④ 신채호는 「조선 혁명 선언」에서 자치론 등의 타협적 민족주의 세력뿐만 아니라, 외교 독립론, 실력 양성론 등을 모두 비판하였으며, 민중의 직접 혁명을 통해 독립을 이루어야 한다고 강조하였다.

14 1930년대 이후 일제의 식민지 지배 정책

일제는 1931년 만주 사변을 일으켜 대륙 침략을 감행하고, 1937년에 중일 전쟁을 일으킨 이후 침략 전쟁을 확대하면서 병참 기지화 정책을 추진하였다. 1938년에는 국가 총동원법을 제정하고 공출 제도를 실시하여 무기를 만들 수 있는 금속 제품을 빼앗았다. 이후 1945년 8월 15일에 일본이 무조건 항복하면서 제2차 세계 대전이 끝났고, 한국은 광복을 맞았다.

15 황국 신민화 정책의 내용

자료 분석 ┌─ 1930년대 이후 일제는 한국인을 일본인으로
└ 만들려는 황국 신민화 정책을 강화하였다.

우리는 대일본 제국의 신민입니다. 우리는 마음을 합하여 천황 폐하께 충의를 다합니다. 우리는 인고 단련하여 훌륭하고 강한 국민이 되겠습니다. └─ 일왕에 대한 숭배 사상을 주입하였어.

자료는 1930년대 중반 이후 일제가 학생과 일반인에게 억지로 외우게 한 황국 신민 서사의 내용이다. 1936년에 조선 총독으로 부임한 미나미 지로는 내선일체를 강조하면서 한국인을 일본인으로 만들려는 황국 신민화 정책을 강화하였다. 이에 궁성 요배, 신사 참배, 일본식 성명 사용 등을 강요하였고, 1941년에는 소학교의 명칭을 '황국 신민 학교'라는 뜻의 국민학교로 바꾸었다. 한편, 식민지 경제 체제 아래에서 성장한 자본가, 문인, 예술가 등이 일제의 침략 전쟁에 적극 부응하였다.

┃바로 알기┃ ② 토지 조사 사업은 1910년대에 실시되었다.

16 연해주 지역의 이주 동포들

밑줄 친 '이 지역'은 연해주 지역이다. 연해주 지역은 두만강을 사이에 두고 국내와 가까워서 19세기부터 많은 한국인이 이주하여 살았다. 그러나 1937년에 소련은 한국인들이 일제에 협력하는 것을 예방한다는 명분을 내세워 연해주 지역의 한국인들을 중앙아시아로 강제 이주시켰다.

┃바로 알기┃ ②는 미주, ③은 서간도(남만주) 삼원보, ④는 일본, ⑤는 북간도 지역의 동포들에 대한 설명이다.

17 1930년대 만주에서의 항일 투쟁

(가)는 조선 혁명군이다. 1930년대 남만주 일대에서는 양세봉이 이끄는 조선 혁명군이 중국 의용군과 힘을 모아 영릉가 전투, 흥경성 전투에서 일본군을 격퇴하였다.

┃바로 알기┃ ②는 한국 광복군, ③은 한국 독립군, ④는 북로 군정서와 대한 독립군 등 독립군 부대, ⑤는 조선 의용군에 대한 설명이다.

완자 정리 노트 1930년대 무장 독립 투쟁

구분	조선 혁명군	한국 독립군
총사령관	양세봉	지청천
한중 연합 작전	중국 의용군	중국 호로군
활동	영릉가, 흥경성 전투 승리	쌍성보, 사도하자, 대전자령 전투 등 승리

18 한인 애국단

김구가 조직, 윤봉길의 상하이 훙커우 공원 의거 내용 등을 통해 밑줄 친 '이 단체'가 1931년에 조직된 한인 애국단임을 알 수 있다.

┃바로 알기┃ ① 신민회는 1907년, ② 의열단은 1919년, ③ 대한 광복회는 1915년, ④ 독립 의군부는 1912년에 조직되었다.

19 대한민국 임시 정부와 한국 광복군

3·1 운동의 산물, 삼균 제도의 건국 원칙, 대일 선전 포고문 발표 등의 내용을 통해 (가) 정부가 대한민국 임시 정부임을 알 수 있다. 대한민국 임시 정부는 1940년에 충칭에 정착하여 한국 광복군을 창설하였다.

┃바로 알기┃ ①은 대한 제국, ③은 조선 독립 동맹, ④는 조선 건국 동맹, ⑤는 재미 한족 연합 위원회에 대한 설명이다.

IV. 대한민국의 발전

01 8·15 광복과 통일 정부 수립을 위한 노력

STEP 1 핵심 개념 확인하기
250쪽

1 국제 연합(UN) 2 (1) ㄱ, ㄷ (2) ㄴ, ㄹ 3 (1) 소련
(2) 조선 건국 준비 위원회 4 (1) × (2) ○ 5 좌우 합작 7원칙
6 (1) ㉠ (2) ㉢ (3) ㉡

STEP 2 내신 만점 공략하기
250~253쪽

01 ⑤	02 ②	03 ①	04 ⑤	05 ③	06 ②	07 ④
08 ③	09 ④	10 ①	11 ④	12 ④	13 ②	14 ④
15 ⑤	16 ②

01 국제 연합(UN)

자료는 국제 연합(UN) 헌장으로, 안전 보장 이사회, 국제 평화와 안전의 유지 또는 회복에 필요한 공군, 해군 또는 육군에 의한 조치 등의 내용을 통해 국제 연합과 관련된 것임을 알 수 있다. 제2차 세계 대전이 끝나고 국제 사회는 전쟁을 방지하고 세계 평화를 유지하기 위한 국제기구의 필요성에 공감하여 1945년에 국제 연합을 창설하였다. 국제 연합은 안전 보장 이사회의 5개 상임 이사국(미국, 영국, 프랑스, 중국, 소련)이 안건에 대한 거부권을 가지게 하여 한 국가의 독주를 견제하도록 하였다.

| 바로 알기 | ①, ②, ④는 1920년에 창설된 국제 연맹과 관련된 내용이다. ③ 제1차 세계 대전 이후에 베르사유 체제가 형성되었다.

02 트루먼 독트린의 배경

제시된 선언은 냉전 체제의 본격적인 시작을 알린 트루먼 독트린이다. 제2차 세계 대전이 끝나고 유럽 열강을 대신하여, 미국과 소련을 중심으로 국제 질서가 재편되면서 자본주의 진영과 공산주의 진영이 이념과 체제의 우위를 경쟁하는 냉전 체제가 형성되었다. 이러한 상황에서 소련의 지원으로 동유럽 여러 나라에 공산주의 정권이 들어서고 그리스가 공산화의 국면에 처하자, 미국은 1947년에 트루먼 독트린을 발표하여 유럽에서 공산주의의 팽창을 막으려고 하였다.

| 바로 알기 | ① 6·25 전쟁 발발은 1950년, ③ 베트남 전쟁은 1964~1975년, ④ 제2차 국공 내전(1946~1949)에서 중국 공산당이 승리한 것은 1949년으로 모두 트루먼 독트린 발표(1947) 이후에 일어난 일이다. ⑤ 1945년 8월 15일에 일본이 무조건 항복을 선언하면서 제2차 세계 대전이 종결되었다.

03 8·15 광복에 대한 김구의 반응

제시된 인물은 김구이다. 1945년 8월 15일, 일왕이 연합국에 무조건 항복하겠다고 선언하면서 우리 민족은 광복을 맞이하였다. 그러나 일본의 갑작스러운 항복으로 국내 진공 작전 등과 같은 독립운동 세력의 노력이 무산되면서 자주적 정부 수립도 어려워졌다.

| 바로 알기 | ②는 1905년, ③은 1931년의 사실이다. ④ 광복 후 1945년 12월에 개최된 모스크바 3국 외상 회의에서 한반도에서의 신탁 통치 실시 등이 결정되었다. ⑤는 1919년의 사실이다.

04 미 군정의 정책

자료 분석

조선 총독부, 일제가 수립한 경찰 조직 등

제1조 북위 38도선 이남의 조선 영토와 조선 인민에 대한 통치의 모든 권한은 당분간 본관의 권한 아래에서 시행한다.

제2조 정부 등 모든 공공 기관에 종사하는 유급 또는 무급 직원과 고용인, 그리고 기타 제반 중요한 사업에 종사하는 자는 별도의 명령이 있을 때까지 종래의 정상 기능과 업무를 수행할 것이며 모든 기록 및 재산을 보호·보존하여야 한다.

└ 미 군정청이 기존의 행정 체제를 활용하여 남한 지역을 통치하였음을 알 수 있어.

1945년 9월, 남한 지역에 진주한 미군은 군정청을 설치하고 38도선 이남 지역을 직접 통치하였다. 미 군정청은 조선 인민 공화국, 대한민국 임시 정부 등을 인정하지 않았으며, 조선 총독부에서 일하였던 관료와 경찰을 기용하는 등 기존의 행정 체제를 활용하였다.

| 바로 알기 | ㄱ. 조선 건국 준비 위원회가 각 지역에 인민 위원회를 설치하였다. ㄴ. 1946년 5월에 제1차 미소 공동 위원회가 결렬된 이후 이승만이 남한만의 단독 정부 수립을 공식적으로 제기하였다.

05 조선 건국 준비 위원회의 활동

강령의 내용과 조직도의 여운형, 안재홍 등을 통해 자료가 조선 건국 준비 위원회와 관련이 있음을 알 수 있다. 1945년 일본의 항복 선언이 있기 전, 조선 총독부로부터 치안권을 이양받은 여운형은 광복 직후 안재홍 등과 함께 조선 건국 동맹을 중심으로 좌우익 세력이 함께 참여한 조선 건국 준비 위원회를 조직하였다. 조선 건국 준비 위원회는 전국 각지에 지부를 두고 치안대를 조직하여 광복 직후 국내의 실질적인 치안과 행정을 담당하였으며, 미군이 9월에 한반도에 진주한다는 사실이 알려지자 미군과의 협상에서 유리한 입장을 확보하기 위해 조선 인민 공화국 수립을 선포하였다.

| 바로 알기 | ③ 신탁 통치 실시는 1945년 12월에 개최된 모스크바 3국 외상 회의를 통해 결정된 사항이다. 조선 건국 준비 위원회는 미 군정이 실시되면서 자연스럽게 해체되었다.

완자 정리 노트 · 광복 전후의 국내외 정세

| 국제 정세 | 자본주의 진영과 공산주의 진영의 대립 → 냉전 체제 형성 |
| 국내 정세 | 8·15 광복 → 조선 건국 준비 위원회 결성, 미국과 소련이 한반도 분할 점령 → 미·소 군정 실시 |

06 한국 민주당의 활동

자료는 한국 민주당의 성명서이다. 광복 이후 혼란스러운 정세 속에서 다양한 정치 세력이 출현하였는데, 송진우, 김성수 등 지주·자본가를 중심으로 한 우익 세력이 한국 민주당을 결성하였다. 한국 민주당은 조선 건국 준비 위원회가 수립한 조선 인민 공화국을 비판하고 대한민국 임시 정부 지지를 선언하였으며, 미 군정청과 긴밀한 관계를 유지하였다.

┃바로 알기┃ ① 한국 민주당은 남한 지역에서 조직되었다. ③, ⑤는 조선 건국 준비 위원회에 대한 설명이다. ④ 한국 민주당과 조선 공산당은 서로 다른 정치 노선을 지향하였다.

완자 정리 노트	한국 민주당
주도 세력	• 김성수, 송진우 등 보수 세력이 결집 • 주로 일제 강점기의 지주나 자본가 계급이 참여
입장 및 활동	대한민국 임시 정부 지지, 미 군정청과 긴밀한 관계 유지, 이승만의 단독 정부 수립 노선 지지, 대한민국 정부 수립에 참여

07 모스크바 3국 외상 회의 결정 사항에 대한 국내 반응

민주주의 임시 정부 수립, 신탁 통치안 등의 내용을 통해 모스크바 3국 외상 회의와 관련된 자료임을 알 수 있다. 1945년 12월에 모스크바 3국 외상 회의가 열렸다. 회의 결과가 '신탁 통치 실시'의 내용이 부각되어 국내에 알려지자 한국 독립당, 한국 민주당 등 우익 세력은 즉시 신탁 통치 반대 운동을 전개하였다. 조선 공산당 등 좌익 세력도 처음에는 신탁 통치에 반대하였으나 이후 회의 결정에 대한 총체적 지지로 입장을 바꾸었다.

┃바로 알기┃ ①, ②, ③은 1945년 8·15 광복 이전에 있었던 사실에 대한 탐구 활동이다. ⑤ 얄타 회담 이후 대일전에 참가한 소련군이 광복 직전 한반도에 진주하여 북부 지역을 점령해 나가자, 미국이 38도선을 기준으로 한 한반도 분할 점령을 소련에 제안하였고, 소련이 이를 받아들였다.

08 광복 이후의 국내 정치 세력

(가)는 결정의 핵심이 민주주의 임시 정부 수립에 있다는 내용을 통해 모스크바 3국 외상 회의의 결정을 지지한 좌익 세력임을 알 수 있고, (나)는 신탁 통치안을 배격해야 한다는 내용을 통해 신탁 통치 반대 운동을 전개한 우익 세력임을 알 수 있다. 모스크바 3국 외상 회의에서 결정된 신탁 통치 문제를 둘러싸고 국내의 좌익과 우익이 격렬하게 대립하였다. 우익 세력은 신탁 통치를 식민 지배의 연장으로 간주하며 대대적인 반탁 시위를 전개하는 한편, 민주주의 임시 정부를 수립한 이후에 친일파를 처리하자고 주장하였다. 좌익 세력은 처음에 신탁 통치에 반대한다는 견해를 밝혔으나, 민주주의 임시 정부 수립이 중요하다고 여겨 모스크바 3국 외상 회의의 결정 사항을 총체적으로 지지하는 입장으로 바꾸었다. 또한 친일파 즉시 처리를 주장하였다.

┃바로 알기┃ ③ 김구·김규식을 제외한 우익 세력은 대체로 남한만의 단독 정부 수립을 주장한 이승만의 정읍 발언을 지지하였다.

09 미소 공동 위원회의 개최

자료는 제1차 미소 공동 위원회 당시 소련의 주장으로, 밑줄 친 '공동 위원회'는 미소 공동 위원회에 해당한다. 1946년 미국과 소련은 모스크바 3국 외상 회의의 결정 사항을 이행하기 위해 제1차 미소 공동 위원회를 개최하였다. 그러나 미국과 소련은 민주주의 임시 정부 수립 협의에 참여할 단체의 범위를 두고 대립하였다. 소련은 모스크바 3국 외상 회의의 결정에 반대하는 세력은 참여시킬 수 없다고 주장한 반면, 미국은 모스크바 3국 외상 회의의 결정 사항인 신탁 통치안에 반대하더라도 참여를 원하는 모든 단체가 협의의 대상이어야 한다고 주장하였다. 결국 미국과 소련의 의견 대립으로 미소 공동 위원회는 결렬되었다.

┃바로 알기┃ ①, ②는 1946년에 중도 세력이 결성한 좌우 합작 위원회에 대한 설명이다. ③은 1948년 2월에 개최된 유엔 소총회에 대한 설명이다. ⑤는 1947년 11월에 열린 유엔 총회에 대한 설명이다.

10 이승만의 활동

┌ **자료 분석** ┐

이제 우리는 무기 휴회된 미소 공동 위원회가 재개될 기색도 보이지 않으며 통일 정부를 고대하나 여의치 않으니 우리는 남방만이라도 임시 정부 혹은 위원회 같은 것을 조직하여 38 이북에서 소련이 철퇴하도록 세계 공론에 호소하여야 될 것이니 여러분도 결심해야 할 것이다.

— 제1차 미소 공동 위원회를 가리켜.
— 이승만은 통일 정부 수립이 어렵다면 남한만이라도 정부를 수립해야 한다는 '정읍 발언'을 발표하였어.

자료는 이승만의 정읍 발언이다. 이승만은 1895년 배재 학당에 입학하였고, 개화사상의 영향을 받아 독립 협회의 활동에 적극적으로 참여하였다. 그는 1904년에 미국으로 건너갔으며, 국권 피탈 이후 교육과 선교 활동 등을 하였다. 1919년 대한민국 임시 정부의 대통령으로 취임하였으나, 1925년에 탄핵으로 대통령직을 박탈당하였다. 이승만은 미국에서 활동하다가 광복 이후인 1945년 10월에 귀국하여 독립 촉성 중앙 협의회를 조직하였다. 그리고 1945년 12월에 모스크바 3국 외상 회의에서 신탁 통치 실시가 결정되자 신탁 통치 반대 운동을 전개하였다. 이승만은 제1차 미소 공동 위원회가 결렬되자 1946년 6월 정읍에서 통일 정부 수립이 어렵다면 남방만의 임시 정부 혹은 위원회 조직이 필요하다고 발언하여 38도선 이남에서라도 단독 정부를 세워야 한다고 주장하였다.

┃바로 알기┃ ①은 김구, 김규식 등의 활동에 해당한다. 김구와 김규식 등은 남한만의 총선거 실시로 남북이 분단될 위기에 놓였다고 판단하고, 통일 정부 수립을 위한 남북한 정치 지도자 회담을 북측의 김일성 등에게 제안하여 1948년에 남북 협상을 전개하였다.

11 광복 이후의 상황

(다) 미군과 소련군의 한반도 분할 점령(8·15 광복 전후) – (나) 모스크바 3국 외상 회의 개최(1945. 12.) – (가) 신탁 통치 반대 운동(모스크바 3국 외상 회의 직후) – (라) 유엔 소총회에서 남한만의 총선거 결의(1948. 2.)의 순으로 일어났다.

12 여운형의 활동

제시된 역사 인물 카드는 여운형에 대한 것이다. 여운형은 1918년 상하이에서 신한청년당의 조직을 주도하였고, 1919년에 재일 유학생의 2·8 독립 선언과 3·1 운동에 관여하였으며, 대한민국 임시 정부 조직에도 참가하였다. 그는 1944년에 조선 건국 동맹을 조직하였고, 1945년 광복 직후에는 조선 건국 준비 위원회를 결성하였다. 1946년 5월 제1차 미소 공동 위원회가 휴회된 후에는 김규식 등과 함께 통일 정부 수립을 목표로 좌우 합작 운동을 전개하였으며 좌우 합작 위원회를 결성하였다. 여운형은 통일적인 정부 수립의 필요성을 역설하여 이에 반대하는 세력에 수차례 테러를 당하기도 하였다. 결국 그는 1947년 7월 혜화동 로터리에서 저격을 당해 사망하였다.

┃**바로 알기**┃ ① 박헌영 등이 조선 공산당을 창당하였다. ② 안중근은 1909년에 만주의 하얼빈역에서 이토 히로부미를 처단하였다. ③ 김원봉은 1938년에 조직된 조선 의용대의 총대장을 맡았다. ⑤ 1920년에 일어난 청산리 대첩에서 김좌진의 북로 군정서 등 독립군 부대가 활약하였다.

13 좌우 합작 위원회의 좌우 합작 운동

1946년 제1차 미소 공동 위원회의 결렬 후 이승만이 정읍 발언을 발표한 가운데 여운형과 김규식 등 중도 세력은 한반도 통일 정부 수립을 위해 좌우 합작 운동을 전개하였다. 미 군정의 지원과 대중적 지지 속에 결성된 좌우 합작 위원회는 좌우 합작 7원칙을 발표하였다. 그러나 김구, 이승만, 조선 공산당 등 당시 좌우를 대표하는 세력이 참여하지 않아 좌우 합작 위원회는 큰 영향력을 발휘하기가 힘들었다. 또한 좌우 합작 7원칙 중 신탁 통치, 토지 개혁, 친일파 처벌 문제 등에서 좌익과 우익의 의견이 충돌하였다.

┃**바로 알기**┃ ㄴ. 조선 건국 준비 위원회는 광복 직후 전국에 치안대를 설치하여 질서를 유지하였다. ㄹ. 1948년 2월 유엔 소총회는 유엔 한국 임시 위원단의 접근이 가능한 지역(남한)에서 총선거(5·10 총선거)를 실시하기로 결정하였다.

14 제2차 미소 공동 위원회 결렬 이후 한반도 정세

1947년에 제2차 미소 공동 위원회마저 결렬되자, 미국은 한반도 문제를 유엔 총회에 넘겼다. 소련은 이를 두고 모스크바 3국 외상 회의의 결정을 위반하는 것이라며 유엔 총회에 불참하였다. 1947년 11월 유엔 총회는 인구 비례에 따른 남북한 총선거로 한반도에 정부를 세울 것을 결의하였다. 이듬해 총선거 실시를 감독하기 위해 유엔 한국 임시 위원단이 한반도를 방문하였으나 소련은 이들이 38도선 이북으로 들어오는 것을 거부하였다. 1948년 2월 유엔은 소총회를 열어 유엔 한국 임시 위원단의 접근이 가능한 지역(남한)에서 총선거를 실시하기로 결정하였다.

┃**바로 알기**┃ ① 1945년 일본이 연합국에 무조건 항복을 선언하면서 우리 민족이 광복을 맞이하였다. ②는 1945년 9월에 미군이 남한에 진주하면서 일어난 일이다. ③ 8·15 광복 이전 미국과 소련 간에 38도선을 경계로 한 한반도 분할 점령이 합의되었다. ⑤ 얄타 회담은 일제의 패망 전인 1945년 2월에 개최되었다.

15 김구와 김규식의 활동

(가)는 김규식이 남북 협상 진행 중에 평양에서 하였던 발언이고, (나)는 김구가 발표한 '삼천만 동포에게 눈물로 고함'이다. 김구와 김규식 등은 남한만의 총선거 실시로 남북이 분단될 위기에 놓였다고 판단하고 통일 정부 수립을 위한 남북한 정치 지도자 회담을 북측의 김일성 등에게 제안하였다. 그리하여 1948년 4월, 평양에서 남북한 주요 정당·사회단체 연석회의와 남북 지도자 회의가 개최되었다(남북 협상).

┃**바로 알기**┃ ① 물산 장려 운동은 일제 강점기인 1920년대에 일어난 것으로, 김규식과 관련이 없다. ②는 여운형 등에 대한 설명이다. ③ 김구는 신탁 통치 실시에 반대하였다. ④는 김규식에 해당한다.

완자 정리 노트   단독 선거에 대한 입장

구분	인물 및 단체	단독 선거에 대한 입장
우익	한국 민주당	지지
	이승만(독립 촉성 중앙 협의회)	지지
	김구, 김규식(한국 독립당)	반대
좌익	박헌영(남조선 노동당)	반대

16 제주 4·3 사건의 배경

(가)는 제주 4·3 사건이다. 1948년 2월 유엔 소총회의 남한만의 총선거 실시 결정 이후 분단 상황이 더욱 굳어지자, 단독 선거 실시와 단독 정부 수립에 반대하는 운동이 각지에서 일어났다. 이러한 상황에서 1948년 4월에 제주도의 좌익 세력과 일부 주민들이 단독 선거 저지와 통일 정부 수립을 내세우며 무장봉기하였다(제주 4·3 사건). 대한민국 정부 수립 이후에도 무장 세력의 저항은 지속되었고, 이에 대한 이승만 정부의 무차별적 진압 과정에서 수많은 민간인 피해가 발생하였다.

┃**바로 알기**┃ ①은 1941년의 일이다. ③은 여수·순천 10·19 사건(1948)에 대한 설명이다. ④는 1945년 9월의, ⑤는 1945년 12월의 일로 제주 4·3 사건 이전에 일어났다.

서술형 문제

253쪽

01 주제: 모스크바 3국 외상 회의와 미소 공동 위원회

(1) 모스크바 3국 외상 회의

(2) **예시 답안** 소련은 모스크바 3국 외상 회의의 결정을 반대하는 세력은 협의에 참여시킬 수 없다고 주장하였다. 반면, 미국은 모스크바 3국 외상 회의의 결정 사항에 반대하더라도 참여를 원하는 모든 단체가 협의의 대상이어야 한다고 주장하였다.

채점 기준

상	미국과 소련의 주장을 모두 서술한 경우
하	미국과 소련의 주장 중 한 가지만 서술한 경우

02 주제: 좌우 합작 7원칙

(1) 좌우 합작 위원회

(2) **예시 답안** 좌익 세력은 무상 몰수·무상 분배 방식의 토지 개혁을 주장하였고, 우익 세력은 유상 매수·유상 분배 방식의 토지 개혁을 주장하였다.

채점 기준

상	좌익과 우익 세력의 입장을 비교하여 서술한 경우
하	좌익과 우익 세력의 입장 중 한 가지만 서술한 경우

STEP 3   1등급 정복하기   254~255쪽

1 ④   2 ④   3 ②   4 ⑤

1 샌프란시스코 강화 조약의 내용

연합국들이 일본의 주권을 인정한다는 내용 등을 통해 자료가 1951년 미국의 중재로 연합국과 일본 간에 체결된 샌프란시스코 강화 조약임을 알 수 있다. 제2차 세계 대전 이후 냉전 체제가 심화되는 상황에서 미국은 아시아 지역에서 공산주의 세력의 확대를 막기 위해 일본을 반공 거점으로 삼고자 하였다. 이를 위해 미국은 샌프란시스코 강화 조약 체결을 주도하여 일본의 주권을 회복시키고 경제 부흥을 적극 지원하였다.

‖ **바로 알기** ‖ ④는 1945년 2월에 열린 얄타 회담과 관련된 내용이다.

2 모스크바 3국 외상 회의의 결정 사항

자료는 1945년 12월에 개최된 모스크바 3국 외상 회의의 결정 사항이다. 핵심 결정 사항은 한반도에 민주주의 임시 정부 수립, 공동 위원회 설치, 최고 5년간의 4개국 신탁 통치 실시 등이었다. 회의 결과가 국내에 알려지자 김구, 이승만, 한국 민주당 등 우익 세력은 신탁 통치가 한국인의 자주성을 부정하는 결정이라고 비판하며 신탁 통치 반대 운동을 펼쳤다. 조선 공산당 등 좌익 세력도 처음에는 신탁 통치에 반대하였으나 이후 회의 결정의 본질이 민주주의 임시 정부 수립에 있다고 보고, 회의 결정에 대한 총체적 지지로 입장을 바꾸었다. 좌익과 우익의 이러한 입장 차이는 좌우 대립을 심화하여 정치 세력 간의 충돌을 불러일으켰다.

‖ **바로 알기** ‖ ㄱ. 김구를 중심으로 한 한국 독립당은 신탁 통치 반대 운동을 전개하였다. ㄷ. 모스크바 3국 외상 회의의 결정안을 둘러싸고 좌익과 우익 세력의 대립이 격화되었다.

완자 정리 노트   모스크바 3국 외상 회의 이후 국내 반응

우익 세력	신탁 통치를 식민 지배의 연장으로 간주, 대대적인 신탁 통치 반대 운동 전개
좌익 세력	신탁 통치 반대 → 회의 결정의 본질이 민주주의 임시 정부 수립에 있다고 보고 이에 대한 총체적 지지로 입장 변경

3 통일 정부 수립을 위한 노력

왼쪽은 제1차 미소 공동 위원회(1946. 3.~1946. 5.), 오른쪽은 제2차 미소 공동 위원회(1947. 5.~1947. 10.)에 대한 내용이다. 제1차 미소 공동 위원회가 합의점을 찾지 못한 채 휴회에 들어가자, 한반도가 분단될 수 있다는 우려가 커졌다. 이에 여운형과 김규식 등 중도 세력은 한반도 통일 정부 수립을 위해 좌우 합작 운동을 전개하였다. 이들이 결성한 좌우 합작 위원회는 좌익 세력과 우익 세력의 주장을 절충하여 좌우 합작 7원칙을 만들었다(1946. 10.). 이후 1947년에 제2차 미소 공동 위원회가 열렸다.

‖ **바로 알기** ‖ ①은 1948년의 일로 제2차 미소 공동 위원회 개최 이후의 일이다. ③은 1945년 광복 직후, ④는 1945년 8월 15일, ⑤는 1946년 12월의 일로 제1차 미소 공동 위원회 개최 이전의 일이다.

완자 정리 노트   좌우 합작 운동의 전개

1946년 5월	제1차 미소 공동 위원회 결렬, 여운형과 김규식 등 중도 세력이 좌우 합작 운동 전개 시작
1946년 7월	미 군정의 지원과 대중적 지지 속에 좌우 합작 위원회 결성
1946년 10월	좌우 합작 위원회가 좌우 합작 7원칙 발표
1947년 3월	냉전의 격화로 좌우 합작 운동에 대한 미 군정의 지원 철회
1947년 7월	좌우 합작 운동을 이끌던 여운형이 암살당함
1947년 10월	좌우 합작 위원회의 활동 중단

4 남북 협상

자료 분석

1. 우리 강토에서 <u>외국 군대가 즉시 철거하는 것</u>이 조선 문제를 해결하는 유일한 방법이다. └ 미군과 소련군의 철수를 요구하였어.

3. 연석회의에 참가한 모든 정당 사회단체들은 임시 정부를 수립하고 통일적 조선 입법 기관을 선거하여 <u>통일적 민주 정부를 수립해야 한다.</u> └ 통일 정부 수립을 주장하였어.

4. 이 성명서에 서명한 모든 정당 사회단체들은 <u>남조선 단독 선거의 결과를 결코 인정하지 않을 것</u>이며 지지하지도 않을 것이다.
└ 단독 선거를 통한 단독 정부 수립에 반대하였지.   – 남북 조선 제 정당·사회단체 공동 성명

남북 조선 제 정당·사회단체 공동 성명이라는 내용 등을 통해 남북 협상과 관련된 자료임을 알 수 있다. 유엔이 소총회를 열어 유엔 한국 임시 위원단의 접근이 가능한 지역에서 총선거를 실시하기로 결정하자 김구와 김규식 등은 남북이 분단될 위기에 놓였다고 판단하고 통일 정부 수립을 위한 남북 협상을 전개하였다. 그리하여 1948년 4월에 평양에서 남북한 주요 정당·사회단체 연석회의와 남북 지도자 회의가 개최되었고, 여기에서 단독 정부 수립 반대, 미소 양군의 철수를 요구하는 성명서를 채택하였다.

‖ **바로 알기** ‖ ①은 1948년에 일어난 여수·순천 10·19 사건과 관련이 있다. ②는 1943년, ③은 1951년, ④는 1945년 광복 직후의 일로, 남북 협상과는 관련이 없다.

02 대한민국 정부 수립 ~ 6·25 전쟁과 남북 분단의 고착화

01 5·10 총선거의 실시

밑줄 친 '이 선거'는 5·10 총선거이다. 5·10 총선거 포스터에는 '기권은 국민의 수치, 투표는 애국민의 의무'라는 문구를 적어 국민의 선거 참여를 독려하였다. 미 군정은 유엔 소총회의 결정으로 유엔 한국 임시 위원단의 감시 아래 1948년 5월 10일 38도선 이남 지역에서 총선거를 실시하였다. 5·10 총선거는 21세 이상 모든 국민에게 투표권을 부여하였고, 평등·직접·비밀 선거 원칙에 따라 치러진 우리나라 최초의 민주주의 선거였다. 그러나 김구, 김규식 등 남북 협상 참가 세력과 많은 중도계 인사가 단독 선거에 반대하며 선거에 참여하지 않았다. 또한 좌익 세력인 남조선 노동당은 파업, 시위 등을 벌이며 선거 반대 투쟁을 전개하였다. 5·10 총선거의 결과 임기 2년의 제헌 국회 의원 198명이 선출되어 제헌 국회를 구성하였다.

바로 알기 ⑤ 미소 공동 위원회는 모스크바 3국 외상 회의의 결정 사항을 이행하기 위해 1946년과 1947년에 두 차례 개최되었다.

02 5·10 총선거와 대한민국 정부 수립 선포

(가)는 5·10 총선거, (나)는 대한민국 정부 수립 선포를 보여 준다. 5·10 총선거(1948. 5. 10.)의 결과로 제주도 두 곳을 제외한 선거구에서 198명의 제헌 국회 의원이 선출되었다. 제헌 국회는 국호를 '대한민국'으로 정하고, 헌법을 제정하여 공포하였다(1948. 7. 17.). 제헌 헌법에 따라 국회는 대통령에 이승만, 부통령에 이시영을 선출하였다. 이후 이승만 대통령은 내각을 조직하고 미 군정의 종식과 함께 대한민국 정부 수립을 국내외에 선포하였다(1948. 8. 15.).

바로 알기 ① 1948년에 유엔이 남한만의 총선거 실시를 결정하자 김구, 김규식 등은 통일 정부 수립 위한 남북 협상을 전개하였다(1948. 4.). ③ 6·25 전쟁 발발은 1950년 6월, ④ 애치슨 선언 발표는 1950년 1월, ⑤ 반민족 행위 처벌법 제정은 1948년 9월로 모두 대한민국 정부 수립 선포 이후에 있었던 사실이다.

03 북조선 임시 인민 위원회

(가)는 북조선 임시 인민 위원회에 해당한다. 북한 지역에서는 1946년 2월에 각 지방의 인민 위원회를 총괄하는 중앙 권력 기구로서 북조선 임시 인민 위원회가 출범하였고, 여기에서 김일성이 위원장이 되었다. 이후 북조선 임시 인민 위원회를 중심으로 토지 개혁, 중요 산업과 지하자원의 국유화 등이 실시되어 사회주의 체제의 기초가 마련되었다.

바로 알기 ① 북조선 임시 인민 위원회는 1947년 북조선 인민 위원회로 개편되었다. ② 조선 건국 준비 위원회는 광복 직후인 1945년에 조직되었다. ④ 1948년 9월 9일 북한은 조선 민주주의 인민 공화국 수립을 선포하였다. ⑤ 광복 직후 북한 지역에서 평안남도 건국 준비 위원회가 결성되었다.

04 제헌 헌법의 특징

자료 분석

제1조　대한민국은 민주 공화국이다.　┐조소앙의 삼균주의가 반영된 내용이야.
제16조　모든 국민은 균등하게 교육을 받을 권리가 있다. ┘
제86조　농지는 농민에게 분배하며 그 분배의 방법, 소유의 한도, 소유권의 내용과 한계는 법률로써 정한다.┐이후 농지 개혁법으로 구체화되었어.
제101조　국회는 1945년 8월 15일 이전의 악질적인 반민족 행위를 처벌하는 특별법을 제정할 수 있다.
└반민족 행위자 처벌에 관한 법률을 제정할 것을 명시하였어.

대한민국이 국민 주권의 민주 공화국임을 밝히고, 농지 개혁과 반민족 행위자 처벌에 관한 법률을 제정할 것을 명시한 것을 통해 제시된 헌법이 제헌 헌법임을 알 수 있다. 1948년 7월 17일에 선포된 제헌 헌법은 삼권 분립과 대통령 중심제를 채택하였다.

바로 알기 ① 제헌 헌법에서 대통령의 임기는 4년이고, 1회에 한하여 중임할 수 있도록 하였다. ② 제헌 헌법은 남한 단독 정부 수립 과정에서 제정한 헌법이다. ④ 제헌 헌법을 제정한 제헌 국회의 임기는 2년이었다. ⑤ 제헌 헌법은 대통령을 국회에서 무기명 투표로 선출하도록 하였다.

05 반민족 행위 특별 조사 위원회

자료는 1949년 2월에 이승만 대통령이 발표한 담화문으로, 밑줄 친 '위원회'는 반민족 행위 특별 조사 위원회(반민 특위)이다. 제헌 국회는 1948년에 일제 강점기의 반민족 행위자 처벌 및 재산 몰수 등의 조항이 담긴 반민족 행위 처벌법을 제정하고 반민 특위를 설치하였다. 반민 특위는 국민의 성원 속에 1949년 1월부터 활동을 실시하였다. 그러나 반민 특위 소속 국회 의원들 중 일부가 공산당과 접촉하였다는 구실로 구속되었고(국회 프락치 사건), 독립운동가를 고문한 혐의로 고위급 경찰이 체포되자 일부 경찰들이 반민 특위 사무실을 습격하기도 하였다. 또한 반민족 행위 처벌법이 개정되어 친일파 처벌 기한이 줄어들었고, 반민족 행위의 범위도 크게 축소되어 반민 특위의 활동은 유명무실하게 되었다. 결국 반민 특위는 그 역할을 다하지 못한 채 해체되었다.

바로 알기 ② 이승만 정부는 친일파 처벌보다 반공을 우선시하여 반민 특위의 활동에 비협조적인 태도를 보였다.

06 농지 개혁의 내용

모둠별 발표 주제에서 지가 증권, 유상 매수·유상 분배 방식 등의 내용을 통해 제시된 수행 평가의 과제인 (가)는 남한의 농지 개혁임을 알 수 있다. 제헌 국회가 1949년 농지 개혁법을 제정하였고, 이승만 정부는 이듬해 3월부터 유상 매수·유상 분배 방식을 원칙으로 하는 농지 개혁을 시행하였다. 한 가구당 3정보를 소유 상한으로 하고, 그 이상의 토지는 정부가 보상 기간, 지급액 등이 기재된 지가 증권을 지주에게 발급하여 매입하였다. 농지 개혁으로 지주·소작제가 거의 사라졌으며, 대부분의 농민이 자기 소유의 농지를 가지게 되어 소작지 면적은 줄고 자작지 면적이 늘어났다.

┃**바로 알기**┃ ② 일제 강점기인 1910년에 일제는 회사령을 제정하여 회사를 설립할 때 조선 총독의 허가를 받도록 하였다. ③ 산미 증식 계획은 일제가 자국의 부족한 쌀을 한국에서 확보하기 위해 1920년부터 추진한 정책이다. ④ 일제는 1910년대에 토지 조사 사업을 실시하였다. ⑤ 북한은 1946년에 5정보를 초과하는 토지를 무상 몰수하여 농민에게 무상 분배하는 토지 개혁을 실시하였다.

완자 정리 노트   남한의 농지 개혁과 북한의 토지 개혁

구분	남한의 농지 개혁	북한의 토지 개혁
실시 시기	1950년 3월	1946년 3월
원칙	유상 매수, 유상 분배	무상 몰수, 무상 분배
한 가구당 농지 소유 상한	3정보(약 3만㎡)	5정보(약 5만㎡)

07 농지 개혁의 결과

제시된 자료는 1949년에 제정된 농지 개혁법이다. 농지 개혁법에 따라 이승만 정부는 1950년부터 유상 매수·유상 분배 방식을 원칙으로 하는 농지 개혁을 시행하였다. 한 가구당 농지 소유 상한을 3정보로 제한을 두고 그 이상의 토지는 지가 증권을 발급하여 정부가 매입하였다. 농지 개혁은 지주·소작제의 소멸과 농민 중심의 농지 소유를 확립하는 데 기여하였다.

┃**바로 알기**┃ ① 농지 개혁은 대한민국 정부 수립 후 이승만 정부가 시행하였다. ② 남한의 농지 개혁 실시 전에 북한에서 먼저 토지 개혁이 실시되었다(1946). ④ 농지 개혁은 소작지 면적과 소작농 수의 감소를 불러왔다. ⑤ 농지 개혁법은 한 가구당 3정보를 초과하는 농지를 대상으로 하였다.

08 6·25 전쟁의 배경

제시된 내용은 1950년 1월의 애치슨 선언 발표에 해당한다. 남한과 북한에 각기 이념과 체제가 다른 대한민국 정부와 북한 정권이 들어서면서 한반도에서는 긴장과 대립이 고조되었다. 이 시기 미국은 남한에서 전투 부대를 철수하기 시작하였고, 미국의 태평양 방위선에서 한반도를 제외한다는 애치슨 선언을 발표하였다. 북한은 이러한 정세를 이용하여 중국과 소련의 지원 아래 전쟁을 준비하였다. 이러한 상황을 배경으로 1950년 6월에 6·25 전쟁이 일어났다.

┃**바로 알기**┃ ①, ②는 6·25 전쟁(1950. 6.~1953. 7.)이 끝난 이후의 상황이다. ③, ⑤는 6·25 전쟁 중에 있었던 일이다.

09 6·25 전쟁의 전개 과정

북한군은 1950년 6월 25일에 남침을 감행한 지 3일 만에 서울을 점령하였고, 7월 말에는 낙동강 유역까지 진출하였다. 낙동강을 사이에 두고 북한군과 치열하게 전투를 벌이던 국군과 유엔군은 9월에 인천 상륙 작전에 성공하여 서울을 수복하였고, 압록강 유역까지 도달하였다.

┃**바로 알기**┃ ② 1950년 10월부터 중국군이 개입하기 시작하여 서울이 다시 함락되었으나 국군과 유엔군은 총공세를 감행하여 서울을 다시 되찾았고, 이후에는 남한과 북한이 38도선 부근에서 공방전을 이어 갔다. ③ 정전 협정 체결이 지연되는 동안 정전을 반대하는 이승만 정부가 일방적으로 반공 포로를 석방하였다. ④ 한미 상호 방위 조약(1953. 10.)은 미군이 남한에 계속 주둔하는 근거가 되었다. ⑤ 인천 상륙 작전과 중국군 개입 시작은 정전 협상 시작 전에, 반공 포로 석방은 정전 협상 중에, 한미 상호 방위 조약 체결은 정전 협정 체결 후에 일어난 일이다.

완자 정리 노트   6·25 전쟁의 전개와 영향

북한군의 남침		인천 상륙 작전		정전 협정 체결
서울 함락, 낙동강 유역까지 후퇴	➡	서울 수복, 압록강 유역까지 진출 → 중국군 개입(→ 1·4 후퇴)	➡	정전 협상 중 이승만의 반공 포로 석방 → 정전 협정 후 한미 상호 방위 조약 체결

10 6·25 전쟁의 성격

1950년 6월 25일, 북한의 남침, 판문점에서 정전 협정 체결 등의 내용을 통해 밑줄 친 '이 전쟁'이 6·25 전쟁임을 알 수 있다. 북한이 기습적으로 남침하여 6·25 전쟁이 발발하자, 미국의 요청으로 긴급 소집된 유엔 안전 보장 이사회는 남한에 대한 군사 지원을 결의하였고 이에 따라 유엔군이 참전하였다. 약 3년간의 전쟁 끝에 정전 협정이 체결되었으나, 남한과 북한 사이의 적대감이 깊어져 분단은 굳어졌다.

┃**바로 알기**┃ ㄱ은 러시아와 일본 간의 러일 전쟁(1904~1905), ㄷ은 제1차 세계 대전(1914~1918)과 관련된 설명이다.

11 사사오입 개헌

밑줄 친 '개헌안'은 사사오입 개헌에 해당한다. 발췌 개헌을 통해 연임에 성공한 이승만은 장기 집권을 위해 대통령의 3선을 금지하는 내용의 헌법을 고치려 하였다. 여당이었던 자유당이 1954년에 개헌 당시의 대통령에 한해서 연임 횟수 제한을 없앤다는 내용의 개헌안을 제출하였다가 1표 차로 부결되자, 이후 사사오입(반올림) 논리를 내세워 개헌안을 통과시켰다.

┃**바로 알기**┃ ①, ④ 1948년에 제정된 제헌 헌법에서 초대 국회 의원에 한해서 임기 2년을 규정하였고, 반민족 행위자 처벌에 관한 법률을 제정할 것을 명시하였다. ② 1952년의 발췌 개헌(제1차 개헌)으로 이미 대통령 간선제가 직선제로 변경되었다. 이후 제5차 개헌(1962), 제9차 개헌(1987)에서도 대통령 직선제로의 변경이 이루어졌다. ⑤ 이승만 정부는 6·25 전쟁 중에 임시 수도였던 부산 일대에 비상계엄을 선포한 가운데 발췌 개헌을 통과시켰다.

12 조봉암의 활동

(가)는 조봉암에 해당한다. 조봉암은 1948년 제헌 국회 의원에 당선되었고, 대한민국 정부 수립 이후에는 초대 농림부 장관이 되어 농지 개혁을 추진하였다. 1956년 5월, 제3대 대통령 선거에 출마하여 낙선하였지만 유효 표의 약 30%를 얻었다. 1956년 11월에 진보당을 창당하고 위원장에 선임되었으나 이승만 정부의 견제와 탄압을 받았다. 조봉암은 1958년 1월, 간첩죄 및 국가 보안법 위반 혐의로 진보당원 16명과 함께 검거되었고(진보당 사건), 대법원에서 사형이 확정되어 1959년 7월에 사형을 당하였다. 한편, 2011년 대법원은 진보당 사건에 대한 재심에서 간첩죄 및 국가 보안법 등의 공소 사실에 대해 재판관 전원 일치로 무죄를 선고하였다.

∥바로 알기∥ ②는 김구와 김규식 등, ③은 일제 강점기인 1920년대 조만식 등 민족주의 계열, ④는 신채호, ⑤는 여운형과 안재홍 등에 대한 설명이다.

13 이승만 정부의 독재 체제 강화

두 차례의 개헌을 통해 정권을 연장한 이승만 정부는 반대 세력을 탄압하였다. 진보당 사건으로 조봉암을 제거한 이후 이승만과 자유당 정권은 국가 보안법을 개정(1959)하여 사회 통제를 강화하였다. 또한 정부에 대해 비판적인 경향신문을 폐간(1959)하는 등 언론을 억압하면서 장기 독재 체제를 구축하였다.

∥바로 알기∥ ① 이승만 정부는 정권 연장을 위해 발췌 개헌(1952)과 사사오입 개헌(1954)을 단행하였다. ③ 이승만 정부는 반민족 행위자 처벌을 위한 반민족 행위 특별 조사 위원회의 활동에 비협조적인 태도를 보였다. ④ 1948년 제헌 헌법에 따라 이승만이 대통령에 선출되었고, 남한 단독 정부인 대한민국 정부의 수립이 선포되었다. ⑤ 이승만 정부는 6·25 전쟁(1950~1953) 이후 전후 복구 사업을 추진하였다.

14 1950년대 미국의 경제 원조

6·25 전쟁은 한국 경제에 큰 타격을 주었는데, 미국의 원조는 전후 복구에 큰 힘이 되었다. 미국의 원조 물자 중에서 가장 많이 들어온 것은 밀, 사탕수수, 면화 등 농산물이었다. 미국이 제공한 잉여 농산물은 한국의 식량난 해결과 삼백 산업(제분업, 제당업, 면방직 공업)과 같은 소비재 산업 발달에 도움을 주었다.

∥바로 알기∥ ②, ③, ④ 미국에서 대량의 농산물이 들어와 식량 문제는 다소 해결되었으나, 국내 농산물 가격이 폭락하여 농가 소득이 줄었다. ⑤는 일제 강점기의 일로 일제는 1932년부터 농촌 진흥 운동을 실시하였다.

15 8월 종파 사건

제시된 내용은 1956년에 북한에서 일어난 8월 종파 사건에 해당한다. 김일성은 6·25 전쟁 기간에 박헌영 등 남조선 노동당 출신의 국내파는 물론 중국 및 소련과 가까운 연안파와 소련파의 주요 인물을 제거해 나가면서 자신의 권력 기반을 강화하였고, 1956년에는 8월 종파 사건을 일으켰다. 8월 종파 사건 이후 북한에서는 김일성 중심의 독재 체제를 더욱 강화하였다.

∥바로 알기∥ ①은 1911년, ②는 1919년, ③은 1958년, ⑤는 1948년에 일어난 사건이다.

완자 정리 노트 　김일성의 독재 체제 강화

주요 인물 제거	박헌영 등 남로당계와 연안파·소련파의 주요 인물 제거
8월 종파 사건	연안파 등 반대파를 대대적으로 숙청(1956)

16 북한의 천리마운동

제시된 사진은 북한의 천리마운동 포스터이고, 제시된 글은 천리마운동의 내용에 해당한다. 천리마운동은 대중의 노동력 동원을 바탕으로 사회주의 경제를 건설하기 위해 1956년부터 실시되었다. 노동력을 최대한 동원해 생산력을 높이고자 하여 초반에는 경제 발전에 이바지하기도 하였으나 점차 노동력 강제 동원이라는 한계점이 나타났다.

∥바로 알기∥ ① 신한 공사는 1946년에 설립된 미 군정 시기의 토지 관리 회사로, 동양 척식 주식회사 소유의 토지와 미 군정청 소유의 토지를 관리하였다. ②는 문맹 퇴치 운동, ④는 물산 장려 운동에 대한 설명으로 이들은 일제 강점기에 추진되었다. ⑤는 1946년에 실시된 북한의 토지 개혁에 대한 설명이다.

서술형 문제
263쪽

01 주제: 6·25 전쟁의 전개 과정

예시 답안 국군과 유엔군이 북쪽 국경에 이르자 중국은 군대를 보내 북한을 지원하였다. 압록강을 건넌 중국군은 대규모 병력을 앞세워 순식간에 남하하여 전세가 뒤집혔고, 서울이 다시 함락되었다.

채점 기준

상	중국군이 개입하여 전세가 역전된 상황을 서술한 경우
하	중국군이 개입하였기 때문이라고만 서술한 경우

02 주제: 발췌 개헌안

예시 답안 발췌 개헌. 기존의 제헌 헌법은 대통령 간선제를 규정하였다. 발췌 개헌안은 대통령 간선제를 대통령 직선제로 변경하였다.

채점 기준

상	발췌 개헌을 쓰고, 대통령 간선제에서 직선제로의 변경을 서술한 경우
중	대통령 직선제로의 변경만 서술한 경우
하	발췌 개헌만 쓴 경우

03 주제: 미국 경제 원조의 영향

예시 답안 미국에서 농산물이 대량으로 유입되면서 식량 부족 문제 해결에 도움이 되었다. 그러나 국내 농산물 가격이 폭락하여 농가 소득이 크게 줄었다.

채점 기준

상	미국 경제 원조의 긍정적 영향과 부정적 영향을 각각 서술한 경우
하	미국 경제 원조의 긍정적 영향과 부정적 영향 중 한 가지만 서술한 경우

1 제헌 국회의 활동

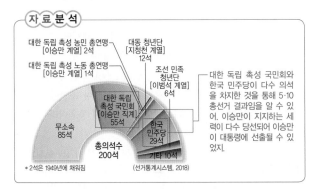

자료 분석

대한 독립 촉성 농민 총연맹
[이승만 계열] 2석

대동 청년단
[지청천 계열]
12석

대한 독립 촉성 노동 총연맹
[이승만 계열] 1석

조선 민족
청년단
[이범석 계열]
6석

대한 독립
촉성 국민회
[이승만 직계]
55석

무소속
85석

한국
민주당
29석

기타 10석

총의석수
200석

대한 독립 촉성 국민회와
한국 민주당이 다수 의석
을 차지한 것을 통해 5·10
총선거 결과임을 알 수 있
어. 이승만이 지지하는 세
력이 다수 당선되어 이승만
이 대통령에 선출될 수 있
었지.

* 2석은 1949년에 채워짐   (선거통계시스템, 2018)

1948년 5·10 총선거의 결과 임기 2년의 국회 의원 198명이 선출되
었다. 5·10 총선거로 구성된 제헌 국회는 국호를 '대한민국'으로 정
하고 헌법을 제정하였다. 1948년 7월 17일에 선포된 제헌 헌법에 따
라 제헌 국회는 대통령에 이승만, 부통령에 이시영을 선출하였고,
대다수 국민의 요구에 따라 농지 개혁법 및 반민족 행위 처벌법을
제정하였다.

║바로 알기║ ㄴ. 발췌 개헌은 6·25 전쟁 중인 1952년에 부산에서 통과되었
다. 당시 국회는 제2대 국회였다. ㄹ. 제헌 국회는 대통령을 중심으로 국정
이 운영되는 정부 형태인 대통령 중심제를 채택하였다.

2 이승만 정부의 경제 정책

제시된 법령은 1948년 9월에 제헌 국회가 제정한 반민족 행위 처
벌법이다. 대한민국 정부 수립 이후 제헌 국회는 반민족 행위 처벌
법을 제정하고 반민족 행위 특별 조사 위원회(반민 특위)를 설치하
였다. 그러나 반민 특위의 활동은 이승만 정부의 비협조적인 태도
로 어려움을 겪었다. 한편, 반민 특위가 해체된 후 이듬해 일어난
6·25 전쟁(1950~1953)은 한반도에 막대한 인적·물적 피해를 남
겼다. 이승만 정부는 미국의 경제 원조에 힘입어 전후 복구와 경제
건설에 나섰다. 전후 미국의 원조는 매년 약 2억 달러 이상으로 한
국의 1년 조세 수입에 맞먹는 막대한 규모였다.

║바로 알기║ ① 북한은 1954년부터 전후 복구 3개년 계획을 시작하였다.
②는 미 군정에 대한 설명이다. ③ 일제 강점기인 1930년대에 일제는 남면
북양 정책을 실시하였다. ④ 북한은 1956년부터 천리마운동을 벌였다.

3 6·25 전쟁의 전개

(가)는 북한군이 남침하여 낙동강 유역까지 진출한 시기(1950. 7.)
와 중국군이 개입하기 시작한 시기(1950. 10.) 사이에 해당한다.
1950년 6월 25일, 남침을 감행한 북한군은 3일 만에 서울을 점령
하고, 7월 말에는 낙동강 유역까지 진출하였다. 6·25 전쟁이 일어
나자 유엔 안전 보장 이사회는 남한에 유엔군 파견을 결의하였다.

낙동강을 사이에 두고 북한군과 치열하게 전투를 벌이던 국군과
유엔군은 1950년 9월, 인천 상륙 작전에 성공하여 전세를 역전하
였다. 그리고 서울을 수복하고, 38도선을 돌파하여 압록강 유역까
지 도달하였다. 국군과 유엔군이 북쪽 국경에 이르자 중국은 10월
부터 군대를 보내 북한을 지원하였고, 1951년 1월에는 서울이 다
시 함락되었다(1·4 후퇴). 국군과 유엔군이 서울을 다시 되찾은 후
38도선 근처에서 전선이 교착 상태에 빠지자 소련의 제의로 1951
년 7월부터 당사국들 사이에 정전이 모색되었고 1953년 7월에 정
전 협정이 체결되었다.

║바로 알기║ ① 정전 협정 체결이 지연되는 동안 정전을 반대한 이승만 정
부가 1953년 6월에 일방적으로 반공 포로를 석방하였다. ②는 6·25 전쟁
발발 이전에 볼 수 있는 모습이다. ③ 사사오입 개헌안 통과는 1954년, ⑤
한미 상호 방위 조약 체결은 1953년 10월의 일로 모두 정전 협정 체결 이후
에 볼 수 있는 모습이다.

4 이승만의 장기 독재 체제

자료 분석   이승만 정부 시기에는 참의원 선거가 실시되지 ─┐
않아 양원제 국회가 수립되지는 않았어.

(가) 제31조 입법권은 국회가 행한다. 국회는 민의원과 참의원으
로 구성한다. ─ 국회 양원제를 규정하였어.

제53조 대통령과 부통령은 국민의 보통, 평등, 직접, 비밀 투
표에 의하여 각각 선거한다. ─ 대통령 직선제로 변경하였어.

부칙 이 헌법은 공포한 날로부터 시행한다. 단, 참의원에 관
한 규정과 참의원의 존재를 전제로 한 규정은 참의원
이 구성된 날로부터 시행한다. ─┘

(나) 제31조 입법권은 국회가 행한다. 국회는 민의원과 참의원으
로 구성한다.

제55조 대통령과 부통령의 임기는 4년으로 한다. 단, 재선에
의하여 1차 중임할 수 있다. 대통령이 궐위된 때에는
부통령이 대통령이 되고 잔임 기간 중 재임한다.

부칙 이 헌법 공포 당시의 대통령에 대하여는 제55조 제1항
단서의 제한을 적용하지 아니한다. ─┘
└─ 이승만 대통령의 연임 횟수 제한을 없앤다는 내용이야.

(가)는 발췌 개헌(1952), (나)는 사사오입 개헌(1954)이다. 제2대 국
회 의원 선거에서 이승만 정부에 비판적인 후보들이 대거 당선되
자, 이승만과 자유당은 대통령 간선제로는 더 이상 대통령에 당선
될 수 없다고 판단하였다. 그리하여 6·25 전쟁 중인 1952년에 부
산 일대에 비상계엄을 선포한 가운데 대통령 직선제 개헌안(발췌
개헌)을 통과시켰다. 연임에 성공한 이승만은 장기 집권을 위해 대
통령의 3선을 금지하는 내용의 헌법을 고치려 하였다. 여당이었던
자유당은 1954년 개헌 당시의 대통령(이승만)에 한해서 연임 횟수
제한을 없앤다는 내용의 개헌안을 제출하였다. 그러나 개헌안이 1
표 차로 부결되자, 이후 사사오입(반올림)의 논리를 내세워 개헌안
을 통과시켰다(사사오입 개헌).

║바로 알기║ ②는 사사오입 개헌에 대한 설명이다.

03 4·19 혁명과 민주화를 위한 노력

STEP 1 핵심 개념 확인하기   270쪽

1 (나) - (다) - (라) - (마) - (가)   **2** (1) 3선 개헌안 (2) 베트남
(3) 한일 협정   **3** (1) ○ (2) × (3) × (4) ○   **4** (1) ㉠ (2) ㉢ (3) ㉡
5 (1) 12·12 사태 (2) 삼청 교육대

STEP 2 내신 만점 공략하기   270~273쪽

01 ③	02 ④	03 ①	04 ⑤	05 ⑤	06 ③	07 ②
08 ④	09 ②	10 ⑤	11 ②	12 ⑤	13 ④	14 ⑤
15 ①	16 ④					

01 4·19 혁명의 배경

자료는 4·19 혁명(1960) 당시 서울대학교 문리대 학생들의 4·19 선언문이다. 제시된 선언문에서 민주주의 이념에서 가장 기본적인 공리인 선거권마저 권력의 마수 앞에 농단되었다. 학생 김주열의 시신 등을 통해 4·19 혁명에 대한 것임을 알 수 있다. 1960년에 치러진 정부통령 선거에서 이승만은 대통령 당선이 확실시되었으나, 고령인 이승만에게 건강상의 문제가 생겼을 때 부통령이 대통령직을 승계해야 하였기 때문에 부통령 선거가 중요하였다. 이승만 정부는 이기붕을 부통령으로 당선시키기 위해 대대적인 부정 선거(3·15 부정 선거)를 자행하였다. 이후 전국에서 부정 선거를 규탄하는 시위가 이어졌고, 얼마 뒤 마산 시위 과정에서 실종되었던 김주열 학생이 숨진 채 발견되자 마산 시민의 분노가 폭발하였다. 시위는 전국으로 확산되었으며 이는 4·19 혁명으로 이어졌다.

┃바로 알기┃ ① 유신 헌법 공포는 1972년, ② 베트남 파병이 이루어진 것은 1964~1973년, ④ 5·16 군사 정변 발발은 1961년, ⑤ 반민족 행위 특별 조사 위원회의 해체는 1949년의 일이다.

02 4·19 혁명의 결과

자료는 4·19 혁명 중에 발표된 대학교수들의 시국 선언문이다. 1960년 4월 19일에 전국에서 대규모 시위가 전개되자(4·19 혁명), 경찰이 시위대에 무차별적으로 총격을 가하여 많은 사람이 죽거나 다쳤다. 이승만 정부가 전국 대도시에 계엄령을 선포한 후 시위가 잠시 소강상태를 보였으나, 4월 25일에 대학교수 200여 명이 시위대를 지지하는 시국 선언을 발표하였다. 결국 4월 26일, 이승만 대통령은 사퇴하고 미국으로 망명하였다.

┃바로 알기┃ ① 사사오입 개헌은 1954년에 이루어졌다. ② 4·19 혁명의 배경이 되었던 3·15 부정 선거는 대통령 직선제로 치러졌다. ③은 유신 반대 운동과 관련된 설명으로, 1972년에 제정된 유신 헌법에 대통령 긴급 조치권이 규정되었다. ⑤는 1980년에 일어난 5·18 민주화 운동에 대한 설명이다.

03 내각 책임제의 도입

제시된 내용은 1960년의 주요 뉴스에 해당한다. 1960년 3·15 부정 선거를 배경으로 4·19 혁명이 일어나 이승만이 대통령직에서 물러났다. 이후 허정을 수반으로 하는 과도 정부가 수립되었다. 과도 정부는 양원제 국회 구성과 내각 책임제를 핵심으로 하는 헌법 개정을 단행하였다. 새 헌법에 따라 실시된 총선거에서 민주당이 크게 승리하였고, 이후 국회에서 선출하는 대통령에 윤보선이, 국무총리에는 장면이 당선되었다(1960. 8.). 내각 책임제를 규정한 헌법에서 대통령은 상징적인 존재였으며, 정부를 운영하는 실질적인 권한은 국무총리가 행사하였다.

┃바로 알기┃ ②, ④는 박정희 정부 때 제정된 유신 헌법(제7차 개헌, 1972)의 내용이다. ③은 전두환 정부 때 단행된 제8차 개헌(1980)의 내용이다. ⑤는 이승만 정부 때 단행된 사사오입 개헌(제2차 개헌, 1954)의 내용이다.

04 장면 정부의 정책

장면 정부는 정치적·사회적 민주화와 경제 발전 등을 국정 과제로 제시하였다. 이에 시장과 도지사는 물론 면장과 면 의원까지 주민이 직접 선출하는 지방 자치제를 실시하였다. 또한 원조 경제에서 벗어나 자립을 이루고자 경제 개발 5개년 계획을 마련하고, 도로와 교량 건설 등 국토 건설 사업을 추진하였다.

┃바로 알기┃ ㄱ, ㄴ은 5·16 군사 정변(1961) 이후 군사 정부에서 시행한 정책이다.

05 5·16 군사 정변과 군사 정부

자료 분석

┌─ 박정희 ┌─ 5·16 군사 정변
본인은 군사 혁명을 일으킨 책임자로서 …… 2년에 걸친 군사 혁명에 종지부를 찍고, 혁명의 악순환이 없는 조국 재건을 위하여 항구적 국민 혁명의 대오, 제3공화국의 민정에 참여할 것을 결심하였습니다. …… 다시는 이 나라에 본인과 같은 불운한 군인이 없도록 합시다.
└─ 박정희는 5·16 군사 정변 당시 민정 이양 계획을 발표하였지만, 2년 후 민주 공화당을 창당하여 정권을 유지하였어.

자료는 박정희 국가 재건 최고 회의 의장의 전역사이다. 박정희를 비롯한 일부 군인들은 장면 정부의 군비 축소 계획, 민간 차원의 통일 운동에 대해 불만을 품고 있었다. 이들은 장면 정부의 무능과 사회 혼란을 구실로 삼아 군사 정변을 일으켰다(5·16 군사 정변, 1961). 이어 군사 정변 세력은 반공을 국시로 내건 '혁명 공약'을 발표하고, 국가 재건 최고 회의를 만들어 권력을 장악하였다. 군사 정부는 중앙정보부를 설치하여 권력 기반을 강화하고 2년 6개월에 걸쳐 군정을 실시하였으며, 대통령 중심제로 헌법을 개정하였다. 이후 박정희는 제5대 대통령 선거에 민주 공화당 후보로 출마하여 당선되었다(1963).

┃바로 알기┃ ① 장면 정부는 4·19 혁명(1960)으로 이승만 대통령이 하야한 후 출범하였으나, 5·16 군사 정변으로 무너졌다. ②, ④는 이승만 정부 시기의 일이다. ③은 박정희 정부 시기의 일이다.

06 한일 국교 정상화의 목적

자 료 분 석

┌─ 4·19 혁명   5·16 군사 정변 ─┐

4월 항쟁의 참다운 가치성은 반외세, 반매판, 반봉건에 있으며, 민족·민주의 참된 길로 나아가기 위한 도정이었으나, 5월 군부 쿠데타는 이러한 민족·민주 이념에 대한 정면적인 도전이었다. …… 국제 협력이라는 미명 아래 우리 민족의 치 떨리는 원수 일본 제국주의를 수입, 대미 의존적 반신불수인 한국 경제를 2중 예속의 철쇄로 속박하는 것이 조국의 근대화로 가는 첩경이라고 기만하는 반민족적 음모를 획책하고 있다.

└─ 한일 국교 정상화 추진에 대한 학생들의 비판 내용이야. 당시 학생들은 굴욕적인 한일 회담을 즉각 중단할 것을 요구하였어.

자료는 한일 회담 반대 시위 과정에서 발표된 선언문이다. 미국이 한·미·일 3각 안보 체제를 강화하기 위해 한일 국교 정상화를 요구하자, 박정희 정부는 경제 개발 자금을 마련하려고 일본과 국교 정상화 회담을 시작하였다. 학생과 시민들의 반대에도 불구하고 정부는 계엄령을 선포한 후 시위를 진압하고 한일 협정을 체결하였다(1965). 그 결과 박정희 정부는 경제 개발에 필요한 자금을 일부 얻을 수 있었지만, 일본의 식민 지배에 대한 사과 및 배상 문제 등은 아직까지 제대로 해결되지 못하였다.

| 바로 알기 | ①, ⑤ 냉전이 전개되는 상황에서 미국은 북한, 소련, 중국 등의 공산주의 세력에 맞서 한국, 미국, 일본의 3각 안보 체제를 강화하기 위해 한일 국교 정상화를 요구하였다. ②는 박정희 정부 시기 대통령의 긴급 조치권, ④는 박정희 정부 시기의 유신 헌법 등과 관련이 있다.

07 한일 국교 정상화 추진 시기

한일 국교 정상화는 5·16 군사 정변 세력이 권력을 장악하고, 1963년에 박정희 정부가 출범한 이후에 추진되었다. 수많은 학생과 시민은 일본의 반성과 그에 따른 사과와 배상이 이루어지지 않은 상태에서 추진되는 굴욕적인 한일 회담에 크게 저항하며 6·3 시위(1964) 등을 전개하였다. 그러자 박정희 정부는 휴교령과 계엄령을 선포하고 시위에 참가한 시민을 체포하였다. 그리고 이듬해 한일 협정을 체결하였다(1965). 이후 박정희 정부는 북한의 도발로 남한과 북한 사이에 긴장이 고조되는 위기 상황을 극복하고 지속적인 경제 성장을 추진한다는 명분을 내세워 대통령의 3회 연임을 허용하는 3선 개헌안을 통과시켰다(1969).

08 베트남 파병

자료는 1966년에 체결된 브라운 각서의 내용이다. 미국 정부는 주한 미국 대사 브라운을 통하여 한국군의 베트남 파병과 관련한 조건을 한국 정부에 전달하였다. 미국은 브라운 각서를 통해 차관 제공을 약속하였고, 국군 현대화와 한국 기업의 베트남 건설 사업 참여 등을 보장하였다. 베트남 파병은 박정희 정부의 경제 개발 추진에 큰 도움이 되었다. 그러나 치열한 전쟁 과정에서 많은 젊은이가 죽거나 다쳤고 고엽제 피해자가 발생하였으며, 국군에 의해 베트남 민간인들이 희생되기도 하였다.

| 바로 알기 | ① 박정희 정부가 일본과 국교 정상화 회담을 추진하자 수많은 학생과 시민이 이에 저항하며 6·3 시위(1964) 등을 전개하였다. ② 닉슨 독트린은 1969년에 미국 대통령 닉슨이 베트남 전쟁 개입 종결 등을 위해 발표한 외교 정책이다. ③ 박정희 정부 시기에는 냉전 체제 완화의 분위기 속에서 1972년에 7·4 남북 공동 성명이 발표되었다. ⑤는 1965년에 체결된 한일 협정에 대한 설명이다.

09 유신 헌법의 내용

제시된 내용에서 긴급 조치 4호, 민주화 운동을 억압하는 도구, 헌법상 보장된 국민의 기본권 침해 등을 통해 밑줄 친 '당시 헌법'이 1972년에 제정된 유신 헌법임을 알 수 있다. 유신 헌법은 대통령의 임기를 6년으로 늘렸고, 중임 횟수의 제한을 없앴다. 대통령 선출 방법도 국민의 직접 선거에서 통일 주체 국민 회의에서 선출하는 간접 선거로 바꾸었다. 대통령에게 국회 의원의 3분의 1 추천권한, 국회 해산권, 대법원장과 법관의 인사권을 주었고, 긴급 조치권도 부여하여 대통령이 헌법에 보장된 국민의 기본권을 억압할 수 있게 하였다.

| 바로 알기 | ① 대통령의 3회 연임 허용은 3선 개헌(제6차 개헌, 1969)의 내용이다. ③ 대통령 직선제로의 개헌은 발췌 개헌(제1차 개헌, 1952), 제5차 개헌(1962), 제9차 개헌(1987)에 해당한다. ④, ⑤는 제8차 개헌(1980)의 내용이다.

완자 정리 노트   유신 체제 시기의 긴급 조치

규정	1972년 유신 헌법 제53조에 규정됨
내용	• 대통령이 국정 전반에 걸쳐 필요하다고 판단될 경우 긴급 조치 발동 가능 • 역대 헌법 가운데 대통령에게 가장 강력한 권한을 위임하였던 국가 긴급권에 해당함
문제점	• 헌법에 규정된 국민의 자유와 권리를 잠정적으로 정지하는 긴급 조치 가능 • 대통령이 정부나 법원의 권한에 관하여 긴급 조치 가능
발동	유신 시대에 총 9차례 발동

10 유신 체제에 대한 저항

자료는 3·1 민주 구국 선언(1976)의 내용으로, 밑줄 친 '현 정권'은 유신 체제 시기의 박정희 정부에 해당한다. 1972년 유신 헌법 발표 후 성립된 유신 체제는 모든 권력을 대통령에게 집중시킨 독재 체제였다. 이에 학생과 민주 인사들은 민주화를 요구하며 유신 반대 운동을 벌였다. 1973년에 장준하를 비롯한 지식인들은 개헌 청원 100만 인 서명 운동을 전개하여 유신 반대 운동을 이어 갔다. 박정희 정부가 1974년부터 긴급 조치를 잇달아 발표하며 개헌 논의를 금지시키자 김대중, 함석헌 등 각계 지도층 인사들은 1976년에 긴급 조치 철폐와 박정희 정권의 퇴진을 주장하는 3·1 민주 구국 선언을 발표하였다.

| 바로 알기 | ①, ③ 1980년에 전개된 서울의 봄, 5·18 민주화 운동은 신군부 세력에 저항한 민주화 운동이다. ②, ④ 1960년에 일어난 3·15 부정 선거 규탄 시위와 4·19 혁명은 이승만 정부에 저항한 민주화 운동이다.

11 YH 무역 사건과 부마 민주 항쟁

제시된 내용은 1979년 8월에 일어난 YH 무역 사건에 해당한다. 1970년대 후반 유신 체제는 한계에 달하였다. 한국의 정치 상황에 대한 국제 사회의 여론이 나빠졌고, 제2차 석유 파동(1978)으로 인한 경제적 어려움은 정부에 대한 국민의 불만으로 이어졌다. 이러한 가운데 박정희 정부는 신민당사에서 농성 중인 YH 무역의 여성 노동자들을 강제 진압하였고, 이에 항의하는 신민당 총재 김영삼을 의원직에서 제명하였다. 이를 계기로 1979년 10월에 부산과 마산에서는 유신 철폐와 독재 반대를 외치는 시위가 격렬하게 전개되었다(부마 민주 항쟁).

┃바로 알기┃ ① 4·19 혁명은 1960년, ③ 5·16 군사 정변은 1961년, ④ 3선 개헌 반대 운동은 1969년, ⑤ 조봉암이 간첩 혐의로 처형된 것은 1959년의 일로 모두 유신 체제가 성립하기 이전에 일어난 일이다.

12 서울의 봄

제시된 내용의 제목에서 서울의 봄을, 19년간 전권을 휘둘러 온 독재자가 사라졌다는 내용을 통해 박정희 대통령의 사망을 추론할 수 있다. 1979년 10월 26일에 일어난 10·26 사태로 박정희 대통령이 사망하자, 국민 사이에서 유신 체제가 끝나고 민주 사회가 올 것이라는 기대가 커졌다. 그러나 1979년 12월 12일, 전두환과 노태우 등이 주도하는 신군부 세력이 쿠데타를 일으켜 군사권을 장악하였다(12·12 사태). 신군부는 계엄령을 계속 유지하고 헌법 개정을 지연하며 정치 개입을 본격화하였다. 이에 학생들과 민주 인사들은 신군부 퇴진, 계엄령 철폐, 유신 헌법 폐지, 언론 자유 보장 등을 요구하며 1980년 5월까지 지속적으로 민주화 운동을 펼쳤다(서울의 봄). '서울의 봄'은 1968년에 체코슬로바키아에서 있었던 민주화 운동인 '프라하의 봄'에 비유한 표현이다.

┃바로 알기┃ ⑤ 박정희 대통령은 1979년에 중앙정보부장 김재규의 총에 맞아 사망하였다(10·26 사태). 이는 서울의 봄 이전의 일이다.

13 5·18 민주화 운동

수행 평가 보고서에서 계엄군, 금남로, 전남 도청, 민주 수호 범시민 궐기 대회 등의 내용을 통해 (가) 민주화 운동이 5·18 민주화 운동임을 알 수 있다. 1980년 5월 18일, 광주 전남대학교 앞에서 시위를 벌이던 학생들을 군인들이 무자비하게 진압하자 이에 대항하여 5·18 민주화 운동이 시작되었다. 시위 중에 일부 시민이 시민군을 조직하였으나 신군부 세력은 탱크와 헬기까지 동원하여 시민군을 공격하였고 5·18 민주화 운동은 많은 시민의 희생 속에 끝이 났다.

┃바로 알기┃ ① 제주 4·3 사건은 1948년 제주도에서 일부 좌익 세력과 주민들이 단독 선거 저지와 단독 정부 수립 반대를 내세우며 무장봉기한 사건이다. ② 박정희 정부는 수많은 학생과 시민의 저항에도 불구하고 1965년에 한일 협정(한일 기본 조약)을 체결하였다. ③ 박정희 정부 시기인 1976년에 재야인사들이 명동 성당에 모여 유신 체제를 비판하는 3·1 민주 구국 선언을 발표하였다. ⑤ 1945년 12월에 미국, 영국, 소련의 외무 장관이 모스크바에 모여 제2차 세계 대전의 전후 처리를 논의하였다(모스크바 3국 외상 회의).

14 국가 재건 최고 회의와 통일 주체 국민 회의

1961년 5월 16일, 박정희와 일부 군인들이 정변을 일으켰다(5·16 군사 정변). 군사 정변 세력은 국가 재건 최고 회의를 만들어 군정을 실시하고 모든 정당과 사회단체를 해산하였다. 한편, 1972년 10월, 박정희 정부는 전국에 비상계엄을 선포하여 국회를 해산하고 헌법 개정안(유신 헌법)을 확정하였다(10월 유신). 유신 헌법은 대통령의 권한을 강화하고 영구 집권이 가능하도록 하였으며, 통일 주체 국민 회의에 대통령 선출권과 대통령의 추천을 받아 국회 의원 3분의 1을 뽑을 수 있는 권한을 부여하였다. ⑤ 국가 재건 최고 회의와 통일 주체 국민 회의는 박정희의 권력을 강화시켰다.

┃바로 알기┃ ①, ③은 통일 주체 국민 회의에만 해당하는 내용이다. ②, ④ 국가 재건 최고 회의와 통일 주체 국민 회의는 4·19 혁명(1960) 이후에 만들어졌으며, 민주화 운동과는 거리가 멀다.

15 박정희 정부와 신군부의 개헌안

(가)는 3선 개헌(제6차 개헌, 1969), (나)는 유신 헌법(제7차 개헌, 1972), (다)는 제8차 개헌(1980)의 내용이다. 박정희 정부는 지속적인 경제 성장을 추진한다는 명분을 내세워 1969년에 대통령의 3회 연임을 허용하는 개헌안을 통과시켰다(3선 개헌). 이후 박정희 정부는 1972년에 유신 헌법을 통과시켰는데, 대통령을 통일 주체 국민 회의에서 선출하였기 때문에 사실상 대통령의 장기 집권이 가능하였다(유신 헌법). 박정희 대통령이 사망한 후 신군부 세력이 1979년에 12·12 사태로 권력을 장악하였다. 신군부는 통일 주체 국민 회의를 통해 1980년에 전두환을 대통령으로 선출하였다. 이후 신군부는 새로운 헌법을 마련하여 대통령의 임기를 7년 단임으로 하고, 선거인단을 통한 간접 선거로 대통령을 선출하도록 하였다(제8차 개헌).

완자 정리 노트   대한민국 헌법 개정의 역사

구분	배경	주요 내용
제1차 개헌 (발췌 개헌, 1952)	이승만의 국회 내 세력 약화	대통령 직선제
제2차 개헌 (사사오입 개헌, 1954)	이승만의 종신 집권 시도	초대 대통령에 한해서 연임 횟수 제한 철폐
제3차 개헌(1960)	4·19 혁명	내각 책임제, 국회 양원제
제4차 개헌(1960)	4·19 혁명	3·15 부정 선거 관련자 처벌
제5차 개헌(1962)	5·16 군사 정변	대통령 직선제
제6차 개헌 (3선 개헌, 1969)	박정희의 장기 집권 시도	대통령의 3회 연임 허용
제7차 개헌 (유신 헌법, 1972)	박정희의 종신 집권 시도	대통령의 권한 극대화·임기 6년·중임 제한 규정 철폐, 대통령 간선제(통일 주체 국민 회의)
제8차 개헌(1980)	전두환 집권	대통령 간선제(대통령 선거인단), 대통령 7년 단임
제9차 개헌(1987)	6월 민주 항쟁	대통령 직선제, 대통령 5년 단임(현행 헌법)

16 전두환 정부의 정책

제시된 내용은 전두환 정부의 수립 과정이다. 1979년에 보안 사령관 전두환과 노태우 등 신군부 세력이 쿠데타를 일으켜 군권을 장악하였다(12·12 사태). 신군부 세력은 5·18 민주화 운동(1980)을 무력으로 억누르고 국가 보위 비상 대책 위원회를 구성하여 정권을 장악하였다. 신군부의 압력으로 최규하 대통령이 물러나자 전두환은 유신 헌법 아래 통일 주체 국민 회의에서 대통령으로 선출되었고, 그 뒤 헌법을 개정하여 대통령의 임기를 7년 단위로 하였다. 전두환은 새 헌법에 따라 다시 대통령에 선출되었다. 전두환 정부는 여러 언론사를 통폐합하고 보도 지침으로 언론을 통제하였으며, 삼청 교육대를 운영하는 등 강압적인 통치를 실시하였다. 한편, 야간 통행금지 해제, 중고생의 두발과 교복 자율화, 해외여행 자유화, 프로 야구단 창단 등 유화 정책도 실시하였다.

바로 알기 ④ 제2차 인혁당 사건은 박정희 정부 시기인 1974년 유신 체제 아래에서 일어난 일이다.

서술형 문제

273쪽

01 주제: 4·19 혁명의 의의

예시 답안 4·19 혁명은 학생과 시민의 힘으로 독재 정권을 무너뜨리고 민주주의의 승리를 쟁취한 혁명으로, 이후 우리나라 민주주의 발전에 중요한 토대가 되었다.

채점 기준

상	학생과 시민의 힘으로 독재 정권을 무너뜨린 혁명, 민주주의 발전의 토대를 모두 서술한 경우
중	학생과 시민의 힘으로 독재 정권을 무너뜨린 혁명, 민주주의 발전의 토대를 서술하였으나 미흡한 경우
하	민주주의의 발전만 언급한 경우

02 주제: 5·16 군사 정변 세력의 주장

예시 답안 5·16 군사 정변을 일으킨 세력은 반공 체제의 강화, 경제 개발, 사회 안정을 정변의 목적으로 내세웠다.

채점 기준

상	군사 정변 세력이 내세운 명분을 두 가지 서술한 경우
하	군사 정변 세력이 내세운 명분을 한 가지만 서술한 경우

03 주제: 유신 체제의 비민주적인 성격

예시 답안 대통령은 국회 의원 3분의 1 추천권과 국회 해산권 행사, 대법원장과 법관의 인사권을 통한 사법부 장악으로 삼권 분립을 무력화시켰고, 긴급 조치권을 통해 국민의 기본권까지 제한하였다.

채점 기준

상	유신 체제의 비민주적인 성격을 두 가지 서술한 경우
하	유신 체제의 비민주적인 성격을 한 가지만 서술한 경우

STEP 3 1등급 정복하기

274~275쪽

1 ④ 2 ③ 3 ② 4 ④

1 4·19 혁명의 전개

자료는 4·19 혁명이 전개될 당시 대학교수들의 시위 모습이다. 1960년 4월 18일에 3·15 부정 선거를 규탄하는 시위를 마치고 돌아가던 고려대 학생들이 정치 폭력배의 습격을 받아 다치는 사건이 일어났다. 이 소식에 분노한 학생과 시민들은 4월 19일 전국에서 대규모 시위를 전개하였다. 그러자 이승만 정부는 시위 확산을 막기 위해 전국 대도시에 계엄령을 선포하였다. 이후 시위는 잠시 소강상태를 보였으나 4월 25일에 대학교수들이 시위대를 지지하는 시국 선언을 발표하고 가두시위를 벌이자, 여기에 힘을 얻은 시민들이 밤새 시위를 벌였다. 마침내 4월 26일 이승만은 국민의 요구를 받아들여 대통령직을 사퇴하고 미국으로 망명하였다.

바로 알기 ①은 1970년대 유신 체제 아래에서 볼 수 있는 모습이다. ② 6·3 시위(1964) 등을 통해 수많은 학생과 시민이 한일 회담에 저항하였음에도 불구하고, 박정희 정부는 1965년에 한일 협정을 체결하였다. ③은 1980년 5·18 민주화 운동 당시에 볼 수 있는 모습이다. ⑤ 신군부 세력은 1979년에 12·12 사태로 정권을 장악하였다.

완자 정리 노트 **4·19 혁명(1960)**

배경	정부통령 선거 직전 야당 대통령 후보 조병옥 사망 → 이승만의 당선이 확실시됨. 자유당과 이승만 정부가 이기붕을 부통령으로 당선시키기 위해 대대적인 부정 선거 자행(3·15 부정 선거)
전개	마산, 광주, 서울 등에서 3·15 부정 선거 규탄 시위 → 마산에서 최루탄을 맞고 사망한 김주열 학생의 시신 발견, 시민의 분노 폭발 → 시위 확산 → 고려대 학생의 피습 → 전국에서 대규모 시위 전개(4. 19.) → 경찰의 발포로 사상자 발생, 정부의 계엄령 선포 → 대학교수들의 시국 선언 발표(4. 25.) → 이승만 대통령의 하야(4. 26.)

2 한일 협정의 체결

자료는 '한일 기본 관계에 관한 조약(한일 기본 조약)'이다. 1965년에 체결된 한일 협정은 한일 기본 조약과 이에 부속하는 4개 협정을 모두 일컫는다. 미국이 한·미·일 3각 안보 체제 강화를 위해 한일 국교 정상화를 요구하자, 박정희 정부는 경제 개발 자금을 마련하려고 일본과 국교 정상화 회담을 시작하였다. 많은 학생과 시민은 일본의 사과와 배상이 이루어지지 않은 상태에서 추진되는 굴욕적인 한일 회담에 크게 저항하였는데, 대표적으로 1964년의 6·3 시위가 있다. 그럼에도 불구하고 정부가 1965년에 한일 협정을 체결하면서 한국과 일본의 국교가 재개되었다. 한국은 부속 협정의 하나인 '청구권 협정'을 통해 일본으로부터 5억 달러의 경제 협력 자금을 받았으나, 대일 청구권 포기로 인하여 발생한 문제는 아직까지 해결되지 않고 있다.

바로 알기 ③ 한미 상호 방위 조약은 6·25 전쟁이 끝난 후인 1953년 10월에 체결되었다.

3 10월 유신의 배경

자료에서 국회 해산, 유신적인 개혁 등을 통해 밑줄 친 '개혁'이 10월 유신임을 알 수 있다. 박정희 대통령은 3선에 성공하였으나 닉슨 독트린(1969)으로 냉전 체제가 완화되면서 반공을 앞세운 정권의 기반이 약화되었고, 박정희의 장기 집권과 경기 침체에 대한 국민의 불만도 커졌다. 박정희 정권은 안보 위기와 평화 통일에 대비한다는 구실로 10월 유신을 단행하였다(1972. 10.).

▌**바로 알기** ▌ ㄴ은 이승만 정부 시기의 일이다. ㄹ. 12·12 사태(1979)는 박정희 대통령이 사망한 이후에 일어난 일이다.

4 민주화를 위한 노력

첫 번째 글은 1976년에 발표된 3·1 민주 구국 선언으로, 삼권 분립은 허울만 남았다는 내용 등을 통해 유신 체제에 대한 저항을 나타냄을 알 수 있다. 두 번째 글은 1980년에 발표된 광주 시민군의 궐기문으로, 우리는 왜 총을 들 수밖에 없었는가, 17일에 계엄령 확대 선포, 20일부터 무차별 발포 등의 내용을 통해 5·18 민주화 운동 당시의 것임을 알 수 있다. 유신 체제 시기에 YH 무역 사건(1979. 8.)이 일어났고 신민당 총재 김영삼이 이에 항의하자 박정희 정부는 그를 의원직에서 제명하였다. 이를 계기로 부마 민주 항쟁(1979. 10.)이 일어났다. 결국 1979년 10·26 사태로 박정희 대통령이 사망하였으나, 곧이어 신군부 세력이 12·12 사태를 일으켜 정권을 장악하였다. 신군부는 1980년 5월 17일에 비상계엄을 전국으로 확대하였고, 이에 반대하는 광주 시민들을 무자비하게 진압하였다. 그러자 일부 시민들이 무기로 무장하고 시민군을 조직하였다.

▌**바로 알기** ▌ ④는 이승만 정부 시기인 1959년의 일이다.

04 경제 성장과 사회·문화의 변화

STEP 1 핵심 개념 확인하기 　　　　　280쪽

1 (나) – (다) – (가) **2** (1) 1970년대 (2) 3저 호황 **3** (1) 정경 유착 (2) 오일 달러 **4** 새마을 운동 **5** (1) ㄱ (2) ㄴ (3) ㄷ

STEP 2 내신 만점 공략하기 　　　　280~283쪽

01 ④	02 ④	03 ⑤	04 ②	05 ④	06 ②	07 ①
08 ④	09 ②	10 ⑤	11 ⑤	12 ②	13 ④	14 ④
15 ②						

01 제1, 2차 경제 개발 5개년 계획

그래프는 제1, 2차 경제 개발 5개년 계획 기간의 수출액 변화를 보여 주고, 제시된 글은 제1, 2차 경제 개발 5개년 계획의 내용에 해당한다. 제1, 2차 경제 개발 5개년 계획(1962~1971)이 추진된 시기에 우리나라는 의류, 합판, 가발, 신발과 같은 노동 집약적 경공업을 육성하고 수출을 늘리는 데 힘썼다. 그리고 원활한 물자 유통을 위해 경부 고속 국도를 개통하였다(1970). 한편, 경제 개발 과정에서 자본 확보에 어려움을 겪게 되자 1965년부터 일본과 국교를 정상화하여 일본 자본을 유치하였다. 또한 수출 상품의 가격 경쟁력을 유지하기 위해 저임금·저곡가 정책을 펼쳤다.

▌**바로 알기** ▌ ④는 1980년대 중반 이후의 경제 정책에 해당한다.

02 제3, 4차 경제 개발 5개년 계획

연설문은 1973년 박정희 대통령의 기자 회견 내용이다. 자료에서 중화학 공업 육성의 시책에 중점을 두는 중화학 공업 정책 선언 등의 내용을 통해 1970년대 이후 중화학 공업 육성에 대한 것임을 알 수 있다. 박정희 정부가 제3, 4차 경제 개발 5개년 계획(1972~1981)을 추진함에 따라 철강, 화학, 비철 금속, 기계, 조선, 전자 등의 중화학 공업 분야가 집중적으로 육성되었다.

03 박정희 정부 시기의 경제 개발 자금 확보

박정희 정부는 경제 개발 과정에서 자본 확보에 어려움을 겪게 되자 1965년 일본과 국교를 정상화하여 일본 자본을 유치하고, 베트남 파병의 대가로 미국으로부터 차관을 획득하여 경제 개발 자금을 확보하였다. 또한 1963년부터 1977년까지 8천여 명의 광부를 서독의 석탄 광산에 파견하였고, 1965년부터 1976년까지 1만여 명의 간호사를 서독의 병원에 취업시켰다. 이들은 벌어들인 외화를 고국의 가족에게 보냈는데, 이는 한국의 국제 수지를 개선하고 국민 소득을 높이는 등 경제 성장에 큰 보탬이 되었다.

▌**바로 알기** ▌ ①은 1907년, ②는 일제 강점기, ③은 이승만 정부 시기, ④는 미 군정 및 이승만 정부 시기와 관련된 내용이다.

04 1980년대 초의 경제 위기

그래프에서 1980년에는 경제 성장률이 크게 감소한 것을 알 수 있다. 이는 1970년대 말에 발생한 제2차 석유 파동과 함께 중화학 공업에 대한 과잉·중복 투자가 이루어지면서 국가 재정이 어려워졌기 때문이다. 석유를 비롯한 원자재 대부분을 수입에 의존하던 우리나라는 1978년의 제2차 석유 파동으로 큰 타격을 입었다. 세계 경제의 위기 속에 중화학 공업에 대한 과잉 투자로 국가 재정이 어려워지고 기업의 부담이 늘었다. 기업들이 도산하면서 실업률이 증가하였으며 경제 성장률도 감소하여 우리나라는 1980년에 마이너스 성장률을 기록하게 되었다.

▌**바로 알기** ▌ ㄴ은 1980년대 중후반의 일이다. ㄹ. 1950년대 말 미국의 경제 불황으로 원조가 감소하고 무상 원조가 유상 차관으로 바뀌면서 한국 경제가 어려워졌다.

05 박정희 정부의 경제 정책에 대한 평가

자료는 박정희 정부의 경제 정책에 대한 부정적 평가로, (가)는 박정희에 해당한다. 1960~1970년대 박정희 정부의 성장 중심 경제 정책으로 우리나라는 높은 경제 성장률을 보이며 고도성장을 하였지만, 한편으로는 재벌 중심의 산업 구조 형성, 정경 유착 현상 심화, 빈부 격차 심화, 산업 구조의 불균형 초래 등 다양한 문제들도 함께 발생하였다. ① 3선 개헌 추진은 1969년, ② 유신 헌법 제정은 1972년, ③ 5·16 군사 정변은 1961년의 일로 모두 박정희와 관련된 내용이다. ⑤ 박정희 정부는 1962년부터 경제 개발 5개년 계획을 실시하였다.

바로 알기 ④는 전두환을 비롯한 신군부 세력에 대한 설명이다.

06 3저 호황

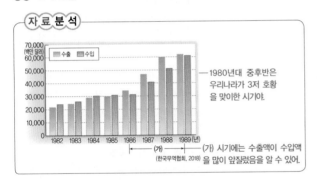

자료 분석

—1980년대 중후반은 우리나라가 3저 호황을 맞이한 시기야.

(가) (한국무역협회, 2018) (가) 시기에는 수출액이 수입액을 많이 앞질렀음을 알 수 있어.

(가) 시기는 공식 무역 통계를 낸 이래 처음으로 무역 수지에서 흑자를 낸 때이다. 1980년대 중후반 한국 경제는 저유가, 저달러, 저금리 상황을 배경으로 이른바 3저 호황을 맞았다. 이에 따라 원유와 수입 원자재의 가격이 큰 폭으로 떨어져 외환을 절약하였고, 국제 금리의 하락으로 외채 이자 부담이 줄어들었다. 이때 한국 경제는 자동차, 가전제품, 기계, 철강 등 중화학 부문을 중심으로 연평균 12%가 넘는 높은 성장을 이루었고, 반도체 산업 등 첨단 산업도 육성하였다.

바로 알기 ①은 베트남 파병(1964~1973)이 이루어진 1960~1970년대, ③은 1950년대의 경제 상황이다. ④ 새마을 운동은 1970년에 시작되었다. ⑤는 제1차 석유 파동(1973) 이후인 1970년대 중반의 상황이다.

07 우리나라 경제 성장 과정의 문제점

한국 경제는 1960~1970년대에 급속한 경제 성장을 이루었지만, 성장 위주의 경제 정책으로 많은 문제가 나타났다. 외국 자본의 유치로 외채 이자 부담이 증가하였고, 내수(국내에서의 수요)보다 무역의 비중이 커지면서 경제의 대외 의존도가 심화되었다. 또한 정부는 수출 상품의 가격 경쟁력 유지를 위해 저임금 정책을 펼쳤고, 이를 지속하고자 농산물 가격을 인하하면서 노동자와 농민들의 경제적 어려움이 더욱 커졌다. 특히 성장 중심의 경제 정책이 추진되면서 소득 분배가 고르게 이루어지지 않아 부의 양극화 현상이 두드러지게 나타났다.

바로 알기 ㄷ, ㄹ은 1950년대의 경제 상황과 관련된 내용이다.

08 도시화 현상의 배경

1960년대 이후 경제 성장이 이루어지면서 국민 소득과 생활 수준이 향상되었고, 제조업과 서비스 산업의 비중이 농업을 앞질렀다. 이러한 산업화로 인해 농촌 인구는 일자리를 찾아 수도권과 대도시, 공업 도시로 몰려들었다. 결국 1970년대 중반 이후 도시 인구가 농촌 인구를 앞지르게 되었다. 도시화 현상으로 인구가 도시로 몰리면서 도시 문제가 발생하였고, 정부는 고속 국도 확대, 대중교통 확장, 도시 재개발 사업 실시 등을 통해 도시 문제를 해결하고자 하였다.

바로 알기 ① 라디오, 텔레비전과 같은 대중 매체가 널리 보급되면서 대중문화가 본격적으로 성장하였다. ② 1980년대 들어서면서 수입 농산물 개방 압력이 이어지자 농민들은 농산물 수입 개방 반대 운동을 전개하였다. ③ 6·25 전쟁으로 산업 시설이 파괴되면서 생활필수품이 부족해지고 실업자가 증가하였으며, 이승만 정부는 전후 복구를 추진하였다. ⑤ 1950년대 말 미국 무상 원조의 유상 차관 전환으로 한국 경제가 어려워졌다.

완자 정리 노트 도시화 현상

배경	급속한 산업화 → 농업 비중 감소, 2·3차 산업의 비중 증가
전개	도시의 일자리가 늘어나 농촌 인구가 도시로 이동(이촌향도) → 1970년대 중반 이후 도시 인구가 농촌 인구보다 많아짐
문제점	도시 문제 발생(주택 부족, 교통난, 환경 문제, 도시 빈민 문제 등), 도시와 농촌 간 소득 격차 심화

09 광주 대단지 사건

도시화가 진행되면서 도시 빈민 문제 등이 나타나자, 정부는 도시 재개발 사업을 추진하며 도시 빈민층을 다른 지역으로 이주시키기도 하였다. 이 과정에서 삶의 터전을 잃은 도시 빈민들의 생존권 투쟁이 일어나기도 하였는데 1971년에 경기도 광주(지금의 경기도 성남시)에서 일어난 광주 대단지 사건이 대표적이다.

바로 알기 ① 근로 기준법이 전혀 지켜지지 않자 전태일은 1970년에 서울 청계천 평화 시장에서 근로 기준법 준수를 외치며 분신자살하였다. ③ YH 무역 사건에 항의하던 김영삼이 의원직에서 제명되자, 1979년에 부산과 마산의 시민들이 유신 체제 철폐를 주장하며 시위를 벌였다(부마 민주 항쟁). ④ 박정희 정부의 언론 탄압에 대항하여 1974년에 동아일보 기자들이 자유 언론 실천 선언을 발표하기도 하였다. ⑤ 1979년에 YH 무역의 폐업에 항의하며 신민당사에서 농성하던 여성 노동자 한 명이 경찰의 진압 과정에서 사망하였다(YH 무역 사건).

10 함평 고구마 피해 보상 운동

1970년대 농민들이 자신들의 권익을 지키기 위해 추진한 농민 운동으로는 1976년에 일어난 함평 고구마 피해 보상 운동이 대표적이다. 전라남도 함평 농협이 고구마 전량 수매 약속을 지키지 않아 큰 피해를 입은 함평 농민들은 피해 보상 투쟁을 벌여 3년 만에 피해 보상을 받아 냈다.

바로 알기 ①은 박정희 정부가 농촌의 생활 환경 개선을 목표로 1970년부터 시작한 운동이다. ②, ③, ④는 모두 일제 강점기에 있었던 일들이다.

11 새마을 운동

자료 분석

└─ 근면·자조 정신과 소득 수준 향상을 강조하고 있어.

오늘날 우리가 말하는 지역 사회 개발이 여기저기서 벌어지고 있기는 합니다만, 문제는 그 부락, 그 고장에 사는 사람이 자발적으로 우리 고장을 어떻게 하면 살기 좋은 고장을 만들까 하는 노력이나 열성이 없다는 것입니다. …… 좀 더 부지런히 일해서 사는 집도 깨끗이 하고, 결국 거기서 소득도 더 많이 올리도록 하고, 산이나 하천의 환경도 정리하고 경지도 정리하고 도로도 닦고, …… 모두 같이 일을 하자고 이끌어 나가며, 사람들의 의욕을 북돋우도록 해서 …… 이런 의욕이 밑에서 끓어오르면 그 농촌은 불과 2, 3년 이내에 전부 일어설 수 있습니다.

└─ 협동 정신과 근면함을 통해 농촌의 발전이 가능함을 주장하고 있어.

자료는 1970년에 박정희 대통령이 지방 장관 회의에서 발표한 내용으로, 새마을 운동의 추진과 관련이 있다. 1960년대 이후 실시된 정부의 공업화 정책과 저곡가 정책으로 도시와 농촌의 소득 격차가 날로 커지자 박정희 정부는 1970년부터 새마을 운동을 시작하였다. 새마을 운동은 근면(부지런함, 꾸준함, 알뜰함)·자조(자립정신, 주인 정신, 자신감, 사명감)·협동(상생과 배려의 공동체 정신)을 강조하였고, 이는 국민 의식 개혁으로까지 이어졌다.

▌바로 알기▐ ㄱ은 주로 1990년대 이후 결성된 환경 단체들의 활동에 대한 설명으로, 새마을 운동과는 거리가 멀다. ㄴ. 전후 경제 복구 사업은 6·25 전쟁(1950~1953) 이후인 1950년대에 추진되었다.

12 전태일의 노동 운동

자료는 전태일이 노동 문제의 해결을 위해 박정희 대통령에게 쓴 탄원서이다. 노동 운동을 전개하던 전태일은 1970년에 "근로 기준법을 준수하라. 우리는 기계가 아니다."라고 외치며 분신자살하였고, 이 사건을 계기로 지식인, 노동자, 학생들이 노동 문제에 관심을 가지게 되었다.

▌바로 알기▐ ① 원산 총파업은 일제 강점기인 1929년에 일어났다. ③은 1976~1978년에 함평 고구마 피해 보상 운동을 전개한 함평 농민들에 대한 설명이다. ④ 일제는 1939년에 국민 징용령을 실시하여 광산, 비행장 등지로 한국 청장년들을 끌고 가 강제 노동을 시켰다. ⑤는 1979년의 사실로, YH 무역 노조원들과 관련된 내용이다.

13 국민 교육 헌장

자료는 박정희 정부가 1968년에 제정한 국민 교육 헌장이다. 국민 교육 헌장에는 개인보다 국가의 발전을 우선시하는 국가주의가 잘 드러나 있다. 박정희 정부는 국가와 민족이라는 이름 아래 개인을 희생하는 국가주의 교육을 강조하였다. 대통령령으로 반포된 국민 교육 헌장을 각 교과서의 첫머리에 기재하였고, 학생들은 이를 의무적으로 암기해야 했다.

▌바로 알기▐ ① 국민 교육 헌장은 박정희 정부가 제정하였다. ② 높은 교육열 등으로 인해 입시 경쟁 과열 문제가 나타났다. ③ 민주 시민 양성에 초점을 둔 교육은 최근의 교육 목표와 관련이 있다. ⑤ 고교 평준화 정책은 1970년대 중반에 시행되었다.

14 언론 민주화를 위한 노력

자료는 유신 체제 시기 박정희 정부의 언론 통제에 대항하여 동아일보 기자들이 1974년에 발표한 자유 언론 실천 선언이다. 유신 체제 성립 이후 정부는 비판적 언론인들을 구속·해직하고 기자 등록제인 프레스 카드제를 실시하여 정부에 대해 비판적인 기자의 활동을 제한하였다.

▌바로 알기▐ ①은 1980년대 신군부가 정권을 장악하였을 당시의 일이다. ②는 이승만 정부 시기의 일이다. ③ 6월 민주 항쟁은 1987년 6월에 일어났다. ⑤는 전두환 정부 시기의 일이다.

완자 정리 노트 정부의 언론 탄압

이승만 정부	경향신문 폐간(1959)
박정희 정부	• 프레스 카드제 실시 • 동아일보 백지 광고 사태(1974~1975)
신군부· 전두환 정부	• 신군부의 언론사 통폐합 • 전두환 정부의 보도 지침 하달

15 1970년대 유신 시대의 모습

왼쪽 사진은 이란에서 조선소를 세우는 한국 노동자들의 모습(1976)이고, 오른쪽 사진은 청바지를 입고 통기타를 치는 청년들의 모습이다. 1973년에 발생한 제1차 석유 파동 이후 우리나라 기업과 노동자들은 중동 지역에 진출하여 건설 사업에 참여하였고 오일 달러를 벌어들였다. 한편, 1970년대에는 미국과 유럽의 반전·저항 문화가 유입되어 장발, 청바지, 통기타로 대표되는 청년 문화가 널리 퍼졌다. 이 시기 박정희 정부는 새마을 운동을 전개하였다.

▌바로 알기▐ ① 경성 제국 대학은 일제 강점기인 1924년에 일제가 한국에 거주하는 일본인의 고등 교육 수요를 충족하고, 한국인의 고등 교육에 대한 열기와 불만을 잠재우기 위해 세웠다. ③ 농지 개혁은 이승만 정부 시기인 1950년부터 시행되었다. 이때 한 가구당 농지 소유 상한을 3정보로 제한하고 그 이상의 토지는 정부가 지가 증권을 발급하여 매입하였다. ④ 발췌 개헌은 이승만 정부 시기인 1952년에 이루어졌다. ⑤ 1960년에 3·15 부정 선거 규탄 시위 과정에서 실종되었던 김주열 학생이 최루탄을 맞고 숨진 채 바다에서 발견되었고 이를 계기로 4·19 혁명이 일어났다.

 서술형 문제

283쪽

01 주제: 제3, 4차 경제 개발 5개년 계획

예시 답안 정부는 경공업 중심의 경제 성장에 한계를 느끼고 경제 발전 방향을 중화학 공업 중심으로 바꾸었다. 철강, 화학, 비철 금속, 기계, 조선, 전자 등 중화학 공업을 집중 육성하였으며, 포항 제철소와 대규모 산업 단지를 설립하였다.

채점 기준

상	중화학 공업 중심의 경제 발전 정책 추진과 이에 대한 사례를 서술한 경우
하	중화학 공업 중심의 경제 발전 정책이 추진되었다고만 서술한 경우

02 주제: 3저 호황

예시 답안 3저 호황은 저유가, 저달러, 저금리 상황을 말한다. 이에 따라 원유와 수입 원자재의 가격이 큰 폭으로 떨어져 외환을 절약하였고, 국제 금리의 하락으로 외채 부담이 줄어들어 수출 부진을 해소하면서 한국은 경제 위기를 극복할 수 있었다.

채점 기준

상	3저 호황이 무엇인지 쓰고, 그것이 한국 경제에 준 영향을 서술한 경우
중	3저 호황이 한국 경제에 준 영향만 서술한 경우
하	3저 호황이 무엇인지만 언급한 경우

03 주제: 노동 문제와 전태일

예시 답안 당시의 노동자들은 낮은 임금과 열악한 작업 환경 속에서 장시간 노동에 시달리며 생존권을 위협받았다.

채점 기준

상	낮은 임금, 열악한 작업 환경, 장시간 노동 등으로 인해 생존권을 위협받았음을 서술한 경우
하	당시의 노동 문제에 대해 서술하였으나 미흡한 경우

STEP 3 | 1등급 정복하기
284~285쪽

1 ⑤   2 ③   3 ④   4 ⑤

1 유신 체제 시기의 모습

경부 고속 국도 개통과 수출 100억 달러 달성은 1970년대 박정희 정부 시기의 경제 발전을 보여 준다. 박정희 정부는 수출 주도형 성장 전략으로 고도의 경제 성장을 이루어 냈다. 그러나 정부가 수출 제품의 가격 경쟁력을 유지하기 위해 저임금·저곡가 정책을 실시하여 노동자와 농민이 고통을 겪기도 하였다. 이 시기에는 산업 구조의 변화로 인한 급격한 도시화로 도시 빈민 문제가 대두하였고 광주 대단지 사건(1971) 등이 일어났다. 한편, 박정희 정권은 1972년에 유신 헌법을 제정하여 독재 체제를 구축하였고, 정부에 대해 비판적인 기자의 활동을 제한하기 위해 프레스 카드제를 실시하였다. 이처럼 유신 체제는 민주주의의 기본 원리를 무시한 독재 체제였기 때문에 이에 대한 반대 투쟁이 계속되었다.

바로 알기 ⑤ 전두환 정부는 1980년대 들어 경제 위기의 상황에서 중화학 공업에 대한 중복 투자 조정으로 위기를 해결하려 하였다.

2 석유 파동

자료는 제2차 석유 파동(1978)에 대한 것이다. 석유를 비롯한 원자재 대부분을 수입에 의존하던 우리나라는 제2차 석유 파동으로 큰 타격을 입었다. 중화학 공업에 대한 과잉·중복 투자로 국가 재정이 어려워지고 기업의 부담도 늘어났다. 물가도 폭등하여 국민 생활이 어려워지면서 유신 체제에 대한 국민의 불만이 높아졌다.

바로 알기 ① 박정희 정부는 1964년 비전투 부대 파견을 시작으로 1973년까지 베트남에 군대를 파병하였다. ② 박정희 정부 시기 일본과의 국교 정상화를 추진하여 1965년에 한일 협정을 체결하였다. ④ 박정희 정부는 1972년부터 기업이 사채업자들에게 빌린 돈을 탕감해 주는 금융 특혜를 제공하였다(8·3 조치). 이는 1970년대에 들어 경제 위기에 봉착하자 기업들의 연쇄 부도를 막기 위해 내린 대통령의 초법적 조치였다. 그러나 이러한 조치는 정부의 비호 아래 재벌 기업들이 성장할 수 있는 토대가 되었다는 평가도 받고 있다. ⑤ 남면북양 정책은 일제 강점기에 실시되었다.

3 산업화와 도시화

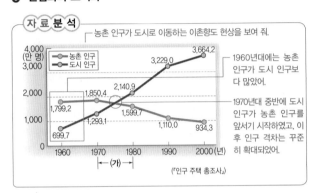

자료 분석

농촌 인구가 도시로 이동하는 이촌향도 현상을 보여 줌.

1960년대에는 농촌 인구가 도시 인구보다 많았다.

1970년대 중반에 도시 인구가 농촌 인구를 앞서기 시작하였고, 이후 인구 격차는 꾸준히 확대되었다.

("인구 주택 총조사.)

1960년대 이후 농업의 비중의 줄고 제조업과 서비스 산업의 비중이 커지면서, 도시의 일자리가 늘어나 인구가 도시로 몰리는 도시화 현상이 나타났다. 그러나 도시로 이동한 농민들은 대부분 안정된 일자리를 찾지 못하고 도시 빈민이 되었다. 이들은 대도시 외곽이나 높은 지대에 자리 잡으면서 달동네나 판자촌 등 빈민촌을 형성하였고, 도시 계획에 따라 주거지에서 쫓겨나 생존권을 위협받기도 하였다.

바로 알기 ㄱ. 우리나라는 1980년대 중후반에 저유가, 저달러, 저금리의 3저 호황을 맞이하였고, 1980년대 말에 3저 호황이 소멸되면서 경기 침체가 나타났다. ㄷ. 1950년대에 미국의 경제 원조로 미국 농산물이 대량 유입되면서 국내 농산물 가격이 폭락하였다.

4 노동 문제와 노동 운동

자료는 전태일이 대통령에게 보낸 탄원서로, 밑줄 친 부분은 당시 노동자들의 열악한 노동 환경을 나타낸다. 노동자들의 생존권 요구가 무시되고 근로 기준법이 지켜지지 않자, 전태일은 1970년에 열악한 노동 환경의 개선을 외치며 분신자살하였다. 1960년대 이후 산업화가 급속하게 진행됨에 따라 도시의 노동자 수가 빠르게 증가하였는데, 수출 주도의 경제 정책 아래에서 정부와 기업은 수출품의 가격 경쟁력을 유지하기 위해 노동자의 권리를 제한하고 저임금 정책을 지속하였다. 이로 인해 노동자들은 1960~1970년대 산업 발전에 큰 역할을 하였음에도 불구하고 낮은 임금과 열악한 작업 환경 속에서 장시간 노동에 시달렸다.

바로 알기 ① 제1차 석유 파동은 1973년에 일어났다. ②는 경제 성장 과정에서 나타난 문제로, 노동자들이 열악한 노동 환경에 처한 직접적인 배경으로 보기는 어렵다. ③은 일제 강점기의 일이다. ④ 새마을 운동은 1970년부터 농촌의 생활 환경 개선을 목표로 진행된 운동이다.

05 6월 민주 항쟁과 민주주의의 발전

STEP 1 **핵심 개념** 확인하기   288쪽

1 (1) 6월 민주 항쟁 (2) 6·29 민주화 선언   2 (나) – (다) – (라) – (가)
3 (1) ㉡ (2) ㉢ (3) ㉣ (4) ㉠   4 (1) × (2) ○   5 (1) ㄱ (2) ㄴ
(3) ㄷ

STEP 2 **내신 만점** 공략하기   288~290쪽

01 ⑤	02 ②	03 ①	04 ④	05 ③	06 ②	07 ④
08 ③	09 ①	10 ④				

01 4·13 호헌 조치

자료 분석

┌─ 전두환 대통령

본인은 얼마 남지 않은 촉박한 임기와 현재의 국가적 상황을 종합적으로 판단하여 …… 임기 중 개헌이 불가능하다고 판단하고 현행 헌법에 따라 후임자에게 정부를 이양할 것을 천명하는 바입니다. …… 국력을 낭비하는 소모적인 개헌 논의를 지양할 것을 선언합니다. └ 대통령 간선제로 대통령을 선출하는 방식을 고수하겠다는 거야.   – 1987. 4. 13.

자료는 전두환 대통령이 1987년에 발표한 4·13 호헌 조치이다. 이는 전두환 대통령이 시국 혼란을 이유로 들어 일체의 개헌 논의를 금지한 것이다. 전두환 정부의 강압적 통치에 맞서 시민들이 대통령 직선제 개헌의 목소리를 높여 나가는 가운데, 경찰서 수사관이 여성 노동 운동가를 성 고문한 부천 경찰서 성 고문 사건 (1986)과 박종철이 경찰의 고문을 받다가 사망한 박종철 고문치사 사건(1987)이 발생하자 정부에 대한 국민의 분노가 더욱 커졌다. 그러나 이러한 상황에서 전두환 대통령은 당시 헌법에 규정된 대통령 간선제를 고수하겠다는 4·13 호헌 조치를 발표하였다.

바로 알기 ①, ② 4·13 호헌 조치는 전두환 대통령이 국민의 대통령 직선제 개헌 요구를 수용하지 않겠다고 발표한 것이다. ③ 5·18 민주화 운동은 1980년에 일어났다. 4·13 호헌 조치는 6월 민주 항쟁(1987)이 일어나는 계기가 되었다. ④ 통일 주체 국민 회의는 박정희 정부 때 제정된 유신 헌법에 따라 설치되었다.

완자 정리 노트   6월 민주 항쟁(1987)

배경	전두환 정부의 강압적 통치, 시민들의 대통령 직선제 개헌 요구 확산, 부천 경찰서 성 고문 사건과 박종철 고문치사 사건 발생
전개	4·13 호헌 조치 → 대학생 이한열의 최루탄 피격 사건 → 6·10 국민 대회(호헌 철폐, 독재 타도 주장)
결과	노태우의 6·29 민주화 선언 발표 → 5년 단임의 대통령 직선제 개헌

02 6·10 국민 대회

부천 경찰서 성 고문 사건, 박종철 고문치사 사건, 민주 헌법 쟁취 국민운동 본부, 6·29 민주화 선언의 내용을 통해 자료가 6월 민주 항쟁(1987)에 대한 것임을 알 수 있다. 부천 경찰서 성 고문 사건, 박종철 고문치사 사건 등으로 정부에 대한 국민의 분노가 커지는 상황에서 전두환 대통령이 4·13 호헌 조치를 발표하였다. 이후 시민들은 민주 헌법 쟁취 국민운동 본부를 결성하여 직선제 개헌과 전두환 정권 퇴진 운동을 벌였다. 이러한 가운데 대학생 이한열이 시위 도중 경찰이 쏜 최루탄에 맞아 쓰러지는 사건이 일어났다. 이를 계기로 민주 헌법 쟁취 국민운동 본부는 6·10 국민 대회를 개최하여 범국민 민주 항쟁을 선언하였고, 전국 각지에서 대규모 시위가 벌어졌다(6월 민주 항쟁).

바로 알기 ① 박정희 정부는 긴급 조치 9호를 시행하여 유신 반대 운동을 탄압하였다. ③ 박정희 정부 시기인 1976년에 함석헌, 김대중 등 재야인사들이 유신 체제를 비판하는 3·1 민주 구국 선언을 발표하였다. ④ 1980년 5·18 민주화 운동 당시 신군부가 보낸 계엄군이 시위대를 향해 총을 쏘자, 이에 분노한 시민들이 시민군을 조직하였다. ⑤ 1960년 3·15 부정 선거 규탄 시위 중 실종되었던 김주열 학생이 숨진 채 발견되었고 이를 계기로 4·19 혁명이 일어났다.

03 6월 민주 항쟁의 결과

1987년 4·13 호헌 조치 이후 야당과 종교계, 학생 운동 조직 등은 민주 헌법 쟁취 국민운동 본부를 결성하여 직선제 개헌과 전두환 정권 퇴진 운동을 전개하였다. 이러한 가운데 대학생 이한열이 시위 도중 경찰이 쏜 최루탄에 맞아 쓰러지는 사건이 일어났다. 이를 계기로 민주화에 대한 요구는 더욱 커졌고 수십만 명의 시민들은 6월 10일 전국 주요 도시에 모여 호헌 철폐와 독재 타도를 외치며 시위를 전개하였다. 결국 전두환 정부는 국민의 민주화 요구에 굴복하여 여당 대통령 후보인 노태우를 통해 6·29 민주화 선언을 발표하였고, 이에 따라 대통령 직선제 개헌이 이루어졌다.

바로 알기 ② 박정희 정부 때 대통령의 3회 연임을 허용하는 3선 개헌 추진에 반발하여 야당 의원들과 학생들을 중심으로 3선 개헌 반대 운동이 일어났다. ③ 보안회는 1904년에 일제의 황무지 개간권 요구를 철회시켰다. ④ 4·19 혁명의 결과로 이승만 대통령이 하야하고, 허정 과도 정부가 수립되었다. ⑤ 신간회는 1929년에 광주 학생 항일 운동이 일어나자 광주에 조사단을 파견하였다.

04 3당 합당

자료 분석   1990년에 여당과 김영삼, 김종필의 두 야당이 합당하여 거대 여당인 민주 자유당을 창당하였어.

국민 여러분, …… 민주 정의당 총재 노태우와 통일 민주당 총재 김영삼, 그리고 신민주 공화당 총재 김종필, 우리 세 사람은 민주, 번영, 통일을 이룰 새로운 역사의 장을 열기 위해 오늘 국민 여러분 앞에 함께 섰습니다. …… 우리 사회 모든 민족, 민주 세력은 이제 뭉쳐야 합니다.   – 신당 창당에 관한 3당 총재 공동 선언

└ 노태우 정부는 3당 합당을 통해 여소 야대의 정치적 어려움을 극복하고자 하였어.

자료는 1990년 민주 정의당, 통일 민주당, 신민주 공화당의 3당 합당 당시의 발표문이다. 1987년 직선제 개헌 이후 실시된 대통령 선거에서는 여당 후보 노태우와 야당 후보 김영삼, 김대중 등이 출마하였고, 김영삼과 김대중이 후보 단일화를 이루지 못하면서 여당 후보인 노태우가 대통령에 당선되었다. 그러나 이듬해 치러진 국회 의원 선거에서는 야당이 국회 의석의 과반수를 차지하여 여소 야대의 국면이 형성되었다. 이러한 여소 야대의 상황과 민주화 요구의 확대로 정치적 어려움에 처하자, 집권 여당인 민주 정의당은 두 야당과의 3당 합당을 추진하여 민주 자유당을 창당하였다.

┃바로 알기┃ ① 6·25 전쟁은 이승만 정부 시기인 1950년에 일어났다. ② 1979년에 전두환 등의 신군부 세력이 12·12 사태로 군사권을 장악하였다. ③ 이승만 정부 시기인 1952년에 대통령 직선제 개헌을 핵심으로 하는 발췌 개헌안이 통과되었다. ⑤ 5·10 총선거로 구성된 제헌 국회는 1948년에 반민족 행위 처벌법을 제정하였다.

05 노태우 정부 시기의 사실

자료의 3당 합당 추진은 노태우 정부 시기에 해당한다. 노태우 정부 시기에 여소 야대의 국면이 형성되자 국회는 청문회를 열어 전두환 정부의 비리와 5·18 민주화 운동에 대한 진상 규명에 나섰다. 또한 노태우 정부 때에는 지방 자치제가 부분적으로 실시되었고, 언론 기본법이 폐지되었다. 그리고 소련, 중국 및 동유럽의 공산주의 국가와 외교 관계를 맺어 교류를 확대하는 북방 외교가 추진되었다.

┃바로 알기┃ ③은 김영삼 정부 시기의 사실로, 김영삼 정부는 공직자 윤리법을 개정하여 고위 공무원의 재산 등록을 의무화하였다.

06 김영삼 정부의 정책

(가) 인물은 김영삼이다. 제14대 대통령 선거에서는 3당 합당으로 여당에 합류한 김영삼 후보가 대통령에 당선되었다. 김영삼 정부는 탈세와 불법 자금 유통을 막기 위해 1993년부터 금융 실명제를 실시하였다.

┃바로 알기┃ ①, ③은 박정희, ④는 이승만이 대통령으로 재임한 시기에 일어난 일이다. ⑤ 김대중 정부 시기에는 기업의 구조 조정, 외국 자본 유치 등을 통해 외환 위기를 극복하고 국제 통화 기금(IMF)의 관리 체제에서 벗어날 수 있었다.

07 김대중 정부의 정책

자료는 1998년 김대중 대통령의 취임사로, 밑줄 친 '정부'는 김대중 정부에 해당한다. 제15대 대통령 선거에서 야당의 김대중 후보가 대통령에 당선되어 헌정 사상 최초로 여야 간 평화적 정권 교체가 이루어졌다. 김대중 대통령은 2000년에 평양을 방문하여 처음으로 남북 정상 회담을 성사시켰다.

┃바로 알기┃ ① 박정희 정부 시기인 1970년에 새마을 운동이 시작되었다. ② 전두환 정부 시기인 1980년대 초 야간 통행금지가 해제되었다. ③ 이명박 정부 시기인 2010년에 G20 서울 정상 회의가 개최되었다. ⑤ 우리나라는 2004년 칠레를 시작으로 여러 나라와 자유 무역 협정(FTA)을 맺었고, 이명박 정부는 실용주의를 앞세워 자유 무역 협정 체결의 확대를 추진하였다.

08 시민 단체의 활동

6월 민주 항쟁(1987) 이후 민주화가 진전되면서 시민 단체가 성장하였다. 시민 단체는 시민이 자발적으로 참여하여 공공선을 위해 영향력을 행사하는 단체를 말한다. 1994년에 출범한 참여 연대는 '참여와 인권이 보장되는 민주 사회 건설'을 목표로 활동하고 있다. 한편, 여성 단체들이 여성의 사회적 지위 향상을 위한 노력을 진행하는 가운데, 2001년에는 여성부가 설치되어 여성 문제를 전담하였고, 2008년에는 호주제가 폐지되었다.

┃바로 알기┃ ㄱ, ㄹ. 국제 통화 기금(IMF)과 유네스코는 국제기구인 국제 연합(UN)의 전문 기관 중에 하나이다.

09 촛불 집회의 전개

(가)는 촛불 집회에 해당한다. 2000년대 이후 시민들은 '촛불 집회'라는 평화적 시위를 통해 사회의 다양한 사안에 대해 의견을 표출하였다. 2002년 미군 장갑차 사고로 숨진 여중생을 추모하기 위한 집회를 시작으로 2008년에 미국산 쇠고기 수입 반대 집회가 일어났으며, 2016년에는 국정 농단에 대한 진상 규명과 박근혜 대통령 퇴진을 요구하는 대규모 집회가 벌어지기도 하였다.

┃바로 알기┃ ②는 일제 강점기인 1931년부터 동아일보가 전개한 문맹 퇴치 운동이다. ③은 1907년에 일본에 진 빚을 갚기 위해 벌인 모금 운동이다. ④는 1920년대에 토산품 애용 등을 강조하였던 민족 운동이다. ⑤는 일제 강점기인 1929년에 학생들이 전개한 시위이다.

10 사회 복지의 확대

제시된 내용은 민주화가 진행되면서 사회 복지가 확대되는 상황을 설명하고 있다. 우리나라는 1995년에 고용 보험 제도를 시행하였고, 1999년에는 국민 기초 생활 보장법을 제정하여 국가와 지방 자치 단체에서 빈곤층과 노인, 장애인의 생계비와 주거비, 의료비, 교육비 등을 보조하는 등 복지 정책을 실시하고 있다.

┃바로 알기┃ ㄱ. 프레스 카드제는 1970년대 박정희 정부의 언론 탄압과 관련된 제도이다. ㄷ. 비정부 기구(NGO)는 시민들이 자발적으로 모여 공익을 위해 활동하는 단체를 말한다.

 서술형 문제

290쪽

01 주제: 6월 민주 항쟁과 6·29 민주화 선언

(1) 6월 민주 항쟁

(2) **예시 답안** 6월 민주 항쟁으로 대통령이 국민의 대통령 직선제 개헌 요구를 수용하게 되면서 국민이 직접 대통령을 선출하게 되었다. 6월 민주 항쟁은 오랜 독재 정치를 끝내고 우리 사회의 민주화가 진전되는 토대가 되었다.

채점 기준

상	대통령이 국민의 요구 수용, 대통령 직선제 개헌, 민주화 진전의 토대 등의 내용을 서술한 경우
하	6월 민주 항쟁의 의의를 서술하였으나 미흡한 경우

02 주제: 김영삼 정부의 정책

(1) 김영삼 정부

(2) 예시 답안 김영삼 정부는 공직자 윤리법을 개정하여 고위 공무원의 재산 등록을 의무화하였고, 탈세와 불법 자금 유통을 막기 위해 금융 실명제를 실시하였다. 또한 '역사 바로 세우기'를 진행하여 전두환, 노태우를 비롯한 12·12 사태 관련자와 5·18 민주화 운동 진압 관련자를 처벌하였다.

채점 기준	
상	김영삼 정부의 정책을 두 가지 서술한 경우
하	김영삼 정부의 정책을 한 가지만 서술한 경우

STEP 3 1등급 정복하기
291쪽

1 ⑤   2 ⑤

1 6월 민주 항쟁의 구호

자료는 6·10 국민 대회 선언문으로, 국가의 미래요 소망인 꽃다운 젊은이를 야만적인 고문으로 죽여 놓고(박종철 고문치사 사건), 4·13 폭거(4·13 호헌 조치) 등의 내용을 통해 6월 민주 항쟁(1987) 때 발표된 것임을 알 수 있다. 전두환 대통령이 4·13 호헌 조치를 발표하자, 이후 야당과 종교계, 학생 운동 조직 등은 직선제 개헌과 전두환 정권 퇴진 운동을 전개하였다. 이한열의 최루탄 피격 사건을 계기로 6월 10일에는 전국 주요 도시에서 수십만 명의 시민들이 호헌 철폐와 독재 타도를 외치며 시위를 전개하였다(6월 민주 항쟁). ⑤ 6월 민주 항쟁의 시작이었던 6·10 국민 대회 선언문에서 국민은 호헌 철폐, 독재 타도, 직선제 개헌 등을 요구하였다.

▌바로 알기▐ ①은 박정희 정부 시기 3선 개헌 반대 운동(1969)과 관련이 있다. ② 사사오입 개헌은 1954년 이승만 정부 시기에 추진되었다. ③은 대한민국 정부 수립 이전에 남한만의 단독 선거 및 단독 정부 수립을 반대하는 내용으로, 제주 4·3 사건(1948) 등과 관련이 있다. ④는 박정희 정부 시기 한일 회담 반대 집회인 6·3 시위(1964) 등과 관련이 있다.

2 김대중 정부의 정책

제시된 내용의 신문 기사 헤드라인은 김대중 정부 시기에 있었던 사실과 관련이 있다. 헌정 사상 최초로 여야 간 평화적 정권 교체를 실현한 김대중 대통령은 2000년에 평양을 방문하여 처음으로 남북 정상 회담을 성사시켰고, 같은 해 민주주의 및 인권 신장과 남북 화해 협력에 기여한 점을 인정받아 노벨 평화상을 수상하였다. 김대중 정부 시기에는 기업의 구조 조정, 외국 자본 유치 등을 추진하여 외환 위기를 극복하고 국제 통화 기금(IMF)의 관리 체제에서 벗어날 수 있었다.

▌바로 알기▐ ①은 김영삼 정부, ②, ③은 박정희 정부에 해당한다. ④ 1948년 7월 17일에 제헌 헌법이 선포되었고, 이후 이승만이 대통령에 선출되었다.

---

06 외환 위기와 사회·경제적 변화

STEP 1 핵심 개념 확인하기
294쪽

1 ㄱ, ㄴ   2 ⊙ 김영삼 ⊙ 김대중   3 (1) ㄱ (2) ㄷ (3) ㄴ (4) ㄹ
4 자유 무역 협정(FTA)   5 (1) × (2) ○

STEP 2 내신 만점 공략하기
294~296쪽

01 ②   02 ③   03 ③   04 ④   05 ⑤   06 ④   07 ③
08 ④   09 ④   10 ⑤

01 시장 개방과 한국 경제

(가)에는 세계 무역 기구(WTO) 체제가 출범하였던 시기 한국의 경제 상황이 들어가야 한다. 1995년에 세계 무역 기구(WTO) 체제가 출범한 이후 국제 교역량이 증가하였고 세계 자본 시장이 통합되었다. 전 세계적으로 시장 개방 압력이 거세지는 가운데 정부는 상품과 자본 시장을 개방하여 세계화를 추진하였고, 공기업 민영화, 금융 규제 완화, 경제 협력 개발 기구(OECD) 가입 등 신자유주의 정책을 펼쳤다.

▌바로 알기▐ ① 전두환 정부 시기인 1980년대 중반에서 후반까지 저유가, 저달러, 저금리의 3저 호황을 누렸다. ③ 박정희 정부 시기인 1973년과 1978년에 석유 파동을 겪었다. ④ 박정희 정부 시기인 1967~1971년에 제2차 경제 개발 5개년 계획이 실시되었다. ⑤ 6·25 전쟁 이후 우리나라는 미국으로부터 밀, 사탕수수, 면화 등 소비재 산업의 원료를 중심으로 한 원조 물자를 지원받았다.

02 1990년대의 경제 상황

첫 번째 글은 1980년대 중후반의 3저 호황, 두 번째 글은 1997년 말에 발생한 외환 위기에 대한 것이다. 두 사건 사이 시기인 1996년에 김영삼 정부는 이른바 선진국 클럽이라고 불리는 경제 협력 개발 기구(OECD)에 가입하였다.

▌바로 알기▐ ① 제2차 석유 파동은 1978년에 일어났다. ② 제3차 경제 개발 5개년 계획은 1972~1976년에 실시되었다. ④ 칠레와 자유 무역 협정(FTA)을 체결한 것은 노무현 정부 시기인 2004년에 해당한다. ⑤ 새마을 운동은 1970년에 시작되었다.

완자 정리 노트	김영삼 정부 시기의 경제
신자유주의 정책	세계화 추진(상품과 자본 시장 개방) → 공기업 민영화, 금융 규제 완화, 경제 협력 개발 기구(OECD) 가입 (1996) 등
외환 위기	금융 기관 부실, 동남아시아의 외환 위기 등으로 외환 보유고 급격히 감소 → 1997년 말 외환 위기 발생, 국제 통화 기금(IMF)에 구제 금융 요청

03 세계화의 영향

1990년대 이후 세계화가 진전되면서 여러 변화가 나타났다. 1995년 세계 무역 기구(WTO) 체제 출범 이후 무역 장벽이 낮아지면서 국제 교역량이 증가하였고 세계 자본 시장이 통합되었다. 또한 세계적으로 전자, 통신 산업이 발전하면서 우리나라 반도체의 수출이 급증하였고, 여러 기업이 러시아, 중국, 동유럽 등지로 활발하게 진출하였다. 2000년대 들어 자유 무역이 전 세계에 확산되면서 한국은 칠레, 미국, 유럽 연합(EU), 중국 등과 자유 무역 협정(FTA)을 맺어 무역 시장을 확대하였다.

바로 알기 ③ 1993년 우루과이 라운드 타결로 한국의 농축산물 수입이 자유화되었다. 이로 인해 국내 농가의 부채가 급증하고 농가 경제가 악화되었다.

04 외환 위기의 발생 배경

자료 분석

┌─ 한국은 1997년 말 국제 통화 기금(IMF)으로부터 긴급 자금을 지원받았어.
- IMF로부터 적절한 규모의 자금 지원
- 부실 금융 기관 구조 조정 및 인수, 합병 제도 마련
- 외국 금융 기관의 국내 자회사 설립 허용
- 외국인 주식 취득을 종목당 50%까지 확대
- 노동 시장의 유연성을 높임 ── 한국은 IMF의 요구로 자본 시장 개방과 노동 시장의 유연화 정책을 따라야 했어.
  – IMF 대기성 차관 협약을 위한 양해 각서안

자료는 김영삼 정부가 국제 통화 기금(IMF)과 체결한 양해 각서안으로 이를 통해 한국은 국가 부도 사태를 피할 수 있었다. 1990년대 급격한 시장 자율화와 경제 개방 속에서 대기업은 은행 자금을 무분별하게 빌려 사업을 확장하였다. 또한 1997년 동남아시아에서 시작된 외환 및 금융 불안이 한국 경제에도 영향을 미쳐 외국 투자자들이 대출을 대거 회수하였고, 이에 외환 보유고가 고갈되면서 기업들의 연쇄 부도로 이어졌다. 결국 1997년 말 외환 위기가 발생하였고 김영삼 정부는 국제 통화 기금에 구제 금융을 요청하여 긴급 자금을 지원받았다.

바로 알기 ① 한국은 외환 보유고가 고갈되어 외환 위기를 맞았다. ②, ③ 김영삼 정부는 상품과 자본 시장을 개방하여 세계화를 추진하였고, 신자유주의 정책을 펼쳤다. ⑤ 동남아시아에서 시작된 외환 및 금융 불안도 외환 위기 발생의 배경이 되었다.

05 외환 위기 극복을 위한 정부의 노력

(가)에는 김영삼 정부 때인 1997년 말 국제 통화 기금(IMF)에 구제 금융을 요청한 시기부터 김대중 정부 때인 2001년 국제 통화 기금의 지원금을 상환하며 외환 위기에서 벗어난 시기 사이의 사실이 들어가야 한다. 외환 위기를 극복하기 위해 김대중 정부는 강도 높은 구조 조정을 실시하였고, 외국 자본 유치에 힘써 부실기업과 은행을 통폐합하거나 외국에 매각하였다. 공공 부문에서도 공기업 민영화와 경영 혁신 등의 개혁을 추진하였다. 노동 부문에서는 1998년에 노사정 위원회를 설치하여 정리 해고제 등을 도입하였다.

바로 알기 ⑤는 박정희 정부 때의 일이다. 1960~1970년대에 서독 파견 광부와 간호사의 송금은 경제 개발에 큰 역할을 하였다.

완자 정리 노트 외환 위기 극복 노력

정부	• 강도 높은 구조 조정 실시, 외국 자본 유치 노력 → 부실기업과 은행 통폐합 및 외국에 매각, 공적 자금 투입으로 부실 금융 기관 정상화 • 공공 부문: 공기업 민영화와 경영 혁신 등 개혁 추진 • 노동 부문: 노사정 위원회 설치(정리 해고제와 근로자 파견제 도입, 고용 보험 확대와 근로 시간 단축 등 노력 전개)
민간	국민이 자발적으로 금 모으기 운동에 동참

06 금 모으기 운동의 전개

그래프에서 (가) 시기인 1997년에 무역 수지가 마이너스를 기록하였음을 알 수 있다. 1997년 말 한국은 외환 위기를 맞아 국제 통화 기금(IMF)에 긴급 구제 금융을 요청하였다. 이때 국민은 자발적으로 금 모으기 운동에 동참하여 외환 위기 극복에 힘을 보탰다.

바로 알기 ① 1920년에 조만식 등이 평양에서 조선 물산 장려회를 조직하여 물산 장려 운동을 시작하였다. ② 박정희 정부가 한일 국교 정상화를 추진하자 수많은 학생과 시민이 한일 회담 반대 시위를 벌였다. ③ 6·25 전쟁 이후 한국은 미국으로부터 원조 물자를 받았으며, 1950년대 말부터는 원조가 감소하고 무상 원조가 유상 차관으로 바뀌었다. ⑤ 일제는 1910년에 기업 설립을 조선 총독이 허가하도록 하는 회사령을 공포하였고, 1920년에 이를 폐지하였다.

07 경제적 양극화의 심화

자료 분석

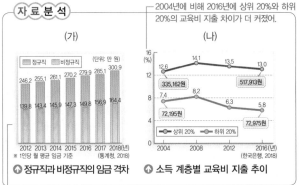

── 2004년에 비해 2016년에 상위 20%와 하위 20%의 교육비 지출 차이가 더 커졌어.

(가)
정규직과 비정규직의 임금 격차

(나)
소득 계층별 교육비 지출 추이

── 정규직과 비정규직의 임금 차이가 점점 증가하고 있어.

외환 위기 이후 실업이 늘어나고 소득 격차가 더욱 벌어졌으며, 정규직과 비정규직, 대기업과 중소기업 간의 임금 차이가 더욱 커지면서 경제적 양극화가 심화되었다. 소득에 따른 교육비 지출의 격차도 크게 벌어져 소득 격차에 따른 실질적인 교육 기회의 불평등 문제가 나타나고 있다.

바로 알기 ① 석유 파동은 박정희 정부 시기인 1973년과 1978년에 두 차례 발생하였다. ② 외환 위기는 1990년대 대기업의 무분별한 사업 확장 등으로 인해 1997년에 발생하였다. ④ 새마을 운동은 1970년대 박정희 정부 때 실시되었고, 이는 농어촌의 근대화에 기여하였다. ⑤ 우리나라는 노인 인구가 빠르게 증가하여 고령화 사회로 진입하였는데, 이는 제시된 자료와 관련이 없다.

08 경제적 양극화 해결 노력

소득 격차에 따른 실질적인 교육 기회의 불평등 문제를 해결하고자 국가 차원에서 정부 지원의 장학 제도를 신설하는 등 계층 간 격차를 줄이기 위한 정책과 제도 마련에 노력하고 있다.

바로 알기 ① 농지 개혁법은 1949년에 제정되었다. ② 일제는 1938년에 국가 총동원법을 제정하고 이를 한국에도 적용하였다. ③ 제1차 경제 개발 5개년 계획은 1962년부터 실시되었다. ⑤ 김영삼 정부는 외환 위기를 맞아 1997년 말 국제 통화 기금(IMF)에 구제 금융을 요청하였다.

09 다문화 사회로의 진입

그래프를 보면 외국인 주민 비중과 외국인 주민 수가 꾸준히 증가하고 있음을 알 수 있다. 교통수단과 정보 통신 기술이 발달하면서 세계화는 서로 다른 문화권에 속한 사람들 간의 이동과 연결을 가속화하였다. 이러한 배경 속에서 우리나라도 외국인 근로자, 국제결혼 이주민 등이 증가하면서 다문화 사회로 진입하고 있다. 외국인 근로자들은 저출산·고령화에 따른 노동력 부족 현상을 해소하는 데 기여하였다. 그러나 외국인 근로자와 다문화 가정의 자녀들은 외국인에 대한 사회적 차별과 편견 때문에 고통받기도 한다. 여러 문화적 배경이 다른 사람들과 어우러져 살기 위해서는 다른 문화를 이해하고 존중하는 자세를 기를 필요가 있다.

바로 알기 ④ 최저 임금법은 1986년에 국가가 낮은 임금의 노동자를 보호하기 위해 임금의 최저액을 규정한 법률로, 다문화 사회 진입에 따른 법률적인 정비 노력과는 거리가 멀다. 정부는 사회 통합을 위한 다문화 정책으로 재한 외국인 처우 기본법(2007), 다문화 가족 지원법(2008)을 제정하여 국내 거주 외국인과 다문화 가족 구성원의 삶의 질을 높이고, 이들이 한국 사회의 일원으로 함께 살아갈 수 있도록 지원하고 있다.

10 한류 문화 열풍

제시된 내용은 1990년대 이후의 한류 문화 열풍에 대한 것이다. 우리나라는 6월 민주 항쟁(1987) 이후 민주화의 진전으로 사고와 표현의 다양성을 존중받게 되면서 문화 예술 분야가 성장하였다. 2000년 이후에는 한국의 대중가요가 케이팝(K-Pop)이라고 불리며 아시아를 넘어 유럽, 미국 등지에서 큰 인기를 얻었고, 새로운 소통 수단인 유튜브, 누리 소통망(SNS)을 통해 한국 문화가 세계로 전파되고 있다.

서술형 문제

296쪽

01 주제: 세계화의 추진

예시 답안 김영삼 정부는 상품과 자본 시장을 개방하여 세계화를 추진하였다.

채점 기준

상	상품과 자본 시장 개방을 통해 세계화를 추진하였다고 서술한 경우
하	위의 내용을 서술하였으나 미흡한 경우

02 주제: 외환 위기의 발생과 극복

(1) 외환 위기

(2) **예시 답안** 노사정 위원회를 설치하여 정리 해고제와 근로자 파견제를 도입하였으며, 고용 보험 확대와 근로 시간 단축 등의 노력을 전개하였다.

채점 기준

상	노사정 위원회를 쓰고, 이를 통해 추진한 정책을 서술한 경우
하	노사정 위원회만 언급한 경우

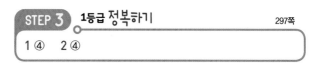

STEP 3 1등급 정복하기
297쪽

1 ④　　2 ④

1 외환 위기 시기의 사회 모습

자료는 1997년 말 외환 위기가 발생한 이후에 전개된 금 모으기 운동에 대한 것이다. 이 시기 국민은 자발적으로 금 모으기 운동에 동참하여 외환 위기 극복에 힘을 보탰다. 한국은 2001년에 외환 위기를 극복하였으나 그 과정에서 정리 해고제와 근로자 파견제가 실시되면서 비정규직 근로자가 크게 늘었다.

바로 알기 ① 외환 위기 이후 정리 해고제와 근로자 파견제가 실시되면서 노동자들이 대량 해직되었다. ② 외환 위기로 많은 자영업자가 도산하면서 중산층의 비중이 낮아졌다. ③, ⑤ 외환 위기 이후 대기업과 중소기업의 임금 차이가 더욱 커지면서 소득의 양극화도 심화되었다.

2 석유 파동과 외환 위기

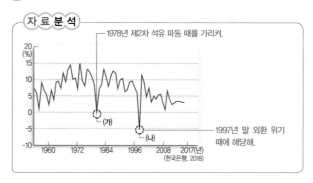

자료 분석

1978년 제2차 석유 파동 때를 가리켜.

1997년 말 외환 위기 때에 해당해.

(한국은행, 2018)

(가) 시기에는 제2차 석유 파동으로 한국 경제가 큰 타격을 입었다. (나) 시기에는 한국은 외환 위기를 맞아 국제 통화 기금(IMF)에 구제 금융을 요청하여 긴급 자금을 지원받았으나, 이후 정부와 국민의 노력으로 2001년 국제 통화 기금의 지원금을 조기 상환하였다.

바로 알기 ① 저유가, 저달러, 저금리 상황을 배경으로 3저 호황을 맞은 것은 1980년대 중후반의 일이다. ② 1962~1966년에 제1차 경제 개발 5개년 계획이 추진되었다. ③ 제2차 석유 파동이 일어난 것은 1978년으로 (가) 시기에 해당하는 설명이다. ⑤는 (나) 시기에만 해당하는 설명으로, 김영삼 정부는 전 세계적으로 시장 개방의 압력이 커지는 가운데 상품과 자본 시장을 개방하며 세계화를 추진하였고, 신자유주의 정책을 펼쳤다.

남북 화해와 동아시아 평화를 위한 노력

1 (1) 합영법(합작 회사 경영법) (2) 김정은 (3) 주체사상 2 (1) ㄴ
(2) ㄱ 3 (1) ㉤ (2) ㉢ (3) ㉣ (4) ㉠ 4 (1) × (2) ○ 5 ㄴ, ㄷ

01 ②	02 ④	03 ⑤	04 ①	05 ④	06 ⑤	07 ①
08 ③	09 ⑤	10 ⑤	11 ③	12 ①	13 ③	14 ④
15 ④						

01 주체사상의 등장

(가)는 주체사상이다. 6·25 전쟁 이후 북한은 중국과 소련이 갈등을 겪는 상황에서 두 나라의 영향력에서 벗어나 독자 노선을 추구하였다. 이러한 과정에서 김일성 유일 지배 체제가 확립되고 이를 뒷받침하는 주체사상이 등장하였다. 주체사상을 통해 1인 지배 체제를 구축한 김일성은 이후 주체사상을 북한 주민을 통제하고 반대파를 숙청하는 수단으로 이용하였다. 주체사상은 1972년에 제정된 사회주의 헌법에서 국가의 통치 이념으로 명문화되었다.

바로 알기 ② 주체사상은 6·25 전쟁(1950~1953) 이후인 1960년대에 김일성이 1인 지배 체제를 확립하는 과정에서 등장하였다.

02 북한의 3대 세습 체제

북한에서 1인 지배 체제를 확립한 김일성은 1972년에 사회주의 헌법을 제정하여 국가 주석제를 도입하였고, 국가 주석으로 취임하였다. 1994년에 김일성이 사망하자 그의 아들인 김정일이 권력을 승계하였다. 김정일은 1998년에 헌법을 개정하여 주석직을 폐지하였고, 국방 위원장 자격으로 북한의 최고 권력자가 되었다. 2009년에는 헌법을 개정하여 군대가 사회를 이끈다는 선군 사상을 통치 방식으로 내세우기도 하였다. 2011년에는 김정일이 사망하면서 그의 아들 김정은에게 권력이 승계되었고, 이로써 북한은 3대 권력 세습 체제를 확립하였다.

바로 알기 ①은 김정은, ②, ⑤는 김정일, ③은 김일성에 대한 설명이다.

03 북한의 경제적 변화와 합영법

자료 분석

제1조 조선 민주주의 인민 공화국 합영법은 우리나라와 세계 여러 나라들 사이의 경제·기술 협력과 교류를 확대 발전 시키는 데 이바지한다.
└ 사회주의권 국가들과만 교류하던 북한이 자본주의 국가와도 교류하겠다고 하였어.

자료는 1984년에 제정되어 여러 차례 개정되었던 북한의 합영법(합작 회사 경영법)이다. 경제 위기를 맞은 북한은 1980년대 이후 부분적인 개방 정책을 추진하였다. 이를 위해 1984년에 합영법을 제정하였으며, 1991년에 나진·선봉 경제 무역 지대를 설치하여 외국의 자본과 기술을 도입하려 하였다. 2002년에는 7·1 경제 관리 개선 조치를 통해 기업 경영의 자율성을 확대하고, 주민들 간의 생필품 교류 시장을 일부 허용하는 등 시장 경제적 요소를 도입하였다.

바로 알기 ㄱ. 사회주의 헌법은 김일성의 1인 독재 체제를 확립하려는 목적으로 1972년에 제정되었다. ㄴ. 김정일은 1970년대에 3대 혁명 소조 운동을 통해 사회주의 체제를 강화하고 김일성의 후계자로 부상하였다.

04 북한의 경제 개방 정책

지도는 북한의 경제 특구를 보여 준다. 북한은 1980년대 들어서 사회주의 계획 경제에서 변화를 꾀하였다. 1991년에는 나진·선봉 지역에 중국식 경제 특구인 자유 경제 무역 지대를 설치하여 외국 자본 유치를 위한 법적·제도적 환경을 마련하였다. 1990년대 말부터는 김대중 정부와 노무현 정부의 대북 화해 협력 정책으로 금강산 관광, 개성 공업 지구 사업 등 남한과의 경제 교류가 확대되었다.

바로 알기 ② 1940~1950년대 북한은 생산 수단을 국유화하여 사회주의 경제 체제의 기초를 닦았다. ③ 북한은 1980년대부터 부분적으로 개방 정책을 추진하였다. ④ 북한은 1954년부터 전후 복구 3개년 계획을 시작함에 따라 본격적인 전후 복구 사업을 전개하였다. ⑤ 북한은 경제 개방 지역을 설정하고 사회주의 국가뿐만 아니라 자본주의 국가와도 교류하여 경제 위기를 극복하려 하고 있다.

완자 정리 노트 **북한의 경제 개방 정책 추진**

1980년대	합작 회사 경영법(합영법) 제정(1984)
1990년대 이후	• 나진·선봉 경제 무역 지대 설치(1991): 무역 지대 내에서의 자유 무역 시장 개장, 자영업 허용 등 조치 • 7·1 경제 관리 개선 조치(2002): 기업소와 공장에 경영의 자율성 확대, 수익에 따른 분배의 차등화와 배급제 폐지 등 시행 • 대외 경제 개방 정책: 신의주 국제 경제 지대(2002), 개성 공업 지구(2002), 원산·금강산 관광특구(2002), 황금평·위화도 경제 지대 등 지정

05 북한의 사회 모습

(가) 시기에 북한은 연평균 마이너스의 경제 성장률을 보이고 있다. 북한은 1990년대 초반 사회주의 경제권의 붕괴 이후 1990년부터 1998년까지 9년간 연평균 마이너스 성장률을 보이며 1980년대 말과 비교하여 총생산력이 크게 떨어졌는데, 김정일은 이 시기를 '고난의 행군'이라고 명명하였다. 1990년대 중반 홍수와 가뭄 등으로 경제적 어려움을 겪으면서 북한 주민들의 생활은 크게 바뀌었다. 북한에서는 심각한 경제난 이후 '장마당'이라고 불리는 시장이 생겨나기 시작하였으며, 경제난 이후 태어난 세대가 시장을 통해 외부 문물을 접하며 성장하여 한국 드라마나 미국 영화를 보고 팝송을 즐겨 듣기도 하였다.

ㄱ. 북한에서 시장이 생겨나 개인 간 상업 거래가 활발해지면서 개인의 경제 활동에 대한 통제가 완화되었다. ㄷ. 북한이 인권 침해를 지속하고, 경제난으로 주민들이 굶어 죽는 상황이 발생하자 북한을 탈출하는 북한 이탈 주민도 늘어났다.

06 박정희 정부 시기 남북의 갈등

(가)는 박정희 정부 시기이다. 5·16 군사 정변으로 들어선 박정희 정부는 강력한 반공 정책을 실시하였고, '선 건설, 후 통일'을 내세우며 경제 발전에 주력하였다. 이 시기에 북한이 울진·삼척 무장간첩 침투 사건(1968) 등을 일으키면서 남북 간의 갈등은 더욱 깊어졌다.

①, ④는 이승만 정부, ②는 박근혜 정부, ③은 장면 정부에 해당한다.

07 7·4 남북 공동 성명과 박정희 정부

자료는 박정희 정부 시기인 1972년에 발표된 7·4 남북 공동 성명이다. 1969년 닉슨 독트린 발표 이후 냉전이 완화되고 국제적으로도 평화와 공존의 분위기가 고조되자 남과 북의 관계도 개선되었다. 남과 북은 1972년에 자주·평화·민족 대단결의 통일 원칙을 담은 7·4 남북 공동 성명을 발표하였다. 이에 따라 남북 조절 위원회가 설치되어 통일을 위한 실무자 회담이 진행되었으나, 북한의 대화 중단 선언으로 남북 간의 대화는 성과 없이 종료되었다. 이후 남북한에서는 각각 유신 헌법과 사회주의 헌법을 공포하며 7·4 남북 공동 성명을 독재 체제 강화에 이용하기도 하였다.

② 1894년에 조선 고종은 국정 개혁의 기본 강령인 홍범 14조를 반포하였다. ③, ⑤는 이승만 정부, ④는 전두환 정부 시기에 해당한다.

08 최초의 남북 이산가족 상봉과 전두환 정부

이산가족의 교환 방문이 처음으로 이루어졌다는 내용을 통해 자료가 전두환 정부 시기인 1985년에 발표된 기사임을 알 수 있다. 1981년에 제5공화국이 출범하고, 제5공화국의 대통령으로 전두환이 선출되었다. 전두환 정부 시기인 1984년에는 서울에 수해가 발생하자 북한이 원조 물자를 보내왔으며, 이후 남북 경제 회담, 적십자 회담 등이 성사되면서 1985년에 이산가족 상봉과 예술 공연단 교환 방문이 이루어졌다. 이후 노태우 정부 시기인 1988년에 한국은 서울 올림픽 대회를 개최하였다.

09 남북 기본 합의서와 노태우 정부

자료는 1991년에 채택된 남북 기본 합의서(남북 사이의 화해와 불가침 및 교류·협력에 관한 합의서)이다. 노태우 정부는 공산권 국가와 수교하는 북방 외교를 추진하였고, 북한도 외교적 고립을 피하기 위해 남한과의 교류에 나섰다. 그 결과 1990년부터 남북 고위급 회담이 여러 차례 개최되었고, 1991년에는 남북한이 유엔에 동시 가입하였다. 그리고 남북한 정부 간에 이루어진 최초의 공식 합의서인 남북 기본 합의서가 채택되었다. 남북 기본 합의서는 남북이 서로의 체제를 인정하고 상호 불가침에 합의하였다는 점에서 의의를 지닌다.

⑤는 1972년에 발표된 7·4 남북 공동 성명에 대한 설명이다. 1971년에 이산가족 상봉을 위한 남북 적십자 회담을 시작으로 대화의 통로를 연 남과 북은 1972년에 자주·평화·민족 대단결의 통일 원칙을 담은 7·4 남북 공동 성명을 발표하였다. 이후 1991년에 채택된 남북 기본 합의서를 통해 남과 북은 7·4 남북 공동 성명에서 천명한 통일의 3대 원칙을 재확인하였다.

10 김영삼 정부 시기의 남북 관계

첫 번째 사진은 노태우 정부 시기의 남북 기본 합의서 채택에 대한 것으로 1991년에 해당하고, 두 번째 사진 김대중 정부 시기의 제1차 남북 정상 회담 개최에 대한 것으로 2000년에 해당한다. 이 사이 시기에는 북한의 핵 개발 의혹이 국제적으로 제기되는 가운데 1993년 북한이 핵 확산 금지 조약(NPT)을 탈퇴하면서 남북 관계가 악화되었다. 그러나 김영삼 정부는 1994년에 화해와 협력, 남북 연합, 통일 국가 완성으로 이어지는 한민족 공동체 건설을 위한 3단계 통일 방안을 제시하였다.

①, ③ 이명박 정부 시기에는 2008년에 금강산 관광이 중단되고, 2010년에 연평도 포격 사건이 발생하는 등 남북 관계가 경색되었다. ② 박정희 정부 시기인 1972년에 7·4 남북 공동 성명이 발표되었고, 이에 따라 남북 조절 위원회가 설치되어 통일을 위한 실무자 회담이 진행되었다. ④ 1948년에 유엔이 남한만의 총선거 실시를 결정하자 김구와 김규식은 남한만의 총선거 실시로 남북이 분단될 위기에 놓였다고 판단하고 남북 협상을 전개하였다.

11 6·15 남북 공동 선언과 김대중 정부

밑줄 친 '회담'은 김대중 정부 시기인 2000년에 평양에서 열린 최초의 남북 정상 회담이다. 김대중 정부는 한반도 평화 정착과 남북 교류 확대를 위해 적극적인 대북 화해 협력 정책인 '햇볕 정책'을 추진하였다. 1998년에 정주영의 '소 떼 방북'을 계기로 금강산 관광이 시작되었다. 그리고 2000년에는 평양에서 최초의 남북 정상 회담이 개최되었다. 제1차 남북 정상 회담의 결과 6·15 남북 공동 선언이 발표되었다.

①, ⑤ 노태우 정부는 1991년에 남북 기본 합의서를 채택하였고, 한반도 비핵화 공동 선언을 발표하였다. ②, ④ 박정희 정부 시기에는 1971년에 남북 적십자 회담을 처음 개최하였고, 1972년에 7·4 남북 공동 성명을 발표하여 통일의 3대 원칙을 북한과 최초로 합의하였다.

완자 정리 노트 남북한의 통일 노력

구분	7·4 남북 공동 성명 (1972)	남북 기본 합의서 (1991)	6·15 남북 공동 선언 (2000)
배경	닉슨 독트린(1969) 발표 이후 냉전 완화	소련 및 동유럽 사회주의 국가의 붕괴 → 남북 고위급 회담	김대중 정부의 햇볕 정책 → 남북 정상 회담
내용 및 영향	자주·평화·민족 대단결의 통일 원칙에 합의. 이후 남북 조절 위원회 설치	남북 교류를 민족 내부 교류로 규정. 한반도 비핵화 공동 선언으로 이어짐	남북 교류 활성화 → 개성 공단 건설 및 경의선·동해선 연결 추진. 이산가족 상봉 재개

12 남북 관계의 변화와 진전

김영삼 정부는 1994년에 화해와 협력, 남북 연합, 통일 국가 완성으로 이어지는 한민족 공동체 건설을 위한 3단계 통일 방안을 제시하였다. 김대중 정부 시기에는 금강산 관광 등 남북 경제 협력이 본격화되었다. 노무현 정부는 2007년에 개최된 제2차 남북 정상 회담에서 6·15 남북 공동 선언의 이행 방안이 담긴 10·4 남북 공동 선언을 채택하였다. 이명박 정부 시기에는 천안함 피격 사건(2010) 등 북한의 무력 도발로 인해 남북 관계가 악화되었다.

▌**바로 알기** ① 박근혜 정부 시기에는 개성 공단이 폐쇄되었다(2016). 개성 공단 건설은 북한의 개성에 남한 기업이 공업 단지를 조성하는 일로, 김대중 정부 때인 6·15 남북 공동 선언 이후에 추진되었으며, 노무현 정부 때 실현되었다.

13 남북한의 통일을 위한 노력

(나) 7·4 남북 공동 성명 발표(박정희 정부, 1972) − (가) 남북 기본 합의서 채택(노태우 정부, 1991) − (라) 한민족 공동체 건설을 위한 3단계 통일 방안 제시(김영삼 정부, 1994) − (다) 6·15 남북 공동 선언 발표(김대중 정부, 2000)의 순으로 일어났다. 이후 문재인 정부 시기인 2018년에는 한반도의 평화와 번영, 통일을 위한 판문점 선언이 발표되었다.

14 일본의 역사 왜곡

밑줄 친 '이 나라'는 일본이다. 제2차 세계 대전 당시 침략 전쟁을 일으킨 일본의 일부 우익 세력은 아직도 우리나라에 대한 식민 지배를 정당화하고 있으며, 침략 전쟁 당시에 자행한 비인도적인 행위를 반성하지 않고 있다. 또한 일본의 침략 전쟁과 식민 지배를 미화하고 일본군 '위안부' 동원 등 반인륜적인 전쟁 범죄에 대해서는 은폐·축소하는 내용이 담긴 중학교 역사 교과서를 만들었다. 일본의 잘못된 역사 인식은 일본군 '위안부'에 대한 사과 및 배상 거부, 독도 영유권 주장, 일본 정치가의 야스쿠니 신사 참배 등으로 나타나고 있다.

▌**바로 알기** ④는 중국과 관련된 내용이다. 사회주의 국가들이 붕괴하면서 사회 통합 논리로 작용하던 공산주의가 약화되자 중국은 통일적 다민족 국가론을 내세웠고, 2002년부터 5년 동안 동북공정을 진행하였다.

15 중국의 역사 왜곡

자료는 중국이 주장하는 동북공정의 근거이다. 중국은 2002년부터 5년 동안 동북 지역인 랴오닝성, 지린성, 헤이룽장성의 역사와 현재 상황을 연구하는 동북공정을 진행하였다. 이들 지역은 우리 민족이 세운 고조선, 고구려, 발해 등의 영토였던 곳으로 우리 역사와도 연관이 있다. 중국은 역사 교과서, 박물관과 유적지 안내문 등에서 한국 고대사를 왜곡하고 있다. 우리 정부와 학계는 이러한 중국의 역사 왜곡에 맞서 적극적으로 대응할 필요가 있다.

▌**바로 알기** ④ 중국은 국내의 소수 민족의 분리 독립을 방지하고, 이들을 하나의 중화 민족으로 통합시키기 위해 동북공정을 비롯한 역사 왜곡을 진행하고 있다.

서술형 문제

305쪽

01 주제: 6·15 남북 공동 선언

(1) 6·15 남북 공동 선언

(2) 햇볕 정책(대북 화해 협력 정책)

(3) **예시 답안** 이산가족 방문이 이루어졌고, 경의선 철도 복구, 개성 공단 건설 등의 경제 협력과 사회·문화 교류가 전개되었다.

채점 기준

상	6·15 남북 공동 선언 발표 이후 이루어진 협력 내용을 세 가지 서술한 경우
중	남북 간의 협력 내용을 두 가지 서술한 경우
하	남북 간의 협력 내용을 한 가지만 서술한 경우

02 주제: 일본의 독도 영유권 주장

예시 답안 독도. 이승만 정부는 1952년에 이른바 평화선 선언(인접 해양에 대한 주권에 관한 대통령 선언)을 발표하여 독도가 우리 영토임을 분명히 하였다.

채점 기준

상	독도를 쓰고, 평화선 선언에 대한 내용을 서술한 경우
하	독도만 쓴 경우

STEP 3 **1등급 정복하기**

306~307쪽

1 ③ 2 ① 3 ④ 4 ③

1 북한의 7·1 경제 관리 개선 조치

자료 분석

- 일부 지역에서 협동 농장 토지를 개인에게 할당·경작하도록 하는 개인 영농제 시범 실시 ─ 북한은 2002년부터 개인 영농제를 시범적으로 실시하였어.
- 공장·기업소가 거둔 수입을 종업원에게 나누어 주거나, 해당 공장 혹은 기업소가 경영 개선을 위해 자체적으로 사용할 수 있도록 허용 ─ 기업소와 공장에 경영의 자율성을 확대하였음을 알 수 있어.

북한은 2002년에 시장 경제 요소를 제한적으로 도입하는 7·1 경제 관리 개선 조치를 발표하였다. 이 조치를 통해 북한은 기업소와 공장에 경영의 자율성을 확대하고 수익에 따른 분배의 차등화와 배급제 폐지 등을 시행하였다.

▌**바로 알기** ① 북한은 6·25 전쟁(1950~1953) 이후에 전후 복구 사업을 추진하였다. ② 김일성은 주체사상을 통해 1인 독재 체제를 강화하였다. ④ 북한은 1956년부터 노동력을 최대한 동원하여 생산력을 높이고자 하는 천리마운동을 벌였다. ⑤ 북한은 1958년에 토지를 비롯한 모든 생산 수단을 통합하고 투입한 노동량에 따라 수확물을 분배받는 농업 협동화를 전면적으로 시행하였다.

2 노태우 정부의 통일 정책

밑줄 친 '남북한 유엔 동시 가입'을 성사시킨 정부는 노태우 정부이다. 1987년에 일어난 6월 민주 항쟁을 계기로 민간 차원의 통일 운동이 활발해진 가운데 노태우 정부는 북방 외교를 추진하였고, 북한에도 유화적인 태도를 보였다. 북한도 외교적 고립을 피하기 위해 남한과의 교류에 나섰다. 그 결과 1991년에 남북한이 유엔에 동시 가입하였고, 남북 기본 합의서(남북 사이의 화해와 불가침 및 교류·협력에 관한 합의서)를 채택하였다.

┃ 바로 알기 ┃ ②는 박정희 정부, ③은 노무현 정부에 해당한다. ④ 김대중 정부는 적극적인 대북 화해 협력 정책인 '햇볕 정책'을 추진하였고, 이후 노무현 정부가 이를 계승하였다. ⑤는 문재인 정부에 해당한다.

완자 정리 노트　　1990년대 이후 남북 간의 대화와 협력

노태우 정부	남북 고위급 회담 개최, 남북한 유엔 동시 가입, 남북 기본 합의서 채택, 한반도 비핵화 공동 선언에 합의
김영삼 정부	한민족 공동체 건설을 위한 3단계 통일 방안 제시, 북한에 경수로 건설 사업 추진
김대중 정부	대북 화해 협력 정책(햇볕 정책) 추진, 제1차 남북 정상 회담 개최, 6·15 남북 공동 선언 발표
노무현 정부	제2차 남북 정상 회담 개최, 10·4 남북 공동 선언 발표
문재인 정부	한반도의 평화와 번영, 통일을 위한 판문점 선언 발표

3 6·15 남북 공동 선언의 결과

밑줄 친 '공동 선언문'은 2000년에 개최된 최초의 남북 정상 회담의 결과 발표된 6·15 남북 공동 선언문에 해당한다. 6·15 남북 공동 선언에 따라 이산가족 방문이 이루어졌고, 경의선 철도 복구, 개성 공단 건설 등의 경제 협력과 사회·문화 교류가 전개되었다.

┃ 바로 알기 ┃ ① 전정 협정은 이승만 정부 시기인 1953년에 체결되었다. ② 박정희 정부 시기인 1972년에 발표된 7·4 남북 공동 성명에 따라 남북 조절 위원회가 설치되었다. ③ 이산가족 상봉은 전두환 정부 시기인 1985년에 서울과 평양에서 처음으로 이루어졌다. ⑤ 한반도 비핵화 공동 선언은 노태우 정부 시기인 1991년에 발표되었다.

4 남북한의 사회·문화 교류와 개성 지역

남북한의 만월대 유적 공동 발굴 사업, 고려의 수도였던 곳, 2013년 유네스코 세계 유산 등재 등을 통해 (가) 지역이 개성임을 알 수 있다. 1985년에 이산가족 상봉과 함께 이루어진 예술 공연단의 교환 방문을 시작으로 사회·문화 분야의 남북 교류도 활성화되었다. 남한과 북한의 역사학자들은 남북 역사학자 협의회를 구성하고 개성 고려 궁성(만월대) 발굴 사업을 공동으로 추진하였다. 한편, 김대중 정부의 대북 화해 협력 정책(햇볕 정책)에 따라 2000년에 남북 정상 회담이 개최되었고 6·15 남북 공동 선언이 발표되었다. 이후 남북 경제 협력 사업이 추진되면서 남북 합작으로 개성 지역에 개성 공단이 세워졌다.

┃ 바로 알기 ┃ ①은 서울과 평양, ②는 평양, ④는 나진·선봉, ⑤는 금강산 지역과 관련된 탐구 활동이다.

대단원 실력 굳히기　　　　　　310쪽~314쪽

01 ⑤	02 ④	03 ④	04 ②	05 ④	06 ①	07 ④
08 ②	09 ③	10 ②	11 ①	12 ③	13 ⑤	14 ③
15 ④	16 ③	17 ③	18 ④	19 ⑤	20 ②	21 ②
22 ⑤	23 ③	24 ③				

01 조선 건국 준비 위원회의 활동

일본의 항복 선언이 있기 전, 조선 총독부로부터 치안권을 이양받은 여운형은 광복 직후 안재홍 등과 함께 조선 건국 준비 위원회를 조직하였다. 조선 건국 준비 위원회는 전국에 145개의 지부를 조직하고 치안대를 설치하여 질서를 유지하였다.

┃ 바로 알기 ┃ ①은 독립 협회에 대한 설명이다. ② 이승만은 광복 후 귀국하여 독립 촉성 중앙 협의회를 조직하였다. ③은 신민회, ④는 좌우 합작 위원회 등에 대한 설명이다.

02 모스크바 3국 외상 회의의 개최

왼쪽 사진은 1945년 8월 우리 민족이 광복을 맞이하여 기뻐하는 모습이고, 오른쪽 사진은 모스크바 3국 외상 회의 이후에 전개된 신탁 통치 반대 운동의 모습이다. 광복 이후 1945년 12월에 열린 모스크바 3국 외상 회의에서 한반도의 최고 5년간의 신탁 통치 실시 등이 결정되었다. 회의 결과가 국내에 알려지자 우익 세력은 신탁 통치 반대 운동을 전개하였다.

┃ 바로 알기 ┃ ①은 1940년, ②는 1948년 5월, ③은 1946년 10월, ⑤는 1947년 10월에 있었던 사실이다.

03 남북 협상의 배경

(가)는 남북 협상에 해당한다. 1948년 2월에 유엔 소총회에서 남한만의 총선거 실시가 결정되자, 김구와 김규식 등은 남한만의 총선거 실시로 남북이 분단될 위기에 놓였다고 판단하고, 통일 정부 수립을 위한 남북한 정치 지도자 회담을 북측의 김일성 등에게 제안하였다. 그리하여 1948년 4월, 평양에서 남북한 주요 정당·사회단체 연석회의와 남북 지도자 회의가 개최되었다(남북 협상).

┃ 바로 알기 ┃ ① 1969년 닉슨 독트린의 영향으로 냉전 체제가 완화되었다. ② 미국의 국무 장관 애치슨은 1950년 태평양 방위선에서 한반도를 제외한다는 애치슨 선언을 발표하였다. ③ 1943년에 카이로 회담이 개최되어 한국의 독립 문제가 최초로 논의되었다. ⑤ 북한에서는 1948년 9월에 김일성을 초대 수상으로 하는 조선 민주주의 인민 공화국의 수립이 선포되었다.

완자 정리 노트　　남북 협상

전개	김구·김규식 등이 북측의 김일성 등에게 남북한 정치 지도자 회담 제안 → 1948년 4월에 평양에서 남북한 주요 정당·사회단체 연석회의와 남북 지도자 회의 개최 → 단독 정부 수립 반대, 미소 양군의 철수를 요구하는 결의문 채택
결과	미국과 소련이 남북 협상의 합의안을 수용하지 않음, 남북에서 각각 단독 정부 수립 절차 진행 → 남북 협상 중단

04 5·10 총선거의 실시

(가)는 1948년 5월 10일에 실시된 5·10 총선거이다. 5·10 총선거는 21세 이상 모든 국민에게 투표권을 부여하였고, 평등·직접·비밀 선거 원칙에 따라 치러진 우리나라 최초의 민주주의 선거였다. 그러나 김구, 김규식 등 남북 협상 참가 세력과 많은 중도계 인사가 단독 선거에 반대하며 선거에 참여하지 않았고, 좌익 세력은 선거 반대 투쟁을 벌였다.

바로 알기 ㄴ. 5·10 총선거 결과 임기 2년의 제헌 국회 의원 198명이 선출되었다. ㄹ. 1950년에 실시한 총선거 결과로 구성된 제2대 국회 의원들은 1952년에 발췌 개헌을 통과시켰다.

05 반민족 행위 특별 조사 위원회

> **자료 분석** ─── 이승만 정부는 반공을 명분으로 내세워 반민 특위의 활동에 비협조적인 태도를 보였어.
>
> 국회에서는 대통령이 친일파를 옹호한다고 말하며 민심을 선동하고 있다. …… 공산당이 취하는 방식이라고 말할 수 있을 것이다. …… 국회에서는 치안 혼란을 선동하고 있다. 즉 경찰을 체포하여 경찰의 동요를 일으킴은 치안의 혼란을 조장하는 것이다. …… 과거에 친일한 자를 한꺼번에 숙청하였으면 좋을 것인데 기나긴 군정 3년 동안에 못한 것을 지금에 와서 단행하면 앞으로 우리나라가 해 나갈 일에 여러 가지 지장이 많을 것이다.
>
> ─── 친일 경찰 노덕술이 체포되자 일부 경찰이 반민 특위 사무실을 습격하기도 하였지.

자료는 1949년 2월에 발표된 이승만 대통령의 담화문이다. 대한민국 정부 수립 후 제헌 국회는 1948년 9월에 반민족 행위 처벌법(반민법)을 제정하고 반민족 행위 특별 조사 위원회(반민 특위)와 특별 재판부를 설치하였다. 반민 특위는 1949년 1월부터 일제 강점기의 반민족 행위자를 조사하고 관련자를 기소하였다. 그러나 이승만 대통령이 좌익 반란 분자 색출 경험이 풍부한 경찰관을 마구 잡아들여서는 안 되다는 특별 담화를 발표하였고, 일부 경찰이 반민 특위 사무실을 습격하기도 하면서 반민 특위의 활동은 어려움을 겪었다. 결국 반민 특위는 큰 성과를 거두지 못하고 해체되었다.

바로 알기 ① 치안 유지법은 일제 강점기인 1925년에 제정되었다. ② 박정희 정부가 한일 국교 정상화를 추진하자 1964년의 6·3 시위를 비롯한 한일 회담 반대 집회가 확산되었다. ③ 동학 농민군은 1894년에 정부군과 전주 화약을 맺은 후 집강소를 설치해 폐정 개혁안을 실천해 나갔다. ⑤ 국채 보상 운동은 1907년에 전개되었다.

06 농지 개혁 실시의 결과

그래프는 농지 개혁 실시 전후 자·소작지 면적의 변화를 보여 준다. 그래프에서 (가) 시기에는 자작지 면적이 증가하고 소작지 면적이 감소하는 것을 확인할 수 있다. 남한의 농지 개혁은 정부가 지주의 소작지 및 농가 한 가구당 3정보를 초과하는 농지를 유상으로 매수하여 소작농들에게 유상으로 분배하는 방식을 원칙으로 하여 1950년부터 시행되었다. 그 결과 광복 무렵 전체 농지의 65% 정도를 차지하던 소작지가 1951년에는 8% 정도로 줄어들었고, 대부분의 소작농이 자작농이 되었다.

바로 알기 ② 6·25 전쟁 후 미국의 경제 원조로 삼백 산업이 발달하였다. ③ 남면북양 정책은 일제 강점기에 실시되었다. ④ 소작 쟁의는 지주와 소작인 사이에 벌어지는 투쟁으로 제시된 내용과 거리가 멀다. ⑤ 무상 몰수 방식은 북한의 토지 개혁과 관련이 있다.

07 6·25 전쟁의 전개

괴뢰군의 38전선에 걸친 불법 남침, 동족상잔의 비극 등의 내용을 통해 자료에서 밑줄 친 '전쟁'이 6·25 전쟁(1950. 6.~1953. 7.)임을 알 수 있다. 1950년 6월 25일, 북한군의 남침으로 6·25 전쟁이 발발하였다. 북한군은 3일 만에 서울을 점령하였고, 7월 말에는 낙동강 유역까지 진출하였다. 6·25 전쟁이 일어나자 미국을 비롯하여 16개국으로 구성된 유엔이 남한에 파견되었다. 낙동강을 사이에 두고 북한군과 치열하게 전투를 벌이던 국군과 유엔군은 1950년 9월, 인천 상륙 작전에 성공하여 전세를 역전하였다.

바로 알기 ① 브라운 각서는 베트남 전쟁 중인 1966년에 체결되었다. ② 국가 총동원법은 일제 강점기인 1938년에 제정되었다. ③ 트루먼 독트린은 1947년에 발표되었다. ⑤ 한미 상호 방위 조약은 정전 협정 조인 이후에 체결되었다(1953. 10.).

08 4·19 혁명의 결과

자료는 이승만 대통령이 1960년 4월 26일에 발표한 하야 성명서이다. 1960년에 3·15 부정 선거를 배경으로 하여 4·19 혁명이 일어났다. 결국 이승만은 국민의 요구를 받아들여 사퇴하고 미국으로 망명하였다.

바로 알기 ① 3·1 운동은 1919년, ③ 국민대표 회의 개최는 1923년, ④ 6·10 만세 운동은 1926년, ⑤ 5·18 민주화 운동은 1980년의 사실이다.

09 장면 정부의 활동

(가)는 장면 정부이다. 4·19 혁명 이후 내각 책임제와 양원제 국회 구성을 핵심으로 하는 헌법 개정이 이루어졌다. 새 헌법에 따라 실시된 총선거에서 민주당이 크게 승리하였고, 이후 국무총리에 장면이 당선되면서 장면 정부가 수립되었다(1960). 장면 정부는 지방 자치제를 실시하였고, 경제 개발 5개년 계획을 마련하였다.

바로 알기 ① 1979년에 10·26 사태로 박정희 대통령이 사망하면서 유신 체제가 붕괴되었다. ② 남한만의 단독 선거 반대와 통일 정부 수립 등을 내세우며 1948년에 제주 4·3 사건이 일어났다. 대한민국 정부 수립 이후에도 무장 세력의 저항은 지속되었고 이승만 정부는 이를 무력으로 진압하였다. ④ 이승만 정부는 1958년에 진보당 사건을 일으키고, 이듬해 조봉암을 처형하였다. ⑤ 박정희 정부는 베트남 파병을 통해 경제 개발 자금을 마련하였다.

10 5·16 군사 정변 세력의 활동

자료는 5·16 군사 정변 주도 세력이 내세운 '혁명 공약'이다. 1961년 박정희를 비롯한 일부 군인들이 5·16 군사 정변을 일으켰다. 군사 정변 세력은 '혁명 공약'을 발표하고 전국에 비상계엄을 선포하였다. 그리고 국가 재건 최고 회의를 만들어 군정을 실시하고 모든 정당과 사회단체를 해산하였으며, 지방 자치제를 중단하였다.

11 유신 체제 시기의 사실

밑줄 친 '이 헌법'은 유신 헌법이다. 박정희 정부는 7·4 남북 공동 성명 발표로 남북통일에 대한 국민의 관심이 높아지는 가운데 안보 위기와 평화 통일에 대비한다는 구실로 1972년에 10월 유신을 단행하였다. 비상계엄령을 선포하고 국회를 해산한 뒤, 비상 국무 회의에서 제정한 유신 헌법을 국민 투표로 확정하였다. 유신 체제에 대한 저항으로 1976년에 3·1 민주 구국 선언이 발표되었고, 1979년에 부마 민주 항쟁이 일어났다. 한편, 1964년부터 1973년까지 베트남 파병이 이루어졌고, 1978년에는 제2차 석유 파동이 발생하였다.

12 박정희 정부 시기의 경제 성장

사진은 박정희 정부 시기에 수출 100억 달러 달성(1977)을 기념하여 발행한 우표이다. 5·16 군사 정변을 통해 집권한 박정희 정부는 정권의 정당성을 확보하기 위해 경제 제일주의를 내세웠다. 1970년에 경부 고속 국도를 완공하였고, 제3차 경제 개발 5개년 계획(1972~1976)을 실시하여 중화학 공업을 적극 육성하였다.

13 5·18 민주화 운동의 배경

자료는 5·18 민주화 운동 당시에 발표된 광주 시민군의 궐기문(1980. 5. 25.)이다. 박정희 대통령이 사망한 10·26 사태 이후 전두환과 노태우 등 신군부 세력은 12·12 사태를 일으켜 군사권을 장악하였다. 신군부는 학생과 민주 인사들이 민주화 운동을 지속적으로 전개하자 1980년 5월 17일, 비상계엄을 전국으로 확대하였다. 이에 전라남도 광주에서는 5월 18일, 비상계엄 확대와 휴교령에 반대하는 시위가 일어났다. 신군부가 시위를 무력으로 진압하자, 이에 분노한 시민들이 무기로 무장하고 시민군을 조직하였다.

14 1980년대의 경제 상황

(가) 시기는 1982~1990년에 해당한다. 1980년대 한국 경제는 자동차, 가전제품, 기계, 철강 등 중화학 부문을 주력 산업으로 하여 연평균 성장률이 12%가 넘는 높은 성장을 이루었고, 반도체 산업 등 첨단 산업도 육성하였다. 이로 인해 1980년대 중반 이후 수출액이 300억 달러를 돌파하였다.

15 새마을 운동의 추진

(가)는 새마을 운동이다. 박정희 정부는 1960년대 이후 추진된 공업화 정책과 저곡가 정책으로 도시와 농촌의 소득 격차가 벌어지자 1970년부터 새마을 운동을 시작하였다. 새마을 운동은 주택 개량, 도로와 전기 시설 확충 등 농촌의 생활 환경 개선을 위해 노력하여 농어촌 근대화에 기여하였다. 그러나 도시로 빠져나가는 이농 인구가 늘어나고 실질적으로 농가 소득이 크게 향상되지 못하였으며, 박정희 정부의 유신 체제 유지에 이용되었다는 비판을 받기도 하였다.

16 1970년대 대중문화의 동향

자료의 「거짓말이야」, 「0시의 이별」은 1970년대 초반에 발표된 앨범이다. 1970년대 박정희 정부는 문화, 예술에 대한 검열과 통제를 강화하였다. 수많은 금서와 금지곡을 지정하였으며, 방송에서는 반공 의식을 고취하거나 정부 정책을 홍보하는 프로그램을 방영하도록 하였다. 당시 극장에서는 영화 관람 전에 정부 홍보용 '대한 뉴스'를 상영하였다. 1980년대 전두환 정부가 들어선 후에도 문화에 대한 통제는 여전하였고, 이는 1987년의 6월 민주 항쟁으로 정치적 민주화가 이루어지면서 서서히 풀리기 시작하였다.

17 6월 민주 항쟁과 전두환 정부

자료는 6월 민주 항쟁(1987) 때 발표된 6·10 국민 대회 선언문으로, 밑줄 친 '현 정권'은 전두환 정부이다. 전두환 정부는 해외여행 자유화, 야간 통행금지 해제, 프로 스포츠 육성 등의 유화 정책을 실시한 반면에, 안정적인 권력 기반을 다지기 위해 여러 언론사를 통폐합하고, 보도 지침 등을 통해 기사 내용을 검열·단속하는 등 사회 전반에 걸쳐 강압 정치를 펼쳤다.

18 금융 실명제의 실시

제시된 내용은 금융 실명제의 단행을 보여 준다. 금융 실명제는 탈세와 불법 자금 유통을 막기 위해서 금융 거래를 할 때 실제 거래자의 이름을 사용하도록 한 정책으로, 김영삼 정부가 1993년부터 실시하였다. 또한 김영삼 정부는 공직자 윤리법을 개정하여 고위 공무원의 재산 등록을 의무화하였으며, 지방 자치 단체장 선거를 실시하여 전면적인 지방 자치 시대를 열었다.

┃바로 알기┃ 8·15 광복은 1945년, 6·25 전쟁 발발은 1950년, 한일 협정 체결은 1965년, 7·4 남북 공동 성명 발표는 1972년, 제1차 남북 정상 회담 개최는 2000년, G20 서울 정상 회의 개최는 2010년의 일이다.

19 시민의 정치 참여 확대

사진은 2016년 촛불 집회가 열린 광화문 광장의 모습으로 시민의 정치 참여 확대와 관련이 있다. 시민들은 다양한 형태의 집회에 참여하여 정치적 의사를 표현하기도 하였는데, 2000년대 이후에는 '촛불 집회'라는 평화적 시위를 통해 사회의 다양한 사안에 의견을 표출하였다. 인터넷, 누리 소통망(SNS) 등의 대중화는 이러한 시민들의 정치 참여를 더욱 촉진하였다.

┃바로 알기┃ ① 박정희 정부가 1970년부터 시작한 새마을 운동은 농어촌의 근대화에 기여하였다. ② 박정희 정부는 기자 등록제인 프레스 카드제를 통해 정부에 대해 비판적인 기자의 활동을 제한하였다. ③ 1980년대 후반에 민주화가 진전되면서 국민연금 제도가 시행되고 국민 기초 생활 보장법이 제정되는 등 사회 보장 제도가 확충되었다. ④ 정부는 2001년에 국가 인권 위원회를 설치하여 사회적 약자와 소수자를 보호하고, 국가 공권력의 남용을 견제·감시하도록 하였다.

20 각 시기별 경제 정책

(가) 한국 경제는 1973년에 제1차 석유 파동으로 위기를 겪었으나 중동 건설 사업에서 외화를 벌어들여 극복하였다. (라) 한국은 1980년대 중후반에 3저 호황을 맞아 중화학 공업의 과잉 설비와 수출 부진을 해소하고 경제 위기를 극복하였다. (나) 한국은 1997년 말 김영삼 정부 때 외환 위기를 맞아 국제 통화 기금(IMF)에 구제 금융을 요청하여 긴급 자금을 지원받았다. (다) 한국은 2004년 칠레를 시작으로 여러 나라와 자유 무역 협정(FTA)을 맺어 무역 시장을 확대하였다.

완자 정리 노트   우리나라의 경제 발달

1950년대	미국의 경제 원조, 삼백 산업 발달
1960년대	제1·2차 경제 개발 5개년 계획 실시
1970년대	제3·4차 경제 개발 5개년 계획 실시, 수출 100억 달러 달성, 두 차례의 석유 파동을 겪음
1980년대	3저 호황으로 수출 증대
1990년대	경제 협력 개발 기구(OECD) 가입(1996), 1997년 말 외환 위기 발생
2000년대	외환 위기 극복, 한국·칠레 자유 무역 협정(FTA) 체결(2004), 한미 자유 무역 협정 체결(2007)

21 다문화 사회로의 진입

제시된 표를 보면 한국인과 외국인이 결혼하는 국제결혼의 비율이 꾸준하게 10% 내외의 비중을 차지해 오고 있음을 확인할 수 있다. 국제결혼 이주민, 외국인 근로자 등이 증가하면서 우리나라는 다문화 사회로 진입하고 있다. 이로 인해 우리 사회의 문화적 다양성이 더 높아질 것으로 예상된다.

┃바로 알기┃ ㄴ. 표에서 혼인 총 건수는 줄어드는 추세인 반면에 국제결혼을 하는 비율은 꾸준하게 나타나고 있어 다문화 가구의 수가 지속적으로 증가하고 있음을 알 수 있다. ㄹ. 우리는 다문화 사회에서 나타날 수 있는 갈등을 해소하고 여러 문화적 배경이 다른 사람들과 공존하기 위해 다른 문화를 이해하고 존중하는 자세를 기를 필요가 있다.

22 북한의 경제 개방 정책

자료는 1984년에 제정된 합영법(합작 회사 경영법)이다. 북한은 1970년대 이후 중공업 치중에 따른 소비재의 부진, 자립 경제 주장으로 인한 대외 교역의 한계 등으로 경제가 점차 어려워졌다. 이후 서구 선진국과의 수교, 차관 도입 등으로 위기를 벗어나고자 하였지만, 사회 기반 시설과 기술 부족 등으로 한계를 드러냈다. 경제난을 겪은 북한은 사회주의 경제 체제를 수정하여 부분적으로 개방 정책을 추진하였으며, 1984년에 합영법을 제정하여 외국 자본과의 합작 및 투자를 적극 추진하였다.

┃바로 알기┃ ① 천리마운동은 1956년부터 대중의 노동력 동원을 바탕으로 사회주의 경제를 건설하기 위해 실시되었다. ② 2011년에 김정은이 권력을 승계함으로써 북한은 3대 권력 세습 체제를 확립하였다. ③ 북한이 사회주의 계획 경제 체제를 수정하여 부분적으로 개방 정책을 추진하면서 합영법 제정, 나진·선봉 경제 무역 지대 설치 등이 이루어졌다. ④ 북한의 토지 개혁은 1946년에 실시되었다.

23 남북한의 통일을 위한 노력

(가)에는 남북 기본 합의서 채택(1991)과 제2차 남북 정상 회담 개최(2007) 사이에 일어난 사실이 들어가야 한다. 김대중 정부 시기인 2000년에 평양에서 분단 이후 최초로 남북 정상 회담이 열려 6·15 남북 공동 선언이 채택되었다.

┃바로 알기┃ ① 1972년 7·4 남북 공동 성명 발표에 따라 남북 조절 위원회가 설치되었다. ② 1946년에 여운형과 김규식 등이 좌우 합작 위원회를 구성하였다. ④ 전두환 정부 시기인 1985년에 남과 북에 떨어져 살았던 이산가족 상봉이 처음으로 이루어졌다. ⑤ 문재인 정부 시기인 2018년에 한반도의 평화와 번영, 통일을 위한 판문점 선언이 발표되었다.

24 일본의 독도 영유권 주장

일본의 독도 영유권 주장에 대해 연합국 최고 사령관 각서 제677호(1946), 샌프란시스코 강화 조약(1951), 이승만 정부의 평화선 선언(1952) 등을 통해 반박할 수 있다. 현재 독도에는 경상북도 지방 경찰청 독도 경비대가 파견되어 있으며, 민간인이 거주하고 있다.

┃바로 알기┃ ③은 일본과 중국 간의 센카쿠 열도(다오위다오) 분쟁에서 중국 측의 주장과 관련이 있다. 일본은 러일 전쟁 중인 1905년에 독도를 시마네현에 강제 편입하였다.

논술형 문제 풀이

주제 **01** 신라 삼국 통일의 의미

논술 SOLUTION

> (가)는 신라가 삼국 통일 과정에서 외세를 끌어들인 것과 영토의 축소를 가져온 점을 한계로 바라보고 있다.

⬇

> (나)의 첫 번째 자료는 신라의 삼국 통일로 삼국 간의 전쟁이 없어졌다고 평가하고 있다. 두 번째 자료는 매소성과 기벌포 싸움에서 신라가 당군을 몰아낸 것을 보여 준다.

> ●POINT● 신라가 이룬 삼국 통일이 한계와 의의를 모두 갖고 있음을 파악하고, 이를 바탕으로 각각의 주요 내용을 논술한다.

1. 예시답안 신라의 삼국 통일은 그 과정에서 외세인 당의 세력을 끌어들였으며, 옛 고구려 영토의 대부분을 상실하고 대동강 이남의 통일에 그쳤다는 한계를 보인다.

2. 예시답안 신라의 삼국 통일은 신라가 백제, 고구려 유민들과 힘을 합쳐 당을 몰아냈다는 점에서 자주적으로 평가할 수 있다. 또한 삼국을 통일함으로써 삼국 간의 대립이 사라져 하나의 민족이라는 의식이 싹터 새로운 민족 문화 발전의 토대가 마련되었다.

주제 **02** 건국 이야기와 천신 신앙

논술 SOLUTION

> (가)는 시조가 하늘로부터 내려온 기운에 의해 태어났다고 쓰인 부여의 건국 이야기이다.

⬇

> (나)는 고구려의 건국 이야기로, 부여의 주몽이 알에서 태어났고 활을 잘 쏘는 아이였으며 남하하여 고구려를 건국하였다는 내용이다.

> ●POINT● 두 건국 이야기에 공통적으로 담긴 사상이 당시 지배층의 권력에 끼친 영향을 중심으로 사회적 역할을 논술한다.

1. 예시답안 두 건국 이야기에 등장하는 부여의 시조 동명과 고구려의 시조 주몽은 모두 하늘의 기운을 받아 태어났고, 활을 잘 쏘아 죽음의 위협을 받았다.

2. 예시답안 부여와 고구려의 건국 이야기에는 천신 신앙이 담겨 있다. 국가가 성장하면서 통치자와 지배 집단은 천신 신앙을 기반으로 시조가 신성한 존재임을 드러내 건국의 정당성을 밝히고, 천신과 시조에게 제사 지내며 왕권을 강화하였다.

주제 **03** 고구려의 독자적 천하관

논술 SOLUTION

> (가)에는 왕의 칭호, 연호 사용, 고구려가 인식한 백제·신라와의 관계 등이 나타나 있다.

⬇

> (가), (나)에는 모두 고구려 시조인 추모왕이 천신의 자손이었다는 점이 드러나 있다.

> ●POINT● 시조를 하늘의 자손으로 보고, 스스로를 황제국으로 여긴 점을 참고하여 고구려들이 가진 천하관을 논술한다.

예시답안 (가), (나)에는 고구려 시조인 추모왕이 천신의 후손이며, 광개토 대왕이 그 혈통을 이어받았다고 기록되어 있어 고구려가 스스로를 천손 국가로 보았음을 알 수 있다. 또한 고구려와 백제, 신라의 관계를 상하 관계로 기록하여 백제와 신라를 복속국처럼 여겼다. 광개토 대왕은 '영락'과 같은 중국과 다른 독자적인 연호를 사용하였고, 왕의 칭호도 중국 황제와 같다는 의미를 담아 '태왕', '대왕'이라고 불렀다. 이를 통해 고구려가 천손 의식을 바탕으로 스스로를 천하의 중심으로 인식하였다는 것을 알 수 있다.

주제 **04** 고려의 대외 관계

논술 SOLUTION

> (가)는 12세기 초 윤관이 별무반을 이끌고 여진을 정벌하여 동북 지역에 9성을 설치하자, 여진이 동북 9성의 반환을 요구하는 내용이다.

⬇

> (나)는 세력이 강성해진 여진이 금을 세우고 요를 멸망시킨 후 고려에 사신을 보내 형제 관계를 맺을 것을 요구하는 내용이다.

⬇

> (다)는 금의 사대 요구에 대부분의 신하들이 반대하였으나, 이자겸과 척준경은 금의 사대 요구를 수용하자고 주장하였음을 보여 준다.

●**POINT**● 여진(금)의 세력 변화를 이해하고, 당시 집권자인 이자겸 일파가 금의 사대 요구를 수용한 이유와 그 영향을 논술한다.

1. 예시 답안 고려에 간청하여 동북 9성을 돌려받은 여진은 얼마 지나지 않아 급격히 성장하여 금을 건국하고 거란을 멸망시켰다. 이렇게 세력이 강성해지자 금은 고려에 사신을 보내 형제 관계를 맺을 것을 요구하였다.

2. 예시 답안 금의 사대 요구 당시 실권을 장악한 이자겸과 척준경은 금과의 무력 충돌을 피하고 자신들의 정권을 유지하기 위해 금의 세력을 인정하고 금의 사대 요구를 수용하자고 주장하였다. 이로써 금과의 전쟁을 피할 수 있었지만, 금의 군신 관계 요구 수용에 반대한 이들은 문벌 세력에 불만을 품게 되었다.

논술 SOLUTION

(가)는 청을 정벌하여 오랑캐에게 당한 치욕을 씻고 명에 대한 의리를 지키자는 주장이다.

(나)는 청의 앞선 문물을 적극 수용하여 국력을 키우자는 주장이다.

●**POINT**● 북벌론이 제기될 당시 조선의 대외 정책을 파악하고, 북벌론과 북학론 중 하나의 입장을 정해 상대방의 주장을 비판하는 글을 논술한다.

1. 예시 답안 조선은 병자호란에서 패하여 청과 사대 관계를 맺고 평화를 유지하였다. 하지만 내부적으로는 청과 굴욕적인 강화를 맺은 데 큰 충격을 받았다. 그리하여 청에 당한 치욕을 씻고 명에 대한 의리를 지키자는 북벌 운동을 추진하였다.

2. 예시 답안 [(가)를 지지하는 입장] 조선은 임진왜란 당시 명의 원군으로 일본군을 격파할 수 있었다. 따라서 명의 은혜로 조선이 보존되었다고 할 수 있는데, 그러한 은혜를 갚지는 못할지언정 명을 멸망시킨 오랑캐의 문물을 수용할 수는 없다. 아무리 청의 문물이 뛰어나더라도 우리는 청을 정벌하여 치욕을 씻고 명에 대한 의리를 지켜야 한다.

[(나)를 지지하는 입장] 청이 중국을 다스린 지가 1백 년이나 지났으니 청의 문화를 오랑캐의 문화로 치부할 수 없고, 청에 다녀온 사신들이 소개한 청의 문물은 매우 뛰어나다. 따라서 청을 무조건 배척할 것이 아니라 앞선 문물을 적극 수용해 국가 발전을 이루어야 하며, 그 이후에 명에 대한 은혜를 갚는 방안을 생각하는 것이 바람직하다.

논술 SOLUTION

(가)는 모내기를 하면 좋은 점을 알려 준다.

(나)는 농민이 부농층과 빈농층으로 분화되었음을 보여 준다.

(다)는 은이 나는 곳에 은점을 설치하면, 땅이 없어 농사를 짓지 못하는 백성이 은점에서 일할 수 있고 정부에 세금을 내기도 하니 유익하다는 주장이다.

●**POINT**● 조선 후기 경제가 서로 영향을 주고받으면서 발달하였고, 상품 화폐 경제의 발달이 신분제의 변화에도 영향을 주었음을 고려하여 논술한다.

1. 예시 답안 조선 후기에 논농사에서 모내기법이 확산되었다. 모내기법은 잡초를 제거하는 데 드는 노동력을 절약해 주고 단위 면적당 생산량을 늘려 주어 농지를 확대하는 광작이 가능해졌다. 광작으로 일부 농민은 부농이 된 반면, 많은 농민은 소작지마저 얻지 못해 임노동자로 전락하였다.

2. 예시 답안 도시 인구 증가와 대동법 실시로 제품 수요가 늘어나자 수공업 생산이 촉진되었다. 이에 따라 제품을 시장에 판매하고 세금을 납부하는 민영 수공업자가 늘어났다. 민영 수공업이 발달하자 그 원료인 광물의 수요도 커졌다. 본래 정부는 민간의 광산 개발을 금지하고 백성을 동원하여 광물을 채굴하였으나, 점차 백성을 동원하기 어려워지면서 17세기 이후 세금을 받고 민간 업자에게 채굴을 허용하였다.

논술 SOLUTION

(가)는 흥선 대원군이 양반에게도 군포를 내도록 한 호포제에 대한 내용이다.

(나)는 흥선 대원군이 민간에서 곡식을 저장해 두었다가 대여해 주도록 하는 사창제를 실시하였다는 내용이다.

●**POINT**● 호포제와 사창제가 수취 체제를 개편한 것임을 파악하여 두 제도의 공통적인 실시 목적을 논술한다.

1. 예시 답안 양반에게도 군포를 부담하게 하는 호포제를 실시하면서 군포 면제층이 크게 감소하여 국가 재정이 확충되었다.

2. 예시 답안 흥선 대원군은 군정의 폐단을 바로잡기 위해서 호포제를 실시하여 양반 호에도 군포를 부과하였다. 또한 수령이나 향리가 중간에서 환곡을 착복하는 것을 막기 위해 환곡 운영을 민간에 맡기는 사창제를 실시하였다. 흥선 대원군은 삼정의 문란을 바로잡아 민생을 안정시키고 국가 재정을 늘리려 하였다.

주제 08 갑신정변의 의의와 한계

논술 SOLUTION

(가)는 개화당 세력이 청과의 종속 관계를 청산하기 위해 갑신정변을 일으킨 것이라는 의견이다.

(나)의 두 자료는 갑신정변이 외세에 의존하였고 민중의 지지를 받지 못하였기 때문에 실패하였다는 내용을 담고 있다.

●POINT● 갑신정변을 일으킨 개화당 세력이 발표한 14개조 정강의 내용과 갑신정변의 전개를 바탕으로, 갑신정변의 의의와 실패 이유를 논술한다.

1. 예시 답안 갑신정변은 청과의 종속 관계를 청산하기 위해 일으킨 정변이었다. 14개조 정강의 제1조에서도 청과의 종속 관계를 청산하여 자주독립을 확고히 하려는 의도를 분명히 하였다.

2. 예시 답안 갑신정변이 일어나자 청군이 신속하게 군사 개입을 하였으며, 지원을 약속한 일본군은 결정적인 순간에 배신하고 철수하였다. 한편, 개화당이 일본의 지원을 받고 있었기 때문에 대다수 민중은 갑신정변의 주역들을 매국노라고 인식하기도 하였다. 이렇게 갑신정변은 민중의 이해를 받지 못하고 외세에 의존하였기 때문에 실패할 수밖에 없었다.

주제 09 동학 농민 운동의 성격과 의의

논술 SOLUTION

(가)는 동학 농민군이 집강소를 설치하고 추진한 폐정 개혁안의 일부 내용이다.

(나)는 동학 농민 운동을 주도한 전봉준의 심문 기록으로, 동학 농민 운동의 성격이 드러나 있다.

●POINT● 폐정 개혁안에 담긴 내용을 통해 동학 농민군의 지향점을 파악하고, 전봉준의 심문 기록에서 동학 농민군이 봉기한 두 가지 이유를 찾아본다.

1. 예시 답안 동학 농민군은 신분이나 성별에 따른 차별을 극복하고자 하였으며, 탐관오리와 부패한 양반을 징벌하고 부당한 세금을 폐지하고자 하였다. 또한 외국 상인들이 한성에 진출하여 상업 활동을 하지 못하게 할 것을 요구하였다.

2. 예시 답안 동학 농민 운동은 농민 스스로 양반 중심의 신분 질서를 개혁하고 봉건적 억압과 착취를 극복하려는 반봉건적 성격의 운동이었다. 이와 함께 외세의 침략을 물리쳐 나라를 지키려 한 반침략적 성격을 지니고 있었다. 동학 농민 운동의 개혁 요구는 일정 부분 갑오개혁에 반영되었으며, 반침략적 성격은 항일 의병 투쟁으로 이어졌다.

주제 10 항일 의병 운동의 전개

논술 SOLUTION

(가)는 단발령과 일본의 명성 황후 시해에 반발하여 을미의병을 일으킨 유인석의 격문이다.

(나)는 일본과의 을사늑약 체결에 반발하여 을사의병을 일으킨 최익현의 격문이다.

(다)는 의병 항쟁의 폭력성을 비판하면서 실력을 먼저 양성해야 한다는 애국 계몽 운동가들의 주장이다.

●POINT● 을미의병과 을사의병의 공통점을 파악하여 서술하고, 의병의 입장에서 실력 양성을 내세워 의병 운동을 비판하는 주장에 반박하는 글을 논술한다.

1. 예시 답안 을미의병과 을사의병은 을미사변과 을사늑약 체결이라는 일본의 침략 행위에 저항하여 일어났으며, 유생층을 중심으로 전개되었다.

2. 예시 답안 일제의 침략 행위에 대해 저항하지 않고, 실력을 기르기 위해 노력하는 사이에 침략 행위를 막을 수 있는 때를 놓치게 된다. 또한 실력 양성으로는 일제를 뛰어넘어 그들의 침략 행위를 저지할 수 없다. 일제가 한국을 식민지로 삼는 데 가장 큰 걸림돌이 의병 활동이라고 생각하여 의병을 소탕하는 작전을 펼친 것도 의병 활동이 일제에 타격을 줄 수 있는 가장 효과적인 방법이라는 증거이다.

주제 11 독도 영유권 문제

SOLUTION

> (가)는 울릉도를 울도군으로 승격하고, 독도를 울도군의 행정 구역으로 편입한 「대한 제국 칙령 제41호」의 내용이다.

⬇

> (나)는 각각 한국과 일본에서 제작된 지도로, 모두 독도가 우리나라의 영토임을 보여 준다.

⬇

> (다)는 일본이 독도를 자국 영토로 불법 편입한 「시마네현 고시 제40호」이다.

> ●POINT● 「대한 제국 칙령 제41호」와 우리나라 및 일본에서 제작된 지도의 내용을 기반으로 「시마네현 고시 제40호」의 불법성을 비판하는 글을 논술한다.

1. 예시 답안 대한 제국은 1900년에 울릉도를 군으로 승격시켜 독도를 관할하도록 명기한 「대한 제국 칙령 제41호」를 제정하고, 이를 국가 공식 기관인 「관보」에 게재하여 대내외적으로 독도가 우리 영토임을 명백하게 밝혔다.

2. 예시 답안 한국이 예부터 독도를 자국의 영토로 인식하고 있었다는 사실은 「세종실록지리지」, 「신증동국여지승람」 등을 통해서 알 수 있다. 또한 일본이 제작한 「삼국접양지도」에 독도가 조선의 영토로 표시되었고, 메이지 정부가 태정관 지령에서 독도를 조선의 영토라고 결론을 내린 사실 등을 통해 일본도 독도를 한국의 영토로 인식하고 있었음을 알 수 있다. 그러므로 일본이 '무주지 선점'을 주장하며 「시마네현 고시 제40호」를 통해 독도를 일본의 영토라고 선언한 것은 불법적인 영토 침탈 행위이다.

주제 12 일제의 경제 수탈

SOLUTION

> (가)는 일제가 산미 증식 계획을 실시해야 하는 이유를 쓴 글이다.

⬇

> (나)는 산미 증식 계획의 실시가 한국에 끼친 영향을 보여 준다.

> ●POINT● 일제가 산미 증식 계획을 실시한 목적과 이 계획이 한국의 경제 상황에 끼친 영향을 바탕으로 일제의 정책이 경제를 수탈하는 것에 불과하였음을 주장하는 글을 논술한다.

1. 예시 답안 일본에서는 공업화 과정에서 도시 인구가 증가하여 쌀의 수요가 급증하였으나, 농업 생산력이 이에 미치지 못하여 식량이 부족해졌다. 일제는 이러한 본국의 부족한 식량을 한국에서 확보할 목적으로 산미 증식 계획을 실시하였다.

2. 예시 답안 산미 증식 계획으로 쌀 생산량이 늘어났지만 증산량보다 더 많은 쌀이 일본으로 빠져나가면서 국내의 식량 사정은 더욱 악화되어 만주에서 잡곡을 들여와 부족한 식량을 메우는 상황을 초래하였다. 또한 한국의 농민들은 산미 증식 계획에 필요한 수리 시설 개선 비용, 종자 개량 비용 등을 떠맡게 되어 생활이 어려워졌다. 그리하여 일부 자작농과 자·소작농은 소작농으로 전락하였으며 경작할 땅을 잃은 농민은 화전민, 도시 빈민이 되거나 국외로 떠나야 하였다. 이러한 산미 증식 계획은 우리 민족을 수탈한 것으로 국내 자본주의 발전에 도움을 주었다기보다는 오히려 우리 경제의 발전을 막았다고 할 수 있다.

주제 13 자치 운동의 대두

SOLUTION

> (가)는 일본의 지배하에서 참정권, 자치권을 확보하자는 이광수의 주장이다.

⬇

> (나)는 폭력을 통한 민중의 직접 혁명을 강조한 신채호의 주장이다.

> ●POINT● 자치 운동이 추진된 배경과 당시의 정치적 상황을 파악하고, 폭력을 통한 민중의 혁명을 강조하는 입장에서 자치 운동이 갖는 한계점을 논술한다.

1. 예시 답안 물산 장려 운동과 민립 대학 설립 운동 등 실력 양성 운동이 큰 성과를 거두지 못하는 상황에서 일부 민족주의 계열의 지식인, 지주, 자본가들은 일제의 식민 지배를 인정하고 그 아래에서 정치적 실력을 키워야 한다고 주장하였다. 이광수, 최린, 김성수 등은 일제의 이른바 '문화 통치'에 기대를 걸면서 조선 총독부 아래에 자치 정부나 자치 의회를 만들게 해 달라는 자치 운동을 전개하였다.

2. 예시 답안 우리나라의 독립은 폭력을 통한 민중의 직접 혁명으로 일본을 내쫓는 방법을 통해서만 가능하다. 외교론, 준비론 등도 모두 헛된 꿈일 뿐이다. 일부 민족주의 계열 인사들이 일제와 타협하여 한국인의 정치적인 권리를 얻자고 주장하는 자치 운동은 아무런 성과를 내지 못하고 민족주의 세력의 분열만을 초래할 것이다. 또한 이것은 결국 일제의 민족 분열 정책에 이용당하는 것이라고 할 수 있다.

SOLUTION

> (가)는 조소앙의 삼균주의에 기초한 대한민국 임시 정부의 건국 강령 내용이다.

↓

> (나)는 중국 화북 지방에서 조선 의용대와 한인 사회주의자들을 중심으로 결성된 조선 독립 동맹의 건국 강령 내용이다.

↓

> (다)는 여운형을 중심으로 국내의 민족 지도자들이 결성한 조선 건국 동맹의 건국 강령 내용이다.

> ●**POINT**● 각 독립운동 단체들이 건국 강령에 담은 목표를 파악하고, 공통적으로 민주주의를 지향하였음에 주목하여 논술한다.

예시 답안 대한민국 임시 정부의 건국 강령은 민주 공화정의 수립, 무상 교육 실시, 보통 선거 실시, 토지와 주요 산업의 국유화 등의 내용을 담았다. 조선 독립 동맹의 건국 강령은 일본 제국주의 타도, 보통 선거에 의한 민주 공화국 수립, 토지 분배, 의무 교육 실시 등을 주요 내용으로 하였다. 조선 건국 동맹은 일제를 몰아내고 민주주의 원칙에 의한 국가를 건설하여 노농 대중을 해방하겠다는 건국 강령을 발표하였다. 세 단체의 건국 강령은 공통적으로 민주주의 원칙에 바탕을 둔 국가 수립을 표방하였다.

 SOLUTION

> (가)는 미 군정이 기존의 친일 관료들을 그대로 기용하겠다고 발표한 내용이다.

↓

> (나)는 반민 특위 의원들이 습격을 받은 사실을 보여 준다.

↓

> (다)는 프랑스가 나치 독일에 협력한 비시 정부에 대해 엄한 처벌을 하였음을 알려 준다.

> ●**POINT**● 프랑스가 어떤 명분으로 나치 협력자를 처벌하였는지 살펴보고, 이를 우리나라의 상황에 적용하여 오늘날에도 친일파 청산이 필요한 이유를 논술한다.

1. 예시 답안 광복 이후 미 군정은 질서 유지의 명분으로 일제에 협력한 관료, 경찰 등을 그대로 기용하였다. 이후 제헌 국회가 반민족 행위 처벌법을 제정하고 반민족 행위 특별 조사 위원회(반민 특위)를 구성하였으나, 이승만 정부는 반공을 앞세워 친일파 청산에 비협조적인 태도를 취하였고, 반민 특위의 활동을 방해하였다. 반민 특위 소속 국회 의원들이 공산당과 내통하였다는 구실로 구속되었고 경찰이 반민 특위를 습격하는 사건도 발생하였다. 결국 반민 특위는 그 역할을 다하지 못한 채 해체되어 친일파 청산 과제가 뒤로 미루어졌다.

2. 예시 답안 우리나라는 해방 이후에 친일파 청산이 제대로 되지 않으면서 역사에서 잘못된 교훈을 후손들에게 전달하고 있다. 반민족 행위를 저지르고도 처벌을 받지 않는다면 향후 이와 비슷한 상황이 도래하였을 때에 다시 개인의 이익을 추구하는 반민족 행위자가 생겨날 것이다. 프랑스와 같이 국가가 애국적 국민에게 상을 주고, 반민족 행위자에게 벌을 주어야만 보다 공정하고 정의로운 사회가 만들어질 수 있다.

 SOLUTION

> (가)는 한일 기본 조약의 부속 협정 중 하나로, 일본이 우리나라에 5억 달러를 제공하고, 양측 간의 청구권 문제가 최종적으로 해결되었다는 내용을 담고 있다.

↓

> (나)는 한국 대법원이 일제의 식민지 지배로 인한 피해자들의 개인 청구권은 여전히 남아 있으므로 일본 기업이 강제 징용 피해자들에게 배상해야 한다고 판결하였다는 내용이다.

> ●**POINT**● 한일 협정이 체결된 배경을 여러 입장에서 살펴보고, 대법원 판결의 핵심 내용이 개인 청구권 문제임에 주목하여 논술한다.

1. 예시 답안 한국은 일본과의 수교를 통해 경제 개발 자금을 확보하고자 하였다. 미국은 동아시아 지역에서 사회주의 진영에 대항하여 한국·미국·일본의 3각 안보 체제를 강화하기 위해 한일 국교 정상화를 적극 지지하였다.

2. 예시 답안 일본 정부는 한일 협정을 통해 한국 정부에 무상으로 3억 달러와 차관으로 2억 달러를 제공하였기 때문에 국가와 개인 간의 청구권 문제가 최종적으로 해결되었다고 주장하고 있다. 반면, 한국 정부는 한일 협정으로 국가 간의 배상 문제가 해결되었더라도 개인 청구권 문제는 여전히 남아 있다고 판단하였다. 따라서 일본 기업이 일제의 식민 지배 시기 강제 징용 피해자들에 대해 배상을 해야 한다고 주장하고 있다.

주제 17 ꞏ 5ꞏ18 민주화 운동

논술 SOLUTION

(가)는 광주 시민들이 정부의 계엄 확대 시행과 무력 진압에 맞서 무기를 들고 일어났다고 설명한 글이다.

↓

(나)에서는 5ꞏ18 민주화 운동이 간첩과 관계되어 일어난 폭동이라고 보고 있다.

●POINT● 5ꞏ18 민주화 운동을 벌인 학생과 시민들이 무장한 이유를 파악하고, 광주 시민들이 스스로 인권과 민주주의를 지키기 위해 5ꞏ18 민주화 운동을 전개하였다는 사실을 논술한다.

예시 답안 1980년 5월 18일 전라남도 광주에서 신군부의 비상계엄 확대와 휴교령에 반대하는 시위가 일어나자 신군부는 공수 부대원을 투입하여 시위를 벌이던 전남대 학생들을 무자비하게 진압하였고, 21일에는 전라남도 도청 앞에 모인 시민들을 향해 총격을 가하여 수십 명의 사상자가 발생하기도 하였다. 결국 시민들은 계엄군에 맞서 생존권을 보호하고자 자발적으로 경찰서, 예비군 무기고 등에 있는 무기를 확보하여 시민군을 조직하였다. 이처럼 5ꞏ18 민주화 운동은 민주주의를 지키기 위해 혹은 자신과 가족의 생명을 지키기 위해 광주 시민들이 스스로 저항한 민주화 운동이었다. 따라서 5ꞏ18 민주화 운동이 간첩들의 선동으로 일어났다는 주장은 근거가 없고, 5ꞏ18 민주화 운동의 정신을 제대로 바라보지 못하는 관점이다.

주제 18 ꞏ 경제 성장의 빛과 그림자

논술 SOLUTION

(가)의 첫 번째 자료는 풍부한 인적 자원을 활용하여 노동 집약적 산업을 발전시키자는 내용이고, 두 번째 자료는 중화학 공업을 집중적으로 육성하자는 내용이다.

↓

(나)는 함평 고구마 피해 보상 운동, (다)는 노동자 전태일이 쓴 탄원서로, 두 글은 각각 생존권 보장을 요구하는 농민 운동과 노동 운동이 일어났음을 보여 준다.

●POINT● 1960년대와 1970년대의 경제 정책을 비교하여 서술하고, 경제 성장 과정에서 농민과 노동자들의 삶이 어려워졌음을 파악하여 경제 성장의 문제점을 논술한다.

1. 예시 답안 1960년대에는 자본이 부족한 상황에서 섬유, 가발, 신발 등 노동 집약적 경공업을 육성하였고, 1970년대에는 이윤이 보다 많이 남는 철강, 조선, 기계 등의 중화학 공업을 집중적으로 육성하였다.

2. 예시 답안 박정희 정부는 성장 중심의 정책을 펼쳤다. 그 결과 한국의 경제는 높은 경제 성장률을 지속하면서 '한강의 기적'이라고 일컬어질 정도의 고도성장을 이룩하였다. 그러나 박정희 정부는 상품의 수출 경쟁력을 높이기 위해 저임금ꞏ저곡가 정책을 추진하였다. 즉 수출 상품의 가격을 낮추기 위해 노동자들의 임금은 낮게 유지하고 노동자의 생계비에 부담을 주는 곡물 가격은 정부가 통제한 것이다. 결국 경제 성장을 통해 국가와 기업은 이전보다 부유해졌으나, 농민과 노동자의 경제적 어려움은 더욱 커졌다.

주제 19 ꞏ 현대 사회의 과제

논술 SOLUTION

(가)의 그래프는 소득 상위 20%와 하위 20% 사이의 격차를 나타낸 것이다. 두 그래프에 있는 통계치 모두 상위 20%와 하위 20% 사이의 격차가 커지고 있음을 확인할 수 있다.

↓

(나)는 사회적 양극화를 해소하기 위해서는 소득 분배 정책을 실시하고 재벌을 규제해야 한다는 입장이고, (다)는 급격한 최저 임금 인상보다는 기업과 소상공인의 경제 활동을 지원해야 한다는 주장이다.

●POINT● 소득과 교육비의 격차가 커지는 현상이 어떤 변화를 가져올지 예측해 보고, 양극화 문제에 대한 해결 방안을 소득 재분배와 기업 활동 지원의 측면에서 논술한다.

1. 예시 답안 오늘날 한국은 사회적 양극화가 심화되고 있다. 소득 상위 20%와 하위 20%의 격차는 날이 갈수록 확대되고 있고, 교육비 지출의 격차도 크게 벌어져 실질적 교육 기회의 불평등 문제가 나타나고 있다. 교육 기회의 불평등은 부모의 사회적ꞏ경제적 지위가 자녀에게 대물림하는 양상으로 이어져 점차 계층이 고착화되고 있다.

2. 예시 답안 사회적 양극화가 심화되는 문제점을 해결하기 위해서는 소득 재분배 정책을 적극적으로 실시해야 한다. 사회 취약 계층에 대해 경제적 지원을 강화하고 노동자들의 최저 임금을 올리거나 소득 상위 계층에게 더 많은 세금을 부과하는 누진세를 확대하는 것도 하나의 방안이 될 수 있다. 동시에 창의적 아이디어만 있다면 소규모 자본으로도 언제든지 창업을 할 수 있게 벤처 기업에 대한 지원을 확대하여 계층 간 이동이 원활해지도록 적극적인 정책을 펼쳐야 한다.

완자 시·리·즈   친절한 개념설명으로 완벽한 자율학습이 가능하여 공부의 자신감을 갖게 합니다.

대표전화 1544-0554
주소 서울특별시 구로구 디지털로33길 48 대륭포스트타워 7차 20층
협의 없는 무단 복제는 법으로 금지되어 있습니다.